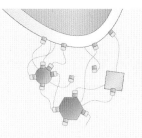
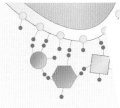

Dental Biochemistry for the dental hygienist

Third Edition

치과위생사를 위한

치과
생화학

박광균, 김기림, 김재근, 김현대
김현정, 나희자, 박영민, 손승화
안 훈, 정원윤, 황영선 지음

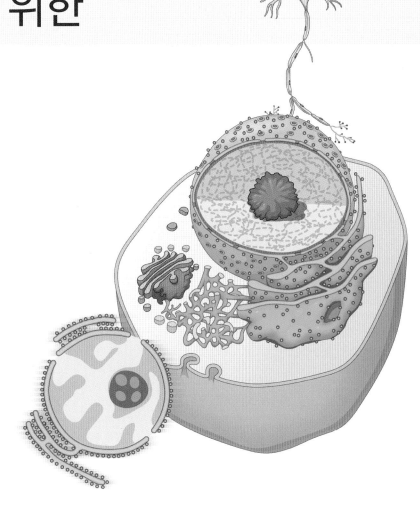

군자출판사

치과위생사를 위한 치과생화학^{3rd ed.}

첫째판 1쇄 발행 | 2001년 9월 3일
첫째판 2쇄 발행 | 2005년 7월 30일
둘째판 1쇄 발행 | 2007년 2월 10일
둘째판 2쇄 발행 | 2011년 3월 10일
셋째판 1쇄 발행 | 2014년 3월 10일

지 은 이 박광균, 김기림, 김재근, 김현대, 김현정, 나희자, 박영민, 손승화, 안훈, 정원윤, 황영선
발 행 인 장주연
출 판 기 획 이윤희
편집디자인 오선아
표지디자인 전선아
일 러 스 트 한송이

발 행 처 군자출판사
　　　　　등록 제 4-139호(1991. 6. 24)
　　　　　본사 (110-717) 서울특별시 종로구 창경궁로 117(인의동) 동원회관 BD 6층
　　　　　전화 (02) 762-9194/5　　　팩스 (02) 764-0209
　　　　　홈페이지 | www.koonja.co.kr

ISBN 978-89-6278-865-5

정가 40,000원

집필진 (가나다 순)

Dental Biochemistry for the Dental Hygienist

대표저자 박광균	연세대학교 치과대학 생화학–분자생물학과
김기림	경북대학교치과대학 치위생학과
김재근	고구려대학교 치위생과
김현대	동부산대학교 치위생과
김현정	연세대학교치과대학 생화학–분자생물학과
나희자	호남대학교 치위생학과
박영민	여주대학교 치위생과
손승화	강동대학교 치위생과
안 훈	초당대학교 치위생학과
정원윤	연세대학교치과대학 생화학–분자생물학과
황영선	을지대학교 치위생학과

머리말

Dental Biochemistry for the Dental Hygienist

최근 생명에 관한 학문이 눈에 띠게 발전하고 있어 우리들은 그에 관한 많은 지식과 정보의 바다에 살고 있다. 그러나 많은 사람들이 이들 정보를 완전히 이해하였다고 볼 수는 없으며, 정확하지 못한 지식과 정보에 휩싸여 올바른 판단을 하지 못하고 있다.

생화학이란 생명현상을 화학적으로 해명하고자 하는 학문으로 생명현상을 접하는 모든 사람이 알아야 되는 것으로 특히, 사람의 건강을 다루는 사람에겐 필수학문이기도 하다.

구강에 관한 건강을 다루는 모든 치과의사 및 치과위생사도 생명을 다루고 있어 생화학은 필수학문이다.

생명현상에 대하여 모두 다룬다는 것은 너무나 광범위하여 여기에서는 치의학 관련 과목을 배우고 이해하는데 기본적으로 알아야하는 일반 생화학을 전반부에 다루었으며, 치의학과 연관이 되는 구강생화학을 후반에 다루었다.

이번 개정판은 치아우식증, 대체감미료, 암의 발생기전과 예방에 관한 내용을 포함 최신의 자료로 대폭 보완하였다. 특히 낯선 영문이 등장하면 학생들이 공부할 때 당황하기 때문에 우리말표기와 영문표기를 병기하는 것을 원칙으로 치과위생사에게 필요한 화학구조와 표를 광범위하게 사용하였다. 이 책의 특징과 수준이 치과위생사 학생들에게 생화학을 강의하는데 있어서 귀중한 수단이 되었으면 한다.

생화학 전 분야에 걸쳐 최신의 내용으로 담고자 어느 책 보다도 오랜 시간 준비하였다. 이번 교과서에도 새 옷을 입을 수 있게 분주히 애써주신 집필진 분들과 많은 시간을 할애하여 출간에 애써주신 군자출판사 장주연 대표님과 이윤희 차장님을 비롯한 군자 가족들께 감사드립니다.

2014. 2
저자대표 박광균

목차

Dental Biochemistry **for the Dental Hygienist**

목차

목차

Chapter 06

치아 및 치주조직의 생화학

Chapter 07

경조직의 무기성분

Chapter 08

경조직의 유기성분

목차

Dental Biochemistry **for the Dental Hygienist**

목차

Chapter 14

치주질환의 발병기전

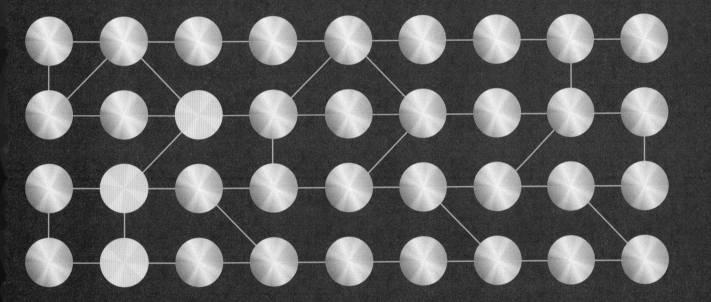

01

Chapter

생명활동과 생화학

생명의 정의는 여러 가지가 있다. 살아있다는 것, 즉 생명은 신비한 영기가 작용하여 발현된 것이라던가, 생기력(vital force)이 작용하여 자연과 물질을 활성화 시켰다는 비물질적 원리가 생명에 대한 원천이라는 생기론(vitalism)이 제창되기도 하였다. 그러나 이러한 이론들은 일반인이 생명에 대하여 신비주의적 생각을 갖도록 하였을 뿐이다. 이에 비하여 생명현상이 무기물계를 지배하는 물리·화학적 법칙에 기초를 둔다는 기계론적 생명관(mechanicism)은 진화론과 세포설에 의하여 지지를 받았다. 20세기에 이들 진화론과 세포설을 아우르는 이른 바 전체론(holism)이나 생체론(organicism) 등이 대두되었다. 1953년 제임스 왓슨(Watson JD)과 프란시스 크릭(Crick FHC)에 의해 디옥시리보핵산(deoxyribonucleic acid, DNA)의 분자구조가 밝혀지고, 이 후 유전정보에 대해 이해하게 됨으로써 유전의 본질은 물론 생명에 대한 신비를 과학적으로 이해할 수 있게 되었다.

생명을 무엇이라 정의할 것인가? 생리학적 정의는 생리작용을 하는 것을 생명체라 규정한다. 즉, 먹고 배설하고 호흡하고 신진대사를 하며, 성장하고 움직이고 생식작용을 하며 외부 자극에 대해 일정한 반응을 나타내는 것 등을 말한다. 이에 비해 생화학적 및 대사적 정의는 이러한 특징들 가운데 생명의 신진대사가 가장 본질적인 것으로 생명체는 일정한 경계를 지니고 있고, 일정 기간 안에 그 내적 성격에는 큰 변화를 가져오지 않으면서 외부와는 끊임없이 물질의 교환을 수행해 나가는 존재라고 규정한다. 생명에 대한 유전학적 정의는 생명의 본질적 특성이 한 개체가 자신과 닮은 또 하나의 개체를 만들어내는 생식작용을 하는 존재로 규정하려는 입장이다. 또한 전통적 생물학의 개념을 사용하지 않는 또 하나의 정의로 생화학적 정의가 지닌 약점을 극복할 수 있는 정의가 열역학적 정의이다. 이는 생명을 자유 에너지 출입이 가능한 하나의 열린 체계로 보고 특정한 물리적 조건의 형성에 의하여 낮은 엔트로피, 즉 높은 질서를 지속적으로 유지해나가는 특성을 지니는 것으로 규정한다.

1 생명의 특성

생명체가 나타나는 현상을 살펴보면 생명이 무엇인지 보다 쉽게 이해할 수 있다. 사람을 포함한 동물뿐만 아니라 식물, 세균 및 아메바도 생명체라고 하나, 돌이나 유리, 다이아몬드나 수정과 같은 결정은 생명체라 하지 않는다. 그렇다면 살아있는 생명체와, 소금이나 돌과 같은 무생물체의 차이는 무엇일까? 오늘날 생명체라고 할 때 3가지 기본 조건을 생명에 대한 정의로 들고 있다.

① 스스로 자기 자신을 증식시킬 수 있는 자기 복제의 특성을 갖는다.

② 식물이든 동물이든 어떤 생명체이든 화학적으로 간단한 구조를 갖는 화학적 구성성분, 즉 벽돌분자인 단당류, 지방산, 아미노산 및 뉴클레오티드로 구성되어 있다.

③ 자기 보존을 위해 에너지 대사를 할 수 있는 특징을 갖는다.

모든 생명체는 세포(cell)라고 하는 구성단위로 되어 있다. 즉 세포는 생명체의 구조적인 기본단위이며, 기능적 기본단위라 할 수 있다. 생명체를 구성하는 물질은 물, 염류, 단백질, 지질, 탄수화물, 핵산 등이며, 이러한 물질이 지구의 진화과정에서 생성되는 생명체의 진화로 이어졌다는 사실은 여러 연구를 통해 증명되었다. 핵산은 유전자의 본체로서 생명체 또는 세포가 필요로 하는 특정 단백질을 합성하여, 그 생명체의 구조를 이룰 뿐만 아니라, 효소 또는 생리활성 조절물질을 생성함으로써 생명현상을 발현하도록 한다.

생물은 외부에서 다양한 물질을 받아들여 분해함으로써 새로운 생명체를 만들어내기 위한 재료와 에너지를 얻고 있다. 또한 이들을 이용하여 성장하고 증식한다. 이런 관점에서 생물이란 '자기구축을 행하는 화학적 기계'라 할 수 있다. 자기구축이라 함은 ① 자기 자신을 만들어 내는 자기복제, 즉 개체를 유지하는 것과 ② 후손을 만드는 것, 즉 종을 유지하는 것의 두 가지가 있다. 이 둘을 통해 생물은 긴 역사 속에서 진화해 살아남아 온 것이다. 그러므로 생명의 특성에 ① 주위 환경의 변화, 즉 외부자극에 반응할 수 있는 자극 감수성을 가지며, ② 환경조건에 대응하여 체내 조건을 조절하거나 순응하는 적응성을 가지고, ③ 세월이 지남에 따라 종 분화나 계통 진화하는 특성을 추가할 수 있다.

그러므로 생명이란 앞에서 열거한 생명체의 특성을 고루 갖춘 것이라 할 수 있다. 그럼에도 불구하고 애매한 경우도 많아서 바이러스의 경우 세균과 같은 생명체를 이용하여 유전자를 복제하고, 단백질을 합성하여 스스로 증식할 수 있어서 생명의 특성인 유전적 증식과 진화 등의 특성을 가졌다고 할 수 있지만, 호흡과 대사과정을 수행하지 않아 에너지 대사가 없으며, 외부 자극에 대한 감수성도 없기 때문에 생명체로 보지 않는 학자들도 있다.

2 생화학의 발전

생화학은 20세기 초에 화학의 한 전문분야로서 인정받았다. 라부아지(Lavoisier A) 시대부터 생리학자는 생물현상을 해명하는 데 화학적 방법과 사고방식을 이용해왔다. 리비히(Liebig J)는 1840년경 많은 농업문제를 연구했으며, 19세기 후반 파스퇴르(Pasteur L), 퀴네(Kuhne W) 등은 산소의 작용에 대해 연구했다. 1897년에는 부흐너(Buchner E)가 산소는 세포와 관계없이 작용할 수 있기 때문에 아마도 화학물질일 것이라고 발표했지만 생체조직의 화학에는 그러한 진보가 없었다. 1890~1910년에 비로소 피셔(Fischer E)의 지도 하에

눈부신 연구가 이루어져 탄수화물이나 단백질 같은 중요한 세포를 구성하는 물질의 기본적인 화학구조가 밝혀졌다. 1910년 이후에는 이와 같은 연구가 보급되어 생화학의 새로운 전문분야가 화학의 오래 된 분야와 맞서게 되어 그 자리를 넘겨받을 것으로 관측되었다. 화학의 모든 분야의 방법을 이용할 수 있게 되었고, 생화학은 눈부시게 발전했다. 그 결과 1930년대에는 비타민과 호르몬의 화학적 성질에 관한 지식이 급속히 증대했다. 에너지대사 작용 연구에 따라 세포 가운데 탄수화물 대사 작용이 복잡하다는 것과 동식물 체내에서 인산에스테르가 매우 중요하다는 사실이 밝혀졌다. 더욱이 이들 지식을 응용해 광합성의 본질을 이해하게 되었다. 개개 단백질의 분리와 연구가 급속히 이루어져 이들 필수불가결한 화합물의 역할을 이해하는 데 새로운 이론이 등장할 것으로 전망되었으며, 핵단백질 연구는 생명의 본질을 이해하기 위한 길을 열었다.

최근 반세기 동안 생명현상을 이해하기 위하여 많은 연구자들이 노력한 끝에 유전자가 무엇이고, 유전자가 어떻게 복제(replication)되고 수선(repair)되는지, 또는 어떻게 유전자 정보가 발현되는지 등의 문제들이 밝혀지게 되었다. 이러한 기전들이 본질적으로 모든 생명체에 공통이라는 사실이 밝혀져 생명현상을 하나의 원리로 설명할 수 있게 되었다. 이렇게 생명에 대한 이해는 생화학의 학문 발전에서 기인된 것으로 받아들여지고 있다. 그러므로 여기에서는 생화학이 어떻게 발전하였는지를 살펴보고자 한다.

모든 생명체는 세포와 세포산물로 이루어져 있다. 모든 생명체는 세포로 구성되고, 세포의 활동은 생명의 본질적 조건이라는 '세포설'은 17세기 이후 광학렌즈와 현미경의 발견[요하네스 얀센(Janssen J)과 그의 아들 자하리아스 얀센(Janssen Z), 1590]으로 시작되었다. 1665년 로버트 후크(Hooke R)는 현미경을 이용하여 코르크를 구성하는 단위구조를 발견하고, 이 단위구조를 작은 방을 뜻하는 세포(cell)라 하였다. 1674년 안톤 반 레이

우엔훅(Leeuwenhoek A)는 처음으로 하나의 세포로 이루어진 단세포 생물을 발견하여 보고함으로써, 살아있는 세포를 처음 관찰하였다. 1838년 식물학자인 슐라이덴(Schleiden MJ)과 1939년 동물학자인 슈반(Schwann T)은 그 당시까지 많은 학자들에 의해 신봉되었던 생기설에 대항하여 '모든 생물은 세포로 이루어져 있으며, 세포는 생물이고, 동물이나 식물은 살아있는 세포가 일정 법칙에 따라 집합된 것이다.'라는 '세포설(cell theory)'을 제창하였다. 1854년 루이 파스퇴르(Pasteur L)는 발효가 미생물에 의하여 일어난다는 것을 증명하여 생명체의 자연발생설을 파기하였으며, 1858년 루돌프 피르호(Virchow R)는 세포병리학이라는 논문에서 '모든 세포는 이미 존재하는 세포에서 발생한다(*Omnis cellula e cellula*)'를 주장함으로써, 세포분열이 생명체 생성의 기본 현상으로 받아들여지게 되었다.

1877년 호페-자일러(Hoppe-Seyler EFI)에 의해 '생화학(biochemistry)'이라는 명칭이 제창되고, 생리화학 잡지(Zeitschrift für Physiologische Chemie)를 창간할 때 처음 사용된 이후로 오늘날까지 140년이 넘도록 생화학은 가장 두드러지게 발전한 학문 중 하나가 되었다. 19세기 초에 세포를 구성하는 주된 물질을 산과 혼합하거나 가열할 경우 실 모양의 침전을 일으키는, 거의 동량의 탄소, 산소, 수소 및 질소로 구성되는 복합물질이라는 것이 밝혀졌다. 1838년 제라드 뮬더(Mulder GJ)는 이 물질을 '단백질(protein)'이라 명명하였다. 이 시기에 단백질과 세포를 구성하고 있는 다른 종류의 물질들이 어떻게 형성되는지, 즉 화학법칙이 이들 세포에서도 적용될 수 있는지가 중요한 생물학의 과제로 부각되었다. 1897년 독일의 화학자인 프리드리히 뵐러(Wüler F)는 무기물에서 유기물인 요소(urea)와 옥살산(oxalic acid)을 합성하는데 성공하였고, 마침내 에두아르 부흐너(Buchner E)에 의해 효모의 세포 구성물질인 글루코오스(포도당, glucose)가 에탄올로 발효될 수 있음을 밝혔다. 이러한 연구 결과로 세포 내에서도 화학법칙이 적용된다는 것이 밝혀졌으며, 세포 구성물질의 화학적 분석과 이들 구성 물질에 의한 화학반응의 규명이 생화학 연구의 주된 목적이 되었다.

이 후 1900년까지 16개의 아미노산이 발견되었으며, 1902년 에밀 피셔(Fischer HE)는 이들 아미노산이 펩타이드 결합(peptide bond)에 의해 연결되었음을 규명하였다. 19세기 후반에 세포구성 물질 중 지방, 탄수화물 및 핵산이 발견되었을 뿐만 아니라 어느 정도 순수분리·정제되었다. 1874년 프리드리히 미셔(Miescher FJ)는 오늘날 DNA로 알려진 뉴클레인(nuclein)을 죽은 백혈구에서 최초로 분리하였다. 뉴클레인은 천연의 핵단백과 핵산 사이의 핵단백 중간체의 분해산물이다. 1892년 바이스만(Weismann A)은 유전물질이 핵 안에 존재한다고 주장하였으며, 이후 핵 안에 실과 같은 구조물(즉 염색체, chromosome)이 존재하며, 이 염색체의 모양과 크기, 개수가 생물 종에 따라 다르다는 것이 밝혀졌다. 1903년 서튼(Sutton WS)은 생식세포를 생성하는 세포분열 경우 각 생식세포로 한 쌍의 염색체 중 하나만 전달된다는 것을 밝혔으며, 이 염색체가 멘델(Mendel GJ)의 유전형질을 운반하는 운반체이며, 유전의 결정인자인 유전자는 이 염색체에 놓여있다는 '염색체설(chromosome theory)을 제창하였다. 즉, 부모의 정자와 난자는 새로 만들어지는 딸세포에 각각 한 세트의 염색체만을 전해준다는 것이다. 이러한 염색체는 1842년 네겔리(Negeli KW)에 의해 핵 안에 몇 개씩 존재하는 막대모양의 구조물로 처음 보고하였다.

그러면 '생화학'이란 어떤 학문인가? 입장에 따라서는 여러 가지 정의가 가능하지만, 한 가지로 생화학이란 '생명에 관한 학문'이라 불릴 수 있는데 이것은 오늘날 생명과학(life science)이라 불리는 커다란 학문체계로서 통합되어 있는 중요한 한 분야이며, 생명현상을 주로 화학적 방법으로 연구하는 것이 그 사명이라 정의할 수 있다. 생명이 없는 분자가 어떻게 모여 상호작용함으로써 생명이 있는 생명체를 구성하고 유지하여 자기복제를 하

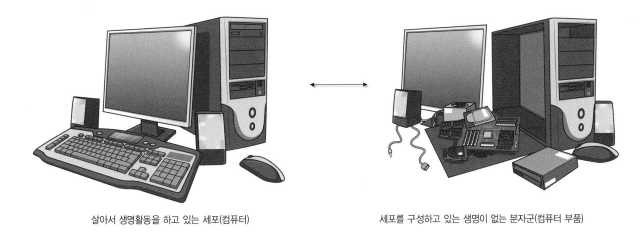

살아서 생명활동을 하고 있는 세포(컴퓨터)　　　　세포를 구성하고 있는 생명이 없는 분자군(컴퓨터 부품)

■■▧ 그림 1-1. 생화학의 목적

생화학의 목적은 컴퓨터(세포)가 어떤 부품(생체 분자)으로 구성되고, 이들이 어떻게 연결(상호작용)되어 있는가를 밝히는데 있다. 필요한 부품을 하나도 빠짐없이 다 모으더라도 컴퓨터로서의 기능을 하지 못한다. 컴퓨터가 작동하기 위해서는 전기가 연결되고 명령을 내려야만 하듯이, 생체조절분자가 세포에서 생명을 조절할 수가 있다. 하야가와 타로오, 하라다 미노루: 치과위생사 교본. 생화학. 이시야쿠 출판. 1997.

는가에 대한 분자수준의 해명이 생화학의 목적이라 할 수 있다(그림 1-1).

③ 분자세포생물학

분자생물학이란 여러 가지 정의가 가능하겠지만, 광의로 해석한다면 '생물학적 현상을 분자수준에서 이해하는 학문'을 총칭해서 분자생물학이라 한다. 그러나 이러한 정의는 '생화학'과의 구분을 모호하게 하는 측면이 있으므로, 분자생물학에 대한 보다 협의의 정의는 '유전자의 구조와 기능을 분자수준에서 연구하는 학문' 정도로 할 수 있겠다. 이는 앞서 정의한 것보다 제한적이고 더 실용적인 면이 있다. 분자생물학(molecular biology)은 유전물질에 대한 학문이다. 즉, 유전자(gene)의 본질인 DNA에 대한 연구이다. 비슷한 학문으로 유전학(genetics)이 있다. 이 역시 DNA를 연구대상으로 하고 있지만 유전학이 생물학적 기능에 초점을 맞춘 반면 분자생물학은 DNA의 화학적 성질을 주된 관심사로 하고 있다. 특히 생명현상에 필수적인 단백질, 핵산 및 효소 등과 같은 거대분자에 대해 연구한다. 그러나 지금은 그 연구의 대상뿐 아니라 방법상에도 차이가 거의 없어서 유전학과 분자생물학을 일부러 구별하는 자체가 의미가 없어졌고 오히려 이 두 학문을 접목하여 분자유전학(molecular genetics)이라는 용어를 사용하는 것이 보편화되었다. 분자생물학은 유전학과 생화학으로부터 파생되어 발전해 온 학문이다. 분자생물학이란 유전학과 생화학을 접목하는 학문이다. 정확히 말해 유전자에 관한 초기의 연구들을 분자생물학 또는 분자유전학이라 말하기도 어렵다. 이는 초기의 유전학자들이 유전자의 분자적 특성을 모르고 있었기 때문이다. 그래서 우리는 초기 유전자 연구를 '전달 유전학'이라 부르기도 한다.

세포생물학이란 세포에 관한 모든 것을 연구하는 생물학의 한 분야라고 할 수 있다. 단세포생물의 경우에는, 세포의 내부에서 일어나는 모든 현상들과 외부환경의 변화에 따른 세포 내부의 변화 등을 다루는 학문이 세포생물학이라고 할 수 있다. 다세포생물의 경우에는, 세포와 세포사이의 상호작용에 대한 연구가 첨가되어야 한다. 이러한 정의에 따르면, 세포생물학이란 매우 광범위한 분야를 포함하는 학문이라고 볼 수 있다.

분자세포생물학이란 기존의 생물학과는 달리 세포와 세포의 변화에 따른 생체 내 기능 및 이상 현상을 중점적으로 연구하는 학문이다. 이는 세포의 구조와 기능에 대한 이해에서 더 나아가 생명현상을 세포 또는 세포위(sub-cell) 수준에서 다루며, 유전공학적 방법과 분자생물학적 연구를 통해 분자 수준에서 해석한다.

멘델의 유전형질의 기본단위, 즉 '유전자(gene)'의 분류와 이들 분류된 유전자군과 염색체와의 연관성에 대하여는 1900년대 초 모건(Morgan TH)의 초파리(*Drosophila melanogaster*)를 이용한 실험을 통해 밝혀졌다(그림 1-2). 초파리의 경우 각각의 유전자는 4세트의 연관유전자군(linkage group)으로 분류될 수 있고, 각 유전자군은 4개의 염색체와 연관될 수 있다. 이후 콩과 옥수수를 이용한 실험의 경우에도 같은 실험결과를 얻을 수 있었다. 초파리를 이용한 실험에서 얻은 또 한 가지 중요한 실험결과는 염색체 안에 유전자가 선상의 배열을 하고 있다는 사실이다.

또한 1931년 바바라 맥클린톡(McClintock B)은 염색체간 또는 염색체 내에서의 유전자군의 분절이 유전자 재배열(genetic rearrangement)에 의해 재배열할 수 있으며, 이는 특정 유전형질의 분포와 연관이 있음을 밝혔다. 1909년 아치발드 개로드(Garrod A)는 알캅톤뇨증(alkaptonuria)의 연구를 통해 유전적인 결함이 생화학적 대사이상을 초래한다는 최초의 증거를 제시하였다. 개로드는 질병 중에는 유전되는 것이 있으며, 이 경우 효소의 결핍에 의한 것이라는 가설을 세웠으며, 이런 질병을 '선천성 대사이상(inborn-error of metabolism)'이라 불렀다. 그 당시에는 유전학이나 생물학이 아직 오늘날처럼 발달하지 못한 상태로 개로드의 예측이 옳았다는 것은 그 후 30년이나 지난 다음에야 비로소 증명되었다.

비들(Beadle GW)과 에프루시(Ephrussi B)는 초파리를 이용한 실험에서 눈이 정상적으로 색깔을 나타내는 데는 1가지 색소가 관여하지만, 눈의 색깔이 달라진 2가지 돌연변이가 일어난 경우 눈의 색소를 만드는 생화학적 반응 중에서 각각 1종류의 효소 결함으로 인해 눈의 색깔이 바뀐다는 것을 밝혀, 유전자 활성도와 생화학적 활성이 서로 관련이 있다는 것을 주장하였다. 즉, 색소를 만드는데 관여하는 효소가 결핍이 일어나는 경우 초파리의 눈 색깔이 바뀐다고 하였다. 1940년 비들과 에드워드 테이텀(Tatum E)은 빵 곰팡이(*Neurospora crassa*)를 이용하여 같은 유형의 실험을 반복함으로써 "1개의 유전자는 1개의 효소를 결정한다."는 '1 유전자-1 효소 가설(one gene-one enzyme hypothesis)'을 발표하였다. 비들과 테이텀의 결론은 단백질 합성의 유전적 조절을 분자적 수준에서 이해하기 시작한 첫 걸음으로써, 이후 유전자의 화학적 구조를 밝혀내는 연구의 기폭제가 되었다.

1928년 프레더릭 그리피스(Griffith F)는 폐렴쌍구균(*Streptococcus pneumoniae*)을 이용한 실험에서 병원성을 갖는 활면형(smooth type)에서 분리한 추출물이 병원성을 나타내지 않는 조면형(rough type)에 도입될 경우 병원성을 나타내지 않던 조면형이 병원성을 나타내는 활면형으로 형질전환(transformation)되어 병원성을 획득할 수 있다는 사실을 밝혔다(그림 1-3). 그러나 그리피스는 그 자신이 병원성이 없는 조면형 폐렴쌍구균이 무엇에 의해 병원성을 갖는 활면형 폐렴쌍구균으로 형질전환이 되는 지에 대하여는 밝히지 못하였다. 이후 1944년 록펠러연구소의 오스월드 에이버리(Avery OT), 콜린 맥레오드(MacLeod C) 및 맥린 맥카티(McCarty M)는

(A) 서로 연관되지 않은 유전자는 자연발생적으로 분리된다.

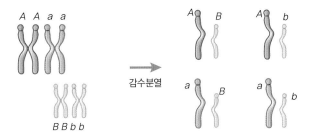

염색체 복제 후의 이배체(diploid)(전기)   가능한 단배체(haploid) 생식자(gametes)

(B) 서로 연관된 유전자로 유전자 재결합이 일어나지 않는 경우에는 같이 동반되어 분리된다.

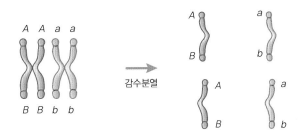

염색체 복제 후의 이배체(diploid)(전기)   가능한 단배체(haploid) 생식자(gametes)

(C) 서로 연관된 유전자일지라도 유전자 재결합이 일어나는 경우에는 서로 떨어져서 분리될 수도 있다.

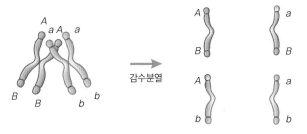

염색체 복제 후의 이배체(diploid)(전기)   가능한 단배체(haploid) 생식자(gametes)

■▨ 그림 1-2. 연관되어 있거나 연관되어 있지 않은 유전자의 분리(segregation)

(A) 서로 다른 염색체 상의 유전자는 세포 감수분열 시 무작위적으로 분리될 수 있다. 즉, 대립인자 *A*는 대립인자 *B*를 생식자(gamate) 내에서 쉽게 분리가 되듯이 대립인자 *b*와도 쉽게 분리될 수 있다. (B) 동일 염색체 상의 유전자로 유전자 재결합(genetic recombination)이 일어나지 않는 경우에는 감수 분열할 경우 서로 연관된 유전자는 분리가 일어날 때 한 묶음으로 묶여 함께 따라 다니며 분리가 일어난다. 즉, 유전자 재결합이 없는 경우에 대립인자 *A*는 일반적으로 대립인자 *B*와 함께 묶여 분리가 일어나지만, 대립인자 *b*와는 같이 묶여 분리가 일어나는 경우는 없다. (C) 동일 염색체 상의 유전자일지라도 유전자 재결합에 의해 상호교환이 일어날 경우 대립인자 *A*는 대립인자 *B*와 묶여서 유전자 분리가 될 수도 있지만, 유전자 재결합에 의해 대립인자 *b*와도 묶여 분리될 수 있다.

McClintock B, Creighton HB: A correlation of cytological and genetical crossing over in *Zea mays*. Proc Nati Acad Sci, 17:492-497, 1931.

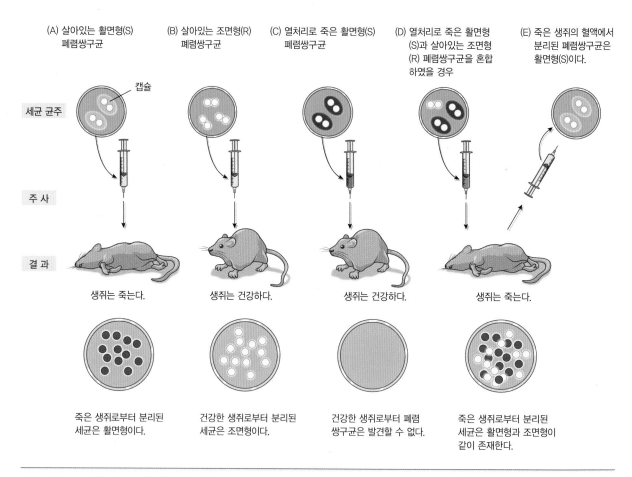

(A) 살아있는 활면형(S) 폐렴쌍구균

(B) 살아있는 조면형(R) 폐렴쌍구균

(C) 열처리로 죽은 활면형(S) 폐렴쌍구균

(D) 열처리로 죽은 활면형 (S)과 살아있는 조면형 (R) 폐렴쌍구균을 혼합 하였을 경우

(E) 죽은 생쥐의 혈액에서 분리된 폐렴쌍구균은 활면형(S)이다.

세균 균주 / 캡슐

주 사

결 과

생쥐는 죽는다.

생쥐는 건강하다.

생쥐는 건강하다.

생쥐는 죽는다.

죽은 생쥐로부터 분리된 세균은 활면형이다.

건강한 생쥐로부터 분리된 세균은 조면형이다.

건강한 생쥐로부터 폐렴 쌍구균은 발견할 수 없다.

죽은 생쥐로부터 분리된 세균은 활면형과 조면형이 같이 존재한다.

■■▨ 그림 1-3. 그리피스의 폐렴쌍구균 실험

그리피스는 (A) 살아있는 활면형 폐렴쌍구균을 마우스(생쥐)에 주사하는 경우, 활면형 폐렴쌍구균이 생쥐의 방어계로부터 파괴되지 않고 보호되기 때문에 병원성을 발휘해 생쥐가 죽는다. (B) 세포의 피막(coat)이 결핍된 조면형 폐렴쌍구균을 생쥐에 주사하는 경우 생쥐의 방어계에 의해 파괴됨으로써 병원성을 나타내지 못하여 생쥐는 건강하게 살아남는다. (C) 활면형 폐렴쌍구균을 열처리를 하여 죽인 후에 생쥐에 주사하면 병원성을 나타내지 못하여 생쥐가 죽지 않고 살아남는다. (D) 열처리를 하여 죽은 활면형 폐렴쌍구균과 살아있는 조면형 폐렴쌍구균과 혼합하여 생쥐에 주사할 경우 병원성이 발휘되어 폐렴이 유발되어 생쥐가 죽는다. (E) 열처리로 죽은 활면형과 살아있는 조면형 폐렴쌍구균을 혼합하여 주사한 결과 죽은 생쥐로부터 살아있는 폐렴쌍구균을 분리하여 조사한 결과 조면형 폐렴쌍구균 중 일부가 활면형으로 바뀌었다는 사실을 밝혔다. 이러한 결과로부터 그리피스는 죽은 활면형 폐렴쌍구균에 들어 있는 특정 분자가 조면형 폐렴쌍구균으로 삽입되어 조면형 폐렴쌍구균을 활면형 폐렴쌍구균으로 형질전환하여 병원성을 획득하였다고 결론지었다.

Griffith F: The significance of Pneumococcal types. J Hyg 27(2):113-159. 1928.

병원성을 획득하도록 하는 형질전환물질의 실체는 DNA 분해효소(deoxyribonuclease, DNAse)에 의하여 파괴될 수 있다는 것을 보여줌으로써, 당시까지 유전물질이 단백질 일 것이라는 추측과는 달리 단백질이 아닌 DNA가 유전물질로서 확고히 자리 잡게 되었다(그림 1-4).

또한 알프레드 허쉬(Hershey A)와 마사 체이스(Chase M)는 1952년에 인산은 핵산에 들어있지만 단백질을 구성하는 아미노산에는 들어있지 않고, 유황은 핵산에는 들어있지 않고 단백질을 구성하는 아미노산인 메티오닌이나 시스테인과 같은 함황 아미노산에 들어있다는 사

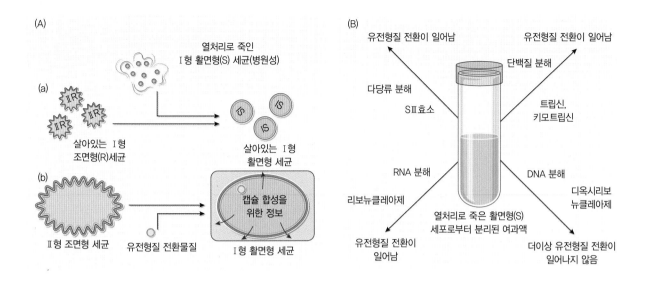

폐렴쌍구균은 면역학적 실험에 의하여 다양한 종류의 혈청형이 있음이 밝혀졌는데, 만약 Ⅰ형 폐렴쌍구균을 생쥐의 혈액에 주사하면 생쥐는 자기자신을 보호하기 위하여 항체를 생합성한다. 이 항체는 폐렴쌍구균에 대한 강한 특이성을 가지고 결합하기 때문에 폐렴쌍구균의 특정 형과만 결합할 수 있어 Ⅰ형 폐렴쌍구균만을 죽인다. 혈청형 Ⅱ는 피막(capsule)이 람노오스(rhamnose), 글루코오스(glucose), 글루쿠론산(glucuronic acid)으로 구성되어 있다(A-a). 이러한 혈청형 Ⅱ 폐렴쌍구균 중 조면형(ⅡR로 표시)이 열처리에 의해 죽은 Ⅰ형 활면형(IS로 표시)으로부터 특정 분자를 유입 받아 살아있는 IS형으로 형질전환이 된다(A-b). 피막이 없던 ⅡR 형이 유전형질 전환물질을 유입 받음으로써 피막이 있는 IS 형으로 형질전환이 된다. 이러한 유전형질 전환 물질이 무엇인지 밝히기 위해 열처리하여 죽은 조면형(IS 세포로 표시)으로부터 고형 성분을 제외한 여과액을 얻고, 이 여과액을 다당류를 파괴할 수 있는 SⅡ 효소를 처리한 다음에 활면형과 혼합하면 활면형 폐렴쌍구균이 조면형으로 형질전환이 일어나며, 단백질 분해효소인 트립신이나 키모트립신을 처리하여도 활면형이 조면형으로 전환되어 병원성을 획득하였으며, 리보핵산(RNA)을 분해시키는 리보뉴클레아제(ribonuclease)를 여과액에 처리한 다음 활면형 폐렴쌍구균과 혼합하여도 활면형이 조면형으로 형질전환되어 병원성을 획득하였다(B). 그러나 디옥시리보핵산(DNA)을 분해하는 DNA 분해효소를 여과액에 처리한 다음 활면형 폐렴쌍구균과 혼합한 경우에는 조면형이 활면형으로 형질전환이 일어나지 않으며, 병원성도 획득하지 못하였다. 이러한 사실은 유전형질 전환물질의 실체가 디옥시리보핵산 즉 DNA라는 사실을 밝힌 중요한 실험결과이다.

Avery OT, MacLeod C, McCarty M: Studies on the chemical nature of the substance inducing transformation of Pneumococcal types: Induction of transformation by a deoxyribonudeic acid fraction isolated from Pneumococcus type III. J Exp Med 79(1):137-158. 1944.

실을 알고 ^{32}P로 표지한 핵산(DNA)과 ^{35}S로 표지한 아미노산을 함유하는 배양액에서 바이러스를 각각 감염시킨 경우에 배양된 세균에서 ^{32}P가 검출되지만, ^{35}S는 검출되지 않는다는 사실을 밝힘으로써 세균의 바이러스 감염은 단백질에 의한 것이 아니라 DNA에 의한 것임을 밝혀, 바이러스에서도 DNA가 유전자의 구성 물질임을 밝혔다(그림 1-5).

1946년 윌리엄 애스트버리(Astbury WT)에 의해 처음으로 '분자생물학(molecular biology)'이라는 말이 사용되었으며, 이 용어는 1959년 존 켄드류(Kendrew JC)의 Journal of Molecular Biology란 저널 창간이 계기가 되어 보급되었다. 그러나 어떻게 유전자가 세포활성을 조절하는지에 대해 주안점을 둔 오늘날의 분자세포생물학은 1953년 제임스 왓슨(Watson JD)과 프란시스 크릭(Crick FHC)이 DNA의 이중나선 구조(그림 1-6)를 밝힘으로써 시작되었다고 말할 수 있다. 왓슨과 크릭의 이

(A)

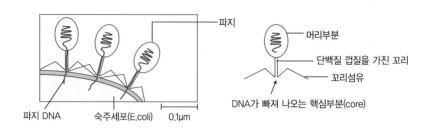

(B)

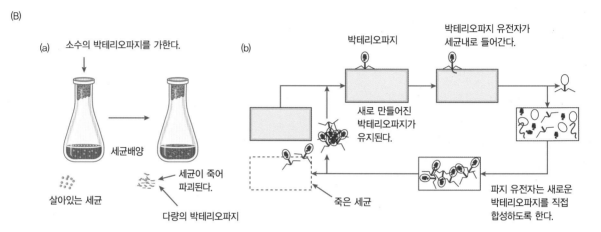

(C)

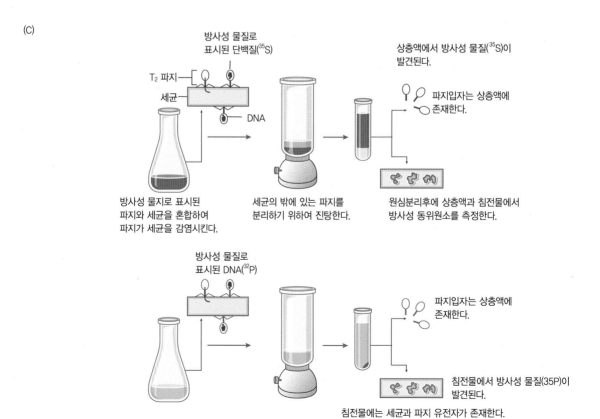

■▒ 그림 1-5. 유전물질이 DNA라는 허쉬-체이스의 실험

(A) 파지(phage)란 세균을 감염시키는 바이러스를 일컫는다. 이러한 파지는 숙주세포에 부착하여 그들의 유전물질을 주사하기 위하여 보통 파지의 꼬리부분을 이용한다. 특히 세균을 감염시키는 파지를 박테리오파지(bacteriophage)라고 한다. (B) 박테리오파지를 이용한 세균 감염. (a) 소수의 박테리오파지가 세균 배양액을 감염시키면 모든 세균을 죽이지만, 대신 새로운 파지가 형성된다. (b) 하나의 세균을 감염시키는 동안에 파지의 유전물질은 새로운 박테리오파지를 형성하기 위해 반드시 세포 내로 들어가야 한다. 허쉬와 체이스는 이 과정을 왼쪽 그림에서와 같은 회로를 통하여 일어난다고 가정하였다. 즉, 박테리오파지가 대장균(*Escherichia coli*)에 부착하여 유전물질이 세균 내로 들어가고, 그 세균 내에서 새로운 박테리오파지를 형성한 후에 세포벽을 파괴하여 대장균을 죽이고 박테리오파지가 유리된다는 가설을 세웠다. (C) 1952년 실험에서 들어가는 박테리오파지 유전물질이 단백질이 아니라 DNA임을 밝혔다. 박테리오파지의 표면을 구성하는 단백질은 메티오닌이나 시스테인과 같은 함황 아미노산에 함유된 유황을 ^{35}S로 방사성을 표지하였고, 머리 쪽에 존재하는 DNA는 ^{32}P로 방사성 표지를 하였다. 일반적으로 유황은 아미노산 중 메티오닌이나 시스테인을 구성하는 구성성분 중 하나이나, DNA에는 유황이 함유되어 있지 않으며, 인의 경우에는 아미노산에는 들어있지 않으나, DNA의 인산 구성성분 중 하나이므로, 이 실험을 통해 방사성 동위원소를 검출 시 ^{35}S는 단백질이라 생각할 수 있고, ^{32}P는 DNA로 생각할 수 있다. 유황으로 표지한 바이러스 단백질은 감염 시 숙주세포 밖에 있으므로 대장균에 들어가지 않고 남아 있었으며, 반대로 머리의 안쪽에 표지된 DNA는 세균 내로 들어간 것을 확인할 수 있었다. 이러한 실험결과로 박테리오파지의 유전물질이 단백질이 아니라 DNA라는 사실을 밝힌 중요한 실험이다.

Hershey A, Chase M: Independent functions of viral protein and nucleic acid in growth of bacteriophage. J Gen Physiol 36(1):39-56;1952.

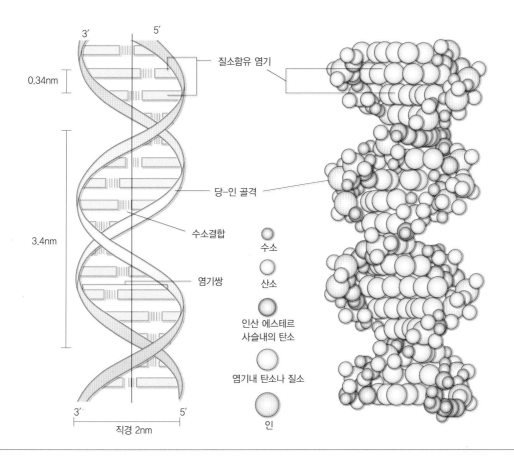

■▒ 그림 1-6. DNA의 이중나선 구조

왼쪽은 왓슨과 크릭에 의해 처음 발표된 것과 비슷한 구조로 보다 간단한 모델이며, 오른쪽은 스페이스-필링 모델로 각 분자에서의 원자의 상대적 크기를 나타냈다. Watson JD, Crick FHC; A Structure for deoxyribose nucleic acid. Nature 171:737-738. 1953

중나선 구조는 실험에 의해 밝혀진 것이 아니다. 이전에 에르빈 샤가프(Chargaff E)에 의해 밝혀진 아데닌(adenine)은 티민(thymine)과 이중수소결합을 하고(A = T), 구아닌(guanine)은 시토신(cytosine)과 삼중수소결합 (G ≡ C)을 한다는 사실에서 염기결합이라는 개념을 도입하였고(그림 1-7), 또한 모리스 윌킨스(Wilkins M)와 로자린드 프랭클린(Franklin R)에 의한 DNA 사슬의 X-선 회절분석 영상 결과를 재해석함으로써 가능해졌다. 왓슨과 크릭은 이처럼 간단하고 상보적인 DNA 구조 모델을 제시함으로써 어떻게 단백질의 구조로 번역될 수 있는가를 쉽게 보여줄 수 있었다. 이러한 가설로부터 유전정보의 전달과정을 3가지 중요한 단계로 정의한 분자유전학의 센트럴 도그마(central dogma)가 도출되었다. 첫 단계는 복제(duplication)로 부모 DNA를 복사하여

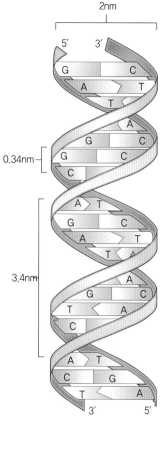
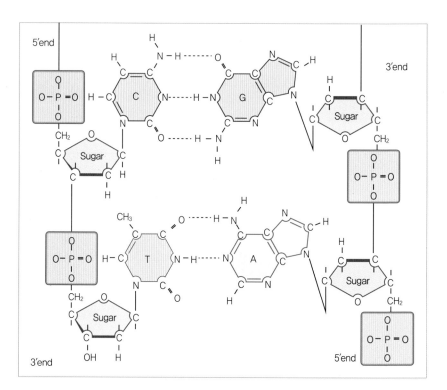

(1) DNA는 분자의 안쪽에 염기가 있으며 바깥쪽에는 당-인산 골격이 존재하는 이중나선구조이다.

(2) 서로 대응하는 나선상의 염기들은 아데닌(A)은 티민(T)과, 구아닌(G)은 사이토신(C)과 수소결합에 의해 쌍을 이룬다. 두개의 DNA선은 서로 반대 방향이며 디옥시라보스의 5′- 및 3′- 말단으로 정의한다.

■▒ 그림 1-7. 염기쌍(base-pairing)

아데닌(A)과 티민(T) 사이에는 이중수소결합이 형성되고, 시토신(C)과 구아닌(G) 사이에는 삼중수소결합이 형성된다.

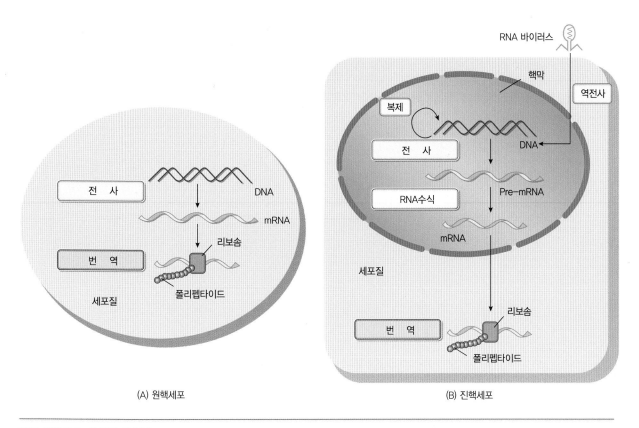

(A) 원핵세포   (B) 진핵세포

■■■ 그림 1-8. 센트럴 도그마

디옥시리보핵산(DNA)에 들어있는 유전정보는 전사(transcription)에 의해 리보핵산(RNA)으로 전달되며, 번역(translation)에 의해 단백질로 된다는 절대 진리였지만, 그 후 바이러스가 발견되고, 특히 RNA 바이러스에 대한 유전정보의 흐름을 연구하는 도중 RNA로부터 직접 단백질이 만들어지는 것인지, 아니면 지금껏 절대 진리로 여겼던 센트럴 도그마에 반하여 RNA로부터 DNA로 유전정보가 전달된 후 정상적으로 유전정보가 전달되는지 알 수가 없었다. 이러한 가설은 하워드 테민(Temin H)에 의하여 더 이상 절대 진리가 되지 못하고 역전사(reverse transcription)에 의해 유전정보가 전달될 수 있음이 밝혀졌다. (A) 원핵세포에서는 이 모든 과정이 세포질 내에서 일어나지만, (B) 진핵세포에서는 핵과 세포질 두 군데에서 일어난다.

부모 DNA와 뉴클레오티드(nucleotide) 배열과 똑같은 배열을 가진 딸 DNA를 만들어 내는 단계이다. 두 번째 단계는 전사(transcription)로 DNA에 있는 유전정보가 리보핵산(RNA)으로 전달되는 과정이다. 3번째 단계는 번역(translation)으로 암호를 담고 있는 RNA로부터 메시지가 리보솜(ribosome)에 의해 20개 아미노산으로 된 단백질 구조로 번역되는 단계이다(그림 1-8). 이는 1958년 메튜 메젤슨(Meselson M)과 프랭크 스탈 (Sthal F)이 동위원소를 이용하여 DNA의 반보존복제(semiconservative replication)를 보여줌으로써 증명되었다(그림 1-9).

이후 단백질 결정을 이용한 X-선 회절분석법은 몇 가지 순수 단백질의 구조를 밝히는데 공헌하였다. 1951년 라이너스 폴링(Pauling L)은 몇몇 단백질의 일부가 나선구조로 되어있다는 것을 주장하였고, 맥스 페루츠 (Perutz M)와 존 켄드류(Kendrew JC)는 1959년 마이

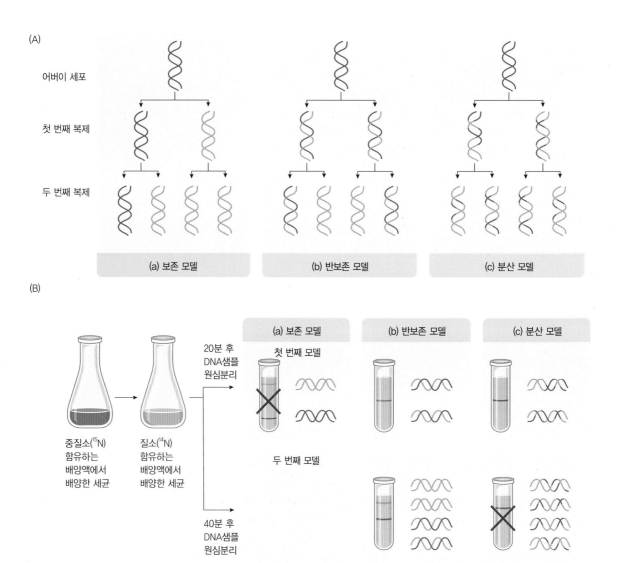

■ ■ 그림 1-9. 디옥시리보핵산의 복제에 대한 3가지 모델(A)과 메젤슨과 스탈의 DNA 복제에 대한 3가지 가설 실험(B)

여기에서는 이중나선의 짧은 분절로 세포내 유전물질을 형상화하여 표시하였다. 부모 세포로부터 시작하여 유전물질이 2번 복제될 수 있는 것을 보기 위하여 2세대까지 추적하였다. (a)는 보존모델(conservative model)로 부모의 이중나선이 그대로 남아있게 되고, 모든 새로운 복사본은 새로 만들어지는 경우이다. (b)는 반보존모델(semiconservative model)로 부모의 이중나선 분자의 두 가닥이 분리되어 각각은 새로 만들어지는 상보성 가닥(complementary strand)의 합성을 위한 주형(template)으로 작용하는 경우이다. (c)는 분산모델(dispersive model)로 딸 DNA의 두 가닥 모두 각각은 오래된 것과 새로 합성된 것이 혼재되어 분산된 경우이다. (B) 메젤슨과 스탈은 질소원자 중 무거운 ^{15}N(중질소)를 함유하는 배양액에서 대장균($E.$ $coli$)을 여러 세대 동안 반복 배양하였다. 중질소는 세균 내로 유입되어 그들의 뉴클레오티드 내로 삽입되고, 결국 DNA 내로 들어가게 된다. 이들은 이후에 세균을 정상 질소인 ^{14}N을 함유하는 배양액에서 배양하였다. 이와 같이 배양하면 어떠한 경우에도 새로 만들어지는 DNA는 ^{15}N 배양액에서 배양한 오래 된 DNA 보다는 가볍다. 메젤슨과 스탈은 세균에서 추출한 DNA를 초원심 분리하여 서로 다른 밀도를 갖는 DNA를 구별할 수 있었다. 이 그림에서 나타낸 원심분리관은(A)에서 제시된 모델의 경우 예상되는 결과를 나타낸 것이다. ^{14}N 배양액에서 배양한 첫 번째 복제 산물은 혼합(hybrid, ^{15}N-^{14}N) DNA이었다. 이러한 결과는 적어도 DNA 복제가 보존적 모델이 아니라는 것을 시사해 준다. 두 번째 복제 산물의 결과에서는 ^{14}N과 ^{15}N-^{14}N 혼합형이 나타나는 사실로 미루어 분산형 모델이 아니라는 사실을 알 수 있다. 결과적으로 DNA 복제는 반보존적 모델에 의해 일어난다는 사실이 밝혀졌다.

Meselson M, StahlFW: The replication of DNA in $Eschelichia$ $coli$. PNAS 44:671-82. 1982.

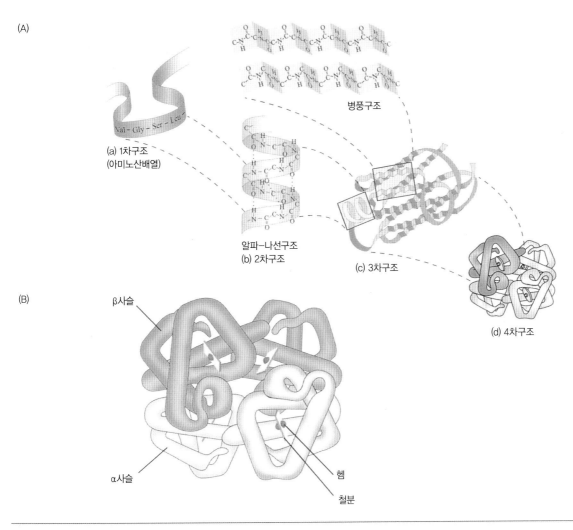

(A)

(a) 1차구조
(아미노산배열)

Val - Gly - Ser - Leu

병풍구조

알파–나선구조
(b) 2차구조

(c) 3차구조

(d) 4차구조

(B)

β사슬

α사슬

헴

철분

■■ ▓ 그림 1-10. 단백질 구조의 4가지 수준(A)과 헤모글로빈의 4차 구조(B)

(A) 헤모글로빈의 모식도로 단백질의 4가지 수준의 구조를 나타냈다. (a) 1차 구조는 헤모글로빈의 아미노산이 어떤 순서에 의하여 공유결합 되었는지를 말한다. (b) 2차 구조는 알파-나선(α-helix)이나 병풍구조(β-pleated sheet)를 갖기 위하여 헤모글로빈을 이루는 폴리펩타이드 골격이 어떻게 구부러지고 수소결합을 하는지를 말한다. (c) 3차 구조는 폴리펩타이드의 전체적인 입체구조(conformation)를 말하며, 아미노산의 곁사슬 사이의 상호관계에 의하여 구조가 이루어진다. (d) 4차 구조는 두 개 이상의 폴리펩타이드로 이루어진 단백질의 경우 각 폴리펩타이드의 삼차구조가 어떤 상호 관계를 유지하며 단백질 구조를 이루는지 말한다. (B) 헤모글로빈은 구상단백질로 4개의 소단위로 구성되어 있으며, 알파 사슬(α-chain) 2개와 베타 사슬(β-chain) 2개로 이루어진다. 각 소단위는 비단백질 성분인 헴(heme)을 가지고 있으며, 산소분자와 결합하는 철분을 가지고 있다. 마이오글로빈은 헤모글로빈의 4 소단위 중 하나와 유사한 구조를 갖는다.

오글로빈(myoglobin)의 3차원 구조를 밝혀냈다(그림 1-10). 20세기 초에 대사경로에 관여하는 대부분의 효소가 밝혀졌으며, 분리·정제 되었을 뿐만 아니라 비타민이 보조효소로 작용한다는 사실도 밝혀졌다. 또한 ATP 등의 고에너지 인산화합물이 세포내의 에너지 운반체라는 사실도 밝혀졌다.

이와 같이 생명현상을 설명하기 위해 세포생물학적 지식뿐만 아니라 분자생물학적 지식이 기본적으로 필요하며, 기본적인 생화학 지식을 아는 것이 생명현상을 직·간접적으로 다루는 모든 보건의료 분야의 사람들에게 필요하다. 생명현상이 대사과정의 총체로 이루어져 있으므로, 여러 가지 생물학적 현상과 병적 기전을 밝히는 데 있어 생화학 이론과 연구 방법은 매우 중요한 자리를 차지한다. 생명체 안에서 진행되는 화학적 과정을 연구하는 학문인 생화학은 의학과 생물학의 중요한 기초과목 중 하나이다.

4 오늘날 생화학 과제

생명현상에 대한 과학적인 연구는 거시적인 관찰에서 출발하여, 생명현상의 내부에 존재하고 있는 본질을 추구하는 방향으로 진전되었고, 결국에는 분자수준에서의 변화를 해명하는 것으로 진행되었다. 그 결과 현재는 의학, 생물학의 기본적인 문제 연구가 대부분 생화학의 과제가 되었다. 예를 들어, 1개의 세포가 다른 기능을 가진 여러 세포로 분화되는 기전, 정신활동으로의 기억기전, 빛이라는 물리자극이 망막에서 신경자극으로 변화되는 기전, 세포의 성장제어에 관한 기전, 암 발생 기전, 대사 장애 시 수반되는 지능장애가 일어나는 기전 등 예를 들자면 수도 없을 정도이다. 여기에서 생화학의 과제와 목적을 이해하기 위하여 생화학 연구를 통해 그 발현 순서가 해명되고, 의학적으로 거의 정복되었다고 해도 좋을 유전적인 대사질환을 한 예로 들어보고자 한다.

방향족 아미노산의 하나인 페닐알라닌(phenylala-nine)은 그림 1-11에 나타냈듯이 주로 페닐알라닌 수산화효소(phenylalanine hydroxylase)에 의한 수산화반응으로 티로신(tyrosine)을 거쳐 여러 대사경로를 통해 대사된다. 이 효소활성이 선천적으로 결핍되어 있으면 페닐케톤뇨증(phenylketonuria)이라는 유전질환이 발생

한다. 사람의 경우 페닐알라닌이 티로신으로 변환이 이루어지지 않으면, 정상상태에서는 별로 중요하지 않은 페닐피루브산(phenylpyruvic acid)으로의 변환 경로가 진행되어, 혈액이나 소변 속에 페닐알라닌 외에 페닐피루브산, 페닐젖산(phenyllactic acid), 페닐초산(phenyl-acetic acid), 페닐아세틸 글루타민(phenylacetyl glu-tamine) 등이 현저하게 증가한다. 치료법은 저페닐알라닌 함유식이 사용되어 성장과 활동에 필요한 초소한의 페닐알라닌만을 공급해 준다. 최근에는 우리나라에서도 저페닐알라닌 함유 분유가 시판되고 있다. 생후 몇 주 이내에 적절한 치료를 개시하면 지능은 거의 정상으로 발달되고, 나이가 들수록 페닐알라닌에 대한 내성이 증가된다. 이처럼 예전에는 중독 증상으로 뇌장애 수반이 동반되던 유전질환인 페닐케톤뇨증은 특정한 효소 결핍으로 인한 대사질환인 것이 생화학적으로 밝혀져, 조기에 발견하면 적절한 식이치료를 함으로써 완벽하게 극복할 수 있게 되었다.

5 생화학과 영양학

영양이란 사람이 음식을 섭취하여 식품의 성분을 이용함으로써 건강한 생명활동을 유지하고 증진하는 과정으로 필요한 물질을 식품을 통해 공급하고, 이용하고, 배설하면서 신체의 각 조직을 만들고 보수하는 모든 현상이다. 음식물의 성분 중에 모든 영양 현상에 관여하는 물질을 영양소라 한다. 즉, 식품에서 이용되어 영양 작용을 하는 물질로서 성장을 돕고, 신체를 유지하며, 생명과정을 조절하고, 에너지를 공급하는 물질이다. 체내에서 합성되지 않기 때문에 식품으로부터 섭취하여야 한다. 식품을 통해서 들어오는 영양물질은 우리 신체 내에서는 언제나 존재하는 이미 익숙한 물질로 대사를 촉

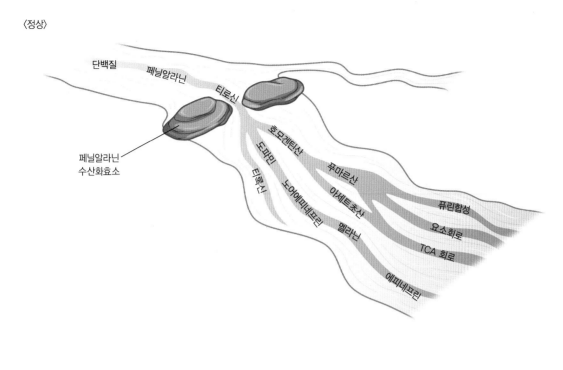

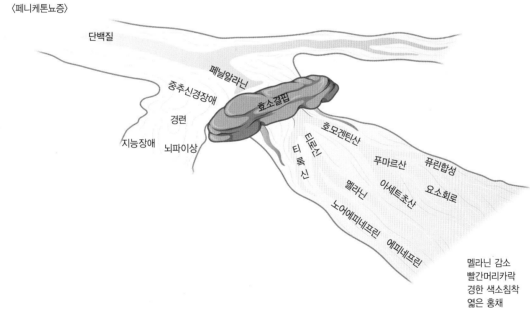

■ ▓ **그림 1-11. 페닐알라닌 대사 이상에 의한 페닐케톤뇨증**

페닐알라닌이 대사되는 과정을 강에 비유하여 설명한 것으로 페닐알라닌 강의 정상적인 흐름(대사)이 장애를 받아(효소결핍) 멈추면, 지류의 흐름이 멈추는 한편(멜라닌 감소 등) 상류에서는 페닐알라닌의 범람(중추신경계 장애)이 일어나거나 새 흐름(페닐피루브산을 통한 대사경로)이 발생한다. 여기에서 페닐알라닌 강의 상태는 변하게 되어 페닐케톤뇨증이 발생하게 된다.

하야가와 타로오, 하라다 미노루: 치과위생사교본. 생화학. 이시야쿠출판. 1997.

진함으로써 신체의 항상성을 정상적으로 유지하게 한다. 이와는 달리 약품은 식품과 달라서 우리 몸에서 이물질로 영양물질이 아닌 약리작용을 나타내는 화학물질의 총칭이다. 그러므로 약품은 대사를 억제하거나 저해하는 것이 많으며, 신체의 항상성을 교란시켜 극심한 거부반응을 일으키기도 한다. 즉, 식품은 생명을 낳고 기르지만 약품은 식품이 그 목적을 제대로 하지 못하는 경우 임시변통으로 역할을 하는 것뿐이다. 영양학이란 식품 내에 함유된 영양소가 체내에서 일어나는 일련의 과정을 다루는 과학으로, 인체에 영양소를 공급하여 건강을 유지하기 위한 응용과학이며, 식생활에서 영양을 연구하는 학문이다(그림 1-12).

한편 영양소는 우리의 몸을 구성하는 물질이기도 하다. 3대 영양소라 불리는 당질, 지방, 단백질과 여기에 비타민, 무기질을 더한 5대 영양소는 우리가 살아가는 데 없어서는 안 될 영양소이며, 우리는 이들 영양소로부터 생명 유지에 필요한 에너지를 얻을 수 있으며, 동시에 우리 몸에 필요한 물질을 합성한다. 새로이 체내에서 합성된 물질은 우리 몸에 독특한 물질이지만, 이들 역시 당질, 지방, 단백질이 대부분이다. 이는 지구에 사는 모든 생명체는 공통된 물질로 구성되어 있고, 다른 생명체를 영양원으로 섭취하여 살아간다는 것을 생각하면 쉽게 이해할 수 있을 것이다.

영양이나 영양소라는 말은 자주 사용되는 말이긴 하지만 그 본질에 대해 설명하기는 쉽지 않다. 그 이유는 우리의 몸을 구성하는 물질(생체 구성성분)이나 영양소가 몸 안에서 변화하는 모습과 에너지가 만들어지는 과정인 생명 현상이 눈에 보이지 않는 다수의 화학반응으로 복잡하게 얽혀 있어 구체적으로 설명하기 어렵기 때문이다.

생명현상을 분자 단위로 풀어내 화학반응으로 다루는 학문을 생화학이라 한다. 생체구성성분과 영양소를 화학물질로 다루고, 이들이 체내에서 분해되는 과정과 그에 따른 에너지 생성과정, 그리고 우리가 필요로 하는 물질을 합성하는 과정을 대사라 불리는 화학반응으로 다룸

으로써, 비로소 그 본질을 이해하는 것이 용이해진다. 생화학에 의한 생명현상의 이해는 영양학을 배우는 데 있어서 매우 중요하다.

치과의사와 치과위생사는 치과위생 분야의 전문가로서 건강관리의 최전선에 서 있다. 치과 위생 분야의 성장은 급속도로 빨라서 효과적인 실무를 하기 위하여 다양한 관점에서 건강의 지식을 습득할 필요가 있다. 치과의사와 치과위생사는 일반적으로 다른 의료인보다 더 자주 환자와 접할 수 있는 기회가 많다. 그러므로 치과의사와 치과위생사는 환자의 영양결핍이나 병적 상태 등 특히 구강 영역에서 생리적인 신호를 통해 의사가 진단하기 이전에 환자를 관찰하기도 한다. 그렇기 때문에 치과의사와 치과위생사는 건강관리에 있어 없어서는 안 되는 중요한 구성원이다. 즉, 치과의사와 치과위생사는 환자의 비정상적인 상태를 인식해서 적절한 의료 전문가에게 초기에 의뢰함으로써 치과의원이나 병원에 온 환자가 보다 나은 건강한 삶을 영위할 수 있도록 도와주는 전문가이다. 이를 위하여 치과의사와 치과위생사는 생명과학의 가장 중요한 생화학에 대하여 보다 많은 지식을 획득할 필요가 있다.

생화학을 이해하여야만 영양에 대하 지식을 획득할 수 있다. 영양학은 음식물로 섭취된 영양소가 인체 내에서 변화하는 과정을 중심으로 그 생리적 의의나 변화에 수반되는 에너지 수지나 영양가의 문제 등을 다루는 학문이다. 인류 영양학의 역사는 석기시대까지 거슬러 올라가는데, 학문으로서의 영양학은 18세기에 화학의 발달과 거의 시대를 같이 하고 있다. 19세기 말에는 금세기 전반에 걸친 기간은 영양학이 가장 발전한 시대이며, 이때 많은 영양학자가 노벨상을 수상하였다. 이미 앞에서 기술하였듯이 최근의 생화학, 특히 물질대사를 중심으로 한 동적인 생화학의 비약적인 발전이 영양학에 미친 영향은 아주 크다. '영양생화학'이라 불리는 영역이 영양학에서 중요한 위치를 차지하는 경향이 커졌다. 영양생화학은 사람에서 영양소의 소화, 흡수, 대사 및 그 조

절을 중심으로 연구하는 학문이다. 그렇다 하더라도 실제로는 생화학과 영양생화학 사이에 이렇다 할 본질적인 차이가 있는 것은 아니다. 예를 들면, 글루코오스가 피루브산(pyruvic acid)으로 변화되는 해당과정(glycol-ysis)에 대해, 생체 중에 이미 존재하는 성분의 하나인 글루코오스의 대사를 취급하는 생화학이나, 음식을 통해 들어온 영양소의 하나로서 글루코오스의 대사를 다루는 영양생화학 모두 결국은 해당과정이라는 대사과정

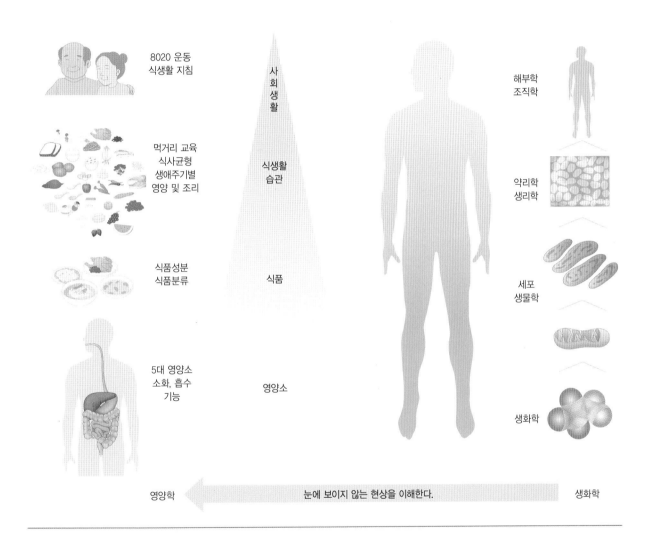

■■ ▓▓ 그림 1-12. 생화학과 영양학의 관계

1cm 단위정도까지 관찰하는 해부학과 그 이하의 조직학을 바탕으로 기관 레벨(organ level)에서 연구는 약리학이며, 조직 레벨에서의 연구가 생리학이다. 세포 하나하나의 연구나 세포 소기관 연구는 10mm~100mm로 세포 생물학의 영역에 해당된다. 이보다 분자 레벨(1nm)에서의 연구가 생화학이며, 이러한 생화학적 지식을 밑바탕으로 외부로부터 들어온 영양소가 생체 내에서 일어나는 현상을 영양학에서 다루게 된다. 5대 영양소를 중심으로 소화, 흡수 및 기능 연구를 통해 식품의 성분과 식품 분류를 하여 먹거리 교육, 식사균형 및 생애주기별 영양과 조리를 함으로써 식생활 습관을 통해 80세까지 20개의 치아를 유지하자는 8020과 같은 건강한 치아유지나 식생활지침을 통해 건강한 삶을 영위하도록 할 수 있다.

마끼 요시노부 등: 인체의 구조와 기능2. 영양과 대사. 이시야쿠출판. 2010.

을 다룬다는 점에서 기본적으로 마찬가지이다. 여기에서는 일반생화학과 치과분야에 독특한 구강생화학을 배울 것이며, 영양학에 대하여는 다루지 않을 것이다.

6 생화학과 치의학

치의학 영역에서 구강 생리, 치아우식 및 치주질환 등 구강의 병태생리를 이해하기 위해서는 생화학을 빼놓을 수가 없게 되었다. 구강조직의 염증, 발치나 그 밖의 조직 손상의 치유과정, 교정치료 시 볼 수 있는 치아의 이동에 수반되는 치조골의 변화, 소아치과 영역에서 볼 수 있는 유치 치근의 흡수 등에 관련하여 생화학적인 이해가 더욱 요구되고 있다. 이와 같이 생화학적인 견해, 사고방식이나 기술은 의학이나 그 밖의 응용생화학 영역에서 나타남과 동시에 치의학 방면에서도 활발히 적용되게 되었다. 구강생화학(또는 구강생물학)이라는 학문이 파생하여 자리를 잡아가고 있다. 이는 최근 구강생화학 영역과 관련되어 여러 참고도서가 증가하는 것으로도 짐작할 수 있다.

오늘날의 의료체계는 의학과 치의학이 분리되어 있으며, 두 학문 모두 사람이 건강한 생활을 하는 육체를 유지하도록 돕는 목표를 가지고 있다. 치과의료에 있어서도 환자의 건강상태를 파악하여, 그 환자의 건강상태를 최상으로 유지하도록 지도하여야 할 의무가 있다. 치과의사와 치과위생사의 업무는 환자가 가장 좋은 건강상태를 유지할 있도록 환자를 지도하는 것이 많은 부분을 차지한다. 전신적으로 영양지도가 기본이다. 그렇다면 '좋은 영양상태란 무엇인가?', '좋은 영양상태를 유지하기 위하여 어떻게 영양분을 섭취하여야 하는가?' 등 생체의 기능과 영양섭취 사이의 관계에 대한 지식이 필요하다. 또한 구강 내의 상태를 과학적으로 이해하고, 나아가 지도하는 것이 필요하다.

노령인구의 증가 등에 따라 오늘날 일반 사회에서도 치과의 중요성이 인식되어 치아우식, 치주질환 등을 예방하려는 생각이 널리 퍼져, 치과의사나 치과위생사는 더욱 고도의 지식을 갖는 전문가로 인정되고 있다. 생화학에서는 영양지도의 기초가 되는 영양생화학과 치과질환에 대한 기초를 이해할 수 있는 구강생화학을 강의하여 환자교육에 필요한 사항을 생화학적으로 생각할 수 있는 기초를 습득하는 것을 목적으로 한다.

참고문헌

1. Audesirk G, Audesirk T, Byers BE : Biology : Life on earth with physiology. 8th ed. Pearson Education Inc. 2008.

2. Cox MM, Doudna JA O'Donnell M : Molecular Biology : Principles and Practice. Macmillan. 2012.

3. Ferrier DR : Lippincott's Illustrated Reviews : Biochemistry. 6th ed. Wolters Kluwer/Lippincott Williams & Wilkins. 2014.

4. 정노팔, 신영옥, 이명희 : 생물과 인간 그리고 문화. 연세대학교 출판부. 2000.

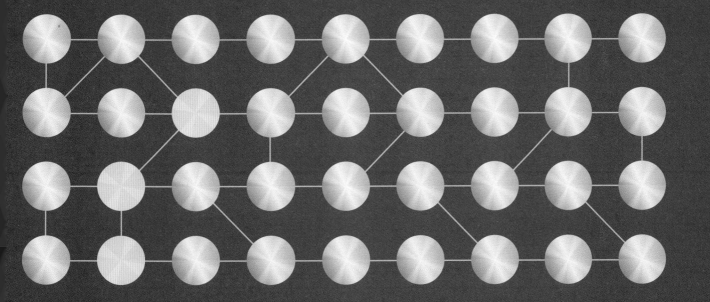

02

Chapter

생체의 구성요소와 생체 내의 물

① 세포의 구조와 역할

이미 앞장에서 기술하였듯이 모든 생명체는 당질, 아미노산, 지방산 및 뉴클레오티드라는 벽돌분자에 의해 이루어 졌다. 이러한 벽돌 분자는 크기는 작으나 여러 개

의 단위가 공유결합을 이루어 거대분자(macromolecule)를 형성한다. 거대분자는 다른 거대분자와 비공유결합을 통해 특수한 기능을 수행하는 초분자조합(supramolecular assembly) 구조를 형성한다. 세포막, 리보솜, 염색질(chromatin) 등이 그 예이다. 진핵세포의 세포질에는 다양한 종류의 세포소기관이 존재하며, 이들은 막으로 분리된 세포내 분획으로써 초분자조합보다 다

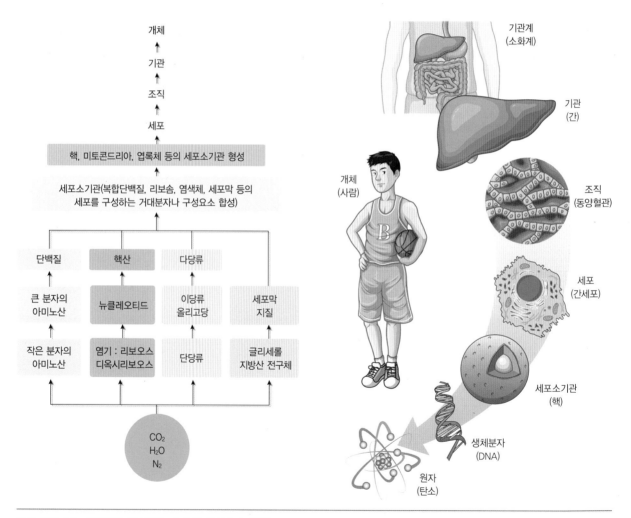

■▦ 그림 2-1. 생명체를 구성하는 요소의 구성요소 체계

(A) 간단한 화학물질에 의한 개체 형성. 생체분자인 이산화탄소, 물, 질소로부터 생명체의 빌딩블록인 아미노산, 뉴클레오티드, 단당류 등이 만들어지고 이들 화합물에 의해 단백질, 아미노산, 핵산 등의 거대분자가 만들어지며, 이들 거대분자가 모여 초분자집합체를 이루고 나아가 세포소기관이 형성된 다음 세포소기관이 모여 세포를 만들고, 여러 종류의 세포에 의해 조직이 형성되며, 여러 조직이 모여 기관이 된 후 기관계를 형성하여 개체가 형성되는 것을 보여준다. (B) 다세포 유기체인 사람에서의 계층 구조

Mckee T, Mekee JR: Biochemistry an introduction, 2nd ed. WCB, McGraw-Hill. p.5. 1999.

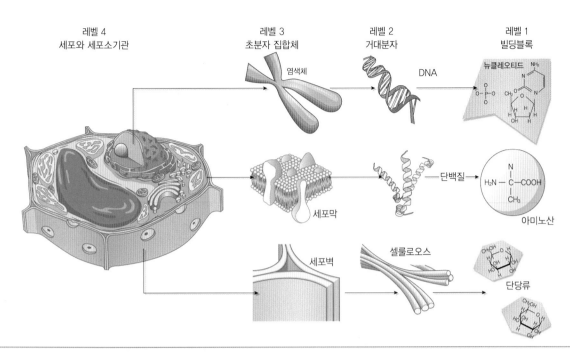

■■■ 그림 2-2. 세포를 구성하는 4레벨

Nelson DL, Cox MM: Lehninger's Principles of Biochemistry, 4th ed. Freeman p.11. 2005.

크고 복잡한 구조를 이룬다. 세포는 이러한 여러 세포소기관이 모여 이루어지며, 생명체를 이루는 기본단위가 된다. 생명체는 세포뿐만 아니라 세포와 세포 사이에 세포외물질(extracellular substance)이 존재한다. 이중 콜라겐 섬유가 대표적인 분자이며, 이것은 세포에서 합성되어 세포 밖으로 분비된 것이다. 세포외물질은 특수한 기능을 수행하는 조직과 장기를 형성하고, 이들은 다시 생명현상을 나타내는 한 개체를 구성한다. 이와 같이 생명체는 생물 원소에서부터 출발하여 점차 크고 복잡한 구조를 이루고 마침내 한 개체를 이루는 계층 구조로 이루어지게 된다(그림 2-1, 2).

세포의 형태는 생물의 종류와 조직에 따라 여러 모로 다르다(그림 2-3). 크기나 모양도 일정하지 않으며, 대부분 1~30μm의 범위의 크기를 가지며, 원핵세포(procaryotes)는 일반적으로 진핵세포(eucaryotes)보다 작다. 이제까지 보고된 가장 작은 세포는 PPLO(pleuropneumonia-like organism)로 소의 폐렴균과 닮은 미생물로 불리는

마이코플라스마(mycoplasma)로, 0.12~0.25μm 크기이다. 마이코플라스마란 세균과 바이러스의 중간인 미생물로 여러 동물에서 분리되고 있다.

세포 내부구조는 생물의 종류와 조직에 따라 여러 가지이며, 원핵세포와 진핵세포 사이에는 현저한 차이가 있다(표 2-1). 원핵세포는 세균, 청녹조류에서 전형적이고, 진핵세포는 동물과 식물 등 모든 유기체에 있다. 원핵세포는 일반적으로 가장 단순하며 크기가 작다. 원핵세포의 밖에는 튼튼한 피막이 존재한다. 이 피막의 조성은 균에 따라 다르나 지질, 당류, 뮤코펩타이드(muco-peptide)가 들어 있다. 진핵세포는 원핵세포에 비하여 훨씬 복잡하다. 동물세포는 세포막으로, 식물세포는 섬유소와 그 밖의 다른 물질로 된 세포벽으로 둘러싸여 있다. 진핵세포에는 원핵세포와 달리 유전물질이 들어 있는 핵이 있으며, 핵 안에는 핵단백질인 염색체가 들어 있다. 그러나 원핵세포의 경우에는 핵산이 단백질과 결합되어 있지 않다.

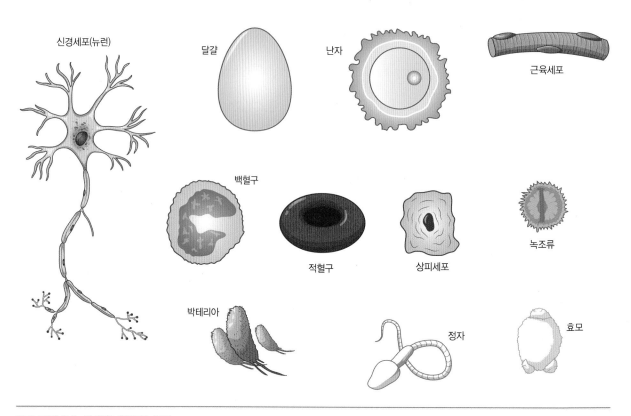

신경세포(뉴런)

달걀

난자

근육세포

백혈구

적혈구

상피세포

녹조류

박테리아

정자

효모

■■ 그림 2-3. 다양한 종류의 세포

표 2-1. 원핵세포와 진핵세포의 특징

특징	원핵세포	진핵세포
세포막	있다	있다
핵막	없다	있다
미토콘드리아	없다	있다
리보솜	있다	있다
소포체	없다	있다
세포벽	아미노당(glycosamine)과 뮤라민산(muramic acid)	동물에는 없고, 식물에서는 주로 섬유소로 이루어짐
피막	만약 있는 경우엔 뮤코다당으로 이루어짐	없다
액포	없다	있다(특히 식물세포)
용해소체	없다	있다
염색체	다만 DNA로만 이루어지고 둘러싼 막이 없는 단일한 구조	DNA와 단백질로 구성되는 몇 개의 구조로 존재

1) 원핵세포에서 진핵세포로의 진화

원핵세포와 진핵세포의 연구결과에 의하면 최초에 생명체의 출발이 매우 단순한 원핵세포에서 시작하여 진핵세포로 진화했을 것이라는 다음과 같은 근거들을 보여주고 있다.

(1) 생명체의 진화적 연관성

오늘날 존재하는 사이토크롬 C(cytochrome C) 단백질의 아미노산 서열, DNA의 염기서열 등을 비교하였을 때 진화적 연관성을 추론할 수 있으며, 이와 같은 추론은 해부학적 구조나 화석상의 기록에 의하여도 지지를 받고 있다(그림 2-4).

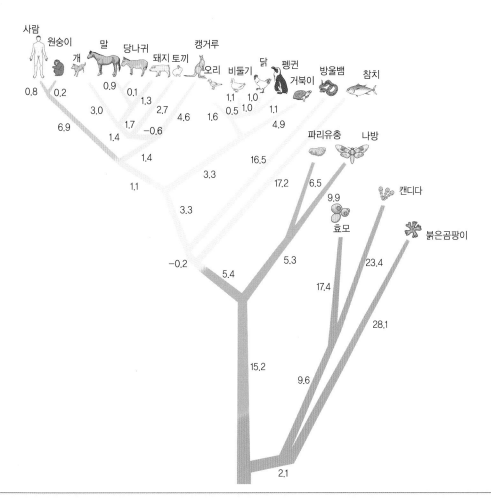

■ ▒ 그림 2-4. 생물의 계통발생

지금까지 알려진 지구상의 모든 생물들은 본질적으로 동일한 세포 구조로 이루어져 있다. 원핵생물을 포함한 모든 세포는 RNA, DNA와 같은 유전 물질을 통해 단백질을 생성하고 생장한다. 또한 진핵생물은 리보솜, 미토콘드리아와 같은 세포 소기관을 지니고 있으며 이들의 구성 방식과 역할은 생물 종과 관계없이 똑 같다. 이는 모든 생물이 동일한 공통 조상에서부터 진화한 것임을 뒷받침한다. 사이토크롬 C는 세포 안에서 생성되는 단백질로 100여 개의 아미노산으로 이루어져 있다. 사이토크롬 C를 만드는 DNA 염기쌍은 진화의 과정에서 발생한 돌연변이로 인해 종마다 조금씩 차이를 보인다. 그 결과 생물종마다 체내에서 생성되는 사이토크롬 C의 구조가 조금씩 차이가 나게 된다. 이를 바탕으로 여러 생물종의 사이토크롬 C를 비교함으로써 이들의 종 분화 관계를 파악할 수 있다. 서로 구조가 비슷한 사이토크롬 C를 갖는 생물은 구조 차이가 많이 나는 생물종보다 나중에 종 분화가 이루어졌다고 볼 수 있다.

(2) 대사과정

초기의 생명체는 주위 환경의 여러 물질 중에서 생명 유지에 필요한 물질을 쉽게 취할 수 있었으나, 생명체의 수가 급격히 증가하면서 주변 환경의 물질이 고갈되었을 것이다. 이처럼 변화된 주위 환경에 적응하기 위해서는 주변의 다른 물질을 흡수하여 세포 내에서 필요한 물질로 합성하는 장치를 마련하게 되었으며, 이와 같은 현상이 반복되어 오늘날 살아남은 세포는 매우 복잡한 대사과정을 갖게 되었다는 것이다.

(3) 외막의 변형에 의한 세포소기관의 형성 : 원액세포에서 진핵세포로 어떻게 진화했을까?

진핵세포의 특징인 소포체(endoplasmic reticulum)와 핵막 또는 기타 세포 소기관은 어떻게 형성되었을까? 로버트슨(Robertson JD)에 의하면 단위막이 먼저 만들어져 공 모양의 원시세포가 형성된 다음, 이 세포가 점점 수축하고 그 다음 위족을 만들고, 이 상태에서 다시 쭈글쭈글해져 막성 구성물이 엉클어져서 현재의 소포체가 되었으며, 진핵세포로 진화되었다고 설명한다. 이에 비해 유쎌(Uzzel T)과 스폴스키(Spolsky C)는 원시세포가 비교적 큰 세포로 되어 외막의 함입 또는 안주름의 현상으로 미토콘드리아, 엽록체, 핵막 등의 세포소기관이 형성되었을 것이라 주장하였다. 이러한 가설들은 어느 과정을 거쳤는지 단정하기 어렵겠지만 원핵세포 이후 상당한 지질시대가 지난 후에 진핵세포가 출현하여 유성생식을 할 수 있게 되었으며, 성세포의 분화는 세대를 거침에 따라 유전자의 상호교환이 활발해져 형질전환이 가속화됨으로써 종의 다양화와 생물의 다세포화 및 고등화가 일어날 수 있게 되었다.

(4) 공생설

공생설(symbiosis theory)은 혐기성 숙주세포(anaerobic host cell)에 공생하게 된 호기성 원핵세포(aerobic procaryotes)가 미토콘드리아, 엽록체와 같은 세포소기관으로 되었다는 가설이다. 미토콘드리아, 엽록체 및 원핵생물 사이의 많은 유사점 중 특히 호흡사슬(respiratory chain)의 위치가 유사하다. 세균의 경우 이것은 원형질막 속에 위치하는데 또한 기질 속으로 돌출한 ATP 합성효소인 F_1-ATPase를 가지고 있다. 진핵세포와 원핵세포 중에서 어떤 것들은 서로의 필요성에 의하여 하나의 세포로 합쳐져 공생관계로 발전하였다는 것으로 다음과 같은 예를 들 수 있다(그림 2-5, 6).

① 미토콘드리아

원핵세포의 세포질 내의 세포소기관인 미토콘드리아(사립체)는 다른 세포소기관과는 달리 고유의 DNA와 리보솜 및 스스로 분열할 수 있는 능력을 갖고 있을 뿐만 아니라, 그 크기와 모양 등이 세균과 매우 유사한 점으로 볼 때 처음엔 독립된 생명체였던 것이 숙주세포에 들어와 생존을 보장받는 대신 ATP를 생산·공급해 주는 공생관계로 발전했다는 것이다. 미토콘드리아 DNA는 원핵생물의 염색체에서 흔히 볼 수 있는 바와 같이 환상으로 되어 있으며, 미토콘드리아에서 DNA 의존성 RNA 합성이 증명됨으로써 이러한 세포소기관의 부분적인 자율성도 입증되었다. 그러나 미토콘드리아 DNA가 지닌 정보의 양은 자율적인 생체합성에 충분하지는 않다.

② 과산화소체

탐식작용에 의해 원시진핵세포에 이입된 원핵세포가 자신의 DNA를 핵에 전달하고, 자신의 핵막도 소실된 것이 과산화소체(peroxisome)라 생각한다.

③ 엽록체

광합성을 하는 원핵세포가 진핵세포로 이입된 후 핵으로 대부분의 DNA를 전달하고, 자신의 외막은 그대로 유지한 것으로 생각한다.

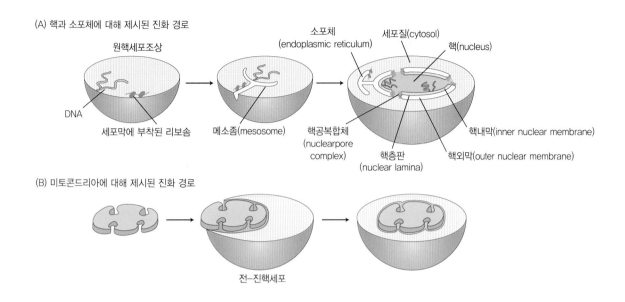

(A) 핵과 소포체에 대해 제시된 진화 경로

원핵세포조상

DNA

세포막에 부착된 리보솜

메소좀(mesosome)

소포체
(endoplasmic reticulum)

세포질(cytosol)

핵(nucleus)

핵공복합체
(nuclearpore
complex)

핵층판
(nuclear lamina)

핵내막(inner nuclear membrane)

핵외막(outer nuclear membrane)

(B) 미토콘드리아에 대해 제시된 진화 경로

전-진핵세포

■▓ 그림 2-5. 핵 및 소포체 및 미토콘드리아의 진화상에서의 형성경로

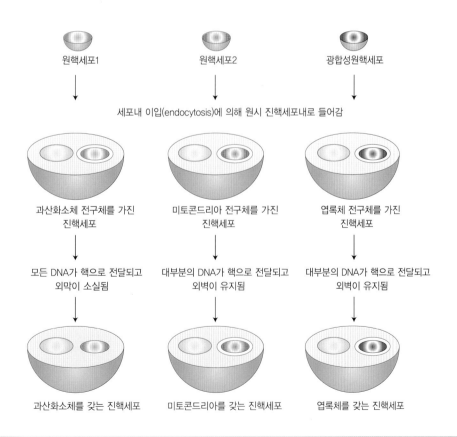

원핵세포1

원핵세포2

광합성원핵세포

세포내 이입(endocytosis)에 의해 원시 진핵세포내로 들어감

과산화소체 전구체를 가진
진핵세포

미토콘드리아 전구체를 가진
진핵세포

엽록체 전구체를 가진
진핵세포

모든 DNA가 핵으로 전달되고
외막이 소실됨

대부분의 DNA가 핵으로 전달되고
외벽이 유지됨

대부분의 DNA가 핵으로 전달되고
외벽이 유지됨

과산화소체를 갖는 진핵세포

미토콘드리아를 갖는 진핵세포

엽록체를 갖는 진핵세포

■▓ 그림 2-6. 원핵세포와 진핵세포 공생설을 설명하는 모식도

2) 원핵세포의 기본구조

원핵세포로 세균의 일종인 대장균(*Escherichia coli, E. coli*)의 모식도를 그림 2-7에 나타냈다. 원핵세포는 물에 녹을 수 있는 세포성분(세포질)에 세포막(plasma membrane, 원형질막, 형질막) 속에 봉입된 구조이다. 세포막은 그 외측을 다당류를 주성분으로 하는 아주 강한 세포벽(cell wall)으로 둘러싸여 있는 경우가 많은데, 이로 인해 외부의 자극으로부터 보호를 받고 있다. 유전물질은 따로 보호 받지 않은 상태로 세포질 내에 존재하며, 세포질 전반에 걸쳐 분산되어 있는 것이 아니라 일부분에 집중되어 있는데, 이런 구조를 핵양체(nucleoid)라 한다. 진핵세포와 달리 세포소기관(organelle)은 가지고 있지 않다.

이처럼 구조가 단순한 탓에 세균의 증식능력은 매우 높다(표 2-2). 예를 들어, 대장균의 경우 최적조건에서 약 20분마다 분열할 수 있기 때문에, 11시간이 지나면 80억 개 이상에 달하여, 전체 지구상의 인구수를 가볍게 넘게 된다. 또한 자기복제 능력이 있는 플라스미드(plasmid)를 갖는 경우도 있는데, 이는 오늘날 유전공학에서 많이 이용되고 있다.

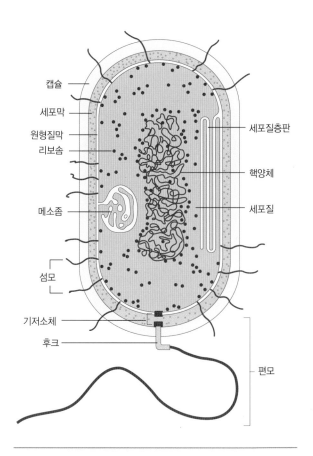

■▨ 그림 2-7. 대장균의 모식도

표 2-2. 대장균의 생합성 활성

세포 성분	건조중량 (%)	대략적인 분자량	세포 안의 분자수	1초에 합성되는 분자수	합성에 필요한 ATP 수	생합성에 소비되는 총에너지에 대한 비율(%)
DNA	5	2.000,000,000	1	0.00083	60,000	2.5
RNA	10	1,000,000	15,000	12.5	75,000	3.1
단백질	70	60,000	1,700,000	1,400	2,120,000	88.0
지질	10	1,000	15,000,000	12,500	87,500	3.7
다당류	5	200,000	30,000	32.5	65,000	2.7

3) 진핵세포의 기본구조

세포는 그 종류에 따라 모양과 크기가 다양하지만, 모든 세포는 기본적으로 세포소기관과 세포함유물(cell inclusions)을 가지고 있다(그림 2-8). 세포소기관들은 세포의 기능을 분담하는 구조물로서 생명현상의 주체가 되나, 세포함유물은 영양물질, 색소 등과 같이 세포에서 일시적으로 축적되는 대사산물이다. 1개체 또는 사람은 다세포 생물로, 여러 가지 세포로 구성된다. 처음에 수정란인 1개의 세포에서 발생이 진행되어 수의 증가와 더불어 질이 다른 특징을 가진 세포로 변화, 즉 분화(differentiation)가 일어나서 적혈구, 백혈구, 상아모세포(odontoblast), 법랑모세포(ameloblast), 신경세포 등 특이한 형태와 기능을 갖게 된다.

이 세포들은 1~수 μm의 크기이며, 일반적으로 세포소기관이라 불리는 구조체가 존재하여 분업을 하고 있다. 핵은 염색질을 함유하고 유전정보를 담당한다. 미토콘드리아(mitochondria, 사립체)는 화학 에너지의 생산 공장에 비유할 수 있고, 소포체(endoplasmic reticulum, ER)는 단백질 합성 장소이다. 생명의 기본단위로 세포의 성분을 화학적 방법으로 분석해 보면 단백질, 당질, 지질, 핵산이라는 거대분자 유기 화합물로 이루어져 있다. 세포는 이 분자들을 스스로 생합성하기 위하여 외부로부터 보다 단순한 물질을 받아들이거나 불필요한 것을 밖으로 내보내는 역할도 겸하고 있다.

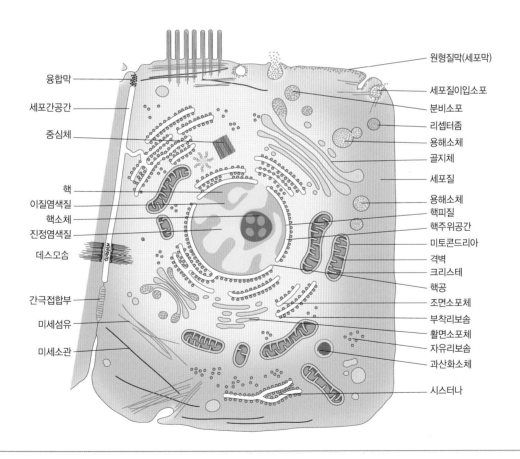

■■ 그림 2-8. 진핵세포의 모식도

(1) 세포막과 세포질

사람은 다세포 생물로 여러 가지 세포가 단위가 되고, 이것이 유기체화되어 형성되었다. 보통 동물세포(그림 2-9)의 크기는 7~20μm로, 핵이라 불리는 소체와 이것을 둘러싸는 세포질로 이루어져 있다. 이 세포들의 내용물을 총칭하여 세포질(원형질)이라 한다. 세포가 특징적인 구조를 유지하고 세포질이 유지되는 것은 막 구조에 의한 것으로, 각 세포들은 세포막(원형질막)에 의해 구분되고 있다. 세포질을 전자현미경으로 관찰하면 일정한 구조를 가진 여러 종류의 구조물이 존재한다. 이것은 세포의 작용을 분담하는 것으로 세포소기관으로 총칭되고 있다. 미토콘드리아, 골지체, 소포체, 리보솜 등이 여기에 속한다.

① 분화와 세포의 모양

적혈구는 원판 모양의 세포로, 산소를 운반하는 활동을 한다. 신경세포는 나뭇가지 모양의 돌기를 가진 세포이며, 여기에서 뻗어 나온 신경돌기가 단위가 되어 뉴런(neuron)을 구성하고, 흥분 전달의 작용을 한다. 상아모세포는 상아세관 속으로 뻗은 돌기를 가지며, 분비기능을 하는 세포이다(그림 2-10). 이 세포들은 중배엽이나 외배엽에서 분화하는데(그림 2-11), 이 과정은 일반적으로 형성체(organizer)라 불리는 부분의 작용에 의하여 특정한 조직 및 장기의 분화가 유도된다. 이와 같이 세포나 조직 사이의 상호작용이 복잡한 세포를 분화시켜서 동물의 몸을 순차적으로 완성시켜가는 구조는 굉장히 정교하게 체계화되어 있다.

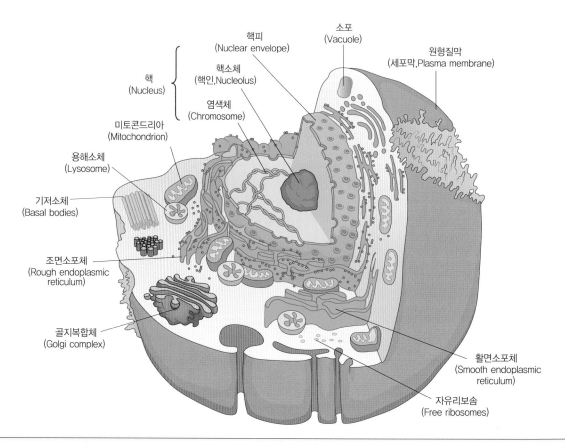

■■▨ 그림 2-9. 동물세포의 모식도

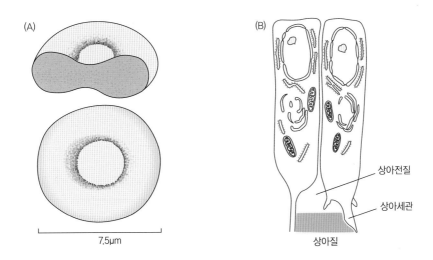

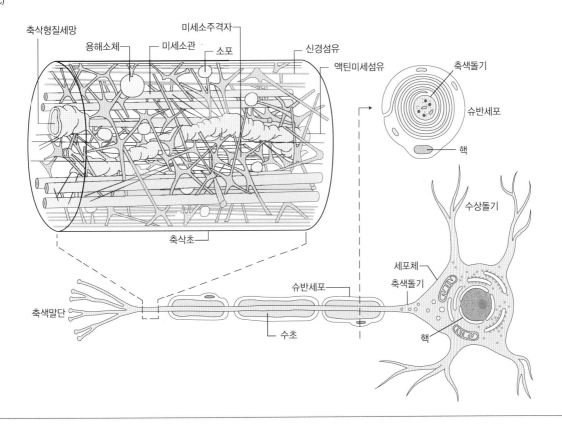

■ ▒ **그림 2-10. 여러 세포의 모식도**

(A) 적혈구 모식도. 적혈구는 적아구에서 망상적혈구, 적혈구 순으로 분화되어 성숙한 적혈구가 형성된다. 완전하게 성숙한 적혈구는 세포소기관을 함유하지 않는다. 헤모글로빈이 생합성 되면, 핵, 미토콘드리아, 소포체가 소실되기 때문이다. 적혈구는 일정기간이 지난 후 비장에서 대식세포의 식작용에 의해 제거된다. (B) 상아모세포의 모식도. 상아모세포는 직경 5~7μm, 길이 25~40μm이다. 치수의 상아질 형성영역에 국한되어 존재한다. 핵은 세포의 기저부에 존재한다. (C) 신경단위(neuron). 사람 신경세포는 약 30μm, 돌기는 1.5μm이다, 신경돌기의 말단이 다른 세포체와 접하는 점은 신경세포접합부 단추(synapse button)라 부른다. 또한 근육 등의 작동체와 접합하여 신경종말이 되기도 한다.

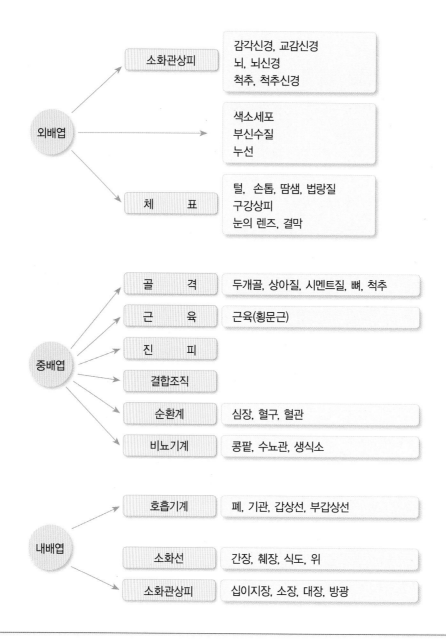

■■ 그림 2-11. 우리 몸 세포의 분화와 기관명

② 세포질의 화학성분

세포는 생명체의 기본단위이며, 생명현상이 유기체화된 세포에서 일어나고 있는 점을 이해하기 위해서는 우선 세포질을 구성하는 화학성분에 관하여 자세하게 알아두어야 한다. 세포질의 화학조성은 어떤 세포에서도 대개 비슷한 비율이다. 크게 나누면 물, 단백질, 지질, 당질, 핵산, 무기질, 그 밖의 성분으로 구성되며, 비율은 표 2-3에 나타냈다. 물이 70%를 차지하고 있다. 단백질은 종류가 많고 기능이 매우 다양하다. 지질은 중성지방으로 저장된 것이나, 인지질과 같이 세포막이나 세포소

표 2-3. 세포의 화학조성

성분	대장균(%)	쥐 간세포(%)
물	70	69
단백질	15	21
당질	3	3.8
지질	2	5.5
핵산	-	-
DNA	1	0.2
RNA	6	1.0
무기질	1	0.4
기타(중간 대사산물 포함)	2	-

기관의 구조 성분이 되고 있다. 글리코겐(glycogen)은 동물에서 저장 다당질로 간과 근육세포에 존재한다. 핵산은 크게 구별하여 DNA와 RNA가 있다. 그 밖에 무기질은 세포의 활동을 정상적으로 유지하는데 주요한 역할을 한다.

(2) 세포막의 구조와 작용

생명체는 세포가 기본이 되어 생명활동을 유지하고 있다. 이러한 세포들의 사이는 세포막으로 가로막혀 있는데, 생명활동에 필요한 물질의 투과는 세포막 성분의 성질에 따라 다르다. 세포내에서도 세포소기관이 서로 다른 막 구조를 갖고 있는 것은 세포소기관의 역할이 다르기 때문으로 물질의 종류나 농도에 제각기 차이가 있는 것을 나타내는 것이다.

① 세포막의 구조와 성분

세포막은 대개 10nm의 두께이며, 그 미세한 구조는 전자현미경으로 관찰할 수 있다. 적혈구의 막은 2중 층상 구조를 나타내며, 로버트슨이 제창한 단위막설과 일치한다. 이 학설은 단백질과 인지질이 한 쌍이 되어 2중 구조(그림 2-12)를 형성한다는 설로, 세포막 내부는 소수성이고, 외부는 친수성을 나타낸다. 적혈구 막에는 미세섬모가 존재하지 않지만, 림프구는 불규칙한 미세섬모가 존재하며, 소장 점막의 상피세포에는 매우 규칙적인 미세섬모가존재하여 특이한 기능을 발휘할 수 있게 되어있다.

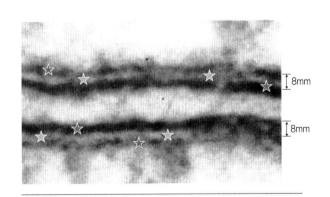

8mm

8mm

■■ 그림 2-12. 단위막

세포막의 극히 얇은 조각을 전자현미경으로 관찰하면 2개의 전자밀도가 높은 층(친수성 단백질 부분, 어둡게 보이는 부분 ★)과 그 중간에 전자밀도가 낮은 층(소수성 인지질 이중막 부분, 밝은 부분 ★)이 있으며, 전체적으로 3층으로 형성되어 있는 것처럼 보인다(두께 8nm). 이러한 기본구조를 단위막이라 한다.

표 2-4. 각종 막의 구성(쥐 간세포)

	세포막	조면소포체	미토콘드리아		핵막
			내막	외막	
단백질	68	79	79	73	71
인지질	19	20	20	26	28
콜레스테롤	7	< 1	< 1	1	< 1

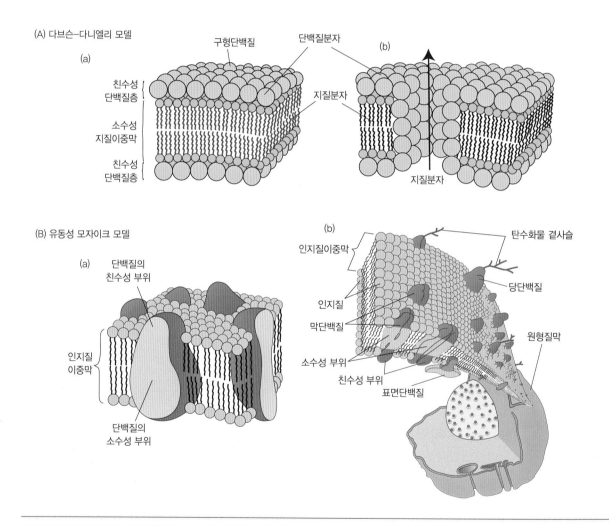

■■ ▒ 그림 2-13. 다브슨-다니엘리(Davson-Danielli) 모델과 유동성 모자이크 모델

(A) 다브슨-다니엘리 모델은 1935년에 제시되었으며(a), 두 개의 단백질 층 사이에 인지질 이중막이 샌드위치 모양으로 위치한다. 후에 좀 변형된 모델(b)들이 1970년대까지 널리 받아들여졌다. (B) 유동성 모자이크 모델은 인지질 이중막 내에 단백질이 산재해 있거나 파묻혀 있는 상태로 이중막은 유동성이 있으며, 오늘날 받아들여지고 있는 모델이다(a). (b)에는 세포 전체 윤곽과 연관하여 상세도를 표시하였다.

Singer SJ, Nicolson GL: The fluid mosaic model of the structure of cell membranes. Science 175(4023): 720-31. 1972; Danielli JF, Davson H: A contribution to the theory of permeability of thin films. J Cell Comp physiol 5(4):459, 1935.

화학분석 결과에서 세포막이나 소포체 막의 조성은 표 2-4와 같다. 단백질, 지질 외에 당 성분이 함유되어 있다. 이 당 성분은 당단백질의 형태로 세포막을 관통하는 단백질의 세포 바깥쪽에 결합되어 있다. 이 막 구조는 일반적으로 받아들여지고 있는 유동성 모자이크 모델 (fluid mosaic model)이다(그림 2-13). 이 모식도에서 보듯이 인지질과 콜레스테롤이 소수성 상호작용을 유지하며, 2층을 형성한다. 친수성을 나타내는 양측 중, 세포 내측에는 구조를 유지하는 구조단백질이나 지질 내부에 부분적으로 매입된 단백질이 존재한다. 또한 막을 관통하는 당단백질이 존재하여 세포 사이의 상호작용에 도움을 주기도 하고, 세포막에 작은 구멍을 형성하여 물, 이온, 작은 분자의 운반 통로를 형성하기도 한다.

② 물질의 투과성

세포막을 통한 당이나 아미노산 같은 저분자 화합물의 출입에는 수동확산(passive transport), 매개확산 (facilitated transport), 능동수송(active transport)의 3종이 있다. 또 고분자 단백질이나 바이러스 등 거대분자 입자가 세포를 출입하는 기구는 세포막의 돌출이나 함입을 수반하여 일어나며 음작용(pinocytosis)과 식작용(phagocytosis)과 같은 세포외유출(exocytosis)과 세포 내로 들어오는 세포내이입(endocytosis)이 있다.

가. 수동확산과 매개확산

수동확산은 저분자 영양물질이 그 농도가 높은 곳에서 낮은 곳으로 단순하게 확산되는 경우로, 완만하게 확산이 진행되며, 세포내에서 생성된 불필요한 수분, 이산화탄소 및 요소는 이 방법에 의해 세포 밖으로 방출된다(그림 2-14).

매개확산은 농도차에 의해 일어나며, 확산이 진행되는 점은 수동확산과 같지만, 매개확산에서는 확산하는 분자와 막 성분의 단백질 분자 사이에 결합이 일어나고, 그 결과 확산속도가 신속하게 된다. 그러나 능동수송과

는 달리 에너지 소모가 없다. 세포막에 존재하는 특정한 운반체는 수송하려는 물질에 특이성이 높아서 화학적인 반응을 수반하기 때문에 온도에도 의존성이 있다. 적혈구 막이 그 한 예로 대부분 세포는 D-글루코오스와 L-아미노산, 콜린, 뉴클레오티드 등의 분자를 이 방법으로 흡수할 수가 있다. 이 수송은 한 방향으로 진행되며, 세포내로 들어온 당은 인산화되면 세포 밖으로 유출이 억제된다.

나. 능동수송

영양물질을 농도차를 거슬러서 농도가 낮은 곳에서 농도가 높은 곳으로 수송하는 기구로, 에너지대사를 수반하여 일어난다(그림 2-14 참조). 소장의 점막상피세포에서 당질이나 아미노산이 다량 흡수되거나 콩팥의 세뇨관에서 이 분자들이 재흡수 되는 것 등이 능동수송의 예가 된다. 이 경우 세포내의 ATP 에너지를 이용하여 Na$^+$ 이온의 배출을 촉진시켜서, 이것과 함께 당질이나 아미노산을 세포내로 이동시킨다. 능동수송에는 일반적으로 막 속의 운반체도 필요하며, 양이온의 능동수송에 관해서는 인산화된 막 단백질 중간체의 분리가 행하여지기도 한다. 능동수송에서의 당질이나 아미노산의 흡수에서는 이것이 불완전한 가수분해과정인 이당류나 펩타이드 형태로 흡수되어 수송 중에 단당 또는 각 아미노산으로 완전히 가수분해 되게 한다.

다. 세포내이입과 세포외유출

여러 종류의 물질이 확산이나 능동적 이동에 의해 세포 안팎으로 출입하지만, 막성 구조에 둘러싸여서 출입하는 경우도 있다. 외부의 물질을 세포내로 흡입함에 있어서 세포가 그 형태변화를 수반하는 것을 세포내이입 (endocytosis)이라 하며, 바이러스나 세포 과립과 같은 고분자물질을 흡수하는 경우의 식작용과, 가용물질을 함유한 물방울을 흡수하는 경우의 음작용이 알려져 있다. 감염에 대한 생체방어 반응은 감염원인 박테리아나 바

(A)

수동확산

세포내외의 물질농도의 차이에 의존하여
천천히 흡수되는 양식으로, 에너지가 필요하지 않다.
스테로이드 호르몬, 산소, 이산화탄소 등의 확산에 이용

느리게
진행된다.

매개확산

막의 단백질(중개물질)과 수송물질의 결합이
일어나서 흡수는 빠르지만, 에너지가 필요하지 않다.
근육세포나 적혈구에 글루코오스나 아미노산이 흡수되는 양식이다.

빠르게
진행된다.

매개물질

능동수송

물질의 농도분배에 거슬러서 물질을 흡수하기 때문에
에너지를 필요로 한다. 소장이나 요세관의 상피세포에서
글루코오스나 아미노산이 흡수되는 양식이다.

빠르게
진행된다.

(B)

특이한 이온이 오면 채널이 열린다.

특이한 물질

운반체
단백질

생체막

채널 단백질

채널이 닫힌다.

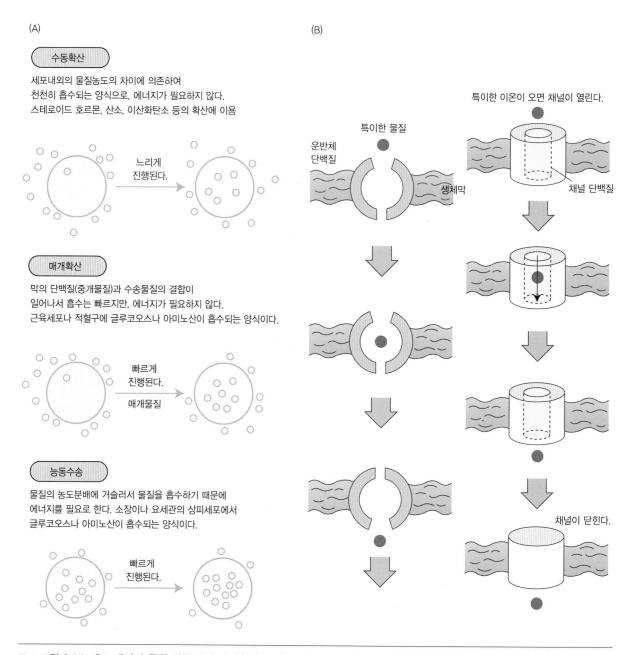

■■▓ **그림 2-14. 세포 내외의 물질 이동(A)과 매개확산 모델의 기전(B)**

히야가와 타로오, 하라다 미노루: 치과위생사교본. 생화학. 이시야쿠출판. 1997.

이러스가 대식세포(macrophage)나 호중구(neutrophils)에 의해 제거되는 것을 말한다. 세포의 섭취작용을 세포내유입이라하는데 비해 세포의 배출작용은 세포외유출(exocytosis)이라 한다. 세포외유출 작용은 섭취작용의 반대과정으로 이루어진다. 즉, 분비과립이나 신경의 연접소포처럼 막으로 싸인 물질이 세포막으로 이동하여, 이들을 둘러싼 막은 세포막에 붙고, 세포 바깥쪽으로 열리면서 물질의 배출작용이 일어난다(그림 2-15).

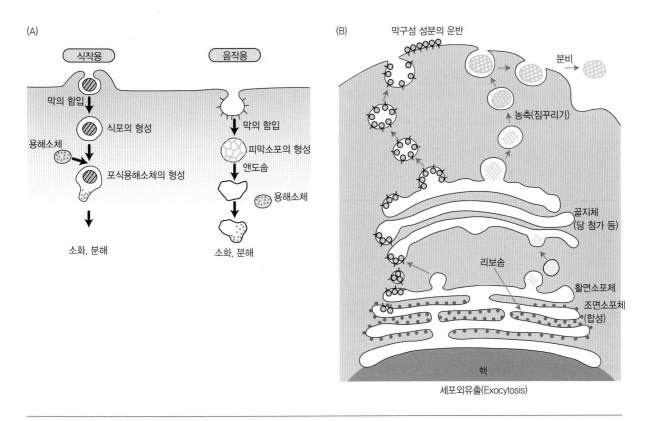

■■■ 그림 2-15. 세포내이입과 세포외유출

4) 세포소기관의 작용

전자현미경의 관찰기술 발전으로 세포질의 여러 부분에 대한 구조와 작용이 밝혀졌다. 세포질은 세포막으로 둘러싸여 있고, 안쪽으로 세포소기관이라 불리는 단위막으로 조립된 구조체가 존재한다. 즉, 미토콘드리아, 소포체, 리보솜, 골지체, 용해소체, 중심체 등이 여기에 속한다.

(1) 핵

원형의 막(핵막)으로 둘러싸인 세포소기관으로 이중막 구조를 갖는다(그림 2-16). 두 막 사이에는 50nm의 핵막주위소주(perinuclear cisternae)가 존재한다. 핵은 보통 세포에 1개가 존재하나 2개 이상인 다핵세포도 존재하는데 파골세포는 다수의 핵을 가지고 있다. 핵막에서는 지름 70~120nm의 핵공(nuclear pore)이라 불리는 원형 창 모양의 구멍이 관찰된다. 이 핵공을 통하여 핵질과 세포질 사이에 물질교환이 이루어진다. 핵공은 얇은 단일막인 격막에 의해 폐쇄되어 있다. 핵 내부에는 핵소체(nucleolus) 또는 핵인이라 불리는 구조물 및 특이한 염색체를 갖는 그물망 모양의 구조인 염색질(chromatin)과 핵형질(karyoplasm)이 관찰된다.

염색질의 기본단위는 DNA 나선구조와 염기성 단백질인 히스톤(histone)으로 구성된 가는 실모양의 핵단백세사(nucleoprotein filament)가 나선형으로 꼬여서 구성된 핵단백섬유(nucleoprotein fiber)들이 꼬여서 농축된 것이다. 광학현미경으로 관찰이 가능하나, 활동이 없는 DNA가 들어있는 부위이다. 진정염색질(euchro-

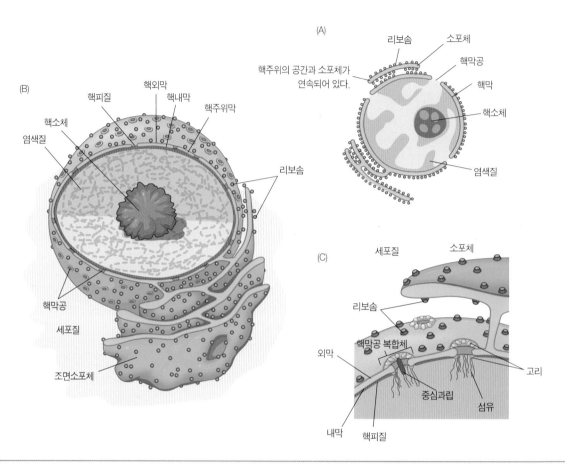

■▦ 그림 2-16. 핵의 구조

핵은 적혈구를 제외한 모든 세포에 존재한다. (A) 평면 상태의 그림. (B) 핵의 입체도. (C) 핵막공의 상세도를 나타냈으며, 핵은 일반적으로 지경 10~20mm로 공 모양을 하고 있다. 핵막공은 세포질과 연결되어 있다.

matin)은 풀어져 있는 염색질로서 활동 중의 DNA가 있으나, 광학현미경으로는 관찰이 불가능한 부위이다. 이 질염색질(heterochromatin)과 진염색질의 비율과 핵 내에서의 배열상태는 세포의 활성이나 특정 세포를 분별하는 지표가 될 수 있다. 핵소체는 RNA를 합성하는 부위이므로 염기호성을 띠며, 세포의 활성에 따라 크기와 수가 달라질 수 있다. 일부 세포에서는 핵소체에서 핵단백질을 합성한다. 핵소체선부(nucleolonema)와 무형부(pars amorpha)로 구분이 된다. 핵소체 염색질(nucleolus-associated chromatin)은 DNA를 포함하고 있다. 핵소체는 세포분열 중에는 흩어져 있다가 분열이 끝나면 염색체의 한 쪽 부위에서 다시 형성되는데, 이 부위를 핵소체 구성부위(nucleolus organizer region)라 한다.

(2) 소포체(내형질세망)

소포체(endoplasmic reticulum, ER)는 세포질 속에 복잡한 그물 모양 구조로서 확인된다(그림 2-17). 소포체는 단위막으로 쌓인 소관(tubule), 소포(vesicle), 소낭(saccule)들이 서로 연결된 불규칙한 망상구조이다. 내부를 소강(cavity) 또는 소조(cisternae)라고 부르며, 핵막주위소조(perinuclear cisternae)와 연결될 수도 있다. 소포체는 서로 연결되어 있으며, 겉면에 리보솜

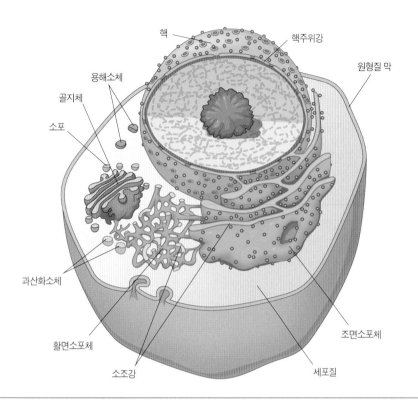

■ ▥ 그림 2-17. 활면소포체와 조면소포체 및 핵막, 골지체와의 상호관계

활면소포체는 리보솜이 없는 가지를 친 소관 네트워크를 말하며, 조면소포체는 외측에 리보솜이 부착되어 있다. 조면소포체는 핵막의 외막으로부터 계속적으로 이어져 있다. 골지체는 조면소포체에서 합성된 단백질을 수식하거나 포장하는 일을 한다.

(ribosome)이 많이 결합하여 꺼칠꺼칠한 조면소포체(과립소포체 또는 과립내형질세망, granular or rough ER)와 리보솜이 결합되지 않아서 매끈한 활면소포체(무과립소포체 또는 무과립내형질세망, agranular or smooth ER)의 두 가지가 있다. 조면소포체는 리보솜이 부착된 것으로 주로 세포 외부로 분비하는 단백질을 합성한다. 활면소포체는 스테로이드호르몬, 당화 등의 합성 및 해독작용에 관여한다.

마이크로솜(microsomes)은 세포를 균질화 했을 때 만들어지는 막상 구조물로(ER, 골지체, 세포막)의 조각들로 이루어진 구조물로, 소포체가 분해된 것으로 실제 세포 내에 존재하지 않지만, 시험관 상에서 볼 수 있는 구조물이다.

소포체는 핵공과 구조적으로 연결되어 있는 경우, 또한 운하와 같은 형태로 세포막과 연결되어 있는 경우가 있으며, 세포 내에서는 물질 수송의 역할도 하고 있다. 연구 자료에 의하면 소포체는 세포질 속에 들어 온 세포막의 돌기, 골지체, 핵막 간극들과 연결된다. 사실 핵 외막은 전형적인 조면소포체 구조를 하면서 소포체와 접하여 있다. 또한 소포체와 골지체 사이에 개방된 통로는 드물지만, 서로 접근하여 있다. 이러한 골지체는 인접한 소포체 부분에서 만들어진다고 하여, 이 부분을 이행부위(transitional region)라 한다. 이렇게 조면소포체는 골지체, 과산화소체(peroxisome) 등을 만드는 원천이 된다.

어떤 부위에서는 소포체 막이 사립체(미토콘드리아)

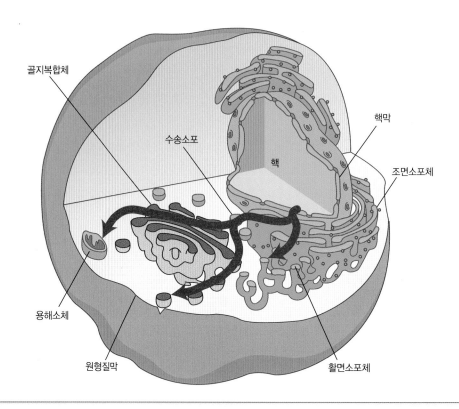

골지복합체

수송소포

핵막

핵

조면소포체

용해소체

원형질막

활면소포체

■■■ **그림 2-18. 세포막 계통의 상호관계**

핵막은 조면소포체의 연장이며, 조면소포체에는 아즈 많은 활면소포체가 연결되어 있다. 소포체에 의해 형성된 골지체까지 전이소포(transport vesicle)로 전달되어 흐른다. 골지체로부터 용해소체나 공포(vacuole)로 이어진다. 심지어 소포체나 골지체로부터 형성된 소포가 융합되어 세포막이 증가하기도 한다.

를 고깔 모양으로 둘러싸고 있다. 이렇게 소포체는 세포막, 핵 및 세포소기관을 연결하는 세포 속의 순환계통으로 작용한다. 따라서 소포체, 골지체, 용해소체(lysosome) 등 세포막 계통은 모두 그들이 수행하는 기능에 따라, 여러 가지 형태로 분화된 세포의 제한적인 막 분획이다. 여러 가지 분획사이에 직접적인 물질적 연속성은 나타나지 않으나, 일시적인 연속성이 있으며, 하나는 다른 것으로부터 만들어 진다(그림 2-18).

소포체의 기능은 다음과 같다.

① 세포에서 합성된 단백질과 여러 가지 화합물을 배설하거나, 세포소기관들 사이의 연계를 보장하는 세포 내의 순환계통으로 작용한다.

② 소포체는 세포질의 액상 내용물을 작은 구획으로 나누는 막의 기능을 함으로써 세포질의 보조적인 역학적 골격으로 작용한다.

③ 단백질의 합성 및 분비와 직접 연관된다. 리보솜이 소포체에 결합되는 것은 단백질이 합성된 다음 운반 경로와 관련된다. 조면소포체에 결합한 리보솜에서는 주로 세포 밖으로 분비되는 단백질(혈액단백질, 췌장의 소화효소, 헤모글로빈, 호르몬 단백질, 콜라겐 등)을 합성한다. 이 단백질들은 합성되는 순서대로 리보솜으로부터 직접 막을 거쳐 소포강의 액포 속에 들어간다. 골지체에 이행하여 때

로 일련의 구조변화를 거친 다음 세포 밖으로 배출되거나, 세포 내의 다른 세포소기관으로 운반된다. 이렇게 소포체는 세포 내에서 합성된 물질들을 분리하는 교통로 계통을 형성한다.

④ 횡문근 섬유 소포체는 흥분전달에 참여한다. 소포체는 세포막과 섬유에 접하여 이온농도 경사와 전기전위차를 일으켜 흥분을 섬유에 전달한다.

⑤ 간세포의 소포체와 일부 세포의 소포체는 ATP 합성이 동반되지 않는 전자전달 계통이 있으며, 이 산화사슬은 미토콘드리아의 호흡사슬과 공통점이 있으나, 차이가 있다. 가장 본질적인 차이는 이 사슬에서는 ATP가 합성되지 않으며, 사슬의 마지막 산물인 물과 R-OH, 즉 수산화물질이라는 것이다.

$$AH_2 + RH + O_2 \rightarrow A + R - OH + H_2O$$

AH_2 : 수소공급자(NADH + H$^+$, NADPH + H$^+$)

RH : 수산화되는 물질(일련의 독성물질, 약물 등)

R-OH : 수산화물질

⑥ 빌리루빈과 스테로이드 호르몬 등이 글루쿠론산(glucuronic acid)과 축합되는 과정은 간의 소포체에서 일어난다. 결과적으로 빌리루빈과 스테로이드는 가용성물질로 전환하여 배설된다.

(3) 미토콘드리아(사립체)

미토콘드리아(mitochondria)는 세포질에 있는 구형 또는 막대 모양의 과립으로 직경 0.5μm, 길이 2~3μm 이다(그림 2-19). 외막과 내막의 이중막 구조로 둘러싸여 있으며, 내면에는 소조(cristae)라 불리는 돌기물이 있고, 이 사이에 존재하는 액상성분을 사립체 격벽(matrix)이라 부르고 있다.

3대 영양소인 당질, 지질, 단백질은 소화액 속의 가

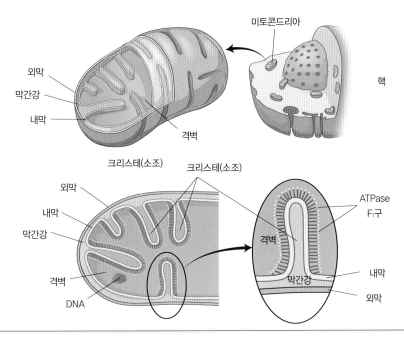

■ ▒ **그림 2-19. 미토콘드리아**

길이 0.5~2μm인 입상 또는 막대모양의 소체로 외막과 내막의 2층으로 이루어지며, 내막은 소조(cristae)라 불리는 주름이 많다. 소조 표면에는 공 모양의 돌기가 인지되고, 호흡효소가 존재한다.

수분해효소에 의해 가수분해 되고, 저분자화되며 흡수되어, 최종적으로는 세포질 속에서 연소되어 에너지를 생성한다. 이 에너지 대사가 행해지는 곳이 미토콘드리아이다. 한 세포 속에 있는 미토콘드리아 개수는 세포의 크기, 에너지를 필요로 하는 정도에 따라 차이가 많다. 정자의 경우 250개, 간세포의 경우 500~2,000, 거대 아메바의 경우 50,000개 등이다. 미토콘드리아는 세포 속에서 ATP의 이용에 편리하게 배치된다. 즉, 근육세포의 경우 수축섬유에 따라 배열하고, 췌장세포의 경우에는 호르몬 분비가 진행되는 방향에 따라 배열한다.

미토콘드리아에는 리보솜과 DNA가 들어 있다. 이 DNA를 미토콘드리아 DNA(mitochondrial DNA, mtDNA)라고 하며, 원형의 2중 나선 구조를 한다. mtDNA는 원핵세포 DNA와 마찬가지로 단백질과 결합되어 있지 않다. 흰쥐의 간세포 미토콘드리아의 반감기는 10일이며, 새로운 것은 이미 있던 미토콘드리아의 성장과 분열의 결과로 만들어 진다. 이 분열에 앞서 mtDNA의 증식이 일어난다. 미토콘드리아 한 개에는 2~10개의 DNA가 들어 있는데, 15,000~75,000쌍의 염기로 되어 있다. 그러므로 분자량이 40,000인 단백질 25~125개를 암호화 할 수 있다. mtDNA에는 반복배열이 없고, 분자 전체가 전사된다. 그러나 미토콘드리아 DNA의 양은 미토콘드리아의 모든 구조를 재생시키는 데는 부족하다. 그러므로 일부 미토콘드리아에 필요한 단백질은 핵 DNA로부터 만들어진다. mtDNA 역시 3종류의 RNA(tRNA, rRNA, mRNA)를 모두 전사한다. 내융(internal cisternae)의 표면에 부착된 원형의 단백질 입자들 안에는 인산화에 관여하는 효소가 들어 있어서 ATP를 생성한다.

크렙스회로(Kreb's cycle 또는 tricarboxylic acid cycle, TCA cycle)의 효소계는 미토콘드리아 격벽에, 산화-환원 반응에 관여하는 호흡사슬의 효소계는 소조(cristae)에 배열되고, 각 영양소의 대사결과 생성된 아세틸-CoA(acetyl CoA)는 이 회로의 효소계에 의하여 산화·분해되어 이산화탄소를 배출한다.

한편, 산화과정에서 방출된 수소원자는 호흡사슬계로 옮겨져서 산화-환원 반응을 반복하면서 최종적으로 분자상태의 산소로 산화되어 물을 생성한다. 이 사이에 유리되는 에너지를 이용하여 ADP와 무기인산으로부터 효소의 작용에 의해 ATP 형태로 에너지를 축적한다. 이 ATP는 생체반응에 필요한 화학에너지로 사용된다. 즉, 미토콘드리아는 에너지 생산의 기능을 한다. 동물을 오랫동안 기아상태로 방치하면 간세포 미토콘드리아는 팽화되며, 약물 중독이나 질환 시에 세포에 장애가 발생하면 미토콘드리아는 형태변화를 일으켜서 우리 몸을 유지하는데 필요한 ATP를 형성하지 못한다.

(4) 리보솜

소포체에 부착되어 조면소포체를 형성하는 경우와 유리 상태로 존재하는 경우가 있다. 지름 15~20nm의 크기로 RNA(60%)와 단백질(40%)로 구성되며, 염기호성을 띤다. 모든 단백질은 mRNA의 유전 암호에 따라 리보솜 과립에서 생합성된다. 리보솜은 기본적으로 세포질 안에 있으며, 핵과 미토콘드리아 속에도 존재한다. 한 세포에 10,000~50,000개가 들어 있다. 유리 리보솜(free ribosome)은 세포질 내에 단독 또는 3~30개가 가는 미세섬유(mRNA)로 연결되어 폴리솜(polysome)을 이룬다. 주로 세포의 성장과 분열 등 세포 내에서 필요한 단백질을 합성한다. 부착 리보솜(attached ribosome)은 소포체에 부착하여 rRNA를 형성하며, 주로 세포 밖으로 분비되는 단백질을 합성한다(그림 2-20).

(5) 골지체(골지장치 또는 내망장치)

1898년 이탈리아의 골지(Golgi C)가 발견하였으며, 골지체는 편평한 주머니 모양의 구조가 몇 개 중복되어 형성된다(그림 2-21). 이러한 골지체의 구조는 형태와 크기가 매우 다양하다. 동물세포에서는 핵 주위에 집중하여 분포된 그물형태이다. 납작해진 소낭들이 중첩되어 형성된 층판 구조와 그 주변의 소포들로 구성된다. 골지체 막

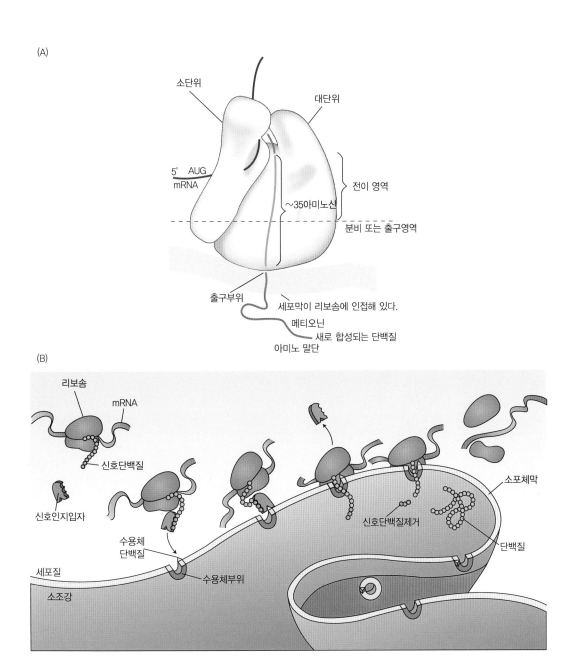

(A)

소단위

대단위

5' AUG
mRNA

전이 영역

~350아미노산

분비 또는 출구영역

출구부위

세포막이 리보솜에 인접해 있다.

메티오닌

새로 합성되는 단백질

아미노 말단

(B)

리보솜

mRNA

신호단백질

신호인지입자

수용체
단백질

세포질

소조강

수용체부위

신호단백질제거

소포체막

단백질

■ ▦ 그림 2-20. 리보솜의 상세도와 소포체에서의 단백질 합성 모델

(A) 리보솜은 오뚜기 모양의 소체로, 소포체의 표면에 부착되어 있거나, 세포질 내에 분산되어 있다. (B) 리보솜은 단백질이 합성되는 곳으로, 많은 단백질 사슬은 제일 먼저 신호단백질(signal peptide)을 합성으로 시작되어 만들어지며, 합성 후에 특정 세포소기관으로 이동된다. 여기에서는 합성 후에 세포 밖으로 분비되는 분비단백질을 예로 들었으며 ① 분비단백질은 세포 밖으로 분비되기 전에 합성과 동시에 먼저 소포체로 이동된다. ② 리보솜에서 합성된 신호단백질은 먼저 신호인지입자(signal recognition particle, SRP)에 의하여 먼저 인지되고, ③ 신호인지입자는 소포체 막에 존재하는 신호인지입자 수용체와 결합하여 소포체 막에 부착한다. ④ 소포체 막에 부착한 후에는 신호인지입자는 떨어져 나가고, 계속해서 분비단백질은 합성되어 소포체 막을 가로질러 소포체 내로 들어간다. ⑤ 신호단백질을 절단하는 효소에 이해 신호단백질이 절단되고, ⑥ 리보솜에 의해 분비단백질이 완전히 합성된 다음에 소포체 내에서 단백질 구조를 완전히 이룬 다음에 세포 밖으로 분비될 상태로 있게 된다.

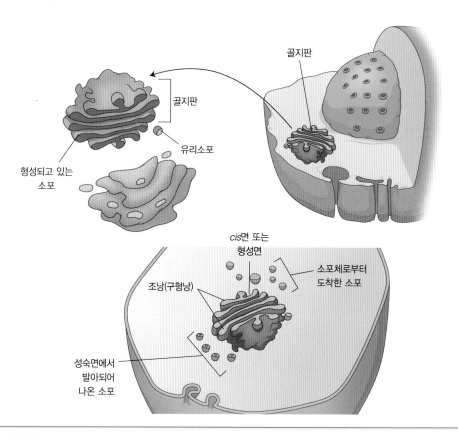

■■■ 그림 2-21. 골지체

골지체는 편평한 주머니 모양의 구조 단위가 중복되어 이루어져 있다. 이것이 분지된 관으로 연결되어 핵 근처에서 그물 모양을 나타낸다. 주머니에는 작은 구멍이 있다. 주로 선세포에서 발달되어 있다.

은 지단백질로 되어 있으며, 넓은 한 쌍의 막이 평형으로 놓여 둥글고 넓적한 주머니를 만든다. 이 주머니를 골지 소낭이라 하며, 보통 3~8개씩 서로 접근하여 평형으로 놓인다. 인접한 소낭과는 5~20nm, 내강은 6~9nm, 막의 두께는 6~7nm이다. 골지 소낭은 끝이 조금 불어나 직경 30~60nm의 과립모양을 하고 있는데, 이것을 골지소포라 한다.

골지 소포 묶음의 주변부에는 직경 0.2~0.3μm 되는 내강이 넓은 주머니 모양의 구조물이 있다. 이것을 골지액포라 한다. 이렇게 골지 복합체를 이루는 막은 소포체막과 리보솜 막을 만드는데 사용된다. 세포의 종류에 따라서 골지체의 형태나 위치에 특징이 있다. 돌출형성면

(convex forming surface)은 조면소포체에서 합성하여 운반된 소포 내의 분비단백질을 받아서 농축하고 포장한다. 이와는 달리 함요성숙면(concave maturing surface)은 분비과립을 완성하여 성숙시킴으로써 과립을 내보낸다. 골지체의 기능에 관하여 현재 밝혀진 것은 분비세포에 관한 것이다. 선세포에서는 분비과립의 전 단계로 생각되는 여러 크기의 과립이 골지체 안에서 인지된다. 이 분비물질(예를 들면 분비단백질)은 조면소포체의 리보솜에서 생합성되어 소포체를 거쳐 골지체로 모여지고, 여기에서 과립형태를 취한다. 즉, 선세포에서 분비되는 과립을 만들어 내는 장치가 되는 것이다. 이 밖에 당단백질, 다당류의 합성·분비 등에도 관여하고 있다. 분비과립은

어느 것이나 한계 막으로 둘러싸여 있어서 세포내에서는 분비물이 불활성 상태로 저장되어 있다.

(6) 용해소체

용해소체(lysosome 또는 리소좀)는 1950년 노비코프(Novikoff A)와 뒤브(Duve C)에 의해 밝혀진 세포소기관이다(그림 2-22). 이것은 단층 지단백질성 막으로 둘러싸인 직경 0.5~3μm 정도의 입자이며, 매우 얇아서 찢어지기 쉬운 막으로 둘러싸인 과립으로, 각종 산가수분해효소를 함유하고 있어서 pH 5.5 정도의 산성조건 하에서 각종 고분자 화합물의 가수분해에 관여한다. 용해소체의 세포내 소화기관으로서의 활동은 대식세포, 백혈구 등의 식작용이 활발한 세포에서 세포내에 외래의 이물질이 흡수된 경우와 세포의 자가용해(autolysis)인 경우에서 볼 수 있는데, 조직 세포의 생리적 용해를 일으키는 경우이다. 예를 들어 용해소체효소는 조직 용해

방법으로 올챙이 꼬리를 퇴축시키며, 젖을 뗀 유선의 퇴축과 해산 후 자궁의 퇴축 등을 일으킨다.

이러한 현상은 병적 상태에서도 관찰 될 수 있는데, 간경변증과 규폐증 때 증식한 결합조직과 수술 봉합사의 흡수 등은 이에 의한 것이다. 일련의 병적 조건에서 세포와 조직의 용해, 괴사를 일으킨다. 한 예로 비타민 A 과잉증 시 뼈가 퇴축되어 쉽게 골절되며, 스트렙토라이신(streptolysin) O 및 S에 의하여 호기성 세포과립이 용해되는 것은 용해소체 막의 투과성이 높아지면서 막 안의 효소들이 유리되어 세포성분을 소화하기 때문이다. 최근에 동종 장기이식 시, 거부반응 기전에서 용해소체 단백질 분해효소가 유리되어 세포를 소화하는 것이 중요하다는 실험결과들이 있어 주목을 끌고 있다. 이밖에도 염증, 쇼크, 암, 노화를 비롯한 많은 질환 시 용해소체가 중요한 기능을 하는 것이 밝혀지고 있다. 그러므로 용해소체를 치료 목적으로 이용할 전망이 밝다.

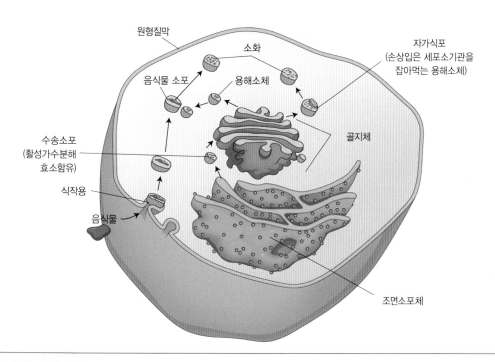

■▓ 그림 2-22. 용해소체

용해소체는 가수분해효소의 저장체로, 불필요해진 세포소기관이나 외래물질을 결합시켜 소화하는 세포소기관이다.

용해소체에는 여러 종류가 있을 수 있다. 즉, 조면소포체에서 생성되어 골지체에서 1차 용해소체가 되어 나온다. 1차 용해소체의 효소는 활성이 없는 상태에서 용해 대상물과 결합함으로써 활성을 갖는 2차 용해소체가 된다. 쇠퇴한 세포소기관과 결합하여 자가소체(autosome)가 되어 용해하여 제거시킨다. 또한 세포 외부에서 들어온 유해물질과 결합하여 세포흡수작용(음작용) 및 탐식작용(식작용)의 결과 포식소체(phagosome)가 되어 용해하고 제거한다. 세포가 손상을 받은 경우 용해소체의 막이 파괴되어 세포 전체를 용해하고 제거시키기도 한다. 용해소체는 잔여소체로 변한 후 세포막으로부터 배설되기도 한다.

(7) 미소체

미소체(microbody)는 과산화소체(peroxisome)와 글리옥시솜(glyoxisome)의 두 가지 형태가 있는데, 간과 콩팥 등 동물세포에서 보는 것은 과산화소체이다. 이것은 한 층의 막으로 둘러싸인 지름 0.5μm의 구형 구조물이다. 중심부에 흔히 결정성 구조물이 보이는데 효소 결정으로 보고 있다. 이 과립에는 과산화수소의 대사에 작용하는 효소들, 즉 과산화수소를 만드는 요산 산화효소(uric acid oxidase), β-아미노산 산화효소(β-amino acid oxidase), α-수산기 산화효소(α-hydroxy oxidase)와 과산화수소를 분해하는 과산화수소분해효소(catalase)가 들어 있다. 과산화수소분해효소는 과산화소체의 전체 단백질 중 약 40%를 차지하고, 적은 양으로도 해롭게 작용하는 과산화수소를 신속하게 분해하여 제거하는 기능을 가지고 있어서, 과산화수소로부터 세포를 보호한다. 간세포와 신경세포에 특히 많이 들어 있고, 음식, 약물, 호르몬 등의 영향으로 그 수가 증가한다.

글리옥시솜은 특정 식물과 미생물에 존재하는 미소체로써, 척추동물의 과산화소체와 비슷한 것이다. 식물에는 두 가지 형태가 존재한다. 하나는 잎에 존재하며, 탄수화물에 이산화탄소를 고정하는 반응에서 부산물의 산화를 촉매하는 것으로, 이 과정에서 산소를 사용하고, 이산화탄소를 유리하기 때문에 광호흡(photorespiration)이라 한다. 또 다른 하나는 발아 중인 씨앗에서 볼 수 있으며, 종자에 저장되었던 지방산을 어린 식물이 성장하는 동안 필요한 당분으로 전화하여 주는 중요한 역할을 한다. 이 과정을 글리옥실산 회로(glyoxylate cycle)라 한다. 이러한 과산화소체를 특히 글리옥시솜이라 한다. 지방산 분해로 형성된 2분자의 아세틸-CoA는 이 회로를 통해 한 분자의 숙신산(succinic acid)이 되고, 세포질로 빠져나와 글루코오스로 된다. 동물세포에서는 글리옥실산 회로가 존재하지 않기 때문에 지방산이 탄수화물로 전환될 수가 없다.

(8) 세포골격을 구성하는 구조물

넓은 의미에서 세포형태를 결정하는 구조물이다(그림 2-23). 세포의 외관을 결정할 뿐만 아니라 세포 속의 세포소기관들의 배치를 결정하고, 이들이 기능을 수행할 수 있는 장소를 제공한다.

① 미세소관(microtubule)

지름 25nm의 긴 막대 모양의 소관으로 길이가 수 μm에 달한다. 관벽은 13개의 원시미세섬유(profilament)로 구성된다. 각각의 미세섬유는 세포질 내에 있는 튜불린(tubulin) 이량체의 중합에 의해 형성된다. 세포분열 시에 염색체에 연결되어 있어서 이들을 세포의 양극으로 이동시킨다. 분열 중인 세포에 콜히친(colchicine)을 투여하면 미세소관이 형성되지 않아 세포분열은 중기에 정지된다. 세포골격으로서의 기능 및 세포내 물질이동에도 기여한다. 세포중심소체(centriole), 섬모(cilia), 편모(flagella), 방추사(spindle fiber) 등의 기본 구조가 된다.

② 미세섬유(소삭상체)

미세섬유(microfilament)는 액틴(actin, 6nm),

성질	미세소관	미세섬유(액틴섬유)	중간필라멘트
구조	구멍이 있는 관으로 벽이 13개의 원주형 튜블린(tubulin) 단백질로 구성된다.	액틴 두가닥이 서로 꼬여있는 나선형태	섬유성 단백질이 두꺼운 케이블 모양으로 코일을 이룬 형태
직경	25nm로 5nm 내강이 있음	7nm	8~12nm
단량체	α-튜블린 ┐ β-튜블린 ┘ 이량체 형성	액틴	케라틴계의 서로 다른 종류의 단백질중 하나로 구성되며, 세포에 따라 다르다.
기능	세포운동(섬모나 편모) 염색체 이동 세포소기관 이동 세포형태 유지	근육수축 세포질 유동성 세포운동(위족) 세포분열(열구형성) 세포 형태 유지 세포 형태 변화	세포구조 지지 세포형태 유지

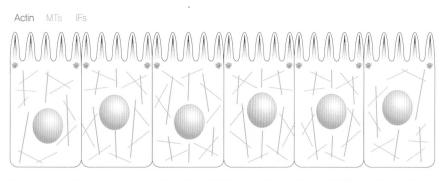

흡수 상피세포에서 미세섬유(Actin, 빨간색)은 정점부와 기저부의 좁은 띠에 집중되어 있다. 미세소관 (MTs, 파란색)은 세포의 장축을 따라 정렬되어 있으며, 중간 필라멘트(IFs, 녹색)는 세포 말초 부위를 따라 농축되어 있으며, 특히 인접세포와의 접촉부위와 핵막을 피복하는 형태로 존재한다.

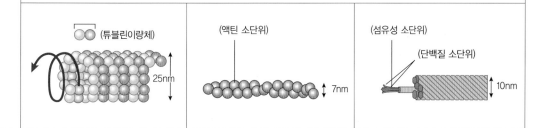

■▦ 그림 2-23. 세포골격의 구조와 기능

마이오신(myosin, 25nm) 등이 있다. 액틴과 마이오신 미세섬유는 과거에는 근육세포에만 존재한다고 생각하였으나, 비근육세포에서도 액틴미세섬유가 세포단백질의 10~15%를 차지하는 것이 밝혀졌다. 근육수축에 작용하는 섬유상 단백질인 액틴은 3가지 종류가 있다. 골격근과 심근에는 주로 α-액틴이 존재하고, 평활근에는 γ-액틴이 있으며, 비근육세포에는 β-액틴과 γ-액틴이 존재한다. 미세섬유는 액틴 단량체들이 이중나선 모양을 한 기본구조를 가지고 있다.

③ 중간필라멘트

중간필라멘트(intermediate filament)는 미세소관과 미세섬유 중간 굵기이기 때문에 이름 붙여졌다. 비교적 최근에 발견된 것인데, 약 8~11nm로 이를 구성하는 단백질이 세포의 종류에 따라 달라 세포내 이들의 존재 여부에 따라 세포의 종류를 알아낼 수 있게 되었다. 상피세포에는 일반적으로 케라틴(keratin) 섬유가 있으며, 근육세포와 비근육세포에는 보편적으로 데스민(desmin)이 존재한다. 골격근에는 z-라인 부분에 있으며, 근원섬유 말단 상호간 및 세포핵과 세포소기관을 결합하는 역할을 한다. 비근육세포에서도 데스민은 세포질 안의 각 구조물 사이의 접착을 지배한다. 비멘틴은 분자량이 52,000 정도의 단백질 섬유로, 동물세포에서 가장 많이 존재하는 중간필라멘트이다.

(9) 세포함유물

생명이 없고 일시적으로 세포질 내에 축적된 것으로 세포 활성에 따라 그 양과 종류가 바뀔 수 있다. 지방소적(lipid droplet), 글리코겐(glycogen), 분비과립(secretory granule), 멜라닌 색소, 리포푹신 색소(lipofuscin pigment) 등이 이에 속한다.

5) 세포의 형태와 기능과의 관계

여러 개의 세포들이 모여 구성된 다세포 동물은 부위에 따라 세포의 형태가 다르다. 이는 신체의 부위에 따라 그 기능이 정해져 있으며, 이를 담당하는 일련의 세포무리들이 그 특정 기능을 수행하기에 적합하도록 특수하게 분화되어 있기 때문이다. 예를 들면 신경계통을 이루는 신경세포는 신경자극의 수용과 전도에 적합한 세포돌기들이 발달되어 있으며, 운동기능을 담당하는 근

표 2-5. 간세포 내에 들어있는 주요 세포소기관의 종류와 상대적인 크기

세포소기관	세포당 갯수	전체 세포 부피 중 차지하는 비율	전체 세포막 중 차지하는 비율
세포질	1	54	0
핵	1	6.0	0.2
소포체	1	-	-
조면소포체	-	9.0	35
활면소포체	-	4.0	16
골지체	1	1.5	7.0
용해소체	300	1.0	0.4
과산화소체	400	1.0	0.4
미토콘드리아	1700	22	-
내막	-	-	32
외막	-	-	7.0

육세포들은 세포가 매우 길어 근섬유라고도 한다.

뿐만 아니라 세포의 내부구조를 이루는 세포소기관의 발달정도도 세포의 특정 기능과 밀접하게 연관되어 있다(표 2-5). 신경세포처럼 긴 돌기를 가지고 있는 세포는 돌기 내에 미세소관이 잘 발달되어 있어, 이를 통하여 세포체로부터 돌기부분으로 물질 이동이 원활하게 이루어진다. 근육세포 내에는 수축과 이완을 일으키는 액틴 및 마이오신 미세섬유가 잘 발달되어 있고, 에너지 공급을 위하여 미토콘드리아도 다른 세포에 비하여 훨씬 잘 발달되어 있다. 또한 분비기능을 담당하는 침샘이나 췌장 등의 세포는 조면소포체와 골지체 등 단백질 합성에 관여한 세포소기관이 잘 발달되어 있다.

② 생체 내의 물

물은 지구의 표면을 구성하는 주성분으로, 물은 생명에 없어서는 안 될 필수불가결한 물질이다. 사실 물은 모든 생명체가 언제나 만날 수 있는 액체 성분이다. 물이 생명체에서 필수불가결한 분자인 것은 너무나도 상식에 속하지만, 우리는 정작 물의 특이한 성질에 대해 무지한 경우가 많다. 단식을 하는 사람, 탈수증상의 어린이 등은 물 보급만은 계속되어야 생명을 유지할 수 있다.

생명체는 70~90%의 물로 구성되며, 세포에 적어도 65%의 물이 존재하는 경우에만 정상적인 대사 활동을 유지할 수 있다. 이렇게 생명체가 물에 의존한다는 사실은 간단한 문제가 아니며, 물의 독특한 물리화학적 성질과 밀접한 관련이 있다. 이와 같이 생명활동에 필수불가결한 물이 어떤 성질을 갖고 있는지 생각해 보자.

생체 내에는 많은 물과 여러 가지 전해질이 들어 있다. 물과 전해질은 직접 생명체의 에너지 원천으로 사용되지 않지만, 중요한 생물학적 기능을 수행한다. 물의 대표적인 생물학적 기능은 다음과 같다.

① 물과 전해질은 세포와 조직의 구성성분으로 작용한다.

② 물은 여러 가지 화합물의 용매로, 몸 안에서 진행되는 화학반응의 매질로 되며, 직접 화학반응에 참여하기도 한다.

③ 전해질은 효소활성을 높이거나 저하시키는 방법으로 물질대사 조절, 즉 생명체의 기능조절에 직접 작용한다.

④ 물은 영양물질과 대사산물을 조직과 배설기관에 운반하고, 호르몬과 일련의 대사 중간물질들을 한 조직으로부터 다른 조직으로 운반하는 방법 등을 통해 조직과 기관을 서로 연결한다. 물과 전해질은 생명체의 내부 환경(삼투압, pH, 체온, 세포막의 투과성 등)을 일정하게 조절한다. 무기질은 몸 안에 매우 적게 들어 있어 미량원소라 불리는데, 모두 자체의 고유한 생물학적 기능을 가지고 있다.

1) 물의 화학

물은 수소 2원자와 산소 1원자로 이루어지는 간단한 화합물로 표 2-6에 나타낸 것과 같은 성질을 가지고 있다. 이러한 성질은 물 분자의 화학구조에서 기인하는 것으로, 생명현상에 있어 중요한 물 분자의 특이성이 여기에 숨겨져 있다는 사실을 이해하여야 한다.

표 2-6. 물의 여러 성질

분자식	H_2O
분자량	18.01534
비점	100℃(1 기압)
용해점	0℃(1 기압)
기화열	9.7171kcal/mol
비열	1cal/g
밀도	1.000g/cm³(3.945℃)

(1) 쌍극자와 수소결합

물의 독특성은 물 분자 구조에 있다. 물은 극성 공유 결합 분자이기 때문에 분자의 양쪽 끝에 약간의 양극과 음극의 전기적인 극성을 가지고 있으며, 또한 물 분자는 곧고 바른 구조가 아니라 약간 구부러진 구조를 가지고 있다(그림 2-24). 물 분자는 구부러지고 부분적으로 극성을 띠는 분자이기 때문에 여러 물 분자들이 모여서 생물학적인 주요 특징을 갖게 된다. 이들 특성 모두가 지구상에서 생명체를 창조하고 유지하는데 있어 없어서는 안 될 것들이다.

극성이란 단순히 분자들이 전기적으로 양성 또는 음성을 띤다는 것을 의미한다. 물의 극성은 설탕과 같은 다른 극성 분자나 소금과 같은 이온 화합물들을 효과적으로 용해할 수 있다. 이온 화합물은 물에 녹아 이온을 형성한다. 이 사실은 대부분 생물학적 반응이 일어나는 동안 그 반응물들이 물에 녹아야 되기 때문이다. 물은 많은 물질을 녹일 수 있기 때문에 보편적인 용매로 알려져 있다. 기름과 같이 물에 녹일 수 없는 물질들은 지용성이라 하고, 이들을 강력하게 공유적으로 결합된 비이온성 화합물이라 한다. 녹지 않는 물질들은 세포막과 세포벽 같은 훌륭한 물그릇이 된다.

물 분자가 서로 배열되면 이웃에 있는 물 분자의 전기적 양극을 가진 수소원자와 물 분자의 전기적 음극을 가진 산소원자 사이에 약한 결합력이 발생한다. 이와 같이 수소원자와 이웃에 있는 원자 사이에 생기게 되는 약한 결합이 바로 수소결합이다(그림 2-25). 수소결합은 살아 있는 생명체에서 아주 흔하다. 예를 들어 DNA의 염기 사이에 형성된 수소결합은 DNA 사슬을 서로 묶어 놓는데 도움이 된다. 수소결합은 물 분자에 있어 2가지 다른 특성을 보이는데, 응집력과 표면장력이다.

물속에 있는 강력한 수소결합력 때문에 물 분자는 일정하게 서로 달라붙으려는 성질을 갖는다. 이러한 응집력은 쉽게 관찰되는데, 유리 표면에서 물방울이 서로 붙어 있거나 가까이 있으면 달라붙으려 하는 것을 볼 수

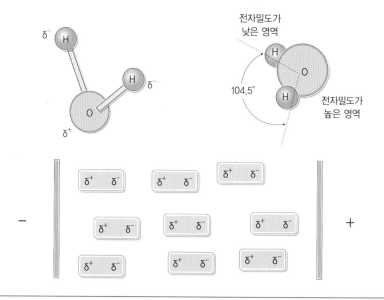

■■■ 그림 2-24. 물 분자의 전하와 스페이스 필링 모델 및 전기장 내에서의 분자 쌍극자

물 분자에서 2개의 수소원자는 약간 양전하를 띠고 산소원자는 약간 음전하를 띤다. 수소원자는 서로 104.5° 떨어져 구부러진 입체구조를 가지기 때문에 분자 내에서의 전하분포는 비대칭으로 극성을 갖는다. 이러한 비대칭적인 극성에 의해 전기장 내에서 분자 쌍극자(molecular dipole)를 형성한다. Mckee T, Mekee JR: Biochemistry an introduction, 2nd ed. WCB, McGraw-Hill. p.41. 1999.

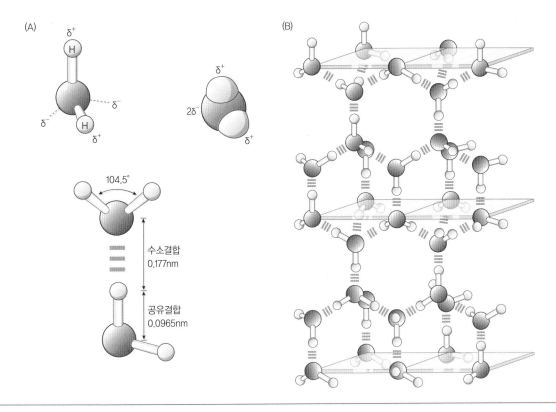

■ ▨ 그림 2-25. 물과 얼음의 구조

(A) 물의 구조. 산소원자의 독립 쌍 전자(one pair electron)에 의해 형성되는 2개의 음전하 엽(lobe)은 이 그림의 평면에 대해 위와 아래에 존재한다. 이 전자밀도는 실제적으로 물 분자의 극성과 커다란 쌍극자 모멘트(dipole moment)에 기여한다. 쌍극자 모멘트란 전기 쌍극자의 전하 q와 거리의 곱 을 크기로 하여 −전하에서 +전하 쪽으로 향하는 방향을 가진 벡터로, 원자에 외부 전기장이 작용하면 전자의 분포가 치우쳐 전기 쌍극자 모멘트가 유발된다. 분자의 경우에는 예컨대 이핵 분자와 같이 외부 전기장이 없어도 전기 쌍극자 모멘트를 갖는 것이 있다. 물의 쌍극자 모멘트는 O-H 결합이 33% 이온 성질을 갖도록 한다. 그러므로 H-O-H 각은 109°가 아니라 104.5°가 된다. 이 값은 메탄에서 볼 수 있는 대칭성 4면체를 갖는 분자에서 볼 수 있다. 물의 중요한 성질 중 많은 것이 이러한 각에서 유래되는데 얼음 결정체의 밀도가 낮은 것 등이다. (B) 얼음의 구조. 얼음에 있어 수소결합은 3차원적 격자에서 형성된다. 수소결합으로 이루어진 분자의 폐쇄계에서는 물 분자가 6개 관여하는데 이를 육각얼음(hexagonal ice)이라 한다. 공유결합은 굵은 막대로 표시하였으며, 수소결합은 점선으로 표시하였다. 수소결합이 특정 방향을 지향하는 성질로 인해 결정수의 경우에는 차라리 열린 격자구조를 갖게 되고, 결과적으로 고체 상태에서는 낮은 밀도를 갖는다. 수소결합에 의해 연결된 이웃하는 산소원자와의 거리는 0.274nm이다. H-O 사이의 공유결합 거리는0.0965nm이기 때문에 얼음에서 H-O 수소결합 길이는 0.177nm이다. Pauling L: The nature of the chemical bond. 3rd ed. p.465. Cornell University press. 1960, Lehninger AL, Nelson DL, Cox MM: Principles of Biochemistry. 2nd ed. Worth Publisher. 1993.

있다. 같은 현상으로 큰 나무에서 뿌리부터 꼭대기 나뭇잎까지 물 분자가 올라가는 것도 응집력 때문이다.

응집력의 특별한 형태가 바로 표면장력이다. 물 표면에서의 장력은 시스템의 바깥에 있는 물 분자들이 배열해서 수소결합으로 다 같이 묶여서 원자로 이루어진 그

물망과 비슷한 효과를 나타낸다. 예를 들어, 물의 표면장력은 문자 그대로 물 위에서 물장구 벌레가 걸을 수 있게 한다.

물 분자 상호간에 작용하는 힘은 무엇일까? 수소분자와 달리 물 분자와 같이 다른 원자(O와 H)가 함께 결합

되어 있는 분자에서는 각 원자의 전기 음성도의 차이에 따라서 전자는 다른 원자 사이에 균등하게 분포하지 않고, 전기 음성도가 높은 쪽의 원자로 치우쳐서 존재한다. 함께 결합된 원자 간에 국소적으로 서로 다른 전하의 차이는 δ^+와 δ^-로 표시한다.

물 분자의 2개의 수소원자는 산소와 각각 전자쌍을 공유하는 공유결합을 하며, 비선형 배열을 하여 약간 구부러진 형태를 갖는다. 만약 물 분자가 선형으로 존재한다면 아마도 물은 비극성 물질이 될 것이다. 그러나 구부러진 형태로 존재하기 때문에 전기적으로 음성인 산소원자와 2개의 수소원자는 분자가 독특하게 극성을 띠게 하여 쌍극자를 형성한다. 쌍극자란 같은 크기의 플러스-마이너스 성질을 가진 것을 쌍극자라고 말한다. 물 분자는 같은 크기의 플러스 하전(δ^+가 2개)과 마이너스 하전($2\delta^-$가 1개)을 가진 쌍극자이다. 즉, 물 분자는 전기적 쌍극자가 되어 정전기적인 결합에 의해 상호작용을 한다. 이 정전기적 상호작용이 수소결합이다.

물 분자는 수소를 제공하는 공여자가 되기도 하고, 수소를 받아들이는 수소 수용자가 되기도 한다. 물 분자당 4개의 수소결합을 형성할 수 있는 잠재력이 있어서 분자 간에 서로 끌어당기는 인력이 발생하며, 이러한 이유로 물 분자가 다른 분자에 비해 비점이나 용해점, 기화열 및 표면장력이 높다. 물의 일반적인 결정체인 얼음의 경우 각 물 분자가 가장 가까이 이웃하는 물 분자의 수소결합 결과이다. 즉, 각 수소원자는 이웃하는 물 분자의 산소원자에 수소결합을 제공하고, 산소 분자는 다른 물 분자에 결합된 2개의 수소원자와 수소결합을 하는 수용체로 작용한다.

물 분자간의 수소결합은 서로 협동적이어서 수소결합 시 수용체로 작용하고 있는 물 분자가 아직 수소결합을 이루지 않은 물 분자에 비해 더 좋은 수소 공여체로 작용한다. 수소결합의 결합 에너지는 약 4.5kcal/mol(23kJ/mol)로, 물 분자 속의 H-O의 공유결합의 110kcal/mol(420kJ/mol)과 비교하여 매우 약한 결합이다. 이 결합은 수소와 산소원자 사이에만 형성되는 것이 아니라 일반적으로 F, O, N, S와 같은 전기 음성도가 높은 2원자가 전기적으로 양성인 H 원자를 통한 결합에서도 볼 수 있다. 수소결합은 단백질이나 핵산 등 생체 내의 거대 분자 속에도 형성되어 있다. 생체 내부에서도 온도가 일정하게 유지되고, 생체 반응이 안정되게 진행되고 있는 것은 생체의 액체 성분이 물이기 때문이다. 물은 다른 액체와 비교하여 비열이 2~5배 높아서 외부의 기온 변화의 영향을 원활하게 받아들이는 이유가 된다.

(2) 수용성

'물에 녹는다.'는 것은 녹은 물질이 물 분자와 안정적인 수소결합을 형성한다는 것이다. 식염 등의 염류는 이온화하여 수소결합을 형성하는 것이고, 이온화하지 않은 물질은 분자 내의 수산기 등과 수소결합을 형성함으로써 용해된다(그림 2-26). 물의 용매로서의 특성은 주로 물의 극성 성질이 결정한다. 소금(NaCl)과 같이 완전히 전하를 띤 이온 화합물과 에탄올(C_2H_5OH)이나 아세톤과 같이 부분적으로 전하를 띠는 극성 화합물들은 물에 녹는 경향이 있다. 이것은 다른 전하 사이에 정전기적 인력이 작용하여 물 쌍극자의 음극 말단은 양이온이나 다른 쌍극자 물질의 양성 부분을 끌어당기고, 물 분자의 양성 말단은 음이온이나 다른 쌍극자 물질의 음성 쪽을 끌어당기기 때문이다. 이로 인하여 두 전하는 보다 낮은 에너지를 갖게 되고, 에너지의 전하는 보다 안정한 계를 만든다. 물에 쉽게 녹는 극성 화합물은 알코올, 아민, 유기산 등 하나 또는 그 이상의 산소나 질소와 같은 전기적으로 음성인 원자를 함유하는 작은 유기분자이다. 이들 분자의 쌍극자와 물 쌍극자 사이의 인력은 용해하는 경향을 만든다. 이온과 극성 물질은 이 경향 때문에 친수성이다.

제1그룹은 대부분의 결정성 염류로 물에 잘 용해되지만 클로로포름이나 벤젠과 같은 쌍극자를 갖지 않는 비극성 용매에는 거의 용해되지 않는다. 식염 결정의 경우

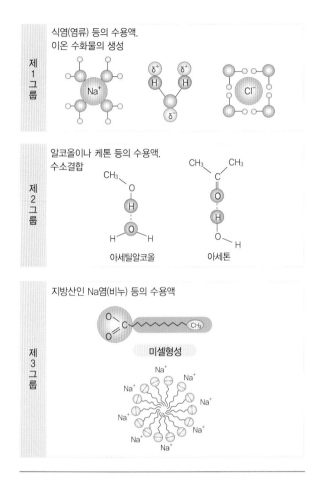

제1그룹
식염(염류) 등의 수용액.
이온 수화물의 생성

Na^+ δ^+ H H δ^+ Cl^-
δ^-

제2그룹
알코올이나 케톤 등의 수용액.
수소결합

CH_3 — O — H ⋯ O — H
        H   H
아세틸알코올

CH_3 — C — CH_3
         O
         H ⋯ O — H
아세톤

제3그룹
지방산인 Na염(비누) 등의 수용액

O
‖
O — C ⋯⋯ CH_3

미셀형성

Na^+ (×여러개)

■■■ 그림 2-26. 물에 의한 물질의 용해 그룹

하야가와 타로오, 하라다 미노루: 치과위생사교본. 생화학. 이시야쿠출판 1997.

Na^+와 Cl^- 이온이 규칙적으로 배열되어 있지만, 물에 녹으면 물의 쌍극자와 Na^+ 또는 Cl^- 사이의 인력이 Na^+와 Cl^- 사이의 인력보다 강하여 결과적으로 수화각(hydrated shell)을 만들어 녹는다(그림 2-27). 수용액 속에서 각 이온은 용매인 물 분자의 전기적 쌍극자로서의 성질에 근거하여 수화된 이온을 형성한다. 수화각이 안정한 구조임에도 불구하고 이들은 역동적이다. 소듐이온 주위에 있는 수화각의 안쪽에 존재하는 각 물 분자는 매 2~4 나노초(nanosecond)마다 다른 물 분자로 교체된다. 결과적으로 물 분자는 물의 수소결합망 보다는 이온의 정전기적 영향에 의해 수백 배 이상으로 오랫동안 수화각 내에 잡혀있게 된다. 왜냐하면 수소결합의 평균수명은 10 피코초(picosecond)이기 때문이다.

탄화수소(탄소와 수소만을 포함하고 있는 화합물)는 비극성이다. 비극성 화합물에는 화합물의 용해도에 영향을 주는 적당한 이온-쌍극자 또는 쌍극자-쌍극자 상호작용이 존재하지 않으므로 이들은 물에 녹지 않는다. 비극성 분자와 물 분자 사이의 상호작용은 쌍극자 상호작용보다 약하다. 결과적으로 비극성 분자는 물에 녹지 않으므로 소수성이다. 비극성의 고체는 물에 녹지 않을

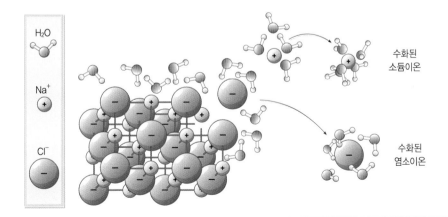

H_2O Na^+ Cl^-

수화된 소듐이온
수화된 염소이온

■■■ 그림 2-27. 용액에서 이온을 둘러싸고 있는 수화각

물 분자는 이온상태의 전하가 물의 쌍극자에 의해 격리되도록 위치한다. 예를 들면 양전하를 띠는 소듐이온의 경우 물 분자 중 약간 음전하를 띠는 산소원자가 용액 내의 이온을 향하게 되고, 반대로 음전하를 띠는 염소이온의 경우 약간 양전하를 띠는 수소원자를 잡아당겨 수화각을 형성한다. Lehninger AL, Nelson DL, Cox MM: Principles of Biochemistry. 2nd. ed Worth Publisher. 1993.

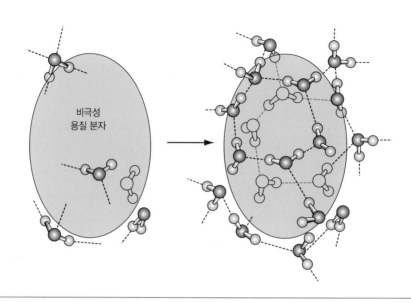

■■ 그림 2-28. 소수성 용질을 둘러싸는 물 분자에 의한 포접체 구조 형성

것이고, 비극성 액체와 물은 두 층으로 분리될 것이다.

제2그룹에 속하는 물질로서는 이온화가 되지는 않지만 극성을 갖는 화합물로 당, 알코올, 알데하이드, 케톤과 같은 극성 기능기(수산기, 아민기, 카르보닐기 등)를 갖는 중성 유기화합물이다. 이 물질들은 기능기와 물 분자 사이에 수소결합이 형성되므로 물에 녹는다. 이들 용매와 용질 사이에 형성되는 극성결합은 반 데를 발스력(van der Waals force)이나 약한 수소결합에 의해 야기되는 용질 분자사이의 분자간 결합보다 강하다. 비극성 분자들 사이의 상호작용은 일시적인 쌍극자와 유도된 쌍극자 사이의 인력에 의존하며, 이 인력은 매우 약하다. 일시적인 쌍극자는 이웃한 분자에서 또 다른 쌍극자를 유도할 수 있으며, 이러한 회합은 수명이 짧고 상호작용 에너지는 작다. 이러한 일시적 쌍극자와 유도된 쌍극자 사이의 상호작용을 반 데를 발스 결합이라 하며, 물리화학에서는 런던 포스(London force)라 한다.

제3그룹은 비극성 물질(nonpolar substance)로, 이 물질들은 물과 쉽게 수소결합을 형성하지 못한다. 비극성 용질들은 공간을 차지하기 때문에 드문드문 존재하

는 물의 수소결합 망이 비극성 물질을 수용하기 위해서 재배치되어야 한다. 동시에 물 분자는 온도가 허용하는 한 다른 물 분자와 수소결합을 많이 하게 된다. 결과적으로 수소결합을 이룬 물 분자망은 비극성 물질을 감싸듯이 하여 마치 국소적으로 새장과 비슷한 구조인 포접체(clathrate)를 형성한다(그림 2-28). 이러한 상태에서 비극성 용질 분자는 소수성 결합을 한다.

어떤 분자는 극성(친수성)과 비극성(소수성) 부분을 모두 가질 수 있으며, 이런 형태의 분자에서 한 부분은 물에, 다른 부분은 비극성 환경에 녹으려는 경향이 있기 때문에 양친매성(amphipathic)이라 하는데, 이들도 제3그룹에 속한다. 이들 분자는 긴 비극성 탄화수소 꼬리 부분과 강한 극성을 띠는 카르복실 머리 부분을 가지고 있다. 그러므로 비누 구성성분인 소듐 팔미트산(sodium palmitate)은 물속에서 실제로는 이온화 경향을 거의 나타내지 않는다. 그럼에도 불구하고 소듐 팔미트산은 극성을 띠는 카르복실 머리 부분이 전형적인 친수성 양상으로 수화가 되듯이, 이 분자의 탄화수소 꼬리 부분이 소수성 결합에 의해 서로 뭉칠 수 있기 때문에 물에 쉽

게 분산된다. 이러한 양친매성 분자가 덩어리(cluster)를 만드는 경우에 미셀(micelle)이라 한다(그림 2-29). 이들 분자의 수많은 생물학적 의의 중 하나는 양친매성 분자가 수용액에 유입되는 경우에 양끝의 서로 상반되는 용질 특성으로 인해 나타난다. 극성을 나타내는 쪽은 용매와 이온 결합을 하는데 있어 친수성을 나타내는 반면, 비극성 쪽은 물로부터 배제되어 탄화수소 꼬리 부분으로 구성되는 소수성 도메인(domain)을 형성한다. 이러한 성질로부터 기인된 중요한 세포의 구성성분이 바로 세포막이다.

(3) 높은 비열

물의 비점(끓는 점)은 약 100℃이며, 상온에서 물은 액체이다. 그런데 이 비점은 주기율표에서 산소와 같은 주기 혹은 동족 원소의 수소화합물과 비교하면 암모니아(NH_3), 불화수소(HF), 황화수소($H2S$) 및 셀렌화수소($H2Se$) 등은 모두 상온에서 기체이다. 일반적으로 동족의 유사화합물은 주기율표의 위쪽에 존재할수록 비점이 낮아서, $H2Te$(텔레륨화 수소, -1.8℃), $H2Se$(-41.3℃), $H2S$(-60.2℃)의 순이며, $H2O$는 좀 더 낮을 것으로 예상된다. 그러나 실제로는 예상과 달리 높다. 이것은 물의 각 분자가 상호간에 잡아당기는 인력이 높아서 분자는 급격하게 팽창되어 기체가 되지 않고 비점을 높게 하기 때문이다. 이러한 사실은 기화열(액체의 분자간 힘을 극복해서 기체를 만드는 에너지와 거의 같다)이 물 분자와 거의 유사한 분자량과 외각 전자를 갖는 메탄(1,955kcal/mol)과 비교하여 매우 높다는 점에서도 이해할 수 있다.

물은 다른 액체와 비교하여 비열이 2~5배 높아서 외부의 기온 변화에 영향을 비교적 덜 받아 쉽게 변동되지 않는다. 비열이란 어떤 물질 1g의 온도를 1℃ 올리는 데 필요한 열량을 말한다. 물 1g을 1기압 하에서 14.5℃ → 15.5℃까지 올리는 열량은 1칼로리(cal)이며, 물의 비열은 1칼로리/g·℃로 계산된다. 1칼로리는 국제단위인 줄(J)로는 4.184J에 해당한다. 그래서 물은 뜨거워지기도

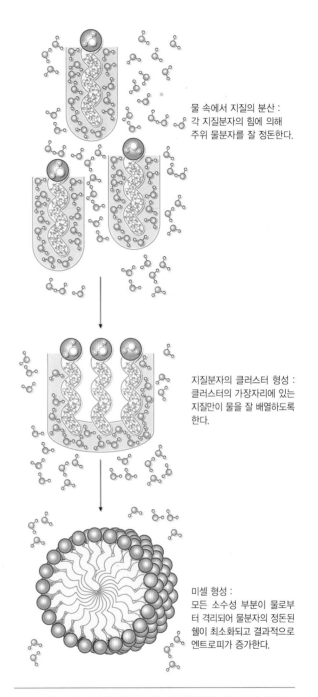

물 속에서 지질의 분산 : 각 지질분자의 힘에 의해 주위 물분자를 잘 정돈한다.

지질분자의 클러스터 형성 : 클러스터의 가장자리에 있는 지질만이 물을 잘 배열하도록 한다.

미셀 형성 : 모든 소수성 부분이 물로부터 격리되어 물분자의 정돈된 쉘이 최소화되고 결과적으로 엔트로피가 증가한다.

■ ■ 그림 2-29. 수용액에서 양친매성 분자에 의한 미셀 형성

음전하를 띠는 카르복실 머리 부분은 미셀 표면을 향하여 수소결합을 통해 극성인 물 분자와 반응하여 결합한다. 비극성인 탄화수소 꼬리 부분은 미셀의 안쪽으로 응집하는데, 이는 용매로부터 소수성 배제에 의하여 유도되며, 반 데를 발스 결합을 하게 된다. 표면이 음전하를 띠기 때문에 이웃하는 미셀을 서로 밀어내게 되며, 결과적으로 용액 내에서 비교적 안정성을 유지하게 된다. Lehninger LC, Nelson DL, Cox MM: Principles of Biochemistry. 2nd ed. Worth Publisher. 1993.

차가워지기도 어렵다. 60%가 물인 생체는 외부 온도 변화의 영향이 적어 일정한 체온을 유지하기 쉽다. 이러한 이유로 생체 반응이 원활하게 이루어지는 이유이다. 따라서 생체 내의 환경이 일정하게 유지되며 화학반응도 일정한 상태로 이루어진다.

2) 물의 해리와 수소이온농도 및 pH

여러 중요한 화합물의 생화학적 특성은 그들의 산-염기 특성에 의존한다. 산은 프로톤(수소이온) 공여체로, 그리고 염기는 프로톤 수용체로 정의된다. 어떻게 산과 염기가 프로톤을 쉽게 얻고 잃는가는 화합물의 화학적 성질에 의존된다. 물에 산이 해리되는 정도는, 강산인 경우는 근본적으로 완전히 해리되며, 아주 약산인 경우에는 실제로 해리가 일어나지 않는 것까지 분포가 다양하며, 그 중간의 어느 값도 가능하다. 탄산가스나 전해질을 전혀 함유하지 않은 순수한 물을 만들고, 그 전기 전

도도를 측정한 결과는 $0.062 \times 10^{-6} \Omega^{-1} \cdot cm^{-1}$(25℃)이 된다. 물은 전류를 통과시키며, 보다 크고 강한 전기적 음성을 띠는 산소원자가 물 분자의 2개 수소원자 중 하나를 떼어 내버리기 때문에 이온화되어 다음과 같이 해리된다(그림 2-30).

$$H_2O \rightleftarrows H^+ + OH^-$$

결과적으로 두 개의 이온이 형성되는데, 하나는 양자(proton, 수소이온, H^+)이고, 다른 하나는 수산화이온(hydroxyl ion, OH^-)이다. 유리된 양자는 곧바로 수화되어 수소이온이 수용액으로 존재하는 상태인 하이드로늄 이온(hydronium ion, H_3O^+)을 형성한다.

$$H^+ + H_2O \rightarrow H_3O^+$$

액체 상태의 물에 있어 대부분의 수소원자는 이웃하는 물 분자와 수소결합을 하고 있기 때문에 양자의 수화

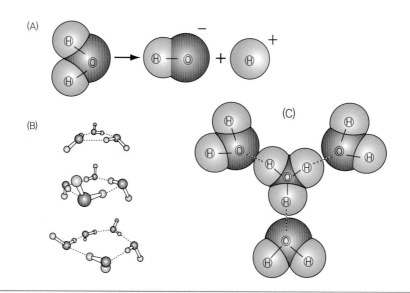

■ ▨ 그림 2-30. 물의 해리

(A) 물의 이온화. (B) 물의 삼량체, 사량체 및 오량체 구조. (C) 하이드로늄 이온의 수화. 굵은 선은 공유결합이고, 점선은 하이드로늄 이온과 물 사이에 형성된 수소결합을 나타낸 것으로 수화되어 있다. Voet D, Voet JD: Biochemistry. 4th ed. Wile;y. 2011.

(protonic hydration)가 곧바로 진행되어 실제로 물의 이온적(ionic product)은 H_3O^+와 OH^-이다.

$$H_2\!\!\diagdown\!\!O\cdots H-O\diagup^{H} \longrightarrow H\diagdown_{H}\!\!O-H^+ + OH^-$$

물이 수소이온과 수산화이온으로 해리되어 평형상태에 도달할 경우 다음과 같이 표시된다.

$$H_2O \rightarrow H^+ + OH^-$$

이 과정에 대한 평형상수를 K_{eq}하면, 다음과 같이 된다([ ] 표시는 각각의 mol 농도를 나타낸다).

$$K_{eq} = \frac{[H^+][OH^-]}{[H_2O]}$$

순수한 물 분자 1L에 들어있는 물의 농도는 물 1L 속에 들어있는 물의 g수(1,000)를 물의 분자량인 18로 나눈 값과 같다. 그러므로 물의 농도는 55.6M이다.

K_{eq}는 정확하게 측정할 수 있는데, 25℃에서 1.8×10^{-16}이며, 55.6M로 고농도이므로 해리 후에도 거의 변화가 없이 일정하다. 그러므로 $K_{eq} \times [H_2O]$를 K_w로 표시하고, K_w를 물의 이온적이라 한다.

$$K_w = [H^+][OH^-] = K_{eq} \times [H_2O]$$
$$= 1.8 \times 10^{-16} \times 55.56 = 1.0 \times 10^{-14}$$

그런데 순수한 물에서는 $[H^+] = [OH^-]$이므로 25℃에서 $[H^+] = [OH^-] = 1.0 \times 10^{-7}$ M이다. 즉, 중성 물속에서 1L 당 1×10^{-7}mol인 수소이온과 수산화이온이 함유되어 있다.

산의 강도는 주어진 일정량의 산이 물에서 해리될 때 방출되는 수소이온의 양을 말하는데, 이 강도를 나타낸 것을 산 해리상수 또는 K_a라고 부른다. 일정량의 산이

물에 녹아 있을 때 유리되는 수소이온의 양은 산의 세기를 수치적으로 나타내는데 유용하다.

산의 해리상수($K_{a'}$)는 다음과 같이 나타낼 수 있다.

$$HA \rightleftarrows H^+ + A^-$$

$$K_{a'} = \frac{[H^+][A^-]}{[H_2O]}$$

이 식에서 [ ]는 몰농도(mol/L)를 나타낸다. 산에 대한 $K_{a'}$는 온도에 따라 변화하며, 산이 많이 해리될수록 커지고, 클수록 강한 산이다.

정확하게 표현된 산-염기 반응은 물이 용제와 염기로 작용하는 프로톤 전이반응으로, 이 반응에서 물은 용매로 뿐만 아니라 염기로도 작용한다.

$$HA(수용액) + H_2O(용액\ 상태\ 물) \rightleftarrows$$
$$H_3O^+(수용액) + A^-(수용액)$$

물의 산-염기 특성은 생물학적 과정의 용제로서 물의 중심적인 역할 때문에 중요하다. 물은 매우 적은 양이지만 H^+와 OH^-로 해리한다.

그러므로 25℃의 순수한 물에서 K_w는 산 또는 염기를 포함한 모든 수용액에 대하여 10^{-14}이며, 이 상수를 산성 및 염기성의 수용액에 대한 pH를 계산하는데 사용된다.

순수한 물(H_2O)은 H_3O^+(하이드로늄 이온 : H^+)와 OH^-(하이드록사이드 이온)으로 해리되며, 이온농도는 25℃에서 모두 1.0×10^{-7}M이다. 하이드로늄 이온은 편의상 수소이온(H^+)으로 나타낸다.

$$2H_2O \rightleftarrows H_3O^+ + OH^-$$
$$[H^+] = [OH^-] = 1.0 \times 10^{-7}M$$

$[H^+]$ $[OH^-]$는 몰 농도(M)를 나타낸다.

표 2-7. 생체액과 기타 용액의 pH

생체액 등	pH
혈액	7.35~7.45
침	6.4~6.8
위액	0.9~1.0
소변	4.8~7.5
우유	6.7~6.9
식초	3.5
증류수	5.5*
맥주	4.5
오렌지주스	4.3
포도주스	3.2
레몬주스	2.3

* 공기중의 이산화탄소가 녹아 탄산이 되기 때문
(CO_2 + H_2O → H_2CO_3 → H^+ + HCO_3^-)

수용액 내의 H^+가 1.0×10^{-7}M일 때는 중성 용액, 그보다 높을 때는 산성 용액, 그리고 그보다 낮을 때는 알칼리성(염기성) 용액이라 한다.

pH라는 개념은 1909년 소렌슨(Sørenson SPL)에 의해 도입되었는데, 이것은 대수를 이용하여 H^+의 농도를 나타내는 것이다.

$$pH = \log_{10} \frac{1}{[H]} = -\log_{10}[H^+]$$

$$pH = -\log_{10}[H^+] = -\log_{10}10 - 7 = -(-7) = 7$$

pH 7의 순수한 물은 중성이며, 산성 용액은 7보다 낮은 pH 값을 가지고, 염기성 용액은 7 보다 높은 pH 값을 가진다(표 2-7).

3) 산과 알칼리(염기)

산은 H^+를 방출하는 물질, 알칼리(염기)는 OH^-를 방출하는 물질로 정의된다. 염산이나 초산 등은 H^+를 방출하기 때문에 산이며, 수산화소듐이나 암모니아는 OH^-를 방출하기 때문에 알칼리이다. 이 책에서 산과 알칼리(염기)의 정의는 아레니우스(Arrhenius S, 스웨덴, 1884년)에 의한 것이다. 이후 브론스테드(Bronsted J, 덴마크, 1923년)는 H^+를 주는 물질(H^+공여체)을 산, H^+를 받는 물질(H^+수용체)을 염기라고 정의하고, 수소를 갖는 모든 물질의 반응에 대한 설명을 가능케 했다. 이 정의에 따르면 산과 염기는 상대적인 것이 되는데, 예를 들어 암모니아의 반응(NH_3 + H_2O ⇌ OH^- + NH_4^+)에서 NH_3는 H^+를 받는 염기이지만, 물은 H^+를 방출하는 산으로 볼 수 있다.

염산	HCl → H^+ + Cl^-
초산	CH_3COOH ⇌ H^+ + CH_3COO^-
수산화소듐	$NaOH$ → OH^- + Na^+
암모니아	NH_3 + H_2O ⇌ OH^- + NH_4^+

산의 해리상수 $K_{a'}$도 pH의 경우와 마찬가지로 정의하면, $pK_{a'}$를 다음과 같이 나타낼 수 있다.

$$pK_{a'} = -\log_{10} K_{a'}$$

$pK_{a'}$는 산도의 또 다른 수치적 측정이며, $pK_{a'}$ 값이 작을수록 강한 산이다.

헨더슨-하셀발크 방정식은 산과 짝염기를 함유하는 용액의 pH와 함께 어떤 약산의 $K_{a'}$를 연관시킨 편리한 방정식이다.

$$K_{a'} = \frac{[H^+][A^-]}{[HA]}$$

$$[H^+] = \frac{K_{a'}[OH^-]}{[A^-]}$$

$$pH = -\log_{10} K_{a'} \frac{[HA]}{[A]}$$

$$pH = -\log_{10} K_{a'} - \log_{10} \frac{[HA]}{[A^-]}$$

$$pH = pK_{a'} - \log_{10} \frac{[HA]}{[A^-]}$$

$$pH = pK_{a'} + \log_{10} \frac{[HA]}{[A^-]}$$

이 식이 헨더슨-하셀발크 방정식(Henderson-Hasselbalch equation)이며, 반응 혼합물의 pH 조절에 사용되는 완충액의 특성을 예견하는데 편리하게 이용할 수 있다.

완충액에서 산의 농도 [HA]와 짝염기의 농도 [A⁻]가 같은 즉, [HA] = [A⁻] 경우에 [A⁻]/[HA] 비는 1이고, 1 의 대수는 0이므로 용액이 같은 농도의 약산과 그것의 짝염기를 함유할 때, 그 용액의 pH는 약산의 pK_{a'} 값과 같다.

4) 완충작용과 완충액

완충액은 약산과 짝염기의 혼합물로 구성되며, 어느 정도의 강산이나 강염기를 첨가하여도 pH 변화가 크게 일어나지 않는 특성을 갖는다. pH 7의 순수한 물이나 완충액에 강산이나 강염기를 동량 첨가할 때 일어나는 pH 변화를 비교해 보자.

0.1M HCl 0.1mL를 순수한 물 99mL에 가한다면, 결과적으로 이 용액은 0.001M 즉, 10^{-3}M HCl이 될 것이고, pH = $-\log_{10}10^{-3}$ = 3이 된다.

순수한 물 대신에 99.0mL의 완충액을 사용한 경우 결과는 달라진다. 일수소 인산이온과 이수소 인산이온, 즉 HPO_4^{-2}와 $H_2PO_4^-$를 적당한 비율로 함유하는 용액은 완충액이 될 수 있다. pH 7.0에 해당하는 $[HPO_4^{-2}]/[H_2PO_4^-]$의 비율을 헨더슨 하셀발크 방정식으로부터 계산하면 HPO_4^{-2}가 0.6, $H_2PO_4^-$가 1의 비율이므로,

HPO_4^{-2}가 0.06 M이고, $H_2PO_4^-$가 0.10 M인 인산 완충액을 예로 들어 설명해 보자.

0.1M HCl 1.0mL를 99mL의 완충액에 첨가하면 다음과 같은 반응이 일어나 첨가된 거의 대부분의 H⁺는 소모가 된다.

$$HPO_4^{2-} + H^+ \rightleftarrows H_2PO_4^-$$

이때의 pH를 헨더슨 하셀발크 방정식과 인산이온농도로부터 계산을 해보면 pH는 6.99가 되어 완충액이 아닌 물에서 보다 훨씬 작게 변화함을 알 수 있다. 이와는 달리 이번에는 완충용액에 1.0mL의 0.1 M NaOH를 첨가하면 다음과 같은 반응이 일어나 역시 첨가된 거의 대부분의 OH⁻가 소모된다.

$$H_2PO_4^- + OH^- \rightleftarrows HPO_4^{2-} + H_2O$$

OH⁻의 증가는 H⁺ 농도의 감소가 일어나 pH가 상승한다는 것을 의미한다. 그럼에도 불구하고 이때의 pH를 계산하여보면 7.01로 역시 순수한 물에서보다 pH 변화에 미치는 영향을 별로 크지 않음을 알 수 있다. 생체 내에서 일어나는 대부분의 생화학적 반응은 pH가 특정 범위 내에서 일어나기 때문에 이러한 완충액에 의해 pH 변화에 대한 영향으로 pH 변화가 크게 변하지 않아서 생화학 반응에서 완충액은 매우 큰 중요성을 갖는다.

완충액이 매우 낮은 농도의 산과 염기를 함유한다면 산을 매우 적게 첨가하여도 포함된 염기형을 모두 소모시키므로 완충 능력이 없어지게 된다. 완충액의 완충 능력은 그것에 함유된 약산과 짝염기 각각의 절대량 및 2가지 형태의 비율과 관계가 있다. 그러므로 낮은 농도의 산과 염기로 된 완충액은 낮은 완충 용량을 가지는 반면에, 다량의 산과 염기를 함유하는 완충액은 높은 완충 용량을 갖는다.

5) 생체에서의 pH 조절기구

생체 내의 반응은 pH에 의해 변화하기 때문에 체액의 pH는 항상 적절하게 유지할 필요가 있다. 외부로부터 산이나 알칼리가 침입해도 pH가 크게 변하지 않는 작용을 완충작용이라 하며, 체액은 완충작용을 갖는 완충액이다. 생체에서는 언제나 생리적 및 화학적 조절이 작용하기 때문에 이들의 pH는 극단적으로 한쪽으로 치우치지 않고 일정하게 유지된다. 이것은 세포 내외의 여러 가지 완충계에 의해 가능하며, 생체 내의 pH는 화학적 및 생리적 작용에 의한 완충계에 의해 조절된다.

대부분의 세포내 액체는 인산이온농도가 효과적인 완충을 위해 충분하게 존재하지만, 혈액의 경우 인산이온 수준은 완충 작용을 나타내기 위한서는 충분하지 못하므로 다른 완충계가 여기에 작용한다. 혈액의 경우 완충계는 탄산(H_2CO_3)의 해리에 기인하며, pK_a는 36.5℃에서 6.1이다.

$$H_2CO_3 \rightleftarrows H^+ + HCO_3^-$$

사람 혈액의 pH 7.4는 이 완충계의 완충 범위의 거의 한계이지만, 다른 요인이 이 상황에 개입한다. 혈액 속의 적혈구에 들어 있는 헤모글로빈은 적혈구 세포의 주된 구성성분으로, 폐에서 조직으로 산소를 운반하고, 조직에서 폐로 이산화탄소를 운반하는 작용을 한다. 이산화탄소는 물과 혈액에 용해될 수 있으며, 용해된 이산화탄소는 탄산을 형성한 다음에 중탄산이온(HCO_3^-)을 생성하는 반응을 한다.

$$CO_2(가스) \rightleftarrows CO_2(액체)$$
$$CO_2(가스) + H_2O(용제) \rightleftarrows H_2CO_3(용액) \cdots\cdots \text{반응 1}$$
$$\underline{H_2CO_3(용액) \rightleftarrows H^+(용액) + HCO_3^-(용액) \cdots\cdots \text{반응 2}}$$
$$\text{전체 } CO_2(가스) + H_2O(용제)$$
$$\rightleftarrows H^+(용액) + HCO_3^-(용액)$$

탄산의 pK_a'보다 1단위 높은 혈액의 pH에서 용존 CO_2의 대부분은 HCO_3^-로 존재한다. 숨을 내쉬기 위해 폐로 운반된 CO_2는 헤모글로빈의 전하를 가진 아미노산 잔기와 이온 결합을 한 HCO_3^- 형으로 존재한다. 폐의 이산화탄소 가스의 압력과 혈액의 pH 사이에는 직접적인 상관관계가 있다.

혈액의 pH는 탄산의 해리평형에 크게 의존하며, 다음과 같은 헨더슨 하셀발크 방정식이 성립한다. 혈액의 정상 pH는 7.4이고 탄산의 해리상수 pK_a'는 36.5℃에서 6.1이므로

$$pH = pK_a' + \log_{10} \frac{[HCO_3^-]}{[H_2CO_3]}$$

$$7.4 = 6.1 + \log_{10} \frac{[HCO_3^-]}{[H_2CO_3]}$$

으로부터 $[HCO_3^-]/[H_2CO_3] = 20$이 된다.

또 이산화탄소 분압에 대한 정상 체온에서의 혈장 중의 흡수계수(mmol/mmHg)는 0.03이고, pCO_2가 40mmHg라면

$$[H_2CO_3] = 0.03 \times pCO_2 = 0.03 \times 40$$
$$= 1.2mEq/L = 0.12mEq/dL$$
$$[HCO_3^-] = 20 \times 0.12 = 2.4mEq/dL$$

그러므로 $pCO_2 = 40mmHg$일 때 $[H_2CO_3] = 0.12mEq/dL$이고, $[HCO_3^-] = 2.4mEq/dL$로 된다.

혈액에 산(H^+)이 침입하면 '반응 2'는 좌측에서 이루어져 HCO_3^-는 H^+를 소비하여 H_2CO_3가 됨으로써 pH 저하를 막는다(산의 중화). 한편 알칼리(OH^-)가 침입하면 '반응 2'는 우측에서 이루어져 H_2CO_3는 H^+를 생산하고 H^+는 OH^-를 소비하여 H_2O가 됨으로써 pH 상승을 막는다(알칼리의 중화). 중탄산 이온은 침에도 존재하여 침 pH의 유지 작용과 산 중화에 의한 치아우식증 예방 작용을 발휘한다.

혈액 중에서 인산은 다음과 같이 평형상태를 유지한다. 인산의 해리상수 pK_a'은 36.5℃에서 6.8이고, 혈액의 정상 pH는 7.4이므로 다음과 같이 식이 성립한다.

$$H_2PO_4^- \rightleftharpoons H^+ + HPO_4^{2-}$$

$$7.4 = 6.8 + \log_{10} \frac{[HPO_4^-]}{[H_2PO_4^{2-}]}$$

그러므로 정상 pH의 혈액에서 $[HPO_4^{2-}]/(H_2PO_4^-]$는 4이므로, $[HPO_4^{2-}]$ 이온이 4, $(H_2PO_4^-]$ 이온이 1의 비율로 존재한다.

생체 내에서는 중탄산계, 인산계, 암모니아계, 헤모글로빈계, 단백질계 및 유기산계 등의 완충 작용에 의해 화학적으로 pH를 조절한다.

또한 pH는 다음과 같은 작용을 통해 생리적으로 조절되기도 한다. 혈중의 H^+ 농도가 높으면 직접 또는 뇌의 화학감수성 영역을 매개하여 호흡중추를 자극시키면 과호흡의 결과로 CO_2 분압이 내려가고 결과적으로 H^+ 농도도 내려간다. 콩팥에서 산성뇨 또는 알칼리성뇨를 만들어 배설하는 것으로 혈액의 pH 변동을 방지하고 있다. 대사 과정에서 생성된 젖산 및 피루브산 등의 휘발성이 없는 산이나, 염산, 인산 및 황산 등의 무기산 등의 일부 음이온은 Na^+에 의해 중화되어 있으나, 세뇨관에서의 재흡수 시에 H^+와 치환되면 소변은 산성화된다. 아미노산의 탈이마노화 반응 등으로 생성된 암모니아는 다른 염기성 양이온의 대용으로 사용되어 암모니아 염을 형성하며, 하루 30~40mg이 소변으로 배설된다. 또 암모니아는 이산화탄소와 반응하여 요소를 형성하여 배설된다. 오랫동안 산성증인 경우에 Na^+ 대신 Ca^{2+}이 소변에 나타난다. 칼슘이온은 뼈의 구성성분인 하이드록시아파타이트$[Ca_{10}(PO_4)_6OH_2]$가 혈장 중에 용출하여 생성되며, H_2CO_3와 반응하여 HCO_3^-를 생성하고, 산의 중화에 이용된다.

H^+가 증가하면 반응 2는 더 이상 좌측에서 이루어

지지 않는다. 하지만 탄산은 반응 1의 역반응에 의해 이산화탄소와 물로 분해될 수 있다. 이산화탄소가 기체로 체외 방출되면 다시 좌측에서 반응 2가 진행되어 완충작용이 지속된다. 혈액의 경우는 이산화탄소를 폐에서 방출함으로써, 침의 경우는 구강 내에서 직접 이산화탄소를 방출함으로써 완충작용이 증가되도록 하고 있다.

생체 내는 여러 가지 완충 작용에 의해 pH가 일정하게 유지될 수 있으며, 혈액은 pH 7.4로 일정하게 유지된다. 혈액 중에는 이때 H_2CO_3 : HCO_3^- = 1 : 20, 또는 $H_2PO_4^-$: HPO_4^{2-} = 1 : 4의 비율로 이들의 성분이 함유되어 있다. 그러나 이러한 평형이 유지되지 못하는 경우 산증이나 알칼리증이 일어날 수 있다. 혈액의 pH 상승이 산성 쪽으로 급하게 기울면 혈중의 Ca^{2+}이 감소하여 근 강직성 경련(또는 테타니)이 일어나고 pH의 저하가 급격하면 의식장애나 혼수가 일어난다.

호흡성 산증은 주로 H_2CO_3의 증가에 의하여 HCO_3^-의 농도는 변화하지 않는다. 이것은 폐의 가스교환 저하, 폐렴, 폐울혈, 폐기종, 기관지 천식, 기도 폐색, 심장질환, 호흡중추의 억제(모르핀 중독 등), 불완전하게 작동하는 인공호흡 장치에 의해 일어난다(표 2-8).

대사성 산증은 H_2CO_3의 변화는 없으나 HCO_3^-의 농도가 감소하는 일반적인 산증이다. 체내의 상대적인 산의 증가에 의해 일어나는 것으로 당뇨병, 기아, 운동이나 경련 등에 의한 젖산 생성 증가, 그리고 다량의 단백질

표 2-8. 산-염기 장애의 분류

분류		변화	
대사성	산증	HCO_3^-	감소
	알칼리증	HCO_3^-	증가
호흡성	산증	$pCO_2(H_2CO_3)$	증가
	알칼리증	$pCO_2(H_2CO_3)$	감소

섭취, 구토나 설사 등에 의한 HCO$_3^-$의 손실, 세뇨관 이상에 의한 HCO$_3^-$의 재흡수 부전 등에 의해 일어난다.

호흡성 알칼리증은 HCO$_3^-$의 농도에 상응하지 않는 H$_2$CO$_3$의 감소에 의한 것으로 폐의 가스교환 상승, 과호흡, 뇌염, 발열, 뇌성 혼수, 호흡계에 영향을 주는 중추신경계 질환, 살리실산 유도체 중독 초기, 부적절한 인공호흡 장치의 사용, 높은 고지에서의 생활 등으로 나타난다.

대사성 알칼리증에서는 H$_2$CO$_3$의 변화는 심하지 않으나 HCO$_3^-$가 특히 증가하며, 체내의 상대적인 염기의 증가 또는 위궤양이나 십이지장 궤양 등에서 알칼리제제나 NaHCO$_3$의 투여 및 구토나 위세척에 의한 위분비물 중의 염소 결핍으로 일어난다.

참고문헌

1. Berg MB, Tymoczko JL, Stryer L : Biochemistry. 7th ed. Freeman. 2012.
2. Ferrier DR : Lippincott's Illustrated Review : Biochemistry. 6th ed. 2014.
3. Garrett RH, Grisham CM : Biochemistry. 4th ed. Brooks/Cole Cengage Learning. 2010.
4. Lieberman M, Marks AD : Mark's Basic Medical Biochemistry - A Clinical Approach. 4th ed. Wolters Kluwer/Lippincott Williams & Wilkins. 2013.
5. Marray RK, Botham KM, Kennelly PJ, Rodwell VW, Weil PA : Harper's Illustrated Biochemistry. 29th ed. McGraw Hill/Lange. 2012.

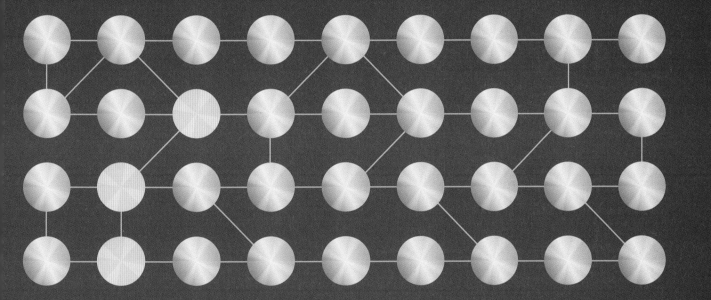

03

Chapter

생체의 주요 분자와 그 작용

살아있는 생명체를 구성하는 분자의 대부분은 탄소원자가 다른 탄소원자, 수소, 산소 또는 질소와 결합한다. 탄소가 갖는 특이한 결합 성질 때문에 아주 다양한 종류의 분자를 형성할 수 있다. 분자량 500 이하를 갖는 유기화합물, 즉 아미노산, 뉴클레오티드 및 단당류가 각각 단백질, 핵산 및 다당류와 같은 거대분자(macro-molecule)의 단량체 소단위로 작용한다. 한 개의 단백질 분자는 1,000개 이상의 아미노산으로 구성될 수도 있으며, 디옥시리보핵산(DNA)은 수백만 개의 뉴클레오티드로 구성될 수 있다.

대장균은 수천 개의 유기화합물로 구성되는데, 1,000여 개의 단백질, 비슷한 숫자의 서로 다른 핵산 분자 및 수백 개의 탄수화물과 지방을 포함하고 있다. 사람의 경우 10,000여개 이상의 단백질, 수많은 종류의 탄수화물, 다양한 종류의 지방 및 수 백 개의 디옥시리보핵산으로 이루어져 있다. 이 모든 분자를 완전히 순수 분리하여 성질을 규명한다는 것은 불가능하지만, 각 종류의 거대분자는 적어도 작은 단량체 소단위(벽돌분자, building block)로 구성되어 있는 것은 사실이다. 이러한 벽돌분자는 실제로는 무한정으로 다양한 배열 순서를 가지면서 서로 공유결합 되어 있다(그림 3-1). 이는 마치 26개의 영어 알파벳 문자를 이용하여 무한정으로 단어를 만들고, 나아가 문장을 만들며, 한 권의 책을 만드는 것과 비슷하다.

디옥시리보핵산은 단지 4종류의 간단한 단량체 소단위인 디옥시리보뉴클레오티드(deosyribonucleotide)로 구성된다. 리보핵산(RNA)은 단지 4종류의 리보뉴클레오티드(ribonucleotide)로 구성된다. 단백질은 20종류의 아미노산으로 구성된다. 핵산을 구성하는 8종류의 뉴클레오티드와 단백질을 구성하는 20종류의 아미노산은 모든 살아있는 생명체에서 동일하다. 단량체 소단위의 특이 배열이 어떻게 정렬되느냐에 따라 거대분자의 생물학적 기능이 달라져, 유전자나 촉매 또는 호르몬 등으로 작용할 수 있다.

모든 거대분자를 구성하는 단량체 소단위의 대부분은 생명체 내에서 하나 이상의 기능을 갖는다. 예를 들면 뉴클레오티드는 핵산의 단량체 소단위로 작용할 뿐만 아니라 에너지 담체(energy carrier)로 작용하기도 한다. 아미노산은 단백질의 소단위로 작용하기도 하지만 호르몬, 신경전달물질, 색소 또는 다른 종류의 생체분자(biomolecule)로 작용할 수 있다. 여기에서는 생명체를 구성하는 분자와 그들의 작용에 대하여 다룰 것이다.

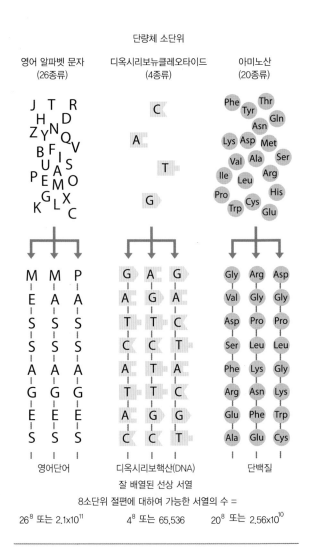

■▪ 그림 3-1. 단량체 소단위

선상 배열되어 있는 단량체 소단위는 무한정으로 복잡한 메시지를 판독할 수 있다. 가능한 서로 다른 배열의 수(S)는 서로 다른 단량체 소단위 수(N)와 선상 배열의 길이(L)에 의존된다. $S = N^L$. 평균 크기의 단백질(L ≈ 400)이며, S는 20^{400}으로 천문학적 숫자이다.

1 세포내 분자

1) 생체를 구성하는 원소

생물은 무생물과 달리 여러 가지 생명현상을 나타내고 있다. 이러한 생명체를 구성하고 있는 물질에 대해 이해가 필수적이다. 즉, 생물과 미생물의 구성성분을 비교함으로써 어떠한 물질이 생체의 특성을 나타내는가를 알 수 있다. 자연계에 존재하는 92종의 원소 중에서 27종의 원소가 생체를 구성하고 있으며, 원소를 분석하면 수소, 산소, 질소, 탄소가 가장 많은 양으로 존재한다. 이러한 원소 조성은 식물이나 동물은 서로 비슷하나, 무생물과는 아주 다르다. 생체를 구성하는 원소의 분포는 지각의 구성과는 판이하게 다르고, 바닷물의 구성 원소 분포와는 유사하다(표 3-1).

이러한 사실은 생물이 바다에서 처음 발생하였을 가능성을 시사해 준다. 과학자들은 그 당시 바닷물이 영양이 풍부한 액체배지였을 것으로 추측하고 있다. 생명이 바다에서 탄생하였다는 견해는 오늘날 거의 정설로 받아들여지고 있다. 이 가설을 지지하는 가장 강력한 근거 중 하나는 생물을 구성하는 원소와 바닷물의 화학조성이 매우 흡사하다는 것이다. 표 3-1은 지구의 표층, 바닷물 및 생명체(여기에서는 사람)에 함유되어 있는 구성원소의 함량이 높은 것에서 낮은 순으로 10위까지 열거한 것이다. 사람을 구성하는 10대 원소는 순위는 일치하지 않지만, 그 구성 원소 중 하나를 제외하면 바닷물과 완전히 똑같다. 한 가지 예외는 생체의 10대 원소에 들어있지 않는 마그네슘이 바닷물에는 들어있고, 사람에서는 마그네슘 대신 인이 들어있다는 점이다. 그럼에도 마그네슘은 사람의 경우 11번째로 많이 들어있는 원소이다. 그러나 지구의 표층을 구성하는 원소를 살펴보면 10가지 원소 중 5가지만이 사람의 10대 원소와 중복된다. 이러한 사실로 보아 생명체는 지구의 표면보다 바다와 깊은 관계가 있다고 생각할 수 있다.

2) 거대분자

생명체를 구성하는 분자는 대부분 그 분자량이 커서 이를 거대분자(macromolecule)라 부르는데 보통 분자

표 3-1. 인체와 바닷물, 지각의 구성 원소 함량비교(%)

바닷물		사람		지구의 표층	
수소(H)	66	수소(H)	60.3	산소(O)	47
산소(O)	33	산소(O)	25.5	규소(Si)	28
염소(Cl)	0.33	탄소(C)	10.5	알루미늄(Al)	8
소듐(Na)	0.28	질소(N)	2.4	철(Fe)	5
마그네슘(Mg)	0.033	소듐(Na)	0.7	칼슘(Ca)	4
황(S)	0.017	칼슘(Ca)	0.2	소듐(Na)	3
칼슘(Ca)	0.0062	인(P)	0.1	포타슘(K)	3
포타슘(K)	0.0060	황(S)	0.1	마그네슘(Mg)	2
탄소(C)	0.0014	포타슘(K)	0.04	티탄(Ti)	0.5
질소(N)	미량	염소(Cl)	0.03	수소(H)	0.2

* 공통적인 원소가 아닌 경우 다른 색으로 나타냈다.

량이 10,000~1,000,000 정도이다. 단백질, 다당류, 핵산은 거대분자에 해당하며, 지질은 하나의 분자량은 작으나 생체에서 여러 개 분자가 모여 큰 복합체를 형성하므로 거대분자로 간주되기도 한다. 결국 생명체는 거대분자에 의해 구성된다고 말할 수 있다.

거대분자는 분자량이 작으면서, 그 구조가 단순한 벽돌분자(building block)에 의하여 구성된다. 즉, 단백질은 아미노산이 펩타이드 결합으로 형성된 거대분자이며, 다당류는 글루코오스와 같은 단당류가 글리코시드 결합(glycosidic bond)으로 형성된 분자이며, 핵산은 뉴클레오티드가 인산 디에스테르 결합(phosphodiester bond)에 의하여 형성된 것이며, 지질은 지방산에 의해 형성된다. 그러므로 거대분자의 화학적·생물학적 특성은 이를 구성하는 벽돌분자의 특성에 의해 결정된다고 볼 수 있다.

단백질은 그 종류와 기능이 다양하고, 세포가 갖고 있는 유전정보가 발현된 산물이다. 다시 말해 세포의 유전정보는 결국 대부분이 단백질 발현에 대한 정보인 것이다. 단백질은 생체의 구조를 구성하고, 세포의 대사를 촉매하는 효소로 작용하며, 개체를 방어하는 항체 등 그 역할과 기능이 매우 다양하다. 탄수화물은 생명체의 기본이 되는 대사경로를 유지하도록 하며, 생명체의 구조 유지에도 관여하며, 이는 특히 식물에서 쉽게 알 수 있다. 생명체가 비상시에 쓸 수 있는 연료의 저장형(글리코겐이나 전분)으로도 작용한다. 지질은 생체막을 구성하며, 생명체의 구조 유지와 완충작용을 한다. 또한 잉여의 영양분을 저장하는 분자로도 작용한다. 핵산은 세포의 유전정보를 보관하며, 이를 정확하게 복제하여 개체의 영속성과 종족 보존 기능도 갖는다. 세포가 가지고 있는 유전정보를 설계도로 사용함에 따라서 특정 단백질을 특정 시기에, 특정한 양으로 합성하도록 한다. 거대분자 중 단백질과 핵산은 벽돌분자의 조성과 결합순서에 의해 다른 정보를 갖게 되므로, 이들을 정보분자(information molecule)라고도 부른다.

3) 벽돌분자

생명체에 존재하는 거대분자의 종류는 무수히 많으나, 이들을 구성하는 벽돌분자의 종류는 많지 않다. 단백질을 구성하는 아미노산은 20종이며, 다당류를 구성하는 단당류도 10여 종이고, 핵산을 구성하는 뉴클레오티드는 디옥시리보뉴클레오티드 4종과 리보뉴클레오티드 4종을 합쳐 8종류에 불과하다. 벽돌분자의 종류는 많지 않으나, 이들이 결합하는 순서나 구성의 변화에 의해서 거의 무한한 종류의 거대분자를 합성할 수 있다(그림 3-1 참조).

벽돌분자가 거대분자를 형성하기 위해 결합을 하는 데는 여러 형태가 있을 수 있다(그림 3-2, 표 3-2). 한 예로 단백질의 기본구조라 할 수 있는 폴리펩타이드(polypeptide) 사슬의 서로 다른 도메인 사이에는 서로 끌어

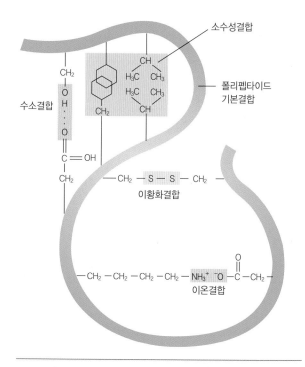

■ ■ 그림 3-2. 단백질의 삼차구조(α-helix, β-병풍구조)를 이루는데 있어 관여하는 화학결합 형태

당기는 견인력(attractive force)와 반발력(repulsive force)이 다 일어날 수 있으며, 이로 인하여 단백질이 이차구조나 삼차구조(그림 1-10 참조)를 가질 수 있다.

원자가 서로 결합하는 방법은 화학적·물리적 성질에 엄청난 영향을 준다. 한 예로 탄소로만 구성된 흑연과 다이아몬드를 생각해 보자. 흑연은 연필심과 같이 무르고 매끄러운 물질이지만, 다이아몬드는 가장 단단한 물질이다. 이 둘은 모두 탄소로만 구성되어 있는데 왜 이처럼 다른 특성을 갖는 것일까? 이것은 이들의 화학결합 상태가 다르기 때문이다. 물질의 결합구조는 생명체에 중요한 많은 화학반응을 유발하는 결정적인 역할을 한다. 화학결합에 대한 완전하고도 간단한 정의는 없지만 화학결합이란 원자들을 그룹으로 뭉치게 하고, 하나의 단위로 작용하게 만드는 힘으로 정의한다.

(1) 견인력

① 공유결합

공유결합(covalent bond)이란 두 개의 원자 사이에 각각의 전자쌍을 이루지 못한 외짝 전자를 서로 공유함으로써 안정성이 있는 전자쌍을 이루는 화학결합을 말한다. 예를 들면 아미노산 사이의 펩타이드 결합이나 이황화결합(disulfide bond), 또는 아미노산 내의 C-C, C-O 및 C-N 결합 등을 들 수 있다. 두 원자 사이에 전자쌍을 불공정하게 공유하는 경우, 즉 두 개의 전자가 모두 한 원자에서 유래된 경우 등위공유결합(coordinate covalent bond)이라 한다. 이 경우 전자쌍을 공급하는 쪽을 배위자(ligand) 또는 루이스 염기(Lewis base)라 하고, 반면에 전자쌍을 받아들이는 쪽을 중심원자(central atom) 또는 루이스 산(Lewis acid)이라 한다. 이러한 결합은 전이 금속(중심 원소)과 유기 배위자 사이의 모든 반응에 아주 중요하다. 한 예로 헤모글로빈에 환원형의 철(Fe^{2+})이 결합하는 것이다.

② 이온결합

이온결합(ionic bond)은 서로 상반되는 전하를 띠는 두 개의 기능기 사이에 일어나는 정전기적 견인에서 기인된다. 이 결합은 양전하를 띠는 알파-암모니움(α-ammonium), 엡실론-암모니움(ε-ammonium), 구아니디니움(guanidinium) 및 이미다졸리움(imidazolium)과 같은 곁사슬과 음전하를 띠는 알파, 베타 또는 감마-카르복실기(α, β or γ-carboxyl group), 인산기 및 황산기(sulfate group)와 같은 곁사슬의 이온형 사이에 형성된다.

표 3-2. 약한 화학 결합력과 그들의 상대적인 힘과 거리

결합	힘(kJ/mol)	거리(nm)	설명
반 데를 발스 결합	0.4~4.0	0.2	힘은 원자나 분자의 상대적인 크기와 그들 사이의 거리에 의존된다. 크기 인자는 두 분자 사이의 접촉 면적에 의해 결정되는데, 클수록 결합력이 강하다. 견인력은 두 원자 사이의 거리의 6승에 반비례한다. 즉, $F = 1/r^6$
수소결합	12~30	0.3	상대적인 힘은 수소결합 공여체와 수용체의 극성에 비례한다. 보다 극성일 경우 더 강한 수소결합이 형성된다.
이온결합	20	0.25	상대적인 힘은 서로 반응하는 전하 종류의 상대적 극성에 의존된다.
소수성결합	40 이하	-	상대적 힘은 소수성분자가 물 구조에 의해 얼마나 격리되거나 집중될 수 있느냐에 따라 결정된다.

보통 생리적 상태에서 라이신(lysine)의 엡실론 아미노기(ε-amino group)와 글루탐산(glutamate)과 아스파르트산(aspartate)의 알파-카르복실기(α-carboxyl group)가 아닌 다른 카르복실기 사이에 잘 일어난다.

③ 수소결합

수소 핵이 약간 양전하를 띠고, 그 주위에 외짝인 전자가 약간 음전하를 띠는 경우에 일어나는 정전기적 결합을 말한다. 즉, 결합에 참여하지 않은 전자를 갖고 있어서 전기적으로 음전하를 띠는 두 개의 원자 사이에 수소원자를 서로 공유하는 것을 말한다. 이러한 결합은 아주 약하지만 물과 물이 결합하는 데는 중요하며, 이로 인해 다른 데서는 볼 수 없는 물의 독특한 성질이 존재하게 된다. 단백질의 경우, 공유할 수 있는 수소원자를 갖는 기능기로는 펩타이드 질소(peptide nitrogen), 이미다졸(imidazole), 인돌(indole)과 같은 N-H, 시스테인(cysteine)에 있는 -SH, 세린(serine), 아르기닌(arginine), 라이신 및 α-아미노기와 같은 -NH₂나 -NH₃, 카바미노기(carbamino group), 아르기닌 및 글루타민(glutamine)의 -CONH₂가 있다. 수소를 공유할 수 있는 기능기로는 아스파르트산, 굴루탐산의 α-카르복실기와 메티오닌(methionine)의 -S-CH₃, 이황화 결합인 -S-S- 및 펩타이드 결합이나 에스테르 결합에 존재하는 C = O가 있다.

④ 반 데를 발스 견인력

어떤 분자는 자연 상태에서 전자의 진동에 의해 그 분자 주위에 전자운이 생겨 순간적으로 국소적으로 전하 분리가 일어난다. 특히 비대칭적인 분자 사이에 이러한 일이 잘 일어나며, 그 주위 분자에도 영향을 주어 분자 사이를 서로 잡아끌게 된다. 이러한 결합을 반 데를 발스 견인력(van der Waals attractive force)이라 한다. 이 힘은 전자운의 비틀림에 의해 다른 분자에 빠르게 진동을 야기시킬 수 있는 한 분자 내의 고정된 쌍극자(dipole)에서 비롯된다. 고정된 쌍극자의 플러스 쪽 말단은 전자운을 끌어당길 것이고, 마이너스 쪽 말단은 전자운을 밀어내게 된다. 이러한 힘의 강도는 거리에 전적으로 의존된다. 단백질의 경우 페닐알라닌이나 티로신의 벤젠 링 구조 사이에 일어나거나, 두 개의 이소로이신(isoleucine) 사이나 두 개의 세린 사이에 일어날 수 있다.

⑤ 소수성 결합

방향족 환(aromatic ring)이나 탄화수소기와 같은 비극성 곁사슬은 극성 영매, 특히 물에서는 서로 자기들끼리 모여 뭉친다. 이러한 결합은 관계되는 기능기 사이에 전자를 공유하지 않기 때문에 진짜 결합이라 할 수 없다. 극성 매체로부터 배제되기 때문에 이들은 서로 같이 밀리게 된다. 이러한 힘의 예는 지방-지방 결합 사이에서 쉽게 볼 수 있다.

(2) 정전기적 반발력

같은 전하를 띠는 기능기 사이에 일어나며, 이온 결합과는 반대이다. 특히 원자 사이의 거리가 아주 가까운 경우 전자운이 서로 겹쳐 상호간에 반발력이 작용하여 서로 밀게 된다. 반 데를 발스 견인력의 경우 고정된 쌍극자가 관여하지만, 반발력의 경우에는 쌍극자가 관여하지 않는다.

4) 세포구조의 레벨

벽돌분자는 크기는 작으나 여러 개의 단위가 공유결합을 이루어 거대분자를 형성한다. 거대분자는 다른 거대분자와 비공유 결합으로 결합하여 특수한 기능을 수행하는 초분자집합체(supramolecular assembly) 구조를 형성한다. 세포막, 리보솜, 염색질 등이 그 예이다. 진핵세포의 세포질에는 여러 종류의 세포소기관이 존재하며, 이들은 막으로 분리된 세포 내 분획으로써 초분자

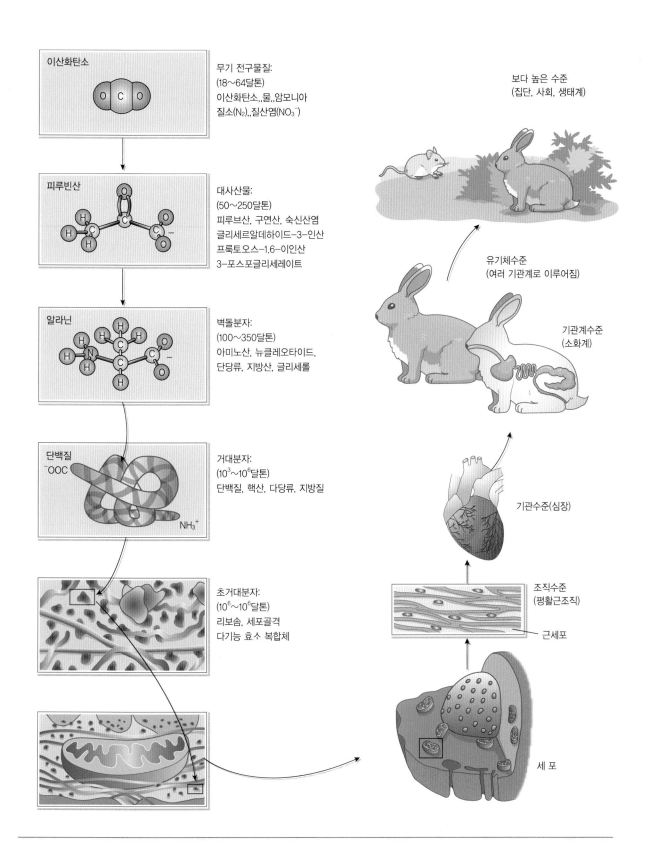

무기 전구물질:
(18~64달톤)
이산화탄소,,물,,암모니아
질소(N_2),,질산염(NO_3^-)

대사산물:
(50~250달톤)
피루브산, 구연산, 숙신산염
글리세르알데하이드−3−인산
프룩토오스−1,6−이인산
3−포스포글리세레이트

벽돌분자:
(100~350달톤)
아미노산, 뉴클레오타이드,
단당류, 지방산, 글리세롤

거대분자:
(10^3~10^6달톤)
단백질, 핵산, 다당류, 지방질

초거대분자:
(10^6~10^6달톤)
리보솜, 세포골격
다기능 효소 복합체

이산화탄소

피루빈산

알라닌

단백질
^-OOC
NH_3^+

보다 높은 수준
(집단, 사회, 생태계)

유기체수준
(여러 기관계로 이루어짐)

기관계수준
(소화계)

기관수준(심장)

조직수준
(평활근조직)

근세포

세 포

■▨ 그림 3-3. 세포구조의 레벨

집합체보다 더 크고 복잡한 구조를 이룬다. 세포는 이러한 여러 가지 세포소기관 등을 함유하며, 생명체를 이루는 기본단위가 된다.

생명체에는 세포뿐만 아니라 세포와 세포 사이에 세포외기질이 존재한다. 이중 콜라겐 섬유가 대표적인 분자이며, 이는 세포에서 합성되어 세포 밖으로 분비된 것이다. 세포외기질은 특수한 기능을 수행하는 조직과 장기를 형성하고, 이들은 다시 생명현상을 나타내는 한 개체를 이룬다. 이와 같이 생명체는 생물 원소에서 출발하여 점차 크고 복잡한 구조를 이루고 마침내 한 개체를 이루는 계층구조를 형성하게 된다(그림 3-3).

2 생명의 구조유지에 필요한 분자

사람의 외형은 뼈, 연골 등의 지지조직이나 근육에 의해 대표되고 있다. 단단한 뼈는 인산과 칼슘을 주성분으로 하는 하이드록시아파타이트(hydroxyapatite)라 불리는 무기질이 80% 존재하는데, 이 밖에도 단백질이나 프로테오글리칸도 존재한다. 개개의 세포는 막으로 둘러싸여 있지만, 막은 물질의 투과성에 관하여 특이성을 나타낸다. 막에는 복합물질의 일종인 인지질이나 당단백질의 존재가 증명되고 있다.

1) 단백질

단백질(protein)이란 용어는 1838년 베르셀리우스(Berzelius JJ)에 의해 처음 사용되었으며, 그 어원은 그리스어의 *proteios*(가장 첫 째인 것, of the first rank)라는 말에서 유래한다. 단백질은 피부, 근육, 힘줄, 모발,

항체, 효소, 호르몬 등의 주요 성분으로, 생명체의 다양한 활동을 하는 제1의 물질이다.

모든 단백질은 산으로 가수분해하면 약 20종의 L-아미노산(그림 3-4)을 얻게 되는데, 이 사실은 단백질이 아미노산으로 구성되어 있는 것을 증명하는 것이다. 아미노산과 아미노산의 결합을 펩타이드 결합(그림 3-5)이라고 하며, 아미노산 2분자 사이에서 탈수 축합이 일어나고 있다. 20종의 아미노산이 제각기 펩타이드 결합을 하면 순열의 총수는 20^{20}이 되며, 아미노산의 개수가 증가하면 막대한 종류의 단백질이 존재하게 된다. 이와 같이 아미노산의 종류, 수, 배열 등의 차이가 단백질의 입체구조(conformation)의 형성에 영향을 미치며, 구상단백질(globular protein)이나 섬유상 단백질(fibrous protein)이라 부르는 구조 차이나, 가용성 단백질이나 불용성 단백질과 같은 성질의 차이가 나타나게 된다.

단백질은 생명체를 만드는 유기물질 중에서 건조중량의 50%로 양적으로 가장 많으며, 생명활동과 생명체의 여러 기능을 나타내는데 아주 중요하다. 이것은 단백질이 사람 몸에서 양적으로 가장 많은 비중을 차지할 뿐만 아니라 분자의 크기, 형태 및 물리적 특성이 다양하기 때문이다. 단백질의 가장 기본적인 기능은 다음과 같다.

(1) 효소작용

단백질은 물질대사의 촉매 기능을 하는 효소로 작용하여 생명체 활동에 필요한 에너지와 새로운 물질을 만드는 기능을 한다. 생명체가 존재할 수 있는 온도에서 모든 대사활동은 효소 없이는 진행될 수 없다. 단순한 예로 효소는 위장관에서 음식물을 소화하여 흡수할 수 있는 형태로 전환한다. 만약 소화효소가 없다면 아무리 영양가가 좋은 음식물을 충분히 섭취하여도 소화·흡수되지 않기 때문에 잠시도 생명을 유지할 수가 없다.

또한 혈액은 몇 가지 효소들이 순차적으로 작용하여 피를 응고한다. 이들 중 한 종류의 효소만 결핍되어도 출

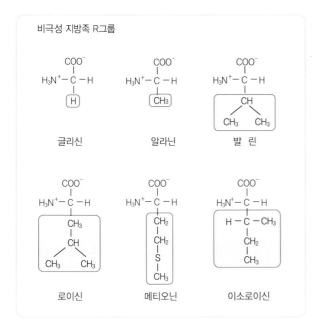

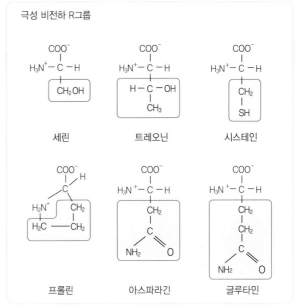

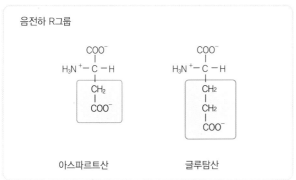

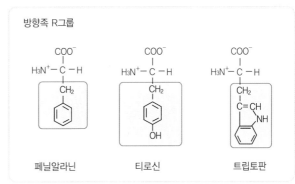

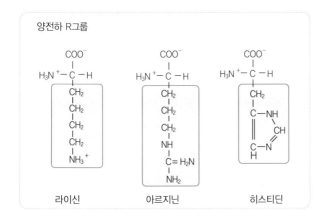

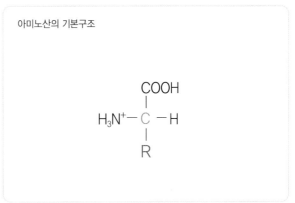

■ ▓ 그림 3-4. 아미노산의 종류

아미노산은 부재탄소인 C_α를 중심으로 –H, $-NH_3^+$, $-COO^-$를 공통으로 가지고 있으며 곁사슬인 R만 차이가 있다.

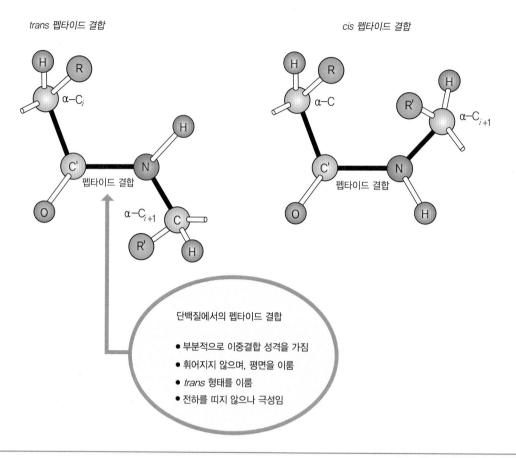

trans 펩타이드 결합

cis 펩타이드 결합

단백질에서의 펩타이드 결합

● 부분적으로 이중결합 성격을 가짐
● 휘어지지 않으며, 평면을 이룸
● trans 형태를 이룸
● 전하를 띠지 않으나 극성임

■ ▨ 그림 3-5. 펩타이드 결합의 형성과 펩타이드 결합의 특징

혈을 멈출 수가 없어 문제가 발생한다. 몇 가지 조직 호흡 효소에 의하여 세포 속에서 에너지가 만들어져 축적된다. 이 호흡효소 중 하나를 억제하는 시안가스를 흡입하면 조직 호흡이 멎으면서 순식간에 세포는 죽는다. 신경과 근육의 일부 효소는 신경과 근육의 흥분성과 자극성에 작용하는데, 이 효소들에 작용하는 독극물이나 약물은 무통, 경련, 마비 등을 유발한다.

또한 핵산에 의해 전달되는 유전정보는 단백질 특히 효소에 의해 일어난다. 즉, 단백질과 효소의 양과 질, 활성도 등에 의해 개별적 생명체의 특성이 정해진다.

(2) 펩타이드 호르몬 작용

호르몬은 효소의 생합성 또는 활성을 세심하게 균형을 이루도록 조절하여 생명체가 주위 환경의 조건 변화에 반응하도록 한다. 한 예로 췌장 호르몬인 인슐린은 혈액 속의 글루코오스 농도가 높아지면 분비된다. 즉, 인슐린은 글루코오스 농도를 신호로 하여 간과 근육에서 글리코겐을 합성하는 효소활성을 높임으로써 혈당을 낮추는 방법으로 혈당 농도를 일정 수준으로 유지한다. 그러므로 인슐린이 부족하면 혈당이 조절되지 않아 당뇨병이 발생하게 된다.

(3) 생명체의 기계적 및 구조적 기능

생명체의 모든 운동은 눈동자를 움직이거나 눈을 깜박이는 단순한 운동부터 시작하여 복잡한 운동까지, 모두 근육 단백질에 의하여 일어나는 것이다. 세포막과 혈관벽, 근육, 결합조직, 연골과 뼈 등 모든 장기와 조직에서 단백질은 가장 중요한 구성 물질이며, 지주조직으로 작용한다. 비타민 C가 부족한 경우 결합조직 단백질인 콜라겐의 합성 장애가 일어나 혈관벽을 구성하는 콜라겐이 제대로 기능을 발휘하지 못하여 쉽게 혈관벽이 손상된다.

(4) 화합물의 운반 기능

혈액은 액체 성분(혈장 성분)과 세포 성분[혈구 성분, 적혈구(약 500만개/1mm^3, 백혈구(4,000~8,000개/1mm^3), 혈소판(15~40만개/1mm^3)으로 이루어져 있다]으로 구성된다. 영양소는 소화·흡수된 후 혈액의 혈장에 녹아 전신의 세포로 운반된다. 한편 영양소에서 에너지를 생산하는 데 필요한 효소는 혈구 성분의 하나인 적혈구에 의해 운반된다.

적혈구는 헤모글로빈을 대량 포함한다. 헤모글로빈은 글로빈에 헴이 결합된 단백질 4분자로 구성(4량체)되어 있다. 헴 1분자에는 Fe^{2+}가 1개 포함되어 있으며, 산소는 환원형인 Fe^{2+}에 결합되어 운반된다. 헤모글로빈 1분자당 4분자의 산소가 결합할 수 있다. 적혈구의 헤모글로빈은 산소분압이 높은 폐(100mmHg)에서 산소를 받아 산소분압이 낮은 말초조직(20~40mmHg)에서 산소를 방출한다(그림 3-6).

조직의 호흡에 의해 생긴 이산화탄소는 적혈구에 들어가 적혈구가 지닌 탄산탈수효소 Ⅱ(카르보닉안하이드라제 Ⅱ)로 탄산이 되며, 이때 생긴 수소이온에 의해 헤모글로빈에서 산소가 방출된다. 혈액이 폐에 도달하면 산소분압이 올라가고 모든 반응이 반대로 진행되며 이산화탄소가 폐에서 배출된다(그림 3-6 참조). 그러므로 철분이 부족한 경우에 헤모글로빈 합성 장애로 인하여 빈혈이 발생한다.

이밖에도 불용성 지질, 스테로이드 호르몬, 금속 등을 조직 사이에 운반하거나 세포 내 범위에서 이동시킨다.

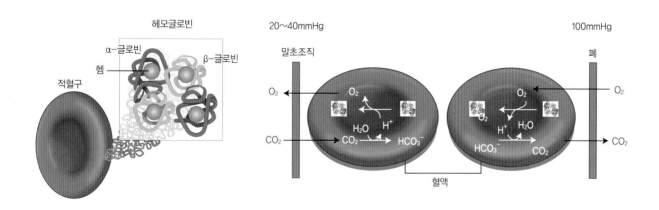

■▓▓ 그림 3-6. 헤모글로빈의 구조와 산소 운반·이산화탄소 배출

적혈구에는 α-글로빈 2개와 β-글로빈 2개가 모인 4량체로 각각의 단백질에는 헴이 결합한 헤모글로빈 1분자당 4분자의 산소가 결합하여 혈액을 따라 이동하여 말초조직에서 산소를 유리하게 된다. 말초조직에서 대사과정에 형성된 이산화탄소는 헤모글로빈과 결합하여 탈탄산효소에 의하여 중탄산 이온이 되며, 혈액을 따라 이동하여 폐에 도달하여 이산화탄소를 배출하게 된다.

(5) 면역글로불린 작용

혈액 속으로 이종 단백질 또는 세균이 침입하면 면역글로불린은 이것과 결합하여 비활성화함으로써 생명체를 건강하게 유지한다.

2) 프로테오글리칸

결합조직에는 단백질 외에 프로테오글리칸(proteoglycan)이라 불리는 고분자의 다당이 결합한 단백질이 존재한다. 그 조성은 N-아세틸헥소스아민(N-acetyl hexoseamine)이 포함되어 있으며, 강한 산성을 띠는 것이 특징이다. 여기에 속하는 화합물은 일반적으로 단백질 주사슬과 이질다당(heteropolysaccharide)으로 두 가지 당이 반복되어 나타나며, 여러 종류가 알려져 있다.

(1) 음이온 작용

중요한 특징 중 하나는 카르복실기와 황산기를 가지고 있는 다가 음이온 화합물로, 양이온과 결합할 수 있는 능력이 있는 것이다. Na^+, K^+, Ca^{2+} 등과 결합하며, 뼈 속의 칼슘대사에 작용하여 연골의 칼슘 침착에 작용한다.

(2) 윤활제 작용

히알루론산(hyaluronic acid)은 불규칙한 코일 형태를 취하면서 많은 – 전하를 띠어 큰 용적을 차지하기 때문에 물을 많이 함유할 수 있다. 0.01% 농도에서 벌써 자기 자신의 분자 용적에 해당하는 양의 물 용적을 가진다. 따라서 높은 점성을 가지고 있어서 관절에서 윤활제 작용을 하며, 물의 유동을 방지한다.

(3) 분자체 기능

프로테오글리칸은 분자체(molecular sieve) 기능을 한다. 이 결과로 큰 분자 특히 큰 양이온의 이동을 막음으로써 투과성에도 작용한다. 사실 히알루론산은 결합조직의 중요한 성분이고, 세포와 조직들을 접착시키는 시멘트 기능도 한다. 침습성이 강한 세균, 악성 종양, 벌과 뱀의 독즙에는 히알우로니다제(hyaluronidase)가 있어서 히알루론산을 분해하기 때문에 강한 침습성을 나타낸다.

(4) 조직 구성성분

지주조직, 피부조직, 결합조직의 중요한 성분으로 작용한다. 특히 더마탄황산(dermatan sulfate)은 일부 조직의 성분으로 있으면서 콜라겐 섬유가 성장할 때 적절하게 배열하도록 돕는다.

(5) 혈액응고

헤파린(heparin)은 혈액응고를 방해한다. 이것은 트롬빈(thrombin) 활성을 억제하여 피브리노겐(fibrinogen)이 피브린(fibrin)으로 변하는 것을 억제하기 때문이다. 또한 지단백질 리파아제(lipoprotein lipase)를 활성화하여 지단백질에 의해 피가 탁해지는 것을 억제하기 때문에 청정인자(clearance factor)라고도 한다. 손상된 조직에서 생기는 히스타민을 중화함으로써 항염증효과를 나타낸다.

(6) 이온농도 조절

콘드로이틴황산(chondroitin sulfate)은 세포에서 이온교환을 함으로써 이온의 농도를 조절하며, 뼈와 연골의 칼슘대사에 참가하여 뼈의 석회화에 관여하기도 한다.

3) 인지질

일반적으로 인지질은 다가 알코올이 글리세린과 지방산 및 인산이 에스테르 결합을 하고, 인산에 수용성 함질소 알코올 화합물이 결합된 복합지방이다(그림 3-7). 수용성 질소 함유 알코올 화합물에는 콜린(choline), 세린(serine), 에타놀아민(ethanolamine), 이노시톨(inositol, 질소를 함유하지 않음)이 있으며, 각각 포스파티딜콜린(phosphatidylcholine 또는 lecithine), 포스파티딜세린(phosphatidylserine), 포스파티딜이노시톨(phos-phatidylinositol)이라고 한다. 이 분자들은 모두 1분자 내에서 소수성 탄화수소 사슬과 친수성 극성기를 가지므로 양친매성 성질을 나타낸다. 그렇기 때문에 각종 생체막의 중요한 구성성분으로 작용한다.

이외에 인지질은 레시틴의 다가 알코올 부분이 글리세린에서 아미노알코올로 바뀐 스핑고미엘린(sphingo-

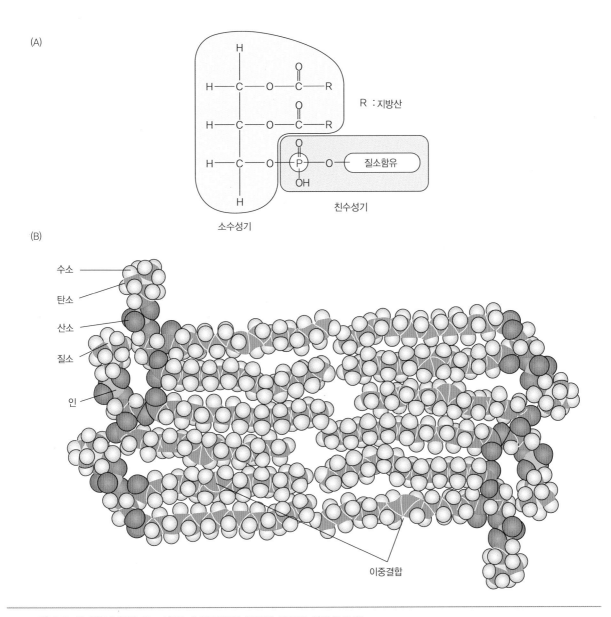

■▦ 그림 3-7. 인지질의 일반 구조식(A)과 전형적인 인지질 세포막 이중구조(B)

표 3-3. 생체막의 지질 조성

생체막의 종류	지질 양(%)	지질의 조성(전체 지질에 대한 %)	
		중성지질	복합지질
사람의 적혈구 세포막	29	28	58
사람 뇌 수초	78	25	63
소 심장의 미토콘드리아	26	8	92
쥐 간의 세포막	40	39	55

표 3-4. 쥐의 각 생체막의 인지질 조성(%)

인지질 종류	미토콘드리아		핵막	골지체	세포질막
	내막	외막			
포스파티딜콜린	45.4	49.7	61.4	45.3	34.9
스핑고미엘린	2.5	5.0	3.2	12.3	17.7
포스파티딜에타놀아민	25.3	23.2	22.7	17.9	18.5
포스파티딜이노시톨	5.9	12.6	8.6	8.7	7.3
포스파티딜세린	0.9	2.2	3.6	4.2	9.0
포스파티딜글리세롤	2.1	2.5	-	-	4.8
포스파티딘산	0.7	1.3	< 1.0	-	4.4
라이소포스파티딜콜린	-	-	1.5	5.9	3.3
라이소포스파티딜에타놀아민	-	-	0	6.3	-
카디오리핀	17.4	3.4	0	-	1

myelin)이 알려져 있다. 이 경우 지방산은 1분자만 존재한다.

막의 구성성분으로서 인지질 외에 콜레스테롤이 있다. 콜레스테롤은 스테로이드 골격을 갖는 고분자 환상 알코올로, 알코올은 수산기로 친수성이다. 각종 생체막의 지질 조성(표 3-3) 및 각 생체막의 인지질 조성(표 3-4)에서 알 수 있듯이 생체막의 종류에 따라서 지질 양은 매우 다르며, 인지질의 함량 비도 다르다. 그러므로 생체막에는 극히 많은 분자 종이 존재한다.

3 물질대사에 필요한 분자

1) 생체 내의 화학반응과 효소의 작용

대사란 무엇인가? 외계에서의 에너지 섭취, 세포 구성단위의 합성, 구성단위로부터의 생체성분의 합성, 생체 기능에 필요한 분자의 합성 및 분해, 생체에서 이물질인 화학물질의 변환 등 효소 등에 의한 물질의 변화를 말한다. 즉, 생체 내에서 일어나는 화학반응을 대사라고 한다. 대사는 효소에 의해 이루어진다. 대사과정은 분해와 생합성, 그리고 에너지를 발생할 목적으로 진행된다. 세포는 체내에 흡수된 물질을 받아들여 효소의 작용으로 분해하고 그 과정에서 에너지를 얻는다. 획득한 에너지는 생명의 유지와 활동에 쓰이고 동시에 우리 몸에 필요한 물질을 합성하는 데에도 쓰인다. 에너지의 생성과 이용에 관한 일련의 과정을 에너지 대사라고 한다.

생체는 온도나 운동이나 물질의 생합성에 필요한 에너지를 스스로 생산해야 한다. 잘 생각해 보면 매우 특이한 상태로 생체 내의 대사가 활발하게 진행되고 있는 것이 불가사의한 일로 보이지만, 이러한 반응은 효소가 존재하여야만 가능하다는 것을 이해하여야 한다.

생체 세포 내에서 반응이 일정하고, 속도 있게 진행되는 것은 촉매가 작용하기 때문이다. 생존에 필요한 화학반응의 촉매를 소위 효소라 한다. 효소는 단백질로 이루어져 있으며, 화학반응의 반응 속도를 빠르게 하는 촉매 작용을 지닌다. 열쇠와 열쇠구멍의 관계처럼 효소의 활성중심에 결합된 기질은 촉매작용을 받아 산물로 변한다. 효소반응이 효율적으로 이루어지기 위해서는 기질과 효소의 활성중심과의 결합을 돕는 보조효소와 금속이온이 필요하다(그림 3-8).

효소의 주성분은 단백질이며, 단백질의 모든 특성을 나타낸다. 그러므로 대부분의 효소는 열, 강산, 강염기,

단백질 변성제 등에 의해 입체 구조가 변화하여 비가역적으로 변성되면 촉매활성을 잃게 된다. 효소는 단백질만으로 되어있거나, 저분자 화합물이나 금속이온과 같은 보조인자를 갖는 단백질로 되어 있다. 단백질에 보조인자가 결합하여 완전한 촉매활성을 나타내는 효소를 완전효소라 하며, 보조인자를 제외한 단백질 부분만을 아포효소라 한다.

완전효소 = 아포효소 + 보조인자

보조인자에는 효소단백질과 공유결합 등으로 강하게 결합하고 있는 저분자의 유기화합물인 보결분자단과 효소단백질과 가역적으로 비공유 결합하여 느슨하게 결합하고 있는 보조효소가 있으며, 이밖에도 금속 이온이 보조인자로 작용하는 것 등이 있다.

효소는 기질에 대하여 특이적으로 작용하는데, 이를 기질특이성이라 한다. 즉, 효소의 반응부위와 기질은 상보적으로 결합하여 높은 특이성을 나타낸다. 효소단백질의 입체구조, 활성 중심의 특수한 구조, 기질분자의 입체 배치 등에 의해 특정한 기질에만 작용하며, 이에 따라 효소는 D-와 L-의 광학적 이성체까지도 구별하여 어느 한쪽에만 작용할 수 있게 된다. 즉 열쇠와 자물쇠와 비슷하다. 또한 기질이 효소의 활성 부위에 근접하면 활성 부위의 입체 구조가 변화하여 효소는 기질과 상보

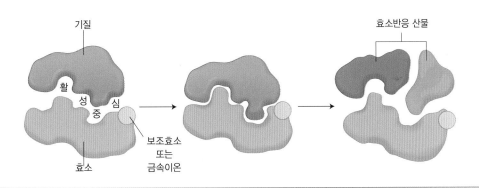

■ ■ 그림 3-8. 효소의 작용

적인 복합체를 형성할 수 있는데 이를 유도 적합설이라 한다. 하나의 효소는 하나의 화학반응 또는 유사한 일군의 화학반응에 대하여 촉매작용을 나타내며, 부가 반응을 일으키지 않고 부산물도 만들지 않는다. 이를 작용 특이성이라 한다. 효소에 따라 최적 pH와 최적 온도는 다른데 대부분의 효소가 중성 pH 또는 체온과 유사할 때 잘 기능한다.

(1) 효소의 명명과 분류

효소(enzyme)라는 말은 1877년에 이르러 처음 사용되었지만, 이보다 훨씬 앞서 설탕이 발효되어 알코올로 전환될 때 생물학적인 촉매가 관여할 것이라 생각하였기 때문에 이런 기능을 하는 물질을 막연히 '발효(ferment)'라고 불렀다. 1835년 옌스 야코브 베르셀리우스(Berzalius JJ)는 화학 촉매제에 관한 일반론을 기술하면서, 오늘날 엿기름에 존재하는 디아스타제(diastase)라고 알려진 효소는 녹말을 가수분해하는 작용이 황산보다 훨씬 효율적이라는 사실을 예를 들어 설명하였다. 1926년 처음으로 섬너(Sumner JB)가 작두콩에서 요소분해효소(urease)를 추출하여 순수 결정체로 분리하였으며, 이 효소가 단백질로 구성되었다는 사실을 밝혔으며, 그 당시 지배적인 이론과는 달리 효소는 단백질이라 결론지었다. 이러한 결론은 당시 바로 받아들여지지는 않았으나, 1930~1936년 사이에 노스럽(Northrop JH)이 펩신, 트립신, 키모트립신을 결정체로 분리하고, 그 결정체가 단백질로 되었다는 것을 밝힌 후에야 비로소 효소들은 단백질이라는 사실이 정립되었다.

효소의 이름은 그 작용을 나타내는 분자 즉, 기질 이름에 접미사 '-ase'를 붙여 명명한 것이 많다. 예를 들면 요소(urea)를 암모니아와 이산화탄소로 가수분해하는 효소는 우레아제(urease)라 하고, 아르기닌(arginine)을 오르니틴(ornitine)과 요소로 가수분해하는 효소는 아르기나제(arginase)라 명명하였다. 그러나 이러한 일반적인 이름 외에도 펩신, 트립신, 카탈라아제(catalase)

와 같이 효소 이름이 화학반응과 기질의 이름과는 상관없이 명명된 경우도 있다. 또한 발견자에 따라 같은 효소를 다른 이름, 즉 탈수소효소(dehydrogenase) 또는 산화효소(oxidase)로 적어 발표하는 수가 많으며, 때에 따라서는 발견자의 이름을 사용하기도 하였다. 그러나 발견된 효소가 급격히 증가하게 되자 1961년에 국제생화학연맹의 효소위원회에서 화학반응을 촉매하는 형태에 따라 효소를 크게 6가지로 분류하였다. 새로운 분류법은 반응을 촉매하는 형태에 따라 효소를 6가지 그룹으로 나누고, 각각을 다시 소분류 하였다(표 3-5). 각 효소는 촉매반응을 알 수 있는 계통명에 따라 분류하고, 분류번호를 붙였다. 촉매는 화학반응의 속도를 빠르게 하지만 화학반응의 평형을 변화시키지는 않는다. 반응이 평형에 이르기까지의 시간을 단축하는 것뿐이다. 또한 촉매는 기질을 산물로 변화시키지만, 스스로는 변화시키지 않기 때문에 소량으로도 효과적으로 기능한다. 촉매는 화학반응의 중매자 역할을 한다고 흔히 비유된다. 효소의 분류에 대하여 예를 들어 설명하겠다.

$$ATP + 크레아틴 \rightarrow ADP + 포스포크레아틴$$

이 반응에서 효소의 권장명(recommended trivial name)은 크레아틴 키나제(creatine kinase)이고, 촉매반응에 근거한 계통명은 ATP:creatine phosphotransferase이다. 이 효소의 분류번호는 EC 2.7.3.2로 EC는 Enzyme Commission에서 분류번호, 즉 효소 분류번호(enzyme code number)의 약자이다. 첫 번째 숫자 2는 전이(transfer)를 나타내는 효소의 대분류를 표시하고, 두 번째 숫자 7은 소분류(subclass)로서 전이하는 물질이 인(phosphorus)을 나타내며, 3번째 숫자 3은 세부분류(sub-subclass)로서 인을 받는 물질이 질소기(nitrogenous group)임을 나타내며, 4번째 숫자 2는 이런 2.7.3의 공통성을 가진 효소의 하나인 크레아틴 키나제를 정의한 일련번호(serial number)이다. 즉, 2.7.3.1

표 3-5. 효소의 분류(효소번호는 4자리 수로 구분된다)

분류번호	효소 분류명	정의	촉매하는 효소반응의 세부분류
1	산화·환원효소 (oxidoreductase)	기질에 전자를 주거나 뺏는 산화·환원반응을 촉매하는 효소	1.1 CH-OH에 작용 1.2 C=O에 작용 1.3 C=CH-에 작용 1.4 CH-NH$_2$에 작용 1.5 CH-NH-에 작용
2	전이효소(transferase) : 기능기 전이	하나의 기질분자에서 다른 분자로 여러 가지 기능기의 전달을 촉매하는 효소	2.1 하나의 전이 2.2 알데하이드나 케톤기 전이 2.3 아실(acyl)기 전이 2.4 글리코실(glycosyl)기 전이 2.7 인산기 전이 2.8 황을 함유하는 전이
3	가수분해효소 (hydrolase)	결합 사이에 물분자의 첨가를 촉매하는 효소	3.1 에스테르 가수분해 3.2 글리코사이드 결합분해 3.4 펩타이드 결합분해 3.5 다른 종류의 C-N 결합분해 3.6 산으로부터 물 분리
4	이탈효소(lyase) : 이중결합 첨가	이중결합을 형성하는 과정에서 기질로부터 여러 작용기의 제거를 촉매하는 효소	4.1 C=C 4.2 C=O 4.3 C=N-
5	이성화효소(isomerase)	분자내 재배치를 촉매하는 효소	5.1 라세미화 효소(racemases)
6	합성효소(ligase) : ATP 분해 동반	화학결합의 형성을 촉매하는 효소	6.1 C-O 6.2 C-S 6.3 C-N 6.4 C-C

EC ─ 효소분류의
6개 대분류 ─ 반응의 종류나
부위가 규정되는
소분류 ─ 제2분류의
내용을 좀더
자세하게 한
세부분류 ─ 제3분류 중
발견 순서대로의
일련번호

은 구아니도 초산 키나제(guanidoacetate kinase)이고, 2.7.3.3은 아르기닌 키나제(arginine kinase)이다. 현재 2,000종에 이르는 효소가 이 방법으로 분류되어 계통명과 권장명이 붙여져 있으며, 현재 순수한 형태로 분리된 효소도 많고, 결정체로 얻어진 것만 해도 200여 종류가 있다. 또한 이들 효소 중에는 아미노산 배열순서까지 밝혀진 효소도 있을 뿐만 아니라, 몇 종류의 효소는 인공적으로 합성된 경우도 있다.

지금까지 효소는 단백질로 구성되어 있다고 생각하여 왔으나, 리보핵산(RNA)이 효소작용을 나타내는 경우가 밝혀지게 되었다. 1985년 토마스 체크(Cech TR)는 리보솜에 들어있는 RNA 중 하나인 L19RNA가 올리고뉴클레오티드 기질에 특이하게 작용해서 이 기질을 절단해내는 효소 작용이 있음을 처음 보고하였다. 즉 원충류인 섬모충류(*Tetrahymena thermophilia*)에서 rRNA의 전구체를 구성하고 있는 인트론(intron)이 자동적으로 분리되어 유리된 크기가 비교적 작은 L19RNA가 효소 활성을 가지고 있다는 사실을 증명하였다. 이러한 RNA 효소를 리보자임(ribozyme)이라 부르기도 하며, 이 RNA 효소는 단일 가닥으로 되어 있으며, RNA 기질과 염기끼리 수소결합으로 염기쌍을 이루어 결합한다.

(2) 효소의 촉매반응

화학반응이 평형에 이르기까지 반응속도를 빠르게 하기 위해서는 2가지 조건이 관여한다. 첫 째는 반응의 온도를 올리는 것으로 통상 반응속도는 10℃ 상승 시 약 2배가 된다. 둘째는 촉매를 사용하는 것으로, 예를 들어 산소와 수소의 반응은 백금 분말의 첨가에 의해 폭발적으로 진행된다. 이때 백금은 어떤 변화도 받지 않고 물의 생성을 촉진한다. 이와 같이 촉매로서 백금은 반응의 활성화 에너지를 낮추고, 반응속도를 빠르게 한다 (그림 3-9). 효소는 백금과 달리 유기물이지만, 동시에 촉매로서 작용하기 때문에 생명체의 온도가 항상 일정해도 생명체 내의 반응이 신속하게 진행되어 평형상태에 이르는 것이다.

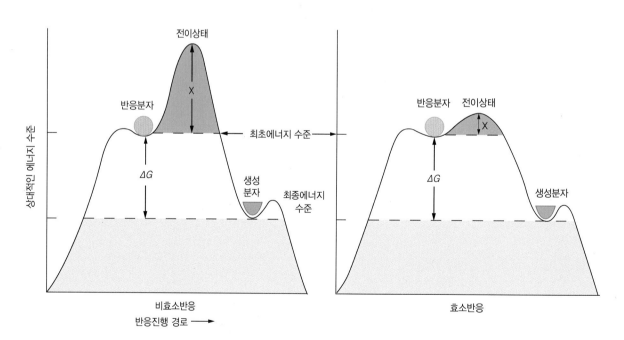

X : 활성화에너지

ΔG : 이 반응에서의 자유에너지 변화

효소반응에서는 비효소반응과 비교하여 활성화에너지가 작다.

■■▨ **그림 3-9. 효소반응에 있어 활성화 에너지**
효소는 에너지 장벽을 낮추어 반응을 쉽게 일어나게 한다.

① 기질특이성

효소는 촉매하는 반응에 극히 높은 특이성을 나타낸다. 효소의 작용을 받는 분자를 '기질(substrate)'이라고 하는데, 효소와 기질의 관계는 흔히 열쇠와 자물쇠로 비교된다(그림 3-10). 기질과 결합하는 효소의 활성화 부위는 각각 특이한 반응기로 형성되어 있어서 그 틀에 적합한 기질만이 결합하여 반응할 수 있다. 이것을 '기질특이성'이라 한다. 침의 α-아밀라아제(α-amylase, ptyalin)는 전분(starch)에 작용하여 전분의 글리코시드 결합(α1→4 결합)을 분자 내에서 가수분해하고, 덱스트린(dextrin)이나 말토오스(maltose)를 생성한다(그림 3-11). 트립신은 단백질에 작용하여 펩타이드 결합을 가수분해할 뿐, 결코 전분에는 작용하지 않는다. 그럼에도 불구하고 트립신은 모든 펩타이드에 작용하는 것이 아니

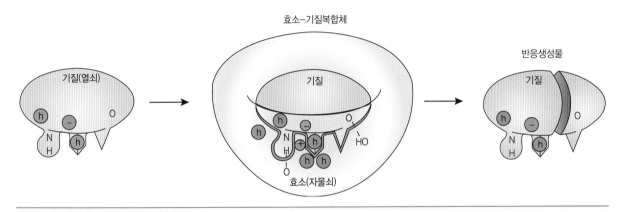

■ ▨ **그림 3-10. 효소의 기질특이성**

기질과 효소의 관계는 열쇠(기질)와 자물쇠(효소)의 관계에 비유되며, 이들의 결합력은 비공유적인 힘에 의존된다. ⓗ는 소수성기를 나타내며, 점선은 수소결합을 나타낸다.

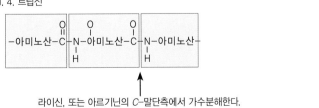

■ ▨ **그림 3-11. 아밀라아제와 트립신의 작용**

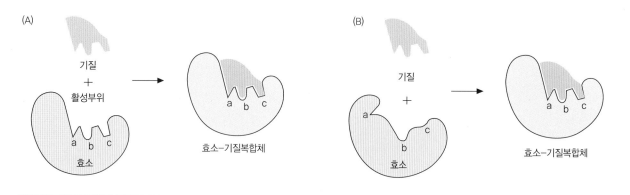

■■ ■ 그림 3-12. 자물쇠와 열쇠(lock-and-key) 모델(A)과 적합성 유도(induced-fit) 모델(B)
자물쇠와 열쇠 모델에서 효소의 활성 부위가 기질에 딱 맞는 형태이며, 적합성 유도 모델에서는 효소 활성 부위가 기질이 결합할 수 있도록 형태가 변한다.

라 염기성 아미노산이 함유된 펩타이드 결합에 특이성을 나타낸다(그림 3-12).

이렇게 효소가 기질에 대한 특이성을 가지고 반응을 촉매한다는 사실은 에밀 피셔(Fisher E)가 배당체(gly-cosides)를 가수분해하는 효소가 이들의 입체 이성체를 구분하여 가수분해 시킨다는 사실을 처음 밝힘으로써 알려졌다. 1894년 피셔는 이러한 사실에 기초하여 기질 분자가 효소의 활성부위에 결합하는 양상이 자물쇠와 열쇠(lock-and-key) 또는 상보적인 관계를 갖고 반응한다는 원리를 발표하였다(그림 3-10 참조).

효소는 인공적인 촉매제에 비하여 특이성이 매우 높지만, 그 특이성의 정도는 매우 다양하다. 어떤 효소는 오직 한 가지 기질에 대해서만 절대적인 특이성을 나타내고 구조가 유사한 다른 분자와는 전혀 반응하지 않는 것도 있는 반면에, 반응 속도는 다르지만 공통 구조를 갖는 다양한 분자와 반응하는 효소들도 있다.

② 최적 pH

효소가 최대 활성을 나타내는 조건으로서 pH를 고려해야 한다. 효소는 단백질이기 때문에 특정한 pH에서 기능기의 해리상태가 다른 결과, 어느 조건 하에서는 전혀 활성을 나타내지 않게 된다. 즉, 대부분의 효소는 특정 pH에서 최대 활성을 나타낸다. 효소가 가장 높은 활성을 나타내는 pH를 '최적 pH'라고 한다(그림 3-13). 다양한 효소에서 pH에 따른 활성도 변화는 그림 3-13과 같이 종 모양을 나타내지만, 그 양상은 효소마다 상당히 다르다. 위액 속에서 활성을 발현하는 단백질 분해효소인 펩신의 최적 pH는 1.5로 위액의 산도가 0.1 N HCl에 해당하는 것과 일치한다. 생명체의 조건 설정이 이처럼 교묘하게 되어 있는 것에 놀라지 않을 수가 없다.

③ 최적 온도

대부분의 화학반응에서와 마찬가지로 효소에 의해 촉매되는 반응 역시 효소가 안정한 상태로 완전한 활성을 가지고 특정 온도 범위에서 온도가 증가할수록 반응속도도 증가한다. 효소는 단백질이기 때문에 일반적으로 높은 열에 대해 극히 불안정하다. 효소에 의한 반응 속도는 화학반응과 마찬가지로 온도의 상승에 따라서 빨라지는데, 특정한 온도 이상에서 효소는 열 변성을 수반하기 때문에 반응이 저하된다. 이 때문에 활성 발현에 가장 적합한 온도가 존재하며, 이것을 효소의 '최적온도'라고 한다. 대개 온도가 10℃ 증가하면 반응 속도가 거

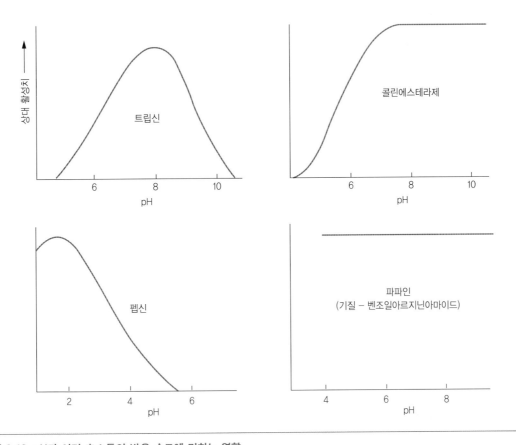

■ 그림 3-13. pH가 여러 효소들의 반응 속도에 미치는 영향

의 두 배 증가한다. 효소 촉매 반응에서 최적 온도가 있는 것처럼 보이지만, 실제로는 최고 활성을 나타내는 온도는 최적 온도가 아니고, 효소가 단백질이기 때문에 일정한 온도 이상이 되면 열에 의해 단백질이 변성되어 불활성 되기 때문에 나타나는 현상이다(그림 3-14).

대부분 효소는 55~60℃ 이상에서 불활성화되지만, 어떤 효소는 매우 높은 온도에서 안정하여 그 활성이 유지되는 경우도 있다. 예를 들면 고온 상태에서 잘 증식하는 세균(thermophilic bacteria)의 효소는 85℃ 이상에서도 활성이 유지된다. 리보뉴클레아제(ribonuclease)와 같은 효소를 가열하면 효소 활성이 사라지나, 천천히 식히면 효소 활성이 회복되기도 한다. 이것은 열에 의해 변성된 폴리펩타이드 사슬이 본래 구조로 되돌아가 탈변성(renaturation)되기 때문이다.

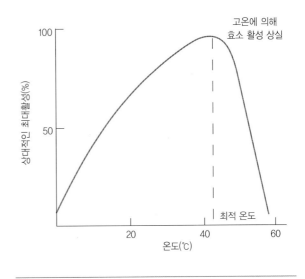

■ 그림 3-14. 온도가 반응 속도에 미치는 영향

효소에 따라 온도에 대한 안정도가 다르다. 이 그림에서 하향곡선 쪽은 온도에 의해 단백질인 효소가 변성되었기 때문이다.

표 3-6. 보조인자로 금속 이온을 함유하고 있거나 필요로 하는 효소들

금속이온	효소
Zn^{2+}	알코올 탈수소효소, 탄산탈수소효소, 카르복시펩티다아제
Mg^{2+}	인산 가수분해효소, 인산전이효소
Mn^{2+}	아르기나아제, 인산 전이효소
Fe^{2+} 또는 Fe^{3+}	사이토크롬, 과산화효소, 카탈라아제, 페로독신
Cu^{2+} 또는 Cu^{+}	티로시나아제, 사이토크롬 산화효소
K^{+}	피루브산 키나제(Mg^{2+}도 필요)
Na^{+}	세포막 ATPase(K^{+}와 Mg^{2+}도 필요)

표 3-7. 결합기를 옮겨주는 반응에 필요한 보조효소

비타민	보조효소 또는 활성형	기능
수용성 비타민		
티아민	thiamin pyrophosphate(TPP)	알데히드기 전이
리보플라빈	flavin mononucleotide(FMN)	수소원자(전자) 전이
리보플라빈	flavin adenine dinucleotide	수소원자(전자) 전이
니코틴산	nicotinamideadenine dinucleotide(NAD)	수소원자(전자) 전이
니코틴산	nicotinamideadenine dinucleotide phospahte(NADP)	수소원자(전자) 전이
판토텐산	conzyme A(CoA)	아실기 전이
피리독신	pyridoxal phosphate	아미노기 전이
비오틴	biocytin	카르복실기 전이
엽산	tetrahydrofolic acid	일 탄소 전이
비타민 B_{12}	coenzyme B_{12}	수소원자 1,2-위치전이
리포산	lipoyllysine	수소원자 및 아실기 전이
비타민 C	환원형 비타민 C	수산화반응의 보조인자
지용성 비타민		
비타민 A	11-*cis*-retinal	시각 사이클 관여
비타민 D	1,25-dihydroxycholecalciferol	칼슘 및 인산대사 관여
비타민 E		항산화제
비타민 K		프로트롬빈 생합성

④ 효소 보조인자

효소는 순 단백질만으로 구성되어 활성을 나타내는 것도 있지만, 단백질이 아닌 다른 성분으로 구성된 하나 이상의 보조인자(cofactor)를 필요로 하는 효소도 있다. 이들 보조인자는 마그네슘, 아연, 망간, 철과 같은 금속인 경우와 보조효소(coenzyme)라 불리는 유기화합물인 경우도 있다. 효소단백질은 열처리에 의해 활성이 소실되는 경우가 많은데 비하여, 보조효소는 일반적으로 열에 안정적이며, 비타민의 유도체이다. 효소에 따라서는 보조인자로 금속과 보조효소 둘 다를 필요로 하는 효소들도 있다. 보조인자로 금속을 필요로 하는 효소들을 열거하였다(표 3-6). 이들 효소에서 금속 이온은 주로 촉매 중심으로 작용하거나, 기질과 효소가 결합할 수 있도록 중개 역할을 하여 효소-금속-기질 복합체를 형성하거나, 효소단백질을 활성형 상태로 구조를 안정시키는 역할을 한다. 이처럼 효소 활성에 금속 이온이 필요한 효소들을 금속효소(metalloenzyme)라 한다. 금속효소는 종류에 따라서는 금속 자체만으로도 촉매역할을 할 수 있는데, 여기에 효소인 단백질이 가해지면 효소 활성이 급속히 증가한다. 예를 들면 철을 함유하고 있는 포르피린 효소인 카탈라아제는 과산화수소를 신속하게 분해하여 물과 산소로 분해시키는데, 단순히 철만 있어도 이 반응을 촉매할 수 있지만 그 속도는 효소 촉매 반응에 비해 상당히 느리다.

표 3-7에 중요한 보조효소와 이들이 관여하는 효소 반응의 형태를 요약하였다. 여기에 나타난 각 보조효소에는 그 구조의 일부로 비타민을 한 분자씩 함유하고 있다. 보조효소는 보통 효소반응에서 일어나는 기능기, 특이 원소 혹은 전자를 운반하는 중간대사산물로서 매개 역할을 한다. 보조효소가 효소 분자에 매우 강하게 결합되어 있을 때, 이를 특히 보결분자단(prosthetic group)이라 하는데, 비오틴(biotin)이 아세틸-CoA 탈탄산효소(acetyl-CoA carboxylase)의 펩타이드 사슬 내의 라이신 잔기의 ε-아미노기와 공유결합을 이루고 있는 것이 한 예이다(그림 3-15). 경우에 따라서는 보조효소가 아포효소와 단지 약하게 결합되어 있어, 그 효소에 대한 특이기질의 일부로 작용하기도 한다.

(A)

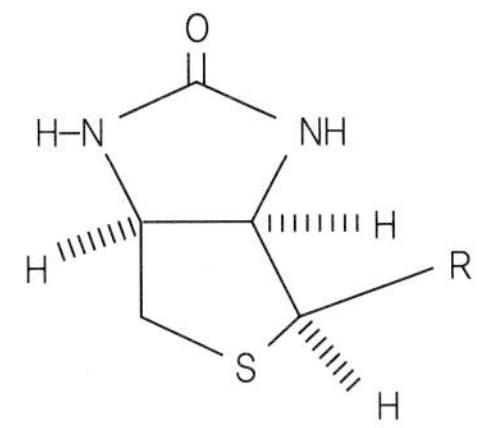

비오틴

(B)

효소의 단백질 부위:
아세틸 카복실라제
프로피오닐 카르복실라아제
피루브산 카르복실라아제

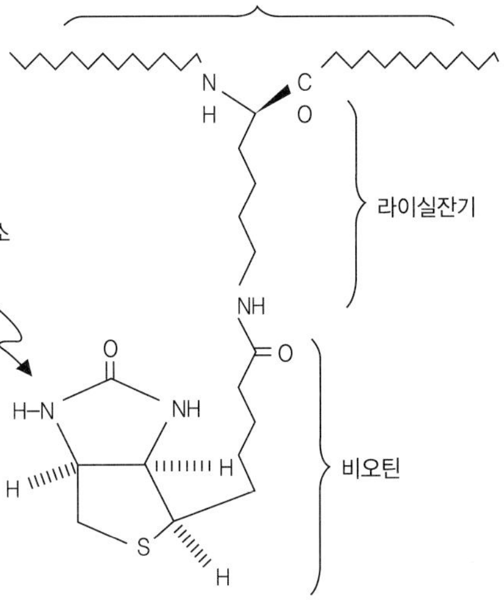

비오틴이 효소에 결합한다.

그림 3-15. 비오틴 아세틸-CoA 카르복실라아제에서의 비오틴 구조(A)와 비오틴 효소에 공유결합 하는 형태(B). 비오틴은 비오틴 의존형 효소인 라이신 잔기에 공유결합 된다.
Ferrier DR: Lippincott's Illustrated Reviews. Biochemistry. 6th ed. p.381. Wolter's Kluwer. 2014.

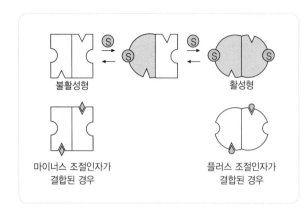

불활성형   활성형

마이너스 조절인자가   플러스 조절인자가
결합된 경우   결합된 경우

■■ 그림 3-16. 조절효소의 모델

조절효소는 기질의 결합부위와 조절인자의 결합부위를 단량체 내에 가지고 다량체를 형성한다. 기질이 결합하면 입체 구조가 변화되어 활성형이 된다. 조절인자의 결합부위에 마이너스 또는 플러스 조절인자가 결합하면 활성형 또는 불활성형으로 전환되어 효소반응에 변화를 초래한다.

히야가와 타로오, 하라다 미노루: 치과위생사교본. 생화학. 이시야쿠출판. 1997.

⑤ 조절효소(allosteric enzyme)

생체의 대사는 규칙적으로 배열된 효소계에 의해 순회·진행되며, 필요한 물질이 신속하게 필요한 양만큼 공급되도록 진행된다. 이것은 생명체에 몇 가지 조절기구가 있기 때문이다. 효소반응의 조절 역시 그 중 하나이다.

다효소 반응계(multienzyme system)에 관여하는 효소들은 연속된 반응의 최종산물이 이 반응계의 첫 단계 또는 그 근처에 존재하는 반응을 촉매하는 효소들의 특이 억제인자(inhibitor)로 작용하여, 효소반응의 전체 반응속도는 최종산물의 농도에 의해 억제되는데, 이를 되먹임억제(feedback inhibition 또는 retroinhibition)라 한다. 이 일련의 반응 과정 중에서 최종산물에 의해 억제되는 첫 번째 반응을 촉매하는 효소를 조절효소 또는 알로오스테릭 효소(allosteric enzyme)라 한다. 이 이름은 파리에 있는 파스퇴르연구소의 모노(Monod JL), 샹고(Changeux J-P), 쟈콥(Jacob F), 와이만(Wyman J)에 의해 제안되었으며, 이들이 처음으로 이런 종류의

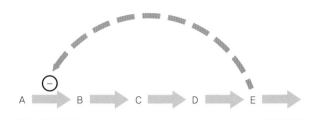

A   B   C   D   E

■■ 그림 3-17. 효소의 되먹임 억제 기전

효소에 의해 생성된 최종산물(또는 중간산물)이 충분하게 형성된 경우에 전 단계의 효소를 억제하는 억제물질로 작용하여 효소의 활성을 조절하는 것이다.

조절효소 기능에 대한 일반적인 이론을 제시하였다. "알로오스테릭(allosteric)'이라는 용어는 '다른 공간' 또는 '다른 구조'란 뜻이고, 알로오스테릭 효소들은 촉매부위와 다른 부위에 특이한 효과분자(effector) 또는 조절분자(modulator)가 가역적으로 비공유 결합하는 다른 공간을 가지고 있다. 일반적으로 조절 부위는 촉매부위에 기질이 결합하듯이 조절분자가 결합한다.

조절효소는 효소단백질 분자 상에 기질이 결합하는 부위 이외에 조절분자가 결합하는 부위도 가지고 있어서 어느 대사 경로의 특이한 분자가 조절 부위에 결합하면 효소는 분자구조의 변화를 초래하여 효소반응이 조절된다(그림 3-16). 해당계에서의 포스포프룩토키나아제(phosphofructokinase)는 D-프룩토오스 6-인산(D-fructose 6-phosphate)을 프룩토오스 1,6-이인산(fructose 1,6-bisphosphate)으로 만드는 효소인데, 이 반응은 ATP나 구연산(citric acid)에 의해 조절되고 있다. 또한 헥소키나아제(hexokinase)는 반응 생성물인 글루코오스 6-인산(glucose 6-phosphate)에 의해 억제됨으로써 반응계를 조절하고 있다. 이러한 조절효소의 작용에 의해 생명체는 특정 물질의 과잉생성을 억제할 수 있다(그림 3-17).

⑥ 동위효소

동위효소(isozyme)란 동일한 화학반응을 촉매하는

효소가 몇 가지의 분자 종으로서 존재하고 제각기 물리·화학적 성질이 다른 것이다. 즉, 동위효소는 하나의 효소가 같은 종 내 또는 동일한 세포 내에서 여러 가지 형태로 존재하는 경우이다. 이와 같은 다양한 형태를 나타내는 효소를 동위효소 또는 이소자임이라 한다.

예를 들면 젖산 탈수소효소(lactate dehydrogenase)는 M 사슬(골격근 효소의 단위), H 사슬(심장 효소의 단위)이라 불리는 2종류의 폴리펩타이드 사슬이 사량체(trtramer)를 형성하여 5종류(M_4, M_3H, M_2H_2, MH_3, H_4)의 존재가 밝혀졌다. 또한 알칼리성 인산가수분해효소(alkaline phosphatase)는 동일 생물의 소장, 태반, 등에서 그 물리 화학적 성질이 다르다는 것이 밝혀져, 각각 다른 유전정보가 존재한다는 것을 시사하고 있다.

⑦ 효소반응의 억제

효소반응은 특이한 분자의 영향을 받는다. 최대 반응속도를 저하시키거나 효소−기질의 미카엘리스 상수(Michaelis constant)를 변화시키는 분자를 억제물질이라 한다. 미카엘리스 상수는 기질에 대한 효소의 친화성을 나타내는 것으로, 상수 값이 적을수록 기질에 대한 친화성이 높다. 억제 양식의 차이에 따라 경합적 억제(competitive inhibition), 불경합적 억제(uncompetitive inhibition) 및 비경합적 억제(noncompetitive inhibition) 등이 알려져 있다(그림 3-18). 경합적 억제란 동일한 결합부위에 억제물질이 기질과 경합하여 결합함으로써 효소활성을 억제하는 경우이다. 경합적 억제는 억제인자가 유리 효소의 기질과 결합하는 활성 부위에 정상 기질과 경쟁적으로 결합하는 것이 특징이다. 이러한 경합적 억제인자는 효소와 가역적으로 반응하여 효소−기질 복합체와 유사한 효소−억제인자 복합체를 형성한다. 예를 들면 숙신산 탈수소효소(succinic acid dehydrogenase)는 구연산회로(TCA cycle) 반응에 관여하는 효소 중 하나로 숙신산(또는 호박산)의 2개의 메틸렌(methylene) 탄소 원자로부터 수소원자 2개를 제거하는 반응에 관여하는데, 이 기질의 경쟁적 억제물질인 말론산(malonic acid)은 pH 7.0에서 이온화되는 카르복실기를 2개 가진다는 점에서 숙신산과 구조가 유사하여 숙신산 탈수소효소와 결합하지만, 이 효소에 의해 탈

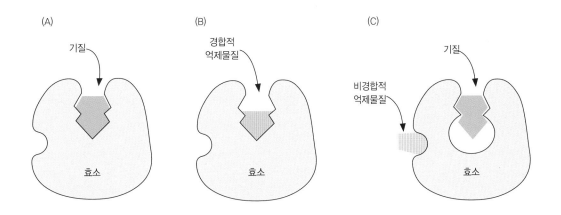

■■■ 그림 3-18. 효소의 활성 억제에 있어 경합적 억제와 비경합적 억제 작용기전

(A) 효소-기질 복합체를 나타냈다. (B) 기질과 유사한 구조를 가지고 있는 경합적 억제물질이 기질의 결합 부위에 결합함으로써 기질의 결합을 방해하여 억제한다. (C) 비경합적 억제물질은 기질 결합 부위가 아닌 다른 결합 부위에 결합함으로써 기질이 효소에 결합하는 것을 방해하지는 않지만 기질 결합 부위에 영향을 줌으로써 기질-효소의 결합 정도에 영향을 주어 억제한다.

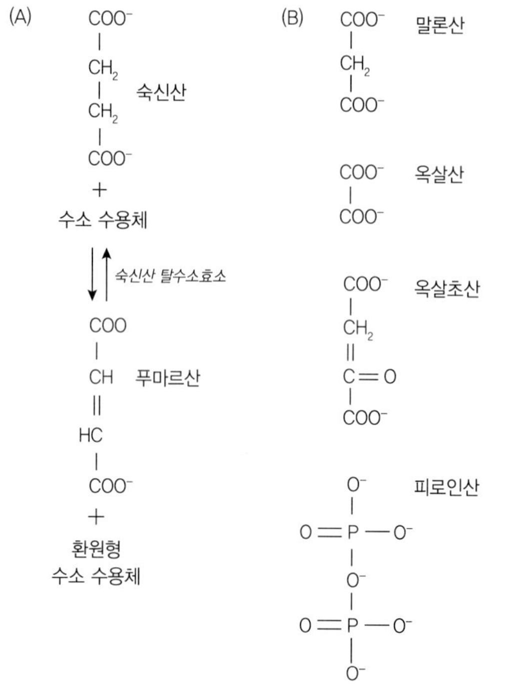

■■ 그림 3-19. 숙신산 탈수소효소반응(A)과 숙신산 탈수소효소의 경합적 억제물질의 구조(B)

수소 반응은 일어나지 않는다(그림 3-19). 일정 숙신산 농도에서 탈수소반응을 50% 억제할 수 있는 말론산 농도에서 숙신산을 보다 첨가하여 농도를 증가시키면 말론산의 억제 효율은 감소된다. 불경합적 억제란 억제물질이 효소-기질 복합체와 결합함으로써 효소활성이 억제되는 경우이다. 불경합적 억제는 억제인자가 유리 효소와 결합하는 것도 아니고, 또 효소가 정상 기질과 결합하는 것을 억제하는 것도 아니어서, 반드시 효소-기질 복합체에 결합하여 효소-기질-억제인자 복합체를 형성함으로써 효소반응을 더 이상 진행하지 못하도록 하여 최종산물을 형성하지 못하게 한다. 이 경우에는 기질 농도를 증가시킨다 해도 억제효과가 감소하지 않는다. 이에 비해 비경합적 억제란 기질 결합 부위 이외의 부위에 억제물질이 결합함으로써 효소가 결합하는 부위에 영향을 주어 효소의 결합에 영향을 주어 효소활성이 억제되는 경

우이다. 비경합적 억제는 억제인자가 유리 효소나 효소-기질 복합체에 모두 결합함으로써 억제현상을 나타낸다. 이 억제물질은 효소가 기질과 결합하는 활성 부위가 아닌 다른 부위에 결합하여 효소의 입체 구조를 변형시키고, 이것이 다시 기질과 결합하여 효소-억제물질-기질 복합체를 형성하기도 하고, 일단 형성된 효소-기질 복합체와도 억제인자가 결합하여 효소-기질-억제인자 복합체를 형성함으로써 최종산물 생성을 억제하는 반응이다. 이러한 억제효과는 기질 농도를 증가시켜도 반응속도는 회복되지 않는 비가역적 반응이다.

4 항상성 유지나 조절에 관여하는 분자

생명체의 기본단위가 세포라는 것은 이미 기술하였지만, 이 세포를 둘러싸는 내부 환경은 혈액과 림프액이며, 세포는 이들 사이에서 물질을 교환하고 있다. 혈액의 수분량, 이온조성(특히 칼슘농도), 글루코오스 농도 등은 대개 일정한 범위 내의 수치로 유지되고 있다. 그러나 외적 조건이 작용하여 이 상태에 변화가 일어나면, 생명체 내에서 여기에 대응하여 세포가 일정한 상태에서 작용하여 생활할 수 있도록 내부 환경을 조절하는 기구가 작동한다. 예를 들어 사탕을 대량으로 섭취하여도 혈중 글루코오스 농도는 몇 시간 후에 70~110mg/mL로 유지되며, 물을 많이 마셔도 혈 중 수분 양은 일정하다. 이와 같이 우리 몸은 내부 환경을 항상 일정하게 유지하려는 항상성(homeostasis) 기구를 가지고 있다. 항상성 유지라고 하는 이 기구에는 내분비선에서의 호르몬 작용과 신경계에서의 화학전달물질이 관여하고 있다. 즉, 내분비계와 신경계는 우리 몸의 내부 환경을 조절하여 항상성을 유지함으로써 내부 또는 외부 환경의 변화에 따라 적절히 대응할 수 있도록 한다. 항상성은 '똑같게 머

무르는 것'이라는 '*homeo*'에서 유래되었다. 화학전달물질(chemical messenger)은 신경계에서 분비되는 신호물질이다. 고전적인 신경전달물질로는 아세틸콜린 등이 알려져 있다. 이에 비해 내분비계는 도관이 없는 특이 선조직이나 표적조직으로부터 혈류를 타고 멀리 떨어진 조직에서 유리되어 작용을 나타낸다.

1) 호르몬

1905년 베일리스(Bayliss WM)와 스탈링(Starling EH)에 의해 처음 사용된 호르몬은 '자극하다'라는 뜻의 그리스어 '*hormaein*'에서 유래하였으며, 특정한 신경조직이나 내분비선에서 생합성 되는 유기물질이다. 혈액 속에 분비도 순환하고, 각각 특정 장기(표적 장기)에 작용하며, 세포 반응을 조절한다. 이 조절기구에 효소반응이 관여하는 것이 증명되고 있다. 내분비선과 다른 1차 기능을 가지고 있는 내분비 조직은 우리 몸 전반에 걸쳐 존재한다(그림 3-20).

(1) 내분비선

내분비계는 시상하부(hypothalamus)와 뇌하수체 간엽(anterior pituitary gland)에 의해 조화를 이룬다. 즉, 시상하부 호르몬들은 뇌하수체 전엽 호르몬들의 분비를 조절하며, 뇌하수체 전엽 호르몬들은 말초 내분비 기관으로부터 분비되는 호르몬을 조절한다. 많은 말초

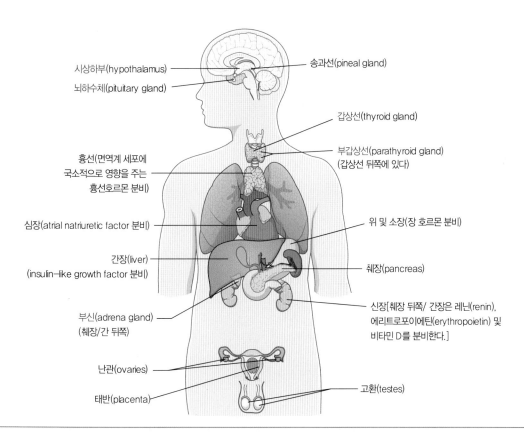

시상하부(hypothalamus)
뇌하수체(pituitary gland)
송과선(pineal gland)
갑상선(thyroid gland)
부갑상선(parathyroid gland) (갑상선 뒤쪽에 있다)
흉선(면역계 세포에 국소적으로 영향을 주는 흉선호르몬 분비)
심장(atrial natriuretic factor 분비)
위 및 소장(장 호르몬 분비)
간장(liver) (insulin–like growth factor 분비)
췌장(pancreas)
신장[췌장 뒤쪽/ 간장은 레닌(renin), 에리트로포이에틴(erythropoietin) 및 비타민 D를 분비한다.]
부신(adrena gland) (췌장/간 뒤쪽)
난관(ovaries)
태반(placenta)
고환(testes)

■▥ **그림 3-20. 내분비선이나 내분비 조직을 포함하는 기관의 위치**

붉은 글씨로 쓴 내분비선은 주로 내분비 기능을 갖는 것을 나타낸다. 기타 내분비선이나 기관은 일차적으로 다른 기능을 담당하면서도 중요한 내분비 기능을 갖는 경우이다.

조직들이 호르몬을 분비하지만 갑상선(thyroid gland)과 부갑상선(parathyroid gland), 부신(adrenal gland)만이 일차적인 내분비 기능을 갖는다. 기타 내분비계 샘이나 기관들은 호르몬을 분비하지만, 일차적인 기능은 아니다. 즉, 콩팥의 경우 레닌(renin)은 콩팥의 사구체 옆세포(JG cell)에서 합성·저장·분비되는 단백질 분해 효소로 안지오텐시노겐(angiotensinogen)이 안지오텐신(angiotensin)으로 전환되는 것을 촉매함으로써 혈압 조절에 중요한 역할을 한다. 레닌은 콩팥 동맥압의 저하에 의해 분비된다. 또한 에리트로포이에틴(erythropoietin)은 적혈구 생성에 대한 체액성 조절을 하는 물질이다. 이처럼 콩팥에서 분비되는 레닌이나 에리트로포이에틴이 분비되지만, 콩팥의 일차적인 기능은 외분비와 물질대사이다. 내분비기관으로 인정받기 위하여 다음 기준을 충족시켜야만 한다.

① 직접 호르몬을 합성하여 혈류로 유리시킬 수 있는 특이 분비세포를 함유하고 있어야 한다. 이러한 분비세포는 위장관의 경우처럼 기관 내에 널리 퍼져 있을 수도 있고, 췌장의 랑게르한스섬의 경우처럼 기관 내의 한 곳에 있어 마치 섬 모양을 이룰 수도 있으며, 갑상선의 경우처럼 다른 조직과는 확연히 구분되는 내분비선으로 구성되어야 한다.

② 분비세포의 기능은 신경, 호르몬 또는 생화학적 자극에 의해 조절되어야 한다.

③ 유리된 호르몬은 특이 표적세포에 대하여 특이 활성을 나타내야 한다.

④ 내분비 조직의 병적 상태는 물리적 또는 생화학적 장애를 수반하여야 한다. 즉, 췌장에 대한 자가 면역손상은 당뇨병을 유발하고, 뇌하수체의 과형성은 특정 기관의 거대증이나 안모 변형을 유발한다.

(2) 화학적 성질과 생리작용

생화학적 구조나 합성 방법에 따라 호르몬을 크게 4부류로 나누면 다음과 같다.

① 아미노산으로 구성되는 단백질 호르몬 또는 펩타이드 호르몬

② 스테로이드 골격을 분자 속에 함유한 스테로이드 호르몬

③ 아미노산이나 그 유도체

④ 탄소 골격 20개로 이루어진 지방산으로 아이코사노이드(eicosanoid) – 아이코사노이드는 아라키돈산(arachidonic acid)에서 생성된 생리활성 프로스타글란딘(prostaglandin)과 류코트리엔(leukotriene)을 총칭한다.

대부분의 호르몬은 펩타이드나 단백질성 호르몬에 속하며, 갑상선자극호르몬유리호르몬(thyrotrophin-releasing hormone, TRH)과 같은 단지 3개의 아미노산으로 구성된 작은 펩타이드에서부터 200개 이상의 아미노산으로 구성된 황체호르몬(leuteinizing hormone, LH)이나 갑상선자극호르몬(thyroid-stimulating hormone, TSH)이 있다. 시상하부, 뇌하수체, 부갑상선 및 위장관과 췌장에서 분비되는 모든 호르몬은 여기에 속한다.

스테로이드 호르몬은 형질세포(plasma cell) 막을 통과할 수 있는 지용성 지질로, 물에 녹지 않으므로 혈중에서 단백질과 결합하여 순환된다. 이들은 콜레스테롤에서 합성되며, 부신피질, 생식선(난소와 고환) 및 태반에서 만들어지는 호르몬들이다.

아미노산이나 그 유도체는 아미노산으로 많은 경우 티로신에서 유도된 작은 수용성 화합물로 갑상선호르몬(T_3와 T_4)과 에피네프린과 노어에피네프린과 같은 카테콜아민류 및 도파민이 여기에 속한다. 또한 트립토판에서 유도된 멜라닌도 여기에 속한다.

아이코사노이드는 아라키돈산에서 유도되며, 일차적으로 국소호르몬으로 작용하거나, 세포 내 신호전달 물질로 작용한다. 적혈구를 제외한 모든 세포에서 생성되며, 크게 프로스타글란딘과 류코트리엔으로 분류된다.

(3) 호르몬의 전달방식

호르몬은 도관이 없는 샘 조직에서 혈류로 분비되는 물질을 일컫는데, 이들 호르몬이 표적조직에 도달하는 방법은 다양하다(그림 3-21).

① 자가분비 전달(autocrine delivery)

유리된 화학전달물질이 자신을 합성하는 세포 자체에 작용을 나타내는 경우이다. 즉, 프로스타글란딘 E_2는 자신을 생성할 수 있는 자궁근세포(myometrial cell)를 자극한다. 일반적으로 호르몬은 전통적으로 자기분비 작용을 나타내지 않는다.

② 주위분비 전달(paracrine delivery)

세포외 공간으로 유리된 화학전달물질이나 호르몬은 이웃하거나 조금 떨어진 세포에 작용한다. 예를 들면 췌장에서 분비된 인슐린은 주위세포에 작용하여 글루카곤의 분비를 억제한다. 또한 비만세포(mast cell)에서 분비된 히스타민은 근처 혈관에 영향을 주어 국소적으로 염증반응을 유발한다.

③ 내분비 전달(endocrine delivery)

세포외 공간으로 분비된 호르몬이 혈류나 림프액을 따라 순환하여 멀리 떨어진 표적 부위에 작용을 나타낸다. 예를 들면 췌장에서 분비된 인슐린이 간이나 근육 등 우리 몸 전반에 영향을 준다.

④ 신경내분비 전달(neuroendocrine delivery)

신경세포에 의해 세포외 공간으로 분비된 화학전달물질이나 호르몬이 주위분비나 내분비의 방법으로 표적 세포에 도달한다. 즉, 생식선자극호르몬유리호르몬(gonadotrophin-releasing hormone, GnRH)은 시상하부에 있는 신경에서 합성된 후 혈류로 순환한 다음 뇌하수체 전엽에 작용을 나타낸다. 또한 신경전달물질인 아세틸콜린은 신경말단에서 분비된 다음 이웃하는 세포에 작용을 나타낸다.

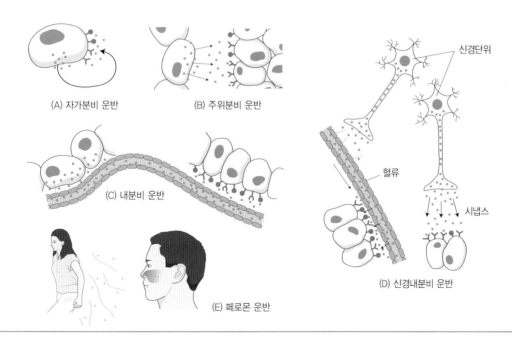

(A) 자가분비 운반 (B) 주위분비 운반 (C) 내분비 운반 (E) 페로몬 운반 (D) 신경내분비 운반 신경단위 혈류 시냅스

그림 3-21. 호르몬이 표적기관에 도달하는 모델 Debuse M: Endocrine and Reproductive Systems. Mosby. 1998.

⑤ 페로몬 전달(pheromonal delivery)

페로몬이라 분류되는 휘발성 호르몬은 외부환경으로 유리된 다음 다른 개체의 후각세포에 작용을 나타낸다. 아직 페로몬이 오직 인간이 아닌 다른 종에서 발견되었지만, 사람의 성적 행동을 조절하는 데 있어 중요하다고 생각한다.

2) 자율신경계에서의 전달물질

자율신경계는 내분비계와 함께 우리 몸의 내부 환경을 일정하게 유지하는 중요한 계이다. 자율신경은 주로 내장에 분포하여 내장의 활동을 조절한다. 자율신경계는 서로 길항적으로 작용하는 교감신경계와 부교감신경계에 의해 작용한다. 사람은 긴장하면 교감신경의 작용이 높아져서 침 분비가 억제되고, 위나 소장의 운동도 억제되어 식욕이 억제된다. 그런데 임의목적을 이루어 긴장에서 해방되었을 경우 부교감신경의 작용으로 침 분비가 촉진되고, 위나 소장의 운동도 촉진되어 식사는 긴장시와 정반대의 상태가 된다. 신경단위인 뉴런은 수지상의 돌기를 많이 가진 신경세포와 1줄이 길게 뻗은 신경돌기로 되어 있다. 뉴런과 뉴런은 서로 신경세포 접합부(시냅스, synapse)로 서로 연결되어 있는데, 뉴런과 근육 또는 분비세포 사이의 신경전달은 화학물질에 의해 이루어진다(그림 3-22).

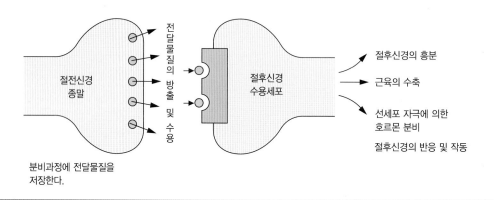

■■ **그림 3-22. 신경절에서의 전달기구 모식도** 히야가와 타로오, 하라다 미노루: 치과위생사교본. 생화학. 이시야쿠출판. 1997.

표 3-8. 자율신경계의 작용 히야가와 타로오, 하라다 미노루: 치과위생사교본. 생화학. 이시야쿠출판. 1997

기관의 활동	교감신경	부교감신경
침 분비	억제	촉진
심장 박동	촉진	억제
동맥	수축	확장
혈압	증가	감소
호흡운동	촉진	억제
소화기 운동	억제	촉진
소화액 분비	억제	촉진
방광 괄약근	수축	이완

(1) 아세틸콜린

부교감신경이 흥분하면 아세틸콜린이 신경말단에서 분비되어 교감신경과 반대 작용을 한다(표 3-8). 또한 운동신경에서 중추로부터 명령을 근육으로 전달하여 수축을 항진시키는 작용을 나타낸다. 아세틸콜린은 작용 후 콜린에스테라아제(choline esterase)에 의해 분해되어 비활성화된다.

(2) 노어에피네프린(노어아드레날린)

교감신경이 흥분하면 노어에피네프린이 신경말단에서 분비된다. 부교감신경의 경우와 반대 작용을 나타낸다(표 3-8 참조).

(3) 그 밖의 전달물질

중추신경계에서는 세로토닌(serotonin), 도파민(dopamine), γ-아미노부티르산(γ-aminobutyric acid, GABA), 엔케팔린(enkephalin) 등이 전달물질로 작용한다.

5 에너지 공급이나 저장에 도움을 주는 분자

사람은 영양소를 섭취하고, 세포내의 특수한 에너지 생성기전에 의해 이용하기 쉬운 화학에너지 화합물(ATP)로 변환하여 발육, 성장, 신경활동 등 생명유지에 이용하고 있다. 그러나 섭취한 식품 전부가 화학에너지로 직접 변환되는 것은 아니다. 생명체는 식품을 그대로의 형태가 아니라 특이한 반응으로 저장하기 쉬운 분자로 변형하여 세포나 조직에 축적하기도 한다.

영양학에서는 탄수화물(당질), 지질, 단백질을 3대 영양소라 부른다. 식물이 저장하는 당질은 전분이며, 동물의 당질은 글리코겐이다. 이 모두는 동질다당에 속하는데, 양자 사이에는 어떤 차이점이 있는 것일까?

한편 지질은 식물기름이라 부르는 종자 안의 기름이나 동물의 지방이 저장체이며, 이것을 중성지방이라 한다. 지방은 가볍고, 칼로리도 높아서 저장 에너지로 뛰어난 분자라고 할 수 있다. 여기에서는 당질과 지질 중 에너지 공급이나 저장에 관계 깊은 분자들에 관하여 기술할 것이다. 단백질은 일차 에너지 공급원이 아니기 때문에 여기에서는 다루지 않았다.

1) 탄수화물(당질)

탄수화물은 환상 구조로 되어 있는 유기물이며, 항상 탄소, 수소, 산소원자들로 이루어져 있다. 탄수화물은 물 분자처럼 수소와 산소가 2 : 1 비율로 되어 있기 때문에 탄소가 수화된 것으로 생각한다. 즉, 탄수화물은 일반식 $C_n(H_2O)_n$으로 표시되는 화합물을 말한다. 탄수화물은 많은 기능을 갖고 있다. 대부분의 에너지는 우리가 섭취하는 탄수화물에서 얻어 진다. 옥수수, 밀, 감자와 같은 식물은 탄수화물을 만든다. 탄수화물은 보통 탄수화물을 생성하는 식물을 섭취한 동물에 의해서나, 다른 동물에 의해 먹혀 소비되게 된다. 사람도 곡류, 과일, 야채, 우유, 캔디, 청량음료, 파스타 등에서 탄수화물을 섭취한다. 곤충은 몸체를 보호하기 위해 단단한 골격으로 키틴질과 같은 탄수화물을 만들고, 꽃게나 바다가재도 껍질에 키틴질을 이용한다. 섬유소 성분도 가장 흔한 탄수화물로 나무와 종이도 일종의 섬유소가 포함되어 있다.

그러나 $C_n(H_2O)_n$라는 분자식을 가지고 있어도 당질과 관련이 없는 물질도 있고, 당질의 성질을 가지고 있어도 이 분자식으로 표시되지 않는 경우도 있다. 그러므로 현재로서는 $C_n(H_2O)_n$이라는 분자식과는 관계없이 폴리하이드록시알데히드(polyhydroxyaldehyde) 또는 폴리하이드록시케톤(polyhydroxyketone) 나아가 가수분해에 의해 이들이 생성되는 분자를 당질이라 한다.

탄수화물은 역사가 시작된 이래로 사람을 위한 에너지원으로 사용되었다. 전 세계적으로 탄수화물은 중요한 에너지원으로, 아프리카의 많은 국가에서는 90%까지 차지하기도 한다. 사람들이 일반적으로 믿고 있는 "탄수화물을 섭취하면 비만이 된다."는 과학적 근거가 없다.

탄수화물은 맛의 다양성과 감칠맛을 줄 뿐만 아니라 가장 경제적인 에너지 형태이다. 글루코오스(glucose 또는 포도당), 프룩토오스(fructose 또는 과당), 전분(starch), 글리코겐(glycogen), 셀룰로오스(cellulose) 등이 탄수화물(당질)에 속한다. 당질은 구성 당의 수에 따라 다음과 같이 분류한다.

① 단당류 : 더 이상 가수분해 되지 않는 당질
② 이당류 : 가수분해로 1분자에서 2분자의 단당을 생성하는 당질
③ 다당류 : 가수분해로 다수의 단당을 만드는 당

단당류와 이당류는 단맛을 가지고 있기 때문에 음식이 감칠맛을 내는데 기여한다. 온도, pH 및 다른 물질이 같이 존재하는 경우 음식물의 감미도는 영향을 받는다.

(1) 단당류

생물학적으로 가장 간단한 탄수화물은 1개의 당이라는 의미의 단당류이다. 단당류는 다당류나 올리고당류가 더 이상 가수분해되지 않는 기본 단위인 당류로 알데히드기 또는 케톤기를 가진 화합물이다. 알데히드기를 가진 단당류를 알도오스(aldose), 케톤기를 가진 단당류를 케토오스(ketose)라 한다. 단당류는 일반적으로 $(CH_2O)n$으로 표시되며, n은 3에서 8까지이다. 탄소 수에 따라 삼탄당, 사탄당, 오탄당, 육탄당, 칠탄당 등으로 분류된다. 단당류의 최소단위는 삼탄당이며, 대표 삼탄당인 글리세르알데히드는 1개의 알데히드기를 함유하는 알도오스이다. 글리세르알데히드는 1개의 비대칭 탄소를 가지고 있어서, 광학적으로 활성인 2개의 거울상 이성질체가 존재한다. 이 경우 $-CH_2OH$에 가장 가까운 탄소 원자

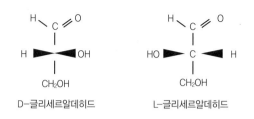

■■■ 그림 3-23. D-글리세르알데히드와 L-글리세르알데히드
$-CH_2OH$에 가장 가까운 탄소 원자에 붙어 있는 $-OH$기가 오른쪽에 있는 것을 D-형으로 정의하고, 왼쪽에 있는 것을 L-형으로 정의한다.

에 붙어 있는 $-OH$기가 오른쪽에 있는 것을 D-형으로 정의하고, 왼쪽에 있는 것을 L-형으로 정의한다(그림 3-23). 자연산의 당질은 일반적으로 D-형이다.

오탄당에는 아라비노오스(arabinose), 자일로오스(xylose), 리보오스(ribose), 디옥시리보오스(deoxyribose)가 있다. 육탄당에는 글루코오스, 프룩토오스가 있으며, 이들 육탄당의 분자식은 모두 $C_6H_{12}O_6$이지만 구조식은 서로 다르다. 글루코오스와 갈락토오스(galactose)는 분자 중에 알데히드기를 가지고 있어서 알도오스라 하고, 프룩토오스는 분자 중에 케톤기를 가지고 있어서 케토오스라 한다. 그럼에도 불구하고 이 단당들은 알데히드기의 반응이나, 케톤기의 반응을 나타내기 어렵다는 것을 알 수 있으며, 일반적으로 직선 사슬 구조로 존재하는 것이 아니라, 분자 내에서 헤미아세탈(hemiacetal)을 형성하여 환상구조를 갖는 것이 밝혀졌다(그림 3-24). D-글루코오스(포도당)와 D-프룩토오스(과당)는 대표적인 육탄당 당질이다. 당질이 갖는 알데히드기와 케톤기는 멀리 떨어져 있는 수산기($-OH$)와 반응하기 쉬워 사슬모양 구조에서 환상구조로 변한다. 이때 5-위치인 탄소에 수산기가 결합하는 방식은 2가지가 있는데 α형과 β형으로 나타난다.

글루코오스는 과실이나 벌꿀 등에 존재한다. 동물에서는 혈액 속의 당, 즉 혈당은 글루코오스이며, 호르몬

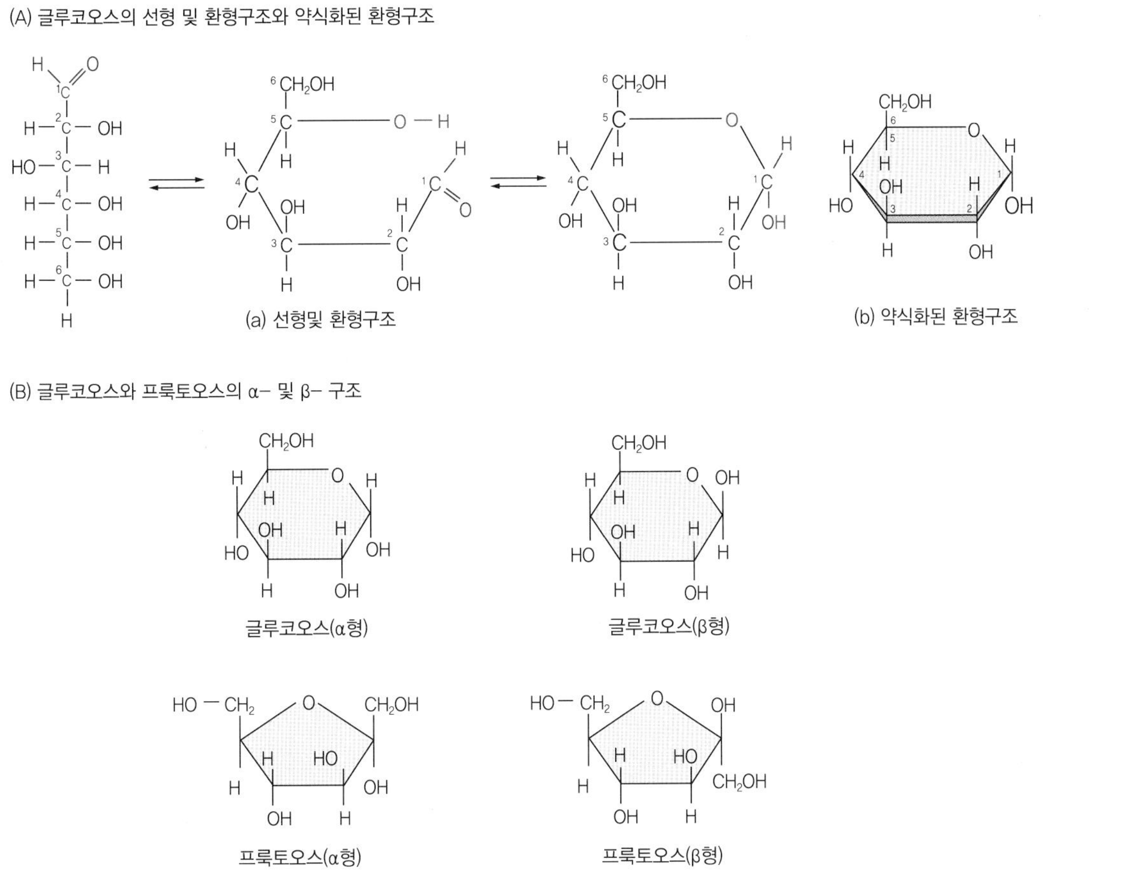

(A) 글루코오스의 선형 및 환형구조와 약식화된 환형구조

(a) 선형및 환형구조

(b) 약식화된 환형구조

(B) 글루코오스와 프룩토오스의 α− 및 β− 구조

글루코오스(α형)

글루코오스(β형)

프룩토오스(α형)

프룩토오스(β형)

■ ▦ 그림 3-24. 단당의 구조

글루코오스의 선형 및 환형 구조 사이에 평형이 일어나면 환형구조가 더 선호된다. 환형구조를 이루기위해서는 탄소 1번이 5번 탄소와 부착된다(A-a). 약식화된 환형구조에서 더 굵은 선은 책의 앞쪽으로 있으며, 나머지는 뒤쪽으로 존재한다(A-b). 단당의 1번 탄소에서 OH의 위치에 따라 α형과 β형이 존재한다(B).

의 조절작용으로 일정 범위 내에서 농도가 유지되고 있다. 글루코오스는 공업적으로 옥수수의 전분을 산가수분해하여 생성한다. 갈락토오스는 자연적으로 유리 상태로는 존재하지 않으며, 락토오스(lactose 또는 젖당), 한천(agar)에 존재한다. 프룩토오스는 과실, 벌꿀 속에 존재하며, 수크로오스(sucrose 또는 자당, 설탕)의 구성성분으로 존재한다. 용해도가 높고, 단맛도 가장 높다.

(2) 이당류

2분자 단당이 탈수·축합하여 글리코시드 결합을 형

성한 것이 이당류이다. 말토오스(maltose)는 맥아 중에서 발견되어서 맥아당이라고도 하며, 전분을 아밀라아제로 소화시켜 얻게 된다. 수크로오스(sucrose, 자당)는 우리가 일상적으로 사용하고 있는 설탕 성분이며, 사탕수수의 줄기나 뿌리에 각각 10~15%, 16~18% 함유되어 있으며, 이들을 원료로 제조한다. 락토오스(lactose)는 포유동물의 유즙 속에 약 5% 존재하며, 유당 또는 젖당이라고도 한다. 락토오스는 β−D−갈락토오스의 C1과 α−D−글루코오스의 C4가 β1,4−글리코시드 결합한 화합물이다. 유산균은 락토오스를 발효하여 젖산을 생

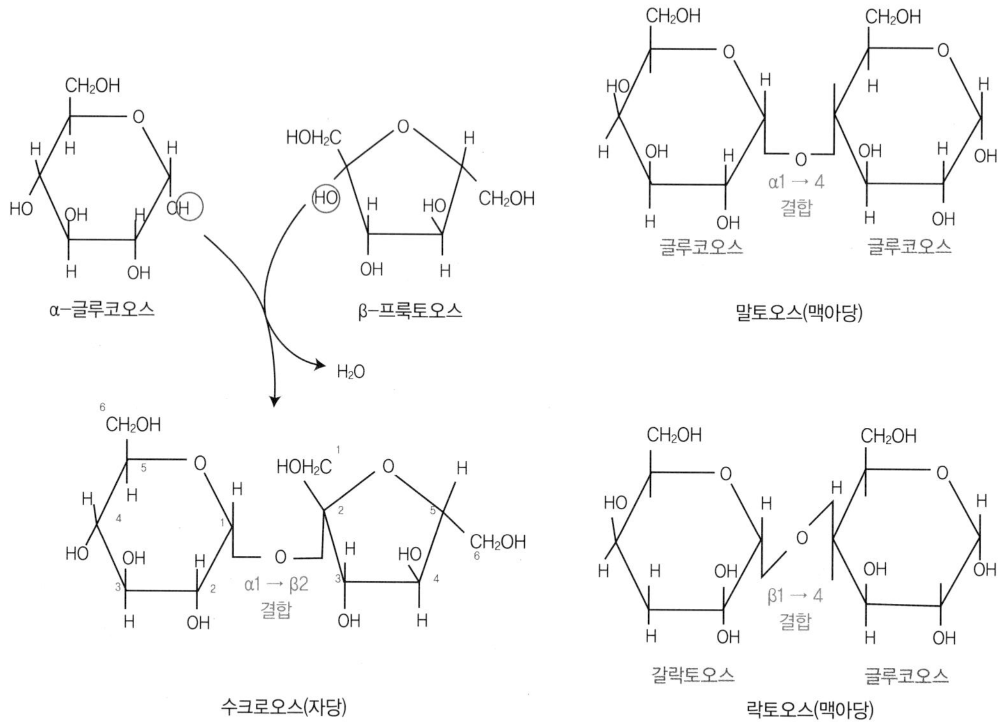

CH₂OH 구조의 그림들 (α-글루코오스, β-프룩토오스, 말토오스(맥아당), 수크로오스(자당), 락토오스(맥아당))

■▦ 그림 3-25. 이당류

성한다. 이 때문에 유즙은 신맛을 낸다.

당질을 구성하는 탄소에는 그림 3-25처럼 번호가 붙어 있다. 따라서 글리코시드 결합하는 당질의 종류와 결합 부위의 탄소 번호를 표시해서 그림 3-25처럼 실제 결합 상태를 명확히 전달할 수 있다.

수크로오스(자당)는 α형 글루코오스의 1위치인 탄소에서 β형 프룩토오스의 2위치인 탄소에 글리코시드 결합을 위한 가지가 뻗어 있어서 'α1→β2 결합'으로 표현한다.

α형끼리 또는 β형끼리 결합할 경우에는 2번째 당의 종류를 생략할 수 있다. 예를 들어 말토오스(맥아당)의 경우는 'α1→α4 결합'을 생략해서 'α1→4 결합'으로 표기할 수 있다. 그리고 결합을 의미하는 →는 쉼표(,)로 나타낼 수 있어 'α1, 4 결합'으로 표기할 수도 있다. 한편 락토오스(유당)는 'β1→4 결합'으로 표기하는데 이때 2번째 당인 글루코오스가 반드시 β형일 필요는 없다. 이것이 의

미하는 것은 2번째 글루코오스는 α형이든 β형이든 상관없다는 것이다. 이처럼 당질의 구조는 복잡해서 학생들이 생화학을 싫어하게 만드는 등 어려운 내용이 많다.

(3) 다당류

D-글루코오스처럼 단독인 당질을 단당류라 한다. 단당류는 글리코시드 결합이라는 탈수결합에 의해 서로 결합할 수 있다. 단당류가 2분자 결합한 것을 이당류, 다수 결합한 것을 다당류라 한다(그림 3-26). 또한 단당류가 복수 분자 결합한 것을 올리고당이라 한다. 동식물의 구조를 형성하는 다당류와 에너지 저장을 목적으로 하는 다당류가 있다. 게나 새우, 곤충의 껍질을 형성하는 키틴, 섬유나 식물 세포벽의 셀룰로오스는 구조를 이루는 구조다당류이다. 음식물의 전분, 포유동물의 간이나 근육에 저장된 글리코겐은 저장 다당류이다.

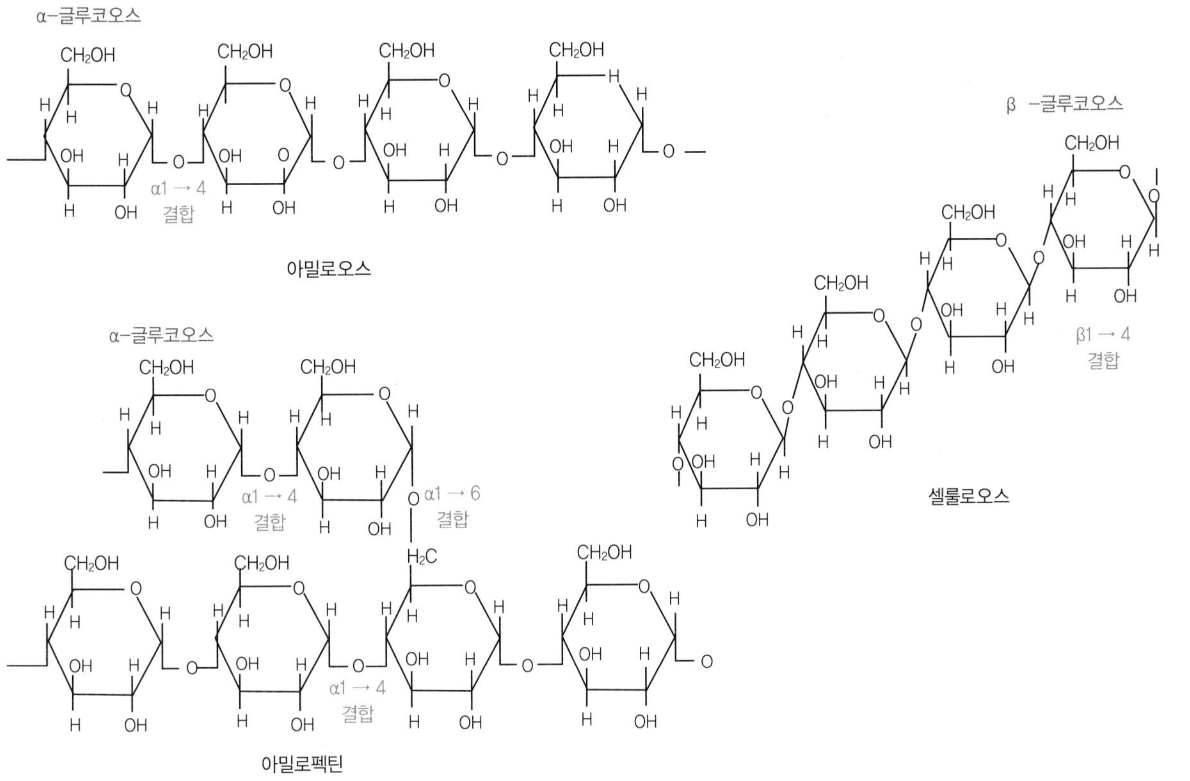

그림 3-26. 다당류

전분이나 글리코겐 및 셀룰로오스와 같이 글루코오스와 같은 단당류중 한 종류만으로 구성되는 동질다당(homopolysaccharide)은 단당류가 글리코시드 결합으로 고분자가 된 것으로, 각각 몇 분자의 단당류가 결합하여 다당류가 형성되는지를 정확하게 구하기는 어려운데, 대개 분자량은 수천에서 수백만에 이른다.

① 전분

식물 세포질 속에 전분과립으로 존재한다. 화학적으로 전분은 글루코오스로 구성되지만 2종류의 다량체 혼합물이다. 하나는 글루코오스가 α-1,4 글리코시드 결합으로 250~300분자가 연결된 아밀로오스(amylose)이고, 다른 하나는 약 25분자마다 α-1,6 글리코시드 결합으

로 연결된 아밀로펙틴(amylopectin)이다(그림 3-26 참조). 아밀로스는 200~1,000개의, 아밀로펙틴은 5,000~수만 개의 α-글루코오스로 이루어진 거대분자이다. 양자를 요오드 반응하면 아밀로오스는 청색, 아밀로펙틴은 적자색을 나타낸다.

② 글리코겐

글리코겐은 '동물성 전분'이라고도 불리는 데에서 알 수 있듯이, 동물의 간(1.5~4%)과 근육(1%) 세포 속에 존재한다. 전분과 달리 물에 잘 녹는다. 요오드 반응에서는 적색을 나타낸다. 화학적으로 α-1,4 글리코시드 결합으로 이루어진 아밀로펙틴과 유사하며, 곁사슬 구조가 더 많다.

③ 셀룰로오스

셀룰로오스는 식물의 세포벽을 형성하는 물질로 펄프, 목재, 면(98%), 스트로마 등의 주성분이다. 화학적으로 글루코오스가 β-1,4 글리코시드 결합으로 직선 사슬 상태로 연결된 고분자이다. 셀룰로오스는 종이, 셀로판, 셀룰로오스 아세테이트(cellulose acetate)의 원료가 된다.

포유동물은 사람을 포함하여 전분을 음식물로 이용할 수 있지만, 사람은 셀룰로오스를 소화시킬 수 없다. 사람은 β-1,4 글리코시드 결합을 가수분해하는 효소인 셀룰라아제(cellulase)를 소화액으로 갖고 있지 않기 때문에 이용이 불가능한 것이다. 이에 반해, 반추동물인 소나 양에서는 장내 세균이 셀룰로오스를 분해하는 셀룰라아제를 분비하기 때문에 소화시킬 수가 있어서 셀룰로오스의 분해산물인 글루코오스를 에너지원으로 사용하고 있다.

④ 식이섬유

식이섬유, 특히 헤미셀룰로오스나 셀룰로오스는 알곡류로 만든 빵과 곡물로부터 얻을 수 있다. 식이섬유는 주로 식물의 줄기, 뿌리, 잎, 씨나 껍질을 벗기지 않은 과일, 잎이 무성한 야채 등이 좋은 공급원이다. 콩류도 식이섬유의 좋은 공급원이다.

⑤ 이질다당류

두 가지 이상의 단당류가 글리코시드 결합에 의해 연결된 다당류이다. 많은 식이섬유가 여기에 속하며, 프로테오글리칸을 구성하는 다당류인 글리코사미노글리칸(glycosaminoglycan) 역시 이질다당류(heteropolysaccharide)이다.

(4) 탄수화물과 치과위생사

여기에서 다루지는 않았지만 감미료의 섭취는 치아우식의 발현에 영향을 줄 수 있다. 특히 수크로오스 경우 치아우식에 직접적으로 관계가 되고 있다. 그러므로 치과의사나 치과위생사는 자연산 감미료나 식품에 가해진 단당류나 이당류를 포함하여 감미료의 섭취 빈도에 따른 환자의 치아우식 증가를 평가하고 충고할 필요가 있다.

주의할 것은 사람의 단맛에 대한 욕구가 후천적인 것이 아니라 선천적이라는 것이다. 왜냐하면 신생아들의 경우 단맛에 대한 경험이 없는데도 불구하고 이를 좋아하기 때문이다. 그러므로 각 개인의 감미료 사용에 대하여 치과의사나 치과위생사의 판단이나 비평이 환자들의 감미료 사용을 감소시키는데 별 영향을 주지 않는다는 사실도 알아야만 한다.

에너지를 생성하는 모든 감미료는 그 자체가 천연으로 음식물에 들어있던지, 아니면 음식물에 첨가되었든지 간에 모두 치아우식 유발 가능성이 있다. 모든 이당류는 같은 정도의 에너지를 가지며, 영양학적으로 같은 내용물이다. 인체는 이들이 자연산 벌꿀인지, 아니면 이것이 정제된 설탕인지 구분할 수 없으며, 이들은 모두 같은 양식으로 흡수되고 대사된다. 오히려 치아우식을 예방하기 위하여 자일리톨이나 만니톨과 같은 당 알코올을 함유하는 딱딱한 캔디나 껌을 자주 이용할 것을 권장하는 것이 좋다. 그러나 환자에게 이들의 경우에도 하루에 대량으로 사용할 경우 위경련을 일으키거나 설사가 날 수 있는 부작용이 있다는 것도 알려 주어야 한다. 치아우식을 일으키는데 있어 중요한 당질은 총 섭취량뿐만 아니라 섭취빈도, 형태 및 섭취 시간 등도 조사해야 한다.

치과위생사는 환자에게 식이섬유의 섭취를 권장해야 한다. 이는 변비와 대장 게실증(diverticulosis)을 감소시키는데 도움이 되기 때문이다. 게실이란 낭성 공동(고름주머니 모양의 빈 공간)을 형성하는 것이다. 또한 글리코겐 저장을 일정하게 유지하기 위해 탄수화물 섭취의 중요성도 알려주어야 하는데, 심장에 저장된 글리코겐은 심근의 지속적인 기능을 유지하는데 중요하기 때문이다. 고지방 저탄수화물 식이를 하는 경우 글리코겐 저장이 감소된다.

벌꿀의 경우 같은 양의 설탕보다 에너지가 많으며, 강

한 부착력 때문에 정제된 설탕보다 더 치아우식성이 강하다. 영아 보툴리누스증(botulism)은 면역력이 완전히 갖추어져 있지 않고 위산의 산도가 약한 1세 미만의 영아가 아포 형태로 존재할 수 있는 클로스트리디움 보툴리눔(*Clostridium botlinum*)이 함유된 벌꿀을 섭취할 경우 발병할 개연성이 있음이 보고되고 있다. 벌꿀이 1세 미만의 아기에게만 발병하는 영아 보툴리누스증(infant botulism)의 원인물질로 밝혀져 미국과 일본 등의 보건당국에서는 영아에게 벌꿀을 먹이지 말 것을 권고하고 있다. 영아 보툴리누스증은 근골이 쇠약해지고, 심할 경우 호흡곤란으로 사망할 수도 있지만 국내에서는 아직 널리 알려져 있지 않아 소비자의 각별한 주의가 요망되어 주의가 필요하다.

임신 중에는 에너지 섭취를 줄일 목적으로 인공 감미료를 사용하는 경우 사카린보다는 아스파탐을 사용하도록 권장한다. 사카린이 태반을 통과하여 태아에 영향을 줄 수도 있기 때문이며 아스파탐은 체내에서 아미노산으로 대사될 수 있기 때문이다. 또한 탄수화물의 이용은 비타민 B 복합체와 2가지 무기질 즉, 인과 마그네슘의 적절한 공급이 필요하다. 보통 이들 영양물질의 적절한 양은 탄수화물 섭취증가와 더불어 필요량이 증가하기 때문이다 그러나 이것도 정제된 설탕이나 빵이 주식으로 된 경우에는 그렇지가 않다. 조절되지 않는 당뇨환자나 병으로 인해 잘 먹지를 못하거나, 다이어트 목적으로 잘 먹지 않는 사람의 경우 잘 나타나는 케톤증(ketosis)은 탄수화물 보다는 지방에서 먼저 에너지를 얻기 때문이다. 그러므로 치과 진료 중 숨을 쉴 때 과일향이 나는 사람의 경우 최근 식이 섭취에 대하여 알아둘 필요가 있다.

2) 단순지질

지질은 탄수화물과 마찬가지로 탄소, 수소, 산소 원소로 된 유기물이다. 그러나 수소와 산소의 비율이 항상 2 : 1보다 크다. 일반적으로 지질은 영어로 lipid라고 하고 지방은 fat, 유지(기름)는 oil이라 한다. 여기서 지방과 유지를 통틀어서 지질이라는 용어를 사용한다. 지방과 유지의 구분은 지방은 주로 상온에서 고체인 것이고, 유지는 상온에서 액체이다. 그래서 동물성지방(삼겹살 지방 같은 것), 식물성기름(식용유 같은 것, 유지는 흔히 ~유라고 한다)라는 말을 사용하는 것이다. 생물학적으로 보다 중요한 점은 탄소와 수소의 결합이 비극성 공유 결합이어서 지방은 지용성이며 물에 녹지 않는다. 즉, 지방이란 물에는 잘 녹지 않고(소수성), 기름이나 유기용매인 에테르, 클로로포름, 벤젠 등에는 녹는(지용성) 유기물이다. 지방질 중에서 지방, 왁스, 인지질 및 스테로이드는 중요하다. 세포의 에너지원으로 이용되거나 세포막의 주요한 구성성분으로 작용한다.

또한 지방은 저장형으로 생합성 되어 지방조직에 저장되며, 부신피질에서 분비되는 스테로이드 호르몬을 비롯하여, 남성호르몬, 여성호르몬 및 지용성 비타민의 전구물질로 이용되는 등 다양한 생물학적 기능을 나타낸다. 지질은 동식물에 널리 분포하여 다양한 대사과정을 거쳐 분해되거나 생합성 되며, 동물의 경우에는 외부에서 공급받아야 하는 지질도 존재한다. 지방을 구성하는 화합물에 따라 단순지질, 복합지질 및 유도지질로 분류한다(표 3-9).

단순지질은 대부분 생체 내에 저장되어 에너지 공급원이 되는 중성지질(트리글리세리드)이며, 글리세린(글리세롤)에 각종 지방산이 결합한 구조를 갖는다. 식품 중의 주요 지질 성분이기도 하다(그림 3-27). 단순지질은 지방산이 탄소, 수소 및 산소만으로 구성된 단순한 지방질, 중성지방과 왁스(밀납) 따위이다. 왁스는 하나의 긴 사슬의 지방산에 긴 알코올 그룹이 붙어 있는 것을 제외하고는 지방과 유사하다. 길고 비극성 사슬이기 때문에 왁스는 물과 잘 혼합되지 않는 소수성 물질이다. 식물이나 동물의 경우 그들의 구성성분으로 하여 물과 가까이

표 3-9. 지질의 분류

분류		지방의 종류	
단순지질		• 트리아실글리세롤	• 왁스(밀납)
복합지질	인지질	• 포스파티딜콜린(레시틴) • 포스파티딜에타놀아민(세파린) • 포스파티딜세린	• 포스파티딜이노시톨 • 플라스말로겐 • 카디오리핀
	스핑고지질	• 세라미이드	• 스핑고마이엘린
		• 세레브로사이드	• 강글리오사이드
유도지질		• 스테롤 • 지방산	• 지용성 비타민

하기 어려운 특성을 잘 이용한다. 식물의 경우는 이러한 성질을 이용하여 물을 잃어버리지 않기 위하여 줄기나 잎에 얇은 왁스 층을 가지고 있다. 동물의 경우에도 보호 목적으로 왁스 층을 갖는데, 사람의 귀 속 왁스도 귓구멍에 다른 이물질이 들어가는 것을 막아주는 보호 역할을 한다.

복합지질은 글리세린에 지방산 외에 인산, 당, 콜린, 아미노산, 단백질 등이 결합한 것으로, 크게 인산을 포함하는 인지질과 당을 포함하는 당지질로 나누며, 단백질과 더불어 생체막을 구성하는 중요한 작용을 한다. 인지질은 지방과 유사하지만, 글리세롤 구조에 2개의 지방산이 첫째, 둘째 탄소에 붙어 있고, 세 번째 탄소에는 인산기가 붙어 있다. 생체막, 즉 세포막이나 세포소기관을 둘러싸는 막의 주요 성분은 인지질이다. 인지질에는 인산이 결합되어 있으며, 그 부분이 친수성(수용성)이 된다. 이결과 인지질은 소수성과 친수성을 모두 갖는 양친매성이 되며, 생체막의 인지질 이중층을 형성한다(그림 3-27 참조).

유도지질이란 단순지질과 복합지질의 전구물질로 이를 가수분해할 때 유도되는 지질로 지방산과 스테롤 따위가 있다. 스테롤에는 콜레스테롤, 에르고스테롤(비타민 D의 전구체), 담즙산, 스테로이드 호르몬(부신피질호르몬이나 성호르몬 등) 등이 있으며, 생체 내에서 다양한 역할을 하고 있다. 스테로이드는 다른 지방과 구조적으로 다르다. 그 탄소 구조를 보면 지방산과 달리 4개의 겹쳐진 링 구조를 만들도록 구부러져 있다. 가장 흔한 스테로이드인 콜레스테롤은 남성과 여성 호르몬인 테스토스테론과 에스트로겐을 만드는데 필요하다. 또한 세포막의 구성성분이며, 신경세포의 기능 발휘에 필요한 것이다. 그러나 너무 많은 콜레스테롤은 심장병과 관련이 있다.

지방산에는 포화지방산과 불포화지방산이 있다. 포화지방산은 팔미트산처럼 탄화수소 부분($-(CH_2)_{14}CH_3$)의 탄소가 모두 단일결합으로 결합되며, 수소가 충분히 포화되어 있다. 이에 반해 불포화지방산은 올레인산처럼 탄화수소 부분의 일부에 이중결합으로 결합된 탄소가 있으며, 그 부분의 수소결합이 불포화이다(그림 3-27 참조).

불포화지방산 중 일부는 우리 체내에서 합성할 수 없기 때문에 식사를 통해 섭취해야 하는데, 이러한 불포화지방산 가운데 리놀산, α-리놀렌산을 필수지방산이라 한다. 아라키돈산은 리놀산에서 생산될 수 있지만 그 생산량이 우리 몸에 필요한 만큼 생산되지 못하기 때문에 필수지방산으로 고려되기도 한다.

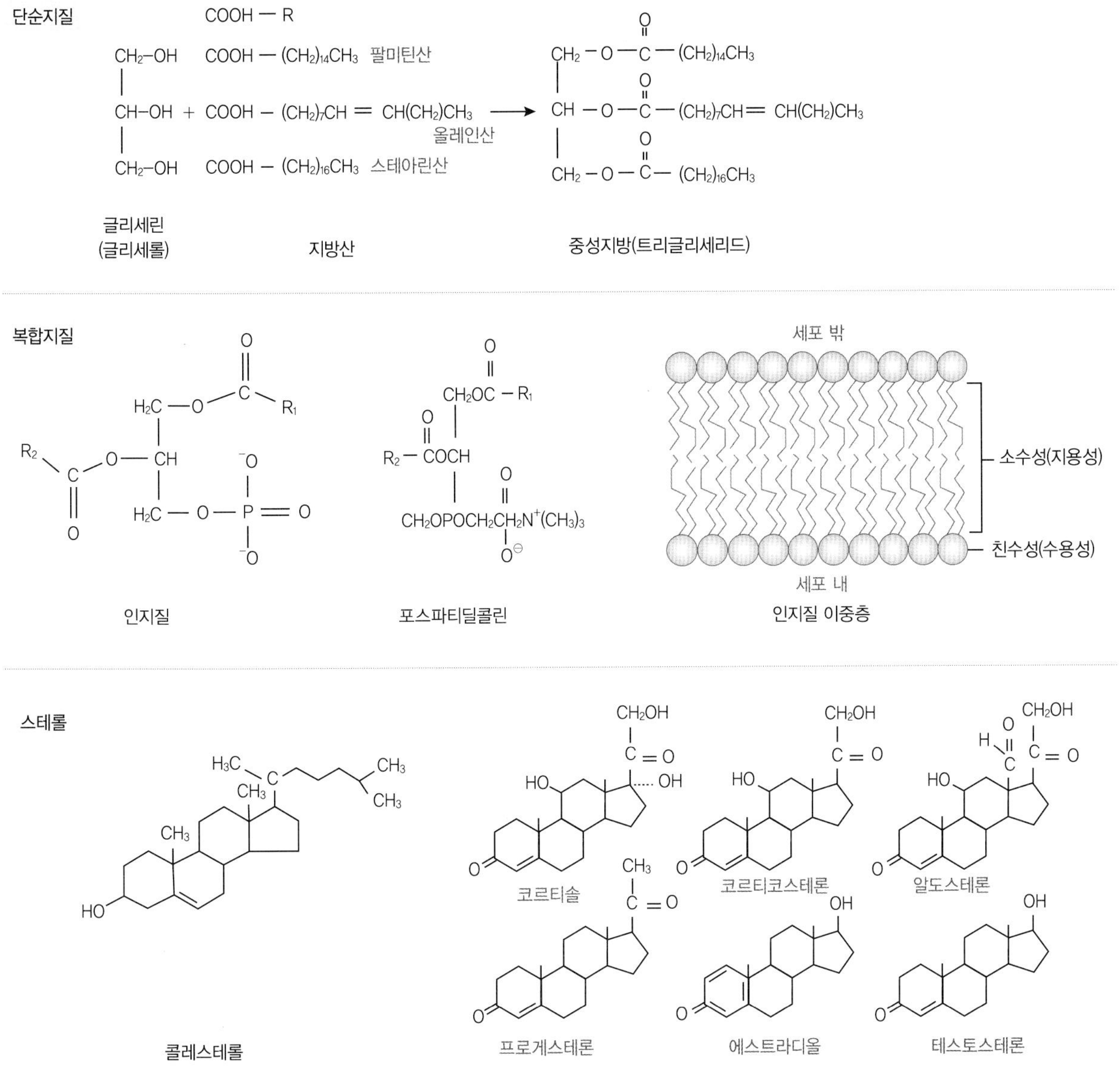

단순지질

COOH — R

CH₂—OH   COOH — (CH₂)₁₄CH₃ 팔미틴산

CH—OH + COOH — (CH₂)₇CH = CH(CH₂)₃CH₃ 올레인산

CH₂—OH   COOH — (CH₂)₁₆CH₃ 스테아린산

$$CH_2-O-\overset{O}{\overset{\|}{C}}-(CH_2)_{14}CH_3$$
$$CH-O-\overset{O}{\overset{\|}{C}}-(CH_2)_7CH=CH(CH_2)_3CH_3$$
$$CH_2-O-\overset{O}{\overset{\|}{C}}-(CH_2)_{16}CH_3$$

글리세린
(글리세롤)   지방산   중성지방(트리글리세리드)

복합지질

인지질   포스파티딜콜린   인지질 이중층

세포 밖 / 소수성(지용성) / 친수성(수용성) / 세포 내

스테롤

콜레스테롤   코르티솔   코르티코스테론   알도스테론

프로게스테론   에스트라디올   테스토스테론

■ ▓ **그림 3-27. 지방의 종류**

(1) 중성지방(트리글리세리드)

트리글리세리드(triglyceride)는 단순 지방 중 알코올 부분이 글리세린(glycerine) 또는 글리세롤(glycerol)인 것으로, 3개의 지방산이 각각 수산기와 에스테르를 형성하고 있다(그림 3-27 참조). 글리세린과 에스테르를 형성하는 지방산은 모두 탄소수가 짝수로 포화 또는 불포화 지방산이다. 불포화지방산 함량의 비율이 높아지면 지방의 융점이 저하되고, 상온에서 액상으로 존재한다. 예를 들어 올리브유는 거의 불포화지방산인 올레인산(oleic acid)의 에스테르이다(표 3-10).

표 3-10. 자연계에 존재하는 지방산

명칭	분자식($C_nH_{2n+1}COOH$)		융점(℃)	소재
포화지방산				
카프론산(caproic acid)	$C_5H_{11}COOH$		3	버터
카프릴산(caprylic acid)	$C_7H_{15}COOH$		16	버터
카프린산(capric acid)	$C_9H_{19}COOH$		31.5	버터
라우릴산(lauric acid)	$C_{11}H_{23}COOH$		44.2	코코넛기름
미리스틴산(myristic acid)	$C_{13}H_{27}COOH$		53.9	코코넛기름
팔미틴산(palmitic acid)	$C_{15}H_{31}COOH$		63.1	동식물지방
스테아린산(stearic acid)	$C_{17}H_{35}COOH$		69.6	동식물지방
아라키딘산(arachidic acid)	$C_{19}H_{39}COOH$		76.5	땅콩기름
리그노세린산(lignoceric acid)	$C_{23}H_{47}COOH$		86.0	뇌신경조직
불포화지방산	불포화 결합 수			
팔미트올레인산(palmitoleic acid)	$C_{15}H_{29}COOH$	1	-0.5	동식물지방
올레인산(oleic acid)	$C_{17}H_{33}COOH$	1	13.4	동식물지방, 올리브유
리놀레산(linoleic acid)*	$C_{17}H_{31}COOH$	2	-5	대두유
리놀렌산(linolenic acid)*	$C_{17}H_{29}COOH$	2	-11	아마인유
아라키돈산(arachidonic acid)	$C_{19}H_{31}COOH$	3	-49.5	뇌, 간조직

* 표시는 필수지방

(2) 왁스

왁스의 어원은 앵글로색슨어인 *weax*로부터 유래된 것으로 벌집으로부터 모아진 천연의 물질이란 의미이다. 그러나 근래에 와서는 동물, 식물, 광물, 석유 등으로부터 채취되는 이와 유사한 물질을 모두 왁스라 하여 아주 광범위한 의미로 쓰이고 있다. 왁스는 유연성과 광택이 있는 물질로서 고체 또는 반고체의 고분자 유기혼합물이다. 화학 조성 상으로 크게 에스테르계 왁스와 탄화수소계 왁스로 구분된다. 동·식물 왁스는 물에 녹지 않는 고급1가 또는 2가 알코올의 지방산 에스테르를 주성분으로 하고 있다. 이런 왁스는 지방보다 안정하여 가수분해되기 힘들고 공기 중에서 산소 또는 세균에 침식되지 않는다. 이러한 성질은 동·식물의 표면을 덮어 수분의 증발을 억제하고 또 단열작용도 한다. 한편 석유로부터 얻어지는 석유 왁스는 각종 탄화수소의 혼합물로 이루어져 있다. 왁스는 가연성이 있고 방수, 방습의 절연성이 뛰어난 성질을 가지고 있으며, 대부분의 유기용매에는 녹으나 물에는 녹지 않는 것이 일반적인 성질이다. 꿀벌의 밀납[미리스틸 알코올(myristic alcohol)의 팔미틴산 에스테르]이나 경납[세틸알코올(cetyl alcohol)의 팔미틴산 에스테르] 등이 있다. 주 용도는 양초, 성냥의 제조, 종이가공, 섬유가공, 전기공업, 토목건축, 문구, 미술공예, 고무배합, 고체윤활제, 접착제등으로 사용범위가 넓고 화장품, 의약품에도 이용된다.

(3) 스테로이드와 생리작용

스테롤(sterol)은 고체의 고분자 환상 알코올성 물질로, 그림 3-28에 나타내는 골격(perhydro-1,2-cyclopentanophenanthrene)을 갖는다. 일련의 스테롤 유도체나 유사체를 스테로이드(steroid)라 부르며, 스테롤 유사물질을 의미하다. 스테로이드는 생체의 고분자로서는 지질로 분류되지만, 동물의 비누화물 속에 존재하기 때문에 비누화 지질[비누화(saponification)가 될 수 있는 지방]로서 중성지방과는 구별된다.

콜레스테롤은 가장 널리 알려진 동물 스테롤로, 1776년 담석에서 분리되었다. 접두어인 'chole'는 담즙과 관련된 것을 의미한다. 즉, 그리스어인 'choly'는 담즙을 의미한다. 콜레스테롤은 뇌. 신경조직, 담즙, 담석, 계란 노른자 등에 널리 분포되어 있다. 콜레스테롤의 과도한 섭취는 심장병을 진행시킬 수 있다고 보고되었다.

이 밖의 스테로이드류의 생체 기능 중 중요한 것은 소화흡수에 필요한 스테로이드이다. 콜산(cholic acid), 글리코콜산(glycocholic acid)은 분자 중에 스테롤 골격을 가지며, 아미노산 유도체와 결합하여 작용을 나타낸다. 에르고스테롤(ergosterol)은 식물성 스테롤로 이스트(yeast, 효모), 맥각, 균류에서 발견되고 있다. 자외선에 의해 활성화되어 비타민 D_2(에르고칼시페롤, ergocalciferol)가 된다. 즉, 비타민 D는 B 고리의 9-10 위치의 결합이 열려 있어 화학구조상 콜레스테롤이 아니지만, 전구체가 스테롤이며, 콜레스테롤과 밀접한 관계를 갖는 분자이다(그림 3-29). 콜레스테롤은 복잡한 고분자 화합물이지만 초산의 활성형으로 알려진 아세틸-CoA(acetyl-CoA) 분자가 출발물질이 되어 여러 단계에서 효소반응을 거쳐 주로 간, 부신피질, 피부, 작은창자 등에서 생합성된다.

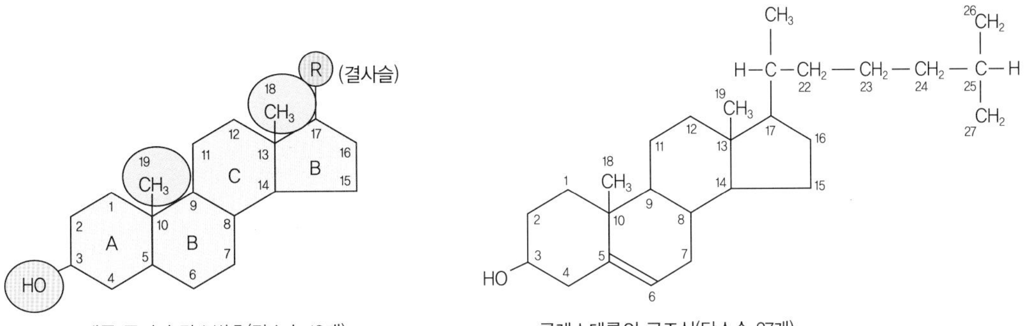

스테롤 골격과 탄소번호(탄소수 19개)

콜레스테롤의 구조식(탄소수 27개)

■■■ 그림 3-28. 스테롤 골격과 콜레스테롤의 구조식

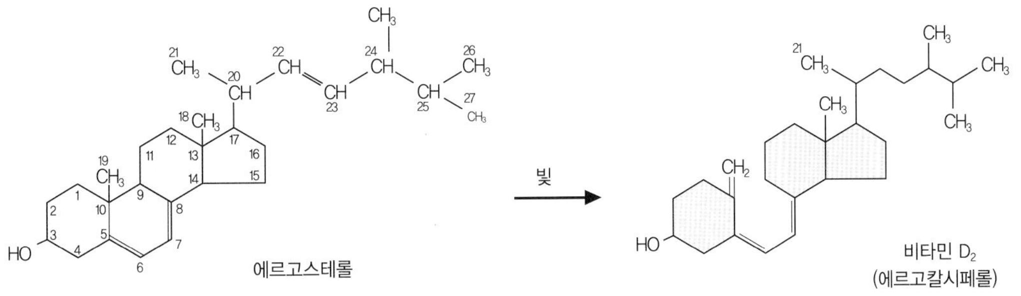

에르고스테롤

빛

비타민 D_2
(에르고칼시페롤)

■■■ 그림 3-29. 에르고스테롤의 구조 및 비타민 D_2(에르고칼시페롤)

(4) 지질과 치과위생사

지방은 많은 음식물의 구성성분이며, 생리학적으로도 중요하다. 지방은 9kcal/g의 우수한 에너지 공급원이다. 생선을 섭취하면 혈액 혈소판 감소, 혈액응고 기전에 대한 좋은 효과를 가지고 있으며, 혈관 내 혈괴 형성을 감소시킨다. 낮은 온도에서 음식을 튀길 경우 지방을 과량 흡수하게 되며, 너무 높은 온도에서 튀길 경우 일부 지방이 분해되어 장에 자극을 유발할 수 있으며, 튀긴 음식을 함유하는 음식물로 식사를 한 후에 위장관이 불안정해지기도 한다. 지방섭취가 치아우식을 억제하는 좋은 효과를 가지고 있기도 해서 환자의 병력 청취 시에 영양 상담시 고려되어야 한다. 환자의 총 지방섭취를 평가하는데, 이는 단백질이 제 기능을 발휘하도록 하는데 적당량의 지방섭취가 필요하기 때문이다. 만약 총에너지 섭취가 부족한 경우 상처 치유회복이 늦어지기도 한다. 또한 부적절한 지방섭취 경우 2차적으로 지용성 비타민의 결핍이 초래되기도 한다.

견과류나 특정 치즈와 같은 음식물은 구강 내에서 형성됨 산을 중화시키는 보호 효과를 갖고 있으며, 특히 발효성 탄수화물을 섭취한 후에 그 효과가 크다. n-3 지방산은 건강에 이롭기 때문에 환자에게 얼마나 섭취할지를 지도하여야 한다. EPA나 DHA와 같은 n-3 지방산 섭취가 증가했을 때 혈중 혈소판이 감소되는 것은 아라키돈산이 트롬복산 A_2로 전환되는 것을 억제하고, 대신 트롬복산 A_3로 전환되도록 한다. 이것은 트롬복산 A_3가 트롬복산 A_2에 비해 혈전 형성효과가 작기 때문이다. 따라서 생선류 기름 제품은 혈소판 응집을 억제하고, 항혈전 효과를 나타나게 된다. 이러한 효과 이외에도 n-3 지방산은 부정맥을 감소시키며, 여러 가지 막 기능에 영향을 미친다. n-3 지방산을 많이 함유하는 등 푸른 생선은 SMASH[연어(salmon), 고등어(mackerel), 멸치(anchovies), 정어리(sardine), 청어(herring)]가 알려져 있다. 일부 보고에서 생선 기름을 과다 섭취하는 경우 대장의 염증이나 대장암 발생이 증가한다는 보고도 있어 n-3 지방산의 무차별적인 사용을 옹호하지는 말아야 한다.

6 생체 화학에너지의 운반이나 유전자의 기본단위 분자

1) 뉴클레오티드의 구성분자

각종 생리작용을 나타내는 분자로서 뉴클레오티드라 불리는 일군의 화합물이 있다. 이 분자의 기본적인 분자 구성은 다음과 같다.

$$염기 + 당 = 뉴클레오시드$$
$$뉴클레오시드 + 인산 = 뉴클레오티드$$

염기는 퓨린(purine) 염기로서 아데닌(adenine), 구아닌(guanine)이 있으며, 피리미딘(pyrimidine) 염기로서 우라실(uracil), 시토신(cytosine), 티민(thymine)이 있다. 당은 오탄당(pentose)으로 리보오스(ribose)와 디옥시리보오스(deoxyribose)가 있다. 각각의 염기에 리보오스가 결합된 것을 리보오스뉴클레오시드(ribose nucleoside)라 한다. 이 경우에 아데노신(adenosine, A), 디옥시아데노신(deoxyadenosine, dA)이 되며, 우라실은 우리딘(yridine)이 된다.

뉴클레오시드에 인산이 결합되면 뉴클레오티드(nucleotide)라 하며, 이 경우 인산이 1분자 결합되면 뉴클레오시드 5'-일인산(nucleoside 5'-monophosphate), 2분자가 결합하면 뉴클레오시드 5'-이인산(nucleoside 5'-diphosphate), 3분자가 결합하면 뉴클레오시드 5'-삼인산(nucleoside 5'-triphosphate)이 된다.

여기에서 결합된 염기가 아데닌인 경우 아데노신 5'-일인산(adenosine 5'-monophosphate, AMP), 아데노신 5'-이인산(ADP), 아데노신 5'-삼인산(ATP)이 된다. 또한 디옥시리보뉴클리오티드라면 디옥시아데노신 5'-일인산(dAMP), 디옥시아데노신 5'-이인산(dADP), 디옥시아데노신 5'-삼인산(dATP)이 된다(표 3-11, 12).

표 3-11. 염기, 뉴클레오시드 및 뉴클레오티드의 명칭

	퓨린	피리미딘
염기	아데닌(adenine)	우라실(uracil)
리보뉴클레오시드(염기 + 리보오스)	아데노신(adenosine)	우리딘(uridine)
디옥시리보뉴클레오시드(염기 + 디옥시리보오스)	디옥시아데노신	-
리보뉴클레오티드(리보뉴클레오시드 + 인산)	AMP	UMP
리보뉴클레오시드 + 인산 + 인산	ADP	UDP
리보뉴클레오시드 + 인산 + 인산 + 인산	ATP	UTP

표 3-12. 뉴클레오티드의 종류

뉴클레오시드	뉴클레오티드		
	5′-일인산	5′-이인산	5′-삼인산
아데노신	AMP	ADP	ATP
디옥시아데노신	dAMP	dADP	dATP
구아노신	GMP	GDP	GTP
디옥시구아노신	dGMP	dG예	dGTP
우리딘	UMP	UDO	UTP
시티딘	CMP	CDO	CTP
디옥시시티딘	dCMP	dCDP	dCTP
티미딘	TMP	TDP	TTP
디옥시티미딘	dTMP	dTDP	dTTP

2) 폴리뉴클레오티드

뉴클레오티드 단위체(monomer)가 공유결합에 의해 길게 사슬모양으로 이어진 뉴클레오티드의 중합체(polymer)를 폴리뉴클레오티드(polynucleotide)라 하며, 일반적으로 일정한 길이 이상의 DNA(deoxyribonucleic acid)나 RNA(ribonucleic acid) 가닥을 폴리뉴클레오티드라고 한다(표 3-13).

유전정보를 저장하는 중요한 물질인 핵산(nucleic acid)을 만들기 위해서는 뉴클레오티드 분자의 중합반응이 일어나야 한다. 뉴클레오티드(nucleotide)의 중합체는 길이에 따라 올리고뉴클레오티드(oligonucleotide)와 폴리뉴클레오티드의 두 가지로 나눌 수 있다. 올리고뉴클레오티드는 일반적으로 수십 개 미만의 뉴클레오티드로 이루어진 비교적 짧은 뉴클레오티드 중합체이다. 이에 비해 폴리뉴클레오티드는 수천 개 이상의 뉴클레오티드가 결합된 매우 긴 중합체를 가리킨다. 폴리뉴클레오티드는 방향성을 가지고 있는데 한쪽 끝은 인산기(phosphate group)로 끝나는 5′-말단이며 다른 쪽 끝은 수산기(hydroxyl group)로 끝나는 3′-말단이다. 폴리뉴클레오티드는 3′-말단의 수산기에 새롭게 뉴클레오티드가 붙으면서 항상 5′-말단에서 3′-말단의 방향으로 합성된다. DNA나 RNA의 염기서열을 표시할 때도 5′-말단에서 3′-말단의 방향으로 쓰는 것이 관례다.

표 3-13. 핵산의 조성

구성성분	리보핵산(RNA)	디옥시리보핵산(DNA)
푸린 염기	아데닌(A), 구아닌(G)	아데닌(A), 구아닌(G)
피리미딘 염기	우라실(U), 시토신(C)	티민(T), 시토신(C)
당	D-리보오스	D-디옥시리보오스
인산	인산	인산

3) ATP(아데노신 5′-삼인산)

아데노신 5′-삼인산(ATP)은 생명체의 화학에너지의 운반체라고 할 수 있다. 생명체에서 화학에너지 운반체로는 ATP 외에도 NAD^+나 $NADP^+$ 및 $FADH_2$와 같은 산화-환원 반응에 관여하는 물질이나 아실기 운반에 중요한 아세틸-CoA 등이 있다. 즉, 영양물질이 생명체 내에서 산화될 때, 주로 호흡사슬에서 생성되는 에너지는 ATP의 형태로 저장된다.

한편, 생명체는 여러 가지 일, 즉 기계적인 일, 생합성, 물질수송을 담당하는데, 이 에너지는 ATP의 가수분해 반응에 의해 공급되고 있다. ATP가 가수분해되어 ADP와 무기인산으로 될 때, 표준 자유에너지 변화는 -7.3kcal/mol(pH 7.0, 37℃)이라고 알려져 있다. 자유에너지 변화는 그 계의 반응의 일의 양을 나타내므로, ATP의 가순분해 에너지를 사용하여 그 에너지 양에 해당되는 일을 할 수가 있다. 구아노신 5′-삼인산(GTP), 우리딘 5′-삼인산(UTP) 등도 가수분해의 표준 자유에너지가 커서 각각 특이한 생명체의 반응에 사용되고 있다.

4) 보조효소 작용을 나타내는 뉴클레오티드

니코틴아미드아데닌 디뉴클레오티드(nicotinamide adenine dinucleotide, NAD^+), 플라빈아데닌디뉴클레오티드(flavin adenine dinucleotide, FAD), 보조효소 A(coenzyme A)는 보조효소 작용을 나타내는 뉴클레오티드이다. 이들은 아데노신 이외에 니코틴산(nicotinic acid), 리보플라빈(riboflavin), 판토텐산(patothenic acid)과 같은 비타민 분자 속에 함유되어 있다. 이 뉴클레오티드는 각각 보조효소 작용을 하며, 생명체의 효소반응에 결핍되어서는 안 되는 활성분자이다. 각각 보조효소를 필요로 하는 효소반응을 표 3-14에 나타냈다.

표 3-14. 뉴클레오티드와 보조효소

보조효소	효소반응
니코틴아미드아데닌 디뉴클레오티드(NAD^+)	산화-환원 반응
니코틴아미드아데닌 디뉴클레오티드인산($NADP^+$)	산화-환원 반응
플라빈 모노뉴클레오티드(FMN)	산화-환원 반응
플라빈아데닌 디뉴클레오티드(FAD)	산화-환원 반응
보조효소 A(CoA)	아실기 전이

⑦ 무기질과 그 역할

음식물로 섭취되는 3대 영양소 외에 생명체는 무기질을 필요로 한다. 이 염류는 에너지를 공급하는 것은 아니지만, 대사나, 생명체의 기능 유지에 필수적인 것으로 음식물을 통해 흡수된다. 우리 몸의 약 96%는 탄소, 산소, 수소, 질소로 구성되며, 물과 유기질 조성이다. 그 밖의 4%는 무기질이다. 이들의 생체에서의 역할은 다음 6가지로 정리할 수 있다.

① 생체의 구성성분
② 근육의 수축이나 신경자극 전달
③ 완충액으로서 생체 액의 중성 유지
④ 삼투압 유지
⑤ 소화액 생성
⑥ 효소의 보조인자로 작용

1) 소듐

주로 세포외액에 NaCl, NaHCO$_3$, Na$_2$HPO$_4$로 존재하고, 세포외액의 삼투압 조절과 산-염기의 평형을 조절한다. 또한 신경, 근육운동의 흥분성 유지에 작용한다. 중탄산소듐은 이산화탄소를 세포에서 폐로 수송할 때 중요한 분자이다. 음식물 중의 소듐은 주로 콩팥에서 오줌으로 배설되고, 소량(0.7%)이 땀으로 소실된다.

2) 포타슘

포타슘은 몸무게의 0.35%, 즉 170~180g 정도 들어 있다. 포타슘은 주로 세포내액 속에 K$_2$HPO$_4$, K-단백질로 존재한다. 소듐과 마찬가지로 신경과 근육운동의 흥분성을 유지한다. 소듐이 세포외액의 삼투압 조절에 중요한 반면에, 포타슘은 세포내액의 삼투압 조절에 중요하다. 또한 포타슘은 물과 결합하는 능력이 강하여 물과 함께 이동하기 때문에 이뇨작용을 나타낸다. 그러므로 혈액 속에 포타슘이 많아지면 세포 내의 물을 끌어내어 수혈증(hydroemia)을 일으킨다. 적혈구 성분으로 이산화탄소를 운반함과 동시에 혈액의 약알카리성 유지에 기여한다. 포타슘은 장관에서 흡수되어 오줌으로 대부분 배설된다.

3) 칼슘

칼슘은 뼈, 치아의 주요한 구성원소로 하이드록시아파타이트(hydroxyapatite)의 주요 성분이다. 혈액응고나 심장의 규칙적인 운동에도 중요한 작용을 한다. 혈액 속의 총 칼슘농도는 거의 일정하여 대략 10mg/100mL(4.5~5.5mEq/L)이다. 이 수치는 호르몬인 칼시토닌에 의해 조절된다. 저칼슘혈증은 근육의 경련을 유발한다. 구루병(rickets)이나 골연화증(osteomalacia)은 장관에서 칼슘의 흡수가 불량할 때 일어난다. 장관에서의 칼슘 흡수에는 비타민 D가 꼭 필요하며, 비타민 D의 투여로 구루병이나 골연화증을 예방할 수 있다. 칼슘염은 오줌과 대변으로 배설된다.

4) 마그네슘

마그네슘 화합물은 뼈와 치아의 석회화 조직 성분으로 존재하며, 신경과 근육의 기능에 관해서는 억제작용을 한다. 하이드록시아파타이트에 Mg이 함유된 경우 위트록카이트(whitlockite)라 하며, 치석에서 발견되고, 마그네슘 함량에 비례하여 치아우식증 발생률이 높다. 우리 몸 안의 마그네슘은 60%가 뼈 속에 들어 있다. 혈중 마그네슘의 농도는 약 0.85mM이며, 조직 농도는 5~8mM이다. 당질 대사효소는 Mg^{2+}를 필요로 하는 것이 많으며, 에너지 대사에 필요한 ATP는 세포외액에 마그네슘 염으로 존재한다. $MgSO_4 \cdot 7H_2O$는 소장벽에서 흡수가 잘되지 않아서 설사제로 사용된다. 마그네슘의 저하와 칼슘 상승은 세포의 흥분성을 높여 경련을 유발하며, 반대로 마그네슘의 상승은 세포의 흥분성을 낮추어 심하면 마비와 혼수를 야기한다.

5) 염소

물에 대한 용해도가 높고, 세포외액에 존재한다. NaCl로서 삼투압 유지에 관여한다. 0.9% NaCl은 등장액이다. 염소이온을 소실하면 같은 양의 중탄산이 많아져서 삼투압을 유지하며, 염소이온이 많아지면 중탄산 이온이 감소하는 방법으로 항상 총 양이온에 대하여 당량대 당량의 비율로 음 이온이 보장되도록 조절된다. 위액의 염산 생성에도 중요하다.

6) 인산

칼슘, 마그네슘과 결합한 무기인산은 뼈나 치아의 주성분이다. 유기화합물 속의 인산은 유기인산이라 하며, 인지질, 인단백질, 핵산의 구성성분으로 들어 있다. 당질 대사는 중간 대사산물이 모두 인산 에스테르 화합물로 존재한다. ATP, 크레아틴 인산 등 에너지 대사에도 빠질 수 없는 분자이다. 주로 유기인산의 형태로 장관에서 흡수되고, 오줌으로 배설된다. 성인에서의 하루 필요량은 남녀 모두 580mg이며 하루 권장섭취량은 700mg이다.

7) 황

황은 단백질 속의 메티오닌이나 시스테인과 같은 함황 아미노산이 장관에서 흡수되어 공급된다. 케라틴(keratin)에는 황 함유 아미노산이 많이 들어 있어 생체의 구성에 필요한 원소이다. 페놀 등 독극물의 제거에 있어 황을 함유하는 물질들이 해독작용을 나타낸다. 활성 황산인 PAPS(phosphoadenosyl phosphosulfate)가 황산의 공여체로 작용하며, 뼈나 연골 형성에 필요한 프로테오글리칸(proteoglycan)의 구성성분인 글리코사미노글리칸(glycosaminoglycan)의 황산 공여체이다.

8) 철

적혈구 헤모글로빈(hemoglobin)은 헴 철을 가지고 있어 산소를 운반한다. 또한 철은 근육의 미오글로빈(myoglobin)의 구성성분으로 산소와 결합한다. 전자전달계를 구성하는 사이토크롬(cytochrome)의 구성성분으로 철분을 필요로 하며, 산화-환원 반응에 관여한다. 환원 상태의 Fe^{2+}로 장관에서 흡수되어 담즙을 통하여 장관으로 분비된다. 저장형은 페리틴(ferritin)으로 간장, 비장, 소장에 존재한다. 혈액 속에서는 트랜스페린(transferrin)이라 부르는 철-단백질의 형태로 존재하고, 조직에 철을 운반한다.

9) 미량원소

미량원소의 종류로는 Cu, I, F, Co, Zn 등이 있다. 구리는 헤모글로빈 합성에 필요하며, 멜라닌 합성에 관여하는 티로시나아제(tyrosinase)의 보조인자이다. 요오드는 갑상선호르몬인 티록신의 구성원자이다. 불소는 뼈, 치아에 존재하고, 치아우식증 예방에 유용하다. 치석 속에 가장 높은 농도로 존재하며, 치태나 침에도 법랑질 농도보다 높게 존재한다. 그러나 다량 섭취하는 경우 치아 불소증(반상치)의 원인이 된다. 코발트는 비타민 B_{12}의 구성성분으로 항악성빈혈 작용이 있다. 아연은 인슐린의 생성에 필요하며, 다양한 효소의 보조인자로 작용한다.

10) 미네랄과 치과위생사

철 결핍성 빈혈의 발현에도 불구하고 무엇이 결핍되었는지에 대한 임상 시험 결과 없이 철분을 보충하는 것은 권장하지 말아야 한다. 구강에서 철분 결핍에 대한 가장 흔하게 볼 수 있는 현상은 혀가 창백해지고 붓는 것이다. 환자의 경우 쓰림과 작열감을 호소하기도 한다. 퇴축성 변화는 군데군데 혀 유두가 노출되는 것으로부터 매끄럽고 불그레한 혀까지 다양하게 나타난다.

만성 알코올 중독자의 경우 조직 장애는 일으키지 않으나 국소적 또는 전신적으로 조직의 철 함유량이 증가한 혈철증(hemosiderosis)이 흔히 나타나는데, 특히 하루에 1L 이상의 값싼 포도주를 마시는 경우에는 철분이 강화된 음식물의 섭취를 권장하지 말아야 한다. 6세 이하의 어린이 경우 아주 극소수에서 철분이 강화된 음식물 섭취 하여 사망한 경우도 보고되고 있다. 철분의 섭취를 증가시키기 위하여 비타민 C가 강화된 식품이나 과일 주스의 섭취를 권장한다. 커피나 차는 철분의 흡수를 감소시킬 수 있으므로, 식사 시간 1시간 전에 커피를 마시는 것이 좋다.

⑧ 비타민

1900년대 초까지만 해도 동물의 성장과 생명유지에 필요한 성분은 탄수화물, 단백질, 지방, 무기질, 물 등 다섯 가지라고 생각되었다. 그러나 그 때까지 알려졌던 모든 영양물질을 고루 포함시켜 순수하게 조제된 동물 사료로 사육된 동물이 정상적으로 성장하거나 생존하지 못함을 발견하였다. 그래서 여러 실험실에서 동물의 생명유지에 필수적인 이 신비한 물질에 대한 연구가 활발하였다. 그 결과 1912년 폴란드의 화학자 풍크(FunK C)는 쌀겨로부터 항각기의 효과가 있는 성분을 분리해내는 데 성공하였다. 이 물질 내에는 아민(amine)이 함유되어 있다는 것도 밝혔다. 그는 이 유기물을 'vitamine'이라고 명명하였는데 이는 라틴어의 생명을 의미하는 'Vita'와 'amine'의 합성어로 생명유지에 필수적인 물질이란 뜻의 이름이다. 그러나 그 후, 다른 화학자들에 의하여 모든 비타민들이 아민을 함유하고 있지 않음이 밝혀지면서 'vitamine'의 마지막 'e'자를 제거하자는 의견이 채택되어 지금까지 사용되고 있다. 비타민은 생명체가 살아가는 데 중요한 역할을 하는 분자로, 많은 양이 필요하진 않지만 몸에서 아예 만들어지지 않거나 충분하게 만들어지지 않기 때문에 음식으로부터 섭취해야만 하는 분자들이다. 비타민은 인체의 세포내에서 화학적 과정을 통하여 생산이 불가능하기 때문에 우리는 비타민이 포함된 음식물 섭취를 통하여 신체가 필요로 하는 각종 비타민을 공급할 수밖에 없다. 비타민 결핍은 신체 기능에 부정적인 영향을 미칠 뿐만 아니라 심하면 질병을 초래하기 때문에 식생활에서 적정한 비타민 섭취에 언제나 유의하여야 한다.

비타민의 명명은 발견순서에 따라 알파벳의 대문자가 붙여지거나 또는 비타민 K의 경우처럼 체내 기능을 나타내는 단어의 첫 글자를 따기도 하였다. 즉, 독일어나 덴마크어로 'Koagulation'은 영어의 'coagulation', 즉 응고라는 뜻의 용어인데, 이것은 비타민 K가 혈액응고에 필요하기 때문에 붙은 이름이다. 1930년대에 효모의 성장인자로서 간 추출물에서 분리된 것이 비오틴(biotin)과 판토텐산(pantothenic acid)이다. 이 두 가지 비타민은 장내세균에 의해 합성된다. 판토텐산은 어디에나 흔하므로 라틴어로 '어느 곳에나(from everywhere)'란 뜻이고, 엽산(folic acid)은 처음에 시금치 잎에서 분리되

표 3-15. 비타민의 기능, 결핍증상과 과량 섭취 시 부작용

	비타민	화학적 이름	기능 및 효과	결핍증상	과량 섭취 시 부작용
지용성	A	레티놀(retinol)	성장촉진, 정상시력 유지, 피부 건강	야맹증	태아기형, 두통, 피로
	D	콜레칼시페롤 (cholecalciferol)	뼈, 치아에 칼슘침착. 혈액 중의 인의 양을 일정하게 함	구루병, 골연화증, 골다공증	신장결석, 신부전
	E	토코페롤 (tocopherol)	몸의 산화 방지, 혈관 보호, 근육의 기능을 정상화시킴. 생식기능 강화.	노화성, 불임증	출혈, 설사, 두통
	K	메나퀴논, 필로퀴논 (menaquinone, phylloquinone)	혈액응고	혈액응고 지연, 신생아 출혈	warfarin 복용 환자의 경우 혈액응고 증가
수용성	B$_1$	티아민(thiamin)	신경 조절, 식욕증진, 당질대사에 관여하여 소화액 촉진, 각기 예방	각기병, 식욕부진, 피로, 권태	많이 섭취하면 졸음이 쏟아지거나 근육이 완화됨
	B$_2$	리보플라빈 (riboflavin)	세포에서 기능하여 플라빈 산소의 기능에 도움. 발육, 점막 보호	리보플라빈결핍증, 구순구각염, 안질, 설염	
	B$_3$	니코틴산, 니아신 (nicotinic acid, niacin)	당대사 촉진해 에너지 합성	펠라그라, 니코틴산 결핍증후군, 체중 감소	니아신을 많이 섭취하면 간 손상
	B$_4$	카르니틴 (carnitine)	지방대사에서 아실기 운반		
	B$_5$	판토텐산 (pantothenic acid)	CoA의 생화학적 역할	성장정지, 체중감소	설사, 메스꺼움, 가슴앓이
	B$_6$	피리독신 피리독사민 피리독살 (pyridoxine pyridoxamine, pyridoxal)	아미노산의 이용에 도움. 효소작용을 돕고 신경을 지킴	피부병, 저혈소성 빈혈	자기 수용 감각 손상, 신경 손상 (하루 100mg 이상 섭취시)
	B$_7$	비오틴 (biotin)	지방상, 단백질, 핵산 합성, 당의 대사	피부염, 성장정지	
	B$_9$	엽산 (folic acid)	적혈구, 핵산 합성에 관여. 위장, 입안의 점막 보호	적혈구가 감소되어 빈혈을 일으킴. 설사, 위장염, 설염, 구내염	비타민 B$_{12}$ 결핍. 말라리아 치료 방해
	B$_{12}$	코발라민 (cobalamine)	효소의 조효소로 작용	악성빈혈	여드름같은 발진. 원인은 완전히 밝혀지지 않았음
	C	아스코르브산 (ascorbate)	인터페론 유발. 콜라겐을 생성하고 호르몬 합성에 관여. 해독기능 강화.	괴혈병, 피하출혈, 체중 감소	신장결석, 신부전

었으므로 라틴어로 '잎(*folium*)'이란 뜻으로 이름이 붙여졌다. 또, 비타민 B 복합체는 비타민 B가 한 가지 물질이 아니라는 것이 알려지면서 B_1, B_2, …, B_6 등으로 명명되었고, 또는 그들의 화학명으로 불리기도 한다. 비타민 B 복합체가 아니더라도 개개의 비타민은 대부분 자연식품에 몇 개의 다른 화학물질로서 존재하고 있어서 필요에 따라서 그들의 화학명으로 불리기도 한다.

A ; Retinol

B_1 ; Thiamine,

B_2 ; Riboflavin

B_3 ; Nicotinamide

B_5 ; Pantothenic acid

B_6 ; Pyridoxin

B_9 ; Folic acid

B_{12} ; Cyanocobalamin

C ; Ascorbic acid

D_2 ; Ergocalciferol

D_3 ; Cholecalciferol

E ; Tocopherol

비타민의 체내기능은 매우 광범위한데 대부분은 효소나 또는 효소의 역할을 보조하는 조효소의 구성성분이 되어 탄수화물, 지방, 단백질, 무기질 등의 대사에 관여한다. 생물체의 생명현상은 생체조직 내에서 일어나는 수많은 연쇄적인 화학반응에 의하여 유지되며, 이 일련의 생화학반응들은 효소라고 하는 유기촉매가 존재할 때 정상적으로 진행될 수 있다. 예를 들면 자동차는 연료의 힘으로 달리지만, 윤활유가 없다면 얼마 못 가서 차체는 망가지고 말 것이다. 비타민이 바로 윤활유와 같은 역할을 하는 것이며, 인간은 영양소에 의해서 살아가지만 이 영양소를 영양이 되도록 하는 것은 비타민의 기능이다. 또, 효소는 화학반응에 직접 참여하는 물질이 아니므로 자신이 도움을 주는 화학반응에 의하여 완전히 소모되지는 않는다. 따라서 비타민의 필요량은 매우 소량으로 충분하지만, 이 소량의 필요량이 공급되지 않을 때 생명현상의 유지에 필요한 체내 영양소의 대사가 지장을 받게 된다(표 13-5).

비타민은 크게 지용성과 수용성으로 분류된다. 지용성 비타민은 지방이나 지방을 녹이는 유기용매에 녹는

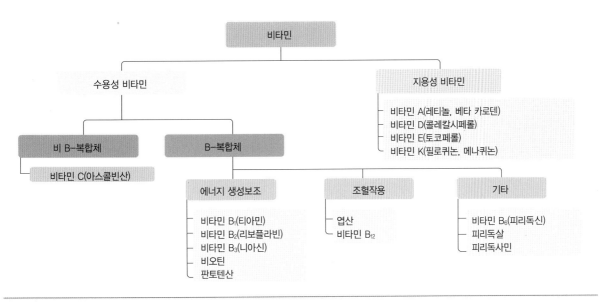

■▒ 그림 3-30. 비타민의 분류

Ferrier DR: Lippincott's Illustrated Reviews. Biochemistry. 6th ed. p.373. Wolter's Kluwer. 2014.

비타민으로서 비타민 A, D, E, K가 여기에 속한다. 이들은 수용성 비타민보다 열에 더 강하여 식품의 조리가공 중에 비교적 덜 손실되며, 장 속에서 지방과 함께 흡수되므로 지방의 흡수율이 떨어지면 이들의 흡수도 지장을 받게 된다. 또한 체내에 저장되고, 모두 탄소, 수소, 산소로만 구성되어 있다. 수용성 비타민은 물에 녹는 비타민으로서 비타민 B 복합체, 비타민 C, 비오틴, 엽산, 콜린, 이노시톨 등이 알려져 있다. 비타민을 기능에 따라 분류한 것을 그림 3-30에 표시하였다.

참고문헌

1. Berg MB, Tymoczko JL, Stryer L : Biochemistry. 7th ed. Freeman. 2012.

2. Ferrier DR : Lippincott's Illustrated Review : Biochemistry. 6th ed. 2014.

3. Garrett RH, Grisham CM : Biochemistry. 4th ed. Brooks/Cole Cengage Learning. 2010.

4. Lieberman M, Marks AD : Mark's Basic Medical Biochemistry – A Clinical Approach. 4th ed. Wolters Kluwer/Lippincott Williams & Wilkins. 2013.

5. Marray RK, Botham KM, Kennelly PJ, Rodwell VW, Weil PA : Harper's Illustrated Biochemistry. 29th ed. McGraw Hill/Lange. 2012.

6. Nelson DL, Cox MM : Lehninger Principles of Biochemistry. 4th ed. Freeman. 2005.

Dental Biochemistry for the Dental Hygienist

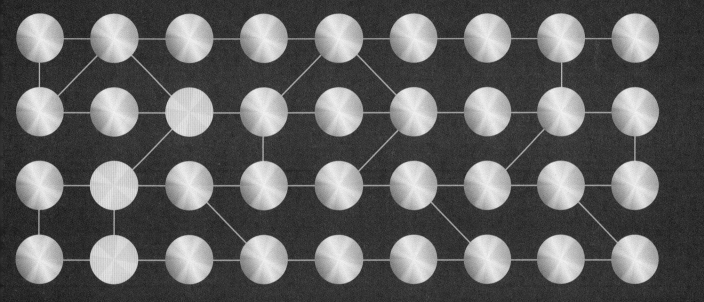

04

Chapter

생명활동과 대사

생명활동을 정의하기는 매우 어렵다. 사람의 생명활동을 보면 식사, 호흡, 육체적 노동, 배설, 수면 등을 하며 일정한 크기까지 신체적인 성장을 하고, 자기증식, 즉 넓은 의미에서 자신과 똑같은 자손을 남기는 일을 한다. 사람은 이와 같은 생명활동을 영위하기 위하여 음식물을 섭취하고, 흡수한 영양물질을 효소로 산화반응을 하여 필요한 에너지를 공급한다. 생체 내에서의 에너지 공급과 이용은 고에너지 화합물인 아데노신삼인산(adenosine triphosphate, ATP)이라는 화학에너지 물질로 이루어진다. 생체 내 물질을 생산하고, 유지하며, 생체가 이용할 수 있는 에너지로 변환하는 모든 물리화학적 반응을 대사라 한다.

1 대사체계의 분석

대사과정은 분해와 생합성 및 에너지를 발생할 목적으로 진행된다. 생명체가 생명력을 유지하기 위해서는 끊임없이 대사과정이 이루어져야 한다. 그러므로 이들 대사과정은 각기 별개로 일어나는 것이 아니라 동시에 진행되며, 동적 평형 상태를 유지하고 있다. 호기성 유기영양 세포들의 대사는 분해대사와 생합성 대사 및 거대분자 합성과 성장으로 구분할 수 있다.

1) 분해대사

해당과정, 구연산회로(tricarboxylic acid cycle, TCA 회로), 전자전달계와 산화적 인산화 과정, 오탄당 인산경로가 분해대사의 주요 경로이다. 우리 몸에 들어온 음식물은 분해되어 물과 이산화탄소로 되고 이때 발생하는 전자들의 대부분은 전자전달경로를 통해 산소에 전달되고, ATP를 생성한다. 또한, 일부 전자는 오탄당 인산경

로에서 NADPH + H^+를 합성하는데 이용된다. 이러한 대사경로들을 거치는 과정에서 일부 중간체들을 생합성 대사의 기질로 사용한다.

2) 생합성 대사

기질로서의 전구체, 환원력을 제공하는 NADPH + H^+ 및 에너지 공급을 위한 ATP가 필요하다. 생합성 기질로서 사용되는 전구체는 몇 가지가 되지 않는다. 즉, C-3에서 C-6까지의 당인산 화합물과 3가지 종류의 α-케토산(피루브산, 옥살초산, α-케토글루타르산), CoA 화합물(아세틸-CoA, 숙시닐-CoA) 및 포스포에놀피루브산들이 대부분의 생합성에 이용된다.

3) 거대분자 합성과 성장

생합성 대사에서 생성된 유기분자들은 단백질, 핵산, 세포막, 지방과 같은 고분자 또는 거대분자 물질의 합성에 이용된다. 이때도 에너지원으로 ATP, GTP, CTP, UTP 등이 사용된다. 이들은 차별화되어 GTP는 주로 단백질 합성, CTP는 인지질 합성, UTP는 다당류 합성에 이용된다. 그럼에도 불구하고 이들을 합성하기 위한 궁극적인 인산화 물질은 ATP이다. 이렇게 형성된 고분자 또는 거대분자는 생물학적 기능과 정보를 가지는 분자들로서 성장이란 이들이 축적되는 것이며, 세포분열을 통해 분배된다. 분해과정의 대사 중간체들은 생합성에서 소비되지만, ATP와 NADPH + H^+는 계속적으로 보충되는 것이 아니라 재생된다.

4) 동화작용과 이화작용

생물체 내의 모든 효소반응을 포함하는 대사는 역동적이면서 조화롭게 진행된다(그림 4-1). 이 반응의 대부

분은 여러 회로로 구성되어 있고, 각 회로는 연쇄적으로 일어나는 다양한 반응으로 구성된다. 즉, 한 반응의 생성물은 다음 반응의 기질로 작용한다.

이러한 생화학적 회로에서 일어나는 각종 분자의 합성과 분해는 일련의 화학반응으로 이루어지며, 이것을 대사라고 한다. 대사 중 화학에너지를 방출하는 과정에

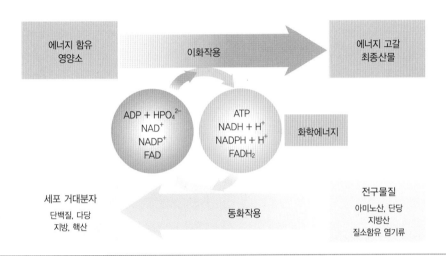

■■ ⅲ 그림 4-1. 이화작용과 동화작용

이화작용은 에너지가 풍부한 연료 분자들을 분해함으로써 ATP 형태의 화학에너지를 포착하는 역할을 한다. 동화작용은 아미노산과 같은 작은 분자들을 결합시켜서 단백질과 같은 거대분자를 형성하는 과정이다.

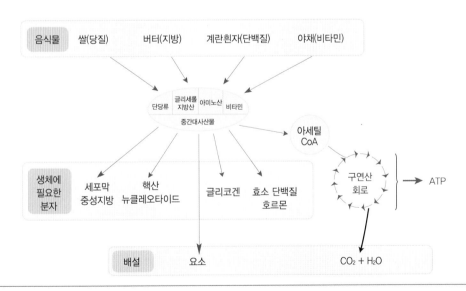

■■ ⅲ 그림 4-2. 생체 내에서의 물질대사

쌀의 전분과 같은 다당류, 버터와 같은 지방질, 달걀 흰자 속의 단백질 및 야채 속의 비타민류는 대사 과정을 거쳐 생체 내 필요 분자인 아미노산, 단당류 및 지방산과 글리세롤과 같은 중간산물로 대사되어 생체막 중성지방, 핵산을 위한 뉴클레오티드, 글리코겐 또는 효소, 기타 단백질 및 호르몬으로 다시 이용되기도 하며, 화학에너지인 ATP로 대사되어 에너지로 사용되기도 하나, 필요 없는 경우에는 오줌으로 배설되거나 이산화탄소나 물로 완전히 산화되기도 한다. 히야가와 타로오, 하라다 미노루: 치과위생사교본. 생화학. 이시야쿠출판. 1997.

서 복잡한 영양소 분자를 단순한 분자로 분해하는 과정을 이화작용(catabolism)이라 한다.

그러나 동화작용(anabolism)은 화학에너지를 필요로 한다. 대사과정에서는 주위 환경으로부터 화학에너지를 추출하여 여러 영양소 분자를 더 큰 거대분자의 구성성분으로 바꾸어 준다. 이들 구성성분들이 모여 단백질, 핵산, 지방 및 복합 탄수화물을 만든다.

여러 종류의 지방, 탄수화물, 단백질은 모두 아세틸 CoA를 거친 다음, TCA 회로로 들어가서 분해된 다음 생체 구성 분자의 구성성분으로 생합성 된다. 그림 4-2를 보면 3대 영양소인 탄수화물, 지질, 단백질이 소화, 흡수된 후에 어떤 대사과정을 거쳐서 이산화탄소와 물로 분해되는 지를 나타내고 있다.

2 에너지 대사와 아데노신 3인산(ATP)

세포 내에서 대사, 즉 효소의 촉매에 의한 화학반응으로 영양소가 분해되면 영양소에 포함된 에너지가 방출된다. 이 에너지는 대부분 ATP에 축적된다(그림 4-3). ATP는 고에너지 인산 결합에 화학 에너지를 축적한 비교적 작은 분자이며, ATP가 ADP(아데노신 2-인산)나 AMP(아데노신 1-인산)로 분해될 때의 화학 에너지를 이용해 여러 다양한 생명 활동이 이루어진다. ATP는 아데노신(Adenosine ; A)에 3개의 인산(phosphate)이 결합된 것인데, 그리스어로 3개를 의미하는 말(접두어)인 tri가 붙어서 adenosine tri-phosphate(ATP)라고 불

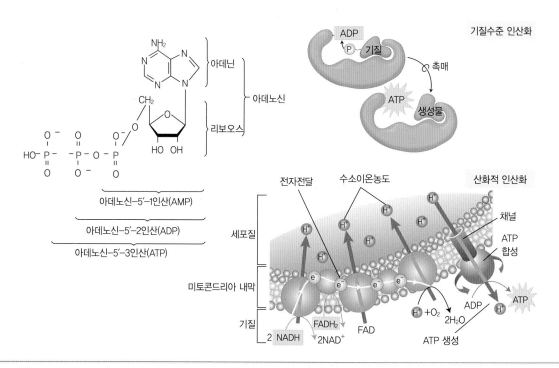

■■■ 그림 4-3. 아데노신3인산(ATP)과 ATP 생산기구

ATP는 효소 작용에 의해 직접 만들어지는 기질 수준 인산화와 미토콘드리아의 호흡사슬을 통한 전자전달과 수소이온의 이동에 의해 최종적으로 산소와 반응하여 물을 만드는 과정을 통한 ATP 합성효소에 의해 합성되는 산화적 인산화가 있다

린다. ADP는 인산이 2개(di−), AMP는 인산이 1개(mono−) 결합한 것이다. 생명 활동에 필요한 다양한 반응에 에너지를 공급한다고 해서 에너지 통화라고도 말한다. 생체 내에서는 Mg^{2+}와 복합체를 형성하고 있다.

ATP가 만들어지는 방법은 2가지가 있다. 하나는 물질의 분해에 의해 방출되는 화학 에너지를 직접 받아들여 ATP를 합성하는 것으로, 기질수준 인산화(substrate level phosphorylation)라고 한다. 다른 하나는 물질의 분해에 의한 전기 에너지를 전자전달계를 거쳐 ATP 합성에 이용하는 것으로, 산화적 인산화(oxidative phosphorylation)라고 한다(그림 4-2 참조). 이 과정에서 산소가 소비되며 물이 생산된다.

③ 소화·흡수된 영양소의 체내 대사

생체는 음식물 섭취를 통해 필요한 에너지원을 얻는다. 음식물로서 체내에 흡수되는 물질을 영양소라고 한다. 탄수화물, 지방, 단백질이 주요 성분이다. 이밖에도 생명활동에 필요한 물질로는 비타민이나 무기질 등이 있다.

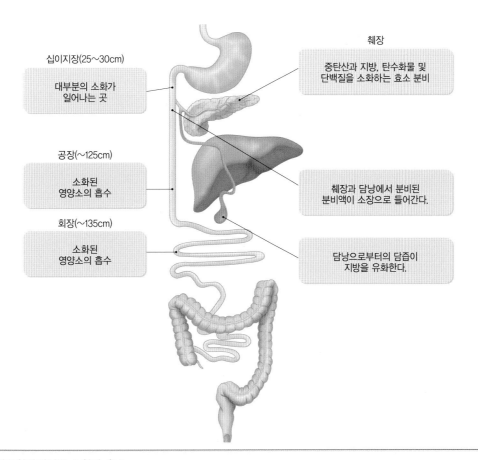

십이지장(25∼30cm)
대부분의 소화가
일어나는 곳

공장(∼125cm)
소화된
영양소의 흡수

회장(∼135cm)
소화된
영양소의 흡수

췌장
중탄산과 지방, 탄수화물 및
단백질을 소화하는 효소 분비

췌장과 담낭에서 분비된
분비액이 소장으로 들어간다.

담낭으로부터의 담즙이
지방을 유화한다.

■ ▧ 그림 4-4. 작은창자에서의 소화와 흡수

십이지장에서는 주로 음식물을 소화하는 기능이 있으며, 공장과 회장에서는 주로 소화된 영양소를 흡수하는 기능을 갖는다. 소화효소 외에도 소화기계를 돕기 위해 십이지장은 점액쇄 효소 및 호르몬을 분비하여 소화를 돕는다. 모든 소화관 벽을 통해 혈액과 림프관으로 영양소가 흡수된다. 소화되지 않은 물질은 대장으로 이동한다.

1) 영양소의 흡수

영양소는 소화효소에 의해 체내에 흡수되기 알맞은 크기로 분해되어 주로 작은창자의 점막 상피세포에서 흡수된다(그림 4-4). 작은창자에서 영양소의 흡수는 탄수화물의 경우 글루코오스를 주로 한 단당류로, 단백질은 아미노산과 펩타이드 형태로, 지방은 모노글리세리드와 지방산의 형태로 흡수된다(그림 4-5).

흡수된 이들 영양소 중 탄수화물과 단백질의 분해산물은 문맥을 통해 간으로 전달되고, 다시 온 몸으로 공급된다(그림 4-6). 지방의 분해산물은 작은창자의 점막 상피세포에서 트리글리세리드와 결합하여 림프관에서 정맥을 거쳐 전신에 공급된다. 각종 음식물을 소화하는 소화효소의 분비에 대하여는 그림 4-7에 나타냈다.

2) 탄수화물 대사

탄수화물은 음식물로 섭취되는 전체 열량의 40~60%를 공급한다. 침과 췌장액의 아밀라아제는 전분을 저분자량의 올리고당류로 분해시킨다. 이당류와 3당류의 완전한 분해는 소장 미세융모에서 이루어진다. 생성된 단

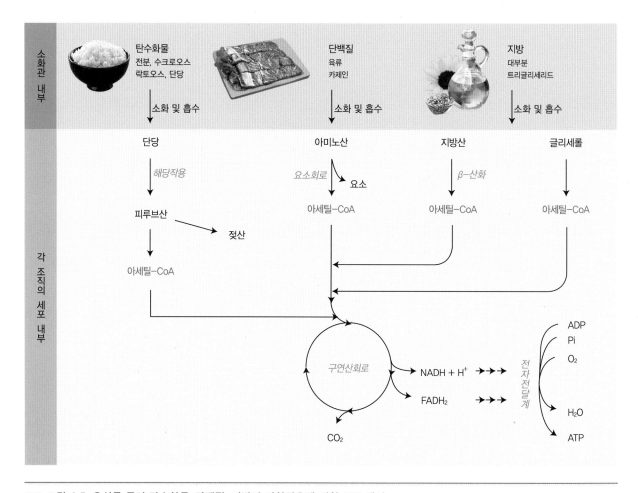

■ 그림 4-5. 음식물 중의 탄수화물, 단백질, 지방의 이화작용에 의한 ATP 생성

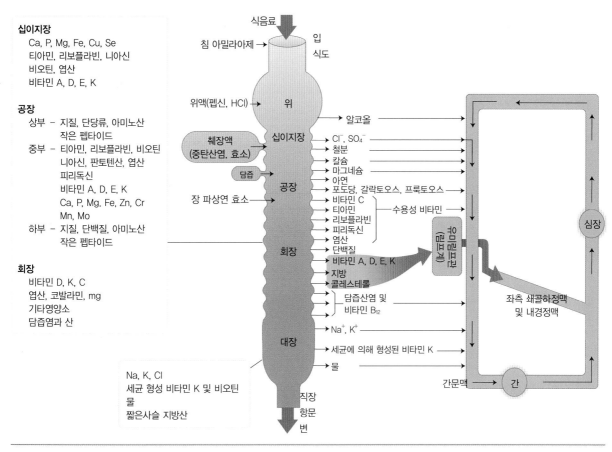

십이지장
Ca, P, Mg, Fe, Cu, Se
티아민, 리보플라빈, 니아신
비오틴, 엽산
비타민 A, D, E, K

공장
상부 – 지질, 단당류, 아미노산
     작은 펩타이드
중부 – 티아민, 리보플라빈, 비오틴
     니아신, 판토텐산, 엽산
     피리독신
     비타민 A, D, E, K
     Ca, P, Mg, Fe, Zn, Cr
     Mn, Mo
하부 – 지질, 단백질, 아미노산
     작은 펩타이드

회장
비타민 D, K, C
엽산, 코발라민, mg
기타영양소
담즙염과 산

식음료
침 아밀라아제 →
입
식도
위액(펩신, HCl)
위
쵀장액
(중탄산염, 효소)
십이지장
담즙
공장
장 파상연 효소
회장
대장

알코올
Cl^-, SO_4^-
철분
칼슘
마그네슘
아연
포도당, 갈락토오스, 프룩토오스
비타민 C
티아민
리보플라빈 } 수용성 비타민
피리독신
염산
단백질
비타민 A, D, E, K
지방
콜레스테롤
담즙산염 및
비타민 B_{12}
Na^+, K^+
세균에 의해 형성된 비타민 K
물

림프관
(림프계)

심장

좌측 쇄골하정맥
및 내경정맥

간문맥   간

Na, K, Cl
세균 형성 비타민 K 및 비오틴
물
짧은사슬 지방산

직장
항문
변

■▨ 그림 4-6. 위장관계에서 영양소 흡수부위 및 운반

Mahan LK, Escott-Stumps: Krause's Food, Nutrition and Diet Therapy. 9th ed. Philadelphia. WB. Saunders. 1996.

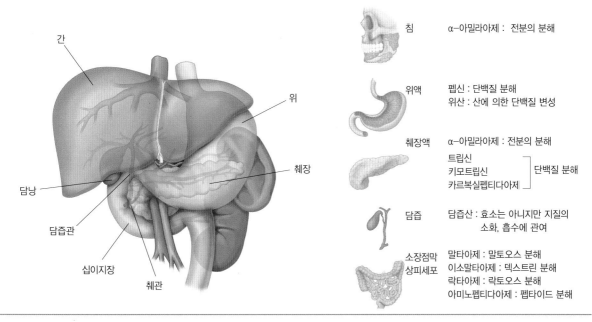

간
위
쵀장
담낭
담즙관
십이지장
쵀관

침   α–아밀라아제 : 전분의 분해

위액   펩신 : 단백질 분해
      위산 : 산에 의한 단백질 변성

쵀장액 α–아밀라아제 : 전분의 분해
      트립신
      키모트립신 } 단백질 분해
      카르복실펩티다제

담즙   담즙산 : 효소는 아니지만 지질의
          소화, 흡수에 관여

소장점막 말타아제 : 말토오스 분해
상피세포 이소말타아제 : 덱스트린 분해
      락타아제 : 락토오스 분해
      아미노펩티다제 : 펩타이드 분해

■▨ 그림 4-7. 주요 소화효소의 분비

당류는 장점막을 통하여 혈액으로 운반된다. 글루코오스는 실제 모든 체세포에서 사용되는 주요한 세포의 연료물질이다.

글루코오스는 피루브산이 되어 미토콘드리아로 들어가고 아세틸-CoA로 된다. 그 후 구연산회로(TCA 회로)로 전달되어 전자전달계의 작용으로 최종적으로 물과 이산화탄소로 분해되면서 ATP를 생성한다(그림 4-8). 미토콘드리아가 없는 적혈구에서는 피루브산이 젖산탈수소효소에 의해 젖산으로 대사되고, 이 젖산은 세포 밖으로 나오게 된다.

운동 중에 근육으로의 산소공급이 결핍되는 경우 피루브산은 미토콘드리아로 들어가지 않고 세포질에서 젖산으로 대사된다. 단당류는 해당작용으로 알려진 복잡

한 일련의 효소반응을 통해 그 일부가 ATP 형태로 된다. 이 ATP는 기질수준 인산화에 의하여 형성된다. 해당과정은 혐기성 상태에서 6탄당인 글루코오스를 일련의 효소반응을 통해 2분자의 3탄당 단편으로 분해하는 과정에서 ADP로부터 ATP를 만드는 과정으로 정의할 수 있다. 그러나 산소가 충분히 공급되는 경우인 호기성 상태에서는 피루브산이 미토콘드리아로 들어가 구연산회로를 거쳐 물과 이산화탄소로 완전히 산화되며 글루코오스 한 분자당 총 36~38 ATP를 생성한다.

해당계의 중간산물인 글루코오스 6-인산의 일부는 펜토오스 인산회로로 대사되어 핵산의 합성 원료인 리보오스 5-인산을 형성한다. 또한, 글루코오스에서 형성된 피루브산의 일부는 구연산회로의 중간산물인 옥살초

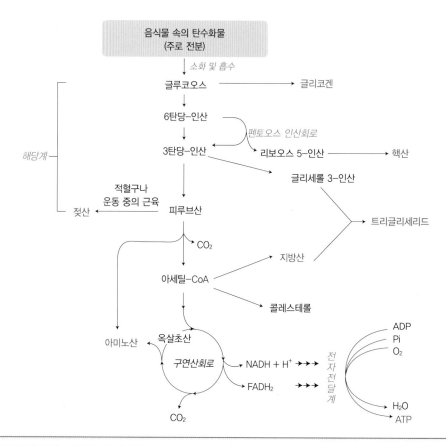

■■ ■ 그림 4-8. 음식물 중의 탄수화물의 체내 대사

산으로 전환되고, 구연산회로에서 아미노산을 합성한다.

세포로 유입된 다량의 글루코오스 중 일부는 글리코겐 합성과정을 통해 글리코겐의 형태로 저장된다. 또한, 글루코오스에서 피루브산을 거쳐 생성된 아세틸-CoA의 일부는 지방산 합성과정을 통해 지방산으로 대사된다.

3) 지방대사

지방은 에너지원과 세포막의 구성 물질에 관여하는 중요한 물질이다. 즉, 세포막을 구성하는 인지질은 글리세롤에 2개의 지방산과 1개의 인산이 결합한 것이다. 지방은 주로 작은창자에서 흡수되는데, 글리세롤과 지방산으로 흡수된 후에 다시 글리세롤과 지방산이 합쳐져 트리글리세리드가 된다.

지방분해의 첫 단계는 에스테르 결합이 체외 분비효소인 지방 분해효소에 의해 분해되는 과정이다. 분해된 글리세롤은 디하이드록시 아세톤인산으로 전환되어 해당과정으로 전달되고, 지방산은 2개의 탄소가 연속적으로 떨어져 아세틸-CoA로 바뀌어 구연산회로로 전달된다. 이러한 일련의 과정을 β-산화라 한다(그림 4-9).

4) 단백질 대사

아미노산은 분해되어 에너지 생산에 이용될 수 있으며, 생체 단백질 구성성분으로서 사용될 수 있다. 단백질은 활성화된 췌장의 단백질 분해효소에 의해 작은 펩타이드나 아미노산으로 완전히 소화된다.

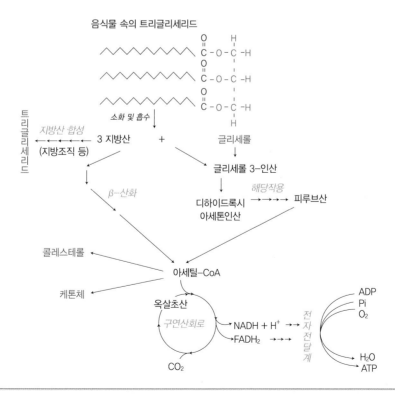

■■ 그림 4-9. 음식물 속의 트리글리세리드의 체내 대사

산화과정의 첫 단계는 아미노산의 일부가 아미노기를 α-케토산에 전달하는 아미노기 전달반응과 조효소의 도움으로 아미노기를 떼어내는 탈아미노 반응이 있으며, 이렇게 탈아미노화가 된 아미노산은 구연산회로의 다양한 중간산물로 변환되어 구연산회로를 거쳐 에너지를 생성하게 된다(그림 4-10).

한 예로 알라닌 등은 피루브산을 거쳐 아세틸-CoA로, 아스파르트산은 푸마르산으로, 발린은 숙신산으로, 아르기닌은 글루탐산을 거쳐 구연산회로로 들어간다. 아미노산을 원료로 하는 단백질의 합성은 DNA에 들어 있는 유전정보를 통해 3종류의 RNA(rRNA, tRNA, mRNA)의 작용에 의해 일어난다.

또한, 20여 종의 아미노산 중 당 생성 아미노산의 경우 α-케토산에서 구연산회로의 중간산물을 거쳐 당신생경로를 거쳐 글루코오스로 전환되고, 케톤생성 아미노산은 α-케토산에서 아세틸-CoA를 거쳐 콜레스테롤, 케톤체, 트리글리세리드 등으로 대사된다. 아미노산 대사는 20종의 서로 다른 아미노산들의 분해와 합성을 고려해야 하므로 전체적으로 아주 복잡하다.

5) 지방과 탄수화물 및 단백질의 관계

트리글리세리드는 탄수화물이나 단백질에 비해 에너

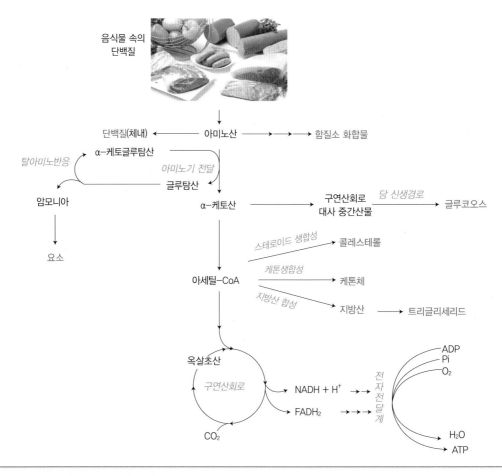

■■▨ 그림 4-10. 음식물 속의 단백질 체내 대사

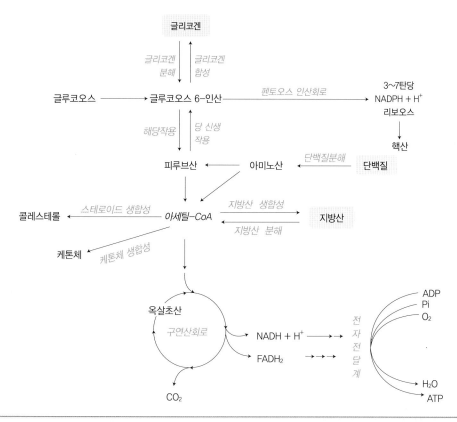

■■▩ 그림 4-11. 지방, 탄수화물 및 단백질과의 관계

지 효율이 높아 에너지를 저장하기에 적합한 물질이다. 에너지 저장 및 공급에 관련된 대사는 2개의 탄소화합물인 아세틸-CoA를 중심으로 이루어진다(그림 4-11).

아세틸-CoA는 탄수화물, 단백질, 지방의 공통적 역할인 에너지 생산과정에서 대사 중간물질로 작용한다.

④ 탄수화물 및 지질대사와 ATP 생성

소화효소에 의한 작용으로 저분자화된 글루코오스, 지방산 및 아미노산은 장관에서 흡수된 후 각 조직으로 혈액을 통하여 운반되어 세포로 흡수된다. 여기에서는 대사(이화작용)를 통하여 완전히 산화되어 이산화탄소와 물이 되는 과정과, 생체의 에너지를 공급하는 ATP의 생성이 어떻게 이루어지는가를 설명할 것이다.

1) 당질의 대사

글루코오스의 산화는 화학식으로 다음과 같이 나타낼 수 있다.

$$C_6H_{12}O_6 + 6O_2 \rightarrow 6CO_2 + 6H_2O + 열$$

이 반응을 Bomb 칼로리미터(colorimeter)를 사용하여 생성되는 연소열을 측정하면 4.1kcal/g가 된다. 열역

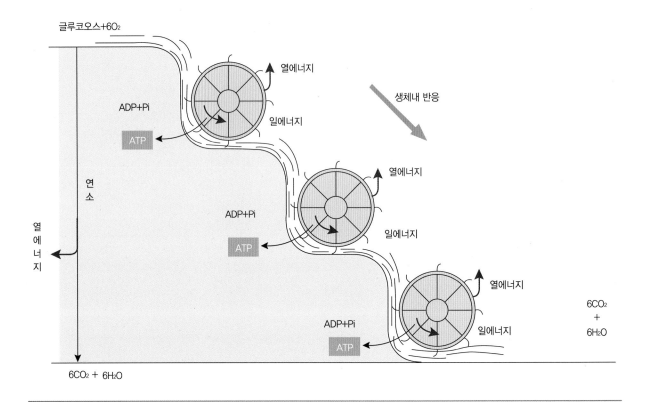

■■■ 그림 4-12. 생체 내 화학반응에 의한 화학에너지 ATP의 생성기전

물이 떨어져 생성되는 낙하에너지를 수차를 돌리는 일 에너지로 변환시키는 기전과 글루코오스 연소로 생성되는 에너지를 조합시켜 보았다. 글루코오스 연소는 약 686kcal/mol이다. 생체 내의 산화과정에서는 이중 약 263kcal가 화학에너지인 ATP로 교환되고 나머지는 열에너지가 된다. 히야가와 타로오, 하라다 미노루: 치과위생사교본. 생화학. 이시야쿠출판. 1997.

학적 법칙에 따라서 이 반응의 표준자유에너지 변화(pH 7.0, 온도 25℃)를 구하면 686kcal/mol이며, 이 에너지는 물리적인 일 에너지로 이용할 수 있다.

생체 내에서의 이 연소반응은 Bomb 칼로리미터 내에서의 연소과정과는 달리 글루코오스는 효소반응에 따라서 점차 중간 대사산물을 거쳐 이산화탄소와 물로 변환된다. 이 생체 내의 연소과정에서 생성되는 에너지는 화학에너지인 ATP로 변환된다. 이 기전은 흡사 강의 흐름을 이용하여 여러 대의 수차를 돌려서 일을 하는 것에 비유된다(그림 4-12). 이 과정은 산소 공급의 유무에 의해 2가지계로 크게 나눌 수 있다.

(1) 해당작용 – 산소가 없는 혐기성 상태에서 당의 분해

해당(glycolysis)이란 생물이 화학에너지를 얻을 목적으로 분자 상태의 산소가 존재하지 않을 때에 글루코오스를 젖산(lactic acid)으로 분해하는 과정을 말한다. 이 과정을 밝히는데 공헌한 독일의 생화학자 엠덴(Embdem GG)과 마이어호프(Meyerhof OF)를 기념하기 위하여 엠덴–마이오호프 경로라고도 하며, 이 경로 발견에 공헌한 파나스(Parnas JK)를 포함하여 엠덴–마이어호프–파나스 경로라고도 부른다. 해당의 반응단계를 그림 4–13에 나타냈다. 이 반응 경로는 세포의 세포질에서 일어난다.

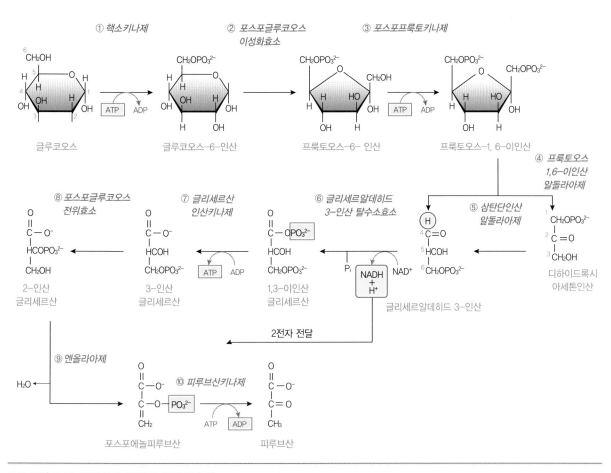

① 핵소키나제 ② 포스포글루코오스 이성화효소 ③ 포스포프룩토키나제

글루코오스 글루코오스-6-인산 프룩토오스-6- 인산 프룩토오스-1, 6-이인산

④ 프룩토오스 1,6-이인산 알돌라아제

⑧ 포스포글루코오스 전위효소 ⑦ 글리세르산 인산키나제 ⑥ 글리세르알데히드 3-인산 탈수소효소 ⑤ 삼탄단인산 알돌라아제

2-인산 글리세르산 3-인산 글리세르산 1,3-이인산 글리세르산 글리세르알데히드 3-인산 디하이드록시 아세톤인산

2전자 전달

⑨ 엔올라아제 ⑩ 피루브산키나제

포스포에놀피루브산 피루브산

■▨ 그림 4-13. 해당반응 과정과 촉매 효소명

해당반응은 크게 3단계로 (1) 시동단계(priming stage, 반응 ①~③), (2) 분할단계(splitting stage, 반응 ④⑤) 및 (3) 산화환원-인산화 단계(oxidoreduction-phosphorylation stage, 반응 ⑥~⑩)로 나눌 수 있다. 시동단계의 반응 ①③ 두 단계에서 ATP 2분자를 소모하며 프룩토오스 1,6-이인산이되고, 분할단계로 들어가 3탄당 2분자로 된 후 산화환원-인산화단계의 반응 ⑦⑩에서 ATP 2분자를 생성하는데, 이는 6탄당이 2분자의 3탄당으로 되었기 때문에 총 4분자의 ATP가 형성된다, 또한 해당과정을 통하여 반응 ⑥에서 2분자의 NADH + H⁺를 생성한다. 혐기성 상태에서 피루브산이 젖산 탈수소효소(lactate dehydrogenase)에 의하여 젖산으로 대사되며, 이때 해당과정에서 이미 형성된 NADH + H⁺가 산화되어 다시 NAD⁺로 된다. 그러나 산소가 존재하는 호기성 상태에서는 NADH + H⁺가 미토콘드리아로 들어가 ATP를 형성하는데 사용된다.

탄소 6개 화합물인 글루코오스가 탄소 3개인 젖산 2분자로 변환되는데, 이 경로의 모든 중간 대사산물은 인산에스테르 결합을 한 인산화합물로 되어 있으며, 이러한 인산화합물은 세포막을 통과하지 못하는 상태에서 세포질 내에 남아 반응이 진행된다. 화학에너지 화합물인 ATP는 전 과정을 통해 2분자가 사용되고 총 4분자의 ATP가 생성되기 때문에 결과적으로 이 대사경로를 통해 총 2분자의 ATP가 형성된다. 사람은 산소가 존재하는 호기성 상태에서 호흡을 통해 생활하고 있지만, 100m 단거리 경주와 같은 격렬한 운동을 할 경우 근육조직에서는 필요한 에너지를 공급하기 위해 신속하게 반응이 일어나지만 근육에 필요한 산소가 불충분하게 공

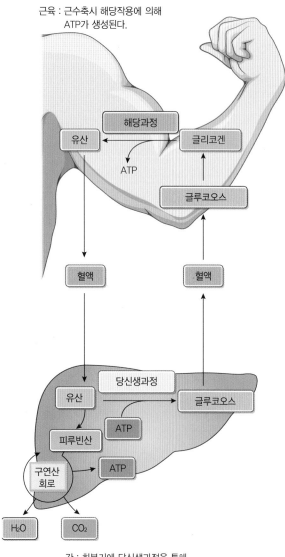

근육 : 근수축시 해당작용에 의해
ATP가 생성된다.

간 : 회복기에 당신생과정을 통해
글루코오스 생합성시 ATP가 소모된다.

■ ░ **그림 4-14. 코리회로(Cori's cycle)**

격렬한 운동을 하는 동안에 골격근은 에너지원으로 저장된 글리코겐을 사용하여 해당작용을 함으로써 운동에 필요한 에너지를 얻으며, 회복 시에 근육에서 형성된 젖산의 일부는 간으로 운반되고, 해당작용의 역 반응인 당신생과정(gluconeogenesis)을 거쳐 글루코오스를 형성한다. 이렇게 형성된 글루코오스는 혈중으로 유리되어 다시 근육으로 이동하여 글리코겐 생합성 과정(glycogenesis)을 통해 글리코겐으로 되어 사용한 글리코겐을 보충하게 된다. 근육에서 간으로 들어 온 젖산 중 일부는 피루브산(pyruvic acid)으로 된 후 구연산회로를 거쳐 완전히 산화되어 물과 이산화탄소로 되며, 이 과정에서 에너지를 생성한다.

급되어 혐기성 대사가 일어나게 된다. 이러한 결과로 젖산이 다량으로 생성된다. 미토콘드리아를 가지고 있지 않는 적혈구에서는 피루브산이 젖산으로 변화되고, 이 젖산은 세포 밖으로 나오게 된다. 젖산은 코리회로(Cori's cycle)를 통하여 대사된다(그림 4-14).

(2) 구연산 회로와 전자전달계 – 산소 존재 하의 호기성 당질 분해

세포 내에서 산소의 공급이 충분하면 해당계에서의 마지막 대사산물인 피루브산은 최종적으로 이산화탄소와 물로 분해된다. 이 산화반응 과정에서 에너지가 생성되고 다시 대량의 ATP가 생성된다. 이 대사과정은 미토콘드리아에 국한되는 계에서 이루어지는 것이 밝혀져, 세포에서의 미토콘드리아 기능이 중요하다. 이 산화반응 과정은 영국의 생화학자 크렙스(Krebs H)에 의해 1937년 제창되어 크렙스회로 또는 구연산회로(tricarboxylic acid cycle, TCA cycle, Kreb's cycle)라고도 한다.

피루브산은 글루코오스의 해당경로 최종산물로서, 또는 일부 아미노산의 아미노기 전이반응에 의해 생성된다. 생성된 피루브산은 조직이나 대사 상태에 따라 여러 가지 경로에서 처리되지만, 가장 주요한 것은 피루브산 탈수소효소 복합체에 의해 산화적 탈탄산 반응에 의해 $NADH + H^+$를 생성하면서 아세틸–CoA가 되는 것이다. 이 효소 복합체는 미토콘드리아 내에 존재하며, 비가역적이어서 아세틸–CoA로부터 피루브산을 생성할 수가 없다. 포유동물의 효소 복합체는 티아민, 피로인산, 리포산, FAD^+, 코엔자임 A, NAD^+ 및 Mg^{2+}의 6가지 보조인자를 필요로 한다(그림 4-15). 즉, 산소 존재 하에 피루브산은 아세틸–CoA를 거쳐 TCA 회로로 들어가고, $NADPH + H^+$는 미토콘드리아 내의 전자전달계에 의해 재산화되어 NAD^+로 된다. 그러나 혐기적 조건하에서는 미토콘드리아 내의 전자전달계를 이용할 수 없으므로 $NADPH + H^+$는 젖산 탈수소효소에 의해 재산화되고 피루브산은 젖산이 된다.

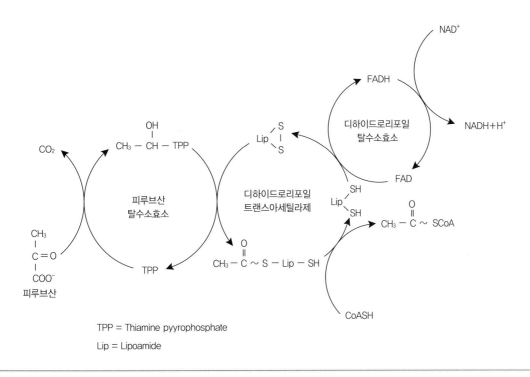

TPP = Thiamine pyyrophosphate

Lip = Lipoamide

■▒ **그림 4-15. 피루브산으로부터 아세틸-CoA의 형성**

호기성 상태에서 해당과정을 통하여 형성된 피루브산은 피루브산 탈수소효소(pyruvate dehydrogenase)에 의하여 아세틸-CoA로 전환된다. 이때 티아민피로인산(thiamine pyrophosphate, TPP), 리포아미드(lipoamide, Lip), FAD, NAD$^+$ 및 코엔자임 A(coenzyme A)가 필요하다. 이 과정을 통하여 형성된 NADH + H$^+$는 바로 미토콘드리아로 들어가 전자전달계를 거쳐 ATP로 전환된다. 또한 여기에서 형성된 아세틸-CoA는 구연산회로로 들어가 대사된다.

미토콘드리아 내에서 생성된 아세틸−CoA는 TCA 회로에서 산화되어 에너지를 생성하거나, 간에서 케톤체로 전환되거나 세포질에서 지방산 또는 스테로이드 생합성의 원료로 공급되기도 한다. 해당작용 결과 얻어진 피루브산은 1분자의 NADH + H$^+$(환원력)와 1분자의 이산화탄소를 생산하여 아세틸 CoA가 된다. 아세틸 CoA는 옥살초산과 축합하여 구연산이 되어서 구연산회로에 들어간다. 구연산회로를 일주하는 동안에 2분자의 이산화탄소, 3분자의 NADH + H$^+$(환원력) 및 1분자의 FADH$_2$가 생산되며, 다시 옥살초산으로 돌아간다(그림 4-16). 숙신산−CoA에서 숙신산으로 되는 반응에서는 GTP를 경유하여 1분자의 ATP가 기질수준의 인산화에 의해 생산된다. 이상의 과정에서 1분자의 아세틸기가 분해되어 2

분자의 이산화탄소가 생성된다. TCA 회로를 1회전하면 옥산초산이 되기 때문에 이 반응은 외부에서 아세틸−CoA가 공급되는 한 계속된다.

이 과정을 통해 피루브산은 완전히 이산화탄소와 환원력으로 분해된다. 환원력(NADH + H$^+$, FADH$_2$)은 계속해서 전자전달계로 전달되어 물이 되며, 이와 공역하는 산화적 인산화 반응에 의해 ATP를 합성한다. 또한 숙시닐−CoA가 숙신산으로 되는 과정에 기질 수준의 인산화 반응이 일어나 GTP를 합성하고, 이것의 인산기는 ADP에 전달되어 ATP를 합성한다. 원래 산화란 '물질이 산소와 결합하는 것'이고, 환원이란 '물질이 산소를 잃는 것'을 의미했다. 이후 산소의 주고받음보다는 수소의 주고받음을 보는 것이 예외 없이 설명된다는 것을 알아내

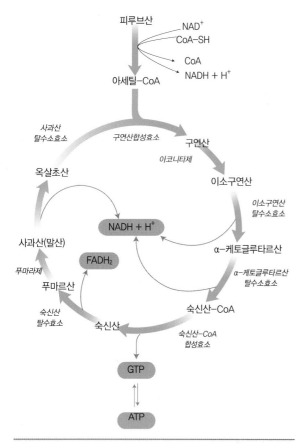

■ ■ ■ 그림 4-16. 피루브산으로부터 아세틸 CoA 생산과 구연산회로

호기성 상태에서 해당과정을 통하여 형성된 피루브산은 피루브산 탈수소효소에 의하여 아세틸 CoA로 전환된다. 이때 티아민 피로인 산, 리포아미드, FAD, NAD⁺, 및 코엔자임 A(CoA-SH)가 필요하다. 이 과정을 통하여 형성된 NADH + H⁺는 바로 미토콘드리아로 들어가 ATP로 전환될 수 있다.

산화는 '수소를 잃는 것', 환원은 '수소를 얻는 것'으로 이 해하게 되었다. 그런데 수소를 주고받을 때 전자도 주고 받는다는 것을 알아내 현재 산화는 '전자를 잃는 것', 환 원은 '전자를 얻는 것'으로 정의되고 있다. 물질이 산화 되어 전자를 잃을 때 방출되는 에너지가 전기 에너지이 며 '환원력'이라 부른다.

TCA 회로에서는 다량의 ATP가 얻어지기 때문에 연 료물질의 산화로 필요한 에너지를 공급하는 것이 중요한 생리적 기능이다. 이러한 분해대사로서의 의의와 더불어

TCA 회로의 중간 대사산물들은 여러 아미노산으로부터 형성될 수 있으며, 옥살초산을 거쳐 글루코오스를 합성 하는 당신생과정에 이용될 수 있으므로 합성적 측면에 서도 중요한 기능을 갖는다. 또한 중간 대사산물인 α-케 토 글루타르산이나 옥살초산은 아미노기 전이반응으로 각각 글루탐산과 아스파르트산으로 전환되므로 비필수 아미노산의 합성에도 역할을 한다. 또한 숙신산-CoA는 헴 합성 재료로도 이용된다.

(3) 당신생과정

당신생과정(gluconeogenesis)은 식이로부터 당질 공 급이 충분하지 않아 체내에서의 글루코오스 요구량을 만족시키지 못할 경우 일어난다. 글루코오스를 주 에너 지원으로 사용하는 뇌나 적혈구의 경우 글루코오스의 지속적인 공급이 필요하다. 그렇기 때문에 글루코오스 공급이 원활하지 못할 경우 당질이 아닌 다양한 물질, 즉 아미노산, 젖산, 피루브산, 프로피온 에스테르, 글리 세롤 등으로부터 글루코오스를 새로 합성하는 과정을 당신생과정이라 한다.

글루코오스는 혐기적 조건 하의 골격근에서 유일한 에너지원이며, 각종 조직에서 구연산회로(TCA 회로)의 중간체를 유지하는 데 이용된다. 지방조직에서도 글루코 오스는 지방 합성의 원료가 되고, 지방으로부터 에너지 를 공급받는 조직에서도 기본적으로 약간의 글루코오스 가 필요하다.

포유동물의 경우 당신생과정은 주로 간과 콩팥에서 일어나지만 당신생이 일어나는 주된 장소는 간이다. 당 신생과정은 각 조직에서 대사물질을 간으로 운반하며, 이것을 당신생과정을 통해 글루코오스로 재생하여 다시 조직으로 공급하는데 생리적 의의가 크다.

당신생과정은 해당경로에서 비가역적인 반응 단계 일 부를 제외하고는 거의 해당경로의 역행에 의해 일어나 며, 비가역적인 반응단계는 다른 과정을 통해 일어난다 (그림 4-17).

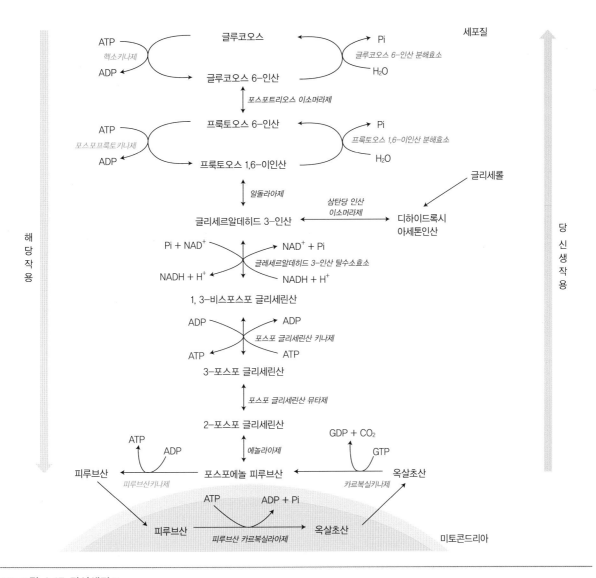

■ ■ 그림 4-17. 당신생경로

즉, 다른 과정으로는 피루브산을 포스포에놀피루브산으로 바꾸는 단계, 프룩토오스 1,6-이인산을 프룩토오스 6-인산으로 바꾸는 과정 및 글루코오스 6-인산을 글루코오스로 바꾸는 과정이다. 특히 글루코오스 6-인산을 글루코오스로 전환하는 글루코오스 6-인산 분해효소는 간에는 존재하지만 근육에는 존재하지 않아서 간의 경우 저장된 글리코겐이 글루코오스로 전환되어 혈당치 유지에 도움을 주지만, 근육의 글리코겐은 글루코

오스로 전환되지 않기 때문에 혈당치 조절에 도움을 줄수가 없다.

심한 운동을 하고 있는 골격근과 같은 일부 조직을 제외하면 대부분 경우 해당작용은 피루브산을 공급하는 역할을 한다. 이 경우 세포질에 형성된 2분자의 NADH + H$^+$의 재산화는 젖산 탈수소효소에 의해 일어나지 않고 미토콘드리아의 호흡사슬에 의해 일어난다. 그러나 NADH는 미토콘드리아 막을 직접 통과하지 못하기 때

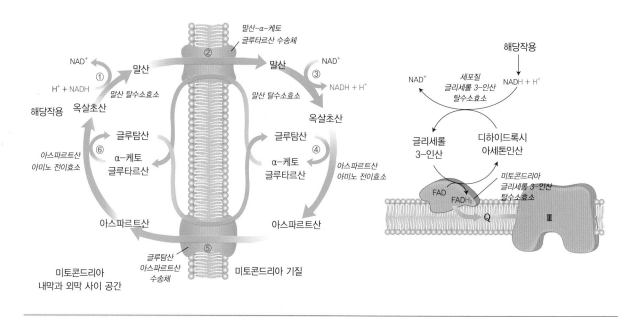

■■░ 그림 4-18. 말산-아스파르트산 셔틀과 글리세롤 인산 셔틀

문에 글리세롤 인산 셔틀과 말산–아스파르트산 셔틀이라는 특수한 기구를 통해 미토콘드리아로 들어가 간접적으로 재산화된다(그림 4-18).

간, 콩팥, 심장은 주로 말산–아스파르트산 셔틀을 이용하고, 뇌, 근육, 기타 조직은 글리세롤 인산셔틀을 이용한다. 이 셔틀은 비가역적이어서 세포질의 NADH + H$^+$는 미토콘드리아 내로 운반된다.

말산–아스파르트산 셔틀은 미토콘드리아 내의 아스파르트산이 글루탐산과 교환되어 세포질로 나오면 이곳에 있는 아스파르트산 아미노전이효소의 작용에 의해 옥살초산이 되고, α–케토 글루타르산은 아미노기를 받아 글루탐산이 된다. 다음에 옥살초산이 말산탈수소효소의 작용으로 NADH + H$^+$에 의해 말산이 된 후에 미토콘드리아 내로 들어가고 미토콘드리아 내의 말산탈수소효소에 의해 NADH + H$^+$를 재생하면서 다시 옥살초산이 되며, 이어서 아스파르트산 아미노전이효소에 의해 글루탐산의 아미노기를 받아 아스파르트산이 되는 복잡한 회로이다.

글리세롤인산 셔틀은 세포질의 글리세롤 3–인산 탈수소효소의 촉매로 디하이드록시 아세톤인산이 NADH + H$^+$에 의해 글리세롤 3–인산으로 환원되어 미토콘드리아 내막 외측으로 운반되면, 그곳에 있는 글리세롤 3–인산 탈수소효소에 FAD를 FADH$_2$로 만들고, 다시 디하이드록시 아세톤인산으로 되어 되돌아오는 회로이다.

그러므로 세포질의 NADH + H$^+$는 말산–아스파르트산셔틀을 경유한 경우 미토콘드리아에 다시 NADH + H$^+$가 되고, 글리세롤인산 셔틀을 경유하는 경우에는 FADH$_2$로 되어, 각각 전자전달계를 통해 3분자의 ATP와 2분자의 ATP를 형성하게 된다.

(4) 글리코겐의 합성과 분해

글리코겐은 불과 몇 단계만 거치면 글루코오스 6–인산에서 쉽게 합성되거나 분해되는 좋은 에너지 저장형 다당류이기 때문에 지방 못지않게 간이나 근육에서 이를 합성하여 저장한다. 섭취한 여분의 글루코오스를 모두 지방으로 전환하지 않고 글리코겐으로 저장하는 것

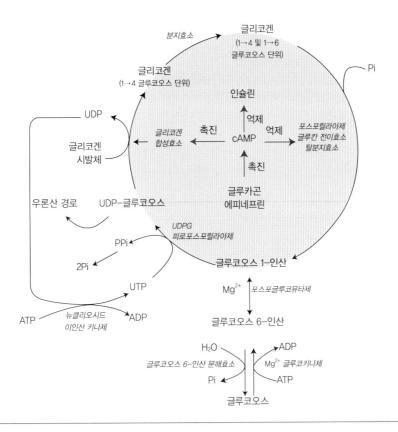

은, 지방이 ① 글리코겐처럼 근육에서 글루코오스만큼 신속하게 동원되지 못하고, ② 산소가 부족한 경우 에너지원으로 이용될 수 없으며, ③ 지방은 어느 조직에서도 글루코오스로 전환되지 못하기 때문에 혈당 유지에 기여할 수 없기 때문이다. 이러한 면에서 간에 저장된 글리코겐의 경우는 글루코오스로 전환되어 혈당 조절에 기여하지만, 근육에 저장된 글리코겐의 경우에는 근육에 글루코오스 6-인산을 글루코오스로 전환하는 글루코오스 6-인산 분해효소가 없기 때문에 혈당 조절에 기여할 수가 없다.

글리코겐의 합성과 분해 반응은 서로 다른 경로를 통해 일어나지만 밀접한 관련이 있다. 글리코겐은 혈당치를 일정하게 유지하는 데 매우 중요하다. 그렇게 때문에 생체 내에서 글리코겐의 합성과 분해는 신경, 호르몬, 당

인산, 금속이온 등에 의해 아주 세밀하게 조절된다. 식사 시 등 글루코오스가 과잉으로 공급된 경우는 글루코오스 6-인산에서 글루코오스 1-인산을 거쳐 글루코오스의 다당인 글리코겐이 합성된다(그림 4-19). 이때 합성 에너지로 ATP에서 유래한 UTP가 쓰인다. 식물에서 전분을 합성하거나 세균의 경우에는 UTP가 아니라 GTP가 사용된다. 글리코겐은 간이나 근육의 세포에 축적된다. 한편 글리코겐은 식간 등 에너지가 필요할 때 분해되며, 다시 해당작용을 거쳐 대사된다.

영양분이 충분히 공급될 경우 남는 영양분은 글리코겐과 지방으로 저장을 한다. 저장된 글리코겐과 지방의 경우 영양분이 충분히 공급되지 않을 경우 분해되어 에너지원으로 사용된다. 글리코겐은 산소가 존재하지 않아도 혐기성 상태에서 대사되어 에너지원으로 사용될 수

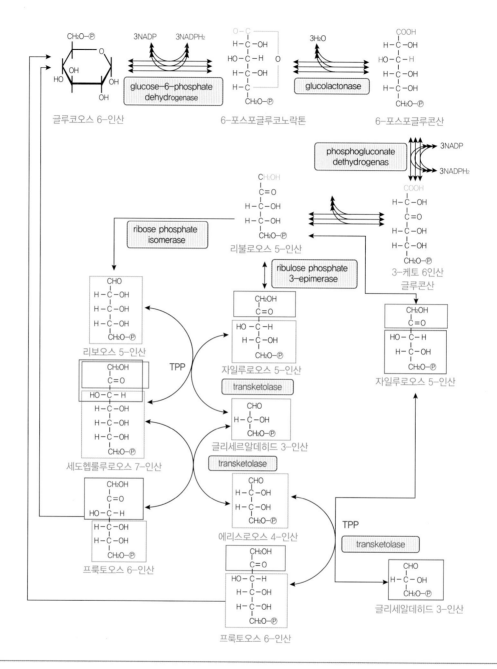

■■ 그림 4-20. 오탄당 인산경로

6탄당 일인산경로(Hexose monophosphate(HMP) 경로라고도 하는 오탄당 인산경로(pentose phosphate 경로)는 세포질에서 해당경로의 측로(shunt)를 형성하는 당질의 또 다른 대사경로이다. HMP 경로는 해당경로와는 달리 직접 ATP를 생산하지 않는 대신 NADPH + H$^+$를 생성하며 초기에 이산화탄소를 발생시키고 오탄당을 생성하는 것이 특징이다. HMP 경로는 산화과정과 비산화과정으로 구분되는데 앞의 산화과정에서는 글루코오수 6-인산이 탈수소효소의 작용으로 NADPH + H$^+$를 생성하고 이산화탄소를 유리시키면서 리불로오스 5-인산 (ribulose-5-phosphate)으로 변한다. 이 NADPH + H$^+$는 간, 지방조직, 콩팥, 유선 등에서 지방산 생합성과 부신피질에서 스테로이드 합성에 수소공여체로 사용되며 또 산화형 글루타티온(glutathione)의 환원과 마이크로솜의 산화(cytochrome P450 계)에서 생화학적 환원제로 작용한다. 그리고 이 경로의 비산화과정은 리보오스 인산(ribose phosphate)을 생성하여 뉴클레오티드와 핵산합성에 이용케 하며 또한 식이로 섭취한 오탄당의 대사경로이기도 하다.

있으나, 지방은 산소가 없는 경우 에너지원으로 사용될 수가 없다. 그러므로 저장된 에너지를 소모하여 다이어트를 원하는 경우에는 유산소 운동을 하여야만 지방이 산화되어 소기의 목적을 달성할 수 있다.

(5) 오탄당 인산경로(펜토오스 인산경로)

오탄당 인산경로는 육탄당 일인산경로(헥소오스 일인산경로, HMP)라고도 하며, 세포질에서 해당경로와 달리 당질의 또 다른 대사 경로이다. 오탄당 인산경로는 해당경로와 달리 직접 ATP를 생산하지 않는 대신에 환원력인 NADPH + H^+를 생성하며, 초기에 이산화탄소를 발생하며 핵산을 만드는데 필요한 오탄당을 생성하는 것이 특징이다.

오탄당 인산경로는 산화과정과 비산화과정으로 구분된다. 산화과정의 경우 글루코오스 6-인산이 탈수소효소의 작용에 의해 NADPH + H^+를 생성하고, 이산화탄소를 유리시키면서 리불로오스 5-인산으로 전환된다 (그림 4-20). 이 NADPH + H^+는 간, 지방조직, 콩팥, 유선 등에서 지방산 생합성과 부신피질에서 스테로이드 생합성에 수소 공여체로 사용되며, 또한 산화형 글루타티온의 환원과 마이크로솜의 산화에서 생화학적 환원제로 작용한다. 비산화과정은 리보오스 5-인산을 생성하여 뉴클레오티드와 핵산 합성에 이용되며, 삼탄당에서 칠탄당까지 합성되며, 식이로 섭취한 오탄당의 대사 경로이기도 하다.

이러한 오탄당 인산경로의 1차적인 의의는 NADPH + H^+를 생성하여 공급하는 것이다. 간, 지방조직, 부신피질, 갑상선, 적혈구, 고환 및 젖을 생성하는 유선에서는 이 대사경로가 활발하지만 근육이나 젖을 생성하지 않는 유선에서는 활동성이 낮다. 이 경로가 활발한 모든 조직은 환원적 생합성에 NADPH + H^+를 이용하거나 이를 사용하는 반응계가 존재한다. 예를 들면 지방산과 스테로이드 및 글루타티온 탈수소효소에 의한 아미노산 등의 합성과 적혈구에서 글루타티온을 환원시킨다. 오탄

당 인산경로의 또 다른 의의는 뉴클레오티드와 핵산 합성에 필요한 리보오스를 제공하는 데 있다. 리보오스 5-인산은 ATP와 반응하여 5-포스포리보실 1-피로인산으로 되어 뉴클레오티드 합성에 이용된다.

근육조직의 경우 오탄당 인산경로 활성이 낮아 아주 적은 양의 글루코오스 6-인산 탈수소효소를 가지고 있음에도 불구하고 리보오스를 합성할 수 있는 데, 오탄당 인산경로의 비산화과정의 역반응을 통해 프룩토오스 6-인산을 경유하여 형성할 수 있다. 그렇기 때문에 조직은 리보오스 생성을 위해 완전한 오탄당 경로가 필요한 것은 아니다. 적혈구에서 오탄당 인산경로는 산화형 글루타티온을 글루타티온 한원제의 촉매로 환원형 글루타티온으로 전환하는 데 필요한 NADPH + H^+를 제공하는 데 큰 의의를 가진다. 이 환원형의 글루타티온이 글루타티온 과산화효소의 촉매작용으로 적혈구 내에 형성된 과산화수소를 제거하는데 이용한다. 그러기 때문에 오탄당 인산경로의 첫 단계인 글루코오스 6-인산이 결핍되는 경우 환원형 글루타티온 형성이 낮아져 적혈구가 용혈 작용에 의해 파괴됨으로써 용혈성 빈혈이 나타난다.

(6) 전자전달계

피루브산의 산화 및 구연산회로에서 얻어진 환원력은 전자전달계로 보내진다. 전자전달계는 미토콘드리아 내막에 존재하는 일련의 효소군이며, 얻어진 환원력의 에너지를 이용해 외막과 내막 사이에 수소이온을 내보내고 내막을 경계로 수소이온농도구배를 생성한다(그림 4-21). 환원력은 최종적으로 산소와 결합하여 물이 된다(NADH + H^+ + $1/2$ O_2 → NAD^+ + H_2O ; $FADH_2$ + $1/2$ O_2 → FAD + H_2O).

수소이온은 농도가 높은 쪽에서 낮은 쪽을 향해 ATP 합성효소 안을 흐르며 그 과정에서 ATP가 합성된다. 이러한 ATP 합성과정을 산화적 인산화라고 하며, 1분자의 NADH + H^+에서 약 3분자, 1분자의 $FADH_2$에서 약 2분자의 ATP가 합성된다.

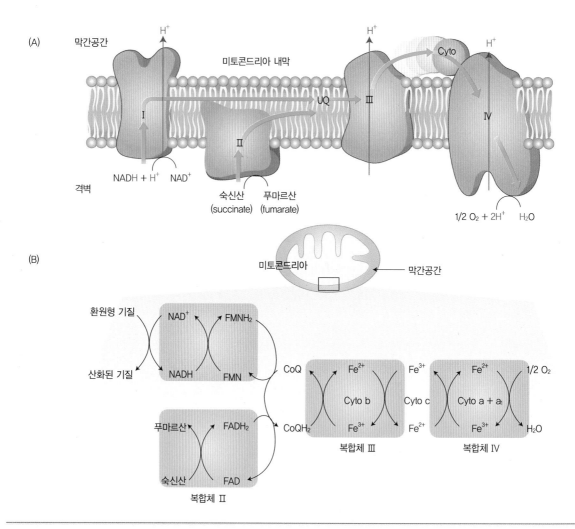

■■ ▒ 그림 4-21. 전자전달계(호흡사슬)

(A) 전자전달계에서 프로톤(H^+)의 흐름을 나타냈으며, 전자전달계에 대하여 요약하여 (B)에 나타냈다.

(7) 당질의 대사에 의해 얻는 에너지량

1분자의 글루코오스는 해당작용, 피루브산의 산화, 구연산회로, 전자전달계를 거쳐 최종적으로 6분자의 산소를 소비하며 6분자의 이산화탄소와 6분자의 물이 된다

$$C_6H_{12}O_6 + 6O_2 \rightarrow 6H_2O + 6CO_2$$

이 과정에서 해당작용에서는 2분자의 ATP가, 구연산회로에서는 2분자의 아세틸-CoA에서 2분자의 ATP가 기질수준인산화에 의해 생성된다(그림 4-13, 16 참조, 표 4-1).

또한 해당작용에서 얻어진 2분자의 $NADH + H^+$, 2분자의 피루브산의 산화로 얻어진 2분자의 $NADH + H^+$, 이어서 구연산회로에서 얻어지는 6분자의 $NADH + H^+$와 2분자의 $FADH_2$의 환원력이 전자전달계로 보내진다. 해당작용에 의해 생산된 $NADH + H^+$는 세포질에서 전자전달계가 있는 미토콘드리아에 들어가야만 한다. $NADH + H^+$는 미토콘드리아를 둘러싼 생체막을 통과

할 수 없기 때문에 다른 물질에 환원력을 보내고 미토콘드리아 내에 들어가야 하는 것이다. 이 과정에서 환원력을 다소 잃게 되어 ATP 생산효율도 다소 저하된다. 해당작용에 의해 세포질에서 형성된 NADH + H$^+$는 미토콘드리아로 들어가는 방법이 두 가지가 존재한다. 간, 콩팥, 심장과 같이 말산-아스파르트산 셔틀 기구를 이용하는 경우는 약 3분자의 ATP를 형성할 수 있고, 뇌, 골격근, 기타 조직에서와 같이 글리세롤 3-인산 셔틀 기구를 이용하는 경우 약 2분자의 ATP를 형성한다(그림 4-18 참조). 전자전달계에서는 산화적 인산화에 의해 1분자의 NADH + H$^+$에서 약 3분자, 1분자의 FADH$_2$에서 약 2분자의 ATP가 생성되므로 총 약 34분자의 ATP가 생성된다.

이상으로 글루코오스 1분자에서 합계 약 38분자(4분자 + 약 34분자)의 ATP가 생성된다고 계산되는데, 세포의 종류나 세포가 놓여 있는 환경에 따라 그 수는 다르다. 다시 정리하면 해당작용에서 1분자의 글루코오스는 2분자의 피루브산이 형성되기 때문에 피루브산 이후의 대사 과정에서 형성되는 NADH + H$^+$가, FADH$_2$ 및

GTP는 전부 2배를 하여야 한다. 그러므로 1분자의 글루코오스가 TCA 회로를 통해 완전히 산화되는 경우 형성되는 ATP 수는 다음과 같이 계산되어 38분자 또는 36분자의 ATP가 형성된다.

해당과정에서 형성된 ATP 수 : 　　　　　　2
해당과정에서 형성된 NADH + H$^+$
말산-아스파르트산 셔틀 경우　　　$3 \times 2 = 6$
(글리세롤 3-인산 셔틀 경우　　　$2 \times 2 = 4$)
피루브산 → 아세틸 CoA 과정에서의 NADH + H$^+$
　　　　　　　　　　　　　$3 \times 2 = 6$
TCA 회로
　NADH + H$^+$　　　$3 \times 3 \times 2 = 18$
　FADH$_2$　　　　　$1 \times 2 \times 2 = 4$
　GTP　　　　　　　$1 \times 2 = 2$
　　　　　　　　　　총 38(또는 36)

해당작용이나 구연산회로에서는 기질수준의 인산화로 ATP가 생산되는데, 이 과정에서 1분자의 반응에 의

표 4-1. 글루코오스 1분자에서 얻어지는 ATP 생산량

대사경로	ATP 생산량	환원력(반응) → 전자전달계에서의 ATP생산량
해당 글루코오스 → 2 × 피루브산	-1 -1 +2 +2	+ 2 × NADH + H$^+$ → 약 6 또는 4
피루브산의 산화 2 × 피루브산 → 2 × 아세틸 CoA + 2 × CO$_2$		+ 2 × NADH + H$^+$ → 약 6
구연산회로 2 × 아세틸 CoA → 2 × 3 × CO$_2$	+2	+ 2 × NADH + H$^+$ → 약 6 + 2 × NADH + H$^+$ → 약 6 + 2 × FADH$_2$ → 약 4 + 2 × NADH + H$^+$ → 약 6
ATP 생산량(소계)	4	약 34 또는 32

해 생산되는 ATP의 양은 정확히 1분자이다. 하지만 전자전달계에서 이루어지는 산화적 인산화는 1분자의 NADH + H⁺와 FADH₂로 생산되는 ATP의 양이 정확하지 않은데 이는 NADH + H⁺나 FADH₂의 환원력으로 만들어지는 수소이온농도구배가 주변 환경의 영향을 받기 쉽기 때문이다. 여기에서 환원력에 의해 형성되는 ATP 수는 학자에 따라 NADH + H⁺는 2.5분자의 ATP를 생산하고, FADH₂는 1.5분자로 계산하기도 한다. 이 경우는 1분자의 글루코오스가 완전히 산화되는 경우 32분자 또는 30분자의 ATP가 형성된다.

2) 지방의 대사와 에너지의 생성

음식의 약 20%를 차지하는 지방의 대부분은 트리아실글리세롤(트리아실글리세리드)이며, 기타 콜레스테롤 및 인지질 등이 소량 존재한다. 소화기관에서 효소의 작용을 받아 분해되고 소장 점막세포에서 흡수된 지방은 에너지원으로 이용되거나 다른 지방을 합성하거나 스테로이드 호르몬의 합성에 필요한 전구물질로 이용되기도 한다.

또한 지방조직에 저장된 트리아실글리세롤은 부신피질자극호르몬, 아드레날린, 글루카곤 등의 호르몬에 의하여 활성화된 호르몬 민감성 리파아제(hormone sensitive lipase)의 작용으로 분해된다. 체내에서 다양한 작용을 하는 지방은 혈액에서 지방단백질이라는 지방 운반체에 의하여 필요한 조직이나 세포로 운반되어 대사된다.

트리아실글리세롤은 췌장에서 분비된 리파아제와 담즙산의 작용을 받아 십이지장에서 분해되어 지방산과 글리세롤을 생성한다. 생성된 지방산은 미토콘드리아에서 β-산화, α-산화, ω-산화 분해과정을 거쳐 체내에 에너지를 공급한다. 또한 지방산 분해로 인하여 케톤체가 형성되고, 필수지방산을 제외한 포화 및 불포화지방산은 체내 합성 경로를 통하여 공급된다.

(1) 지방산의 산화(β-산화)

지방산의 산화는 세포의 미토콘드리아에서 일어난다. 산화에 관여하는 대부분의 효소는 미토콘드리아 매트릭스에 존재하기 때문에 매트릭스로 이동이 일어나기 위하여 변화되어야 한다. 지방산의 이동을 위한 β-산화의 첫 단계는 세포질에서 ATP와 아실 CoA 합성효소의 작용으로 지방산을 활성화 하는 것이다. 이때 ATP는 피로인

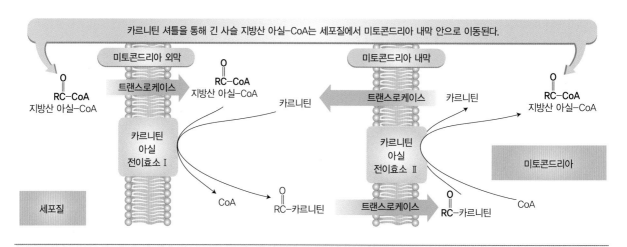

■▨ 그림 4-22. 카르니틴 셔틀 경로

산과 AMP로 분해되면서 생성된 에너지를 지방산 활성화에 공급하여 아실 CoA를 생성한다.

$$지방산 + ATP \xrightarrow{\substack{아실\ CoA \\ 합성효소}} 아실\ CoA + AMP + 피로인산(PPi)$$

활성화된 지방산은 운반체인 카르니틴과 결합하여 미토콘드리아 내부로 이동한다. 아실 CoA의 아실기는 카르니틴 아실 전이효소 I의 작용에 의하여 아실카르니틴으로 되어 미토콘드리아 외막을 통과한 다음 카르니틴-아실카르니틴 전위효소와 내막에 부착된 카르니틴 아실 전이효소 II의 작용을 받아 생성된 아실 CoA는 미토콘드리아의 매트릭스로 이동된다(그림 4-22).

$$아실\ CoA + 카르니틴 \xrightarrow{\substack{카르니틴\ 아실 \\ 전이효소\ I}} 아실카르니틴 + 코엔자임\ A$$

$$아실카르니틴 + 코엔자임\ A \xrightarrow{\substack{카르니틴\ 아실 \\ 전이효소\ II}} 아실\ CoA + 카르니틴$$

유리된 카르니틴은 전위효소의 작용을 받아 미토콘드리아 막을 통과하여 세포질로 되돌아가서 새로운 지방산 활성화여 참여한다. 활성화되어 미토콘드리아로 들어온 지방산 아실 CoA는 탈수소반응, 가수분래반응, 탈수소반응, 티올 분해반응 등을 순서대로 연속적인 반응을 반복함으로써 지방산의 β-산화가 일어난다(그림 4-23).

두 번째 단계는 FAD를 수소 수용체로 하는 아실 CoA 탈수소효소에 의하여 촉매된 아실 CoA의 탈수소 반응이 일어나서 불포화 아실 CoA가 형성된다.

세 번째 단계는 불포화 이중결합을 포화시키기 위해 물을 첨가하고 크로토네이즈(crotonase)라고 불리는 에노일-CoA 수화효소의 촉매작용에 의해 β-하이드록시 아실-CoA가 형성되고 수소 수용체로는 NAD⁺가 이용된다.

네 번째 단계는 β-하이드록시 아실-CoA 탈수소효소의 촉매반응에 의하여 β-위치에 있는 수산기를 산화시켜 일어나는 두 번째 탈수소반응으로, β-케토아실-CoA가 형성된다.

마지막 단계는 티올라아제에 의하여 β-케토아실-CoA는 아세틸-CoA와 탄소 두 개가 줄어든 아실-CoA를 형성한다.

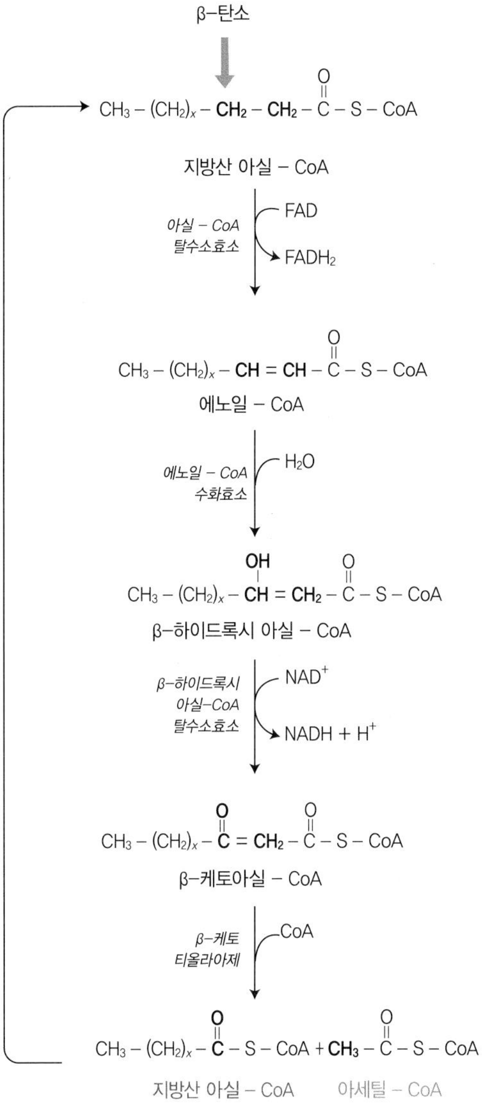

■■ 그림 4-23. 미토콘드리아 기질에서 지방산의 β-산화반응

이때 생성된 아실-CoA는 다시 4단계의 연속된 반응을 거치며 지방산의 β-산화가 일어난다. 이를 반복함으로써 지방산은 아세틸 CoA를 생성하면서 탄소 2원자씩 짧아지며, 최종적으로는 스스로 아세틸 CoA가 되면서 반응이 종료된다.

이렇게 생성된 아세틸-CoA는 이미 앞에서 기술한 미토콘드리아의 구연산회로에 들어가서 완전히 분해되는 대사과정을 거치면서 에너지를 생성한다(그림 4-24). 탄소수가 16개인 포화지방산인 팔미트산의 전체적인 β-산화반응의 결과는 다음과 같다.

$$C_{15}H_{31}COOH + 8CoA-SH + ATP + 7FAD +$$
$$7NAD^+ + 7H_2O \rightarrow$$
$$8아세틸-CoA + AMP + 피로인산 + 7FADH_2 +$$
$$7NADH + H^+$$

지방산에서 얻어지는 에너지량은 지방산이 지닌 탄화수소의 길이에 따라 다르다. 팔미트산의 경우 7회의 β-산화로 7분자의 아세틸 CoA가 생성되며, 최종적으로는 스스로도 아세틸 CoA가 되기 때문에 총 8분자의 아세틸 CoA가 생성된다. 또한 그 과정에서 7분자의 NADH +

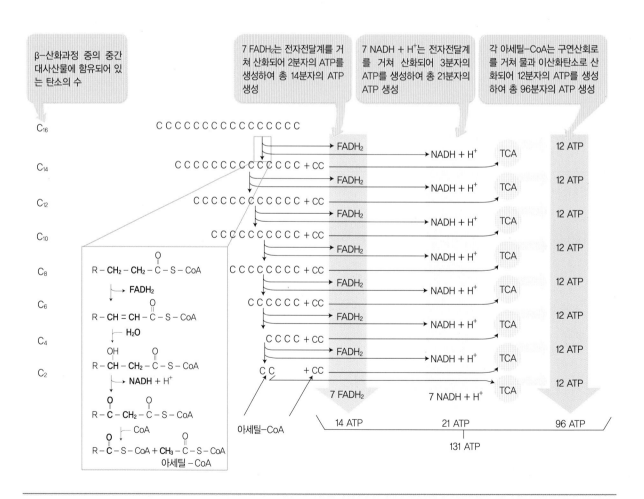

■■■ 그림 4-24. 16탄소의 팔미토일-CoA의 산화로부터 얻어지는 에너지 생산의 요약. CC = 아세틸-CoA

H^+와 $FADH_2$가 각각 생성된다. 이를 계산하면 합계 약 131분자의 ATP가 생성되는 것이다. 지방산이 CoA-SH와 결합하기 위해서는 2분자에 해당하는 ATP가 소비되므로 실제 ATP의 생성은 129분자가 된다. 지방산이 CoA-SH(코엔자임 A)와 결합하는 과정에서 소비되는 ATP는 통상적인 경우와는 달리 AMP로 분해된다. AMP는 ATP로부터 인산이 2개 결합된 피로인산(PPi)이라는 형태로 잃으며, ATP로 되돌아오기 위해서는 AMP + 2ATP → ATP + 2ADP와 같이 2개의 ATP가 필요하다. 그러므로 ATP가 AMP로 분해되는 경우에는 '2분자에 해당하는 ATP로 볼 수 있는 것이다.

아세틸 CoA의 구연산 회로 결과	$8 \times 12ATP$ =	96ATP
$7FADH_2$ 전자전달계	$7 \times 2ATP$ =	14ATP
$7NADH + H^+$ 전자전달계	$7 \times 3ATP$ =	21ATP
아세틸 CoA 활성화에 ATP 2분자 소모		− 2ATP

총 131 − 2 = 129ATP 생성

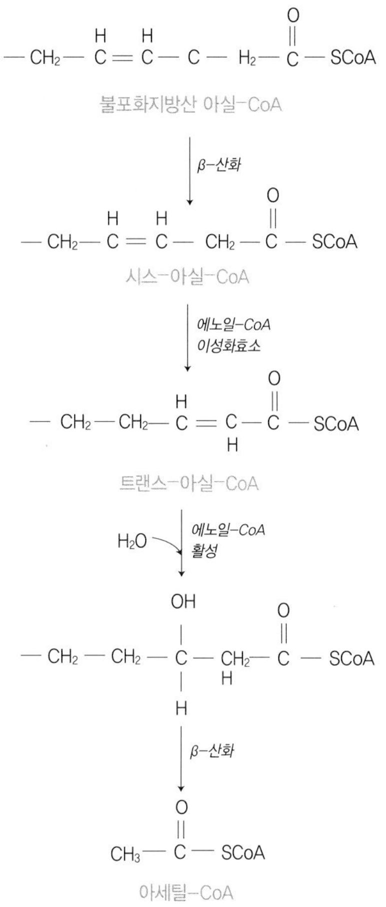

불포화지방산은 포화지방산에 비하여 덜 환원되어 있어 이 구조에서 보다 적은 환원력이 생산될 수 있으므로 산화과정에서 적은 에너지를 생산한다. 올레인산과 같은 단일 불포화지방산의 산화에는 추가적으로 효소가 필요한데 3,2-에노일-CoA 이성화효소(이소머라제)는 β-산화가 3회 반복을 거친 뒤 나오는 3-시스 유도체를 2-트랜스 유도체로 전환시켜 수화효소의 기질로 사용될 수 있도록 해준다. 리놀렌산과 같은 다중 불포화지방산은 이성화효소 외에도 NADPH-의존 환원효소가 필요하다

시스 이중결합을 트랜스 이중결합으로의 재배열은 에노일-CoA 이성화효소에 의하여 촉매되고, 트랜스 이중결합의 환원은 물과 에노일-CoA 환원효소를 작용시켜 하이드록시아실-CoA를 생성한 다음에 β-산화과정에 따라 정상적으로 분해된다(그림 4-25). β-산화라고 하는 이유는 카르복실기가 결합되어 있는 탄소에서 2번째 탄

■ ■ 그림 4-25. 불포화지방산의 β-산화반응

소(β위치의 산소)의 산화를 의미한다. 또한 카르복실기로부터 가장 먼 탄화수소의 마지막 탄소는 ω위치의 탄소(ω는 그리스문자의 맨 마지막)라고 부른다.

동물에 존재하는 지방산의 탄소는 대부분 짝수로 구성되지만 식물이나 해양 동물에서 홀수의 지방산도 존재한다. β-산화의 최종산물로 생성된 프로피오닐-CoA는 프로피오닐-CoA 카르복실라제의 촉매작용으로 메틸말로닐-CoA를 형성한다. 이 메틸말로닐-CoA는 메틸말로닐-CoA 뮤타제의 이성화반응에 의해 숙신산-CoA로 되고, 구연산회로에서 숙신산(호박산)을 거쳐 옥살초산

■▥ 그림 4-26. 홀수 지방산의 β-산화반응

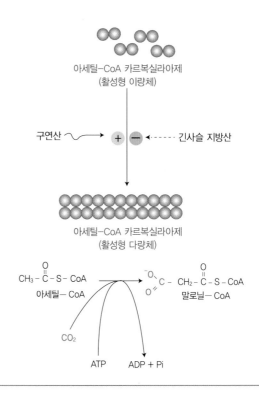

■▥ 그림 4-27. 아세틸-CoA 카르복실라아제에 의한 말로닐-CoA 생합성의 알로스테릭 조절 용해된 이산화탄소가 카르복시기에 이용된다.

으로 산회되어 글루코오스 합성에 이용된다(그림 4-26).

지방산의 α-산화는 지방산의 α-탄소가 산화되고 이산화탄소로 손실되어 탄소사슬이 짧아진 다음에 β-산화를 일으키는 것이다. 주로 동물의 뇌세포에 존재하는 스핑고리피드(sphingolipid)에서 일어난다.

ω-산화는 탄소수가 6~18개의 지방산에서 일어나며, 카르복실기에서 가장 먼 반대쪽 메틸기의 ω-탄소가 산화되어 디카르복실산이 생성된 다음에 β-산화를 일으키는 반응으로 간이나 콩팥의 소포체에서 일어난다.

(2) 지방산의 생합성

간과 지방세포의 세포질에서 일어나는 지방산 합성경로의 첫 번째 단계는 아세틸-CoA의 카르복실화 반응으로 ATP가 이용되며, 아세틸-CoA 카르복실라아제의 촉매작용으로 이산화탄소와 반응하여 말로닐-CoA를 생성하는 반응이다(그림 4-27). 아세틸-CoA 카르복실라아제는 지방산 합성을 통제하는 중요한 비가역적 조절효소로 작용하며, 고농도의 구연산이 카르복실라아제를 활성

화시키는데 필요하다. 보조효소인 비오틴은 아세틸-CoA 카르복실라아제의 보결분자단으로 카르복실기 운반 역할을 한다. 이후 지방산 합성에 대하여 그림 4-28에 나타내었다. 그림에 나타난 번호를 중심으로 설명할 예정이다.

지방산 생합성은 지방산 합성효소가 관여한다. 지방산 합성효소에 대하여 많은 연구가 이루어져 세균이나 식물 등에서는 아실기 운반 단백질(ACP)이 아실기와 결합하여 지방산 생합성에 관여하고, 효모나 포유류 등은 지방산 합성효소 복합체의 형태로 지방산 생합성에 작용한다.

① 아세트산 한 분자가 아세틸-CoA-ACP 아실기 전이효소에 의하여 아세틸-CoA에서 ACP의 -SH기로 전달된다.

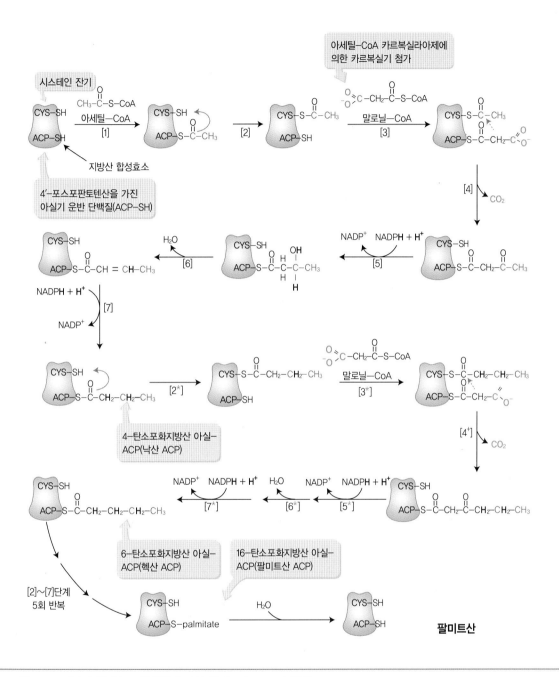

■■■ 그림 4-28. 지방산 합성효소 복합체에 의한 팔미트산(16:0)의 합성

두 번째 반복되는 단계들은 위첨자로 별표(*)를 한 숫자로 표시되어 있다. 아세틸-CoA에서 직접 공급되는 탄소는 붉은색으로 표시하였다.

② 다음 단계는 이탄소 조각이 일시적인 체류부위인 효소의 시스테인 잔기의 티올기로 옮겨진다.

③ 아세틸 아실 전이효소와 말로닐 아실 전이효소의

촉매 반응에 의하여 아세틸-CoA 및 말로닐-CoA의 아실기가 ACP와 결합하여 아세틸-말로닐-ACP 복합체가 형성된다.

④ 아세틸–말로닐–ACP 복합체에서 아세틸기가 말로닐–CoA의 메틸기와 축합하고, 말로닐–CoA의 카르복실기가 이산화탄소로 제거되는 반응으로 β–케토 아실–ACP 합성효소에 의해 촉매되어 β–케토 아실–ACP를 생성한다.

⑤ 다음에 케토 화합물의 환원 단계로 β–케토 아실–ACP 환원효소와 수소 공여체인 NADPH + H^+의 작용을 받아 3번 탄소의 케톤기가 환원되어 β–하이드록시 아실–ACP 복합체가 만들어진다.

⑥ 그 다음에 수화효소의 작용으로 탈수가 일어나 α, β–불포화 아실–ACP(크로토닐 ACP)를 생성한다.

⑦ α, β–불포화 아실–ACP는 에노일–ACP 환원효소와 NADPH + H^+에 의해 두 번째 환원작용을 받아 포화 아실–ACP가 생성된다.

생성된 포화 아실–ACP에 축합, 환원, 탈수 및 두 번째 환원 반응이 연속적으로 일어남으로써 2개의 탄소 사슬이 길어지는 아실–ACP가 생성되고([2*]~[7*] 5회 반복), 마지막으로 티오에스테라아제의 작용으로 ACP와 탄소수가 짝수인 긴 사슬의 지방산이 생성된다.

2개의 탄소가 늘어나는 반응을 7회 반복하여 생성된 탄소수가 16개인 팔미트산의 전체적인 생합성 반응은 다음과 같다.

아세틸–CoA + 7말로닐–CoA + 14NADPH + $14H^+$ → 팔미트산 + 7CoASH + $14NADP^+$ + $16H_2O$

이처럼 지방은 아세틸 CoA를 원료로 하여 합성된다(그림 4-26). 합성에는 다량의 ATP와 환원력인 NADPH + H^+가 필요한데, 에너지원이 과잉인 경우에 적극적으로 합성된다. 아세틸 CoA는 당질에서도 생성되기 때문

표 4-2. 짝수 탄소를 가진 포화지방산의 생합성과 분해의 비교

	지방산 합성	지방산 분해
경로가 활성화되는 이유	탄수화물 풍부 식이 후	기아상태
경로가 일어날 때의 호르몬 상태	고 인슐린/글루카곤 비율	저 인슐린/글루카곤 비율
일어나는 주 조직	주로 간	근육, 간
일어나는 세포소기관	주로 세포질	주로 미토콘드리아
미토콘드리아와 세포질 사이의 아실/아세틸기 운반체	구연산 (미토콘드리아에서 세포질로)	카르니틴 (세포질에서 미토콘드리아로)
포스포판토텐산 함유 활성 운반체	아실 운반 단백질, 코엔자임 A	코엔자임 A
산화/환원 보조인자	NADPH + H^+	NAD^+, FAD
이탄소 공여자/생성물	말로닐-CoA : 한 개의 아세틸기 공여	아세틸-CoA : β-산화 산물
활성물질 억제물질	구연산 긴 사슬 지방산 아실-CoA (아세틸-CoA 카르복실라아제 억제)	- 말로닐-CoA (카르니틴 팔미트산 전이효소 억제)
경로의 최종 산물	팔미트산	아세틸-CoA

에 지방뿐만 아니라 당을 대량으로 섭취하면 지방이 합성되어 비만을 일으키게 된다. 지방산의 합성과 분해에 대하여 표 4-2에 나타냈다.

(3) 케톤체 생성

케톤체는 지방산의 분해대사 과정에서 생성된다. 지방의 분해가 적절한 균형을 이루면 아세틸-CoA는 구연

산회로에 들어가서 에너지 생성에 이용된다. 그러나 탄수화물이 없거나 적절하게 사용하지 못하면 지방산의 과도한 분해가 일어나, 케톤체로 알려진 아세토초산(acetoacetate), β-하이드록시낙산(β-hydroxybutyrate), 아세톤이 생성된다(그림 4-29).

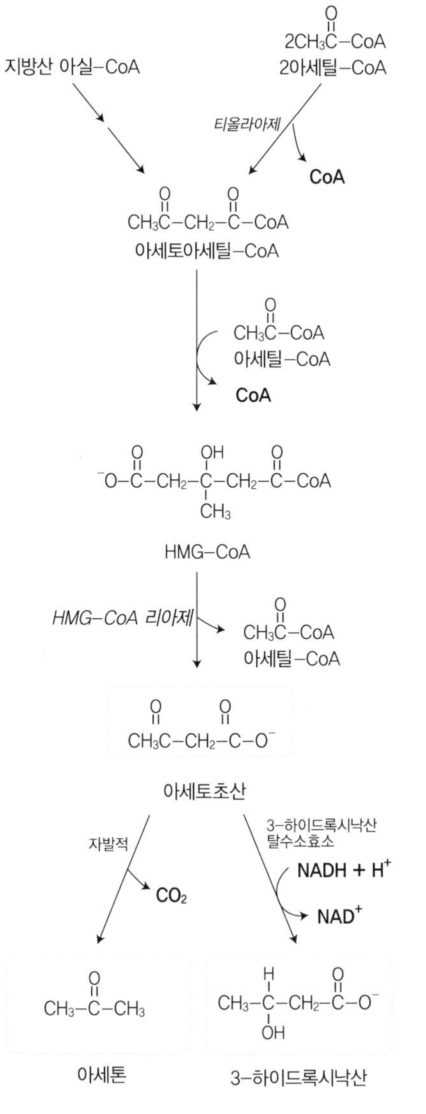

(4) 프로스타글란딘 합성

프로스타글란딘은 아라키돈산으로부터 생성되는 고리화합물이다. 프로스타글란딘 합성의 첫 단계는 아라키돈산이 사이클로옥시게나제의 촉매작용으로 프로스타글란딘 G₂(PGG₂)로 전환된다. 하이드로페록시에이코사테트라엔산(HPETE)의 생성은 혈구세포에 분포하는 리폭시게나제의 촉매작용으로 생성된다. 생성된 PGG₂가 환원되어 수산기를 형성하면서 PGH₂로 전환된다. PGH₂는 프로스타글란딘 합성효소의 촉매작용을 받아 PGE₂와 PGI₂ 및 트롬복산을 형성한다. HPETE는 글루타티온 전이효소의 촉매작용을 받아 류코트리엔 A₄를 형성한다(그림 4-30).

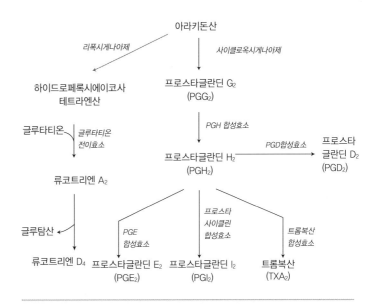

■ 그림 4-29. 케톤체 합성. HMG-CoA : 하이드록시메틸 굴루탐산-COA

■ 그림 4-30. 프로스타글란딘의 합성

참고문헌

1. Berg MB, Tymoczko JL, Stryer L : Biochemistry. 7th ed. Freeman. 2012.

2. Ferrier DR : Lippincott's Illustrated Review : Biochemistry. 6th ed. 2014.

3. Garrett RH, Grisham CM : Biochemistry. 4th ed. Brooks/Cole Cengage Learning. 2010.

4. Lieberman M, Marks AD : Mark's Basic Medical Biochemistry – A Clinical Approach. 4th ed. Wolters Kluwer/Lippincott Williams & Wilkins. 2013.

5. Marray RK, Botham KM, Kennelly PJ, Rodwell VW, Weil PA : Harper's Illustrated Biochemistry. 29th ed. McGraw Hill/Lange. 2012.

6. Nelson DL, Cox MM : Lehninger Principles of Biochemistry. 4th ed. Freeman. 2005.

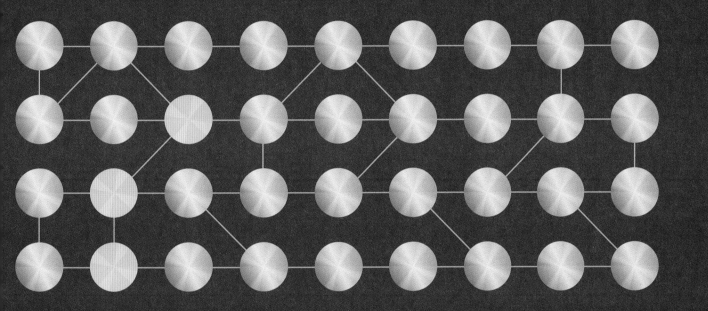

05
Chapter

아미노산, 단백질 및 핵산대사와
고분자 화합물의 생합성

단백질이란 말은 1838년에 뮬더(Mulder GJ)에 의해 처음 사용되었으며, 이 말은 "가장 중요한"을 의미하는 그리스어 *proteios*에서 유래되었다. 뮬더는 단백질은 매우 중요하며, 단백질 없이는 모든 생명이 생존할 수 없다고 주장하였다. 단백질은 50가지 이상의 L-α-아미노산이 펩타이드 결합으로 연결된 폴리펩타이드로 생물체의 구성성분이며, 생명현상을 나타내는데 가장 중요한 물질이다.

단백질은 생체 내에서 여러 가지 화학반응을 촉매하는 효소단백질이나, 헤모글로빈, 트랜스페린 및 알부민과 같이 운반에 관여하는 수송단백질, 간에 철을 저장하는 페리틴과 같은 저장에 관여하는 저장단백질, 액틴이나 미오신 등과 같은 수축이나 운동에 관여하는 단백질, 콜라겐이나 엘라스틴 등과 같이 우리 몸의 구조를 이루는 구조단백질, 항원과 결합하는 항체, 보툴리늄 독소 및 뱀독 등과 같이 방어에 관여하는 방어단백질, 인슐린이나 부갑상선호르몬과 같은 생리현상을 조절에 관여하는 단백질 등이 있다.

① 단백질과 아미노산

세포를 구성하는 단백질은 수명에 따라 노화되고 분해되어 아미노산으로 대사된다. 이들 아미노산은 혈액을 거쳐 세포 내로 들어간다. 유래가 다른 이들 아미노산은 세포 내에서 단백질 합성에 이용된다. 단백질의 합성은 그 단백질을 필요로 하는 세포에서 만들어진다. 즉, 단백질을 구성하고 있는 기본 단위는 아미노산이다. 아미노산은 아미노기($-NH_2$)와 카르복실기($-COOH$)를 가지는 화합물이다. 이들은 모두 카르복실기가 결합되어 있는 α-탄소에 아미노기가 결합하고 있는 α-아미노산이다.

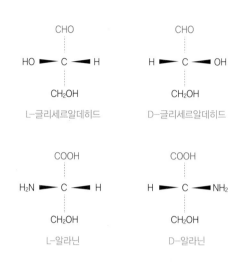

■■ ▦ 그림 5-1. 아미노산의 광학적 특성

탄수화물에서 글리세르알데히드의 광학적 이성질체를 기본으로 하여 OH기가 왼쪽에 있으면 L-형, 오른쪽에 있으면 D-형으로 표시하여, 아미노산의 경우에도 OH기 대신 아미노기의 위치에 따라 L-형과 D-형 구분한다. 일반적으로 천연물의 경우 탄수화물은 D-형이고 아미노산은 L-형이다.

글리신을 제외한 모든 아미노산은 아미노기와 카르복실기가 결합한 탄소원자가 부재탄소 원자이고, 이들의 아미노산에는 L형(L-아미노산)과 D형(D-아미노산)의 두 종류 광학 이성질체가 있다(그림 5-1). L형과 D형은 입체구조가 서로 겹칠 수 없는 서로 다른 아미노산이다. 자연계에는 대부분 L형의 아미노산으로 존재한다. 각 단백질은 20종의 아미노산을 재료로 해서 DNA의 정보에 따라 세포 내 리보솜에서 만들어진다. 아미노산은 여러 가지 질소 함유 화합물이나 에너지 생산에도 이용된다. 또 아미노산의 일부는 세포 밖으로 나가서 간과 콩팥에 흡수되어 글루코오스를 생성하는 당신생과정에 이용되기도 한다. 단백질은 각종 소화효소에 의해 아미노산으로 분해된 다음에 흡수된다. 체내의 총 유리아미노산을 아미노산 풀(amino acid pool)이라 하며, 여러 다양한 물질을 합성하는 재료가 된다.

2 아미노산의 공급과 이용

체중 60kg의 성인을 예로 들어 단백질과 아미노산의 하루 동안의 공급과 이용에 대하여 그림으로 표시하였다 (그림 5-2). 체내에는 체중의 약 15%에 해당하는 9kg의 단백질이 있지만, 그 2% 전후인 200g 정도가 매일 분해되어 아미노산으로 되며, 거의 같은 양의 단백질이 매일 만들어 진다. 하루에 250g의 아미노산이 이용되는데, 그 중 약 200g은 단백질 합성에 이용된다. 나머지 약 50g은 질소 함유 화합물의 합성이나 에너지 생산에 이용되기 때문에 약 50g의 단백질을 음식물로부터 보충할 필요가 있다. 그럼에도 불구하고 음식물 중의 단백질이 모두 소화되어 흡수되는 것이 아니기 때문에 하루 60g 정도의 단백질을 섭취하는 것이 바람직하다.

3 아미노산의 체내 이용

음식물 중 단백질의 소화 및 흡수에 의해 형성되는 아미노산과 생체 내 단백질의 분해에 의해 형성되는 아미노산은 주로 4가지 방법으로 이용된다.

① 단백질 합성의 원료로 이용되는 것이다.
② 아미노기가 떨어져 α-케토산으로 전환되는 이화작용이다. α-케토산은 구연산회로의 대사 중간체가 되어서 분해됨으로써 에너지를 발생하거나 글루코오스를 형성하는 당신생 과정에 이용된다. 이 경우에 아미노산으로부터 유리된 아미노기는 암모니아로 전환된다. 이 독성 물질은 요소회로에서 요소로 변환되어 체외로 배설된다.

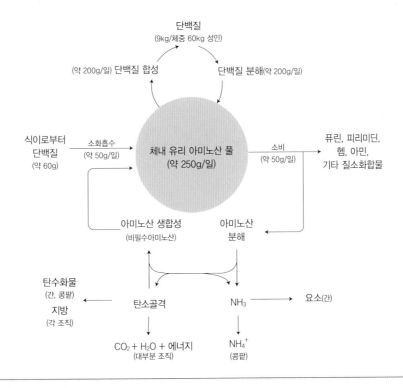

■■ 그림 5-2. 아미노산의 공급과 이용

③ 퓨린 염기, 피리미딘 염기, 포르피린, 포스포크레아틴, 생리활성 아민 등 가공 질소 함유 화합물을 합성하는 것이다.

④ 아미노산이 다른 아미노산의 합성원료가 되는 것이다.

아미노산의 이화작용이 탄수화물과 지방의 이화작용과 다른 점은 아미노기를 제거해야 한다는 것이다. 일반적인 식사환경에서 아미노산은 주 에너지원이 아니지만, 아래와 같은 몇 가지 조건에서는 에너지를 공급하는데 사용된다. ① 섭취된 아미노산이 단백질 및 기타 분자의 합성에 필요한 양 이상으로 존재하지만 사람의 경우 아미노산으로 저장할 수 없는 경우. ② 정상적인 단백질 분해가 일어나서 유리 아미노산이 방출되는 경우, ③ 기아 또는 당뇨병을 치료하지 않아 구조 단백질 또는 촉매 단

백질이 분해되는 경우이다.

1) 탈아미노 반응

대부분의 아미노산 이화작용의 첫 번째 단계는 α-아미노기를 α-케토글루타르산(α-ketoglutaric acid)으로 이동하는 반응이다. 아미노산의 아미노기가 α-케토산(α-keto acid)으로 옮겨지면 이 α-케토산이 다른 아미노산으로 된다. 이 반응을 아미노기 전위반응이라 한다. 또한 아미노산은 산화적 탈아미노 반응에 의해 암모니아와 α-케토산이 된다(그림 5-3). 암모니아는 독성이 높기 때문에 바로 간으로 보내져 간세포 내의 요소회로에서 독성이 낮은 요소로 바꾸어 소변을 통해 배설된다. 한편 α-케토산은 구연산회로에 합류하여 당질이나 지방

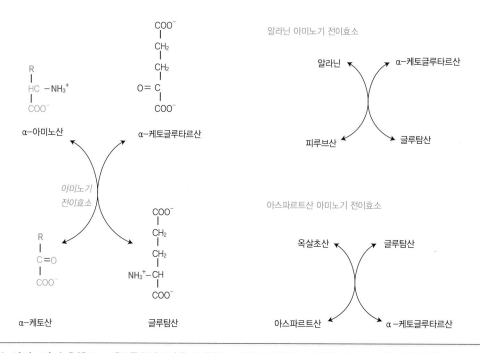

■■ 그림 5-3. 아미노기 수용체로 α-케토글루타르산을 사용하는 아미노기 전이효소반응과 아미노산 분해반응
알라닌 아미노기 전이효소는 예전에는 글루탐산-피루브산 트랜스아미나아제(GPT)라 불렀으며, 다양한 조직에 존재한다. 아스파르트산 아미노기 전이효소는 예전에는 글루탐산 : 옥살초산 트랜스아미나아제(GOT)라 불렀다.

과 마찬가지로 에너지원으로 대사된다(그림 5-3).

아미노기를 이동하는 아미노기 전이반응과는 달리 글루탐산 탈수소효소(glutamate dehydrogenase)가 촉매하는 산화적 탈아미노화 반응은 아미노기를 유리 암모니아로 만든다(그림 5-4). 이 반응은 대부분 간과 콩팥에서 일어난다. 이 반응을 통하여 에너지대사의 중심 반응으로 들어가는 α-케토산이 생성되며, 요소 생합성 시 질소의 원료로 사용되는 암모니아도 생성된다. 앞에서 설명한 바와 같이, 대부분의 아미노산의 아미노기는 아미노기 전이반응에 의하여 글루탐산으로 된다. 글루탐산은 글루탐산 탈수소효소에 의해 빠른 속도로 산화적 탈아미노화 반응을 받는 특이한 아미노산이다. 그러므로 아미노기 전이반응과 계속되는 산화적 탈아미노화 반응으로 대부분의 아미노기가 암모니아로 유리되게 된다(그림 5-5). 아미노산의 탄소골격인 α-케토산과 구연산회로와의 관계를 살펴보기로 하자. 20개의 아미노산은 피루브산, 아세틸-CoA, 아세토초산-CoA(acetoacetyl-CoA), 구연산회로의 중간 대사산물인 α-케토글루타르산, 푸마르산, 옥살초산(oxaloacetate) 등으로 분해한다(그림 5-6).

2) 아미노산의 이화작용과 연관된 선천성 유전질환

선천적으로 대사효소가 결핍되거나 작용이 불충분해서 체내의 대사가 원활하게 이루어지지 못하고 불필요한 물질이 쌓이거나 필요한 물질이 부족하여 발육장애, 지적장애, 의식장애 등 전신에 영향을 미치는 질환을 선천성 대사이상증이라 한다. 페닐케톤뇨증(phenylketonuria)은 페닐알라닌 대사효소의 결손과 기능부전으

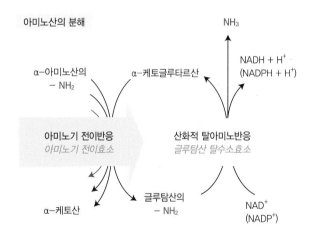

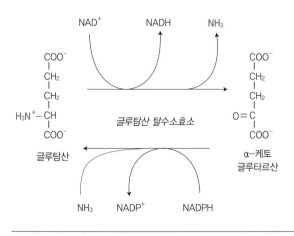

■■ 그림 5-4. 글루탐산 탈수소 효소반응에 의한 산화적 탈아미노화 반응

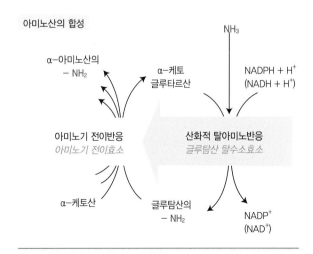

■■ 그림 5-5. 아미노기 전이효소 및 글루탐산 탈수소효소의 합동반응

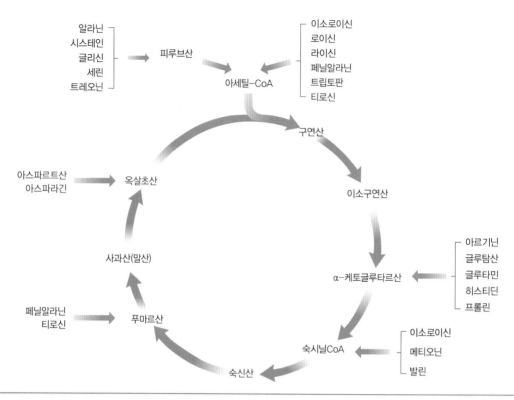

■■ 그림 5-6. 각종 아미노산의 대사

로 인해 생기는 선천성 대사이상증이다(그림 1-11 참조). 체내에 페닐알라닌이 축적되고 이 축적된 페닐알라닌이 정상이 아닌 대사경로로 대사되어 페닐케톤이라는 일군의 물질(페닐피루브산, 페닐초산, 페닐젖산 등)이 되어 소변으로 배설된다. 이 질환의 주요 증상은 지적 장애인데, 발육기에 페닐알라닌을 제한한 식사를 섭취하면 발증을 방지할 수 있다. 최근에는 평생 식이치료를 계속적으로 하는 것이 바람직하다고 알려졌다. 혈중 페닐알라닌 농도 관리에 유의하면 건강한 사람과 같은 생활을 할 수 있다. 치아우식의 원인이 되지 않는 인공감미료인 아스파탐(aspartame)은 페닐알라닌과 아스파라긴산으로 구성되기 때문에 페닐케톤뇨증 환자에게는 주의가 필요하다.

단풍시럽뇨증(maple syrup urine disease)은 로이신, 이소로이신, 발린을 탈카르복실화(decarboxylation) 하는 효소인 곁사슬 α-케토산 탈수소효소가 결핍되어 발생하는 유전질환이다. 이들 아미노산과 이에 관련된 α-케토산이 혈액 내에 축적되면 뇌의 기능을 저하하게 된다. 이 질환은 식이장애, 구토, 탈수, 심각한 대사성 산증, 소변에 단풍시럽 냄새가 나는 등의 특징을 가지고 있다. 만약 치료하지 않고 방치하면 정신지체, 신체적 장애, 심한 경우 사망에 이르기도 한다. 백색증(albinism)은 멜라닌을 생성하는데 있어 티로신의 대사에 이상이 생겨 발생하는 여러 가지 증상들을 일컫는다.

3) 탈탄산 반응

아미노산은 생체 내에 필요한 각종 질소 함유 화합물의 원료가 된다. 아미노산에서 합성되는 질소함유 화합

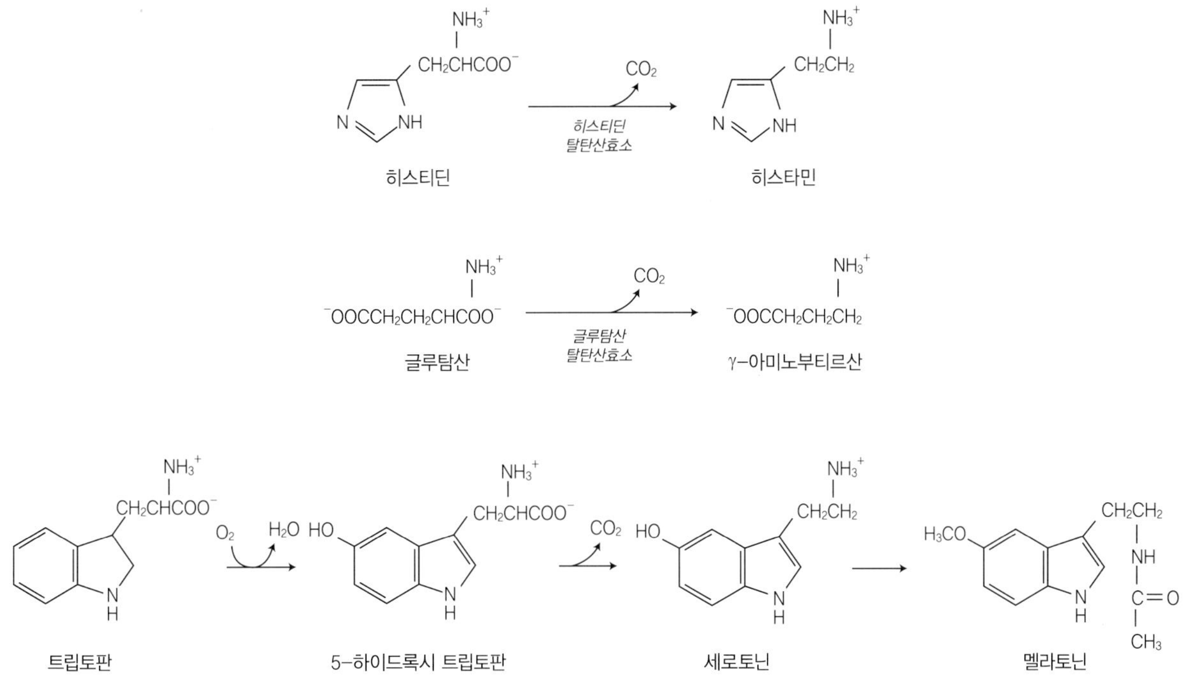

■ ▨ 그림 5-7. 아미노산의 탈탄산 반응에 의한 생리활성 아민의 생성

물에는 포르피린, 핵산 염기, 포스포크레아틴, 생리활성 아민, 타우린, 글루타티온, 일산화질소 등이 있다. 아미노산의 카르복실기 부분이 탈탄산 반응을 받으면 각종 생체 아민이 생성된다(그림 5-7). 그리고 각각의 아미노산은 독자적인 대사를 거쳐 생체에 필요한 물질의 원료가 된다(표 5-1).

표 5-1. 아미노산으로부터의 생성물

아미노산	생성물
메티오닌	S-아데노실 메티오닌
티로신	도파민, 노어에피네프린, 에피네프린, 멜라닌
트립토판	세로토닌, 니코틴산

4) 암모니아 처리공장인 요소회로

아미노산의 이화작용 과정에서 제거된 아미노기는 전달반응에 의해 글루탐산으로 모아진다. 아미노기 전달반응과 글루탐산 탈아미노반응이 연합되어 아미노산으로부터 아미노기의 제거가 짝지어진 촉매과정으로 이루어지게 된다(그림 5-5 참조). 이렇게 제거된 아미노기는 세포에 유독한 질소형태인 암모니아로 방출된다. 암모니아의 유독성은 대부분 글루탐산 탈수소효소에 영향을 미치기 때문에 일어난다. 높은 농도의 암모니아는 이 반응의 평형을 오른쪽으로 이동시켜 구연산회로에 이용할 수 있는 α-케토글루타르산의 농도를 낮게 된다. 이것은 특히 글루코오스의 호기성 대사에 의존하는 발생 중인 뇌세포에 해롭다. 모든 척추동물은 암모늄이온을 요소로 만들 수 있는 일련의 효소를 가지고 있다. 이 일련의 반응을 요소회로(그림 5-8)라 하는데, 1932년에 크렙스 (Hans Krebs)에 의해 처음 보고되었다.

요소회로는 ATP의 에너지를 이용해 암모니아를 이산

화탄소나 오르니틴과 결합하여 최종적으로 아르기닌이 되고, 아르기닌의 일부를 요소로 내보내 다시 오르니틴 으로 돌아가는 일련의 반응이다. 암모니아라는 독물을

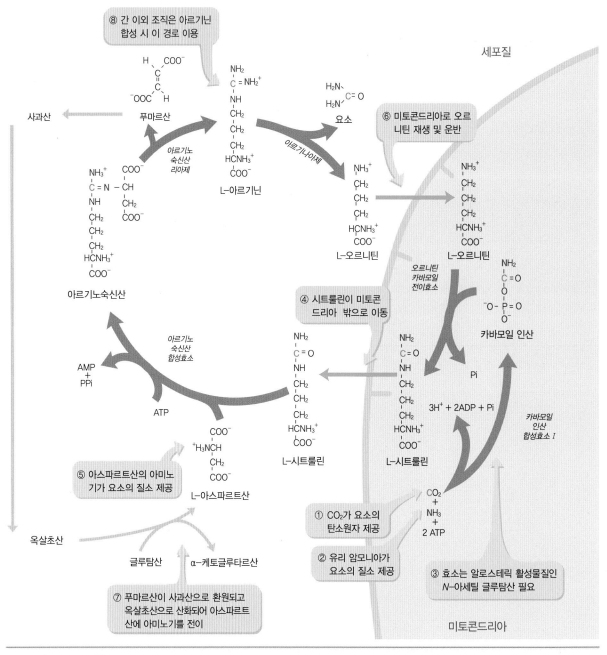

■ ■ 그림 5-8. 요소회로

요소 생합성의 처음 2개 반응은 미토콘드리아에서 일어나며, 나머지 반응은 세포질에서 일어난다.

요소로 안전하게 처리하기 위해 우리는 많은 에너지를 소비한다는 것을 알 수 있다. 쉽게 말해 쓰레기처리는 공짜가 아니다. 암모니아 처리는 동물 종에 따라 다르다. 물고기는 암모니아를 그대로 체외로 방출한다. 바다나 하천 같은 대량의 물에서 사는 동물이나 가능한 처리법이다. 반면 파충류나 조류는 알 껍질 안에서 성장하기 때문에 요소를 소변을 통해 체외로 배출시킬 수가 없다. 대신에 암모니아를 물에 잘 녹지 않는 '요산'이라는 물질로 바꾸어 알 속에 담아 놓는다. 이들은 태어나서도 요소를 버릴 필요가 없기 때문에 오줌을 누지 않는다. 때문에 그만큼 다량의 물을 필요로 하지 않으며, 오줌을 참을 필요도 없기 때문에 몸이 가볍다. 이것이 새가 하늘을 자유롭게 날아다닐 수 있는 이유 중 하나일 것이다.

④ 유전정보 보존과 전달

1950년대의 생물체를 구성하는 DNA, RNA 및 단백질 등의 거대분자에 대한 연구는 생명현상에 대한 근본적 성질, 즉 생물학적 정보의 흐름을 이해하는 기초를 이룩하였다. 이 후 계속된 연구를 통해 유전정보와 그 복제 및 생체 내에서의 전달에 대하여 분자적 수준에서 이해할 수 있게 되었다. 세포내의 DNA는 어머니 쪽 유전자와 아버지 쪽 유전자의 반이 난자와 정자의 형태로 합쳐진 하나의 완전한 유전자를 갖는 세포로 이루어진다. 이렇게 부모의 유전자가 자식들에게 전달되는 과정을 유전이라고 하며, 유전자라는 유전정보가 있으며, 유전자 집합체를 디옥시리보핵산(DNA)이라 한다. 염색체 DNA는 진핵생물 핵 속의 염색체뿐만 아니라 미토콘드리아 및 식물세포의 엽록체에도 존재하며, 핵이 없는 원핵생물은 하나의 염색체를 가지고 있으며, 또 다른 DNA 조각인 플라스미드 형태의 DNA도 있다. DNA는 세포

가 분열할 때마다 정확히 복제되어야 하며, DNA가 담고 있는 유전정보는 필요에 따라 선택적으로 발현이 되어야 한다. 유전정보는 DNA를 주형으로 하여 RNA의 합성을 전사라 하고, 단백질로 번역되어 발현되며, 이를 분자생물학의 중심원리라 하여 센트럴 도그마라 한다. 세포에서 유전정보의 복제와 전달 및 발현 과정이 정확하게 일어나야 생물은 정상적으로 생존할 수 있다. 여러 이유로 DNA에 손상이 일어나면 이 과정들이 비정상적으로 되어 돌연변이가 일어나거나, 치명적이어서 세포는 손상된 DNA를 복구하는 DNA 수복기구를 가지고 있다.

1) 원핵생물의 DNA 복제

원핵생물의 DNA 복제는 대장균에서 처음 밝혀졌으며, 대장균의 복제과정을 중심으로 설명할 것이다. 고등 동물의 DNA 복제과정은 대장균에 비해 아직 덜 밝혀졌으나 대장균과 비슷한 과정을 거쳐 복제가 일어날 것이라 생각한다. 일단 DNA 복제가 시작되면 전체 유전체가 완전히 2개로 복제될 때까지 계속되며, 이때 여러 단계의 복잡한 과정과 다양한 효소와 인자들이 필요하다. DNA 중합효소는 단일가닥의 DNA만을 주형으로 사용하여 복제를 하기 때문에 상보적 이중가닥의 DNA 사슬은 단일가닥으로 분리가 되어야 복제가 시작된다. 원핵생물의 DNA 복제는 복제 개시점(replication origin)이라 알려진 AT-풍부 염기로 구성된 짧은 복제단위에서 시작, 조절되며, 한 개의 개시부위를 갖는 특징적인 염기 서열이 있다. 그러나 진핵생물에서는 여러 개의 복제 개시점이 존재하여 동시다발로 여러 부위에서 복제가 이루어지기 때문에 긴 사슬을 빠른 속도로 복제할 수 있다.

DNA 복제가 일어나는 부위는 두 가닥의 DNA의 뒤틀림이 풀리면서 단일 가닥이 형성되는 부위이며, 이 부위를 복제포크(replication fork)라 한다. 복제포크는 복제 개시점에서 양쪽 두 부위에서 생기며, 두 곳에서 동시

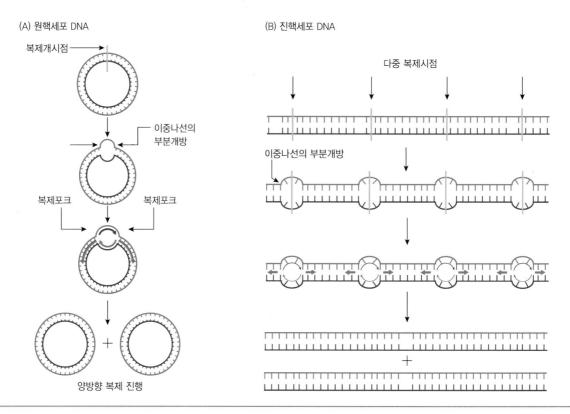

(A) 원핵세포 DNA

복제개시점

이중나선의
부분개방

복제포크   복제포크

＋

양방향 복제 진행

(B) 진핵세포 DNA

다중 복제시점

이중나선의 부분개방

＋

■ ▓ 그림 5-9. 원핵생물에서의 복제기점과 복제포크

Champe DC, Harvey RA: Lippincotts: illustrated Reviews Biochemistry. 2nd ed. Lippincott-Raven. 1994.

에 복제가 일어나기 때문에 양방향 합성이라고 한다(그림 5-9). 나선효소(helicase)는 ATP를 사용하여 이중가닥 DNA를 단일가닥으로 풀어주는 기능을 가진 효소이다. 단일가닥결합단백질(SSB)이 단일가닥에 결합하여 DNA의 재결합을 방해함과 동시에 분해로부터 보호하는 기능을 가진다. 대장균에서는 *dnaB* 유전자 산물인 dnaB 단백질이다. AT-풍부 영역의 복제 개시점에 부착하여 ATP를 소비하면서 일부 이중나선 DNA를 단일가닥 DNA로 만든다.

　　DNA 이중나선의 두 가닥이 분리되면 복제포크의 전방 영역에서 양성 슈퍼코일(positive supercoil)의 생성이라는 문제가 발생한다. 양성 슈퍼코일의 축적은 이중나선의 감김을 푸는 과정을 방해한다. 즉 슈퍼코일링은 전화선의 한쪽을 잡고서 반대쪽을 감아가면서 실제를 확

인할 수 있다. 전화선이 어느 정도 감김이 진행되다가 어느 시점을 넘으면 전화선이 스스로 다시 감기게 되는데 이것이 양성 슈퍼코일이다. 전화선이 반대방향으로 감기면 음성 슈퍼코일(negative supercoil)의 형성으로 진행한다. 이러한 문제를 해결하기 위해 DNA 토포아이소머라제(topoisomerase)라 불리는 효소가 나선의 슈퍼코일 제거에 관여한다. 제1형 토포아이소머라제는 이중나선의 한 가닥을 가역적으로 절단한다. 이 효소는 뉴클레아제의 활성과 리가제(ligase) 활성을 모두 가지고 있다. 이 효소의 반응과정에는 ATP가 필요하지 않으며, 인산 에스테르 결합의 절단과정에서 생성되는 자유 에너지를 저장하였다가 가닥의 재연결에 사용하는 것으로 생각한다. 제2형 토포아이소머라제는 DNA의 이중나선에 강하게 결합하여 양쪽 가닥 모두를 순간적으로 절단한다.

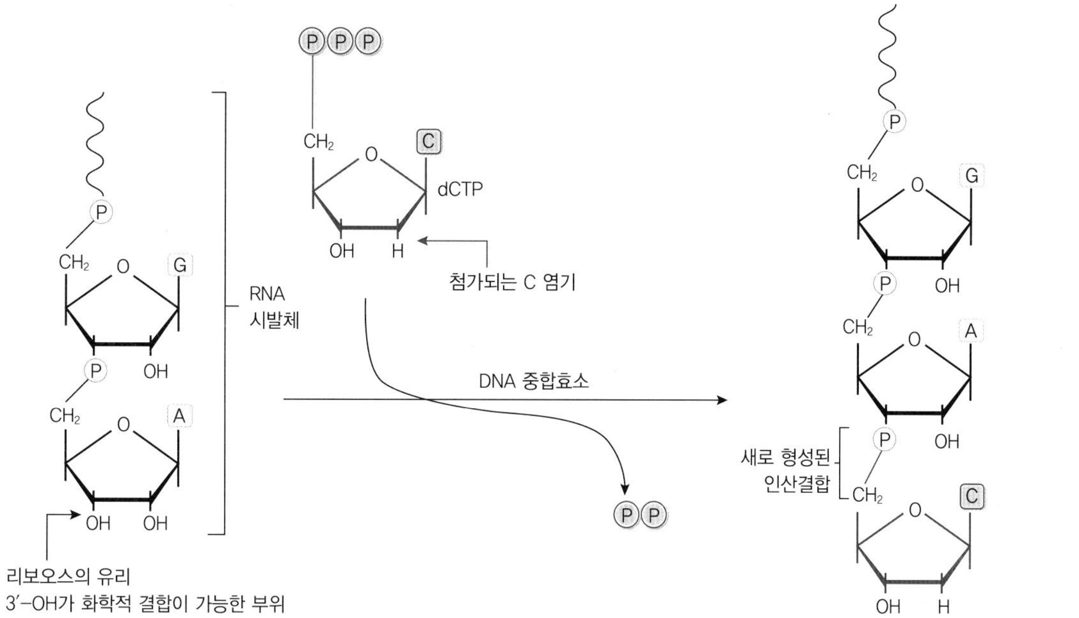

■▨▨ 그림 5-10. DNA 합성 과정의 시작을 위한 RNA 시발체의 이용

DNA 복제 개시에는 시발체(primer)로 사용될 약 10개 염기로 구성된 RNA 조각인 RNA 시발체(RNA primer)가 필요하며(그림 5-10), RNA 중합효소(polymerase)인 프라이마제(primase)의 합성에 의한다. RNA 중합효소는 dnaG 유전자 산물인 60kDa의 폴리펩타이드이고, 복제포크에서 프라이마제와 나선효소가 DNA에 결합된 복합체를 프리모좀(primosome)이라 한다.

DNA 중합효소 III(DNA 폴리머라제 III)의 작용에 의하여 5'→ 3'으로 DNA를 합성한다. DNA 중합효소는 중합효소 I, II, III형이 있다. DNA 중합효소 III는 선도가닥과 지연가닥을 동시에 합성하며, DNA 중합효소 I은 오카자키 절편 사이의 틈새를 채우고, RNA 시발체를 제거하는 기능을 갖는다. DNA 중합효소 II는 DNA 중합효소 I의 기능과 유사하다고 알려져 있으며, DNA 중합효소는 모두 5'→ 3' 중합활성 외에 3'→ 5' 외부핵산효소(exonuclease)의 기능도 가지고 있다. 외부핵산효소는 폴리뉴클레오티드의 가닥 끝에서 뉴클레오테드를 차례로 제거하는 기능을 말하며, 특히 DNA 중합효소 I

은 5' → 3' 엑소뉴클레아제 활성도 가지고 있다(표 5-2).

DNA 중합효소에 의한 사슬의 연장은 DNA 중합효소 III에 의해 촉진되며, 염기의 3'-말단에 주형 염기와 상보적인 디옥시리보뉴클레오시드 삼인산을 한 번에 하나씩 첨가하여 사슬이 신장된다. 새로운 디옥시리보뉴클레오티드가 첨가될 때마다 첨가되는 염기의 삼인산에 존재하는 피로인산이 유리되며, 이들은 바로 2개의 무기인산으로 가수분해가 되는 에너지 소모반응이다.

복제포크가 형성된 2개의 단일 DNA 가닥을 주형으로 2가닥 모두에서 복제가 일어나며, 그들의 합성은 항상 중합효소의 기능 때문에 주형 DNA를 3' → 5' 방향으로 읽고 5' → 3' 방향으로 새로운 DNA를 합성한다. 서로 반대 방향으로 된 역평행방향의 주형 DNA를 기초로 합성되는 가닥은 DNA 중합효소가 5' → 3' 방향으로 합성되는 특징 때문에 약간 다른 기전으로 합성된다. 즉 선도가닥(leading strand)은 새로이 합성되는 DNA가 복제포크 쪽으로 향하여 합성되는 가닥을 말하며, 주형 DNA는 3' → 5' 방향이므로 합성 사슬이 계속 이어져

표 5-2. 대장균의 DNA 중합효소(폴리머라제)의 성질

특성	DNA 중합효소		
	중합효소 I	중합효소 II	중합효소 III
Q분자량	110,000	120,000	180,000
세포당 분자수	400	100	10
종합활성(turnover number)	1,000	50	15,000
기능			
5′ → 3′ 종합활성(합성기능)	+	+	+
5′ → 3′ 엑소뉴클레아제(시발체 제거)	+	-	-
3′ → 5′ 엑소뉴클레아제(교정기능)	+	+	+
합성속도	600	30	≪ 30,000
복제	+	-	+
수복	+	+	-

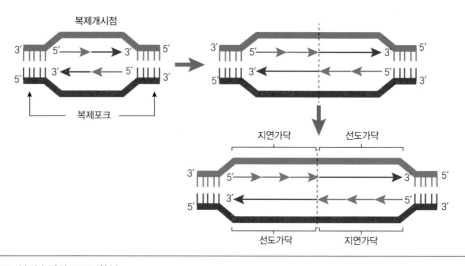

■ ▦ 그림 5-11. 불연속적인 DNA 합성

Champe DC, Harvey RA: Lippincotts: illustrated Reviews Biochemistry. 2nd ed. Lippincott-Raven. 1994.

합성된다. 이에 비해 지연가닥(lagging strand)은 DNA가 5′ → 3′ 방향이어서 새로이 합성되는 방향은 복제포크와 반대방향으로 불연속적으로 합성된다. 방향성과 중합효소의 특징으로 1,000~2,000 염기쌍(bp) 크기의 조각으로 합성하며, 이를 오카자키 절편(Okazaki fragment)이라고 한다(그림 5-11).

DNA 중합효소에 의한 복제과정은 주형 DNA와 정확하게 똑같이 모든 염기를 합성해야 한다. 그러나 실제로는 DNA 중합효소 III의 경우 주형 DNA 염기를 잘 못 판독하여 돌연변이가 생길 수 있으며, 이러한 오류는 개체에 해로우며, 심지어 생명을 위협하기도 한다. 돌연변이의 출현을 막고 복제의 정확성을 위해 DNA 중합효소 III는 교정 기능을 갖는 3′ → 5′ 외부핵산효소(exonuclease) 활성을 가지고 있다. 즉 주형 DNA의 염기와 다른

염기가 합성이 되는 경우 DNA 중합효소 Ⅲ의 3′ → 5′ 외부핵산효소 활성에 의해 하나에서 10개까지의 염기가 제거되고 DNA 중합효소 Ⅲ의 중합활성에 의해서 정확한 염기를 합성한다.

지연가닥에서 DNA 중합효소 Ⅲ에 의한 사슬의 신장은 앞부분 오카자키 절편의 RNA 시발체에 근접할 때까지 계속 진행된다. 앞부분 오카자키 절편의 시발체를 만나면 DNA 중합효소 Ⅲ에는 없지만 DNA 중합효소 Ⅰ에 있는 5′ → 3′ 외부핵산효소 활성에 의해서 RNA 시발체 염기가 하나씩 제거된다. DNA 중합효소 Ⅰ에 의해서 RNA 시발체가 제거되면서 5′ → 3′ 중합활성에 의해 제거된 부위의 염기를 신장한다. 결국 DNA 중합효소 Ⅰ은 DNA 중합효소 Ⅲ에 의해 합성된 앞부분 오카자키 절편의 5′-와 DNA 중합효소 Ⅰ이 시발체를 제거하면

서 합성된 뒤 오카자키 절편의 3′-사이 틈새에 위치하게 된다(그림 5-12, 13).

DNA 복제가 완성되었을 때 DNA 연결효소(DNA ligase)를 사용하여 새로 합성된 DNA 절편을 연결한다. 특히 지연가닥에서 오카자키 절편을 연결하기 위해 활성이 높다.

2) 진핵생물의 DNA 복제

진핵생물의 DNA 복제는 원핵생물의 복제와 아주 유사하다. 진핵생물과 원핵생물의 복제과정에 있어 큰 차이점은 이미 앞에서 언급하였듯이 진핵생물은 많은 복제 개시점이 있어 큰 크기의 DNA를 빠른 시간에 합성하는데 비해, 원핵생물은 하나의 복제 개시점을 가지고 있다.

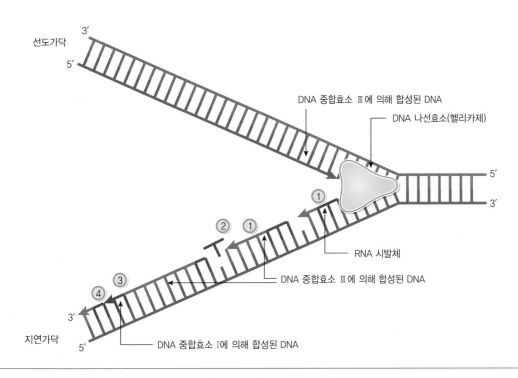

■ 그림 5-12. DNA 중합효소 Ⅰ에 의한 RNA 시발체의 제거와 형성된 틈새의 복구

① 앞쪽의 RNA 시발체를 만날 때까지 DNA 중합효소 Ⅲ에 의해 사슬이 신장된다. ② 한 번에 하나씩 DNA 중합효소에 의해서 RNA 시발체가 제거된다. ③ DNA 중합효소 Ⅰ에 의해 틈새가 채워진다. ④ 마지막 틈새는 DNA 연결효소(ligase)에 의해서 연결된다.

Champe DC, Harvey RA: Lippincotts: illustrated Reviews Biochemistry. 2nd ed. Lippincott-Raven. 1994.

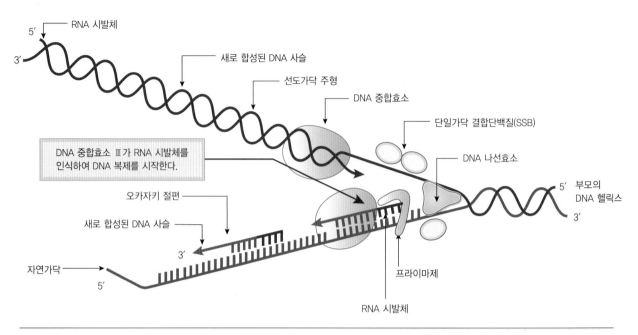

5′ — RNA 시발체
3′
새로 합성된 DNA 사슬
선도가닥 주형
DNA 중합효소
단일가닥 결합단백질(SSB)
DNA 중합효소 Ⅲ가 RNA 시발체를
인식하여 DNA 복제를 시작한다.
DNA 나선효소
5′ 부모의
DNA 헬릭스
3′
오카자키 절편
새로 합성된 DNA 사슬
3′
자연가닥 →
5′
프라이마제
RNA 시발체

■▧ 그림 5-13. 선도가닥과 지연가닥의 연장

진핵생물은 5종류의 DNA 중합효소(α, β, γ, δ, ε)를 가지고 있으며, 존재 위치도 다르다. 원핵생물에서 DNA 중합효소 I에 의하여 RNA 시발체가 제거되지만, 진핵생물의 경우 RNase H 및 FEN1(또는 MF1)에 의해 제거된다. 진핵생물은 DNA 복제가 일어나기 전의 G_1기(Gap 1), DNA 복제기인 S기, DNA 복제 후 간기인 G_2기(Gap 2) 및 세포분열기인 M기의 세포주기를 가지고 있다. 이들은 확인점(checkpoint)에 의해서 정확히 조절된다.

박테리아는 급속히 성장하기 때문에 복제가 세포주기 전반에 걸쳐 이루어지나 진핵세포에서는 S기에만 일어난다. 앞주기가 끝나야 다음 주기를 시작하며 사이클린과 사이클린 의존성 키나제(Cdk)에 의해 조절된다. 원핵세포보다 복제율은 10배나 낮으며, 매 복제 분기점마다 50 뉴클레오티드/초를 복제한다. 진핵세포는 다중복제개시점이 있어 거대한 유전체(게놈)를 몇 시간에 복제한다(그림 5-9 참조). 원핵세포의 오카자키 절편이 1,000~2,000 염기쌍인 반면 진핵세포의 오카자키 절편은 100~200 염기쌍이다.

진핵생물에 존재하는 5종류의 DNA 중합효소는 각각 고유의 기능을 수행한다(표 5-3). 진핵생물의 DNA 중합효소 α는 여러 개의 소단위로 구성되며, 선도가닥과 지연가닥의 DNA 합성을 개시한다. 소단위 하나는 프라이머 합성효소(프라이마제)의 기능을 가지고 있어 RNA 시발체를 합성하며, 가닥의 신장은 원핵세포의 DNA 중합효소 Ⅲ과 유사하게 중합효소 δ 복합체에 의해 촉매된다. 2개의 중합효소 δ 복합체는 원핵생물의 DNA 중합효소 Ⅲ와 다르게 이량체를 형성하지 않고 각각 선도가닥과 지연가닥을 합성한다. 오카자키 절편의 RNA 시발체 제거는 중합효소 δ 복합체와 관련된 FEN1(또는 MF1)이 제거한다. 원핵세포의 SSB 단백질과 유사한 복제단백질 A가 있어 나선의 재형성을 방지하며, 3′ → 5′ 외부 핵산효소(exonuclease) 활성으로 DNA 교정 기능을 한다. DNA 중합효소 β는 DNA 수선에 관여하고, DNA 중합효소 ε은 3′ → 5′ 엑소뉴클레아제 활성으로 DNA복제와 수선에 관여한다. DNA 중합효소 γ는 미토콘드리아 유전체의 복제를 촉매한다.

표 5-3. 진핵생물의 DNA 중합효소의 특징

특징	α	β	δ	ε	γ
위치	핵	핵	핵	핵	미토콘드리아
5′ → 3′ 엑소뉴클레아제 활성	-	-	-	-	-
3′ → 5′ 엑소뉴클레아제 활성	-	-	+	+	+
프라이마제 활성	+	-	-	-	-
복제	-	-	+	+	+
수록	-	+	-	-	-

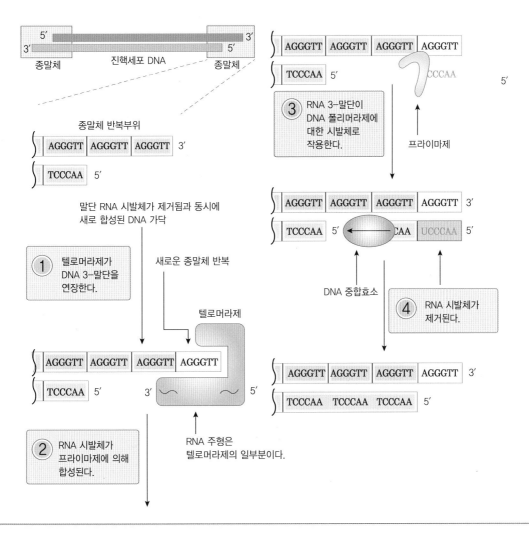

그림 5-14. 텔로머라제의 작용기전

진핵세포의 유전체는 선형 DNA 형태이므로 복제 시 지연가닥에서 마지막 5′-말단의 RNA 시발체가 제거되면서 중합효소가 결합되었던 부위를 채울 수 없게 된다. 또한 이 끝 부분은 각종 핵산분해효소(뉴클레아제)에 쉽게 노출되어 분해되기 쉽기 때문에 이를 보호하기 위하여 단백질과 암호화되지 않는 DNA 복합체가 있는데 이를 종말체(telomere)라 한다. 사람의 체세포는 분열할 때마다 이 말단의 길이가 짧아지게 되고 한계 길이까지 짧아지게 되면 세포분열을 할 수 없게 되어 세포가 노화되나, 암세포, 줄기세포 및 생식세포는 이 말단이 짧아지지 않기 때문에 세포가 노화되지 않는데, 그 이유는 텔로머라제(telomerase)라는 리보핵단백질이 끝 부분의 분절 길이를 유지하기 때문이다. 텔로머라제 구성은 역전사효소의 기능이 있는 단백질과 프라이머제가 합성한 말단 분절 염기와 상보적 염기서열인 시발체(primer) 역할을 하는 RNA 조각이 있다. 사람의 종말체 염기서열은 TTAGGG 이다. 말단 분절에 텔로머라제가 종말체 염기서열을 신장시키고, RNA 시발체가 상보적으로 결합한 후 DNA 중합효소에 의해 사슬이 신장되고, RNA 시발체가 제거되어 말단 분절의 길이가 유지된다(그림 5-14). 종말체 시발체 부분이 복제가 되지 않으면 즉, 텔로머라제의 활성이 저하되면 염색체가 짧아지게 되어 노화가 진행된다.

3) 유전자 재조합

유전정보를 가지고 있는 거대분자인 DNA는 실험실에서 자유로이 절단하거나 붙여 어떤 생명체의 염색체 중에 삽입하여 특정 유전자를 증식시키고 발현시키는 것이 가능하다. 이러한 실험이 가능한 것은 첫 번째로 제한효소(restriction enzyme)의 발견으로 DNA를 자유 자제로 작은 절편을 만들 수 있으며, 두 번째는 유전자 클로닝 및 PCR 기술의 발전으로 원하는 유전자를 동정할 수 있게 되었고, 세 번째로 탐침자(probe)의 합성으

로 원하는 유전자를 동정할 수 있게 되었기 때문이다. 유전자를 인위적으로 조작하여 어떤 생명체의 유전자에 다른 생명체의 유전자를 삽입하고, 그 유전자를 단일 클론으로 증식시키거나 발현시키는 것을 DNA 재조합 또는 유전자 조작이라 한다.

(1) DNA 재조합에 사용되는 효소

DNA를 특정 위치에서 절단하고 다시 결합하는 것이 세균의 효소인 제한효소의 발견으로 가능해졌는데, 이 효소는 이중사슬의 특정한 DNA 염기서열 4~6개를 인식하여 DNA를 절단하기 때문에 작은 조각의 DNA 절편을 얻을 수 있다.

제한효소는 각 효소마다 특정 DNA 염기서열 4~6개의 염기쌍을 인식하여 회문구조(palidrome) 또는 역반복배열 형태로 DNA를 자르며, 이중사슬을 반대 방향에서 읽을 때 같은 염기배열을 갖는 특징을 가진다. 즉 "아시아"는 앞으로 읽으나 뒤로 읽어도 같은 아시아인 것과 같다.

제한효소는 일반적으로 분리된 균주의 개체명에 따라 명명을 했다. 이름의 첫 번째 글자는 분리된 세균의 속명이고, 그 다음 글자는 종명이다. 그리고 동일 균주에서 2종류 이상의 제한 효소가 존재하는 경우 발견 순서에 따라 마지막 이름에 숫자로 표기하였다. 예를 들어 *Hind* Ⅲ는 균주의 속명 헤모필루스(*Haemophilus*)의 첫 문자 H, in은 종명 *influenza*, d는 균주 이름에서, 그리고 Ⅲ는 이 균주에서 3번째 분리된 제한효소이기 때문에 구별하는 번호이다(그림 5-15).

제한효소가 DNA를 절단하면 한쪽 끝은 3′-OH와 다른 한쪽은 5′-인산을 형성한다. *Hind* Ⅲ와 같은 제한효소는 잘린 끝 부분이 서로 엇갈린 형태인 상보적 염기서열을 가진 접착성 말단(cohesive end)을 형성하고 같은 효소로 잘린 다른 DNA 조각과 DNA 리가제 효소를 이용하여 공유결합으로 연결할 수 있다. *Hae* Ⅲ와 같은 제한효소는 절단면이 가지런한 평활말단(blunt end)을 가

생물명	제한효소명	염기배열
Bacillus amyloliquefaciens H	*Bam* HI	5′ - CCAG|GATCC|AGC - 3′ 3′ - GGTCC|TAGG|TCG - 3′
Escherichia coli RY13	*Eco* RI	TCCG|AATTC|GGAA AGGCTTAA|GCCTT
	Eco RV	CCAGAT|ATCAAT GGTCTA|TAGTTA
Haemophilus aegyptius	*Hae* Ⅲ	ATTGG|CCGTT TAACC|GGCAA

↑↓ : 절단부위

■ ▒ 그림 5-15. 제한효소의 종류

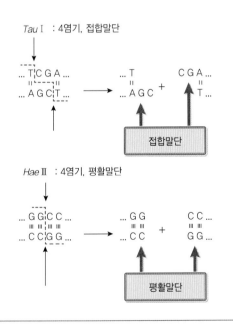

Tau I : 4염기, 접합말단

접합말단

Hae Ⅲ : 4염기, 평활말단

평활말단

■ ▒ 그림 5-16. 접착말단 및 평활말단 제한효소

Champe DC, Harvey RA: Lippincotts: illustrated Reviews Biochemistry. 2nd ed. Lippincott-Raven. 1994.

지는데, 특히 박테리오파지 T4 리가제는 평활말단을 가진 DNA 조작들도 공유결합으로 연결할 수 있다(그림 5-16).

(2) DNA 재조합과 DNA 클로닝

제한효소를 이용하여 어떤 생명체의 DNA를 무작위로 여러 크기로 절단하고, 절단된 DNA 단편은 같은 제한 효소로 절단된 벡터 DNA의 클로닝 위치에 삽입하여 만든 혼성 DNA 혹은 재조합 DNA는 복제를 위하여 대장균과 같은 세포 안으로 도입시키면 DNA의 증폭이 가능하게 된다. 이렇게 세포 안으로 외부 DNA를 도입하는 과정을 세균에서 형질전환(transformation)이라 하며, 진핵생물에서는 주로 바이러스 등을 이용하여 핵 안으로 주입시키기 때문에 이입이라 한다.

형질전환의 경우 외부 DNA 절편을 세균에 도입시켜 유전자재조합이 일어나 새로 도입된 유전자는 자손에 전달된다. 형질도입의 경우 외부 DNA를 가지고 있는 박테리오파지(bacteriophage)가 다른 세균을 감염시킬 때 외부 DNA가 전달되어 유전자재조합이 일어나 감염된 세균은 도입된 외부 DNA로 인해 원래 없던 형질이 새로이 생긴다. 접합(conjunction)이란 플라스미드를 가지고 있는 세균과 플라스미드가 없는 세균이 섬모를 통해서 플라스미드가 이동되어 플라스미드가 없던 세균이 플라스미드를 획득하여 유전자재조합이 일어나는 경우로 병원에서 항생제 내성이 발생된 것이 좋은 예이다. 이에 비해 진핵세포의 경우 유전자재조합은 일반적으로 생식세포를 형성하는 감수분열 제1분열 전기에 유전자재조합이 발생하여 유전자의 비분리 등에 기여한다.

숙주 세포 안으로 도입된 외부 DNA는 숙주세포가 증식함에 따라 독립적으로 많은 클론을 형성하기 때문에 증폭이 된다. 최근에는 중합효소 연쇄반응(polymerase chain reaction, PCR)을 이용하여 DNA 실험실 수준에서 직접 증폭하기도 한다. 이러한 DNA 클로닝에는 외부 DNA 조각을 받아들일 수 있는 DNA 조각인 벡터(vector)와 제한효소를 사용하여 긴 DNA 분자를 절단하면 아주 많은 DNA 절편이 생기는데, 이 많은 DNA 절편 속에서 연구하거나 관심 있는 유전자를 함유하고 있는 DNA 절편을 찾는데 유용한 탐침자(probe)가 필요하다. 벡터는 ① 숙주세포에서 독립적으로 복제될 수 있어야 하며, ② 자체 내에 제한효소 절단 부위가 있어 외부 DNA를 도입할 수 있어야 하며, ③ 항생제 유전자와 같은 선별 표지자를 한 개 이상 가지고 있어 외부 DNA 도입 균주를 구별할 수 있어야 한다. 이런 목적으로 사용되는 벡터로는 플라스미드(plasmid)와 세균 및 동물 바이러스가 있다(그림 5-17).

DNA를 재조합하기 위해서는 ① 먼저 사용할 벡터를 제한효소 처리한다. ② 증폭하고자거나 발현하고자 하는 단백질의 유전자의 양쪽 끝을 링커를 사용하던지 아니면 평활말단을 만들어 벡터를 자른 제한효소를 사용하여 벡터와 붙이기 좋은 형태로 만든다. ③ 시험관 내

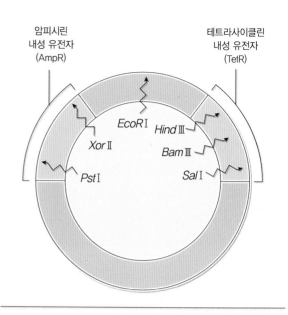

■■ 그림 5-17. 벡터

플라스미드 pBR322의 제한효소 지도는 항생제 내성 유전자의 위치와 특정 제한효소에 의해 인식되는 염기서열의 위치를 보여주고 있다. Champe DC, Harvey RA: Lippincotts: illustrated Reviews Biochemistry. 2nd ed. Lippincott-Raven. 1994.

에서 제한효소로 자른 벡터에 삽입하고자 하는 DNA와 DNA 리가제 및 ATP를 이용하여 벡터에 외부 DNA가 삽입되어 연결되도록 한다. ④ 리가제를 처리한 DNA 혼성물(hybrid) DNA는 대장균에 삽입을 시켜 증식을 한 후 벡터의 항생제 인식 표지자를 사용하여 선별한다. 제한효소로 처리된 벡터가 다시 연결되었거나 혹은 외부에서 삽입을 원하는 유전자가 삽입되지 않은 벡터를 가지고 있는 대장균과 원하는 유전자가 삽입된 벡터를 가지고 있는 유전자를 분리한다. 원하는 유전자가 삽입된 대장균을 배양액에서 증식을 하여 원하는 외부 유전자를 가지고 있는 많은 양의 플라스미드 DNA를 정제하여 연구에 사용할 수 있다(그림 5-18). 대장균에서 발현 벡터에 외부 유전자를 삽입하고 있는 플라스미드는 대장균이 증식을 하면서 외부 유전자의 단백질을 합성함으로써 단백질을 정제하여 외부 유전자가 합성한 단백질을 얻을 수 있다.

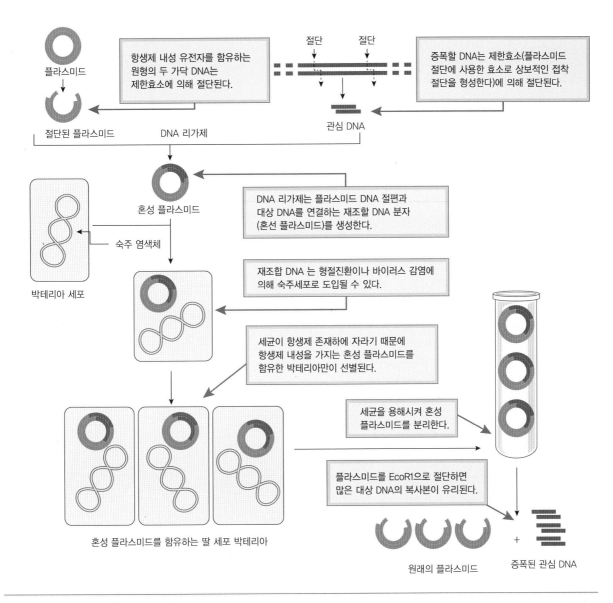

항생제 내성 유전자를 함유하는 원형의 두 가닥 DNA는 제한효소에 의해 절단된다.

증폭할 DNA는 제한효소(플라스미드 절단에 사용한 효소로 상보적인 접착 절단을 형성한다)에 의해 절단된다.

플라스미드

절단된 플라스미드　　DNA 리가제　　관심 DNA

DNA 리가제는 플라스미드 DNA 절편과 대상 DNA를 연결하는 재조합 DNA 분자 (혼선 플라스미드)를 생성한다.

혼성 플라스미드

숙주 염색체

박테리아 세포

재조합 DNA 는 형질진환이나 바이러스 감염에 의해 숙주세포로 도입될 수 있다.

세균이 항생제 존재하에 자라기 때문에 항생제 내성을 가지는 혼성 플라스미드를 함유한 박테리아만이 선별된다.

세균을 용해시켜 혼성 플라스미드를 분리한다.

플라스미드를 EcoR1으로 절단하면 많은 대상 DNA의 복사본이 유리된다.

혼성 플라스미드를 함유하는 딸 세포 박테리아

원래의 플라스미드　+　증폭된 관심 DNA

■■ 그림 5-18. 유전자 클로닝의 요약

Champe DC, Harvey RA: Lippincotts: illustrated Reviews Biochemistry. 2nd ed. Lippincott-Raven. 1994.

4) 유전자의 전사와 수식과정

생명체의 유전정보를 함유하고 있는 DNA의 유전정보를 mRNA 사슬로 전달하는 과정을 전사라 하며, DNA의 유전정보가 mRNA에 전사된 후 mRNA의 유전암호로 되며, RNA 중합효소(폴리머라제)에 의해 촉매된다.

RNA는 리보오스 당과 4개의 염기(아데닌, 구아닌, 시토신, 우라실) 및 인산으로 구성되어 있다.

(1) RNA 전사

전사는 DNA에 적혀 있는 유전정보를 mRNA로 옮기는 과정으로 RNA 중합효소가 이 과정을 맡는다. 기본적으로는 DNA 복제과정 중 한쪽 부분과 유사하나, 전사 과정에서는 한쪽 가닥만을 정보로 삼아 옮겨 적고 RNA가 합성된 이후 DNA는 원상 복구된다.

원핵세포의 경우 전사된 mRNA는 그대로 다음 과정인 번역과정으로 넘어가게 되나, 진핵세포의 경우 중간에 끼어 있는 인트론을 제거하고 엑손만을 남겨야 하므로 만들어진 mRNA를 가공하는 과정을 거친다. DNA의 한 가닥을 주형으로 하여 RNA를 만들어 내는 것을 DNA-의존적 RNA 중합효소라고 하며, 전사는 이 효소가 담당한다.

(2) 원핵생물과 진핵생물의 전사

원핵생물에서의 전사란, RNA 중합효소가 DNA에 붙으면서 시작된다. 원핵생물의 전사는 RNA 중합효소와 아주 적은 종류의 단백질이 함께 DNA에 붙으면서 시작한다. 이때 RNA 중합 효소 이외에 같이 붙은 단백질들은 전사의 미묘한 부분을 조정하는 조정자 역할을 하게 된다. 그러나 원핵생물의 전사에서 그러한 조정자의 역할은 진핵생물에서의 그것과 비교하면 매우 미미하다.

진핵생물에서의 전사는 원핵생물에서의 전사와 커다란 차이를 갖는다. 가장 큰 차이점은, 진핵생물에서의 전사는 RNA 중합효소 이외의 여러 조정자들이 관여한다는 것이다. 원핵생물에서와는 달리 진핵생물에서는 전사의 정도, 즉 전사의 양과 속도, 전사되는 단백질의 종류 등을 세심하게 조절하기 위해 수많은 단백질들이 필요하다. 이러한 단백질들을 전사인자라고 하며, 그 예로는 AP-1, NF-κB 등이 있다.

전사 인자들과 RNA 중합효소가 단계적으로 또는 한꺼번에 중합체를 이루면서 DNA의 특정 영역에 어느 정도의 세기로 붙을 것인지가 결정이 된다. 원핵생물에서의 전사란 RNA 중합효소와 DNA와의 직접적인 결합에 의해 대부분 조정되는 것에 비해, 진핵생물에서의 전사는 전사인자와 RNA 중합효소의 복합체와 DNA와의 결합에 의해 조절된다. 따라서 진핵생물에서의 전사란 단

순히 RNA 중합효소와 DNA와의 결합이 아닌, 전사인자라는 조절자의 역할이 결정적인 역할을 하게 되는 과정이다.

원핵생물의 전사는 DNA의 전사 시작점인 프로모터에 RNA 중합 효소가 직접 결합함으로써 시작된다. 그러나 진핵생물의 전사에는 보다 복잡한 과정이 필요한데, 진핵생물의 RNA 중합효소 II는 단순히 프로모터에 결합하여 전사를 시작할 수 없으며, 전사인자인 다양한 조절 단백질이 염색체 위에서 조립된 다음에만 결합된다. 진핵생물의 RNA 중합효소 II는 전사인자들과 결합할 수 있는 자리만 있고 DNA와 직접 결합하지는 않기 때문이다.

TATA 박스와 같은 DNA 서열은 TATA 접합단백질과 결합하여 유전자의 공통적인 프로모터로 작용한다. 그러나 다른 프로모터 서열은 특별한 전사인자들에서만 인식된다. 이들 특수한 전사인자는 발생과정에서 세포 분화에 중요한 역할을 담당한다. 전사인자는 일군의 단백질 집합이다. 전사인자는 DNA를 청사진으로 삼아 유전 정보를 읽어 들이는 역할을 하고, RNA 중합 효소와 결합하여 전사를 조절한다. 따라서 전사인자는 유전자 발현의 과정에 매우 중요한 요소를 차지한다.

단백질 합성에는 전령 RNA(mRNA), 전달 RNA(tRNA) 및 리보소체 RNA(rRNA)의 3종류(그림 5-19)의 RNA가 관여하며, DNA는 당이 디옥시리보오스인데 비하여 RNA는 리보오스를, DNA의 경우 염기는 A, T, G, C인데 비하여 RNA는 U, A, C, G를 갖고 있으며, RNA는 DNA에 비해 크기도 작고 단일 가닥으로 존재한다. 또한 진핵생물의 핵 내에서 엑손의 제거에 관여하는 것으로 알려진 작은 핵 RNA(snRNA)가 있다.

mRNA는 핵 DNA의 유전정보를 전달하기 위해서 핵질에서 합성되어 세포질에서 단백질 합성을 위한 아미노산 암호를 제공한다. mRNA의 구조적 특징으로 ① 한 개의 mRNA가 1개 이상의 단백질 합성을 위한 정보를 제공하면 폴리시스트론이라 하고, 단지 1개의 단백질 합

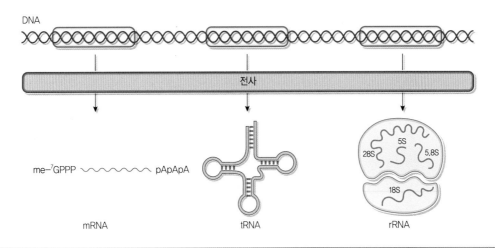

■▨ 그림 5-19. 전사에 의한 유전정보의 발현. RNA는 진핵생물에서 볼 수 있는 경우이며 me⁷-Gppp = 7-메틸 구아노신 삼인산, AAA = 폴리-A 꼬리이다. Champe DC, Harvey RA: Lippincotts: illustrated Reviews Biochemistry. 2nd ed. Lippincott-Raven. 1994.

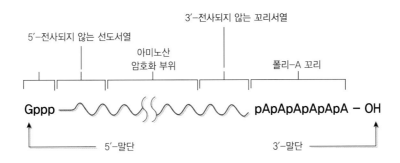

■▨ 그림 5-20. 진핵생물의 mRNA 의 구조

성을 위한 정보를 제공하는 경우에는 모노시스트론이라 한다. ② 진핵생물의 mRNA는 앞부분의 5′-말단에 7′-메틸구아노신이라는 캡을 가지고 있어 구조적인 안정과 메틸화를 통한 번역 개시 암호로 사용된다. 끝부분 꼬리인 3′-말단에서는 아데닌 뉴클레오티드가 40~200개 있는 폴리-A 꼬리 구조가 있어 mRNA의 구조적 안정화와 핵으로부터 쉽게 세포질로 이동하는데 도움을 준다 (그림 5-20).

전달 RNA(tRNA)는 크기가 가장 작은 RNA로 3개의 염기로 구성된, mRNA에 있는 코돈에 상보적인 안티

코돈이 있으며, 코돈 염기에 해당하는 아미노산 20종류를 3′-말단에 하나씩 특이적으로 가지고 있다. mRNA의 코돈 염기에 따라 해당 아미노산을 가지고 와서 합성 중인 단백질 사슬에 아미노산을 전달한다.

리보소체 즉, rRNA는 여러 단백질과 결합한 형태로 발견되며, 핵인에서 합성되고, 단백질 합성 장소로 작용한다. 세포내 RNA의 약 80%를 차지하며, 원핵세포에 3종류의 RNA(23S, 16S, 5S)가 있으며, 진핵세포에는 28S, 18S, 5.8S 및 5S RNA의 4종류가 존재한다. 특히 단백질 합성에서 촉매로 작용하는 rRNA를 리보자임이

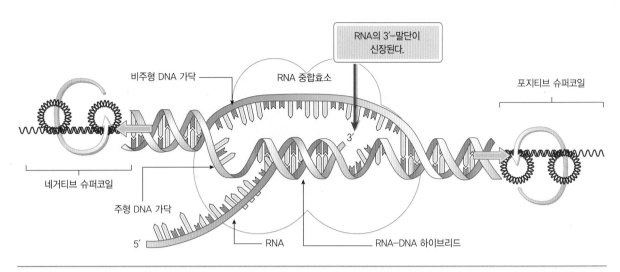

RNA의 3'-말단이
신장된다.

비주형 DNA 가닥   RNA 중합효소   포지티브 슈퍼코일

네거티브 슈퍼코일

주형 DNA 가닥

5'   RNA   RNA-DNA 하이브리드

■▦▨ **그림 5-21. 전사과정과 RNA 중합효소에 의해 야기되는 DNA의 국소적 풀림**

RNA 중합효소에 의해 DNA로부터 RNA가 합성되기 위해 국소적으로 DNA 가닥이 풀린 결과 한쪽 끝은 네거티브 슈퍼코일이 형성되고 다른 쪽은 포지티브 슈퍼코일이 형성된다.

라 한다. 이 효소는 주형으로 이중나선 DNA 중의 한 사슬을 필요로 하여서 진핵세포에서의 전사반응은 세포핵에서 일어난다. 세포 핵에서 rRNA 합성은 핵인에서 일어나고, mRNA나 tRNA는 핵질에서 합성된다.

원핵세포는 세포질의 한쪽에 위치하고 있는 DNA에서 일어나며, 플라스미드는 염색체와는 독립적으로 스스로 전사된다. 또한 4종류의 리보뉴클레오시드 삼인산(ATP, GTP, CTP 및 UTP)과 Mg^{2+}를 필요로 하며, 시발체는 필요하지 않다. RNA 중합효소에 의한 RNA 합성과정은 유전자의 전사 개시점 인식, RNA 합성이 시작되는 개시, 새로운 염기들이 중합되어 길어지는 신장, RNA 사슬 합성이 끝나 방출되는 종료의 4단계로 구분할 수 있다(그림 5-21).

DNA 유전정보를 mRNA로 복사하는 과정을 전사라하며, DNA 주형의 정보를 인식하여 전사가 개시되고 종료된다. 전사는 전사 개시부위인 DNA에 있는 프로모터 부위에 RNA 중합효소가 결합하여 일어나는데, 프라이마제에 의해 시발체(primer)가 합성되는 반면 나머지 모든 RNA는 RNA 중합효소에 의해서 시작하고 종료된다.

전사는 센스 가닥(sense strand)과 안티센스 가닥(anti-sense strand) 중에서 안티센스 DNA 가닥을 주형으로 서로 상보적인 염기를 신장하나, A 염기는 U로 전사되어 결국 센스 DNA 가닥과 비교하면 T 염기가 U 염기로 치환된 RNA 사슬이 합성된다.

원핵생물의 RNA 중합효소(폴리머라제)는 중심효소인 2α, 1β, 1β', 1ω 소단위와 δ 소단위가 결합하여 완전효소를 형성한다. 또한 프라이마제는 원핵생물이나 진핵생물 모두에서 시발체를 합성한다. 진핵생물의 RNA 중합효소는 3종류가 있어 RNA 중합효소 I은 rRNA의 전구체를 합성하며, RNA 중합효소 Ⅱ는 mRNA의 전구물질과 소핵 RNA(snRNA)를 합성하고, RNA 중합효소 Ⅲ는 tRNA와 작은 5S rRNA 및 snRNA를 합성한다.

(3) 전사 후 RNA 가공

원핵생물과 진핵생물의 tRNA와 rRNA는 일반적으로 DNA 주형으로부터 RNA 형태로 기능을 하지 못하는 1차 전사물로 만들어졌다가 리보뉴클레아제의 절단이 된 다음에 고유의 기능을 갖는다. 원핵생물의 일차 전사물인 mRNA는 일반적으로 특별한 가공이 없이도 기능을 가지기도 하나 진핵생물의 일차 전사물인 전구 mRNA는 전사 후 가공 과정을 거쳐 기능을 갖게 된다. 원핵생물은 여러 유전자가 모인 오페론(operon) 단위인 폴리시스트론(polycistron) mRNA로 전사되어 하나의 mRNA에서 다양한 단백질이 합성되지만, 진핵생물의 경우 하나의 mRNA에서 하나의 단백질을 합성하는 모노 시스트론(monocistron) mRNA로 전사된다.

원핵생물과 진핵생물의 tRNA는 1차 산물인 전구물질의 가공에 의해 만들어진다. 인트론은 안티코돈의 루프에서 제거되며, 5′-말단의 16 뉴클레오티드는 RNA 분해효소인 RNase P에 의해 절단되고, 3′-말단은 뉴클레오티드 전이효소에 의해 -UU 염기 대신 -CCA 염기로 변형이 된다(그림 5-22).

원핵생물과 진핵생물에서 RNA 중합효소 I의 1차 전사물인 전구 리보소체 RNA(프리-rRNA)는 RNase의 절단에 의해 기능을 갖는 성숙한 rRNA로 가공된다. 전구 리보소체 RNA는 원핵생물의 경우 23S와 16S rRNA를 만들고, 진핵생물의 경우 28S, 18S, 5.8S rRNA를 만들며(그림 5-23), 가공 전이나 가공 과정 중에 리보소체를 구성하는 일부 단백질이 결합된다. 그러나 원핵생물의 5S rRNA는 RNA 중합효소 Ⅲ에 의해 전사되어 다른 가공과정으로 형성된다.

mRNA의 경우 원핵생물의 1차 산물은 중합효소 Ⅲ에 의해 전사되어 특별한 가공과정이 없이 기능을 나타내나, 진핵생물의 경우 세포질 mRNA를 포함하는 다양한 많은 종류의 1차 산물인 이질핵 RNA(hnRNA)는 핵에서 가공과정이 이루어진다. hnRNA는 5′-말단에 구아닌 전이효소와 구아닌 7-메틸 전이효소에 의해 7-메틸구아노신 삼인산이 결합하는데 이를 5′-캡핑이라 한다. 이러

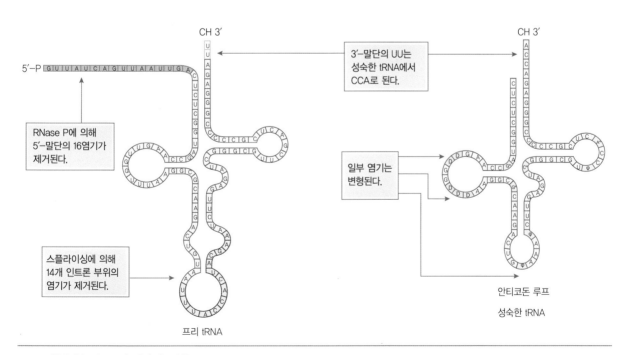

■▨ 그림 5-22. tRNA의 전사 후 가공

D : 디하이드로우라실, Ψ : 슈도우라실, ᵐ : 메틸화 염기를 뜻한다.

Champe DC, Harvey RA: Lippincotts: illustrated Reviews Biochemistry. 2nd ed. Lippincott-Raven. 1994.

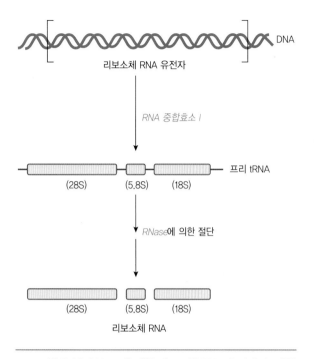

■ 그림 5-23. RNase에 의한 리보소체 RNA의 전사 후 가공

한 캡핑을 통해 세포내에 있는 RNA 분해효소로부터 mRNA를 보호하여 안정화에 기여하고, 리보솜이 mRNA를 인식하는 것을 돕는다. DNA로부터 전사되지 않고 폴리-A 중합효소에 의해서 ATP를 기질로 사용하여 전사체 3'-말단의 AAUAAA 신호서열 뒤에 50~200개의 아데닌 뉴클레오티드(폴리-A)가 첨가된다. 이러한 폴리-A 꼬리달기에 의해 세포내에 있는 RNA 분해효소로부터 mRNA를 보호하여 안정화에 기여하고 핵으로부터 쉽게 빠져나가게 하며, 세포질에서는 폴리-A의 꼬리가 점점 짧아진다(그림 5-24).

진핵생물 유전자는 중간에 단백질을 암호화하지 않는 인트론이 존재하는데 핵 내에 있는 DNA로부터 전사된 1차 RNA(hnRNA)가 인트론이 제거됨으로써 단백질 암호화 부위인 엑손만 연결된 mRNA가 세포질로 이동한다. 스플라이서좀(splicersome)이 올가미 구조를 형성하여 인트론을 제거하고 엑손을 연결하는데 이를 RNA 스플라이싱(splicing)이라 한다. 소핵 RNA(snRNA)는 단백질과 결합하여 소핵리보핵단백질(snRNP 또는 snurp)을 형성하여 인트론 양 끝에 공통 염기서열을 형성하여 인트론 제거를 도와주는 역할을 한다(그림 5-25).

진핵세포에서 하나의 유전자에서 전사된 1차 전사체에 여러 형태의 스플라이싱이 일어나 많은 종류의 mRNA가 형성될 수 있다. 즉 한 개의 유전자에서 스플라이싱에 따라 많은 종류의 단백질이 합성된다(그림 5-26). 단백질을 암호화하고 있는 적은 수의 엑손이 유전자 재조합과정으로 서로 섞이면서 새로운 단백질이 형성될 수 있는데 이를 엑손 셔플링이라 한다(그림 5-27).

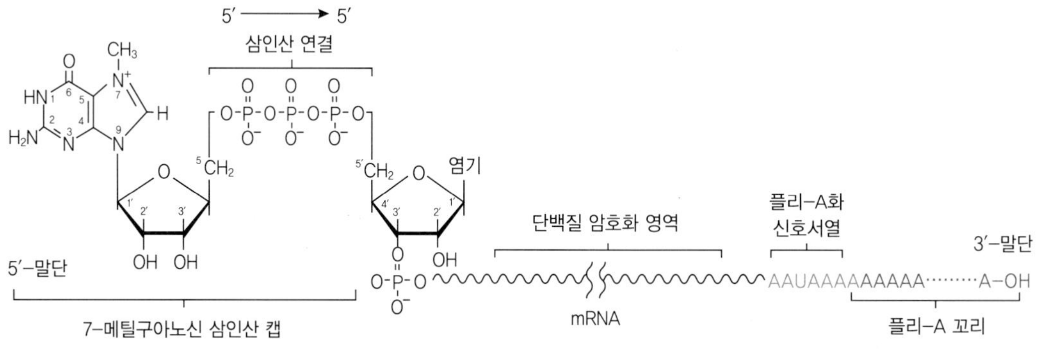

■ 그림 5-24. mRNA의 전사후 가공과정

5'-말단에서 7-메틸구아노신 삼인산 캡핑과 3'-말단에서의 폴리-A꼬리달기가 일어나 mRNA의 안정화에 기여한다.

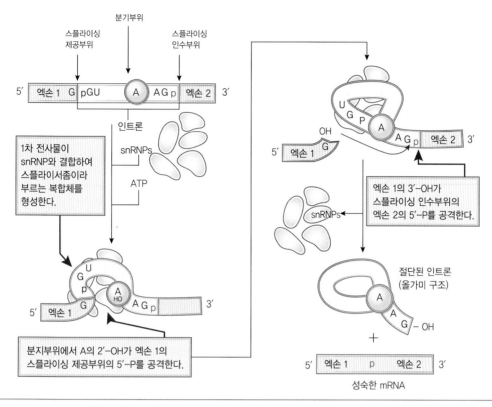

■■ 그림 5-25. 인트론의 제거

snRNA는 단백질과 연합하여 snRNP를 형성함으로써 스플라이싱을 매개한다.

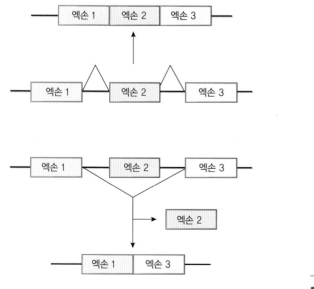

■■ 그림 5-26. 선택적 스플라이싱에 의한 다양한 단백질의 합성

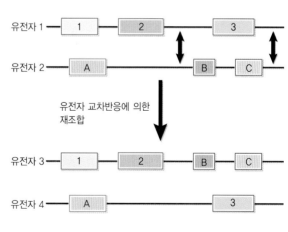

■■ 그림 5-27. 엑손 셔플링(exon shuffling)에 의한 새로운 유전자의 형성

DNA로부터 RNA로 전사가 일어난 후 RNA 구조가 변형되는 RNA 가공과정에는 5′-캡핑, 폴리-A 꼬리달기, 인트론의 제거를 유발하는 스플라이싱 및 tRNA가 전사된 후에 염기나 리보오스의 화학적 변이 등 모두를 포함된다. 효소 활성을 가진 RNA 분자인 리보자임에 의한 스플라이싱을 특별히 자가 스플라이싱(autosplicing)이라 하는데, 인트론이 효소 역할을 한다. 전사가 끝난 후 주로 U 잔기가 결실되거나 삽입 또는 치환되는 경우를 RNA 교정이라 하며 가이드 RNA(gRNA)가 관여한다.

5 고분자 화합물의 생합성

음식물 중의 고분자 화합물은 소화와 흡수 과정을 거쳐 저분자가 되지만, 다시 세포 내에서 그 세포에 필요한 고분자 화합물을 생합성하게 된다. 즉, 영양소는 에너지 생산뿐만 아니라 생체의 구조와 기능을 유지하기 위하여 필요한 분자로 변하는 것이다. 이러한 생합성은 일정한 규칙에 따라 이루어지고 있다. 유전자는 이전 조상들이 남겨준 유산이며 우리가 비슷하면서도 다 다른 이유이다. 유전자가 제대로 작동하면 우리 몸은 아무런 문제 없이 잘 성장하고 기능한다. 그러나 유전자 하나라도 잘못되면 질병과 죽음 등 치명적인 결과가 나타날 수 있다. 우리의 유전자는 그것이 암호화하고 있는 단백질을 통해 우리 몸이 얼마나 효율적으로 음식물을 소화하고, 독성물질을 해독하며, 감염에 대해 대처하는가를 결정한다. 유전자는 DNA의 작용단위이다. DNA는 산소운반, 면역 방어, 근육 수축 등 세포가 필요로 하는 모든 단백질에 대한 제조 정보의 묶음이며, 각 유전자는 특정 단백질의 제조 정보를 암호화하고 있다.

DNA를 이루는 기본 분자의 구조 자체는 단세포 아

메바의 경우에서 150톤 고래에 이르기까지 모든 생물에서 같다. DNA는 생물이 번식하는데 필요한 모든 정보를 담은 하나의 언어이다. 언어의 알파벳에 해당하는 것이 뉴클레오티드이고, 단어에 해당하는 것은 코돈이며, 유전자는 문장이고, DNA는 책에 해당한다. 염기 하나하나에는 아무런 의미가 없다. 자연은 단백질을 만드는 정보를 2진법 디지털의 형태로 저장하고 있다. 생물이 성장하고 살아가는 과정은 DNA의 디지털 정보가 해독되어 아날로그 단백질로 변화되는 과정이라 할 수 있다.

사람의 각 세포는 평균 약 30억 개의 뉴클레오티드로 된 DNA를 가지며, 각각의 자리에 4가지 다른 염기를 가질 수 있으므로 이것을 2진법 끈으로 환산하면 총 600만 비트의 정보에 해당된다. 이것은 컴퓨터에서 750 메가바이트에 해당한다. CD-ROM 한 장의 용량이 650 메가바이트인 것과 비교하면 생물학적 세포의 정보 저장용량을 짐작할 수 있다. CD-ROM 한 장에 기록된 정보의 홈은 그 길이가 총 6km 정도 된다. 비슷한 양의 정보가 세포에서는 1.8m 길이의 DNA에 저장될 수 있다.

1) DNA 원본에서 RNA 복사하기

단백질이 생합성 되는 과정에서 아미노산이 배열하는 순서는 DNA의 염기 배열에 근거한다. 유전자 정보가 단백질 합성에 얼마나 발현되는가는 비들(George Beadle)의 붉은 빵 곰팡이의 돌연변이 주를 사용한 연구가 실마리가 되어 하나의 유전자가 하나의 단백질인 효소를 만든다는 가설을 이끌어 내게 되었다.

단백질 합성은 세포질 속에서 이루어지고 있으므로 핵에서 DNA 정보를 세포질 속으로 전달하는 물질이 존재할 필요성이 검토되었다. 1960년대에 DNA 암호 복사를 리보솜에 운반하여 아미노산 배열을 지시하는 RNA의 존재를 가정하고 이것을 mRNA라고 명명하였다. 즉,

세포가 단백질을 만들 때는 DNA 정보를 곧장 단백질 제조 지시로 사용하는 것이 아니라 mRNA라고 하는 유전자의 복사본을 떠서 사용하는데, 이 과정을 전사라 한다. 우리가 책을 가지고 공부할 때 필요한 부분만 복사해서 공부하듯이 생물의 전체 게놈이라고 하는 책에서 필요할 때마다 필요한 부분만 복사하여 이용한다. 다양한 단백질이 제조되어야 할 경우에는 RNA 복사본도 여러 부 만들어진다.

이 mRNA의 염기배열은 DNA의 정보가 전사된 것으로, 이 상대관계는 바로 DNA 중의 퓨린 염기-피리미딘 염기 쌍에 해당하는 것이다(그림 5-28). 세포의 핵에는 핵산이 존재하고 핵산에는 DNA와 RNA가 있다. DNA는 아데닌(A), 구아닌(G), 티민(T), 시토신(C)의 4종류의 염기가 배열된 이중나선구조를 취하고 있다. 4종류의 염기 중에서 3개의 염기가 한 조가 되어 하나의 아미노산을 암호화한다. RNA는 DNA보다 당질 성분에 산소원자가 하나 더 추가되어 있으며, 염기의 경우 티민(T)대신 우라실(U)이 사용되는 것 외에는 DNA와 거의 같다. 그러나 RNA는 DNA와 달리 보통 한 가닥으로 존재하며, DNA보다 화학적 안정성이 떨어진다. 세포 내에는 mRNA 외에도 다른 기능을 하는 rRNA나 tRNA도 존재한다.

유전형질이 4진법으로 표기되어 있다는 가설이 제시된 후, 단백질의 아미노산 조성은 DNA에 의해 완전히 결정되는 것이 틀림없지만, 20종류의 아미노산으로 구성되는 펩타이드에 관하여 표현하기에는 20문자의 알파벳에 근거하여 "긴 문자로 기재하여야 한다"고 하였다. 유전 부호에 대한 실험 결과는 다음과 같다.

① 한 아미노산에 대한 유전부호는 트리플레트 코돈일 것이라 규정하였다. 즉, DNA를 구성하고 있는 염기는 4개뿐(A, T, G, C)이므로 한 염기와 한 아미노산만이 유전부호와 관계가 있다고 가정하면, 나머지 16개의 아미노산 유전부호는 생각할 수 없게 된다. 또한 만일 2염기가 한 조가 된 유전부호와 아미노산의 관계를 보면, $4^2 = 16$, 즉 나머지 4개의 아미노산 유전부호는 알 수가 없다. 3염기가 한 조가 된 유전부호를 생각하면 $4^3 = 64$개의 조

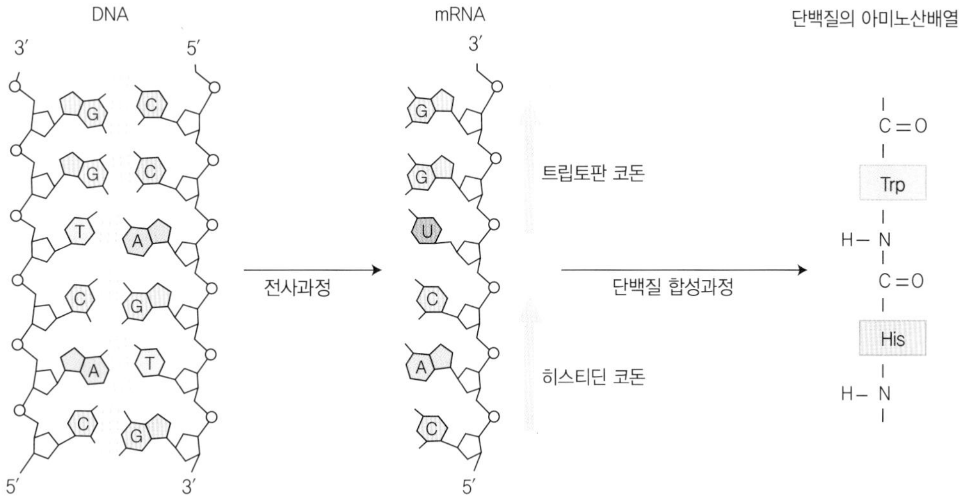

■ ▨ 그림 5-28. DNA의 정보가 mRNA에 전사되어 단백질의 아미노산 배열이 결정되는 원리

DNA 의존성 RNA 폴리머라아제는 DNA의 염기배열을 3'→5' 방향으로 해독하여 mRNA를 5'→3' 방향에서 생합성 된다. 합성된 mRNA 상의 코돈을 따라서 아미노산의 배열이 결정된다.

로 된 염기배열 순서를 가진 유전부호를 생각할 수 있다. 자연계에는 20개의 아미노산이 존재하므로 각 아미노산에 대하여 적어도 3염기 이상이 한 조가 된 유전부호가 있어야 한다는 순리적 계산이다. 유전실험을 통하여 한 아미노산에 대한 유전부호는 염기 3개가 한 조가 되며, 이 한조가 된 3개의 염기를 트리플레트 코돈(triplet codon)이라 한다.

② 이 유전부호는 중복을 허용하지 않는다. 중복을 허용하지 않는 유전부호의 경우에는 3염기가 한 조가 된 트리플레트 코돈이 각 한 아미노산의 유전부호와만 관계가 있으나, 중복을 허용하는 경우에는 보다 복잡해진다. 중복을 허용하지 않는 유전자 부호라는 사실은 돌연변이 주에서 얻은 단백질의 아미노산 배열 순서를 조사한 결과로부터 알았다. 즉, 그림 5-29에서 보는 바와 같이 만일 염기 하나(여기에서는 C)가 다른 염기로 돌연변이가 된 경우에 중복을 허용하지 않는 경우에는 aa1(ABC) 단 한 개의 아미노산이 바뀌게 되나, 중복을 허용하는 경

우 aa1(ABC), aa1′(BCD), aa1″(CDE) 3개의 아미노산이 다른 아미노산으로 바뀌어야만 하기 때문이다. 여러 실험을 통해 유전부호 하나가 변형된 경우에는 한 아미노산만이 바뀐다는 사실이 밝혀졌다.

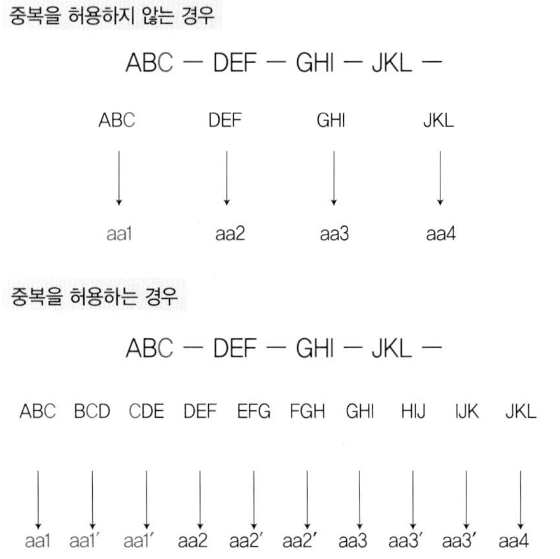

③ 중복을 허용하지 않는 유전자 부호를 이룬 3개의 염기가 한 조를 이룬 사이에 쉼표가 없이 유전부호가 연속을 이루어 정확히 정보를 전달한다. 만일 ABCDEFGHIJKL을 기잔 유전자를 생각하고, 이 유전자의 염기를 이룬 G가 소실된 돌연변이를 생각하면 펩타이드를 이룬 처음 aa1, aa2 아미노산은 정상이나, 그 다음에 오는 아미노산부터는 G가 빠진 상태로 돌연변이를 일으켜 완전히 다른 아미노산이 오게 되어 이상 단백질을 합성한다. 즉, 트리플레트 코돈이 GHI가 아니라 HIJ로 되기 때문이다.

④ 자연계에는 20개의 아미노산이 있으며, 이상과 같이 64개의 트리플레트 코돈을 생각할 수 있다. 그러므로 한 트리플레트 코돈은 한 아미노산에 한정되는지, 또한 한 아미노산에는 2개 이상의 트리플레트 코돈에 의하여 단백질이 합성되는 지의 여부는 이후의 연구결과로 밝혀졌다. 현재로는 표 5-4에 나타내는 64종의 전 코돈을 알고 있다. 이 중 61종은 아미노산에 대응하는데, 3종(UAG, UGA, UAA)은 넌센스코돈 또는 정지코돈이라고 하며, 단백질 합성이 정지된다. 또한 개시코돈은 AUG로, 이것은 포르밀 메티오닌에 해당되며, 단백질 합성이 시작되는 코돈이다.

중복을 허용하지 않는 경우

ABC — DEF — GHI — JKL —

ABC → aa1 DEF → aa2 GHI → aa3 JKL → aa4

중복을 허용하는 경우

ABC — DEF — GHI — JKL —

ABC → aa1, BCD → aa1′, CDE → aa1′, DEF → aa2, EFG → aa2′, FGH → aa2′, GHI → aa3, HIJ → aa3′, IJK → aa3′, JKL → aa4

■■ 그림 5-29. 유전부호의 중복을 허용하는 경우와 허용하지 않는 경우에 있어 아미노산 배열순서의 변화

세포에서 단백질 합성이 이루어지는 세포소기관인 리보솜은 rRNA와 단백질로 이루어져 있으며, 단백질 합성 시에는 크고 작은 두 개의 소단위가 결합되면서 이루어진다(그림 5-30). 단백질 합성을 위해 핵공을 빠져 나온 mRNA가 먼저 리보솜과 결합하여 mRNA 복합체를 이루어야 한다.

표 5-4. 유전자 코돈(트리플레트 코돈)

첫 번째 문자		두 번째 문자									세 번째 문자
		U		C		A		G			
U	U	UUU UUC	Phe	UCU UCC	Ser	UAU UAC	Tyr	UGU UGC	Cys	U C	U
		UUA UUG	Leu	UCA UCG		UAA UAG	정지	UGA	정지	A	A
								UGG	Tyr		G
	C	CUU CUC	Leu	CCU CCC	Pro	CAU CAC	His	CGU CGC	Arg	U C	U C
		CUA CUG		CCA CCG		CAA CAG	Gln	CGA CGG		A G	A G
	A	AUU AUC	Ile	ACU ACC	Thr	AAU AAC	Asn	AGU AGC	Ser	U C	U C
		AUA		ACA ACG		AAA AAG	Lys	AGA AGG	Arg	A G	A G
		AUG	Met								
	G	GUU GUC	Val	GCU GCC	Ala	GAU GAC	Asp	GGU GGC	Gly	U C	U C
		GUA GUG		GCA GCG		CAA GAG	Glu	GGA GGG		A G	A G

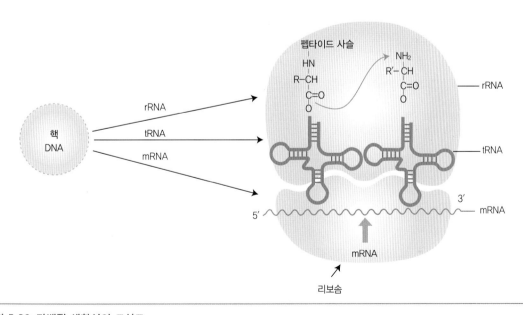

■ ▨ 그림 5-30. 단백질 생합성의 모식도

mRNA와 결합한 리보솜은 개시 코돈(AUG)에서 tRNA-Met를 상보적으로 결합하여 합성이 시작된다. tRNA에 의해 운반된 아미노산은 펩타이드 결합으로 두 번째 아미노산과 결합하고, tRNA는 리보솜을 떠나며, 리보솜은 mRNA의 다음 코돈으로 이동한다. 정지코돈을 만날 때까지 펩타이드 사슬이 신장되며, 정지코돈에서는 해당 tRNA가 없어 합성이 정지된다.

2) RNA 코돈 암호 해독하기

mRNA는 핵에서 전사된 후 핵 밖으로 나와 세포질에서 리보솜이라고 하는 세포소기관으로 이동한다. 리보솜은 mRNA의 정보를 3개 뉴클레오티드씩 묶어서 해독해 나간다. 즉 3개의 뉴클레오티드가 의미를 지닌 하나의 단어로 코돈이 된다. 영어의 알파벳 B, O, Y가 합쳐져 boy라는 단어가 되는 것과 같다. 세포에서는 AUG는 단백질의 개시를 의미하고, GAA는 글루탐산을, UAU는 티로신을, UAG는 단백질의 합성 종료를 의미한다. 리보솜에서 코돈의 암호대로 아미노산이 조합되어 단백질이 제조되는 과정을 번역이라 한다(그림 5-28 참조). 이러한 코돈은 다음과 같은 특성을 갖는다. ① 특정 코돈은 항상 같은 아미노산을 지정하는 특이성을 갖는다. ② 코돈은 초기 진화단계에서 결정되어 모든 생물에 공통으로 보편성을 가지며, 미토콘드리아나 엽록체에서는 예외가 있다. ③ 하나의 아미노산을 지정하는 코돈은 둘 이상 존재하는데 이를 축퇴성(degeneracy)이라 한다. 아르기닌의 경우 CGU, CGC, CGA, CGG, AGA, AGG와 같이 6개의 코돈이 존재하며, 메티오닌을 암호화하는 코돈은 AUG, 트립토판을 암호화하는 코돈은 UGG로 하나씩만 존재한다. ④ 연속적인 염기 서열을 시작 시점에서 3개씩 중복 없이 읽는다. 즉 유전정보는 DNA → RNA → 단백질로 전달된다.

아미노산을 단백질의 합성 부위인 리보솜까지 운반하여 폴리펩타이드가 만들어지도록 해주는 역할은 tRNA가 담당한다. tRNA는 약 80여 개의 염기로 이루어져 있으며, 하나의 아미노산에 대하여 하나의 아미노산에 대하여 적어도 하나 이상의 tRNA가 관여하기 때문에 그 종류가 이렇게 많다. tRNA는 한 가닥으로 이루어진 사슬이 접혀 보상적인 염기 사이에 결합이 이루어지면서 클로버의 잎 모양을 한다(그림 5-31). 여기 쌍을 이루지 않은 중간 부분의 구형 부분에는 3개의 염기로 이루어진 뉴클레오티드가 존재하는데, 이것은 mRNA의 코돈에 상보적으로 대응하기 때문이며, 이를 안티코돈이라

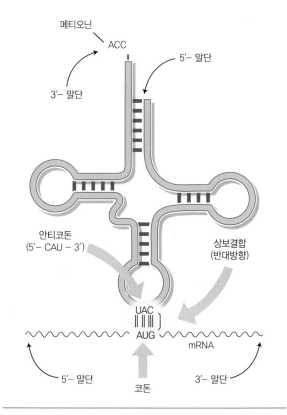

■■■ **그림 5-31. tRNA 모식도**

메티오닌 tRNA의 안티코돈(CAU)과 mRNA 상의 메티오닌 코돈(AUG)의 상보적, 그리고 역평형적 결합이다.

한다. 염기쌍을 이루지 않고 있는 또 다른 한 쪽 끝(3′-OH 말단)에 존재하는 아데닌에 아미노산이 붙는다(그림 5-30 참조).

단백질 생합성은 번역에 의해서 mRNA의 4종류 염기가 20개의 아미노산으로 바뀌는 과정을 말하며, 그 과정은 합성 개시, 사슬연장 및 종료로 나눈다. 단백질의 생합성 소재가 되는 아미노산은 우선 ATP와의 반응에 의해 활성화된다.

아미노산 + ATP → 아미노산-AMP + PPi

활성화된 아미노산은 다음에 tRNA에 결합되고, AMP가 유리된다.

아미노산-AMP + tRNA

→ 아미노아실-tRNA + AMP

리보솜의 작은 소단위가 DNA에서 전사되어 나온 mRNA에 붙게 되면, 이 mRNA의 코돈에 상보적인 안티코돈을 가진 tRNA가 와서 결합하게 된다. 예를 들어 −GCC−에 tRNA의 안티코돈인 −CGG−가 대응하여 배열하면 효소작용에 의해 아미노산 사이에 펩타이드 결합이 형성되고, 단백질 합성이 아미노산 말단에서 카르복시 말단으로 점차 진행된다. 그림 5-30에서 보는 바와 같이 하나의 리보솜에 두 개의 tRNA를 수용할 수 있기 때문에 가능하다. 펩타이드 결합이 형성되면 리보솜은 mRNA의 염기를 따라 한 트리플레트 코돈만큼 옮겨가며, 이 때 아미노산을 넘겨준 tRNA는 분리되어 리보솜 밖으로 나가게 된다. 이와 같이 mRNA의 코돈과 tRNA의 안티코돈이 상보적으로 결합하는 특성에 의해 mRNA의 유전 암호는 정확하게 해독되어 폴리펩타이드를 형성하게 된다.

폴리펩타이드는 mRNA의 시작코돈인 AUG가 메티오닌을 지정하고 있기 때문에 항상 메티오닌이라는 아미노산으로부터 시작된다. 한편, 리보솜이 정지코돈인 UAA, UGA, UAG에 이르면 폴리펩타이드의 합성이 끝나게 되는데, 그 까닭은 이들 코돈과 결합하는 tRNA는 아미노산을 운반하지 않기 때문이다. 합성이 끝난 폴리펩타이드는 리보솜으로부터 떨어져 나와 세포질로 방출되며, 방출된 폴리펩타이드는 다시 일련의 변화과정을 거쳐 기능을 할 수 있는 단백질로 바뀌게 된다. 유전정보의 발현은 항상 똑같이 일어나지 않고, 개체 내의 생리적 조건에 적응하여 항상성을 유지하며, 생명을 영위하기 때문에 생물체는 다양한 유전자 발현 조절기구를 가지고 있다.

3) 유전자의 구조

박테리아와 같은 단순한 원핵세포의 유전자는 하나로 연결되어 있다. 그러나 진핵세포의 유전자는 대개 중간중간에 단백질로 번역되지 않는 인트론이라고 하는 긴 염기서열들이 삽입되어 있다. 긴 글에서 필요없는 부분이 편집자에 의해 삭제되듯이 인트론도 전사된 다음에 정확하게 절단되어 나간다(그림 5-32). 핵 밖으로 나가 리보솜에 의해 해독되는 mRNA는 이렇게 편집이 완성된 RNA이다. 잘려나가지 않고 해독되는 부분을 엑손이라 한다.

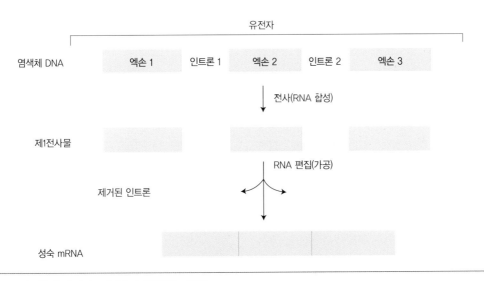

■■ 그림 5-32. 인트론이 제거되고 RNA가 합성되는 과정

보통 인트론의 크기는 엑손의 10배나 된다. 세포는 왜 이렇게 쓸데없는 DNA 부분인 인트론을 많이 가지고 있고, 전사하여 잘라내는 수고를 하는 것일까? 진화과정에서 모든 생물의 유전자에 이런 구조가 보존된 것을 보면 인트론에 어떤 유용한 기능이 존재하기 때문이라 짐작하고 있다. 인트론은 원래 유전자들 사이의 간격을 띄우는 역할을 하던 것이었는데 자연스럽게 여러 유전자들이 뒤섞여서 더 크고 새로운 기능을 갖는 복잡한 단백질로 진화되는 과정에서 유전자 사이에 끼인 인트론이 되었을 것이라는 학설이 현재 가장 설득력이 있다. 그 이유는 초파리, 선충, 쥐, 사람이 공통으로 가지고 있는 유전자들에서 인트론의 상대적 위치가 기본적으로 비슷하다는 이유 때문이다.

그렇다면 인트론은 어떤 기능을 가질까? 인트론은 엑손 사이에서 일어나는 교차와 유전자 재조합을 촉진시켜 진화속도를 가속화시킬 것이라 제안되었다. 즉 인트론은 엑손 뒤섞기를 통해 새로운 유전자 형성을 돕는 진화적으로 중요한 기능을 하는 것이다.

4) 유전자 발현

우리 몸에서 모든 세포는 똑같은 DNA를 가지지만 모든 유전자가 어느 세포에서나 동시에 다 사용되는 것은 아니다. 세포들 마다 사용하는 유전자가 다르고, 세포의 필요에 따라 시시각각 쓰이는 유전자가 변한다. 그럼에도 불구하고 세포의 기본 생존에 필요한 단백질의 유전자들은 모든 세포에서 발현된다. 그러나 대부분의 유전자는 거의 항상 활동하지 않는 상태로 존재한다. 어떤 유전자는 배아 발생 초기에만 중요한 역할을 하고, 그 이후 영원히 사용되지 않는다. 정상세포는 적정 시기에 특정 유전자만을 사용하고, 나머지 대부분 유전자들은 효율적으로 억제할 수 있어야 한다. 이러한 기능에 이상이 발생하면 암과 같은 심각한 결과를 초래할 수 있다.

한 개의 수정란에서 발생한 배아의 세포들은 세포분열을 해나가면서 차츰 똑같은 유전자 정보를 가지고 있으면서도 다른 구조와 기능을 하게 된다. 이것은 특정 유전자가 특정 세포에서만 발현되기 때문에 가능하다. 한 예로 수축 단백질은 근육세포에서 많이 필요하지만, 뇌나 간세포에서는 필요하지가 않으며, 소화효소는 장세포에서 다량 생산되나 눈의 망막세포에서는 생산될 필요가 없다. 그렇기 때문에 유전자 발현이 조절되지 않는 경우 세포 자원의 낭비가 일어난다. 즉 유전자는 선택적으로 발현될 뿐만 아니라, 그 발현 속도도 조절된다. 이렇게 함으로써 생명체는 환경 변화에 민감하게 반응할 수 있게 된다. 유전자 발현이 정교하게 조절되지 않는 경우에 세포의 물질대사는 무질서한 상태가 된다.

효소가 관여하는 생체 내의 화학반응을 조절하는 방법으로 음성 되먹임기작이 있다. 최종 생성물이 충분히 쌓이면 그 물질 자체가 그것을 생산하는 반응 경로의 첫 단계에 작용하는 효소를 억제하는 것이다. 이러한 작용은 즉각적이고 효율적이나 장기적인 전략으로는 낭비다. 일단 효소를 만들어놓고 조절하는 것보다는 필요할 때만 효소를 합성해 사용하는 유전자 발현의 조절이 세포로서는 더 경제적이다.

유전자는 구조부위와 조절부위 두 부분으로 이루어져 있다. 구조부위는 단백질이 암호화되어 있어 RNA로 전사된 후 단백질로 번역된다. 조절부위에는 RNA 중합효소와 그 외 전사 개시에 관여하는 단백질 조절인자들이 결합하여 구조부위에서의 발현을 조절한다. 어떤 단백질의 생산을 조절하려면 번역 단계보다는 이에 앞서 RNA 전사단계에서 조절하는 것이 더 경제적이다. 실제 유전자 발현 조절은 거의 조절부위에 작용하는 RNA 전사효소(RNA 중합효소), 전사인자들을 조절함으로써 이루어진다.

유전자는 세포 밖에서 온 신호에 의해 발현이 시작되거나 종료될 수 있다. 이러한 신호는 다른 부위에서 오는 것일 수도 있고 심지어 생물체의 외부 환경에서 오는 것일 수도 있으며, 화학적 분자일 수도 있고, 빛 형태의 에

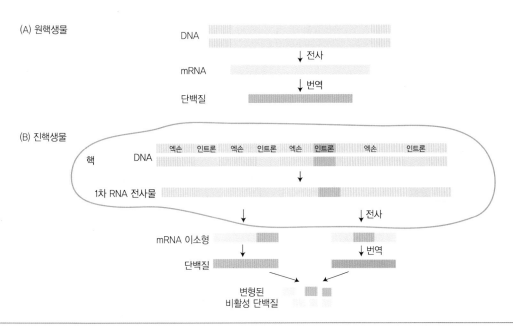

■▒ **그림 5-33. 유전자 발현의 제어**

원핵생물의 경우 핵이 없기 때문에 이 과정이 세포질에서 일어나며, 대부분 유전자에서 제어되는 주요자리는 DNA에서 RNA로 전사되는 과정에 일어난다. 이에 비해 진핵생물의 경우 전사는 핵에서, 번역은 세포질에서 일어나며, 진핵생물의 유전자 발현은 전사 후 과정과 번역 후 과정 모두에서 일어난다.

너지일 수도 있다. 이들 신호는 세포 표면이나 내부의 수용체 단백질을 통해 세포 내로 전달되어 전사조절인자들에 직접 또는 간접적으로 영향을 미친다. 조절인자 단백질들은 이들 신호에 의해 3차원적 구조나 화학적 성질이 변형되며, 그 결과 DNA 조절부위에 결합하는 기능을 잃어 전사가 개시되고 유전자 발현이 된다. 또는 조절인자가 신호에 의해 변형됨으로써 오히려 결합 기능을 얻고 유전자 발현을 억제하는 조절 체계도 있다.

절하는 일차적 조절 자리이다. 원핵생물의 경우 대부분의 유전자에서 제어되는 주요 자리는 DNA가 RNA로 전사되는 과정이다. 이에 비해 진핵생물의 경우 전사과정뿐만 아니라 전사 후 과정과 번역 후 과정을 포함한다(그림 5-33). 지속적으로 발현되는 하우스키핑 유전자로 알려진 구조 유전자처럼 모든 유전자가 조절되는 것은 아니다. 특정 유전자 생성물의 양과 시기를 조절하여 세포의 분화, 형태발생 등 세포의 구조와 기능을 제어한다.

5) 유전자 발현의 조절

유전자 발현은 유전자로부터 형성된 RNA나 단백질을 생성하는 여러 단계의 과정을 말하며, 원핵세포와 진핵세포는 DNA에 결합하는 활성화 단백질 및 억제 단백질을 이용하여 전사단계를 조절하여 유전자 발현을 조

6) 단백질 합성

단백질 생합성은 번역에 의해서 mRNA의 4종류 염기가 20개의 아미노산으로 바뀌는 과정을 말하며, 이 과정은 합성개시, 사슬연장 및 종료로 나누어 볼 수 있다. 이미 앞에서 기술하였듯이 유전정보 발현은 항상 똑같

이 일어나지 않고 환경, 개체 내의 생리적 조건에 적응하여 항상성을 유지하며 생명을 영위하기 때문에 생물체는 다양한 유전자 발현조절기구를 가지고 있다.

(1) 단백질 합성에 필요한 성분

mRNA의 유전정보는 세포질에서 리보솜과 tRNA에 의해서 mRNA의 유전정보를 바탕으로 단백질이 합성된다. 번역은 개시, 신장, 종결의 3단계로 구성되며, mRNA 코돈에 따라 tRNA가 운반해 온 아미노산을 펩타이드 결합을 하여 단백질을 합성한다. 단백질 합성에 필요한 리보솜은 2개의 소단위(원핵생물의 경우 30S와 50S, 진핵생물의 경우 40S와 60S)로 구성되어 있으며, 세포질에서 합성되며, A부위(아미노아실 자리)와 P부위(펩타이드 자리) 및 E부위(출구 자리)가 있다. tRNA는 73~93개 뉴클레오티드로 구성되어 있으며, 부분적으로 4부분

에서 이중가닥을 형성하고, 20종류의 아미노산이 사람의 경우 50종류(세균 경우 30~40종류) 이상의 tRNA가 하나의 아미노산을 가지고 있다. tRNA 안티코돈은 mRNA에 있는 코돈과 상보적으로 결합하며, 활성화된 tRNA는 3′-말단 −CCA−에 아미노산이 결합되어 있다(그림 5-34). 안티코돈의 1번째 염기가 비교적 자유롭게 움

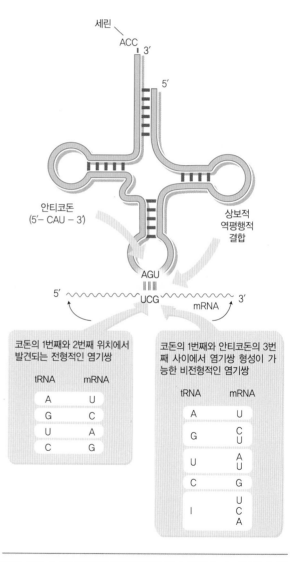

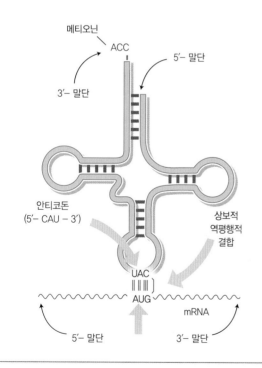

■■ 그림 5-34. 메티오닌 tRNA의 안티코돈(CAU)과 mRNA 상의 메티오닌 코돈(AUG)의 상보적 및 역평행적 결합

Champe DC, Harvey RA: Lippincotts: illustrated Reviews Biochemistry. 2nd ed. Lippincott-Raven. 1994.

■■ 그림 5-35. 불안정 안티코돈의 5′-뉴클레오티드(처음 뉴클레오티드)와 코돈의 3′-뉴클레오티드(마지막 뉴클레오티드) 사이의 비전형적 염기쌍 형성

Champe DC, Harvey RA: Lippincotts: illustrated Reviews Biochemistry. 2nd ed. Lippincott-Raven. 1994.

직일 수 있기 때문에 코돈의 3번째 자리에 있는 여러 종류의 염기와 짝을 이룰 수 있게 되어 tRNA는 하나 이상의 코돈을 인식한다. 결국 코돈의 3번째 염기가 다른 것으로 바뀌어도 동일한 아미노산을 지정할 수 있는 축퇴성이 생긴다(그림 5-35). 이를 워블 가설(Wobble hypothesis)이라 한다. tRNA에 아미노산의 결합은 아미노아실 tRNA 합성효소라는 효소가 각 아미노산마다 있어서 작용한다.

(2) 단백질 합성과정

mRNA와 결합한 리보솜은 개시코돈(AUG)에서 tRNA-메티오닌을 상보적으로 결합하여 합성이 시작된다. tRNA에 의해 운반되어 온 아미노산은 펩타이드 결합으로 2번째의 아미노산과 결합하고, tRNA는 리보솜을 떠나며, 리보솜은 mRNA의 다음 코돈으로 이동한다. 정지코돈(UAA, UAG, UGA)을 만날 때까지 펩타이드 사슬이 신장되며, 정지코돈에서는 해당하는 tRNA가 없어 합성이 정지된다.

단백질 합성의 개시는 개시코돈인 mRNA의 AUG에서 시작되며 아미노산은 메티오닌이다. 여기에는 30S 소단위체, mRNA, fMet-tRNA(개시 tRNA), IF1, 2, 3의 3개 개시인자가 관여하며(진핵생물의 경우 eIF, 10개 이

상), 에너지는 GTP(진핵생물의 경우 ATP)를 이용한다. 샤인-달가노 서열(Shine-Dalgarno sequence)은 대장균에서 퓨린 염기가 풍부한 서열이 mRNA의 AUG 개시코돈 상류 6~10 위치에 있으며, 16S 리보소체 RNA에 샤인-달가노 서열에 상보적인 서열이 있다. mRNA와 rRNA의 상보적 결합은 30S 리보소체가 mRNA의 AUG 가까이 위치를 잡는데 도움을 준다. 한편 진핵생물의 경우에는 샤인-달가노 서열이 없고 eIF 도움으로 AUG 코돈을 만날 때까지 ATP를 사용하며 이동한다(그림 5-36). 개시코돈 AUG는 개시 tRNA에 의해서 인식된다. 원핵생물에서는 IF-2가 GTP와 결합하여 촉진되나, 진핵생물의 경우에는 eIF-2-GTP와 다른 eIF와의 결합에 의해 형성된다. 개시 tRNA는 eIF-2에 의해서 인식되고, P부위로 들어가는 유일한 tRNA인데 진핵생물에서는 메티오닌을, 세균과 미토콘드리아에서는 N-포르밀 메티오닌(그림 5-37)을 운반하며, N-말단 메티오닌은 단백질의 합성이 완성되기 전에 제거된다.

단백질 합성의 신장은 아미노산의 반복적인 펩타이드 결합에 의해서 신장된다. 펩타이드 결합의 촉진은 GTP, EF-Tu와 EF-Ts 2가지 신장인자, 펩타이드 전이효소(23S rRNA에 내재하며 리보자임이라 한다)에 의해 일어난다. 대장균에서 A부위에는 다음에 나타나는

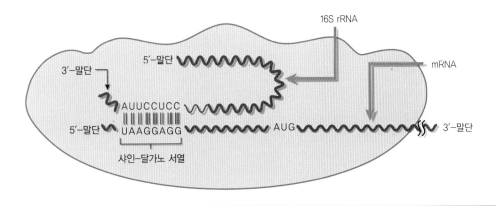

■■■ 그림 5-36. 원핵생물 mRNA의 샤인-달가노 서열과 16S rRNA의 상보적 결합

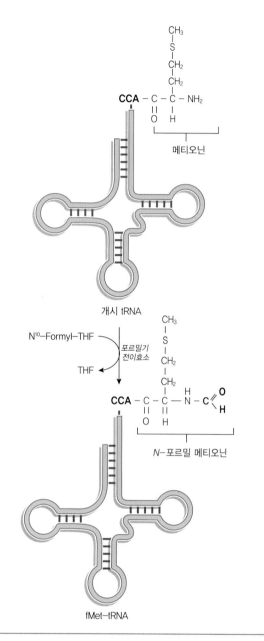

■■■ 그림 5-37. 개시 코돈인 N-포르밀 메티오닌 tRNA(fMet-tRNA)의 생성

아미노아실-tRNA를 EF-Tu와 EF-Ts에 의해 촉진되고, 진핵생물에서는 eEF-1a와 EF-1bg 가 GTP를 소모하여 교환한다. 펩타이드 결합 형성 후 EF-G와 GTP에 의해 자리옮김을 하는데 E부위에 아미노산이 없는

자유 tRNA가 옮겨지고, A부위에 있던 합성 중인 아미노산 사슬이 연결된 tRNA가 P부위로 이동하여 A부위에는 다음에 들어올 tRNA-아미노산이 들어오도록 비워있다(그림 5-38).

단백질 합성의 종결은 tRNA가 없는 코돈(UAA, UAG, UGA)에서 단백질 합성이 종결된다. 여기에는 GTP, RF1, 2, 3(진핵생물의 경우 eRF)가 관여한다. 리보솜의 A부위에 정지코돈이 위치하면 대장균에서 유리인자(RF)가 코돈을 인지한다. RF-1은 UAA와 UAG를 인지하고, RF-2는 UAA 와 UGA를 인지하여 새로이 합성된 단백질을 리보솜에서 분리시킨다. RF-3-GTP는 GTP가 가수분해 되면서 RF-1과 RF-2를 유리시킨다. 진핵생물에서는 유리인자 eRF가 3개의 정지코돈을 인지하고 eRF-3은 원핵생물의 RF-3와 같은 기능을 한다(그림 5-39). 단백질 합성을 억제하는 항생제로는 스트렙토마이신, 클로람페니콜, 에리스로마이신 등은 원핵생물의 50S 소단위에 비가역적으로 결합하여 펩타이드의 자리옮김을 방해하여 원핵생물의 단백질 합성을 억제한다. 이에 비해 디프테리아 독신은 eEF-2의 불활성화를 유발하여 진핵세포의 단백질 합성을 억제한다. 퓨로마이신은 원핵생물과 진핵생물에서 단백질 합성을 중간에 종결시켜 억제한다, 즉 조숙한 종결을 유도한다.

단백질 합성의 특징으로는 ① 원핵생물은 핵이 없어 전사와 번역이 세포질에서 동시에 일어나지만, 진핵생물의 경우 전사는 핵에서, 번역은 세포질에서 일어난다. ② 원핵생물은 N-포르밀 메티오닌이 개시 tRNA에 의해 리보솜에 이동되어 개시에 사용되나, 진핵생물에서는 메티오닌이 결합된 개시 tRNA가 단백질 하성 개시에 이용된다. ③ 원핵생물은 mRNA 개시코돈 AUG 상류에 샤인-달가노 서열이 존재하여 16S rRNA와 수소결합을 하지만 진핵세포에는 이 서열이 존재하지 않는다. ④ 진핵세포의 mRNA의 5'-말단이 번역 개시 신호로 작용하여 5'-말단에서 읽어 내려갈 때 처음으로 나타나는 AUG가 단백질 합성 개시신호로 작용하는데 이를 스캐닝 가설이

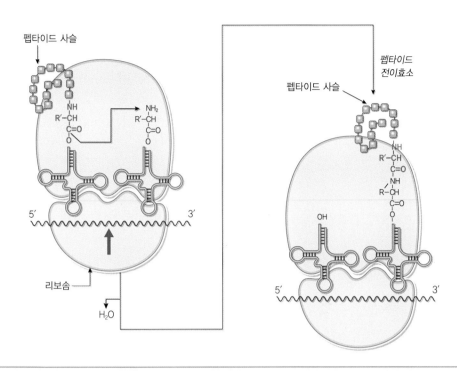

■ ▦ 그림 5-38. 리보솜에서 아미노산의 사슬 연장

라 한다. ⑤ mRNA에는 폴리솜을 형성하는데 mRNA 길이 때문에 동시에 다수의 리보솜이 결합하여 아미노산이 N-말단에서 C-말단으로 합성된다. ⑥ 정지코돈은 아미노산을 지정하지 않으며 유리인자(원핵생물의 경우 RF-1, RF-2, RF-3, 진핵생물의 경우 eRF)가 정지코돈을 인지하여 단백질 합성을 종결시킨다.

단백질 합성이 종료된 후에 공유결합의 변형이 일어나는데 이를 번역 후 변형(posttranslational modifi-catin)이라 한다. 이 변형에는 번역된 서열의 부분적 제거, 단백질 활성에 필요한 화학 작용기의 공유결합 부가 등이 있다. 번역 후에 샤프롱 단백질 도움으로 올바른 접힘(3차 및 4차 구조)이 형성된다. 이러한 단백질로 열 쇼크 단백질이나 샤프로닌 등이 알려져 있다. 이러한 샤프롱 분자는 변성된 단백질을 기능적인 구조로 재생시키거나 합성된 단백질이 활성이 없는 상태로 접히는 과정을 막아 준다. 단백질이 합성 된 후 신호 펩타이드가 노출

되면 신호서열 인식 단백질(SRP)이 신호 펩타이드에 결합하여 리보솜 조면소포체 막에 고정한다. SRP가 분리되고 다시 단백질 합성이 시작하며, 신호 펩타이드는 소포체 내강으로 이동한다. 이 신호 펩타이드는 신호 펩티다아제에 의해 제거되고 단백질은 소포체 내부에서 가공 변형된 후 운반소낭으로 골지체로 이동하여 또 가공 변형된다. 이후 세포외유출 방법에 의해 세포 밖으로 배출된다. 이러한 분비단백질의 합성경로인 리보솜, 소포체, 골지체, 세포막을 통해 분비되는 경로를 신호가설 또는 트리밍이라 한다. 보통 활성이 없는 전구물질로 합성된 후에 엔도펩티다아제에 의해 절단되어 활성형이 된다. 신호 펩타이드는 소수성 아미노산으로 구성되어 지방이 풍부한 소포체 막을 통과하기 어려우며, 새로 합성된 단백질의 최종 목적지를 결정하는 서열로 소포체 막 통과 시 신호 펩티다아제에 의해서 제거된다. 대부분의 효소는 효소원인 자이모겐 전구물질로 합성되는데, 이는 자

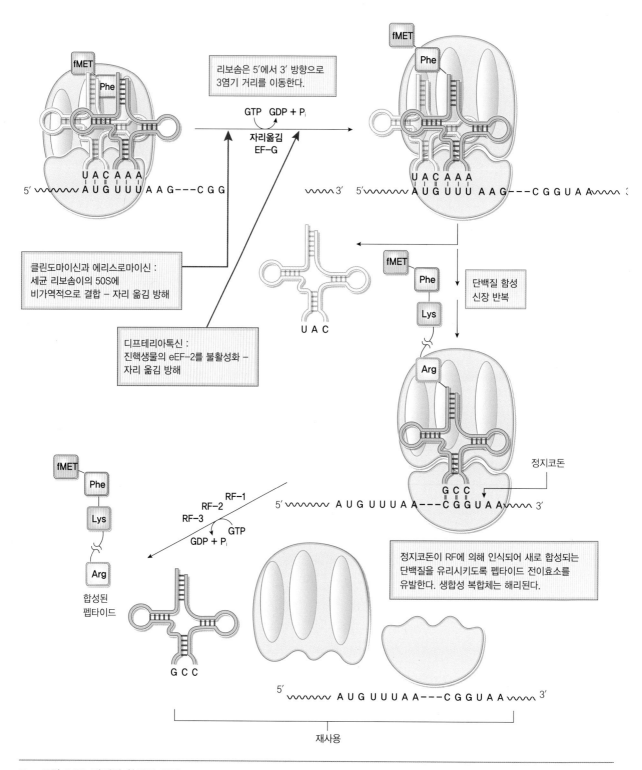

리보솜은 5′에서 3′ 방향으로
3염기 거리를 이동한다.

GTP GDP + P_i

자리옮김
EF-G

클린도마이신과 에리스로마이신 :
세균 리보솜이의 50S에
비가역적으로 결합 – 자리 옮김 방해

디프테리아톡신 :
진핵생물의 eEF-2를 불활성화 –
자리 옮김 방해

단백질 합성
신장 반복

정지코돈

정지코돈이 RF에 의해 인식되어 새로 합성되는
단백질을 유리시키도록 펩타이드 전이효소를
유발한다. 생합성 복합체는 해리된다.

RF-1
RF-2
RF-3
GTP
GDP + P_i

합성된
펩타이드

재사용

■ ▪ 그림 5-39. 단백질 합성의 종결

신의 활성에 의해 세포가 분해되는 것을 막기 위함이다. 단백질이 합성된 후 인산화, 당화, 수산화와 같은 공유 결합의 변형으로 활성을 획득하거나 소실할 수 있다. 결함이 있거나 파괴 예정이거나 빠른 대사회전이 필요한 단백질은 유비퀴틴(ubiquitone)이 결합하여 26S 프로테아좀에 의해 빠르게 분해된다.

참고문헌

1. Berg MB, Tymoczko JL, Stryer L : Biochemistry. 7th ed. Freeman. 2012.

2. Ferrier DR : Lippincott's Illustrated Review : Biochemistry. 6th ed. 2014.

3. Garrett RH, Grisham CM : Biochemistry. 4th ed. Brooks/Cole Cengage Learning. 2010.

4. Lieberman M, Marks AD : Mark's Basic Medical Biochemistry – A Clinical Approach. 4th ed. Wolters Kluwer/Lippincott Williams & Wilkins. 2013.

5. Marray RK, Botham KM, Kennelly PJ, Rodwell VW, Weil PA : Harper's Illustrated Biochemistry. 29th ed. McGraw Hill/Lange. 2012.

7. Nelson DL, Cox MM : Lehninger Principles of Biochemistry. 4th ed. Freeman. 2005.

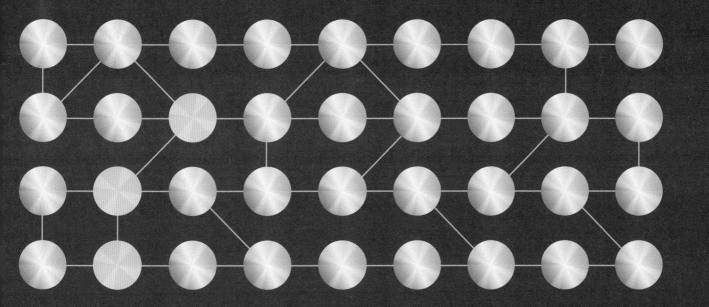

06

Chapter

치아 및 치주조직의 생화학

① 치아와 치주조직

치아는 비교적 작은 장기이면서 법랑질, 상아질 및 시멘트질의 3가지의 다른 조직으로 이루어져 있다. 법랑질은 외배엽성 법랑모세포(ameloblast)에 의해 형성되는데 반하여, 상아질은 간엽성 상아모세포(odontoblast)에 의해 형성되고, 시멘트질은 같은 간엽성 시멘트모세포(cementoblast)에 의해 형성되는 것과 같이 그 발생도 복잡하다. 치아는 법랑질, 상아질 및 치수로 이루어지며, 치주조직은 시멘트질(치아를 구성하는 경조직 중 하나로 치아의 성분이지만 발생학적으로 또는 구조와 기능 면에서는 치주조직의 하나로도 볼 수 있다)과 치주인대와 치조골 및 치은으로 이루어진다.

우리 몸에서 외부 환경과 접해 있는 부분은 모두 상

피로 덮여 있다. 즉 몸은 내부 환경과 외부 환경을 상피조직에 의해 확실하게 구별하고 있다. 예를 들면 위나 장관의 내부를 '배'라고 말하기는 하지만 위점막이나 장점막의 상피로 구분지은 외부 환경이다. 이렇게 생각하면 구강 내에 직접 면해 있는 법랑질과 치은의 상피 부분은 상피조직이고, 그 외에는 결합조직이라는 것을 이해할 수 있다(그림 6-1). 치은은 유리치은(free gingiva)과 부착치은(aatached gingiva)으로 나뉜다. 유리치은상피의 순협측은 각화를 동반하지만, 치은열구 측의 상피(치은열구 상피)에서는 각화가 일어나지 않는다. 여기에 이어지는 부착상피는 세포간극이 넓고 그 간극에서 호중구, 대식세포를 포함한 조직액이 삼출된다. 이를 치은열구 삼출액(gingival sulcus fluid, GCF)이라 한다. 이런 구조는 미생물 침입에 대한 방어기구의 최전선이 되지만, 그와 동시에 약점이기도 하여 이곳이 뚫리면 다음 단계의 방어기구인 염증발생에 이른다(결합조직은 염증이 생기

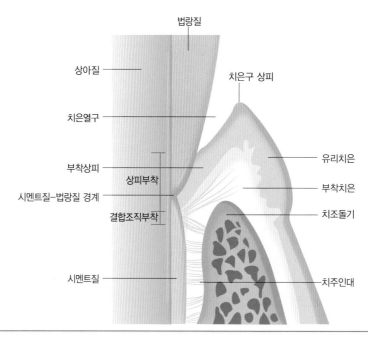

■ ▌ **그림 6-1. 치경부 조직 단면의 모식도**

법랑질과 치은은 상피조직으로 파악되고 있다. 치은과 치아가 부착하는 부근은 크게 나누어서 부착에 두 종류가 있어서 상피가 치아에 긴밀하게 붙는 상피부착과 결합조직이 치아에 긴밀하게 붙는 결합조직 부착이 있다.

는 공간이다). 따라서 이 치은열구를 형성하는 상피는 치주질환 예방이나 치료, 최근 증가하고 있는 치과용 임플란트 치료 등의 치과임상에서 매우 중요한 조직이다.

치주치료는 부착기관(치조골, 시멘트질, 치주인대)의 장기간 유지 목적을 갖는다. 최근 뚱뚱해졌다고 생각하는 사람의 입안을 살펴보면, 볼은 눈에 띄게 두터워져 있지만 치은은 변화하지 않는다. 일반적으로 비만이 된다는 것은 지방세포가 지방을 세포 내에 모아서 비축하는 것이다. 그렇기 때문에 지방세포가 없는 치은은 비만 증상이 나타나지 않는다. 구강점막의 경우 상피 하방에 점막 고유층과 점막하 조직이 존재해서 지방조직을 함유하지만 치은의 경우는 지방조직과 샘 조직을 포함하는 점막하 조직이 없는 것이 특징이다. 치은 상피 하방에는 콜라겐이 풍부한 점막 고유층은 가지고 있으나 지방조직과 같은 점막 하방 조직은 가지고 있지 않아, 곧바로 치조골막으로 이행되는 것이 특징이다(그림 6-2). 단지 치은이 증식하는 것은 염증으로 점막 고유층이 부종이 야기되든지, 점막 고유층의 콜라겐 섬유가 증식하기 때문이다. 지방조직과 근육조직이 없는 치은은 그 두께가 안정되어 있다. 물론 개인차는 있으나 10~20mm 정도의 두께로

대략 일정하다고 생각해도 좋다.

② 결합조직

세포는 생명체의 기본 단위이다. 대부분 포유류 세포는 조직 내에 위치해서 우리가 흔히 결합조직이라 부르는 복잡한 세포외기질에 의해 둘러싸여 있다. 이러한 세포외기질은 아주 다양한 기능을 가지고 있으며, 그 중 하나가 둘러싸고 있는 세포가 제 위치에 있도록 지지발판 역할을 하는 것이다.

세포외기질은 3가지 중요한 생체분자로 분류할 수 있다. 첫 번째는 구조단백질로 콜라겐(collagen), 엘라스틴(elastin) 및 피브릴린(fibrillin) 등이 여기에 속하며, 두 번째는 특이 단백질로 파이브로넥틴(fibronectin) 및 라미닌(laminin)과 같은 특이 기능을 갖는 단백질이 여기에 속하며, 세 번째로 프로테오글리칸(proteoglycan)으로 나눌 수 있다.

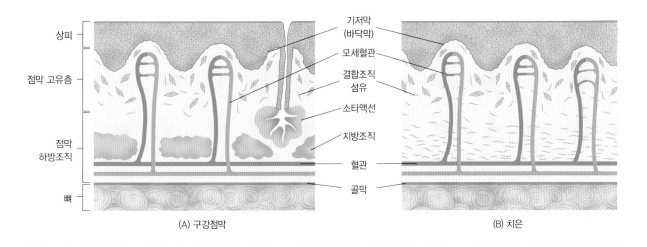

■ ■ 그림 6-2. 구강점막과 치은의 차이

야마모토 히로마사 저, 권영혁, 박준봉 옮김: 일러스트로 배우는 치주생물학. p.3. 군자출판사. 2001.

세포외기질은 정상일 경우나 질병 상태에서 그 중요성이 인식되기 때문에 최근 더 많은 주목을 받게 되었다. 발육과정 중에 특정 배아세포는 그들의 최종 목적지까지 도달하기 위하여 상당히 먼 거리를 결합조직을 거쳐 이동하여야만 한다. 급성 또는 만성 염증 경우 많은 세포외기질이 변형된다. 암세포의 경우 전이를 위해 그들이 위치하는 장기나 조직에서 떨어져 나와 세포외기질을 통과해 작은 혈관이나 림프관으로 이동되어야만 한다. 골형성부전증(osteogenesis imperfecta)이나 특정 얼러스-단로스 증후군(Ehlers-Danlos syndrome)과 같은 질환의 경우에도 세포외기질인 콜라겐이 유전적으로 장애를 일으킨 경우이다.

구강조직의 대부분은 결합조직이다. 결합조직을 구성하는 주요 성분은 섬유모세포를 주로 하는 세포 성분, 섬유상 단백질과 섬유사이를 메우고 있는 기질물질이다. 여기에서는 일반 생화학 기초 위에 구강생화학에 대한 발판으로서 결합조직의 주요 단백질인 콜라겐과 엘라스틴 및 프로테오글리칸에 관하여 기술할 것이다.

1) 결합조직의 조성과 기능

결합조직은 세포 성분과 세포외기질성분으로 이루어진다(표 6-1). 세포는 세포외 매트릭스를 합성하여 주변의 실질세포에 최적의 환경을 제공한다. 세포는 섬유모세포와 그 중간 세포군, 혈액에서 유래한 세포군으로 이루어진다. 세포외기질은 콜라겐 같은 유형의 섬유상 단백질과 구조가 없는 것처럼 보이는 섬유간 기질 물질로 이루어진다. 결합조직에는 세포 성분보다 세포외기질성분이 풍부하게 존재한다. 피부나 점막의 세포외기질에는 물이 다량 포함된다. 한편 뼈나 치아의 상아질이나 시멘트질은 물의 대부분이 하이드록시아파타이트(hydroxyapatite)라는 무기질 결정으로 치환되어 전체 중량의 70%를 차지한다. 법랑질과 함께 그 물리적 성질 때문에 경조직으로 불린다. 결합조직의 기능은 지지 기능과 함께 물이나 이온의 유지, 세포 대사산물 등의 조절 제어이며, 나아가서는 염증 공간으로서 생체 방어에 중요한 역할을 한다.

2) 섬유상 단백질

(1) 콜라겐 분자의 특징과 콜라겐 섬유의 구조

콜라겐(collagen)은 포유류에서 가장 많은 단백질로, 우리 몸 단백질의 약 30%를 차지하며, 물리적으로나 화학적으로나 저항성이 풍부하고 물에 녹지 않는 섬유상 단백질로 존재한다. 콜라겐은 이를 구성하는 α-사슬의 종류와 그 조합에 의해 20여 종류에 이르는데, 대표적인 것만 예로 들면 표 6-2와 같다. 이들 중에서 뼈, 피부, 힘줄, 상아질 등의 주체를 차지하는 I형 콜라겐이

표 6-1. 결합조직의 조성

세포 성분	섬유모세포(그 무리인 골모세포, 상아모세포, 연골세포, 지방세포 등)
	대식세포(매크로파지), 형질세포, 비만세포(마스트세포), 백혈구 등
세포 외 매트릭스 성분 섬유상 단백질 섬유간 기질 물질	콜라겐, 엘라스틴, 피브릴린
	프로테오글리칸(아글리칸, 페를레칸 등)
	당단백질(파이브로넥틴, 라미닌 등)
	무기질(물, 염류, 하이드록시아파타이트 등)

표 6-2. 콜라겐 분자종의 분자형태, 조직분포 및 특성

형	콜라겐 펩타이드사슬	분자형태	분포	특성
I	α1(I) α2(I)	[α1(I)]₂α2(I) [α1(I)]₃	뼈, 피부, 상아질, 힘줄, 인대 등 피부, 상아질, 치은	대부분의 결합조직에 대량 존재하는 섬유상 콜라겐으로, 조직에 강인성을 준다. 매우 소량 존재
II	α1(II)	[α1(II)]₃	연골, 추간판	연골에 고유한 섬유상 콜라겐
III	α1(III)	[α1(III)]₃	피부, 혈관, 내부기관, 초자체	탄수화물 함량이 낮음
IV	α1(IV) α2(IV) α3(IV) α4(IV) α5(IV) α6(IV)	[α1(IV)]₂α2(IV) [α3(IV)]₂α4(IV) α3(IV)α4(IV)α5(IV) [α5(IV)]₂α6(IV)	각종 기저막	비섬유상 콜라겐 2차원 망막구조를 형성

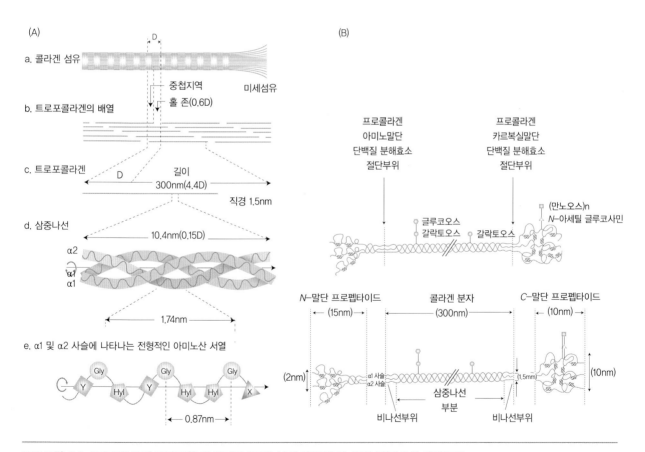

■ ▓ **그림 6-3.** 트로포콜라겐 분자(I형)의 크기와 3가닥 나선 구조(A)와 삼중나선구조의 상세도(B)

트로포 콜라겐 분자는 길이 300nm, 두께 1.5nm로 트로포콜라겐 분자의 양끝에는 비나선 구조부분이 있고, 이 부분에는 중앙 삼중나선구조 부분과 같은 Gly-X-Y의 규칙적인 아미노산 배열은 보이지 않는다.

가장 일반적이다. 이 성숙 분자는 콜라겐 섬유의 기본 단위를 구성하며, 거의 모든 부분이 3가닥 사슬로 된 나선구조 분자이다.

콜라겐 섬유를 형성하고 있는 기본단위는 트로포콜라겐(tropocollagen)이라 불리는 분자로, 분자량이 약 30만으로, 같은 크기의 폴리펩타이드 사슬 3가닥으로 이루어진다. 콜라겐의 원섬유에서 최소 구성성분인 α-사슬까지의 구조를 그림 6-3에 나타낸다. α-사슬은 약 1,000 잔기의 아미노산으로 이루어지며, 분자량은 약 10만이다. 이 α-사슬이 3개 모여 3가닥 사슬의 나선 콜라겐 분자를 만든다. 콜라겐 분자는 전체 길이의 1/4씩 떨어져 가교로 결합되며 그 양끝에는 틈새가 있다(그림 6-4). 이를 사분파상 배열(quarter staggered array)이라 한다. 틈새 부분을 홀 존(hole zone)이라 하며, 겹치는 부분을 오버랩 존(overlap zone 또는 중첩지역)이라 하여, 경조직 콜라겐의 경우 석회화에 중요한 역할을 한다. 이 틈새 부분과 틈새가 없는 완전히 겹쳐진 부분이 교대로 존재하여 줄무늬 모양을 형성한다.

콜라겐 분자의 아미노산 조성은 독특해서, 글리신(glycine)이 전체의 약 1/3을 차지하고 약 1/9씩을 프롤린(proline), 알라닌(alanine), 하이드록시프롤린(hydroxyproline)이 차지한다. 그 중에서도 프롤린의 함량이 다른 단백질에 비해 훨씬 많다. 또한 콜라겐 분자에는 하이드록시라이신(hydroxylysine)이 소량 포함되어 있는데 하이드록시프롤린과 함께 다른 단백질에는 거의 존재하지 아미노산이다(그림 6-5). 아미노산 배열은 글리신-X-Y라는 반복이 거의 전체 영역에 걸쳐 보이며, 대부분 프롤린은 X 위치에, 하이드록시프롤린은 Y 위치에 온다(그림 6-3 참조).

콜라겐은 가열하면 분자의 나선구조가 깨져서 젤라틴이라 불리는 랜덤 코일(1개의 콜라겐 α-사슬이 3가닥 사슬 나선구조를 취하지 않고 1개씩 수용액 내에서 화학적 안정성을 유지하기 위해 다양한 입체 구조를 취하고 있는 상태를 말한다)형 구조로 변화되어 액상화된다(그림 6-6). 이를 냉각시키면 원래의 3가닥 사슬 나선으로 되돌아가지 않고 랜덤 코일 구조 상태의 젤라틴(gelatin)으로 응고된다. 예를 들면 젤리 같은 것으로 생선 조린 국물이 식으면 생기는 엉김과 비슷하다.

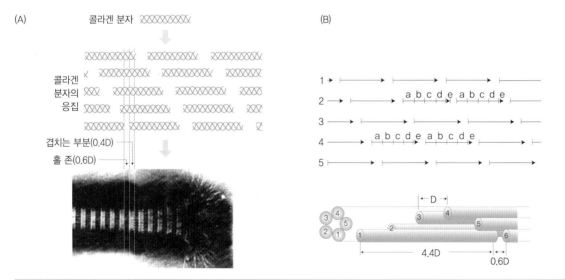

■■■ 그림 6-4. 콜라겐 섬유의 모식도와 전자현미경 사진(A)와 콜라겐 미세섬유의 모델(B)
a~e는 각각 교원질 분자의 기이를 4.4D라고 했을 때 D(67nm)에 해당하는 사분파상 배열이다.

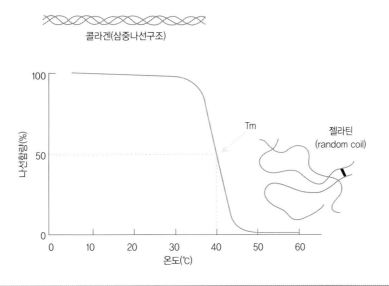

4-하이드록시프롤린　　3-하이드록시프롤린　　5-하이드록시라이신

■▧ 그림 6-5. 하이드록시프롤린과 하이드록시라이신의 구조

콜라겐(삼중나선구조)

젤라틴
(random coil)

■▧ 그림 6-6. 열에 의한 콜라겐의 젤라틴화

콜라겐 분자를 구성하는 각종 α-사슬은 일반적인 단백질 생합성과 기본적으로 같은 방법으로 리보솜 상에서 생합성 되는데, 그 후 세포 밖으로 분비되어 콜라겐 섬유가 되기까지 세포 안팎에서 여러 가지 효소가 관여하여 각종 수식반응을 받는다. 이와 같은 수식반응은 일반적으로 많은 단백질에서 볼 수 있지만, 콜라겐의 경우는 다음에 기술하듯이 다채로운 점이 특징이다.

(2) 콜라겐의 합성

세포외기질성분은 많은 단백질을 포함하고 있다. 단백질의 아미노산 배열 정보는 유전자 DNA에 존재하며 전사·번역을 거쳐 합성된다. 세포외기질의 대표적인 I형 콜라겐도 다른 단백질과 마찬가지로 핵 내의 콜라겐 유전자에서 전령 RNA(mRNA)이 합성되고(전사), 다시 mRNA를 따라 아미노산이 배열되어(번역) 콜라겐 단백질이 된다. 그러나 콜라겐에 특징적인 아미노산인 하이드

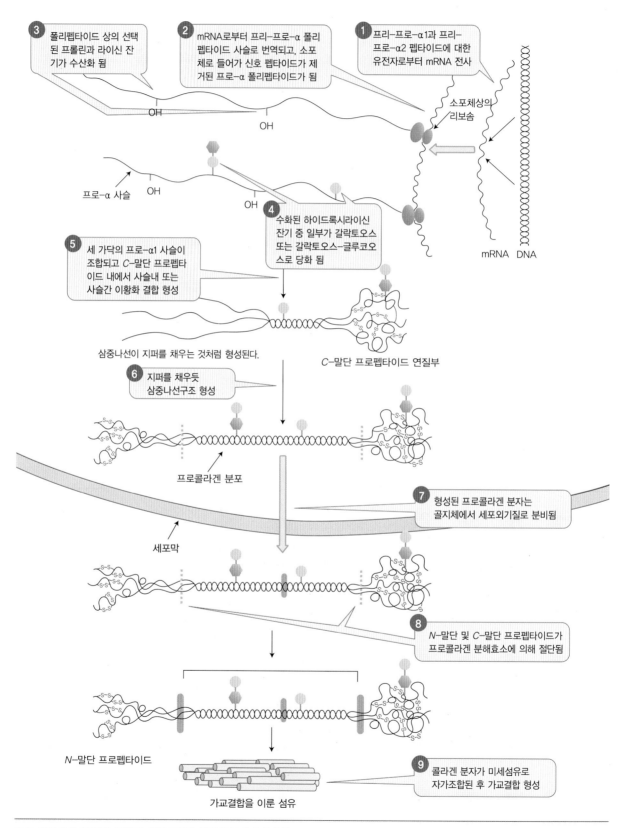

3 폴리펩타이드 상의 선택된 프롤린과 라이신 잔기가 수산화 됨

2 mRNA로부터 프리-프로-α 폴리펩타이드 사슬로 번역되고, 소포체로 들어가 신호 펩타이드가 제거된 프로-α 폴리펩타이드가 됨

1 프리-프로-α1과 프리-프로-α2 펩타이드에 대한 유전자로부터 mRNA 전사

소포체상의 리보솜

OH

OH

프로-α 사슬   OH

OH

mRNA   DNA

4 수화된 하이드록시라이신 잔기 중 일부가 갈락토오스 또는 갈락토오스-글루코오스로 당화 됨

5 세 가닥의 프로-α1 사슬이 조합되고 C-말단 프로펩타이드 내에서 사슬내 또는 사슬간 이황화 결합 형성

삼중나선이 지퍼를 채우는 것처럼 형성된다.

C-말단 프로펩타이드 연질부

6 지퍼를 채우듯 삼중나선구조 형성

프로콜라겐 분포

7 형성된 프로콜라겐 분자는 골지체에서 세포외기질로 분비됨

세포막

8 N-말단 및 C-말단 프로펩타이드가 프로콜라겐 분해효소에 의해 절단됨

N-말단 프로펩타이드

9 콜라겐 분자가 미세섬유로 자가조합된 후 가교결합 형성

가교결합을 이룬 섬유

■■ **그림 6-7. 콜라겐 분자의 생합성에서 섬유형성까지의 흐름**

록시프롤린(hydroxyproline)과 하이드록시라이신(hydro-xylysine)은 콜라겐 유전자의 아미노산 배열 정보에는 없고 번역 후에 콜라겐 단백질에 포함된 프롤린 잔기와 라이신 잔기가 수산화되어 만들어진다. 이 반응에는 비타민 C와 환원형의 2가 철(Fe^{2+})이 필요하다. 이렇게 합성된 콜라겐 단백질은 다시 3가닥 사슬의 나선 구조를 취하며, 세포외로 보내져 세포외기질을 형성한다.

① 콜라겐의 생합성

콜라겐도 세포 밖으로 분비되는 단백질로서 소포체 막에 결합된 폴리솜 상에서 합성된다. 여기에서 합성된 α-사슬을 프로 α-사슬이라 하며, 분자량이 12만으로 크다.

② 프롤린과 라이신의 수산화반응

폴리솜 상에서 합성된 프로 α-사슬은 합성과 동시에 그림 6-7에 나타냈듯이 소포체 속에서 프롤린 잔기와 라이신 잔기의 수산화반응이 일어난다. 이 수산화반응에는 프롤린 수산화효소(proline hydroxylase) 및 라이신 수산화효소(lysine hydroxylase)라는 2가지의 수산화효소가 관여한다(그림 6-8).

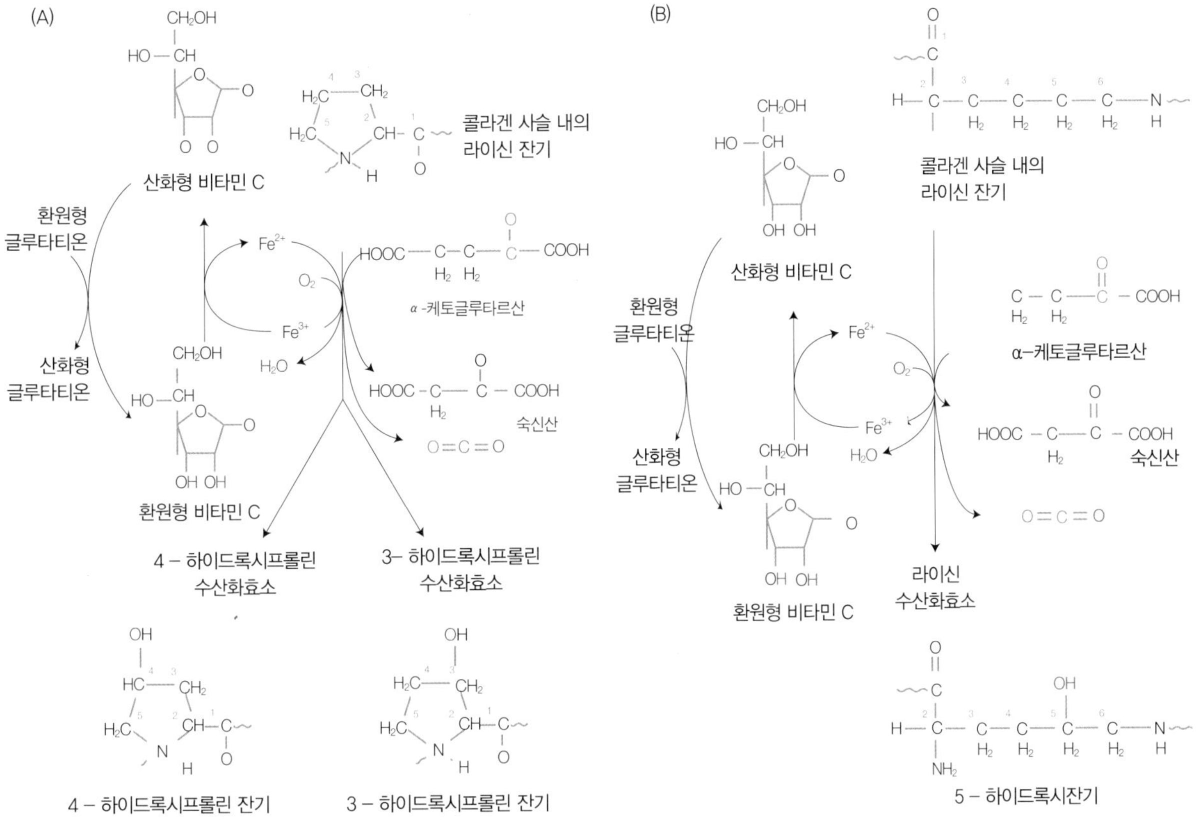

■■ **그림 6-8. 프롤린과 라이신의 수산화반응**

특히 수산화반응에서 비타민 C가 절대로 필요하다. 이 효소반응 시 필요한 환원형의 철분 (Fe^{2+})이 산화되어 Fe^{3+}로 되면 더 이상 반응이 진행되지 못하는데, 이때 비타민 C가 환원제로 작용하여 철분의 환원반응이 진행되도록 한다. 그러므로 비타민 C가 부족하면 이 반응이 잘 일어나지 않게 되고, 결과적으로 만들어진 콜라겐은 제대로 기능을 하지 못한다. 특히 혈관벽을 구성하는 콜라겐이 잘못될 경우 에 쉽게 혈관벽이 터져 괴혈병이 나타나게 된다. 산화형 비타민 C 는 환원형 글루타티온에 의해 환원된다.

③ 하이드록시라이신의 당화반응

콜라겐 단백질의 라이신 잔기가 효소반응에 의해 형성된 하이드록시라이신 잔기의 일부에서 당화반응에 의해 갈락토오스 한 분자가 붙거나, 또는 갈락토오스에 글루코오스 한 분자가 더 순차적으로 결합한다(그림 6-9). 이 반응에는 갈락토오스 전이효소에 의해 갈락토오스 한 분자가 콜라겐 분자의 하이드록시라이신 잔기에 결합한다. 또한 갈락토오스가 결합한 이후에 글루코오스 전이효소에 의해 갈락토오스의 수산화기에 글루코오스가 한 분자가 더 결합하기도 한다. 이러한 당화반응(glycosylation)에 의해 결합하는 당의 수는 조직에 따라 달라서 피부나 힘줄 등의 콜라겐의 경우에는 α-사슬당 1~2개의 당화반응이 일어나지만, 신사구체의 기저막 경우에는 무려 30분자가 당화반응이 일어난다.

④ 삼중나선 구조의 형성

이미 앞에서 기술한 수산화반응과 당화반응에 이어 프로 α-사슬은 콜라겐 특유의 삼중나선 구조를 형성한다. 이 경우 C-말단 측에 있는 C-프로 펩타이드 사슬에 존재하는 사슬 내 이황화결합(intrachain disulfide bond)과 사슬 간 이황화결합(interchain disulfide bond)이 3가닥의 프로 α-사슬이 정확한 상호 위치에 있도록 하여 삼중나선 구조를 이루게 한다. 즉, 우리가 줄다리기를 하려고 새끼를 꼬아 만드는 경우 한 쪽 발로 새끼를 꼬기 시작하는 부위를 발로 밟고 두 손으로 새끼를 꼬기 시작할 수 있듯이 3가닥의 프로 α-사슬 사이에 형성되는 사슬 간 이황화결합에 의해 삼중나선 구조가 이루어 질 수가 있다.

⑤ 콜라겐 분자의 세포내 이송과 분비

생합성 된 콜라겐 분자가 조면 소포체 속으로 유리되어 여러 가지 수식받는 반응에 대하여 기술하였지만, 이 콜라겐 분자가 어떤 경로를 통하여 세포 밖으로 분비되는지에 대하여는 아직 결정적인 결론을 얻지 못하였다.

■ ▓ ▐ 그림 6-9. 콜라겐의 당화반응

아마도 소포체 측의 콜라겐 분자가 골지 영역으로 이행되어 골지 유래의 막 구조로 둘러싸인 분비소포(secretory vesicle)를 형성하여 분비되리라 생각한다. 분비소포는 세포 변연부로 이송되어 세포외유출에 의해 세포 밖으로 방출된다는 가설이 가장 설득력이 있어 가장 많이 지지를 받는다.

⑥ 프로콜라겐에서 트로포콜라겐으로의 전환과 섬유형성

프로콜라겐 분자가 세포 밖으로 분비된 후에도 단백질 수식 반응은 계속해서 일어난다. 프로콜라겐 분자는 앞에서 기술하였듯이 3가닥의 프로 α-사슬로 이루어진다. 이 프로 α-사슬은 분자량이 약 12만으로 C-말단과 N-말단에 각각 10nm와 15nm 길이의 연장부 프로 펩타이드가 붙어 있다(그림 6-3 참조). 이 프로 펩타이드중 C-말단 프로 펩타이드는 이미 앞에서 기술하였듯이 삼중나선 구조의 형성에 있어 중요한 역할을 한다. 일단 프로 콜라겐이 세포 밖으로 분비되면, N-말단의 프로 펩타이드는 프로 콜라겐 N-단백질 분해효소에 의해 절단되고, C-말단 프로 펩타이드는 프로 콜라겐 C-단백질 분해효소에 의해 절단되어 콜라겐 섬유의 기본 단위인 트로포콜라겐이 형성된다.

이렇게 형성된 트로포콜라겐은 결합조직이 세포외기질 속에서 스스로 회합(assembly)하여 콜라겐 미세섬유가 된다. 이 미세섬유를 형성할 때 트로포콜라겐은 이웃끼리 약 1/4씩 어긋나 사분파상 배열을 한다(그림 6-4 참조). 흥미로운 일은 각 열 중에서 트로포콜라겐 분자는 시작과 끝이 붙지 않고, 떨어져 틈새가 존재하는데, 이 틈새는 약 40nm이다. 이 틈새가 뼈나 치아에서 석회화가 일어날 때 중요한 역할을 한다.

⑦ 알리신의 형성과 가교결합

콜라겐 분자의 라이신 잔기 또는 하이드록시라이신의 특정 분자에 라이신 산화효소(lysyloxidase)라 불리는 효소의 작용으로, 산화적 탈아미노화 반응(oxidative deamination)을 받아 알리신 또는 하이드록시알리신이라 불리는 알데히드를 만든다(그림 6-10). 이와 같이 형성된 알리신이 다른 알리신과의 사이에서 생기는 알돌결합(aldol condensation)이나 또 다른 라이신 잔기와의 사이에서 생기는 쉬프 염기 형성(Schiff's base formation)에 의해 콜라겐 분자 내 및 분자 사이에 가교결합이 일어난다(그림 6-11). 이와 같이 형성된 가교는 여러 종류가 알려져 있는데 이후에도 이외의 새로운 가교가 발견될 것으로 생각된다. 이들 가교의 종류와 함량은 결합조직의 생리 상태나 연령에 따라서 다르다. 콜라겐 섬유가 유연성이 없어지는 데는 이 가교가 중요한 역할을

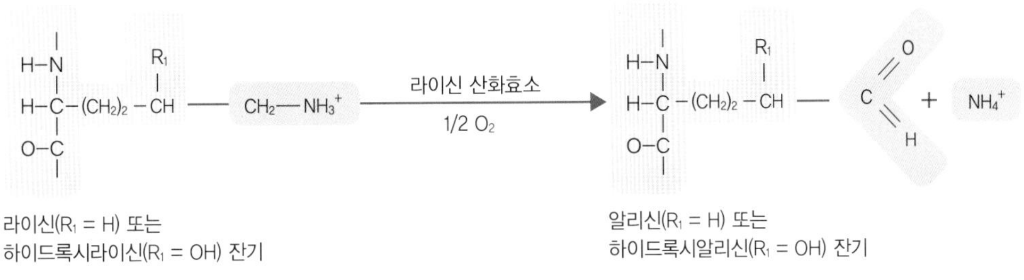

라이신(R₁ = H) 또는 하이드록시라이신(R₁ = OH) 잔기

알리신(R₁ = H) 또는 하이드록시알리신(R₁ = OH) 잔기

■ 그림 6-10. 라이신 산화효소에 의한 ε-아미노산의 산화적 탈아미노화 반응

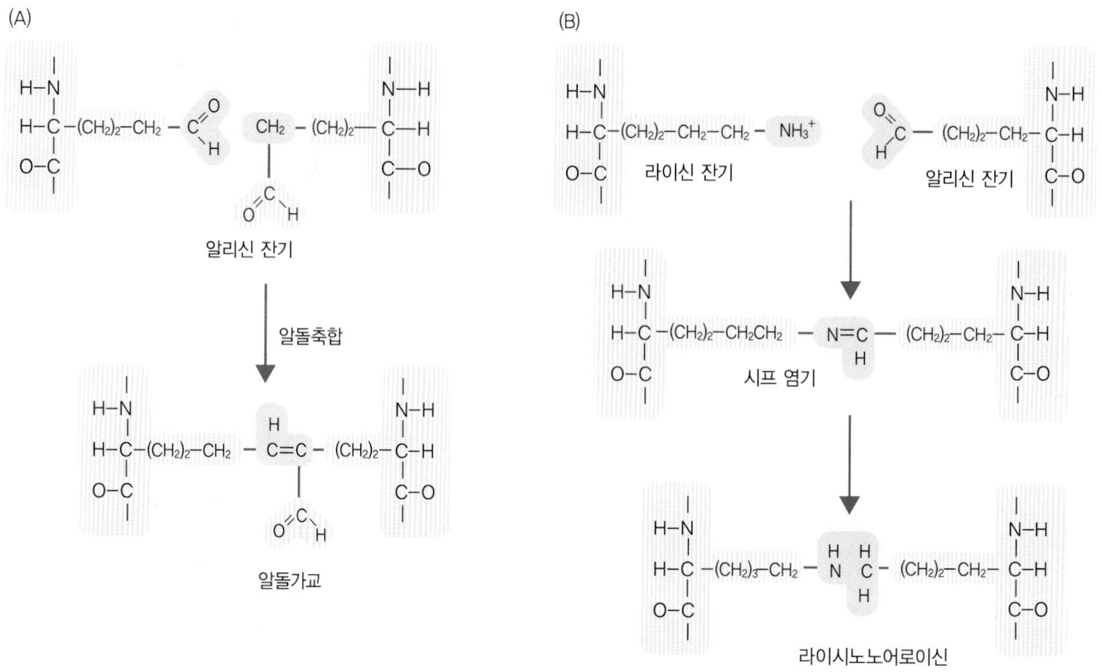

■■ 그림 6-11. 알돌 가교(A)와 쉬프 염기 형성(B)
2개의 알리신에 의해 알돌 가교가 형성되며, 콜라겐 또는 엘라스틴에서의 쉬프 염기와 라이시노노어로이신 가교 형성에 대하여 나타냈다.

한다. 이러한 가교 형성은 생애 전 기간에 걸쳐 일어나기 때문이다.

⑧ 콜라겐의 분해

결합조직에서 콜라겐 대사의 특징은 여러 가지가 있다. 즉 콜라겐은 어느 상황, 예를 들면 출산 후의 지궁 등에서는 콜라겐의 합성보다 콜라겐의 소실이 신속하다는 것이다. 이는 대부분의 일반적인 단백질, 예를 들어 혈청 알부민이 간에서 합성되어 항상 15일 주기의 반감기로 합성과 분해의 균형이 유지되는 것과는 대조적이다. 또한 콜라겐은 합성된 장소에서 그다지 먼 곳으로 이동하지 않으므로, 그 분해도 콜라겐이 합성된 곳과 같은 장소에서 이루어진다는 특징도 가지고 있다.

천연 상태의 삼중나선 구조를 갖는 콜라겐 분자는 일반 단백질 분해효소가 아니라 콜라겐 분해효소라 불리는 특이한 단백질 분해효소에 의해 분해된다. 이 콜라겐 분해효소는 크게 2종류가 알려져 있다. 첫 번째는 세균성 콜라겐 분해효소로 가스괴저(gas gangrene)를 일으키는 슈도모나스 균(Pseudomonas)에 의해 분비되는 것과 두 번째로 동물의 결합조직에서 볼 수 있는 동물성 콜라겐 분해효소이다. 일반적으로 세균성 콜라겐 분해효소는 콜라겐 분자의 나선구조 부분인 글리신 잔기 앞에서 무작위로 펩타이드 결합을 절단하여 펩타이드 사슬을 20군데 이상 절단함으로써 글리신-프롤린-Y(Y는 어떤 아미노산을 의미한다)가 되는 펩타이드를 만든다. 이에 반해 동물성 콜라겐 분해효소는 처음에는 올챙이에서 개구리로 변태 중인 올챙이 꼬리에서 발견되었는데, 개구리로 변태 중 꼬리를 제거하기 위해서이다. 이후 이 동물성 콜라겐 분해효소는 염증조직, 산후 자궁, 피부, 뼈 등 결합조직 중에 널리 분포하는 것이 밝혀졌다. 이

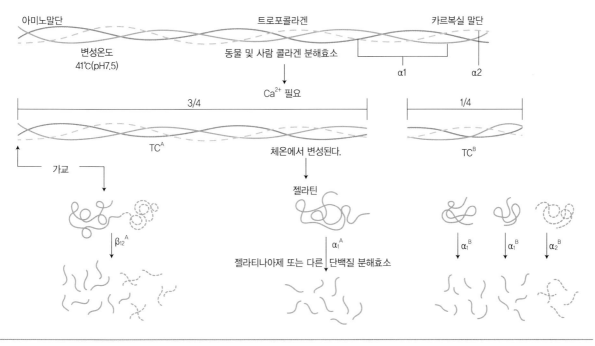

아미노말단 　　　　　 트로포콜라겐 　　　　　 카르복실 말단

변성온도
41℃(pH7.5)

동물 및 사람 콜라겐 분해효소

Ca^{2+} 필요

α1　α2

3/4　　　　　　　　　　　　　1/4

TC^A　　　　　체온에서 변성된다.　　　　　TC^B

가교

$β_{12}{}^A$

젤라틴

$α_1{}^A$

젤라티나아제 또는 다른 단백질 분해효소

$α_1{}^B$　$α_1{}^B$　$α_2{}^B$

■▨▧ 그림 6-12. 동물성 콜라겐 분해효소에 의한 콜라겐 분자의 분해

동물성 콜라겐 분해효소의 작용은 세균성 콜라겐 분해효소와 달리 콜라겐 분자를 삼중나선구조인 채로 *N*-말단에서 약 3/4인 곳의 한 곳을 절단한다. 콜라겐 분자 자신은 체온에서 변성되지 않지만, 동물성 콜라겐 분해효소에 의해 절단된 4/3 절편과 1/4 절편은 체온에서 변성되어 젤라틴이 된다(그림 6-12). 일단 변성이 일어나면 그 절편들은 콜라겐 분해효소나 그 밖의 단백질 분해효소의 작용을 쉽게 받아 더욱 더 작은 펩타이드로 가수분해 된다.

3) 엘라스틴

대부분의 조직에 콜라겐 등과 함께 존재한다. 그 중에서도 대동맥 벽이나 인대 등 탄력성이 요구되는 조직에는 다량 존재한다. 조직에 강인함을 주는 콜라겐과 대비되며, 섬유 자체의 탄력성은 콜라겐의 약 1,000배라고

한다. 엘라스틴의 명칭은 엘라스틴이 형성하는 섬유인 탄력섬유에서 유래한다. 세포외기질성분에는 탄력섬유의 주요 성분으로 전자현미경으로 보면 엘라스틴 섬유를 둘러싼 것처럼 관찰되는 마이크로피브릴(미소원섬유)이 있다. 이것의 주성분은 피브릴린(fibrillin)이라는 분자로 엘라스틴 형성에 관여하고 있는 것으로 알려져 있다(그림 6-13). 이 분자를 코드하는 유전자의 변이는 팔다리가 심하게 길거나 거미 같은 손가락 등의 증상을 포함한 마르팡증후군(Marfan's syndrome)을 일으킨다. 이는 비교적 발생 빈도가 높은 질환으로, 미국의 제16대 대통령인 링컨과 작곡가 라흐마니노프가 이 질환이 있었다고 한다.

아미노산 조성은 콜라겐과 마찬가지로 글리신이 30%를 차지하며, 프롤린도 많다. 그러나 하이드록시프롤린이 적다는 점과 하이드록시라이신이 없다는 점이 콜라겐과의 차이점이다. 엘라스틴은 콜라겐과 마찬가지로 많은 가교 구조를 포함하고 있으며, 엘라스틴에서만 볼 수 있는 데스모신(desmosine)과 이소데스모신(isodesmosine)

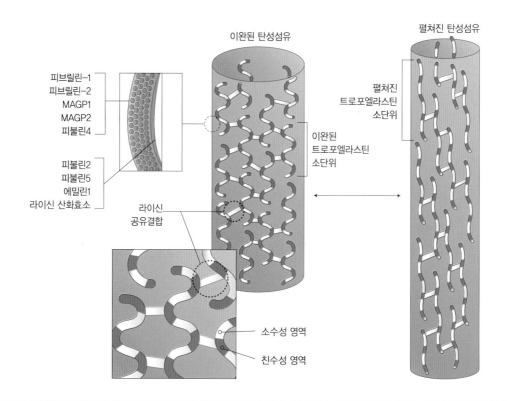

■ ▨ 그림 6-13. 이완 상태와 늘어났을 때의 탄력섬유를 나타내는 모식도

이완상태일 때와 늘어났을 때의 엘라스틴 소단위 구조가 아주 다르며, 탄력섬유 안쪽에는 엘라스틴이 있고 밖에는 미세섬유초가 둘러싸고 있는데, 이 미세섬유초는 피브릴린, 미세필라멘트 동반 당단백질, 피불린, 에밀린 및 라이신 산화효소 등으로 구성된다.

Cassimeris L, Lingappa VR, Plopper G: Lewin's Cells. 2nd ed. p.831. Jones and Bartlett. 2011.

데스모신   **이소데스모신**

■ ▨ 그림 6-14. 엘라스틴에서 볼 수 있는 가교결합

데스모신과 이소데스모신은 엘라스틴에서 볼 수 있는 가교의 하나로 4개의 라이신 곁사슬로 형성된다. 즉 3분자의 라이신으로부터 유래된 3분자의 알리신과 라이신에 의해 형성된다.

은 4개의 라이신 곁사슬로 이루어지며, 그 망상 구조에 중요하다(그림 6-14). 가교에 이어지는 엘라스틴 분자 영역에 여러 개의 아미노산 잔기로 이루어진 반복배열이 있으며, 이것이 탄력성에 관여하는 것으로 알려져 있다(그림 6-15).

불용성 단백질이 세포에서 어떻게 조립되는 지에 대하여서도 아직도 풀어야할 숙제이다. 만약 분비되기 전에 탄성 섬유 단백질이 집합된다면 분비 경로가 막히거나(clogging), 세포소기관이나 세포막이 파열되어서 다른 단백질의 분비도 방해하게 된다. 그러므로 세포는 엘라스틴 단백질을 단량체(monomer)로 합성하여 분비한 후 세포외 공간에서 섬유로 조립된다. 그럼으로써 세포 내를 보호할 수 있게 된다. 지금까지 엘라스틴의 미세섬유 형성(elastin fibrillogenesis)에 대한 모델은 7단계로 일어나는 것이 제시되었다(그림 6-16). ① 피브릴린(fibrillin)과 미세 필라멘트 동반 당단백질(microfilament-associated glycoprotein, MAGP)이 세포외 공

간으로 분비되어 엘라스틴 섬유 조립을 위한 핵(nucleator)으로 작용하는 미세섬유 격자(microfibrillar lattice)를 형성한다. 격자는 글루타민 전이효소(transglutaminase) 효소에 의해 글루타민과 다른 유리 아민 그룹(예를 들면 라이신 곁사슬) 사이에 형성된 화학적 가교 형성에 의해 강화된다. ② 트로포엘라스틴(tropoelastin)으로 알려진 엘라스틴 단량체가 조면소포체에서 형성되어 내막계(endomembrane system)를 통해 세포막까지 운반된다. 트로포엘라스틴은 소포체에서 샤프롱(chaperone)/수용체 단백질 복합체에 결합한다. 이 샤프롱 복합체는 분비 경로 동안에는 트로포엘라스틴에 부착된 상태로 존재해서 세포 내에서 트로포엘라스틴 단량체가 복합체를 이루지 않도록 한다. ③ 분비되면 트로포엘라스틴은 엘라스틴 결합단백질(elastin-binding protein)에 의해 세포 표면에 붙들린다. 여기에는 샤프롱 복합체뿐만 아니라 적어도 3종류의 인테그린 수용체가 관여한다. 작은 무질서한 클러스터(small disorga-

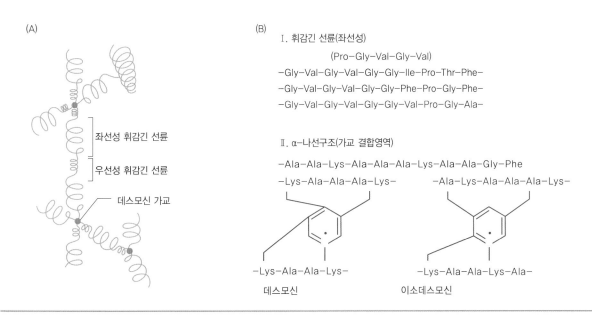

(A)

(B)

I. 휘감긴 선륜(좌선성)

(Pro-Gly-Val-Gly-Val)
-Gly-Val-Gly-Val-Gly-Gly-Ile-Pro-Thr-Phe-
-Gly-Val-Gly-Val-Gly-Gly-Phe-Pro-Gly-Phe-
-Gly-Val-Gly-Val-Gly-Gly-Val-Pro-Gly-Ala-

II. α-나선구조(가교 결합영역)

-Ala-Ala-Lys-Ala-Ala-Ala-Lys-Ala-Ala-Gly-Phe
-Lys-Ala-Ala-Ala-Lys-   -Ala-Lys-Ala-Ala-Ala-Lys-

좌선성 휘감긴 선륜

우선성 휘감긴 선륜

데스모신 가교

-Lys-Ala-Ala-Lys-   -Lys-Ala-Ala-Lys-Ala-

데스모신   이소데스모신

■■ 그림 6-15. 엘라스틴의 구조 모델과 특유의 화학 구조

(A) 엘라스틴 모델. (B) 휘감긴 선륜 부위와 데스모신 및 이소데스모신 주위의 아미노산 서열 및 구조

이무라 히로오 등: 임상대사학. 이사쿠라서점. p.282. 1984.

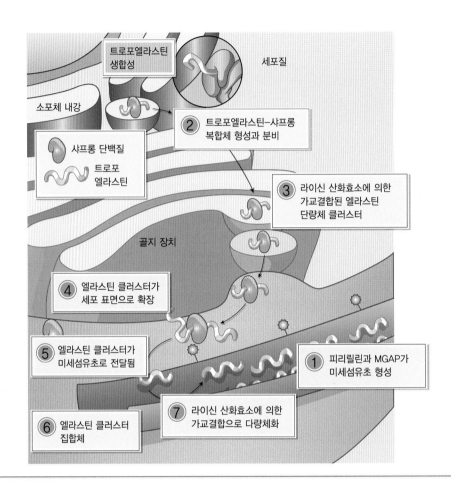

■■■ 그림 6-16

엘라스틴 단량체인 트로포엘라스틴(trpoelastin)이 세포 표면까지 이송될 때 샤프롱(chaperone)과 동반된다. 이 샤프롱이 미세섬유초 (microfiber sheath)와 결합함으로써 엘라스틴 단량체를 유리한다. 폴리머 형성(polymerization)은 트로포엘라스틴의 가교결합을 매개 하는 라이신 옥시다제에 의해 촉매된다.

Wagenseil JE, Mecham RP: New insights into elastic fiber assembly, Birth Defects Res C Embryo Today. 81:229-240. 2008.

nized cluster)를 형성하기 위해 라이신 산화효소(lysine oxidase)에 의해 가교결합이 형성된다. 피불린 4(fibulin 4)와 피불린 5(fibulin 5)가 함께 또는 단독으로, 황산 헤파란(heparan sulfate) 프로테오글리칸, 세포 표면 수용체 등이 가교결합 정도와 응집체의 크기를 결정하는데 있어 중요한 역할을 한다. ④ 시간이 지남에 따라 트로포엘라스틴이 추가 분비되어 더해지며, 세포 표면 클러스터는 크기가 커지고 라이신 산화효소에 의해 더 많은 가교결합이 형성된다. ⑤ 아직 명확히 밝혀지지 는 않았지만 세포막 바깥쪽에서 응집체가 떨어져 나와 미세섬유에 결합한다. 미세섬유(microfibril)는 미세섬유초(microfiber sheath)에 있는 피브릴린 단백질의 RGD(-Arg-Gly-Asp-) 서열에 결합하는 인테그린 수용체에 의해 세포 표면에 부착한다. ⑥ 미세 섬유상의 집합체는 큰 복합체를 형성하기 위해 응축한다. ⑦ 라이신 산화효소에 의해 집합체는 가교결합을 더욱 형성하여 최종적인 구조를 형성하게 되고, 글루타민 전이효소에 의해 미세섬유초에 공유결합을 한다. 성숙된 엘라스틴이 되기 위해서는 엘라스틴 단백질이 라이신 산화효소에 의해 수식되어 폴리머(polymer)로 조립되어야 한다.

4) 프로테오글리칸

(1) 프로테오글리칸과 글리코사미노글리칸

프로테오글리칸(proteoglycan)은 피부, 연골, 뼈, 인대 같은 결합조직에 풍부하게 존재하며, 동맥벽, 제대, 안구의 유리체액, 관절활액 내에서 비교적 풍부하게 볼 수 있다. 프로테오글리칸은 '단백질화 다당체'라는 의미이며 '프로테오글리칸은 당단백질이다'라는 문장은 잘못 해석된 것이다.

프로테오글리칸은 일반적으로 핵심단백질이라 불리는 1개의 폴리펩타이드 사슬에 글리코사미노글리칸(glycosaminoglycan)이라는 분자량 1,000~10,000 단위의 다당체 사슬이 1 내지 다수 공유 결합한 구조체이다 (그림 6-17). 이러한 당 사슬 때문에 친수성 분자이며, 총 분자량은 수백만에 이르는 것도 있다. 글리코사미노글리칸은 2종류의 단당 반복 단위구조를 취하며 하나는

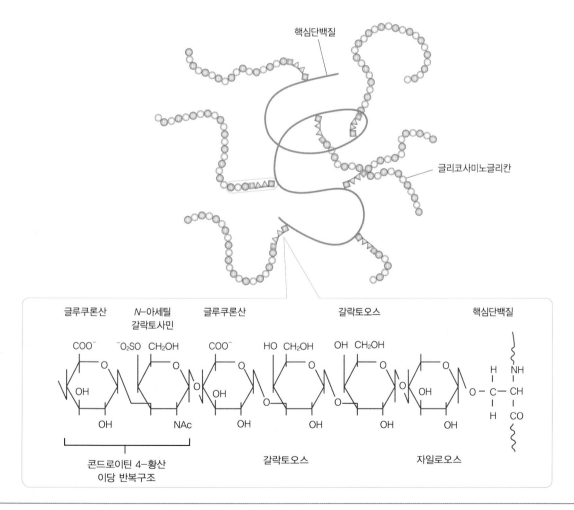

■■▨ **그림 6-17. 핵심단백질과 글리코사미노글리칸 구조**
여기에서는 콘드로이틴 4-황산으로 이루어진 프로테오글리칸의 모식도와 그 결합부위의 상세도이다.

표 6-3. 대표적인 글리코사미노글리칸

종류	조성	화학구조식(반복 단위)	분포
히알루론산	글루쿠론산 N-아세틸 글루코사민		안구의 초자체 제대, 관절액, 연결합조직
콘드로이틴	글루쿠론산 N-아세틸 갈락토사민		각막
콘드로이틴 4-황산 (콘드로이틴황산 A)	글루쿠론산 N-아세틸 갈락토사민 (4-황산)		초자양 연골, 뼈, 상아질
콘드로이틴 6-황산 (콘드로이틴황산 C)	글루쿠론산 N-아세틸 갈락토사민 (6-황산)		연골, 성인 늑연골
케라탄황산	갈락토오스(6-황산) N-아세틸 글루코사민		각막(KS I), 추간판, 성숙 연골(KS II)
더마탄황산 (콘드로인틴황산 B)	글루쿠론산 이두론산 N-아세틸 갈락토사민 (4-황산)		피부, 힘줄, 동맥, 벽
헤파란황산 (헤파리틴황산)	글루쿠론산 이두론산(2-황산) 글루코사민(N-황산) N-아세틸 글루코사민 (6- 또는 3-황산)		세포 표면, 기저막, 간, 콩팥, 폐
헤파린	이두론산(2-황산) 글루쿠론산 글루코사민[(6-또는 3-황산), N-황산]		비만세포 (호염기성 백혈구) 간, 폐

헥소사민(hexosamine) 즉 갈락토사민이나 글루코사민으로, 그 대부분이 아세틸화되어 있다. 그리고 다른 하나는 우론산(uronic acid)이며 둘은 다시 황산화되는 경우가 있다(표 6-3). 단 케라탄황산만은 우론산 대신에 갈락토오스를 함유한다. 즉 우론산을 함유하지 않는다. 글라이코사미노글리칸은 카르복실기와 황산기로 인해 강한 음전하를 띠고 있다.

프로테오글리칸은 친수성에 의해 다량의 물을 결합·보유하며 이 물은 쿠션 같은 작용을 하여 조직·세포와 섬유성분을 보호한다(그림 6-18). 또한 조직액에 점성을 주어 관절 등에서 윤활유 작용을 하며 카르복실기와 황산기는 양이온을 끌어당겨 염류 유지와 조절을 한다. 특수한 글리코사미노글리칸인 헤파린은 항응혈(antocoagulation) 작용이 있다. 헤파린은 핵심단백질(core protein)에 글리코사미노글리칸 사슬이 결합한 프로테오글리칸으로 합성(프로테오헤파린)되었지만, 보통 헤파린이라 불리는 것은 단백질 부분이 절단된 글리코사미노글리칸 사슬 부분이다. 따라서 헤파린은 프로테오글리칸으로도 글리코사미노글리칸으로도 분류할 수 있게 된다.

히알루론산(hyaluronic acid) 또는 히알루로난(hyaluronan)은 최초로 소 안구의 유리체에서 분리 정제되었다. 그 후 대부분의 글리코사미노글리칸이 1~5만의 분자량인데 반하여 히알루론산의 당 사슬은 수백만의 분자량에 이른다. 그러나 구조상으로는 다른 글리코사미노글리칸과 유사하다. 콘드로이틴황산은 체내에서 가장 풍부하게 존재하는 글리코사미노글리칸으로 다양한 결합조직에 널리 존재한다. 케라탄황산은 연골의 추간판, 각막에 한해 존재하는 글리코사미노글리칸으로 당 사슬에는 우론산이 존재하지 않는 것이 다른 글리코사미노글리칸과 다른 점이다. 이 외에도 케라탄황산은 반복되는 이당 이외에도 시알산, 푸코오스, 만노오스, N-아세틸글루코사민을 구성성분으로 함유한다.

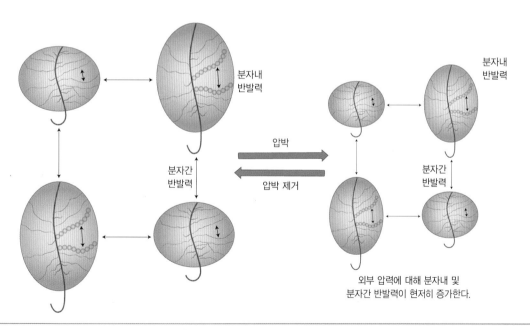

■ 그림 6-18. 프로테오글리칸의 부하에 대한 저항 기전

프로테오글리칸의 기능중 하나인 음전하를 띠는 헤파란황산간의 분자내 및 분자간 반발력에 의해 분자량에 비해 훨씬 큰 부피를 차지하고 있다가 외부 압박에 의해 분자 전체에 큰 변형을 초래하지 않은 상태에서 대응할 수 있다.

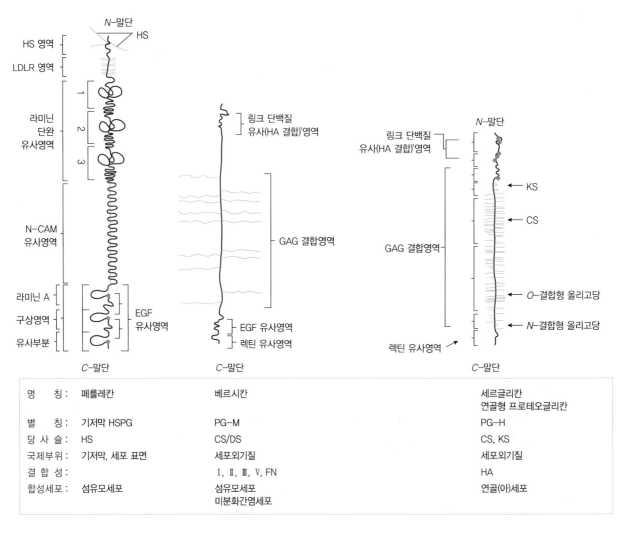

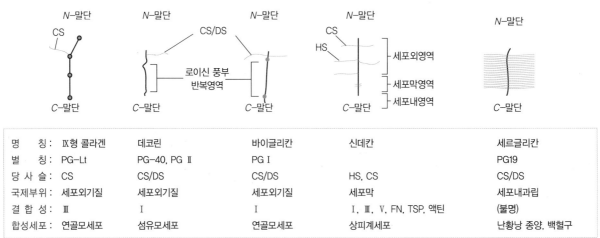

■■ ■■ 그림 6-19. 각종 프로테오글리칸의 구조와 다른 성분과의 결합성

우에데 토시미츠, 고바야시 쿠니히코 편: 생체기능분자데이터북. 츄카이아카쿠사. p.73. 2001

표 6-4. 대표적인 프로테오글리칸

분류·명칭	분포	핵심 단백질의 분자량	글리코사미노글리칸의 종류, 수	비고
대형 세포외 프로테오글리칸· 아글리칸	연골	220,000	CS, 100 < KS, 20~30	연골건조중량의 약 50% 히알루론산과 링크단백질을 매개로 결합하여 거대한 응집체를 형성
소형 결합조직 프로테오글리칸· 데코린	각종 결합조직	36,000	CS/DS, 1	콜라겐섬유의 D주기와 일치하여 주위를 둘러싼 것처럼 존재. 데코린 패밀리를 형성
기저막 프로테오글리칸· 페를레칸	기저막	396,000	HS, 3	IV형 콜라겐이나 라미닌과 결합하여 기저막 형성에 중요

CS : 콘드로이틴황산, KS : 케라탄황산, DS : 더마탄황산, HS : 헤파란황산

(2) 주요 프로테오글리칸 분자의 명칭과 분포

현재까지 40종 이상의 프로테오글리칸이 분류되었으며, cDNA 클로닝에 의해 그 모든 핵심단백질의 일차구조가 밝혀졌다(그림 6-19). 각각은 세포외기질의 다른 성분 즉, 탄수화물, 지질, 구조단백질, 인테그린 수용체 및 다른 프로테오글리칸과 결합할 수 있는 모듈(규격화된 구성단위) 구조 도메인을 함유하고 있다. 데코린(decorin)과 아그리칸(aggrecan)과 같은 대부분의 프로테오글리칸은 세포에서 분비되지만, 두 가지 형태는 막결합을 한다. 당단백질의 신데칸 패밀리(syndecan family)는 전부 막통과 도메인을 가지고 있으며, 글리피칸(glypican)은 글리코실포스파티딜이노시톨 결합(glycosyl-phosphatidylinositol linkage, GPI linkage)을 통해 세포막에 단단히 결합되어 있다.

프로테오글리칸은 결합되는 당분의 형태와 배열에 있어 당단백질과 구분이 된다. 프로테오글리칸에 부착된 당분을 글리코사미노글리칸(glycosaminoglycan, GAG)이라 하며, 길게 배열하며, 반복되는 이당류가 직선상으로 존재하는 사슬이다. 이 사슬은 수백 개의 당분이 포함되며 분자량이 1,000kDa나 되기도 한다.

프로테오글리칸은 핵심단백질을 기준으로 하여 명칭이 붙여졌다(표 6-4). 연골의 아글리칸은 프로테오글리칸의 거대한 응집체(집합체)로 존재한다(그림 6-20).

(3) 프로테오글리칸 형성

프로테오글리칸 형성에 대한 단계는 그림 6-21에 나타냈다. 핵심단백질(core protein)은 조면소포체에서 다른 단백질과 같은 방법으로 생합성 된다. 모든 핵심단백질은 조면소포체로 향하는 신호 펩타이드(signal peptide)를 함유하고 있으며, 대부분 용해성 분비단백질로 조면소포체 내강(lumen)으로 완전히 전위된다(translocation). 신데칸(syndecan) 경우 전이 정지 배열(stop-transfer sequence)을 가지고 있어서 세포막에 파묻힌 상태로 남는다. 글리피칸(glypican) 핵심단백질은 지질 결합 당분(lipid-linked sugar)인 글리코실포스파티딜이노시톨(glycosylphosphatidylinositol, GPI) 첨가에 의해 수식된다. 핵심단백질이 분비경로를 따라 진행될수록 글리코실전이효소(glycosyltransferase)가 자일로오스(xylose), 갈락토오스 및 글루쿠론산 당분을 핵심단백질 내의 세린과 아스파라긴 잔기에 부착한다. 핵심단

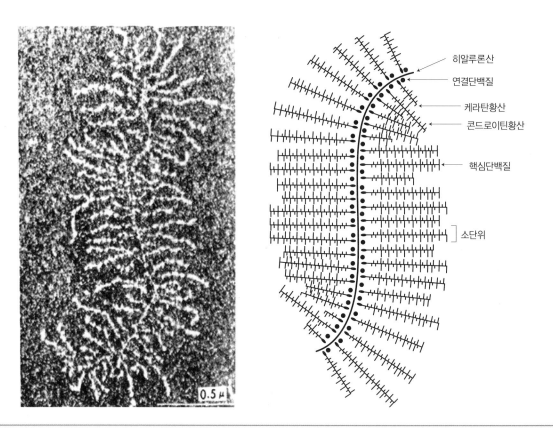

■▒ 그림 6-20. 관절 연골 프로테오글리칸 응집체의 전자현미경 사진(A)과 모식도(B)

평균분자량 2.5×10^6인 프로테오글리칸 소단위가 연결ㄷ단백질의 관여로 히알루론산에 결합되어 있다. 프로테오글리칸 소단위의 핵심단백질은 평균 분자량이 20만 정도이며, 약 100개의 콘드로이틴황산 사슬(평균 분자량 2만)과 50~60개의 케라탄황산(분자량 5,000)이 공유결합 되어 있다. 모식도 속의 콘드로이틴황산 사슬의 길이는 편의상 축소되어 있다.

백질 내의 특이 아미노산 배열이 부착될 당분의 유형과 위치를 결정한다. 이들 당질은 추가되는 당질을 위한 부착 부위로 작용하여 글리코사미노글리칸(GAG) 사슬을 구성한다. 이후 부착된 GAG는 에피머라제(epimerase) 등에 의해 당질 구조를 재정리하거나 황산전이효소(sul-fotransferase)에 의해 당질에 황산기를 첨가한다. 일부 프로테오글리칸의 경우 전형적인 당단백질에 존재하는 $N-$ 또는 $O-$결합 올리고당($N-$ or $O-$linked oligosac-charide)을 갖는다. 새로 합성된 프로테오글리칸은 트랜스 골지 네트워크(trans-Golgi network)에서 조절되는 분비경로(regulated secretory pathway)로 갈라놓

아 세포외유출(exocytosis)에 의해 세포 밖으로 유리될 때까지 분비과립에 저장된다. 직접 압력을 가하는 등의 여러 신호에 의해 프로테올글리칸 분비가 촉진된다.

5) 부착 단백질

세포외기질성분으로 당단백질인 파이브로넥틴이나 라미닌 등은 비교적 큰 분자로, 그 분자 내에는 각각 세포나 결합조직 성분과 결합하는 영역(도메인)을 지녀 부착단백질이라고 불린다(그림 6-22). 부착 단백질에 공통되는

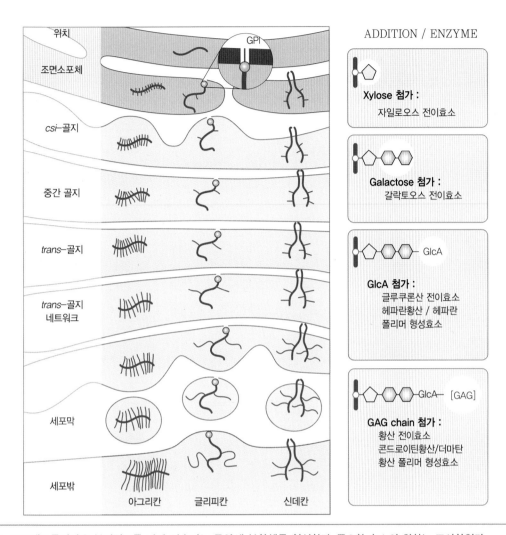

■■ 그림 6-21. 프로테오글리칸은 분비경로를 따라 이송되는 동안에 복합체를 형성한다. 중요한 효소의 위치는 표시하였다.

Cassimeris L, Lingappa VR, Plopper G: Lewin's Cells 2nd ed. p.840. Jones and Bartlett. 2011.

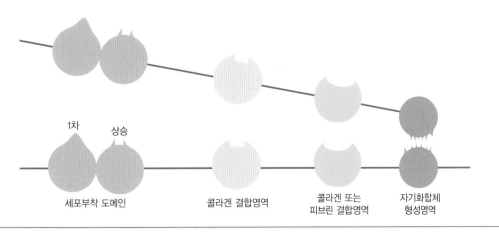

■■ 그림 6-22. 부착성 단백질의 공통 구조

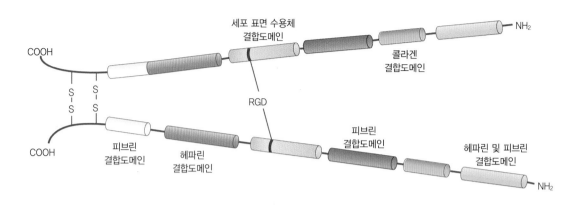

세포 표면 수용체
결합도메인

콜라겐
결합도메인

NH₂

COOH

RGD

피브린
결합도메인

헤파린 및 피브린
결합도메인

COOH

피브린
결합도메인

헤파린
결합도메인

NH₂

■■ 그림 6-23. 파이브로넥틴의 구조

기본 구조는 세포(표면에 있는 인테그린)와 결합하는 세포 결합영역[Arg-Gly-Glu(RGD)으로 대표되는 부착 펩타이드 배열을 포함한다]과 콜라겐 등 세포외기질성분과 결합하는 콜라겐 결합영역이나 헤파린/헤파란황산 결합영역 및 부착 단백질 분자끼리 이황화 결합이나 비공유결합을 통해 복합체를 이루어 2량체(dimer), 3량(trimer)체 및 4량체(tetramer)를 형성하는 자기 회합체 결합 영역으로 나뉜다. 2량체나 3량체 등은 단백질의 4차 구조를 만든다. 복수의 단백질 분자가 모두 동일한 경우는 '호모'를, 다른 경우는 '헤테로'를 붙여서, 몇 분자로 4차 구조를 형성하는지 나타낸다. 예를 들어 2개의 다른 분자로 구성되는 경우는 헤테로이량체(heterodimer), 3개의 동일 분자로 구성되는 경우는 호모삼량체(homotrimer)라고 말한다. 또한 세포 부착성이란 세포를 세포외기질(세포배양 실험 경우에는 배양접시의 플라스틱)에 부착시키는 활성을 말하는데, 보통 세포는 플라스틱에 피복된 부착 당단백질을 인식해 10분 정도에 부착한다. 계속해서 10~60분에 세포는 플라스틱 면을 따라 넓게 퍼진다. 그러므로 세포 부착 활성이라 하면 일반적으로 세포 신장성 활성(extensibility activity)을 포함한 의미이다. 세포에는 세포막에 매입된 인테그린이라는 단백질이 존재하며, 부착 단백질의 세포와 부착하는 영역(세포 부착 도메인)은 이 인테그린과 결합하여 세포에 부착한다.

(1) 파이브로넥틴

파이브로넥틴은 처음 혈장 속에서 발견된 당단백질이기도 하지만 세포 표면의 주 당단백질로 세포가 암화되는 경우 격감된다는 점에서 주목을 받게 되었다. 세포 부착 도메인에 따라 세포에 부착한 세포성 파이브로넥틴과 혈중에 존재하는 혈장 파이브로넥틴이 있다. 혈장 파이브로넥틴은 간에서 합성되어 분비되며, 사람 혈장 중에는 0.3mg/mL 농도로 존재한다. 1개 분자는 분자량이 235,00인 A 사슬과 230,000인 B 사슬이 C-말단 근처에서 이황화결합에 의해 이종이량체이다(그림 6-23). 콜라겐 결합 도메인이나 헤파린 결합 도메인 등을 가지며, 세포의 부착·신전·이동·분화·식작용 등 다양한 생리활성이 있고 암의 전이나 창상 치유 등의 중요한 과정에 관여하고 있다. 세포성 파이브로넥틴은 여러 동물세포의 세포 표면에 존재하고, 세포에 따라 그 함량이 다르다. 세포를 암화시키면 세포 표면의 파이브로넥틴은 현저히 감소한다.

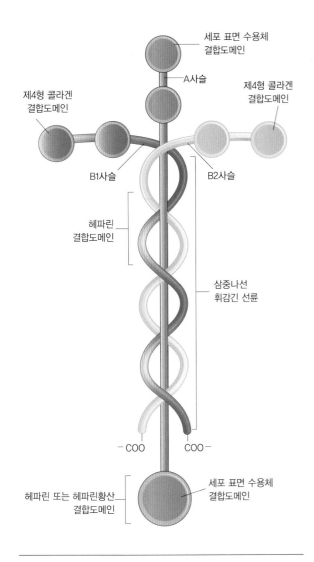

세포 표면 수용체
결합도메인

A사슬

제4형 콜라겐
결합도메인

제4형 콜라겐
결합도메인

B1사슬

B2사슬

헤파린
결합도메인

삼중나선
휘감긴 선륜

─ COO ─　　　─ COO ─

헤파린 또는 헤파린황산
결합도메인

세포 표면 수용체
결합도메인

■▥ 그림 6-24. 라미닌의 구조

(2) 라미닌

라미닌(laminin)은 기저막의 중요한 구성성분으로 발견된 당단백질로, 태아성 종양세포에서 생성되는 기저막 유사물질에서 순수하게 분리되었다. 라미닌의 분자량은 80만으로, α1 사슬 (40만), β1 사슬 (23만), γ1 사슬 (22만)의 3개 사슬로 구성된다. 최근에 라미닌과 연관된 단백질이 계속해서 발견되어, 이들을 분명하게 구별하기 위

해 새로운 명명법이 제창되었다. 이에 따르면 본래의 라미닌은 라미닌 1으로 부르고 각각의 사슬의 경우 AB1B2를 대신해 $\alpha_1\beta_1\gamma_1$의 조성으로 표시하여 사용하였지만, 보다 최근에 α_1 사슬은 5가지가 발견되어 LAMA1~LAMA5 (α_1~α_5)로, β_1 사슬은 4가지가 발견되어 LAMB1~LAMB4 (β_1~β_4)로, γ_1 사슬은 3가지가 발견되어 LAMC1~LAMC3 (γ_1~γ_3)로 표시하여 얼마 전까지만 해도 laminin 1, laminin 2 등으로 표시였으나 세 개의 사슬이 서로 복합적으로 복합체를 만들 수 있기 때문에 이를 보다 명확히 하기 위하여 각 사슬의 번호를 이용하여 laminin-511로 표시할 수 있는 데 이 경우에는 $\alpha_5\beta_1\gamma_1$ 사슬로 구성이 된 것이다. 라미닌 사슬이 α_2(메로신, merosin), β_1, γ_1으로 구성된 laminin-211은 근육막 라미닌(전에는 laminin 2)이고, S-라미닌(β_2)이 들어간 laminin-121은 시냅스 라미닌(laminin 3)이 된다. 현재 소단위(subunit)의 조합에 따라 15종 이상의 분자종이 보고되어 있다. 그림 6-24와 같은 대소 2개의 팔로 구성되는 십자가 구조가 밝혀지고 있으며, 다양한 분자 및 세포표면의 인테그린 수용체에 인식되는 펩타이드 배열이 존재한다.

이밖에 다양한 부착단백질 중 중요한 것에 대하여 표 6-5에 정리하였다.

(3) 세포-세포외기질을 조절하는 기질세포성 단백질

「기질세포성 단백질(matricellualr protein)」이라는 용어는 세포외기질에서 발견이 되지만 특별하게 중요한 구조적 역할을 하지 않는 일련의 단백질을 기술하기 위하여 사용한다. 대신에 이들 단백질은 세포외기질 분자를 위해 세포 표면 수용체에 결합해서 신호 활성도를 조절한다. 이들 단백질은 포유동물 전 조직에 걸쳐 넓게 분포하고 있지만, 기질세포성 단백질의 발현은 배아발육과 상처 치유 및 연골이나 뼈처럼 세포외기질 비율이 높은 조직에서 발현이 높다.

표 6-5. 부착 단백질

분자명	구성	다량체 분자량 (× 1,000)	세포접착 펩타이드	리간드 (인테그린은 제외)	분포
파이브로넥 (fibronectin)	이량체	235, 230	RGD, LDV, REDV	콜라겐, 헤파란황산 프로테 오글리칸, 헤파린, 피브린	혈장/혈청, 각종 세포 표면, 각종 결합조직, 각종 체액
라미닌(laminin)	α	400	GGD, IKVAV	헤파란황산 프로토글리칸	
	β1	210	YIGSR, PDSGR, RYVVLPR	IV형 콜라겐	기저막
	γ2	200	RNIAEIIKDI	니도젠(엔탁틴), 헤파린	
테나신 (tenascin)	육량체	190 ~250	RGD	콘드로이틴황산 프로테오글 리칸	발생 초기 기관(신경, 유치, 선, 콩팥 등)의 간질, 창상육아와 종양조직의 간질
비트로넥틴 (vitronectin)		75 65	RGD	헤파린, 콜라겐, 플라스민노 겐 활성물질 억제제-1	혈장/혈청, 결합조직, 혈소판
트롬보스폰딘 (thrombospondin)	삼량체	150	RGD, VTXG	헤파린, V형 콜라겐, 라미닌, Ca^{2+}	엘라스틴 섬유와 공존
니도첸 (엔탁틴, nidogen, entactin)		158	RGD	라미닌, IV형 콜라겐	기저막
피브릴린 (fibrillin)		347	RGD	엘라스틴 Ca^{2+}	엘라스틴 섬유와 공존
오스테오폰틴 (osteopontin)		70	RGD	Ca^{2+}, 파이브로넥틴	뼈, 상아질, 콩판, 유선상피
뼈 시알로 단백질 (bone sialoprotein)		70	RGD	하이드록시아파타이트	뼈
소프소소린 (phosphophoryn)		48*	RGD	Ca^{2+}	상아질
상아질 기질단백질 (dentin matrix protein)		81*	RGD	Ca^{2+}	상아질, 뼈, 시멘트질
폰빌레브란트 인자 (won Willebrand factor)	다량체	230	RGD	혈소판막단백질, 콜라겐, 헤 파린, 혈액응고인자 VIII	혈관 내피세포, 혈장, 골수 거핵세포, 기저막
섬유소원 (fibrinogen)	육량체 Aα2 Bβ2 γ2	65 55 47	RGD	파이브로넥틴	혈장

* 핵심단백질의 분자량

표 6-6. 뼈 조직에서 흔한 6가지 기질세포성 단백질의 결합 상호관계와 기능

기질세포성 단백질	ECM 상호작용	세포표면 상호작용	결합 용해성 인자	신호전달 기전	뼈 세포 표현형에 대한 효과
테나신 C (tenascin C)	파이브로넥틴	인테그린 헤파란황산 프로테오글리칸			골모세포 분화 촉진
SPARC (ecreted protein acidic and rich in cysteine)	콜라겐	모름	PDGF, TGF-1 VEGF, MMP2 bFGF, IGF	세포골격-의존성	골모세포 분화 촉진과 생존 지방생성 억제
오스테오폰틴 (osteopontin, OPN)	파이브로넥틴, 콜라겐	인테그린 CD44	MMP3, 보체성분, EGF	세포골격-의존성 PBK, Ca^{2+}, 칼모듈린	골모세포와 파골세포 부착, 분화 및 기능 촉진
뼈 시알로 단백질 (bone sialoprotein, BSP)	콜라겐	인테그린	MMP2	Ca^{2+}, 칼모듈린	파골세포 부착, 분화 및 기능 촉진
트롬보스폰딘-1 (thrombospondin-1, TSP1)	피브리노겐, 콜라겐, 헤파란황산 프로테오글리칸, 파이브로넥틴, 라미닌	인테그린, HSPG, 칼레티쿨린 (calreticulin), 드로이틴황산, 신데칸 1	혈액응고 인자, TGF-β1, 엘라스틴 분해효소 PDGF, bFGF, MMP2, IGF-1 IGF 결합단백질	국소부착 키나제 (focal adhesion kinase, FAK) G 단백질, MAP 키나제, JNK, 카스파제(caspase)	골모세포 기능 촉진
트롬보스폰딘-2 (thrombospondin-2, TSP2)	콜라겐, 프로테오글리칸	인테그린, HSPG, 콘드로이틴황산	MMP2	카스파제	간엽줄기세포 증식 억제, 골모세포 분화 촉진, 지방생성 억제

표 6-6에 뼈세포에서 흔하게 볼 수 있는 기질세포성 단백질을 나열하였고, 기능에 대하여 설명하였다. 비트로넥틴처럼 기질세포성 단백질은 두 상태로 존재한다. 비트로넥틴의 용해성 형태는 우리 몸 구석구석을 순환하며, 세포에 대해 약한 항부착 효과(antiadhesive effect)를 나타낸다. 즉, 비트로넥틴은 콜라겐, 파이브로넥틴, 라미닌, 프로테오글리칸에 대한 수용체에 가장 잘 경쟁적으로 결합하여 강한 세포성 부착을 억제한다. 비트로넥틴의 불용성 형태는 세포외기질 주위세포의 일부로 구

성되어 용해성 성장인자 및 단백질 분해효소와 결합하여 격리시킨다. 세포 표면의 헤파린 프로테오글리칸 경우 세포 표면에서 신호전달 분자를 고정하여 보조 수용체로 작용한다.

(4) 세포 부착 펩타이드와 인테그린 슈퍼패밀리 (superfamily)

세포는 특이 수용체를 통해 세포외기질 단백질과 결합한다. 인테그린(integrin) 패밀리는 이들 수용체 중 가

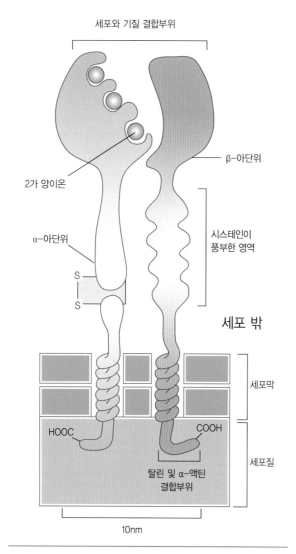

세포와 기질 결합부위

β-아단위

2가 양이온

시스테인이
풍부한 영역

α-아단위

세포 밖

S

S

세포막

HOOC

COOH

세포질

탈린 및 α-액틴
결합부위

10nm

■■ 그림 6-25. 인테그린의 구조 모식도

α-소단위의 *N*-말단은 2가 양이온(Ca^{2+}또는 Mg^{2+}) 결합영역이
있다. 나카무라 케이코 등: 세포의 분자생물학. 제3판. p.996. 교육사. 1995.

장 잘 알려진 그룹이다. 인테그린은 세포외기질 단백질과 결합하며, 일부 경우에 다른 세포의 표면에 발현된 막단백질과도 결합한다. 실제로 모든 동물 세포는 인테그린 수용체를 발현한다. 인테그린은 세포를 한 곳으로 모으는데 관여하는 주요 세포 표면 단백질이다. 인테그린은 세포외기질을 세포내 신호전달 분자나 세포골격과 연접시키는 단백질이다.

부착 단백질과 상호작용 하는 세포 표면에는 특이한 당단백질인 세포 부착 수용체인 인테그린의 존재가 밝혀졌다. 이러한 수용체는 130~160kDa의 α 소단위(subunit)와 90~140kDa의 β 소단위로 이루어 진 것을 알 수 있다(그림 6-25). 이들 α 및 β 소단위는 각각 서브클래스(subcalss)가 존재해 현재까지 18종의 α 소단위와 8종 β 소단위가 분류되어 합계 24종의 이질 이량체를 형성하고 있는 것이 밝혀지고 있다. 왜 이렇게 많은 인테그린이 존재하는 것일까? 일부 인테그린 소단위를 녹아웃하면 치명적이지만, 또 어떤 소단위 녹아웃 경우 경미한 효과만 있다는 사실은 이들 수용체의 일부는 다른 수용체에 의해 대체될 수 있기 때문이라 생각한다. 이런 대체 능력은 기능적인 여분(functional redundancy)으로 알려져 있다. 게다가 cDNA 클로닝에 의해 각 수용체간에 아미노산 배열상의 상동성이 있는 것이 밝혀져, 이러한 수용체를 인테그린 슈퍼패밀리(superfamily)라 총칭하고 있다. 인테그린과 리간드(ligand, ECM 성분)의 결합에는 2가 양이온이 필요하고, α 소단위의 EF 핸드(hand) 구조에 결합하는 Ca^{2+}를 대표로 하는 2가 양이온의 종류와 농도에 의해서 인테그린의 구조가 변화해 각각의 리간드 특이성이나 결합력을 억제한다고 생각한다.

인테그린은 α– 및 β–사슬의 세포외 도메인을 통해 세포외기질 단백질과 결합함으로써 세포부착을 도와준다. αI 도메인을 함유하는 인테그린의 경우 거의 전적으로 αI 도메인에 의해 리간드 특이성이 결정되고, αI 도메인을 함유하지 않는 경우에는 α–사슬과 β–사슬의 세포외 도메인의 조합에 의해 결정된다. 파이브로넥틴 수용체 α$_5$β$_1$을 제외하고 모든 인테그린은 한 개 이상의 리간드와 결합한다. 리간드의 아미노산 배열을 근거로 인테그린 결합부위를 예상하기는 불가능하지만 아스파르트산(asprtic acid)과 같은 산성 아미노산은 세포외기질 단백질 상에서 알려진 모든 결합부위에서 흔하게 나타난다. 콜라겐, 비트로넥틴, 파이브로넥틴과 같은 많은 리간드는 Arg–Gly–Asp(RGD) 배열을 가지고 있다. 인테그린의 부착 기능은 세포골격 단백질과 신호전달 단백질이 결합하는 세포질 도메인과 관련이 있다.

③ 세포외기질성분의 분해

지금까지 다세포 생명체에서 세포 행동을 조절하는 세포외기질의 중요한 역할을 중심으로 설명하였다. 그러나 생명체들은 세포외기질을 분해하는 단백질 분해효소 역시 생성한다. 생명체는 외부 환경 변화에 반응하여 세포들을 한 군데 뭉쳐있도록 하는 분자들을 제거하기도 한다. 한 예로 발생중인 뉴런을 둘러싸고 있는 세포외기질은 일단 뉴런이 완전히 분화되어 성숙해지면, 더 이상 이 세포외기질이 필요하지 않고, 다른 유형의 세포외기질이 필요하기 때문이다. 발생 초기에 손과 발에 형성되는 물갈퀴(webbing)는 발생 말기에는 더 이상 필요하지 않아서 모두 제거된다. 또한 외상이나 감염으로 인해 조직이 심한 손상을 입거나 상처 회복 기간에 손상을 받은 부위가 제거되고 새것으로 교환하기도 한다. 세포외기질에 단백질 분해효소가 작용하여 작은 펩타이드가 형성되면 이 펩타이드는 세포 이동을 촉진하여 상처 회복을 하도록 자극한다. 이 펩타이드는 또한 종양세포 이동을 자극하기도 한다. 세포외기질의 소화(digestion)는 때때로 성장인자나 호르몬과 같은 유용한 성분을 방출하기도 하는데, 이 물질들은 커다란 세포외기질 단백질로 형성된 그물망에 트랩(trap)되기도 한다.

세포외기질 단백질 분해효소는 3가지 큰 패밀리로 구분하여 ① MMPs(matrix metelloproteinases), ② ADAM(A Disintegrin And Metalloproteinase) 패밀리, ③ 이와 밀접한 관계가 있는 ADAMTS(A Disintegrin-like And Metalloproteinase with Thrombo-Spondin motifs)로 나뉘며, 기질금속성 단백질 분해효소(matrix metalloproteinase)와 디스인테그린 도메인(disintegrin domain)을 함유한다(그림 6-26). 3가지 패밀리 모두 세포외기질 단백질을 분해하지만, ADAM 단백질 분해효소는 인테그린-기반의 세포 부착(integrin-based cell adhesion)을 지지하기도 한다. ADAM은 세포 표면에 발현되는 세포막 통과 단백질 분해효소로 다

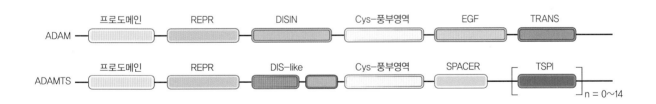

■ ■ 그림 6-26. ADAM과 ADAMTS 단백질의 일반적 도메인 구조

N-말단 시그널 펩타이드는 적절한 세포 내 위치로 단백질을 보낸다. 프로도메인(prodomain, PRO)은 시스테인-스위치(cystein-switch) 기전으로 효소를 불활성형으로 유지하여 촉매활성을 나타내는 아연-결합 도메인(zinc-binding domain, repeolysin, REPR)을 차단(block)한다. 디스인테그린 도메인(DISIN 또는 DISIN-like)은 뱀독 디스인테그린(disintegrin)처럼 세포 부착과 인테그린 결합에 관여한다. 디스인테그린 도메인과 함께 시스테인 풍부 영역(cysteine-rich domain), EGF 유사 영역(EGF-like domain), 트롬보스폰딘 Ⅰ형(thrombospondin type Ⅰ, TSPI) 및 간격장치 영역(spacer region)과 같은 다른 도메인과 함께 기질 인식과 표적 상호작용에 관여한다. 세포막통과 영역(transmembrane domain, TRANS)은 원형질막(plasmatic membrane)과 세포질 꼬리에 대부분 ADAM 단백질을 붙들어 세포 내 신호전달 경로에 관여한다.

른 세포 표면 수용체뿐만 아니라 세포외기질 단백질도 분해한다. ADAMTS는 세포외 공간으로 분비되어 글리코사미노글리칸과 결합하여 프로테오글리칸을 분해한다.

사람에서 최소한 24가지의 MMP가 확인되었으며, 구조와 기질특이성에 근거하여 6 부류로 분류된다(표 6-7). 모든 MMP는 여러 공통적인 특징을 가지고 있다. ① 시그널 펩타이드가 세포에서 분비되는 단백질의 최종 목적지를 지시한다. ② 고도로 보존된 아연 이온 결합 부위는 촉매 도메인에 존재한다. ③ N-말단 프로펩타이드는 주머니칼과 비슷해서 손잡이에 해당된다. 단백질의 이 부위는 촉매 부위에서 아연 이온과 공유 결합을 형성할 수 있는 시스테인이 잘 보존된 상태로 꺾어 젖혀져 있기 때문에 단백질 분해효소의 활성을 억제한다. 이런 작용을 MMP의 활성을 조절하는「시스테인 스위치(cysteine switch)」기전이라 한다. ④ 호모펙신(homopexin) 도메인은 단백질 분해효소의 기질특이성을 결정한다. ⑤ 프롤린이 풍부한 경첩 영역(hinge region)은 헤모펙신 도메인에 촉매 도메인을 결합한다.

세포외기질성분의 주체는 단백질 글리코사미노글리칸이므로, 여기에서는 콜라겐을 중심으로 단백질과 프로테오글리칸의 주요 성분인 글리코사노글리칸의 분해에 대해 기술하고자 한다.

1) 단백질의 분해

ECM 성분의 분해는 주로 ECM 중에서 진행되므로 중성 pH에서 작용하는 기질금속성 단백질 분해효소(matrix metalloproteinase)와 세린프로테아제(serine protease)가 관여 하지만, 급격한 조직흡수가 진행되고 있는 장소에서는 탐식 기능을 수반하는 세포의 용해소체(lysosome) 효소에 의한 분해가 되기도 한다. 또한 특수한 경우로 폐쇄된 파골세포에 의한 골 흡수환경 하에서는 산성 조건 하이므로, 주로 카텝신 K(cathepsin K)에 의한 뼈 기질 단백질의 분해가 있다.

(1) 기질금속성 단백질 분해효소

표 6-7을 살펴보면 분명하게 MMP에 의해서 지금까지 밝혀진 거의 모든 ECM 성분이 분해된다는 것을 알 수 있다.

간질 교원질 분해효소(interstitial collagenase)는 콜라겐 분해효소-3이나 앞에서 기술한 호중구 콜라겐 분해효소(neutrophil collagenase)와 함께 콜라겐 분자를 삼중나선 구조인 채로 N-말단에서 대략 3/4 부위의 $Gly^{772}-Ile^{773}$ 사이를 절단한다. 이와는 달리 가스괴저균(Clostridium histolyticum) 등 세균이 생성하는 세균성 콜라겐 분해효소(bacterial collagenase)는 콜라겐 분자의 나선 구조 부분을 글리신 잔기의 N-말단 측에서 200군데 이상 절단 해 Gly-X-Y로 되는 펩타이드를 만들어 낸다.

젤라티나제(gelatinase)에는 분자량이 서로 다른 (72,000 및 92,000), 젤라티나제 A와 B 2종류가 존재하여 간질 교원질분해효소에 의해 분해되어 체온에서 변성한 콜라겐 단편을 한층 더 저분자화 한다. 한편 기저막을 구성하는 IV 형 콜라겐을 분해하는 효소는 암세포의 전이와 연관되어 주목받고 있다.

스트로멜라이신 1(stromelysin 1)은 기질특이성이 낮고, 세포외기질성분의 주요 구성물질의 하나인 프로테오글리칸의 핵심단백질을 분해하는 것 외에도 여러 가지 기질성분을 분해한다.

똑같은 엘라스틴을 기질로 하지만, 대식세포(macrophage)가 생성하는 금속성 엘라스타제(metalloelastase, MMP-12)는 세린단백질 분해효소(serine protease)인 호중구 엘라스타제와는 다르고, MMP의 한 종류이다.

(2) 기질성분의 분해 조절기구

그런데 이들 기질성분의 분해는 어떠한 기구로 조절되고 있는 것일까? 특히 정상적인 결합조직 중에서 기질

표 6-7. 사람에서 발견되는 6부류의 기질금속성 단백질 분해효소

Ravanti L, Känäri VW: Matrix metalloproteinase in wound repair. Int J Mol. Med 6(4):391-407. 2000.

효소 분류	효소명	MMP 번호	분자량		기질 및 기질성분
			비활성형	활성형	
콜라겐 분해효소 (collagenase)	간질콜라겐 분해효소	MMP-1	52,000 56,000*	41,000 45,000*	I, II, , III, VII, VIII, X형 콜라겐(분해속도 : I≒III), 아그리칸, 니도젠(엔탁틴). 연골 링크 단백질
	호중구 콜라겐 분해효소	MMP-8	75,000*	65,000*	I, II, , III형 콜라겐(분해속도 : I>III(1:1/15)
	콜라겐 분해효소-3	MMP-13	60,000	48,000	I, II, , III형 콜라겐(분해속도 :II>I>III)
젤라틴 분해효소 (gelatinase)	젤라틴 분해효소 A	MMP-2	72,000	67,000	젤라틴, I, IV, V, VII형 콜라겐, 파이브로넥틴, 라미닌, 아그리칸, 엘라스틴, 대형 테나신-C
	젤라틴 분해효소 B	MMP-9	92,000*	83,000* 67,000	젤라틴, I, III, IV, XIV형 콜라겐, 아그리칸, 엘라스틴, 니도젠(엔탁틴)
세포막형 MMPs	MP1-MMP MP2-MMP MP3-MMP MP4-MMP MP5-MMP MP6-MMP	MMP-14 MMP-15 MMP-16 MMP-17 MMP-24 MMP-25	63,000	60,000	프로-젤라티나제 A, I, II, III형 콜라겐, 젤라틴, 파이브로넥틴, 라미닌, 비트로넥틴, α2-M, α1-PI
스트로멜라이신 (stromelysins)	스트로멜라이신-1	MMP-3	57,000 59,000*	45,000 28,000	aggrecan, link protein, 젤라틴, 파이브로넥틴, 라미닌, II, III, IV, VII, IX, X, XI형 콜라겐, I, II, III, I형 콜라겐, 펩타이드
	스트로멜라이신-2	MMP-10	57,000	46,000 28,000	aggrecan, IV형 콜라겐 파이브로넥틴, 라미닌
스트로멜라이신 유사 MMPs	스트로멜라이신-3	MMP-11	65,000	45,000 28,000	α2-M, α1-PI, (파이브로넥틴, 라미닌, IV형 콜라겐, 아그리칸, 젤라틴에 대한 약한 활성)
	메트리라이신(Matrilysin)	MMP-7	28,000	19,000	아그리칸, 파이브로넥틴, 라미닌, 젤라틴, IV형 콜라겐, 엘라스틴, 니도젠(엔탁틴), 테나신-C, 베르시칸
	금속성 엘라스틴 분해효소(metallielastase)	MMP-12	54,000	45,000 22,000	엘라스틴
기타 MMPs	RASI-1(스트로멜라이신-4)	MMP-19			
	법랑라이신(enamelysin)	MMP-20	54,000**	45,000**	아밀로제닌, COMP, 아그리칸
	CA-MMP	MMP-23			
	메트리라이신-2(endometase)	MMP-26			

* 당단백질로서의 분자량

** cDNA 클로닝에 의해 얻을 수 있던 일차 구조로부터 산출

    MMP-4는 telopeptidase, MMP-5는 3/4 콜라겐 엔도펩티다제(3/4 collagen endopeptidase), MMP-6는 연골 산 금속성 단백질 분해효소(cartilage acid metalloproteinase)로 MMP-3과 같다. MMP-18은 Collagenase 4, xcol4, xenopus collagenase(또는 xenopus 콜라겐 분해효소), MMP-21은 xenopus MMP(XMMP)이며, MMP-22는 chicken MMP(CMMP)로 사람에서는 발견되지 않는다. MMP-27은 MMP-20과 같은 것이 밝혀졌으며, MMP-28은 사람 각질세포에서 발견이 되어 에피라이신(epilysin))이라 불렀다. 다른 MMP와 달리 구성효소(constitutive enzyme)로 폐, 심장, 뇌, 대장, 소장, 태반 타액선에서 발현된다.

성분의 대사는 합성과 분해의 균형이 유지되어 실제로 세심하게 조절되고 있다. 이 조절은 ① 세포 레벨에서의 조절, ② 불활성형 MMP(pro-MMP)의 활성화, ③ 내인성 억제물질에 의한 활성효소의 저해라고 하는 3단계로 행해지고 있다.

① 세포 레벨에서의 조절

통상적으로 세포는 무엇인가 적당한 방아쇠가 없으면 MMP나 TIMP(tissue inhibitor of metalloprotease)를 생성하지 않는다. 지금까지 MMP의 생성을 촉진하거나 억제하는 많은 인자가 보고되어 있다. 특히 염증이나 그에 따른 조직수복에 관계 하는 IL-1, TNF-α, TGF-β 등의 작용이 중요하다. 예를 들어 IL-1에 의해서 섬유모세포의 간질 콜라겐 단백질 분해효소(collagenase) 생성은 현저히 항진된다.

② 프로 MMP의 활성화

앞에서 기술한 것처럼 특정의 자극으로 세포가 생성하는 MMP는 대부분 불활성형으로 분자량 1 만 정도의 프로펩타이드가 N-말단에 결합한 프로-MMP(pro-matrix metalloproteinase)로서 합성되어 분비된다. 이들 프로 MMP는 활성물질(activator)로 총칭되는 프로테아제(protease)에 의해서 활성화된다. 이 활성물질로 플라스민(plasmin), 혈장 칼리크레인(kallikrein), 카텝신 B(cathepsin B) 등이 알려져 있지만, 최근 활성화된 MMP가 다른 프로 MMP를 활성화한다는 사실이 밝혀지고 있다. 예를 들어 stromelysin 1(MMP-3)은 pro-MMP-1, -7, -8 및 -9를 활성화 한다. MMP-2, -3 및 -7은 혼합하여 12가지 이상의 ECM 단백질을 소화한다. 젤라티나제 A(MMP-2)는 기저막 성분의 IV 형 콜라겐을 분해하는 사실로 인해 암의 전이에 관여 하는 것으로 주목받아 왔지만, 지금까지 이 프로 효소를 활성화하는 프로테아제가 알려지지 않았었다. 근년 이 프로-MMP-2를 활성화 하는 효소로서 막결합형의 MT-MMP가 발견되었다. 이 MT-MMP나 MMP-11은 세포(골지체)에서 세린 프로테아제(serine protease)인 퓨린(furin)에 의해 펩타이드 사슬이 절단되어 활성화된다. 이러한 효소는 퓨린 감수성의 RXXR이라고 하는 아미노산배열을 인식하여 작용한다. 보통 단백질 분해의 캐스케이드(cascade)는 분해 부위에 활성화된 단백질 분해효소를 손에 넣음으로써 시작된다. 예를 들면, 단백질 분해효소인 플라스민(plasmin)은 혈병(blood clot)에서 활성화되어 상처 회복 동안에 조직 리모델링 과정을 개시하기 위해 혈병 가까이의 다양한 MMP를 활성화 한다.

③ 내인성 억제물질에 의한 활성효소의 억제

활성화된 MMP는 필요한 만큼 기질성분을 분해하면, MMP를 저해하는 내인성 억제물질(inhibitor)에 의해서 신속하게 불활성화된다. 즉 필요 이상의 분해가 진행되지 않게 조절되고 있다. 내인성 억제물질에는 조직유래의 것과 혈장유래의 것이 존재하여 조직 유래의 것으로는 MMP에 공통되면서 특이적인 TIMP(tissue inhibitors of metalloproteases)가 있다. 혈장유래의 것으로는 거의 모든 종류의 프로테아제를 저해하는 α2-마크로글로불린(α2-macroglobulin), 호중구 엘라스타제에 비교적 특이성이 높은 α1-단백질 분해효소 억제물질(α1-protease inhibitor), 카텝신 G(cathepsin G)에 강하게 작용하는 α1-안티키모트립신(α1-antichymotrypsin) 등이 알려져 있다. TIMP는 혈장 중에도 존재한다.

현재 TIMP에는 TIMP-1, -2, -3및 -4의 4종이 알려져 있다. 모두 약 20kDa의 폴리펩타이드로 12개의 시스테인 잔기를 가지며, 이들이 6개의 S-S 결합을 형성하고 있다. TIMP-1 과 -3은 당 사슬을 가지지만, TIMP-2는 당 사슬이 없다. 모두 활성형 MMP와 1:1의 복합체를 형성하여 효소 활성을 저해한다.

참고문헌

1. Berg MB, Tymoczko JL, Stryer L : Biochemistry. 7th ed. Freeman. 2012.

2. Berkovitz BKB, Moxham BJ, Newman HN : The Periodontal Ligament in Health and Disease. 2nd ed. Mosby-Wolfe. 1995.

3. Cassimeris L, Lingappa VR, Plopper G : Lewin's Cells. 2nd. ed. Jones and Bartlett. 2011.

4. Ferrier DR : Lippincott's Illustrated Review : Biochemistry. 6th ed. 2014.

5. Garrett RH, Grisham CM : Biochemistry. 4th ed. Brooks/Cole Cengage Learning. 2010.

6. Levine M : Topics in Dental Biochemistry. Springer. 2011.

7. Lieberman M, Marks AD : Mark's Basic Medical Biochemistry - A Clinical Approach. 4th ed. Wolters Kluwer/Lippincott Williams & Wilkins. 2013.

8. Marray RK, Botham KM, Kennelly PJ, Rodwell VW, Weil PA : Harper's Illustrated Biochemistry. 29th ed. McGraw Hill/Lange. 2012.

9. Nelson DL, Cox MM : Lehninger Principles of Biochemistry. 4th ed. Freeman. 2005.

10. 권영혁, 박준본 옮김(야마모토 히로마사 저) : 일러스트로 배우는 치주생물학. 군자출판사. 2007.

11. 박광균 : 경조직 및 구강 생화학-분자세포생물학. (주) 라이프사이언스. 2013.

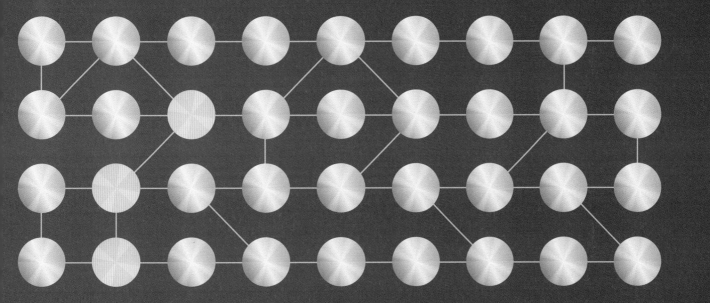

07

Chapter

경조직의 무기성분

치아우식증과 치주질환은 일차적 원인이 치태(dental plaque)이며, 치아우식증은 치태 세균의 대사산물인 유기산에 의해 치아가 국소적이고 점진적으로 탈회된 결과이다. 그러므로 치아의 화학조성, 특히 치관의 바깥 부분을 형성하고 있는 법랑질의 화학 조성은 치아우식증의 발생과 진행에 큰 영향을 줄 수 있다. 이러한 치아우식증을 이해하고 미리 예방하기 위해서는 법랑질의 미세구조에 대하여 알아야 하며, 여기에서는 화학조성 특히 하이드록시아파타이트(hydroxyapatite)에 대하여 설명하고자 한다.

치아는 뼈와 함께 경조직으로 분류되고 있으며, 구강이라고 하는 외부 환경에 직접 노출된다는 점에서 뼈와 다르며(손톱, 발톱 및 머리 등의 경우는 상피조직의 연속성이 끊어지지 않아 함몰된 것이나, 치아의 경우는 상피조직의 연속성이 끊어지며 뚫고 나온 것이다), 이러한 점에서 극히 특이한 조직이라 할 수 있다. 또한 치아의 표면에는 음식을 섭취하여 저작운동을 할 때 끊임없이 큰 교합력(제일대구치에서는 통상적으로 약 65kg, 소구치나 절치에서는 1/3)이 가해진다. 이러한 저작압력에 대해 치아, 특히 그 표면에 있는 얇은 법랑질이 수십 년간 파절되지 않고 견딜 수 있다는 사실은 정말 놀라울 일이다. 만약, 법랑질의 석회화 정도가 가장 바깥쪽에서 가장 안쪽까지 완전히 똑같다고 하면, 다양한 물리적 작용에 의해 상아질의 표면으로부터 법랑질은 쉽게 떨어져 나갈 것이다.

치아우식증이 법랑질의 탈회로 시작된다는 사실은 오늘날 거의 틀림없는 사실로 받아들여지고 있다. 이러한 사실을 고려해 보면 치아의 무기질, 특히 법랑질의 무기질에 대해 잘 이해하면 치아우식증이 발생되는 기전을 이해하는데 도움이 된다. 척추동물의 뼈나 치아에서 무기질의 주된 성분은 인산칼슘으로, 이 인산칼슘은 결정학적으로는 하이드록시아파타이트[hydorxyapatite, $Ca_{10}(PO_4)_6(OH)_2$, 광물로서의 아파타이트에 대하여 뼈나 치아 등의 생명체 속에 존재하는 것은 생체 아파타이트(biological apatite)라고 하고 있다. 또 하이드록시아파타이트는 수산화인회석이

라고 부르기도 한다] 구조를 기본으로 하는 것이 밝혀졌다. 아파타이트란 $M_{10}^{2+}(R^{5+}O_4)_6X_2^-$의 조성을 갖는 결정 광물을 총칭하여 부르는 이름으로, 자연계에 널리 분포하고 있는 대부분의 암석에 볼 수 있다. 이러한 이유로 아파타이트가 지구상에 넓게 퍼져 있다는 것을 생각해보면, 생물의 진화 과정에서 아파타이트가 선택되어 석회화에 중요한 역할을 수행하게 되었다는 사실을 쉽게 이해할 수 있다. 또한 생물계에서 중요한 아파타이트가 칼슘과 인으로 구성되어 있으며, 칼슘과 인이 지구 표층에 비교적 대량으로 존재하는 원소이며, 특히 칼슘은 사람에서 6번째로 많은 원소라는 사실은 흥미로운 사실이다.

1 인산칼슘과 아파타이트 전구체

모든 인산칼슘(더 정확히는 calcium *ortho*-phosphate)은 정의에 의하면 3가지 주요한 화학 원소로 구성된다. 즉, 정인산(*ortho*-phosphate) 음이온의 구성 성분은 인(산화상태 + 5)과 산소(환원 상태 −2)으로 구성되어 있고, 여기에 + 2가인 칼슘이 결합한 상태로, 인산칼슘을 구성하는 3가지 원소는 지구상 표면에 풍부하게 존재해서 산소는 지구상에 약 47wt%(질량 %)로 가장 많이 존재하는 원소이고, 칼슘은 3.3~3.4wt%이며 우주계에서 5번째로 많으며, 인은 0.08~0.12wt%로 우주계에 많이 존재하는 20개 원소에 속한다. 또한 인산칼슘 화합물의 화학조성을 보면 수소가 결합된 인산이온의 일부(예를 들면 HPO_4^{2-}나 $H_2PO_4^-$)이거나, 수산화물[hydroxide, 예를 들면 $Ca_{10}(PO_4)_6(OH)_2$]로, 물과 결합한 형태(예를 들면 $CaHPO_4 \cdot 2H_2O$)로 존재할 수 있다. 물의 존재 유무와 상관없이 CaO와 피로인산(P_2O_5)의 결합은 아주 많은 종류의 인산칼슘 화합물을 만든다. 이들 화합물은 인산이온의 유형에 따라 구분하기도 한다.

즉 정인산[ortho- (PO_4^{3-})], 메타인산[meta-(PO_3^-)], 피로인산[pyro-$(P_2O_7^{4-})$] 및 폴리인산[poly-$((PO3)_n^{n-})$]으로 구분한다. 전하를 많이 띠는 음이온인 정인산과 피로인산의 경우 음이온에 결합된 수소이온의 수에 의해 구분된다. 즉 모노-[mono-, $Ca(H_2PO_4)_2$], 디-[di-, $(CaHPO_4)$], 트리[tri-, $Ca_3(PO_4)_2$] 및 테트라[tetra-, $Ca_2P_2O_7$] 인산칼슘으로 분류된다. 인산칼슘의 원소배열은 정인산(PO_4) 그룹의 네트워크 주위에 형성되어 전체 구조에 안정성을 부여한다. 정인산칼슘(calcium ortho-phosphate)은 물에 거의 녹지 않으며, 알칼리 용액에는 불용성이지만, 산성용액에서는 쉽게 용해된다. 화학적으로 순수한 정인산칼슘은 모두 흰색을 띠는 결정으로 중등 정도의 경도를 갖는데 비하여, 자연산 광물로 존재하는 정인산칼슘은 다양한 불순물로 인해 각양각색의 색깔을 띤다. 이런 불순물로는 철, 망간 및 지구상의 희귀원소 등이 포함된다. 생물학적으로 형성된 정인산칼슘은 모든 포유동물의 석회화 조직에 존재하며, 자연산은 인비료(phosphorus-containing fertilizer)의 주재료로 사용된다. 생체 중에 존재하는 인산화합물은 정인산[ortho-phosphate(H_3PO_4)], 또는 피로인산($H_4P_2O_7$)의 유도체이며, 사람 뼈에는 600g의 인산이 존재하고 있다. 혈중(pH 7.4)에는 전체 무기인산의 약 81%가 HPO_4^{2-}, 19%가 $H_2PO_4^-$, 0.008%가 PO_4^{3-}로 존재하고 있다. 주된 성분을 이루는 $H_2PO_4^-$와 Ca^{2+}가 복합체를 이루어 하이드록시아파타이트의 결정을 형성하는 것으로 알려져 있지만, 그 형성 과정은 아직도 분명하지가 않고, 아파타이트 결정이 직접 석출되어 결정이 성장한다든가, 아파타이트의 전구체(중간체)가 우선 생성되어 이것이 아파타이트로 전환한다는 등의 가설이 있다. 아파타이트는 수십 종 존재하는 인산칼슘 화합물로 일종의 광물 명칭으로 사람의 뼈나 치아의 주요 구성성분이다. 치아의 법랑질에는 95% 이상이, 뼈에는 65%가 아파타이트로 구성되어 있다. 얼마 전까지 전구체의 명칭으로 무정형(비정질) 인산칼슘[amorphous calcium phosphate,

$Ca_3(PO_4)_2 \cdot nH_2O$, ACP], 제2인산칼슘2수화염[dicalcium phosphate dihydrate, $CaHPO_4 \cdot 2H_2O$, DCPD], 트리칼슘 포스페이트[tricalcium phosphate, $Ca_3(PO_4)_2$, TCA], 옥타칼슘 포스페이트[octacalcium phosphate, $Ca_8H_2(PO_4)_6 \cdot 5H_2O$, OCP] 및 칼슘부족 하이드록시아파타이트[calcium deficient hydroxyapatite, $Ca_9(HPO_4)(PO_4)_5(OH)$, CDHA] 등이 제안되었다[ACP는 뼈, 상아질 및 법랑질에서, DCPD는 뼈와 법랑질에서, CDHA는 법랑질에서 각각 존재가 확인되고 있지만, 한편, 그것을 부정하는 결과도 보고되고 있다. 브라운(Brown)에 의해서 제창된 OCP는 경조직에서 검출된다는 보고가 거의 눈에 띄지 않는다. 단지, 아파타이트나 CDHA와의 차이가 작기 때문에, 이들을 엄밀하게 구별 하는 것이 어렵다고 하는 사정도 있다]. 뼈의 아파타이트는 인체에 있어 칼슘 저장고이기도 하다. 그러므로 뼈나 치아를 알기 위해서는 우선 아파타이트를 알아야 한다.

아파타이트에는 여러 가지 조성을 가진 화합물이 있다. 뼈나 치아의 아파타이트는 하이드록시아파타이트(음이온으로 수산기를 가진 아파타이트)를 기본 조성으로 하여 미량의 탄산이온, 금속이온, 불소이온을 함유하고 있다. 이를 생체아파타이트(bioapatite)라고도 한다. 이와는 달리 천연광물이나 형광등의 아파타이트는 불화아파타이트(fluorapatite)가 주성분이다. 아파타이트를 엄밀하게 정의하면 $M_{10}(RO_4)_6X_2$로 표시되는 일련의 화합물에 대한 총칭이다.

1) 석회화 조직의 미네랄 성분으로서 아파타이트

생물계에서 많은 미생물, 즉 세균을 포함한 단독 세포에서 뿐만 아니라 무척추동물 및 척추동물에서 인산칼슘이 합성된다. 원시 생명체(organism)에서 인산칼슘을 형성하는 목적은 칼슘과 인 나아가 가능하다면 마그네슘과 같은 필수 원소를 저장하고 조절하기 위새 형성한다. 이들 생명체에서 침전되는 형태로 종종 미토콘드리아에 존재하는 무정형 인산칼슘의 경우 이들 원소의 신속한 이용(mobilization)과 세포내 농도 조절의 필요성에 따르게 된다. 탄산칼슘으로 구성되는 내이(inner ear)의 일부 작은 부분을 제외하고 사람의 모든 경조직은 인산칼슘으로 형성된다. 생체 내에서 만들어지는 인산칼슘의 경우 주로 구조적으로 불완전한 결정으로 비화학양론적인 Na-, Mg- 및 탄산함유 하이드록시아파타이트 형태로 만들어진다. 이를 생물학적 아파타이트(biological apatite)라고 하거나 또는 생물아파타이트(bioapatite)라고도 한다. 사람 뼈의 주성분은 인산칼슘이 60~70%이고, 콜라겐이 20~30%이며, 물이 10%이다.

중이의 이석(otolith)이 탄산칼슘(calcium carbonate)으로 구성되는 칼사이트(calcite)인 것을 제외하고는, 척추동물의 모든 석회화 조직은 인산칼슘염으로 구성되어 있다. 석회화 조직에서 석회화 과정은 용해성인 칼슘과 인산이 결정체인 인산칼슘(calcium phosphate)으로 전환되는 것으로, 이들 결정체의 용해도적(solubility product)에 의해 지배를 받는다.

용액 내에서 양이온과 인산의 단순 복합체는 pH에 따라 3가지가 존재한다. 이러한 이유로 인산이 좋은 완충능을 제공할 수 있게 된다. 즉, 정인산(orthophosphate), 일수소인산염(monohydrogen phosphate, HPO_4^{2-}) 및 이수소인산염(dihydrogen phosphate, $H_2PO_4^-$)이다. pH 7.4 혈액의 경우 일수소인산염이 보다 많이 존재한다. 그럼에도 불구하고 석회화 조직에서 적어도 8종류의 결정체 인산칼슘이 알려져 있다. 이들 중 가장 간단한 것은 모네타이트(monetite)로 1 수소인산칼슘염이라고도 한다. 그러나 석회화 조직에서는 쉽게 발견되지 않으며, 수화물(hydrated form)인 브러샤이트(brushite, $CaHPO_4 \cdot 2H_2O$)는 생물학적 용액 내에서 보다 쉽게 결정을 형성하며, 제2인산칼슘염(dicalcium phosphate dihydrate, DCPD)이라고도 하며, pH 4와 7 사이에서 브러샤이트는 혈액과 같은 과포화 용액에서 쉽게 결정

체를 이룬다. pH가 7에 가까워질수록 새로운 결정체인 옥타칼슘 포스페이트(octacalcium phosphate, OCP)가 출현한다. OCP는 $Ca_{10}(PO_4)_4(HPO_4)_2 \cdot 5H_2O$ 단위포(unit cell)를 갖는다. pH 7 이상에서 결정체 생성은 과포화 정도에 의존되어 형성된다. 다른 이온 특히 마그네슘과 같은 이온 존재 하에서 위트록카이트(whitlockite, $Ca_9(PO_4)_6$)가 형성된다. 과포화 용액에서 하이드록시아파타이트 $Ca_{10}(PO_4)_6(OH)_2$가 형성되지만, 보다 덜 과포화된 경우에는 칼슘부족 아파타이트(imperfect apatite)로 보통 $Ca_{10}(PO_4)_5(HPO_4)(OH)$로 존재한다. 무정형 인산칼슘(amorphous calcium phosphate, ACP)의 경우 확실한 X-선 회절 패턴이 없으며, 대부분 조직에서 석회화 과정에 아파타이트보다 먼저 만들어졌다가 아파타이트로 전환하는 것으로 생각한다. 그러므로 ACP는 아파타이트와 옥타칼슘 포스페이트(OCP) 사이의 중간 형태로 생각된다. 중간 형태인 트리칼슘 포스페이트(tricalcium phosphate, TCP)로 전환됐다가, 자발적으로 아파타이트로 전환될 수도 있다. 아파타이트는 그 자체가 조금씩 차이가 있는 변종이 많아서, 이들 중에는 수산기가 탄산 이온으로 대체된 것도 존재한다.

사람 뼈의 경우 20% 마그네슘 위트록카이트(magnesium whitlockite), 15% 탄산 비함유 아파타이트(non-carbonate containing apatite) 및 65% 탄산함유 아파타이트(carbonated apatite)로 구성된다. 법랑질의 경우 마그네슘 위트록카이트는 조금 포함하고 탄산함유 및 탄산 비함유 아파타이트가 혼합된 형태이며, 상아질의 경우 반은 탄산함유 아파타이트이고, 20% 탄산 비함유 아파타이트, 30% 위트록카이트로 구성되어 있다.

경조직의 경우 이 모두에서 주 결정체는 아파타이트이다. 아파타이트의 단위포(unit cell)는 내부에 핵심(core)을 형성하는 수산화이온을 가진 인산이온의 육방정계 배열(hexagonal arrangement)을 갖는다. 칼슘이온은 인산 주위에 형성되는 나선 축(screw axis)에 배열한다(그림 7-1). 일반적으로 아파타이트에 들어있는 정상

적인 이온에 비해 대체되는 이온의 크기(이온 반경, ionic radius)가 비슷하면 단위포 내에서 이온교환이 일어날 수 있다. 그러므로 탄산염(carbonate)은 보다 쉽게 수산기와 교환되기도 하고, 드물게 인산염과 교환되기도 한다. 불소이온은 수산기와 잘 교환된다. 불소이온의 경우 수산화이온보다 작기 때문에 수산화이온 기둥(column of hydroxyl ion)이 약간 탈구되는데, 수산화이온 두 개가 모든 치환된 경우에 결정체의 a-축이 0.947nm에서 0.938nm로 감소된다. 이렇게 a-축이 보다 짧아지면 결정체의 용해도가 감소하게 된다. 이러한 이온교환은 결정체를 구성하는 구조의 성질에 영향을 끼치게 된다. 그

러므로 불소이온으로 보다 많이 치환된 법랑질의 경우 불화아파타이트의 비율이 낮은 법랑질에 비해 보다 서서히 용해된다. 경도(hardness) 등의 성질은 딱딱한 결정체로 구성되는 조직의 비율에 의존된다. 하이드록시아파타이트와 불화아파타이트는 너무 비슷해서 조직의 경도에 영향을 주는 정도에 있어 거의 차이가 없다.

인산이온은 결정체 내에서 가장 큰 이온이다. 그러므로 인산이온과 산소가 단단하게 함께 포장된 구체(sphere)로 생각한다. 인산이온 각각은 각 평면상에서 6개 다른 이온과 접촉한다. 인산이온의 다음 평면은 구체 사이의 빈 공간(void 또는 hollow)에 딱 들어맞는다. 이러한 결과로 각 인산이온은 다음 인산이온의 바로 위나 아래에 있고 한 평면에 있지는 않는다. 구체 사이의 공간은 보다 작은 이온으로 채워진다. 인산이온의 육각형(hexagon)의 공간에 있어 둘은 칼슘이온 기둥으로 채워지고, 하나는 수산화이온 기둥으로 채워진다. 칼슘이온 기둥은 칼슘의 40%를 함유하고, 나머지 선(line)은 수산화이온을 함유하는 채널이다.

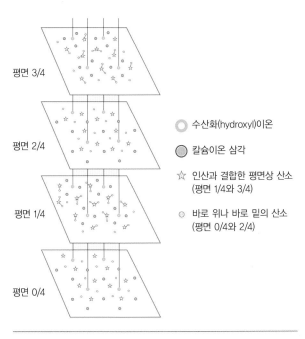

평면 3/4

평면 2/4

평면 1/4

평면 0/4

○ 수산화(hydroxyl)이온

● 칼슘이온 삼각

☆ 인산과 결합한 평면상 산소
(평면 1/4과 3/4)

○ 바로 위나 바로 밑의 산소
(평면 0/4과 2/4)

■ ▓ 그림 7-1. 하이드록시아파타이트 이온배열

단위포(unit cell) 구조에서 0/4, 1/4, 2/4 및 3/4 평면(plane)을 나타낸다. 수산화이온(hydroxyl ion) 기둥은 이들 평면을 통해 뻗어 있다. 1/4과 3/4 평면상에서 수산화이온을 둘러싸는 칼슘이온 삼각(triangle of calcium ion)과 0/4과 2/4 평면상에서 보다 넓은 공간을 차지한 칼슘이온이 각 수산화이온을 중심으로 육각형(hexagon)을 형성한다. 인산과 결합한 산소원자는 1/4과 3/4 평면상에서는 평면에 존재하나, 0/4과 2/4 평면상에서는 약간 위쪽이나 아래쪽에 위치한다.

Fergusson DB: Oral Bioscience Edinburgh. p.41. Churchill Livingstone, 1999.

2) 인산칼슘의 종류

칼슘과 인산이온을 함유하는 충분히 농축된 용액을 혼합하여 섞었을 때 시험관에서 인산칼슘 결정체가 왜 만들어 지는지 설명하는 것은 어렵지 않다. 그러나 생물학적 상황에서 아파타이트와 같은 복잡한 결정 형성이 만들어 진다거나, 체내 체액에 충분한 칼슘과 인산이온 농도가 있음에도 불구하고 왜 우리 몸에서 석회화가 일어나지 않는지를 설명하는 것은 쉽지가 않다. 또한 왜 특정 장소에서만 석회화가 일어나는지 설명하는 것도 쉽지가 않다. 이러한 문제점을 해결하기 위해서는 아파타이트의 결정화에 대한 물리화학적인 한계점이나 가능한 전구물질 결정체를 고려하거나, 생물학적 석회화의 특이성을 관찰하거나, 각 석회화 조직의 석회화 기전에 대하여

고려해 봄으로써 가능할 수 있다. 용액 속에서 결정이 만들어지는 데는 두 단계로 일어나는데, 핵형성(nucleation)과 결정 성장(crystal growth)이다. 어떤 용액에서도 용질(solute)과 용매(solvent) 입자(particle)는 끊임없이 움직인다. 용액 속의 어떤 이온이나 분자에 있어 이런 이동에 관여하는 에너지는 농도가 낮은 경우 이온이나 분자의 농도에 비례한다. 낮은 농도에서 이온활동도(ionic activity)는 농도의 함수로 표시할 수 있다. 그러나 보다 농축된 용액에서는 입자의 무작위적인 충돌로 인해 에너지가 소실되기 때문에 이온활동도는 그 농도에서 이온의 숫자로부터 기대되는 수치보다 낮다. 결정을 만드는 데 있어 이온이 맨 먼저 배열을 형성하기 위해 이온 사이에 충돌할 가능성은 구성하는 이온 성분의 활동도를 곱한 값(활동도적)에 의존된다. 그렇기 때문에 결정의 침전은 용액의 농도에 의존하며, 결정의 단위포(unit cell)에서 더 많은 이온이 관여하려면, 그만큼 에너지가 더 필요하다는 것을 알 수 있다. 이온의 충돌로 이온응집체(ion aggregate)가 형성되지만, 이 응집체는 불안정해서 이온 결정이 형성된 후에도 정상적인 이온 이동이 일어나지 않게 꽉 붙들기 위하여서는 보다 큰 에너지가 필요하다. 이렇게 함으로써 결정화의 첫발인 이온 응집체가 형성되게 되는데 이를 핵형성(nucleation)이라 한다. 핵형성을 위해 필요한 에너지 요구를 활성화 에너지 장벽(activation energy barrier)이라 하며, 이것은 결정 내의 이온 수에 비례하며, 이온활동도적(ionic activity product)과 용해도적(solubility product)의 비에 의존된다. 용해도적은 용액의 이온활동도적이 형성된 결정과 평형상태를 이룰 경우이다. 또한 이온 클러스터(cluster)의 직경에도 의존된다. 이것은 클러스터 표면을 유지하기 위해 필요한 에너지와 연관이 되기 때문이다. 이온활동도적이 용해도적을 초과했을 때 용액을 과포화(super-saturation)되었다고 한다. 이런 환경에서는 충분히 큰 이온 클러스터를 형성하는데, 이온활동도적이 용해도적과 같아질 때까지 핵형성이 일어날 수 있다. 아파타이트

의 경우 거의 1nm까지 커질 수 있다. 용액에서 농도가 증가하는 경우, 3단계로 나뉘는데, 불포화(undersaturation) 단계, 과포화 단계, 핵형성 단계이다. 과포화 단계는 이온클러스터의 형성과 파괴가 균형을 맞추는 단계이고, 핵형성 단계는 용해(dissolution)를 넘어 이온 클러스터가 형성되는 단계이다. 핵형성은 용액 내에 다른 성분을 추가함으로써 활성화 에너지 장벽을 극복하여 보다 낮은 이온활동도적에서도 핵형성이 일어날 수 있는데, 이를 이질핵형성(heterogenous nucleation)이라 하고, 아무것도 넣어 주지 않은 상태에서 핵형성이 일어날 때 동질핵형성(homogenous nucleation)이라 한다.

이미 앞에서 기술하였듯이 다양한 종류의 인산칼슘 결정이 존재한다. 이들은 용액의 pH나 수산기와 같은 다른 이온의 함량에 따라 인산이온의 형태가 다르게 존재한다. 이온활동도적과 pH에 따라 어떻게 결정이 형성되는지에 대한 위상 도형[phase diagram, 위상 도형이란 물리화학, 공학, 광물학 및 재료공학 분야에서 평형 상태에서 일어날 수 있는 열역학적으로 서로 다른 위상을 보여주는데 사용되는 차트의 일종을 말한다. 수학과 물리학에서는 다른 의미로 사용되어서 위상공간(phase space)의 동의어로 사용된다]이 제시되었다(그림 7-2). 우리 몸 조직의 pH는 대략 7.2 정도로 동맥혈 보다는 정맥혈에 가깝지만 말초 조직의 대사산물 등에 의하여 변화될 수 있다. 이정도의 pH에서 칼슘과 인산의 과포화 용액에서 침전되는 첫 번째 물질은 아직 결정형태가 명확히 밝혀지지 않은 무정형 인산칼슘이다. 무정형 인산칼슘의 화학분석 결과 실제로 위트록카이트(whitlockite)와 거의 같은 조성을 나타낸다. 무정형 인산칼슘은 아파타이트보다 더 용해성이 좋으나, 생리적 pH 상태에서 옥타칼슘 포스페이트로 전환된다. 이들 두 가지 결정은 보다 낮은 표면 에너지를 가지고 있기 때문에 아파타이트보다 더 쉽게 형성된다. 즉 형성된 이온 클러스터는 잘 파괴되지 않는다. 그럼에도 불구하고 이들 두 가지 결정형태는 보다 나중 단계에서 아파타이트로 전환된다(그림 7-3).

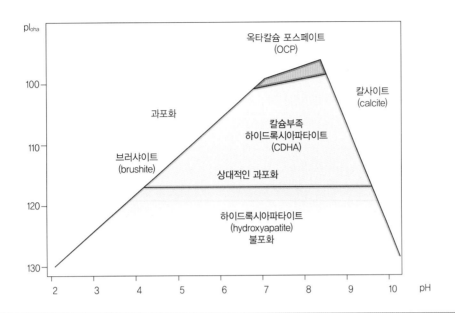

■▓ 그림 7-2. 이산화탄소 존재 하에 인산칼슘 침전에 대한 위상 도형(phase diagram)

pI_{oha}는 서로 다른 형태의 인산칼슘에 대한 용해도적의 인덱스(index)로 사용되었다. 각 직선은 결정 형태의 용해도적(또는 침전적, pre-cipitation product)으로 가장 가까이 있는 수치에 나타냈다. 각 결정 형태에 따라 각 직선의 밑은 용액이 불포화 상태이고, 직선의 위쪽은 과포화 상태를 나타낸 것이다. Fergusson DB: Oral Bioscience Edinburgh. p.48. Churchill Livingstone, 1999.

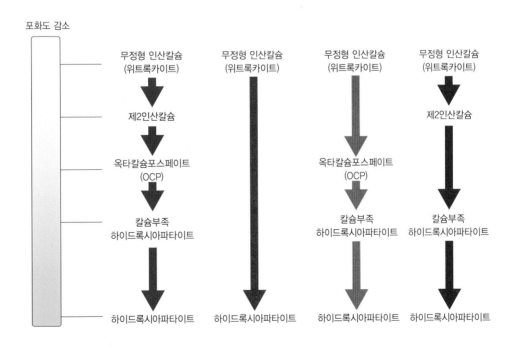

■▓ 그림 7-3. 서로 다른 인산칼슘 형태사이에서 전환 순서는 생리적 용액에서 하이드록시아파타이트로 전환되는 경향으로 나타냈다.

Fergusson DB: Oral Bioscience Edinburgh. p.49. Churchill Livingstone, 1999.

그림 7-4는 여러 형태의 아파타이트 전구물질과 하이드록시아파타이트와의 상호작용을 나타내고 있다. 옥타칼슘 포스페이트(OCP)는 가수분해되어 하이드록시아파타이트로 전환될 수 있고, 마그네슘 이온 존재 하에서 가수분해 되어 트리칼슘 포스페이트(TCP)로 전환된다. 생물계에 존재하는 트리칼슘 포스페이트는 항상 칼슘의 일부가 마그네슘 이온으로 치환되어 있는 형태로 존재하므로 $(Ca,Mg)_9(PO_4)_6$로 표시되었다. 그러므로 생물계에는 순수한 형태의 트리칼슘 포스페이트는 발견되지 않는다. 순수한 트리칼슘 포스페이트는 하이드록시아파타이트로 전환될 수 있지만, 마그네슘 이온으로 치환된 트리칼슘 포스페이트는 하이드록시아파타이트로 전환되지 않는다. 무정형 인산칼슘은 가수분해되어 하이드록시아파타이트로 전환될 수 있고, 탄산 이온 존재 하에서는 탄산을 함유하는 하이드록시아파타이트로 전환된다. 그러나 마그네슘 이온 존재 하에는 마그네슘 이온이 무정형 인산칼슘을 안정화시켜, 하이드록시아파타이트로의 전환을 억제한다. 마그네슘 이온이

소실되는 경우에만 무정형 인산칼슘이 하이드록시아파타이트로 전환될 수 있다. 제2인산칼슘(DCPD)은 가수분해 되어 옥타칼슘 포스페이트(OCP)와 하이드록시아파타이트로 전환되며, 마그네슘 이온 존재 하에는 마그네슘이 함유된 트리칼슘 포스페이트로 전환된다. 또한 하이드록시아파타이트는 마그네슘 이온 존재 하에는 가수분해 되어 마그네슘이 함유된 트리칼슘 포스페이트로 전환될 수 있으며, 용해와 재침전 과정을 거쳐 제2인산칼슘 또는 무정형 인산칼슘으로 전환된다. 이처럼 하이드록시아파타이트는 그 전구물질로 알려진 다른 인산칼슘에서 생성될 수 있으며, 또한 하이드록시아파타이트와 그 전구물질은 상호 전환이 가능하다.

강산성 수용액 중에서 석출하는 제1인산칼슘은 물에 녹기 쉽고, 제2, 제3으로 증가함에 따라서 물에 녹기 어렵기 때문에 아파타이트가 가장 물에 녹기 어려운 것이 된다(그림 7-5). 칼슘부족 하이드록시아파타이트(Ca-deficient hydroxyapatite, CDHA)는 한 때는 무정형 인산칼슘(amorphous calcium phosphate, ACP)이라

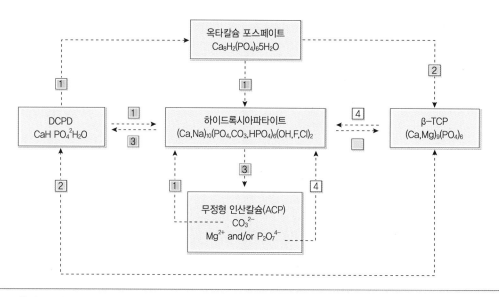

■■■ **그림 7-4. 하이드록시아파타이트와 그 전구물질로 생각되는 인산칼슘 형태와의 상호작용**

진행에서 ① 가수분해 ② 마그네슘 이온 존재 하에 가수분해 ③ 용해와 침착 ④ 자연발생적으로 일어난다.

Lazzari EP: CRC Handbook of experimental aspects of oral biochemistry. Florida. p.174. Boca Raton. 1983.

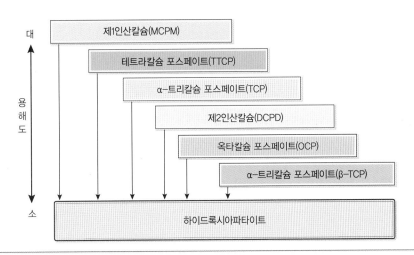

■ ▒ 그림 7-5. 인산칼슘화합물의 물속에서의 용해성
위에서 아래로 갈수록 물에 잘 녹지 않는다. 아오끼 히데까 저. 이준희, 신순기 역. 경이의 생체물질 아파타이트. 세종출판사. 2002.

고도 불렀으며, 칼슘이 부족한 부분은 수소원자로 치환되어 있다고 생각하였다. ACP는 하이드록시아파타이트 합성 실험에서 전구물질로서 생성된다. 그러나 오늘날 ACP는 칼슘부족 하이드록시아파타이트와는 구조가 다른 별도의 물질로 구분하고 있다.

3) 경조직의 아파타이트

생물학적 석회화(바이오광화, biomineralization)는 *in vivo*에서 무기 미네랄을 형성하는 과정이다. 포유동물의 몸에서 정상적 및 병적 석회화의 대부분은 이온 대체 인산칼슘으로 구성되어 있으며, 특히 아파타이트 구조로 되어 있다.

(1) 치아의 아파타이트 조성
치아를 구성하고 있는 주성분은 아파타이트이다. 치아 아파타이트 성분은 95% 이상이 하이드록시아파타이트를 기본 조성으로 하고 있으나, 소량의 탄산이온과 미량의 Mg, F를 함유하고 있다. 법랑질은 97%가 아파타이트 결정체로 방향이 일정하게 배열된 집합체로 되어 있으며, 상

아질, 시멘트질은 각각 70%와 60%의 아파타이트 결정체로 되어 있다. 모든 뼈와 치아의 아파타이트, 즉, 생체 아파타이트의 화학식은 다음과 같이 나타낼 수 있다.

$$(Ca, Na, Mg, K, X)_{10}(PO_4, CO_3, HPO_4)_6(OH, Cl, F)_2$$
X는 0.1 중량% 이하의 양이온을 나타낸다.

Mg, Na, CO_3는 표층에는 적으며, 심층으로 갈수록 농도가 증가한다. 상어나 도미의 치아는 불화 아파타이트에 가깝다고 알려져 있다. 또 탄산 이온이 포함되어 있으므로 조성은 천연 광물인 프랑코라이트(flankolite)에 가깝다고 말할 수 있다.

(2) 법랑질, 상아질 및 시멘트질의 아파타이트 결정 크기
법랑질의 하이드록시아파타이트 결정의 크기는 길이 0.1~1μm, 폭 0.03~0.06μm, 두께 0.01~0.04μm로 육안으로는 거의 볼 수 없지만 비교적 큰 결정이다. 상아질, 시멘트질에서는 더욱 작아 길이 0.03~0.05μm, 폭 0.01~0.03μm, 두께 0.002~0.005μm로 미세결정 아파

타이트 또는 비정질 아파타이트라고 말할 수 있다. 뼈의 경우도 같다. 경조직의 분말 X-선 회절 분석 결과, 법랑질 회절선의 피크(peak)는 결정성이 커서 예리하게 되어 있다. 한편, 상아질, 시멘트질이나 뼈의 회절선은 폭이 넓고, 결정이 0.2μm 이하인 것을 나타내고 있다. 이들과 비교하기 위하여 결정성 하이드록시아파타이트의 X-선 회절 패턴도 같이 나타냈다(그림 7-7). 결정성 하이드록시아파타이트는 법랑질과 유사한 것을 알 수 있다. 상대 강도에 차이가 나는 것은 법랑질에서는 아파타이트 결정이 한 방향으로 배향(orientation)하기 때문이다. 법랑질의 생물학적 아파타이트는 뼈나 상아질보다 결정성이 높고, 이온 대체도 훨씬 적으며, 화학양론적으로 하이드록시아파타이트에 보다 밀접하게 유사하다. 법

랑질의 유기물질에는 콜라겐이 없다. 대신 아멜로제닌(amelogenin)과 에나멜린(enamelin)이라 부르는 독특한 단백질이 있다. 이 단백질들의 역할에 대하여는 아직 충분히 이해하고 있지 못하지만, 법랑질 발육에 있어 뼈대(framework)로 작용할 것이라는 데는 동의한다. 법랑질에 다량의 미네랄이 들어 있는 것은 강도(strength)를 높이지만, 깨지기 쉬운(brittleness) 단점도 가지고 있다. 그렇기 때문에 미네랄화가 덜되고 덜 깨지기 쉬운 상아질이 법랑질을 보상해주는 지지물로서 필요하다. 상어의 에나멜로이드(enameloid)는 법랑질과 상아질의 중간으로 콜라겐 원섬유에 불소화된 생물학적 아파타이트(floridated biological apatite)가 침착된 법랑질 유사 결정이다. 불소가 존재하기 때문에 상어 에나멜로이드의 생물학적 아파타이트는 뼈나 치아의 비불소화 생물학적 아파타이트보다 결정 크기가 크고 보다 규칙성이 있는 대칭성 육방체(hexagonal symmetry)를 갖는다. 불소의 존재와 결정 크기 사이에 비슷한 상관관계가 법랑질에서도 발견된다.

(3) 법랑질의 아파타이트

법랑질 형성에서 제일 처음 발견되는 결정은 편평하고 얇은 리본(flat thin ribbon)이다. 이것은 OCP로 되거나, β-TCP, 또는 DCPD로 된다는 보고들이 있다. 법랑질의 결정화 과정은 뼈나 상아질과 달라서, 아멜로제닌이 나노스페어(nanosphere)로 소수성 자가조립(hydrophobic self-assembly)을 하여 리본과 비슷한 법랑질 결정의 성장을 이끈다. 법랑질 성숙 과정에서 미네랄 함량은 처음에는~45wt%에서 98~99wt%까지 증가한다. 법랑질 결정의 법랑소주는 부가성장(additional growth)에 의해 넓어지고 두꺼워진다. 동시에 Ca/P 몰 비는 증가하고, 탄산 함량은 감소된다. ACP가 처음 형성된 인산칼슘이고, 수 주 후에는 달라이트(dahllite)로 전환된다. 법랑질에서 발견되는 주요 결정은 하이드록시아파타이트이고 중앙에 OCP가 들어 있다.

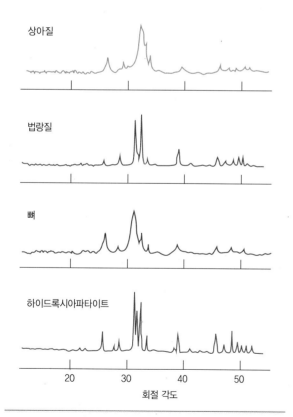

상아질

법랑질

뼈

하이드록시아파타이트

20　　30　　40　　50

회절 각도

■■ 그림 7-6. 치아, 뼈, 결정 하이드록시아파타이트의 분말 X-선 회절 패턴. 모두 결정 아파타이트와 비슷하다. 아오끼 히데까 저. 이준희, 신순기 역. 경이의 생체물질 아파타이트. 세종출판사. 2002.

(4) 상아질의 아파타이트

상아질의 경우 직경 1~3μm의 상아세관이 1mm^{2}에 2~5만개 밀도로 치수강에서 법랑질 및 시멘트질 방 향으로 방사상으로 향하여 있다. 상아질은 조직학적으로 보면 일종의 뼈이지만, 상아질은 하버스관(Harversian canal)이나 골소강(lacunnae)도 없어서 뼈보다 치밀하다.

(5) 뼈의 아파타이트

치아의 미네랄이 하이드록시아파타이트가 기본 성분이라는 것은 앞에서 기술하였다. 뼈의 미네랄이 무엇으로 되어 있는지 확인하기 위하여 여러 동물에서 뼈의 X-선 회절 패턴을 조사하였다(그림 7-7). 대부분 동물 뼈의 회절 패턴은 폭이 넓고, 거의 비슷하다. 이들 뼈를 800℃에서 가열하면 뼈의 아파타이트 결정이 성장하여

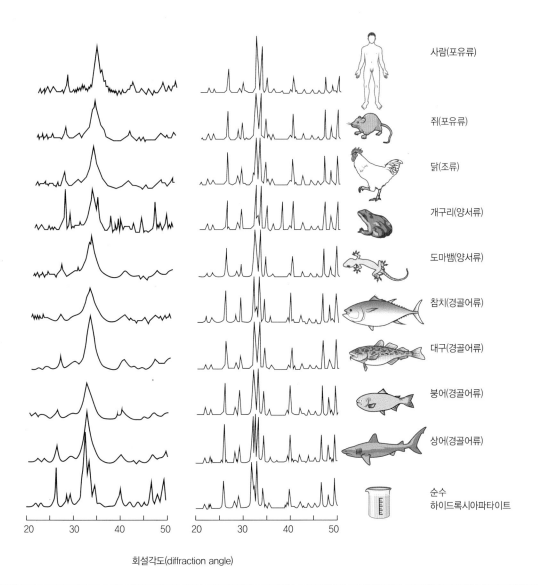

그림 7-7. 여러 동물 뼈의 X-선 회절 패턴

왼쪽은 자연상태의 뼈이고 오른쪽은 800℃로 가열 후이다. 아오끼 히데끼 저. 이준희, 신순기 역. 경이의 생체물질 아파타이트. 세종출판사. 2002.

거의 순수한 하이드록시아파타이트와 같아져서 예리한 패턴이 되어 버린다.

2 아파타이트의 결정학

하이드록시아파타이트의 결정은 아파타이트의 단위포(unit cell)가 다수 모이는 것으로 형성되어 결정학적으로는 육방정계(hexagonal system)에 속하며, 격자정수는 a = b = 0.942nm, c = 0.688nm이다. 여기에서 단위포가 a축보다 c축 방향으로 매우 많이 차곡차곡 싸여짐으로써 c축이 결정의 장축에 일치한 방향이 된다. 특히 법랑질에서는 결정의 폭이나 두께에 비해 그 길이가 매우 긴 형태가 되고 있다. 이 아파타이트 결정의 크기에 대해서는 보고가 많이 있어, 뼈나 상아질에서는 폭 2.5~7.5nm, 길이 10~30nm로 비교적 일정하지만, 법랑질에서는 폭 30~120nm, 길이 30~1,000nm로 특히 길이에 대해서는 연구자 사이에서 이 값이 가지각색으로, 10mm 이상이라고 하는 값도 보고되고 있다. 어쨌든 법랑질의 경우, 그 결정의 한 변은 뼈나 상아질에 비해 10~20배 크다(부피로 보면 1,000배 이상 크다)고 할 수 있다.

1) 결정구조

(1) 결정

결정(crystal)은 결정을 구성하는 원자가 삼차원적으로 규칙성 있게 배열된 것으로, 외형이 평면으로 둘러싸인 다면체로 물리화학적 성질에 이방성(anisptropy, 물성이 방향에 따라 달라지는 것을 뜻하고, 등방성은 성질이 모든 방향에 대해 동일한 것을 의미한다)이 있는 것으로 정의 된다. 간단히 말하면 삼차원적으로 원자가 규칙적으로 모여 있는 다면체라고 말할 수 있다. 유리와 같이 그 규칙성이 100nm 이하로 짧거나, 눈에 볼 수 있는 크기에서 규칙성이 없는 것을 비정질(non-crystalline) 또는 무정형(amorphous) 물질이라고 한다. 결정이 보통 고체이기 때문에 고체는 대개 결정과 동의어로 사용되기도 한다.

(2) 결정의 주기성

결정을 구성하는 원자나 분자(원자 클러스터)를 점으로 가정해서, 점의 주기성을 생각해 보자. 이 점을 점 격자(point lattice)라 하고, 점의 주기를 결정격자(crystal lattice)라고 한다. 점을 직선상에 같은 간격으로 배열한 것을 일차원 격자라 한다. 그림 7-8에 나타낸 것처럼, 점의 배열법은 점과 점의 간격 a로 정해진다. 그림에서 보는 바와 같이 이차원 격자는 각 간격, α, β의 일차원 격자를 평행하게 같은 간격으로 평면상에 배열한 것으로, 기본 주기 a, b와 협각 α로 정해진다. 또 삼차원 격자는 공간격자라 하며, c가 추가되어 a, b, c와 각도 α, β, γ로 정해진다. 그림에서 반복의 최소 단위를 단위포(unit cell 또는 단위격자)라 한다.

(3) 결정계(crystal system)

단위포의 특징에서 결정을 7개의 결정계로 분류할 수 있다. 결정에는 표 7-1에 나타낸 것처럼 7개의 결정계가 존재한다. 단위포가 입방체인 것을 등축정계(cubic system)라고 한다. 다이아몬드나 소금 결정이 등축정계에 속한다. 등축정계는 대칭성이 가장 높으며, 삼사정계(triclinic system)가 제일 낮은 것이다. 아파타이트는 이 중에서 대칭성 높은 육방정계(hexagonal system)에 속한다.

잘 형성된 불화아파타이트(fluoroapatite)는 대칭형 육방정계를 이루고, 주축인 c축을 갖는 소주(prism)로 묘사할 수 있다. c축에 대해 직각으로 서로 120° 각을 이

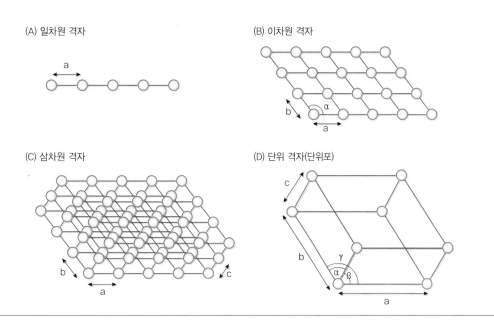

(A) 일차원 격자

a

(B) 이차원 격자

b α a

(C) 삼차원 격자

b a c

(D) 단위 격자(단위포)

c b γ α β a

■▦ 그림 7-8. 결정의 주기성

일차원 격자, 이차원 격자, 삼차원격자 및 단위격자를 나타냈다. a, b, c는 각 변의 길이를 나타내며, α, β, γ는 축 간의 각을 나타낸다.

아오끼 히데끼 저. 이준희, 신순기 역. 경이의 생체물질 아파타이트. 세종출판사. 2002.

표 7-1. 다양한 결정계(crystal system)

아오끼 히데까 저. 이준희, 신순기 역. 경이의 생체물질 아파타이트. 세종출판사. 2002.

결정계	축의 길이	축간의 각도
등축정계(cubic system)	3축의 길이가 같음 a = b = c	전부 수직 α = β = γ = 90°
정방정계(tetragonal system)	2축의 길이가 같음 a = b ≠ c	전부 수직 α = β = γ = 90°
사방정계(orthorhombic system)	3축의 길이가 전부 다름 a ≠ b ≠ c	전부 수직 α = β = γ = 90°
삼방정계(trigonal system 또는 입방면체계, rhombohedral system)	3축의 길이가 같음 a = b = c	전부 수직이 아닌 같은 각도 α = β = γ ≠ 90°
육방정계(hexagonal system)	2축의 길이가 같음 a = b ≠ c	협각 120, 제3축은 수직 α = β = 90° γ = 120°
단사정계(monoclinic system))	3축의 길이가 전부 다름 a ≠ b ≠ c	1축만 수직이 아님 α = γ = 90° ≠ β
삼사정계(triclinic system)	3축의 길이가 전부 다름 a ≠ b ≠ c	전부 수직이 아닌 다른 협각 α ≠ β ≠ γ ≠ 90°

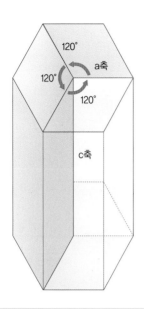

■ ▒ 그림 7-9. 불화 아파타이트(fluorapatite)의 이상적인 결정의 모식도

c축과 이에 직각으로 있는 a축을 보여 주고 있다.

Cole AS, Eastoe JEE: Biochemistry and oral biology. 2nd ed. Wright. 1988.

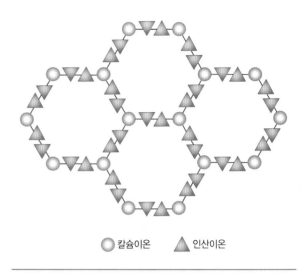

○ 칼슘이온 △ 인산이온

■ ▒ 그림 7-10. 불화 아파타이트의 격자 기본 구조

큰 육방정계 실린더는 결정격자 내의 칼슘이온의 센터를 조합함으로써 만들어 진다. 교차점에는 칼슘이온이 있고, 인접면에는 인산 인온이 있는 육방정계 배열이 되어 연속적인 육방정계 실린더(hexagonal cylinder)를 이루리라 생각된다.

Cole AS, Eastoe JEE: Biochemistry and oral biology. 2nd ed. Wright. 1988.

루는 3개의 같은 길이(등축)를 갖는 a축이 있다(그림 7-9). 불화 아파타이트의 기본 구조는 c축을 따라 바라보면 마치 위에서 본 벌집 모양으로 보인다. 벌집의 각 꼭 지점(6개)에는 칼슘이온이 존재하고, 인접한 칼슘이온 사이에 2개의 인산이온이 쌍으로 놓여 있어 양측의 칼슘이온이 붙지 못하도록 하여 서로 떨어져 있게 한다(그림 7-10). 인산이온은 삼각뿔(tetrahedral) 모양으로 가운데 인산이온이 들어 있고, 각 꼭짓점에 4개의 산소원자가 존재한다(그림 7-11). 이러한 인산이온의 삼각뿔 모양을 위에서 c축을 따라 투영해 보면 삼각형이다. 이들을 종합하여 보면 상상되는 구조는 교차점에는 칼슘이온이 있고, 인접면에는 인산 인온이 있는 육방정계 배열이 되어 연속적인 육방정계 실린더(hexagonal cylinder)를 이루리라 생각된다.

육방정계 실린더 또는 벌집의 각 방안에는 더 많은 칼슘이온이 있거나 불소이온이 들어 있다. 칼슘이온은 실린더의 중앙 c축 상에 불소이온이 있는 이등변 삼각형의 꼭짓점에 위치한다. 이러한 칼슘이온 삼각형들은 서로 바로 아래쪽이나 위쪽에 불소이온을 가지고 서로 위로 쌓아 올린다. 인접하는 칼슘이온 삼각형과는 서로 60°씩 회전한다. 이런 회전의 영향으로 칼슘이온 삼각형을 위에서 보면 작은 육각형처럼 보인다(그림 7-12). 중앙에 불소이온이 있는 칼슘이온 삼각형이 육방정계 실린더 내에 존재하게 되어 그림 7-13에 보이는 것과 같은 완전한 불화 아파타이트를 형성하게 된다. 보다 큰 육방정계의 꼭짓점에 있는 칼슘이온은 주축 칼슘이온(columnar calcium ion)이라 한다.

하이드록시아파타이트 결정은 아파타이트 단위격자(또는 단위포)가 여러 개 모임으로써 형성되며, 결정학적으로는 육방정계(hexagonal system, 그림 7-14)에 속하고, 격자(lattice) 정수는 a = 0.942nm, c = 0.688nm이다. 이 단위격자가 a축보다 c축 방향으로 더 많이 조

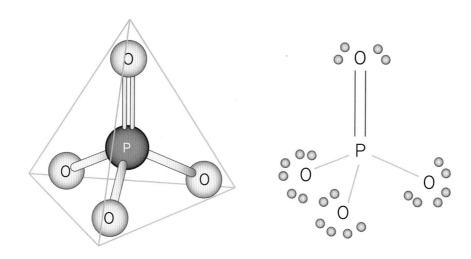

■ ▓ 그림 7-11. 인산의 삼각뿔 전자쌍 결합구조(tetrahedral electron pair geometry, TEPG)

인산은 메탄이나 암모늄이온과 마찬가지로 TEPG 구조를 갖는다.

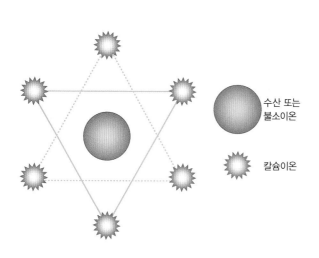

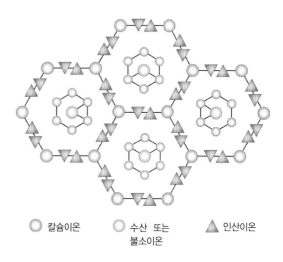

수산 또는
불소이온

칼슘이온

칼슘이온   수산 또는   인산이온
          불소이온

■ ▓ 그림 7-12. 결정격자의 c축을 따라 위에서 보았을 때 겹쳐 보이는 칼슘이온 삼각형.

각 삼각형의 중앙에 같은 평면상에 불소이온이 존재한다. 인접하는 삼각형과는 서로 60° 회전되어 어긋나 있으며, c축을 따라 위에서 보았을 때 육각형 모양을 갖게 된다.

Cole AS, Eastoe JEE: Biochemistry and oral biology. 2nd ed. Wright. 1988.

■ ▓ 그림 7-13. c축을 따라 위에서 보았을 때 불화 아파타이트 결정의 일부에서 이온들의 상대적 위치관계

이온들은 모두 다 같은 평면상에 놓여 있지는 않으며, 칼슘이온 삼각형에서 이온의 투영을 합침으로써 형성된 작은 육각형이 형성되고, 평행사변형은 각 단위격자의 경계 부위를 나타낸다. 여기에서 각 이온들이 서로 다른 단위격자(또는 단위포)와 같이 공유되므로 $Ca_{10}(PO_4)_6(OH)_2$를 양적으로 나타낼 수 있는 단순한 이차원적 표현이 불가능하다.

Cole AS, Eastoe JEE: Biochemistry and oral biology. 2nd ed. Wright. 1988.

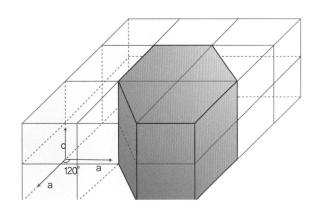

■▦ 그림 7-14. 단위포와 육방정의 관계를 나타내는 모식도

색이 들어 있는 부분은 6개의 단위포(완전한 단위포 4개와 절반인 것 4개)로부터 육방정이 형성되고 있는 것을 나타내고 있다. 통상, 결정은 아주 많은 수의 단위포로 이루어진다.

오시카네 아츠시 감수: 치학생화학. 이시야쿠출판. p.96. 1966.

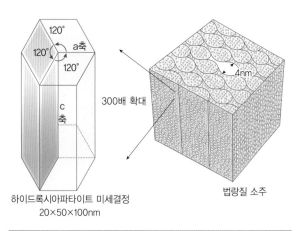

■▦ 그림 7-15. 법랑소주와 아파타이트 육방정계와의 관계

법랑소주는 아주 다량의 아파타이트 육방정계에 의해 구성되며, 각 육방정계는 단위포에 의하여 형성된다.

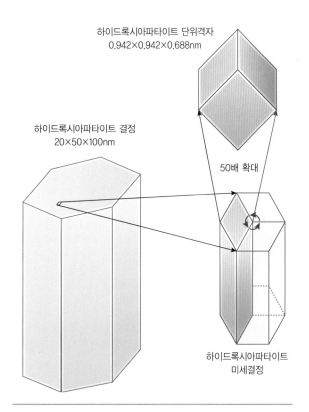

■▦ 그림 7-16. 하이드록시아파타이트

미세결정 및 단위격자와의 상관관계. 법랑질의 경우 적어도 50,000개 이상의 단위격자에 의해 아파타이트가 만들어 진다.

합됨으로써 c축이 결정의 장축과 일치되는 방향이 된다. 특히 법랑질에서는 결정의 폭이나 두께에 비하여 그 길이가 매우 긴 형태로 되어 있다. 단위격자가 모여 아파타이트 미세결정이 되고, 미세결정이 모여 아파타이트 육방정계 결정이 형성되며, 이것이 모여 법랑소주가 형성된다(그림 7-15, 16).

2) 아파타이트 결정구조

(1) 아파타이트 결정구조

아파타이트를 구성하는 최소 단위는 평행 육면체를 한 단위포[unit cell 또는 단위격자(unit lattice)]로 조립되고 있다(그림 7-17). 그리고 단위포가 각각 3축의 방향으로 반복해서 연결된 것이 결정이다. 하이드록시아파타이트 단위포의 조성은 $Ca_{10}(PO_4)_6(OH)_2$이다. 불화 아파타이트는 수산화이온 대신에 불소이온을 갖는다. 즉, 하이드록시아파타이트의 단위포가 $Ca_{10}(PO_4)_6(OH)_2$라고 하는 조성을 가지는 것은 다음과 같이 설명된다. 그림 7-18에 나타낸 1개의 단위포(ABCD)에 포함되는 각 이온의 수를 구해 보면, 사변형 ABCD의 내부에 있는 이온, 즉 2개의 주축 칼슘(columnar Ca^{2+}) 및 1개씩의 Ca^2와 PO_4^{3-}는 이 단위포에만 속하지만, 사변형의 각 정점에 있는 OH^-는 4개의 단위포에 의해서, 또 4개의 변상에

있는 Ca^{2+}와 PO_4^{3-}는 2개의 단위포에 의해서 각각 공유되고 있으므로, 1개의 단위포당 OH^- 1개($4 \times 1/4$), PO_4^{3-}와 Ca^{2+}는 모두 2개($4 \times 1/2$)씩 속하게 된다. 게다가 1개의 단위포에는 이들 이온의 층이 상하 2층 존재하므로, 전체적으로는 Ca^{2+} 10개[주축 칼슘이온(columnar Ca^{2+}) 4개와 나선 축(screw axis) Ca^{2+} 6개], PO_4^{3-} 6개 및 OH^- 2개, 즉 $Ca_{10}(PO_4)_6(OH)_2$가 된다.

그런데 이 OH^-는 나선 축 Ca^{2+}에 의해서 만들어지는 정삼각형(칼슘 삼각)의 중앙에 위치하고 있다. 그러나 OH^-는 이온 자체가 비대칭이어서 칼슘 삼각의 면으로부터 상하, 즉 c축 방향에 인접하는 칼슘 삼각의 평면에 돌출하는 형태가 된다(그림 7-19). 그러므로 인접하는 2개의 칼슘 삼각($OH\cdots\cdots HO$)은 서로 마주 볼만한 충분한

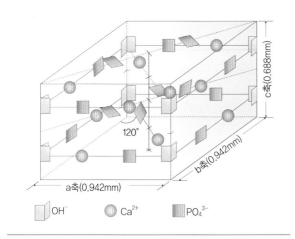

■▒ 그림 7-17. 하이드록시아파타이트의 단위격자 모형

하야카와 타도오 등: 구강생화학. 제4판. 이사야쿠출판. 2005.

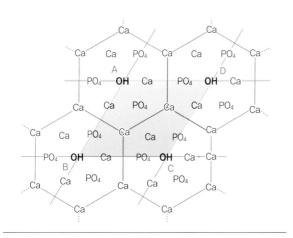

■▒ 그림 7-18. c축 방향에서 본 하이드록시아파타이트의 횡단 모형도

정육각형의 각 정점은 주축 칼슘이온(columnar calcium ion)이 위치하고, 육각형의 중앙에는 수산화이온이 위치하고 있다. 수산화이온은 각각 3개의 칼슘이온(나선축 칼슘이온, screw axis calcium ion)과 인산이온에 의해 둘러 싸여 있다. 인접하는 4개의 수산화이온을 연결하여 만드는 마름모꼴(보라색)이 단위격자로, 각 변이 a축을 나타낸다. 하야카와 타도오 등: 구강생화학. 제4판. 이사야쿠출판. 2005.

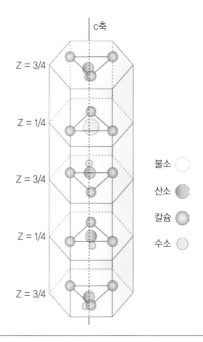

■▒ 그림 7-19. 아파타이트 결정 속에서 칼슘이온 삼각형 배열에 있어 수산화이온(OH^-)의 2가지 가능한 위치

빈 공간(위에서 2번째 칼슘이온 삼각형)에는 불소이온으로 치환되어 있다. 즉, 여기에서 3개의 칼슘이온 삼각형의 배열은 OH-F-HO로 표시할 수가 있다. 분수로 나타낸 Z값은 결정체의 c축 방향의 거리비로 나타낸다.

하야카와 타도오 등: 구강생화학. 제4판. 이사야쿠출판. 2005.

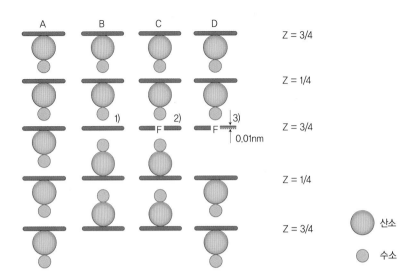

1) 이 면에는 OH−는 넣지 않기 때문에 OH−는 결손되어 빈 공간(void)이 형성된다.
2) F−는 칼슘이온 삼각형의 면과 일치하고 있다.
3) F−는 칼슘이온 삼각형의 면으로부터 H측으로 조금(0.01nm) 밀려나와 있다.

■▥▥ 그림 7-20. 불소가 없는 칼슘 삼각과 불소를 가지는 칼슘 삼각의 수산화이온의 배치
핵자기공명법에 따르는 흡수스펙트럼으로(OH···F··HO)와 (OH···F··OH)의 2개의 배치(c와 d)가 확인되고 있다.
Eliott JC: Structure, crystal and density of enamel apatites. Ciba Found Symp 205:54-67. discussion 67-72. 1997.

공간이 없다. 따라서 OH−가 이 결정격자 속에서 규칙적으로 배치되기 위해서는 모든 OH−이 같은 방향을 향할 수밖에 없고(그림 7-20A), 이것이 역방향, 즉 수산기의 한 방향(OH, OH, OH)의 종점과 또 다른 방향(HO, HO, HO)의 기점이 만나는 것과 같은 불규칙한 배치를 하였을 경우에는 그 접점에서는 OH−의 위치에 아무것도 없는 빈 공간이 될 것이다(그림 7-20B).

하이드록시아파타이트 결정격자 속에서 이온의 위치와 간극에 관련된 상세 구조는 X선 회절, 핵자기공명, 적외선 스펙트럼 및 중성자선 회절의 연구를 통해 밝혀졌으며, 이미 앞에서 기술했듯이 c축에 따라 OH−의 불규칙한 배열 때문에 OH−의 자리가 비어있는 경우가 확인되고 있다. 이러한 빈 공간을 공석(vacancy, 격자결함의 하나로 점결함(point defect)이 있지만, 공석은 이 점결함의 일종으로 공격자점, 공위, 원자공공(atom vacancy), 혈(구멍), void 등으로도 불리고 있다)이라 하지만, 이 공석이 증가하면 H+ 등 다른 이온이 용이하게 결정격자 속에 비집고 들어가므로 아파타이트의 용해성이 증가한다. 그런데 F−는 이 OH−의 결손된 공석에 들어갈 수 있으며(그림 7-20C), 강한 수소결합을 만들어서 결정을 안정화시킴으로써 다른 이온이 이 공석으로 이동하는 역동도를 감소시킨다. 즉 아파타이트의 결정화도가 높아져 용해도가 저하한다. 앞에서 기술한 이러한 공석의 존재는 아파타이트의 산 용해성을 증가시키는 점, 즉 우식감수성을 높게 되지만, 이 공석에 F−가 들어가 결정을 안정화 시키는 것은 불소의 우식예방효과를 지지하는 중요한 기전 중의 하나이다.

아파타이트 결정에서는 상술한 OH− 외에 주축 칼슘이온(columnar Ca^{2+})의 위치가 c축을 따라서 이온 이동이 일어나기 쉬운 터널이 된다는 점을 고려해 볼 수 있

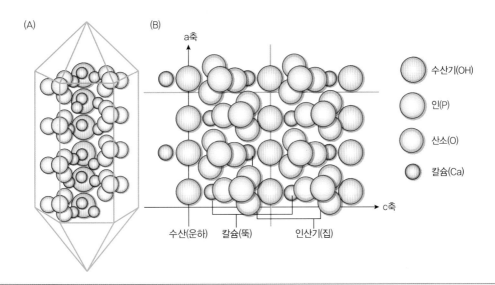

■ ■ 그림 7-21. 아파타이트의 외관과 구조

(A) 외관 (B) 아파타이트 구조를 옆에서 본 원자 배열. 수산기의 수직 방향을 운하로, 칼슘을 뚝으로, 인산기를 집으로 생각하고 보자.

아오끼 히데까 저. 이준희, 신순기 역. 경이의 생체물질 아파타이트. 세종출판사. 2002.

으며, Ca^{2+}외의 양이온에 의한 치환은 우선 이 주축 칼슘이온부터 일어난다고 알려져 있다.

가로 방향을 c축이라 하면 이 c축에 평행하게 OH^-기가 배열되어 있으며, 이를 OH 주축(또는 기둥, column)이라고 한다. OH를 물이라 생각하고, 세로로 물이 연결된 운하가 있다고 가정하자. 그 주위에 있는 칼슘 원자는 정삼각형을 만들어 60° 회전하면서 나사 모양으로 c축 방향으로 중첩되어 있다. 이 칼슘 원자를 운하 주위의 제방이라고 가정하자. 또 이 칼슘 원자는 인산기의 산소에 의하여 둘러싸여져 있다. 인산기는 인 원자 P를 중심으로 4개의 산소로 둘러싸여 정사면체를 형성하고 있다. 이 인산기를 집으로 생각하면 운하와 그 주위에 있는 제방 및 집이 서로 밀접하게 연결되어 있는 것이 아파타이트 결정구조라 할 수 있다(그림 7-21). 여기에서 OH기 운하에서 인접 OH기 운하까지가 원자가 규칙적으로 반복되고 있는 최소 단위가 된다. 이것을 단위격자(unit lattice) 또는 단위포(unit cell)라고 한다.

(2) 수산기의 방향

가로 방향을 c축이라 하면 이 c축에 평행하게 OH가 나열되어 있다. 이를 OH 기둥이라고 해서 앞에서 운하를 예로 설명하였다. 이 기둥에는 수소원자가 일정 방향으로 향하고 있는 규칙형과 불규칙하게 배열하고 있는 불규칙형이 있다. 전자는 단사정계(monoclinic system)로, 후자는 육방정계(hexagonal system)로 알려져 있다. 그림 7-20에서 A는 규칙형이고, 나머지는 불규칙형에 해당한다.

(3) 탄산기의 위치

치아나 뼈에는 탄산 이온이 보통 1~3% 함유되어 있다. 이 탄산 이온이 석회화나 용해에 중요한 역할을 하고 있는 것은 여러 번 기술하였다. 그러나 탄산 이온이 아파타이트 구조 중에 어떻게 존재하는 지에 대하여는 명확히 밝혀진 바 없다. 탄산 이온은 수산기가 있는 경면부근에 존재하는 경우와 수산기가 없는 경면 부근에 존재하는 2가지 경우가 있다.

표 7-2. 사람 법랑질, 상아질 및 뼈의 무기질성분(건조중량 %)

Lazzari EP: CRC Handbook of experimental aspects of oral biochemistry. CRC Press. 1983.

	법랑질	상아질	뼈
칼슘	36.00(33.6~39.4)	27.00	24.50
인산	17.70(16.1~18.0)	13.00	10.50
칼슘/인산비율	2.03	2.08	2.33
이산화탄소	2.50(2.7~5.0)	4.80	5.50
소듐	0.50(0.25~0.90)	0.30	0.70
마그네슘	0.44(0.25~0.90)	1.10	0.55
염소	0.30(0.19~0.30)	0.01	0.10
포타슘	0.08(0.05~0.30)	0.05	0.03

3) Ca과 P의 비

상술한 것처럼 순수한 아파타이트의 조성은 Ca 10몰(mole)과 PO_4 6몰로 이루어지므로 Ca/P 몰(mole)비는 10/6, 즉 1.67이 된다. 또 Ca/P 중량비는 10 × 40.08(Ca의 원자량)/6 × 30.975(P의 원자량), 즉 2.15가 된다. 그러나 실제의 뼈나 치아의 Ca/P 중량비는 아파타이트 표면에 여러 가지 이온의 흡착이나 다음에 말하는 이온 교환반응에 의해서 표 7-2에 나타낸 값을 나타낸다.

③ 아파타이트의 물리화학적 성질 및 특이한 성질

1) 인산칼슘의 화학과 하이드록시아파타이트

뼈나 치아 등의 경조직에서 가장 큰 특징은 이러한 조직의 주성분이 무기질이라는 것이다. 척추동물의 무기성분은 패각(조개껍질) 등 무척추동물과는 차이가 있어 인산칼슘으로부터 만들어 진다. 그러나 인산칼슘은 하이드록시아파타이트라고 부르는 아주 복잡한 결정구조이다. 그렇기 때문에 뼈 조직은 칼슘과 인산의 저장고라고도 할 수 있다. 여기에서는 하이드록시아파타이트가 가진 특징인 결정구조와 성질에 대하여 설명할 것이다.

(1) 인산칼슘의 화학

생체 속에 존재하는 인산화합물은 무기물이든 아니면 및 유기물이든 어느 경우라도 모든 정인산(*ortho*-phosphate, *o*-phosphate)인 H_3PO_4 혹은 정인산 두 분자가 축합된 피로인산(pyrophosphate)인 $H_4P_2O_7$(H_2O 한 분자가 제거된다)의 유도체이다. 우리의 골격 속에 저장된 인은 600g(생체에 존재하는 인의 전체 양은 700g이지만 이중 85%가 골격 속에 있다)으로, 인(phosphorus)도 같은 양상이다.

정인산은 약한 삼염기산(tribasic acid)으로, 혈청과 같은 이온강도(ionic strength, μ = 0.165)의 용액 속에는 그림 7-22에서 보는 것처럼 해리되어, 용액의 pH에 따라 해리상수(dissociation constant)가 다른 여러

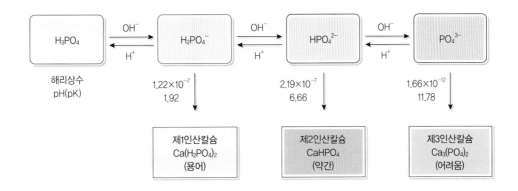

■ ▓ 그림 7-22. 다양한 pH에 있어서의 정인산의 해리와 칼슘염의 형성

and tertiary calcium phosphate under various conditions. 71:797-846. 1927.

가지 이온을 생성한다. 이 해리상수를 이용하여 계산하면, 생리적인 pH 영역(7.4)에서 혈청 속의 전체 무기 인산의 81%가 HPO_4^{2-}로 존재하며, 19%는 $H_2PO_4^-$로서 존재하고, 극히 일부인 0.008% 만이 PO_4^{3-} 이온상태로 존재한다. 따라서 생리적인 조건 하에서 혈청 속에서 우선 석출되는 것은 아마도 제2인산칼슘인 $CaHPO_4 \cdot 2H_2O$일 것이라 생각하였다. 그런데 생성된 제2인산칼슘은 pH 6.2 이상에서는 불안정하여 자연스럽게 가수분해되어 기본적으로는 아파타이트라 부르는 결정구조가 된다.

(2) 하이드록시아파타이트의 결정학

인산칼슘-물로 이루어진 계(calcium phosphate-water system)의 침전물 중에 중성 상태에서 안정적인 것은 단지 아파타이트뿐이다. 실제로 1926년 데용(De Jong WF)에 의해 뼈나 치아의 무기성분인 육방계 단위포(unit cell)를 갖는 결정체가 아파타이트와 유사한 X-선 회절상을 보이는 것을 밝힌 이래로, 뼈와 치아의 무기성분의 기본구조가 아파타이트라고 생각하는 것은 많은 사람에 의해 지지를 받게 되었다.

아파타이트라고 알려진 한 무리의 물질은 극히 소수의 차이를 제외하면 공통적인 X-선 회절상을 보이며,

$M_{10}(RO_4)_6X_2$의 조성을 갖는다. 여기에서 M을 칼슘 위치, R을 인 위치, X를 하이드록실(hydroxyl) 혹은 할로겐(halogen) 위치라 부른다. 아파타이트를 구성하는 각 이온(원소)은 화학적 치환을 일으키기 쉽고, 표 7-3에 나타낸 것처럼 주기율표의 1/3 이상의 원소와 치환할 수 있다. 인산칼슘계의 아파타이트는 M = Ca, R = P로, X의 위치를 차지하는 이온의 종류에 따라 다음과 같이 분류한다.

$Ca_{10}(PO_4)_6(OH)_2$ …… 하이드록시아파타이트(hydroxyapatite)

$Ca_{10}(PO_4)_6F_2$ …………………… 불화아파타이트(fluoroapatite)

$Ca_{10}(PO_4)_6Cl_2$ ……………… 염화아파타이트(chloroapatite)

$Ca_{10}(PO_4)_6CO_3$ ………… 탄산아파타이트(carbonateapatite)

치아나 뼈의 아파타이트는 하이드록시아파타이트에 딱 들어맞는 조성이지만, 그 결정구조는 오랫동안 확실하지가 않았다. 그 이유는 경조직의 아파타이트 결정이 전자현미경에서 겨우 관찰할 수 있을 정도의 크기로 밖에 성장하지 못하고, 구조 해석에 필요한 크기까지의 단결정을 얻기가 쉽지 않았기 때문이다. 즉, 뼈나 상아질의 하이드록시아파타이트는 폭이 2.5~7.5nm, 길이가

표 7-3. 아파타이트의 칼슘, 인산 및 수산기의 위치에서 치환 가능한 원소

모리와카 유타카: 치아 광물의 결정학. 치아 - 과학과 그 주변. 교리츠출판. p.72. 1981.

아파타이트 $M_{10}(RO_4)_6X_2$			치환가능한 원소
M	칼슘 위치	Ca^{2+}	Na^+, K^+, H^+, H_3O^+ Sr^{2+}, Ba^{2+}, Pb^{2+}, Zn^{2+}, Cd^{2+}, Mg^{2+}, Fe^{2+}, Mn^{2+}, Ra^{2+} Al^{3+}, Y^{3+}, Ce^{3+}, Nd^{3+}, La^{3+}, Dy^{3+}
PO4	인 위치	PO_4^{2-}	SO_4^{2-}, CO_3^{2-}, HPO_4^{2-}, PO_3F^{2-} AsO_4^{3-}, VO_4^{3-}, BO_3^{3-}, CrO_4^{3-}, (CO_3F^{3-}) SiO_4^{4-}, GeO_4^{4-}, $H_4O_4^{4-}$, BO_3^{5-}
X	수산기 혹은 할로겐 위치	OH^- F^- Cl^- Br^-	O^{2-}, CO_3^{2-} H_2O

10~30nm, 결정의 크기는 법랑질의 아파타이트에서도 폭이 30~120nm, 길이가 30~1,000nm 정도의 미세한 결정이다.

한편 불화아파타이트는 천연의 인회석으로 큰 단결정 (single crystal, 단위격자를 빈틈없이 입체적으로 배열한 것으로서, 규칙적인 원자 배열에 의하여 전체가 구성되어 있는 고체를 말한다)의 형상으로 생성되기 때문에 1930년대에는 벌써 그 결정구조가 밝혀져 있어서, 하이드록시아파타이트의 구조도 불화아파타이트와 본질적으로는 같은 양상일 것이라고 생각하였다. 이후 우연히 불소 함유량이 적은 하이드록시아파타이트의 단결정이 미국의 홀리 스프링스(Holy Springs)에서 발견되어 종래의 X-선 회절과 중성자회절법을 병용하여 처음으로 수산기(hydroxyl group)의 위치를 밝힐 수 있게 되었다. 이 결과 OH^-와 F^-의 위치는 불과 0.04nm이지만, 차이가 나는 것이 판명되어, 이 차이가 하이드록시아파타이트와 불화아파타이트 양자의 결정성(crystallinity)의 차이에서 중요한 요인이라는 것도 밝혀졌다.

결정은 가끔 원자나 분자의 특정 배치가 반복하여 규칙적으로 줄지어 있는 것으로, 반복되는 최소단위를 단위포(unit cell 또는 단위격자)라 부르고 있다. 아파타이트의 기본구조는 Ca^{2+}, PO_4^{3-}, OH^-(혹은 할로겐 이온)의 3 성분이 규칙적으로 배열한 단위포를 형성하며, 결정학적으로는 육방정계에 속한다. 그림 7-14은 단위포와 육방정의 관계를 나타내는 모식도로 파랑색을 나타낸 부분은 6개의 단위포(4개는 완전한 것과 4개는 절반인 것으로 2개의 단위포에 해당)로부터 육방정이 형성되는 것을 보여주고 있다. 이 단위포에 있어 모든 원자배치를 보여주고 있는 것이 그림 7-17이다. 하이드록시아파타이트의 단위포의 길이는 a축과 b축이 0.942nm, c축이 0.688nm이다. c축은 결정의 장축방향과 일치하며, 그 방향으로 결정이 길이성장을 한다.

이 단위포에 있어서 Ca^{2+}는 2가지 다른 위치를 가질 수 있다. 그림 7-18은 c축 방향에서 바라본 하이드록시아파타이트의 횡단 모형도로, 이 그림에서 정육각형의 정점에 위치하는 칼슘이온(주축 칼슘, columnar Ca^{2+})과 정육각형의 중앙에 위치하는 OH^-를 둘러싸고 있는 3개의 칼슘이온(나선축 칼슘, screw axis Ca^{2+})을 구별

할 수 있다. 그림 7-18에 표시된 4개의 OH⁻를 연결한 마름모꼴이 그림 7-17에 나타낸 단위포의 a와 b축에 해당된다. 나선축 칼슘을 그림 7-20에 표시하였는데, c축상의 높이가 3/4과 1/4의 평면에 정삼각형에 나란히 2조의 칼슘 원자로 구성되어 있는 것을 알 수 있다. 이러한 2조의 칼슘에 대한 상대위치는 c축을 나선상으로 60° 회전하면 겹치게 되는 위치에 있다. 그렇기 때문에 이 축은 나선축(screw axis, 이 축을 중심으로 1회전 하는 사이에 원자의 위치가 6회 서로 겹친 경우 결정학에서는 6회 대칭축이라고 하고, 이와 같이 나선상으로 회전하여 중복하는 경우를 6회 나선축이라 부른다)이라고 하며, 이 축의 주위에 위치하는 칼슘을 나선축 칼슘이라 한다. 한편 주축 칼슘은 c축의 2/4와 4/4 의 평면에 위치한다.

이 c축을 수직해서 1/4과 3/4의 가상적인 평면을 경면(mirror surface)이라 부르며, 이 경면 근처에 OH⁻가 위치한다. 불화아파타이트의 경우 혹은 OH⁻가 F⁻로 일부 치환된 경우에는 F⁻는 정확하게 이 경면 상에 위치하고 있어 나선축 칼슘에 의해서 만들어진 정삼각형의 중심에 위치한다. 그렇게 때문에 모든 원자 위치에 있어 대칭성이 높아져 결정의 안정화의 한 원인이 되고 있다. 그러나 하이드록시아파타이트는 OH⁻가 경면보다 조금 어긋난 위치에 있어, 그만큼 분극 효과(polarizing effect, 결정체에서 이온의 전이)가 생기므로 불화아파타이트보다 불안정한 구조를 취한다고 생각되고 있다.

경조직의 아파타이트 결정이 모두 앞에서 기술한 이상적인 단위포로부터 된다고 가정하면, 이 조성으로부터 계산할 수 있듯이 모든 아파타이트에서 Ca/P 몰 비는 1.67(중량비로는 2.15)일 것이며, 또한 결정격자에는 결정수(water of crystallization, 염류의 결정 속에 복합체로 들어 있는 물)는 없을 것이다. 그런데 실제의 뼈나 치아의 아파타이트의 Ca/P의 몰 비도 1.67보다 작은 수치를 가지고 있으며, 또한 오랜 시간 가열하면 상당한 양의 물을 소실한다. 이뿐만 아니라 뼈나 치아를 가열한 후 관찰하여 보면, 아파타이트의 X-선 회절상과 똑같은 회절

상을 보여준다. 이와 같이 실측된 조성과 아파타이트라고 하는 구조로부터 예상되는 조성과의 현저한 차이가 있어서 뼈의 무기성분에 대한 여러 가지 명칭이나 구조가 제안되는 원인이기도 하다.

2) 하이드록시아파타이트의 독특한 성질

(1) 왜 아파타이트는 크게 성장하지 못할까?

경조직의 특이한 성질을 이해하는 데는 하이드록시아파타이트 결정이 매우 작고, 그 조성이 많이 변해서 복잡할 뿐만 아니라, 일정하지가 않다는 것을 충분히 이해할 필요가 있다. 하이드록시아파타이트 결정은 왜 크게 성장할 수 없는 것일까? 지금 결정의 크기와 용해도와의 관계를 생각해 보면, 입자의 크기가 어느 정도 작아지면 표면 이온(또는 분자)에 대응하는 내부로부터의 인력이 감소하므로, 표면 이온이 탈출하는 경향이 강해져서 용해도가 높아진다는 현상이 오래 전부터 알려져 있다. 그런데 만약 한층 더 입자가 작아지면 이번에는 결정의 용해도가 반대로 감소하는 것도 잘 알려져 있다. 그런데 중성부근의 pH에서 칼슘과 인산의 농도를 높여가면 그림 7-23에서 볼 수 있듯이, A, B, C, D의 곡선을 따라 제2인산칼슘[$CaHPO_4 \cdot 2H_2O$]의 결정이 형성된다. 그러나 B와 C 사이에서 결정이 석출되어도 그 결정은 크기 때문에, 여기에서는 큰 결정이 녹고, 작은 결정 위에 석출하기 때문이다. 그런데 용액의 농도 [$A_{Ca^{2+}} \times A_{HPO_4^{2-}}$]는 높아져 C점 이상이 되면 그곳에서는 γ_2 이상이 되는 크기의 결정을 생성한다. 그렇게 되면 C~D의 곡선에서 나타내 보이듯이, 큰 결정 쪽이 작은 결정보다 용해도가 작기 때문에, 작은 결정은 녹고, 큰 결정이 성장하게 된다. 앞에서 기술한 것처럼 $CaHPO_4 \cdot 2H_2O$는 pH 6.2 이상에서는 불안정하여서 자연스럽게 분해되어 하이드록시아파타이트로 변화하기 때문에 그림 7-23에 있어서 C~D 곡선으로부터 E의 곡선으로 이행하게 된다. 게다가, 이

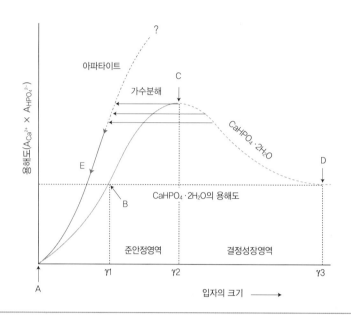

■■■ 그림 7-23. 제2인산칼슘인 CaHPO₄·2H₂O로부터의 하이드록시아파타이트의 생성

아라타니 신페이, 스다타츠오: 호르몬과 임상 14:693, 1966.

그림에서 분명한 것처럼 여기에 생긴 아파타이트 결정의 크기는, 아직 그것이 자연스럽게 성장할 수 있는 점(그림 7-23의 C점)에 도달하지 않기 때문에, 오히려 큰 결정은 녹고, 작은 결정으로 된다는 결과가 된다. 그러므로 E 곡선에서는 화살표를 하향으로 했던 것이다. 덧붙여 그림 7-23에서 C~D가 점선으로 표시한 것은 이 부위에서는 결정이 불안정하여 자연스럽게 E 선으로 이행한다는 의미를 포함하고 있다. 그러므로 하이드록시아파타이트 결정은 아무래도 크게 성장할 수 없는 것이다. 이와 같이 하이드록시아파타이트 결정은 매우 작기 때문에 단위 중량 당 충분히 매우 큰 표면적(g당 66~300m²)을 가지게 된다. 이것이, 또 한편에서는 아파타이트의 조성이 일정하지 않은 큰 원인이다.

(2) 용해도

① 용해도와 용해도적

아파타이트는 물에 조금 녹을 수 있기 때문에, 치아가 아파타이트로 되어 있어 당연히 물에 조금 녹는다.

용해도(solubility)는 일반적으로 100mL 중의 포화용액 속에 포함되어 있는 용질의 농도를 나타낸다. 하이드록시아파타이트를 물에 오랫동안 담가두면 약 1mg 정도가 녹는다. 불화 아파타이트는 하이드록시아파타이트보다 좀 덜 녹는다. 난용성의 염에 대한 용해도적(solubility product)은 일정 온도에서 상수 값을 갖는다. 용해도적(pKs)은 염을 구성하는 양이온과 음이온의 포화농도 값을 곱한 값이다. 즉, 녹아 있는 이온농도의 곱한 값을 뜻한다.

하이드록시아파타이트의 용해도적은 물에 녹아 있는 칼슘, 인산, 수산화이온의 양을 하이드록시아파타이트 1분자에 포함되는 원자 또는 원자기의 수를 승으로 한 다음 이들 값을 곱하여 나타낸다. 즉, 농도의 곱은

$$pKs = -\log([Ca^{2+}]^{10} \cdot [PO_4{}^{3-}]^6 \cdot [OH^-]^2$$
$$= -\log[\text{농도의 곱}]^{120}$$

으로 극히 낮은 용해도가 된다. 많은 연구자가 하이드

록시아파타이트의 용해도적 값을 보고하였으며, 거의가 110~120 범위에 있다. 이는 아파타이트가 물에 녹아 칼슘이나, 인산, 수산기 이온으로 흩어져 있는 양이 극히 적다는 것을 의미한다. 이에 비해 혈액 속에 녹아 있는 칼슘과 인산의 비는 아파타이트와 같고, 그 양은 아파타이트가 물에 녹는 양의 약 10배이다. 그러므로 혈액 속의 칼슘은 과포화라고 말한다. 그럼에도 불구하고 아파타이트가 침착(석회화)하지 않는 이유는 구연산(citrate), 피로인산(pyrophosphate), 마그네슘 등의 침착 억제물질이 체내에 존재하기 때문이다. 또 한편으로는 하이드록시아파타이트의 전구물질인 칼슘부족 하이드록시아파타이트(CDHA)나 무정형 인산칼슘(ACP)의 용해도가 크기 때문이라 생각한다.

② 탄산함유 아파타이트의 용해성

탄산함유 하이드록시아파타이트(carbonated hydro-xyapatite)의 용해도는 순수한 하이드록시아파타이트에 비해 결정크기가 크다는 것은 잘 알려져 있다. 1997년 일본 통산성 공업기술원의 이토 아츠오(Ito A) 등은 탄산 이온 함유량이 다른 여러 가지 탄산함유 하이드록시아파타이트[$Ca_{10}(PO_4)_6(CO_3)_x(OH)_{2-x}$]를 합성하여 용해도적이 일정한 탄산가스 분압과 pH 범위 안에서 측정한 결과 용해도적은 탄산함유량이 증가할수록 감소하는 경향을 보여 용해도가 증가하는 것을 밝혔다. 그럼에도 불구하고 이들의 pKs 값은 어느 범위에서도 120~130 사이의 값을 나타내어, 탄산함유 하이드록시아파타이트의 용해도가 순수한 하이드록시아파타이트의 용해도와 큰 차이는 없었다. 탄산함유 하이드록시아파타이트의 결정은 하이드록시아파타이트 결정에 비하여 성장하기가 보다 어렵기 때문에 결과적으로 결정이 작아서 초기 용해 속도에 크게 영향을 미치는 것으로 생각된다.

③ 산에 대한 용해도

아파타이트는 물에 극히 소량 밖에 녹지 않지만, 산성의 수용액, 예를 들면 맥주나 콜라와 같은 탄산음료에는 잘 녹는다. 이 경우에도 탄산음료의 양이 많고 시간이 충분할 경우이다. 즉, 콜라 1 캔의 경우 200mL로 하이드록시아파타이트를 중화하는 양만큼 아파타이트가 녹는 것이 된다. 콜라나 사이다 경우 보통 pH가 2.53이며, 맥주는 4.01~4.10으로 산성이다. pH 4 까지 약한 산성 용액에서는 대개 치아는 녹지 않지만, pH 3 이하, pH 2 후의 약간 강한 산성 용액에서는 치아는 신속하게 녹기 시작하는 것을 알 수 있다. 이 pH 2~4라고 하는 것은 탄산음료의 pH에 가깝다. 그러므로 특히 유치의 경우 탄산음료를 입안에 오랫동안 머금고 있으면 이의 표면이 녹아버릴 수 있기 때문에 주의를 요한다. 이를 피하기 위하여 빨대 등을 이용하여 탄산이 치아에 접촉하는 시간을 줄이는 것도 한 방법이다.

3) 수화층

하이드록시아파타이트가 수용액과 접하고 있는 경우를 생각해보면, 그림 7-24과 같이 결정의 주위에 상당한 물을 끌어당길 수 있어 수화각(hydraton shell)을 형성하고 있다고 생각할 수 있다. 이와 같이 수화 한 물을 "트랩된 물(trapped water)"라든지 "감금된 물(caged water)"이라고 불려, 80,000 × g으로 원심 분리하여도 제거되지 않는다. 이 양은 하이드록시아파타이트 1g당 적어도 35nmol 정도이다. 이것을 부피로 하면 결정이 자기 부피의 1.9배까지의 수화각을 가지고 있다는 것을 의미한다. 게다가, 이 수화각 속에도 주위의 용액에 대응하여 여러 가지 이온이 포함되어 있다. 이처럼 하이드록시아파타이트(calcium hydroxyapatite)의 중요한 특징은 상당량의 물이 견고하게 결합된 수화각 또는 수화층(hydration shell 또는 hydration layer)을 가지고 있는 것이다. 희석된 KCl 용액에 담근 하이드록시아파타이트의 수화층에서 칼슘과 인산이온의 농도는 0.6M이

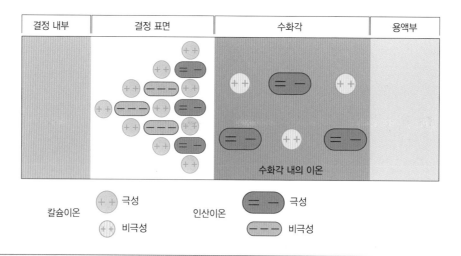

■■ 그림 7-24. 결정체 표면과 수화층의 접촉면의 성질을 보여주는 모식도
결정체의 표면 전하는 수화층 내의 큰 극성을 띠는 이온에 의해서 점차적으로 희석된다. 수화층(hydration shell 또는 hydration layer) 안쪽으로 즉, 결정 표면은 이온 흡착이온층이라고도 하며, 바깥쪽으로는 용액부(bulk solution)가 있다.

Jenkins GN: The Physiology and Biochemistry of the Mouth. 4th ed. Blackwell. 1978.

지만, 용액부(bulk solution)에서는 0.2mM이다. 결정체 표면이 많은 전하를 띠고 있기 때문에 물이나 기타 극성을 갖는 이온이 결합함으로써 전하가 중화될 수 있고, 극성을 갖는 이온이 결합하여 점차적으로 표면전하를 희석시킬 수 있다. 용액 내 칼슘이온은 결정체 내의 칼슘이온과는 달리 수화되어 있어서 $Ca^{2+} \cdot 10 \ H_2O$로 된다. 결정체 표면과 인접 용액 사이의 접촉부위를 그림 7-24에 표시하였다. 표면전하가 극성을 갖는 이온에 의해 점차적으로 중화되면, 이온들은 결정체 표면으로 끌려가는 이온의 강도가 떨어져서 결정체 표면으로부터 멀어지게 된다.

수화층이 어디서 끝나며, 용액부가 어디서 시작하는지를 알기 위하여 수화층의 크기를 알 필요가 있다. 엄밀히 말하면 이것은 순 감성적으로 임의로 정할 수밖에 없다. 왜냐하면 사용된 하이드록시아파타이트나 분석 방법에 따라 다르기 때문이다. 하지만 인공적으로 준비한 하이드록시아파타이트를 이용하여 저속 원심분리를 하면 물이 제거되지만, 충분한 원심력을 가하여도 제거되지 않는 물이 있다. 이렇게 끝까지 남아있는 물이 수화층에 해당되며, 많은 경우 자신의 부피보다 1.9배 정도 된다.

치아의 수분 양을 직접 측정하는 것은 어려워서 특히 법랑질의 경우에는 완전하게 신뢰할 수 있는 수치를 얻을 수 없지만, 법랑질에는 중량의 약 4%가 수분으로 추정되고 있다. 그 중 극히 대략적인 값으로 0.8%는 느슨한 결합에 의해서 유기질, 주로 단백질과 결합하고 있으며, 나머지 약 3.3%는 법랑질을 110℃이상으로 가열해도 쉽게 탈수되지 않는 견고하게 결합한 수분(결합수)이다. 이 수분은 아마 결정 사이에 묻혀있거나, H_2O인 채 OH^-로 치환되어 있거나, 하이드로늄(hydronium) 이온(H_3O^+)으로서 Ca^{2+}과 치환되어 있을 수 있다고 생각되고 있다. 이 결합수의 주체는 종래 개념적으로 제창되고 있는 수화층(또는 수화각, 그림 7-25)에 해당되는 것이라고 생각할 수 있다. 그리고 이 수화층을 통하여 주위 환경에서 유래한 각종 이온을 결정 표면에 흡착하고 있다(흡착이온층). 이러한 특성을 가지는 법랑질은 수분을 포

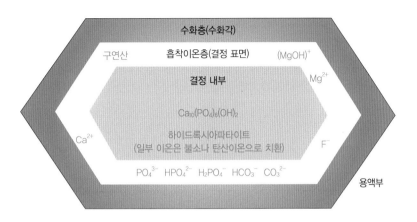

■▒ 그림 7-25. 아파타이트 결정을 둘러싸는 흡착이온층(crystal surface) 및 수화각(hydration shell)을 나타내는 모식도

Jenkins GN: The Physiology and Biochemistry of the Mouth. 4th ed. Blackwell. 1978.

함한 유기질 바탕을 가지는 다공성 결정 기질일 수 있다. 사실 법랑질에는 0.9nm와 2.5nm의 2종류의 미세한 구멍(세공)이 있어, 이 세공에 수분을 유지하려고 하는 성질이 있는 것이 증명 되고 있다.

4) 이온교환

아파타이트의 결정격자를 형성하고 있는 이온은 표면에 흡착되어 있는 이온과 활발하게 이온교환을 한다. 이 이온교환에, 동종이온교환과 이종이온교환이 있다. 동종이온교환은 예를 들어 격자중의 Ca^{2+}와 주변 환경의 Ca^{2+}가 교환하는 경우로, $^{45}Ca^{2+}$와 같은 방사성 이온을 이용하지 않으면 그 교환을 확인할 수 없다. 이에 비해 이종이온교환은 서로 다른 이온종 사이에 볼 수 있는 교환으로, 예를 들어 격자중의 Ca^{2+}가 Na^+, Mg^{2+}, K^+, Sr^{2+}, H_3O^+ 등과 교환하거나 OH^-가 F^-, Cl^- 및 그 밖의 음이온과 교환하거나, 또는 PO_4^{3-}가 HPO_4^{2-}, CO_3^{2-} 등과 각각 치환하는 경우이다. 아파타이트를 그 포화용액과 평형상태로 만들고 여기에 작은 양의 $[^{32}P]$ 인산을 가해 본다(이 차이만큼 가한 인산은 매우 근소하기 때문에

평형상태는 대부분 영향을 받지 않는다). 그리고 이용액 중의 ^{32}P의 소실되는 양상을 조사해 보면 그림 7-26에 나타낸 것처럼 Ⅰ, Ⅱ 및 Ⅲ과 같이 단계적으로 용액 속의 ^{32}P가 감소하고 있다. 이러한 현상은 다음과 같이 생각하면 적절한 설명이다. Ⅰ의 단계는 용액 속의 $[^{32}P]$ 인산이 수화각의 물 층 혹은 흡착이온층(결정의 표면 부위)의 인산과 신속하게 치환이 일어나는 것이며, Ⅱ는 수화각에서 아파타이트의 표면의 인산으로 치환하는 현상이다. Ⅲ의 단계는 대부분 완만하게 반응이 일어나는 단계로 이것은 아마도 결정 표면의 ^{32}P가 결정 내부의 P와 치환되는 것으로 생각한다. 이 설명으로 분명한 것은 아파타이트의 수화각, 결정 표면(흡착이온층) 및 결정 내부에서도 이온교환이 일어나는 것으로 이러한 이온교환은 같은 종류의 이온끼리 일어나기도 하고, 서론 다른 이온 사이에도 일어나고 있다. 이 경우 어떤 종류의 이온은 수화각에서만 교환 반응을 일으키는 것도 있고, 또 일부는 결정 표면(흡착이온층)에서도 치환이 일어나며, 일부는 결정 내부의 이온과도 치환이 된다. 실제로 아파타이트 결정의 OH^- 이온이 존재하는 나선축(6회 나선축)과 주축 칼슘이 존재하는 3회 대칭축의 장소가 c축을 따라 일종의 터널을 이루고 있다고 생각되고 있다. 즉,

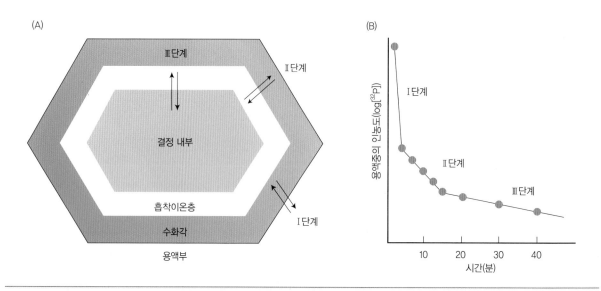

■ ▓ 그림 7-26. 용액중의 ^{32}P-인산의 아파타이트에의 이행

아파타이트를 그 포화 용액과 평형상태로 한 후, 아주 미량의 ^{32}P-인산(극히 미량이기 때문에 용액중의 인산 총량에는 영향을 주지 않는다)을 가한 후, 용액중의 ^{32}P-인산이 소실하는 경과를 시간을 따라 추적했다. I 단계는 용액중의 ^{32}P-인산과 아파타이트 결정의 수화층의 인산 사이에 빠른 교환반응을 나타내고 있다. II는 수화층과 흡착이온층의 사이에서의 교환반응, III은 흡착이온층과 결정격자의 인산이온 사이에 볼 수 있는 비교적 느린 교환반응을 나타내고 있다. 오시카네 아츠시: 치학생화학. 이시야쿠출판. p.99. 1968.

이러한 축을 따른 이온의 이동이 일어나기 쉽고, 여러 가지 이온에 의한 치환이 용이하게 일어나고 있다. 이와 같은 방법으로 격자중의 이온 약 1/3이 주변 환경의 이온과 교환될 수 있다.

예를 들어 합성한 염화아파타이트(chloroapatite)인 $Ca_{10}(PO_4)_6Cl_2$ 단결정(single crystal)을 수증기 존재 하에서 1,000~1,300℃까지 가열하면 그 결정의 형태를 바꾸지 않은 상태에서 Cl^-이 OH^-로 치환한 하이드록시아파타이트인 $Ca_{10}(PO_4)_6(OH)_2$로 된다. 또한 하이드록시아파타이트를 CO_2 공기 존재 하에 1,000℃까지 가열하는 경우에도 OH^- 위치에 CO_3^{2-}로 치환된다고 보고하였다. 이와 같이 나선축 상의 위치는 이온 확산이 용이한 통로가 되고 있다. 주축 칼슘이 존재하는 3회 대칭축의 위치도 치환되기 쉽다. 포스너(Posner AS) 등의 실험에서도 주축 칼슘은 통계적으로 결핍될 확률이 높다고 보고한 이후로 양이온에 의한 치환은 우선 이 주

축 위치로부터 일어난다고 생각할 수 있게 되었다. 또한 하이드록시아파타이트에 Sr^{2+}를 작용하는 경우에도 주축 칼슘이 치환되는데 단위포 당 4개의 주축 칼슘만이 치환되어 $Ca_6Sr_4(PO_4)_6(OH)_2$를 생성한다.

더군다나 아파타이트의 조성이 일정하지 못한 한 가지 이유로 앞에서 기술한 이온 이동이 일어나기 쉬운 2가지 터널구조가 존재하는 것으로, 자주 격자결함이 일어나는 것으로 보고되고 있다. 미성숙 아파타이트 결정의 격자 내에는 많은 격자결함이 있으며, 아파타이트를 고온 및 고압으로 처리하는 경우, 또는 성숙한 아파타이트로 되는 경우에는 이 결함이 감소된다. 앞에서 기술한 격자 내부로의 이온교환은 이 결합부위를 통해 일어나는 것으로 성숙한 아파타이트에서는 이 현상이 일어나기 어렵다.

이상 기술한 것처럼 ① 아파타이트 결정은 매우 작고, 그 때문에 막대한 표면적(상아질의 아파타이트는 약 $200m^2/g$, 법랑질의 아파타이트는 $1\sim3m^2/g$)을 가지고

있으며, ② 결정과 주위 용매와의 사이에서 이온교환이 일어나며, ③ 결정 속의 격자 결함이 존재하는 점 등의 3가지 이유로부터 아파타이트 조성은 주위 용액의 조성에 강하게 영향을 받아 그 조성이 일정하지가 않다. 오늘날 제일 합리적인 뼈 미네랄의 평균 조성은 $[Ca_9^{2+}(H_3O^+)_2(PO_4^{3-})_6(OH^-)_2] \cdot [Ca^{2+} \cdot Mg_{0.3}^{2+} \cdot Na_{0.3}^+ \cdot CO_3^{2-} \cdot$ 구연산(citric acid)$_{0.3}]$으로 생각한다.

④ 법랑질 아파타이트의 특징

성숙 법랑질은 97% 이상이 아파타이트로, 인체에서 가장 단단한 조직이다. 그러나 미성숙 법랑질은 아멜로제닌(amelogenin), 에나멜린(enamelin) 및 쉬스린(sheathlin)이라고 하는 법랑질 단백질로 되어있어 균일한 치즈와 비슷한 기질을 형성하고 있다. 미성숙 법랑질에는 콜라겐과 같은 섬유성 단백질은 전혀 존재하지 않기 때문에 법랑질 결정은 어떤 것에 의해서도 장애를 받지 않기 때문에 길이는 상아질이나 뼈의 약 10배, 부피에서는 1,000배나 크게 성장한다. 이것은 단위중량당의 표면적으로 비교하면, 반대로 1/100로, 주변 환경과의 접촉 면적이 작아지게 되어, 산저항성(acid resistance)이 큰 것을 보여주고 있다.

법랑질의 두께는 부위에 따라 달라, 두꺼운 곳에서도 2mm 전후의 얇은 조직으로 상아질의 표면을 덮고 있다. 이 법랑질의 표면에는 저작 시 체중에 상당하는 큰 교합력이 가해진다. 이 큰 교합력에 대해 몇 십년간이나 법랑질이 벗겨져 떨어지는 일 없이 견딜 만하기 위해서는 각 부분에서 전술한 법랑질의 석회화도의 미묘한 차이뿐만 아니라, 결정 그 자체가 매우 작아야 할 필요가 있다. 그러나 결정이 작아지면 작아질수록, 전술한 것처럼 표면적은 커지고, 주변 환경에 존재하는 이온과의 사이에 이온교환이 활발해진다. 이것은 곧 산(H^+)에 대해서도 감수성이 높아지는 것을 의미하고 있다. 이와 같이 법랑질 아파타이트 결정은 2개의 서로 모순되는 성질을 가지게 되어, 두 가지 성질을 최대한 만족하면서 결정의 크기가 규제되고 있다고 생각할 수 있다.

또한 법랑질 아파타이트는 뼈나 상아질과 비교해 결정화도가 높고, 결정이 고도로 방향성(일정한 방향으로 배열)을 갖는 배향(orientation) 특징이 있다. 특히 방향성이 달라지는 이유로는 각각의 석회화와 관계되는 세포의 차이와 그러한 세포가 분비하는 유기질성분의 차이를 생각할 수 있다. 법랑질의 석회화는 상술한 법랑 단백질이 탈각(벗어버리는 것)됨과 동시에 시작되며, 결정의 성장, 특히 고도의 석회화에 법랑 단백질이 관여하고 있는 것은 의심의 여지가 없다. 그러나 현재까지 결정을 형성한 후 어떻게 방향성을 갖는지, 또 어떻게 성장시키는지에 대한 본체가 무엇인지는 확실히 밝혀지지 않았다. 결정의 배향성에 대한 한 가설은 아파타이트 결정의 장축이 법랑모세포의 세포막 면에 거의 직각으로 접하고 있어서 세포막이 이온 확산에 방향성을 주는 것과 동시에, 이온농도의 제어와 관계가 있을 것이라는 생각이 제창되고 있다. 실제로 이온선택성 투과막을 생체막 모델로서 이용해, 이 막을 통해 이온을 한 방향으로 천천히 확산시켜 막 면상에 옥타칼슘 포스페이트(octacalcium phosphate)의 리본 결정을 석출시키고, 계속하여 이것을 가수분해해 방향성, 결정성 모두 법랑질과 유사한 아파타이트를 얻었다고 하는 보고도 있다.

⑤ 법랑질 무기성분의 특징

이미 법랑질은 부위와 깊이에 따라서 그 조성이 서로 달라서 균일성이 떨어지는 조직으로 비교적 소량 포함되

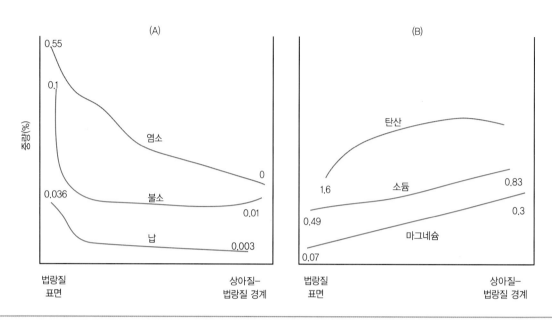

■■■ 그림 7-27. 사람 법랑질에서 여러 가지 무기성분의 분포양식

(A) 표층의 존재량이 심층보다 높은 것 (B) 표층의 존재량이 심층보다 낮은 것. 수치는 각각 표층과 법랑질-상아질 경계 부근에서의 농도를 중량%로 나타냈지만, 불소와 납의 경우는 법랑질 형성기에서 주변 환경의 영향을 강하게 받으므로 그러한 수치는 반드시 대표값은 아 니다. Zipkin I: Biological mineralization. p.61. John wiley & Sons, 1973.

는 법랑질의 무기성분이나 미량 원소도 마찬가지로 일정 하지 않고 성분에 따라서 다른 만큼 그 분포가 다르게 나타난다. 이것은 분포양식에 따라서 일반적으로 다음과 같이 3개의 그룹으로 나눌 수 있다(그림 7-27).

① 표층의 농도가 심층보다 높은 것 : 불소, 납, 아연, 철, 주석, 염소

② 표층의 농도가 심층보다 낮은 것 : 소듐, 마그네슘, 탄산

③ 농도가 거의 일정하게 분포하고 있는 것 : stron-tium, 구리, 알루미늄, 포타슘

1) 소듐(Na)

시료에 따라 큰 변동을 나타내지만, 법랑질에서는 평 균 0.7%라는 값이 보고되고 있으며, 표층에서 법랑질-상

아질경계로 갈수록 조금씩 증가하는 경향을 나타낸다(그림 7-27B). 소듐의 존재양식은 아파타이트에 흡착되어 있거나 칼슘과 치환되어 있다고 생각한다. 법랑질의 소 듐 함량은 생체 조직 중 가장 높다. 소듐은 쉽게 침출되 어 나오며, 우식 치아에서 건전한 치아보다 그 농도가 떨 어진다.

2) 마그네슘(Mg)

표 7-2에 그 건조 중량%를 나타냈지만, 사람 영구치 법랑질의 마그네슘 분포를 조사할 수 있어 그 함량이 표 층에서 심층으로 증가 하는 것이 밝혀지고 있다(그림 7-27B). 그러나 그 농도분포는 일정하지 않아서 비교적 마그네슘 농도가 높은 포켓이 상아질각(dentin horn) 주위나 열구 영역에서 자주 볼 수 있다. 이 경향은 치아

의 상아질에서도 볼 수 있어 상아질 내측에서는 약 2%에 이른다. 칼슘이나 인산보다 빠르게 법랑질로부터 침출되어 나오는데, 이는 마그네슘이 법랑질 미네랄과 약하게 결합된 것을 의미한다. 또한 우식 치아에서 건전 치아에서보다 마그네슘 함량이 작은데, 이것은 마그네슘이 쉽게 용해되는 것과도 일치된다.

3) 염소(Cl)

법랑질 표층에서 높고, 심층에서 낮다(그림 7-27A). 평균 0.3%라고 보고되고 있다(표 7-2). 상아질에서는 흔적 정도 존재한다. 염소는 물에 쉽게 용해되므로 시료 조작 중에 없어지기 때문에 실제로 생체에서의 값은 이러한 보고치보다 높다고 생각되고 있다.

4) 탄산

표층(1~2%)에서 낮고, 법랑질-상아질 경계(3~4%)로 완만한 요철상의 커브모양으로 증가한다(그림 7-27B). 이러한 탄산 분포는 법랑질의 형성이 끝나감에 따라서 법랑모세포의 활동이 저하되고 주변 환경의 CO_2 분압이 저하했기 때문에 형성중의 아파타이트 결정 내로 받아들여지는 탄산량이 감소한 것으로도 생각되고 있다. 법랑질 표층에서의 탄산 농도의 격차는 크고, 그 농도의 증가는 법랑질의 산용해성을 증가시키므로 우식감수성과의 관계가 주목받고 있다.

현재 탄산은 법랑질 아파타이트 구조에 고유 성분인 것이 밝혀지고 있어 결정 중에서는 CO_3^{2-}로서 존재하고 있다. CO_3^{2-}의 대부분(약 95%)이 PO_4^{3-}로, 아주 일부가 OH^-와 치환하고 있다. 아파타이트 중에 CO_3^{2-}가 4% 존재하는 것은 각각의 몰수를 환산하면 7개의 PO_4^{3-} 중 1개가 CO_3^{2-}로 치환되고 있음을 알 수 있다. 법랑질 표층

의 탄산량은 나이가 증가할수록 저하하는 경향을 나타내지만, 이것은 치태(또는 치태)에서 생성된 산에 의해서 탄산이 용출되어 나왔거나 불소와 치환된 결과로 생각한다.

5) 법랑질의 미량 원소

법랑질의 미량 원소는 방사화 분석(방사성 동위원소를 이용한 고감도 화학분석법)이나 스파크 광원 질량 분석(spark source mass spectrometry)에 의해서 측정되어 왔다. 미국의 여러 지역에서 모아진 28개 시료(20세 이하의 소구치)를 이용해 66종의 원소를 분석했는데, 35종의 원소가 검출되었다. 나머지 31종은 존재한다고 해도 검출한계 이하일 것이다.

(1) 불소(F)

치아 특히 법랑질중의 불소가 주목받게 된 것은 풍토병으로서의 반상치의 원인이 음료 수중의 불소인 것이 밝혀졌다. 그 후 연구를 통해 음료수중의 불소량과 우식 이환율과의 사이에 역상관성이 있음이 밝혀졌다. 불소 투여에 의한 우식예방의 문제에 관하여서는 구강 보건학에서 보다 상세하게 다루기 때문에 여기에서는 미량 원소의 하나로서 법랑질 중에 존재하는 불소에 대해서만 기술할 것이다.

법랑질은 불소 섭취량의 변화에 대해 생체 중에서 가장 민감하게 반응하는 조직으로 불소 함량은 불소 섭취량의 영향을 크게 받는다. 그 분포양식은 그림 7-27A로부터도 알 수 있듯이 표층의 농도가 심층에 비해 급격하게 높아진다.

아파타이트의 반응은 불소의 농도에 따라서 달라 고농도(예를 들어 5~10%)의 경우는 최초 불화칼슘(CaF_2)의 침전이 생기고, 후에 서서히 불화 아파타이트[fluoroapatite, $Ca_{10}(PO_4)_6F_2$]로 이행되는데 비해, 저농도(예

를 들어 1ppm) 경우는 처음부터 불화 아파타이트가 형성된다고 생각한다.

또 결정 형성기에 불소가 동시에 존재하면 보다 크지만, 격자 결함이 보다 적은 결정이 형성되어 용해성이 저하한다. 이것은 탄산이나 마그네슘과는 반대 작용이며, 불소의 우식저항성과 관련해 중요한 성질이다. 그 존재 양식에 관하여는 전술한 것처럼 불소는 아파타이트 결정 격자중의 OH⁻기와 치환하는 것이 알려져 있다(그림 7-20 참조).

(2) 스트론튬(Strontium, Sr)

사람 법랑질중 스트론튬 농도는 지역에 따라 매우 달라 15~1,200ppm라고 보고되고 있다. 법랑질 중에 거의 일정하게 분포해 나이에 따른 차이도 보이지 않는다. 1953년에 핵실험이 시작된 이래, 치아에도 ^{90}Sr의 축적이 인정되게 되었다. 이것은 대기 중의 ^{90}Sr가 비에 의해서 목초지의 풀에 스며들고, 이것을 사료로 하는 소의 우유를 통해 사람의 치아나 뼈에 침착한다고 하는 먹이사슬도 생각되고 있다. 치아의 형성시기에 받아들여진 스트론튬은 영구히 존재한다. 스트론튬은 격자중의 칼슘과 치환한다. 쥐, 모르모트에서는 필수 원소의 하나로 간주한다. 사람 및 쥐에서 스트론튬의 항우식작용이 밝혀지고 있다.

(3) 납(Pb)

납은 법랑질에 항상 존재하는 원소 중에서 눈에 띄게 큰 원자번호(82)를 가지는 원소이다. 미맹출 치아나 맹출 치아 모두에서 법랑질 표층에서 농도가 높고, 심층으로 향할 수록 저하되는 농도 구배가 보인다(그림 7-27A). 그 함량에 대해서는 지역 차이가 크지만 평균값으로 30~90ppm이라고 하는 값이 보고되고 있다. 불소, 아연등과 함께 향골성원소(bone seeking element)라고 불려, 위장관에서 흡수 된 납은 중추신경계에 축적되고, 독성을 나타내지만, 최종적으로 85%이상이 뼈, 치아 등

의 석회화 조직에 침착한다. 아파타이트 중에서는 Ca^{2+}와 치환한다.

(4) 구리(Copper, Cu)

법랑질에 거의 일정하게 분포해 사람의 경우 평균 함량은 20ppm이다. 구조상의 역할, 치아의 대사 및 유지의 면에서 생리적 기능에 대해서는 확실하지가 않다. 또 법랑질의 용해성이나 우식과는 관계가 없다.

(5) 철(Iron, Fe)

사람의 치아에서 철이 어떠한 역할을 하는지는 분명하지 않다. 단지, 설치류의 절치에 볼 수 있는 갈색은 철을 포함한 색소로 절치의 정상적인 발육에 필수 요소이다.

(6) 아연(Zn)

그 농도 분포는 법랑질 표층(200~900ppm)이 법랑질 심층(200ppm)에 비해 높다. 지역차이는 크지만, 치아의 아연함량은 다른 어느 조직보다 높다. 아파타이트 중의 Ca^{2+}와 치환해, 불소와 동일한 정도로 아파타이트의 산저항성을 높인다고 하지만, 동물실험에서는 우식저항성이 크게 관찰 되지 않는다.

(7) 그 외의 미량 원소

그밖에 여러 가지 원소의 존재가 확인되고 있지만, 이들 미량 원소 가운데 몰리브덴(Mo)과 바나듐(V)은 항우식작용이 있는 것으로 생각한다.

이상으로 법랑질의 무기성분에 대해서 살펴봤지만, 지구상에 통상 존재하는 90종의 원소중 26종, 즉, 주된 원소로 C, Ca, H, N, O, P와 미량 원소로 As. Cl, Co, Cr, Cu, F, I, K, Mg, Mn, Mo, Na, Ni, S, Se, Si, Sn. V, Zn의 합계 26종이 동물의 생명에 필수인 것이 알려져 있다. 이들 26종의 원소 중 원자번호 34 이상의 것은 4종(I, Mo, Si, Sn)뿐이다. 법랑질의 미량 원소에

대해서도 마찬가지로 법랑질에 10mg/g건조 중량 이상 존재하는 7종의 원소 가운데, 원자번호 34 이상의 것은 Sr(원자번호 38)뿐이다. 이러한 사실로부터, 생명에 꼭 필요한 것으로 원소가 법랑질에 흡수되는데 영향을 주는 하나의 인자가 원자의 크기와 하전 밀도인 것을 알 수 있다.

상아질 미량 원소의 농도 변화에 대해서는 법랑질만큼 조사되지 않았지만 불소 농도에 대해 살펴보면 전체적으로 법랑질보다 높고, 치수 쪽을 향할수록 증가하는 것이 밝혀졌다.

참고문헌

1. Cole AS, Eastoe JE : Biochemistry and Oral Biology. 2nd ed. Wright.1988.

2. Ferguson DB : Oral Bioscience. ChurchillLivingstone. 2006.

3. Levine M : Topics in Dental Biochemistry. Springer. 2011.

4. Rugg-Gunn AJ, Nunn JH : Nutrition, Diet, and Oral Health. Oxford. 1999.

5. Shaw JH, Sweeney EA, Cappuccino CC, Meller SM: Textbook of Oral Biology. Saunders. 1978.

6. Vasudevan DM, Sreekumari S, Vaidynathan K : Textbook of Biochemistry for Dental Students. 2nd ed. Jaypee. 2011.

7. 박광균 : 경조직 및 구강 생화학-분자세포생물학. (주) 라이프사이언스. 2013.

8. 이준희, 신순기 공역(아오끼 히데끼 저) : 경이의 생체물질 아파타이트. 세종출판사. 2002.

9. 하야카오 타로오, 스다 타츠오, 키자키 하루토시, 하타 유이치로, 타카하시 노부히로, 우다가오 노부우기 : 구강생화학. 4판. 이사야쿠 출판. 2005.

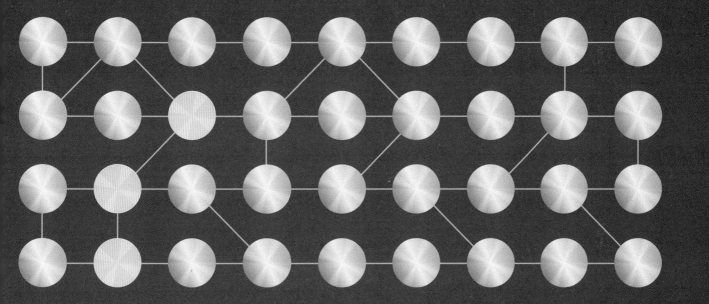

08

Chapter

경조직의 유기성분

뼈는 무엇을 위해 존재하는 것일까? 이에 대한 답을 위해서는 생명체의 진화에 대하여 먼저 생각하여야 한다. 일반적으로 "생명은 바다에서 탄생하였다"라는 말은 이 분야 연구자들에게 널리 보편화된 지식이다. 바다는 여러 다양한 물질로 구성되어 있어서, 그 물질끼리 화학반응이 일어날 가능성이 높다. 실제로 바다를 구성하는 원소는 인을 제외하고 생물을 구성하는 원소와 거의 유사하여 생명체가 바다에서 처음 형성되었다고 생각한다. 바다의 경우 너무 넓어서 물질과 물질이 효율적으로 충돌하여 특정 분자를 만들기에는 화학반응의 효율성이 너무 낮다. 생명체를 구성하는 분자를 형성하기 위해 이들 화학 반응에 참여하는 물질이 작은 공간 내에 존재할 경우 그 효율성은 아주 높아진다. 이러한 작은 공간으로서 처음 나타난 것이 생명체의 세포막이다. 이렇게 제일 처음 나타난 생명체는 단세포 생물이며, 세포가 바다로부터 필요한 물질을 쉽게 받아들여 성장 및 번식을 하였다. 그러나 보다 많은 세포가 등장함으로써 단세포 생물은 다세포 생물로 되어 생존경쟁이 치열하여졌다. 결과적으로 필요한 물질을 주위에서 쉽게 얻을 수 없게 되었고, 필요한 물질을 얻기 위해 더 빨리 움직일 필요가 있었다. 결과적으로 근육과 골격계를 갖춘 동물이 나타나고, 처음 살던 바다에서 강으로, 강에서 육지로 이동하여 환경이 다른 영역으로 진출하였다. 동물이 바다에서 육지로 이동하였을 때 중력에 견딜 수 있는 몸이 필요하다. 이를 위해 몸을 지탱할 수 있는 확실한 지주가 필요하게 되었다. 이러한 지주를 만드는 데는 2 방법이 있어 집을 지을 때 기둥을 세우는 방법과 야구장의 돔처럼 주위를 단단히 다지는 방법이 있다. 여기에서 지주를 내골격이라 할 수 있으며, 돔을 외골격이라 할 수 있다. 이러한 내골격이나 외골격은 모두 미네랄 성분인 무기성분과 콜라겐 등의 유기성분으로 구성되어 있다.

뼈 조성의 70%는 칼슘과 인산의 복합체인 하이드록

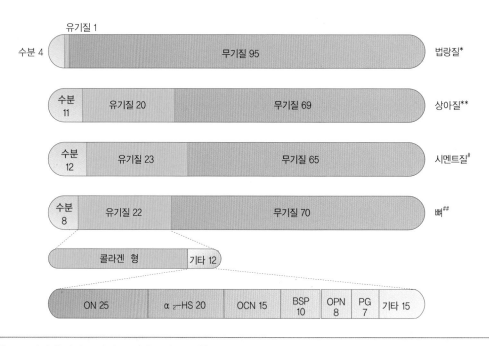

■■■ 그림 8-1. 뼈와 치아의 무기질, 유기성분 및 수분함량(중량 %)

ON : osteonectin, α₂-HS : α₂-HS 당단백질, OCN :osteocalcin, BSP : bone sialoprotein, OPN : osteopontin, PG : proteoglycan

시아파타이트(hydroxyapatite)이며, 22%가 유기성분, 나머지가 수분이다(그림 8-1). 유기성분의 약 90%는 Ⅰ형 콜라겐이며, 이 밖에 다양한 비콜라겐성 단백질(non-collagenous protein, NCP)이 존재한다(표 8-1). NCP는 전 단백질의 10% 전후로 적지만 많은 경우 산성 단백질로 아파타이트와 상호작용 함으로써 석회화에 관여하기 때문에 주목받고 있다.

뼈의 세포외기질(ectracellular matrix, ECM) 성분의 기본적 기능은 (1) 뼈의 역학적 지지와, (2) 한정된 장소에서 세포 기능 조절이다. Ⅰ형 콜라겐에 의해서 구축되는 콜라겐 섬유는 건조물에 비유하면 철근/철골에 상당하는 하이드록시아파타이트가 침착하는 것(석회화)에 의해 뼈의 역학적 강도가 획득된다. 또한 특히, 리모델링(remodeling, 개조 현상)이 있는 뼈에서는 ECM 성분은 골모세포, 파골세포 및 골세포의 발판이나 접착 부위로

서 그러한 증식, 생존, 분화, 형태변화를 조절하며, 나아가 TGF-β 등의 성장인자와 결합함으로써 성장인자를 저장하였다가, ECM의 분해에 의해 성장인자를 유리하여 세포 생리 활성의 신속한 발현을 돕고 있다. 뼈와 비교하여 치아는 극히 작은 장기이면서 경조직으로 법랑질, 상아질, 시멘트질(시멘트질은 엄밀한 의미에서는 치아의 조직이 아니고 치주조직의 하나로 분류된다)과 같은 3개의 다른 조직으로 구성되어 있다. 상아질과 시멘트질은 모두 외배엽성간엽(ectomesenchyme) 조직이며, 그 ECM 성분도 간엽성에 거의 가까우며, 법랑질은 외배엽성의 조직으로, 그 형성 과정과 유기성분은 뼈나 치아의 상아질이나 시멘트질과는 아주 다른 조직이다.

여기에서는 우선 뼈, 상아질 및 시멘트질에 공통된 유기성분에 대해 기술하고, 그 다음에 법랑질이나 상아질에 고유한 유기성분에 대해서 기술하고자 한다.

표 8-1. 뼈, 상아질 및 시멘트질의 비콜라겐성 단백질

뼈, 상아질 및 시멘트질에서만 볼 수 있는 단백질

오스테오칼신(osteocalcin), 뼈 Gla 단백질, bone Gla protein)
뼈 시알로 단백질 1(bone sialoprotein) 1, BSP 1)
상아질 기질 단백질 1(dentin matrix protein 1, Dmp 1)
BAG-75

기타 다른 조직에서도 볼 수 있는 단백질

기질 Gla 단백질(matrix Gla protein, MGP)
오스테오넥틴(osteonectin)
오스테오폰틴(osteopontin)
그 외의 RGD 함유 단백질 : 트롬보스폰틴(thrombospondin), 파이브로넥틴(fibronectin), 비트로넥틴(vitronectin) 등
프로테오글리칸(proteoglycan)
데코린(decorin)과 바이글리칸(biglycan)
혈청 단백질 : 혈청 알부민과 α_2-HS-단백질

상아질에서만 볼 수 있는 단백질

상아질 시알로 인단백질(dentin sialophophorotein)
포스포포린(phosphophoryn)

1 뼈와 상아질 모두에서 발견되는 공통적인 유기성분

1) 콜라겐

콜라겐(collagen)에 대한 기본 구조는 이미 6장에서 다루었다. 뼈의 유기기질 중 콜라겐이 85~90%를 차지하고 있어, 콜라겐을 제외하고 석회화 조직에 관계되는 단백질에 대한 이야기를 할 수 없다(표 8-2). 법랑질을 제외하고 다른 경조직은 미세섬유성 콜라겐이 인산칼슘으로 석회화되는 스캐폴드(scaffold)로 작용한다. 제Ⅰ형 콜라겐은 뼈와 치아에서 법랑질을 제외한 부분, 힘줄 및 인대에서 석회화가 되나, 석회화 연골의 경우 거의 대부분 제Ⅱ형 콜라겐을 함유한다. 미세섬유성 콜라겐은 석회화 조직이나 석회화 성분을 갖는 생명체에만 국한되는 것이 아니어서 미세섬유성 콜라겐이 해면동물에서 사람까지 거의 모든 다세포 동물에서 잘 보존되고 있다. 콜라겐이 이렇게 넓게 분포하는 것은 후생동물(metazoan) 계통의 생존과 발생에 있어 중요성을 강조하는 것이다.

뼈, 상아질 및 시멘트질의 유기성분 주체는 앞에서 기술한 것처럼 약 85~90%를 차지하는 제Ⅰ형 콜라겐과 나머지 약 10%가 비콜라겐성 단백질이며, 산성 단백질이 많다. 제Ⅰ형 콜라겐 외에 소량의 제Ⅲ형, 제Ⅴ형 콜라겐이 존재한다. 뼈의 형성과 재생 경우 제Ⅲ형 콜라겐의 합성이 높아진다. 또한 FACIT 콜라겐도 포함되어 있는 것이 알려지고 있다. 이러한 콜라겐은 일반적 콜라겐과 본질적으로 같은 것으로, 6장에서 이미 기술하였다. 제Ⅰ형 콜라겐이 다양한 조직에 존재하고, 후생동물에서 미세섬유성 콜라겐이 넓게 존재하고 있어, 콜라겐이 석회화 기질인 것은 확실해 보이지만, 경조직 석회화를 결정하는 유일한 기질은 아니다. *in vitro* 실험에서 혈청이나 다른 첨가물을 넣지 않는 경우 자연 상태에서 석회화된 콜라겐의 구조적 특징을 재구성 할 수가 없는데, 이러한 사실은 석회화에 있어 비콜라겐성 단백질의 중요성을 보여주는 실험이다.

제Ⅰ형 콜라겐은 이미 앞에서 기술한 것처럼 2가닥의 $\alpha(I)$ 사슬과 1가닥의 $\alpha(II)$ 사슬로 구성되는 삼중나선 구조를 가지고 있다. 골형성부전증(osteogenesis imperfecta)의 원인은 제Ⅰ형 콜라겐의 유전자 변이에 의하여 일어난다. 콜라겐의 분해에는 카텝신(cathepsin)이나 기질금속성 단백질 분해효소(matrix metal protease,

표 8-2. 뼈 기질에서 발견되는 콜라겐 관련 유전자와 단백질의 특징

콜라겐	유전자	단백질	기능
Ⅰ형	COL 1A1, 17q21.3-22, 18kb 51엑손 7.2 및 5.9kb mRNA	$[\alpha1(1)2\ \alpha2(1)]$ $[\alpha1(1)3]$	뼈 기질 중 가장 풍부(유기질 중 90%) 석회화의 뼈대(scaffold)로 작용 하이드록시아파타이트 축적을 돕는 결정 핵으로도 작용 방향 지시
X형	COL 10A1	$[\alpha1(X)3]$	
Ⅲ형	COL 3A1, 2q24.3-q31	$[\alpha(Ⅲ)2]$	비대연골에 존재하지만 기질석회화를 조절하지 않음
V형	COL 5A1 9q34.2 COL 5A2 2q14 COL 5A3 19p 13.2	$[\alpha1(V)2\ \alpha2(V)]$ $[\alpha1(V)\ \alpha3(V)]$	뼈에 아주 적은 양 존재 콜라겐 미세섬유 직경 ㅈ절 뼈에 결핍될 경우 뼈 콜라겐 미세섬유 직경이 커짐
FACIT			

MMP) 등의 단백질 분해효소가 관여하는 것이 밝혀졌다. MMP-1, -8, -13 등은 콜라겐 분자를 N-말단의 3/4 부분을 절단하며, 또한 MMP-2, -9 등에 의해 보다 작게 절단된다. 파골세포에 특이한 단백질 분해효소(protease)인 카텝신 K(cathepsin K)는 제Ⅰ형 콜라겐을 분해하며, 가교 부분을 포함하는 NTX(제Ⅰ형 콜라겐 가교 N-telopeptide)나 CTX(제Ⅰ형 콜라겐 가교 C-telopeptide), 가교 부분의 DPD(deoxypyridinoline) 등의 생성에 관여하는데, 이들 펩타이드는 뼈 흡수 표지자(marker)로 사용된다.

제Ⅱ형 콜라겐은 3가닥의 α(Ⅰ) 사슬로 구성되는 콜라겐으로 연골기질을 형성하는 주 단백질이다. 합성과정은 기본적으로 제Ⅰ형 콜라겐과 같으며, 그 발현은 증식연골세포층에서 비대연골세포층까지로 한정되어 발현되고, 연골기질의 강도나 성상을 결정한다. 제Ⅱ형 콜라겐은 제Ⅹ형 콜라겐이나 제Ⅳ형 콜라겐과 이질다량체(heteropolymer)를 형성하는 것으로 알려져 있다.

제Ⅱ형 콜라겐의 돌연변이는 연골형성부전증(chondrodysplasia)의 원인으로 알려졌으며, 돌연변이가 일어난 부위에 따라 병의 중증도가 다양하게 나타난다고 보고되었다. 스티클러 증후군(Stickler syndrome 또는 유전적 진행성 관절안병증)에서는 증상이 비교적 경미하며, 환자는 유년성의 변형성 관절증(arthrosis deformans juveniles)을 나타낸다. 한편 선천성 척추 골단 이형성증(spondyloepiphtseal dysplasia congenita, SED)이나 니스트 증후군(Kniest syndrome)은 현저한 골격이상과 난쟁이가 특징이다. 연골무발생증 2형(achondrogenesis type Ⅱ)이나 연골저발생증(hypochondrogenesis)의 경우에는 치사형의 표현형이 나타나기도 한다. 이러한 중증질환에서는 글리신(glycine)의 돌연변이에 의해 제Ⅱ형 콜라겐의 삼중나선 구조가 형성되지 않거나, 정상적인 제Ⅱ형 콜라겐의 분비 이상, 혹은 세포내에서 분해가 되어 연골 기질 속에 제Ⅱ형 콜라겐이 감소된다고 보고되었다. 제Ⅱ형 콜라겐 녹아웃 마우스는 호흡 부전에 의해 태어나자마자 곧 사망하며 연골무발생증 2형과 유사한 골격의 현저한 형성부전을 보인다(그림 8-2).

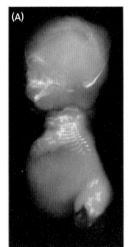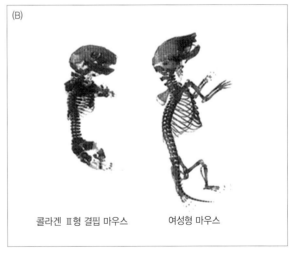

콜라겐 Ⅱ형 결핍 마우스　　　여성형 마우스

■ ▓ 그림 8-2. 사람과 마우스에서 Ⅱ형 콜라겐 결핍에 대한 표현형

(A) 연골무발생증 2 형 환자의 방사선 사진 (B) b. Ⅱ형 콜라겐 결핍 마우스의 전신 골격 염색

Aszódi A 등: Mammalian skeletogenesis and extracellulor matrixiwhat can we learn form knockout mice? Cell Struct Funct 25(2): 73-84. 2000.

2) 뼈와 상아질 모두에서 발견되는 내인성 비콜라겐성 단백질

뼈나 상아질의 석회화 세포외기질에 존재하는 단백질의 성질에 대하여는 광범위하게 연구되었다. 상아질이나 뼈의 추출물에는 단백질 분해효소나 기타 분해효소들이 함유되어 있기 때문에 추출 과정 중에 인위적인 분해를 방지하기 위해 분해 억제 완충 용액이나 시약들을 사용하였다. 일반적으로 상아질 단백질의 특성은 뼈 단백질의 특성과 비슷하다. 상아질에서 분리된 세포외기질 단백질은 뼈에서 분리된 세포외기질 단백질과 유사하지만 양적인 차이가 있다. 뼈와 마찬가지로 상아질에서도 주 세포외기질 단백질로 제 I 형 콜라겐(type I collagen)을 함유하고 있지만, 기타 콜라겐은 그 양이 뼈보다 양이 적다. 몇 가지 단백질이나 프로테오글라이칸은 뼈와 상아질에 모두 공통적으로 존재하는데, 오스테오넥틴(osteo-nectin)/SPARC, 오스테오칼신(osteocalcin), 오스테오폰틴(osteopontin), 뼈 시알로 단백질(bone sialopro-tein), 데코린(decorin) 및 바이글리칸(biglycan) 등은 양 조직에 모두 존재한다. 상아질 기질 단백질[dentin matrix protein-1(Dmp-1)]은 처음에는 오직 상아질에서만 발견된다고 생각하였지만, 뼈에서도 발견이 된다. 뼈와 마찬가지로 상아질 세포외기질 단백질에는 외인성 단백질로 혈중에서 유래된 단백질인 몇 종류의 성장인자들도 존재한다.

(1) 비콜라겐성 단백질

뼈나 상아질의 유기성분 중 콜라겐(collagen) 이외의 단백질을 비콜라겐성 단백질이라 총칭한다. 양적으로는 경조직 전체 단백질 중 10% 이하로, 산성 단백질이 많고, 하이드록시아파타이트(hydroxyapatite)와 상호 작용하는 것이 있어서 석회화와 밀접한 관련으로 인해 주목을 받는다. 상아질 기질 단백질 중 10%는 비콜라겐성 단백질로 이중 70%는 에틸렌디아민사초산[ethylenediamine tetraacetic acid(EDTA)]으로 탈회하는 경우 녹아 나오고, 나머지 30%는 콜라겐과 결합되어 있다. 경조직에서 발견되는 비콜라겐성 단백질은 뼈와 치아 모두에서 발견되는 비콜라겐성 단백질과, 상아질에서만 발견되는 비콜라겐성 단백질로 나눌 수 있다(표 8-1). 또한 경조직 자체에서 합성되는 내인성 단백질과 혈액이나 간에서 유래된 외인성 단백질로도 나눌 수도 있다.

중배엽에서 유래된 상아모세포(odontoblasts)가 성숙해지면서 처음에는 아직 석회화가 일어나지 않은 세포외기질을 분비하는데, 이를 상아전질(predentin)이라 한다. 일차 상아질(primary dentin) 형성에 있어 이들 상아전질 세포외기질(ECM)은 콜라겐 미세섬유(collagen fibrils)가 석회화가 일어남으로서 상아질로 전환되고, 추가적으로 미석회화 상아전질이 더 만들어 진다. 상아전질이 상아질로 변화하는 데는 세포외기질 양의 변화, 콜라겐 미세섬유 내나 주위에 하이드록시아파타이트 결정체(apatite crystal)가 축적되는 것 등과 연관이 있다. 어떻게 석회화 상아질이 형성되는지 그 정확한 기전은 밝혀지지 않았지만 일반적으로 상아질 기질 단백질(dentin matrix protein), 프로테오글라이칸 및 지방이 이 과정에서 중요한 역할을 하리라는 것은 받아들여지고 있다. 상아질 형성과정에서 일어나는 일련의 사건들이 뼈 형성과정에서도 비슷하게 일어난다. 즉 유사분열 후의 골모세포가 세포외기질을 분비하는 데, 이것이 미석회화 유골(osteoid)이며, 이는 다시 하이드록시아파타이트 결정체가 제 I 형 콜라겐 위에 축적되어 뼈로 전환된다.

상아질형성(dentinogenesis) 과정과 뼈형성(osteo-genesis) 과정 동안에 미네랄 형성과정은 잘 조절되는 과정으로 배열이 잘되어 있는 판지 모양의 결정체가 콜라겐 미세섬유의 간극(gap)에 형성된다. 미네랄 형성은 기질로서 콜라겐뿐만 아니라, 석회화 전선(mineraliza-tion front)에 분비된 뼈나 상아질의 비콜라겐성 기질 단백질도 관여한다. 예를 들면 석회화의 개시는 인산화된 세포외기질 단백질이 콜라겐 간극 부위에 부착하고, 이어서 이 삼차원적 단백질에 칼슘과 인의 결합이 일어나 하이드록시아파타이트 결정체를 형성하게 된다. 잘 배열된 판상의 결정체에 새로운 미네랄이 부착하는 것도 성장 중인 하이드록시아파타이트에 결합된 기질 단백질이 영향을 주며, 이온 축적 속도에도 영향을 주어 결정체의 모양이나 성질에도 영향을 끼치게 된다.

상아질형성 과정과 뼈형성 과정의 기전을 이해하기 위해 많은 연구자들이 상아질과 뼈의 기질 단백질을 분리하여 특성을 규명하였다. 이러한 결과로 이들 기질 단백질의 화학적 및 물리적 성질 뿐만 아니라, 유전자 구조와 그 조절 기전, 나아가 생물학적 활성도가 밝혀졌다.

여기에서는 비콜라겐성 내인성 단백질로 ① 감마글루탐산을 함유하는 단백질 , ②소형 인테그린 결합단백질, ③ 다른 결합조직에도 존재하는 비콜라겐성 단백질에 대하여 다룰 것이다.

(2) 감마 글루탐산(γ-glutamic acid)을 함유하는 단백질

비타민 K-의존성 단백질 패밀리 멤버는 DNA로부터 단백질 합성 후에 글루탐산(glutamic acid, Glu)이 감마-카르복시글루탐산(γ-carboxyglutamic acid, Gla)으로 수식된다. 비타민 K-의존성 단백질 패밀리인 뼈 Gla 단백질[bone Gla protein, BGP 또는 오스테오칼신(osteocalcin)]과 기질 Gla 단백질(matrix Gla protein, MGP)은 골격과 치아의 석회화와 유지에 중요한 역할을 하지만, 아직 정확한 역할에 대하여는 밝혀지지 않았다. 이외에도 Gla를 함유하는 뼈 기질 단백질로 단백질 S(protein S)가 있는데, 이 단백질은 비타민 K-의존성 단백질로 주로 간장에서 합성되지만 골모세포에서도 발현되는 뼈 기질 단백질임이 밝혀졌다(표 8-3). 여기에서는 오스테오칼신과 단백질 S에 대하여 다루고, 기질 Gla 단백질에 대하여는 뒤에서 다시 다룰 것이다.

① 오스테오칼신

오스테오칼신[osteocalcin 또는 bone Gla protein (BGP)]은 뼈 기질에 존재하는 비콜라겐성 단백질 중 제일 풍부하게 존재한다. 탈회액 속에 프로트롬빈(prothrombin), 혈액응고인자(blood clotting factor)인 Factor Ⅱ, Ⅶ, Ⅸ, Ⅹ 등에서 발견되는 감마-카르복시글루탐산[γ-carboxy glutamic acid(Gla)]을 함유하는 비타민 K-의존성 단백질이 발견되어, 뼈 감마-카르복시글루탐산(bone γ-carboxyglutamate), 뼈 Gla 단백

표 8-3. 뼈 기질에서 Gla 함유 단백질의 유전자 및 단백질 특징

Bilezikian JP, Raisz LG, Martin TJ : Principles of bone biology. 3rd ed. Vol. 1. Tokyo. Academic Press. 2008. p.342.

비타민-K의 의존성 단백질	유전자	단백질 성상	기능
오스테오칼신	4엑손 11.2kb	~5kDa 1이황화 결합 α-나선구조 내에 Gla 잔기	파골세포 및 그 전구세포 활성도 조절 뼈 혀성과 흡수 사이의 전환점의 특색
기질 Gla 단백질	12p 4엑손 3.9kb	~15kDa, 5Gla 잔기 1이황화 결합 포스포세린 잔기	연골대사에서 기능 석회화에 대한 음성 조절자(negative reglator)
단백질 S	3.q11.2	~75kDa	주로 간에서 합성 결핍 경우 골감소증 유발

질(bone Gla protein, BGP) 또는 오스테오칼신(osteo-calcin)이라 부른다(그림 8-3A). 오스테오칼신은 비콜라겐성 단백질의 약 10%에 해당되는 작은 단백질이다. 이 단백질은 골모세포에서 풍부하게 생성되기 때문에 뼈 형성 표지자(marker)로 사용한다.

BGP는 척추동물의 석회화 조직에 특이한 단백질로 골모세포(ostoblast), 상아모세포(odontoblast) 및 비대연골세포에서 합성된다. 이 단백질은 칼슘과 결합할 수 있는 능력이 있는 아미노산인 감마-카르복시 글루탐산(γ-carboxy glutamic acid)을 3분자 함유하고 있는 것이 특징이다(사람의 경우 2분자). 지금까지 알려진 모든 BGP는 프리프로 단백질(prepro-protein)로 합성되며, 3개의 Gla(아미노산 17, 21, 24)를 함유한다. BGP는 사람을 비롯하여 대부분의 척추동물 뼈에 상당량 존재하며, 뼈 전체 단백질의 1~2%를 차지하며, 비콜라겐성 단백질의 10~20%이다. BGP에 함유되어 있는 Gla는 그림 8-4에 나타냈듯이 펩타이드 속에 들어있는 글루탐산이 비타민 K-의존성 카르복실화 효소(carboxylase)의 작용으로 γ-위치의 탄소에 이산화탄소(CO_2) 1분자가 고정되어 만들어 진다. 이 반응은 프로트롬빈 전구체로부터 혈액응고계 인자의 하나로서 중요한 프로트롬빈으로 전환되는데 관여하는 반응과 완전히 똑같다. 오스테오칼신의 N-말단 프로펩타이드 영역에는 앞서 기술한 비타민 K 의존성 카르복실화 효소의 인식 부위가 있어 Gla 잔기가 생성된 후, 이 프로펩타이드는 분비 전에 단백질 분해효소(protease)에 의해서 절단된다. 그림 8-3A에 나타냈듯이 아미노산 49개로 이루어지고, 3개의 Gla를 함유하며, 이들은 서로 0.54nm의 간격을 두고 있어 하이드록시아파타이트(hydroxyapatite)에서 칼슘의 간격이 0.545nm인 것을 고려하면 흥미로운 일이다. 23개 아미노산으로 이루어진 시그널 펩타이드와 28 아미노산으로 구성되는 프로펩타이드를 갖는다. 사람의 BGP는 분

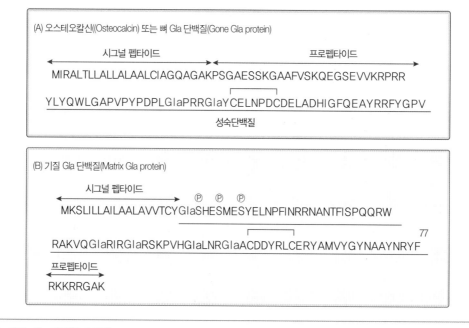

■■■ 그림 8-3. 사람 Gla 단백질의 일차구조

(A) 오수테오칼신(osteocalcin 또는 bone Gla protein, BGP) (B) 기질 Gla 단백질[matrix Gla protein(MGP)]. Gla : γ-carboxyglutamate 잔기, S℗ : phosphoserine

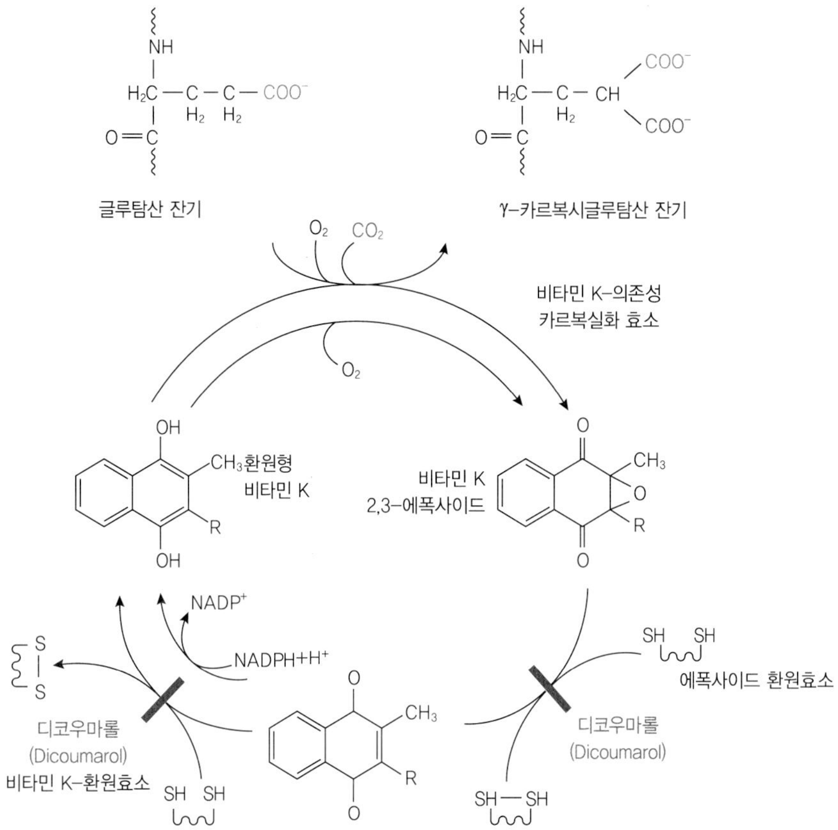

그림 8-4. 비타민 K 의존성 탄산 고정반응

이 반응계에서는 ATP와 비오틴(biotin)은 요구되지 않기 때문에 종래의 비오틴 의존성 탄산 고정반응과는 다르다.

자량 5,930이며, 3Gla가 아니라 2개의 Gla를 갖는다.

BGP의 기능으로 초기에는 뼈 석회화를 촉진시킨다고 생각했지만, 그 후 연구에서 BGP는 석회화의 촉진보다 오히려 과도한 석회화를 억제하는 것으로 밝혀졌다. 또 다른 기능으로 BGP는 단구세포-대식세포(monocyte-macrophage)에 대한 주화성(chemotaxis) 활성이 있음이 밝혀졌다. 단구세포는 파골세포(osteoclast)의 전구세포 혹은 동일 기원 세포라고 보고되어 있으므로 BGP가 파골세포의 전구세포를 모아 뼈 흡수를 촉진시킨다고 생각할 수 있다. 이러한 사실은 활성형 비타민 D가 BGP를 유도한다는 사실과도 잘 일치되고 있다.

② 단백질 S

단백질 S(protein S)는 비타민 K-의존성 단백질로 간세포, 거핵세포및 혈관 내피세포에 의해 합성된다. 주로 지혈(hemostasis) 조절에서 중요한 역할을 한다. 단백질 S가 선천적으로 부족한 2가지 보고에서 골감소증이 동반된 것으로 보고되었다. 이러한 결과는 뼈 세포에서 합성되는 단백질 S가 뼈에서 부족한 결과로 골감소증이 일어났다는 것을 시사해 준다.

(3) 소형 인테그린 결합 당단백질

뼈 기질 단백질 중에는 아미노산 배열 내에 RGD(아르기닌-글리신-아스파르트산)를 포함하고 있을 뿐만 아니라 상대적으로 시알산(sialic acid)을 상당량 함유한 것들이 많다. 흥미롭게도 이들 단백질은 모두 4q21-23에 클러스터를 이루고 있으며, 유전자 복제에 의해 만들어 진다. 이러한 이유로 이 단백질 패밀리를 SIBLINGs(*Small Integrin-Binding Ligands with N-Linked Glycosylation*)라 이름 붙였다. 이 단백질 패밀리로는 가장 연구가 많이 된 2가지 단백질로 오스테오폰틴(osteopontin, OPN)과 뼈 시알로 단백질(bone sialoprotein, BSP)이 있으며, 똑같은 유전자에서 코드 되는 3가지 단백질인 상아질 기질 단백질-1(dentin matrix protein-1, Dmp-1)과 상아질 시알로 단백질(dentin sialoprotein, DSP) 및 상아질 인단백질(dentin phosphoprotein, DPP)이 있는데, 이중 DSP와 DPP를 합쳐 상아질 시알로 인단백질(dentin sialophosphoprotein, DSPP)이라 부르며, 기질세포외 당단백질(matrix extracellular phosphoglycoprotein, MEPE), 보다 원위부에서 발현되는 단백질인 에나멜린(enamelin, ENAM)이 포함된다. SIBLINGs이 처음에는 석회화 조직에 특이한 것으로 생각되었지만, 이들 중 많은 것이 대사 활성이 강한 상피세포에서도 발현되는 것이 밝혀졌다.

① 넓은 의미의 뼈 시알로 단백질

뼈 기질 단백질 중 많은 것들이 상당량의 시알산(sialic acid)을 함유하는 특징이 있다. 이들 중 가장 잘 알려진 것이 오스테오폰틴(osteopontin)과 뼈 시알로 단백질[bone sialoprotein(BSP)]이다. 또 다른 군으로는 상아질 기질 단백질-1[dentin matrix protein-1(Dmp-1)]이 알려져 있다. 이외에도 상아질 시알로 단백질[detine sialoprotein(DSP)]과 상아질 인단백질[dentine phosphoprotein(DPP)]도 같은 유전자에 의해 만들어진다.

뼈에는 당단백질로 시알산(sialic acid 또는 *N*-acetyneuraminic acid)을 함유하는 비콜라겐성 단백질로 크게 2종류의 뼈 시알로 단백질(bone sialoprotein)이 발견되었다. 이들은 뼈 시알로 단백질-1[bone sialoprotein-1(BSP-1)]과 뼈 시알로 단백질-2[bone silaoprotein-2(BSP-2)]로 불려 왔는데, BSP-1은 인산화되어 있으므로 현재는 오스테오폰틴이라 하며, BSP-2를 협의의 BSP라 부르지만, 오늘날 BSP라 하면 이 후자를 말하는 것이 보편적이다. 이와는 달리 또 다른 뼈 시알로 단백질인 뼈 산성 당단백질-75[bone acidic glycoprotein-75(BAG-75)]도 존재한다. 그러므로 여기에서는 먼저 BSP-1으로 알려진 오스테오폰틴에 대해 먼저 다루고, 일반적으로 BSP라 부르는 BSP-2에 대하여 다룰 것이며, 마지막에 BAG-75와 Dmp-1을 다룰 것이다.

가. 뼈 시알로 단백질-1(또는 오스테오폰틴)

뼈 시알로 단백질-1[bone sialoprotein-1(BSP-1) 또는 오스테오폰틴(osteopontin)]은 BSP-I으로 알려진 뼈의 중요한 인단백질(phosphoprotein)이지만, 시알산(silaic acid)도 포함하고 있어 넓은 의미의 뼈 시알로 단백질(bone sialoprotein)로 분류되기도 한다. 유전자는 염색체 4q21-25에 존재한다. 오스테오폰틴은 뼈 조직 이외의 다양한 조직에서도 발현되는 비콜라겐성 단백질로 뼈 조직에서는 골모세포 이외에 파골세포에서도 강하게 발현된다. 뼈 시알로 단백질[bone sialoprotein, BSP ; 이전에는 오스테오폰틴을 bone sialoprotein-1(BSP-1)이라고 불렀으며, 뼈 시알로 단백질을 bone sialoprotein-2(BSP-2)로 불러 구별하였지만, 오늘날 BSP는 뼈 시알로 단백질-2에서만 이용되고 있다]은 뼈 기질 추출물에서 제일 먼저 발견된 단백질이며, 뼈 시알로 단백질은 올리고당 사슬의 말단에 시알산(sialic acid)을 함유하며, 인산, 황산을 포함하는 당단백질이다. 뼈 시알로 단백질은 두 번째로 많은 뼈의 시알로 단백질이다.

이 단백질은 BGP(osteocalcin)보다 조기에 석회화 과정에 출현한다. 뼈에서 오스테오폰틴의 역할로는 미네랄에 대한 세포의 부착을 매개하는 기능이 고려되고 있다. 뼈에서 광화가 일어나기 직전에 기질 형성 단계에 해당하는 골모세포의 성숙과정 말기에 발현된다.

나. 뼈 시알로 단백질-2

뼈 시알로 단백질-2(bone sialoprotein-2, BSP-2)은 인테그린-결합 시알로 단백질(integrin-binding sialoprotein, IBSP)로도 알려졌으며, 일반적으로 뼈 시알로 단백질이라 하면, 이 BSP-2를 이야기 한다. BSP는 오스테오폰틴과 함께 대표적인 뼈 기질 내의 시알로 단백질의 한 가지로, 그 발현은 뼈 석회화와의 관계가 강하게 시사되고 있다. 골모세포 분화에 있어 석회화가 일어나는 후기에 발현이 상승한다. 또한 *in vitro* 연구에서 세포 부착에도 관여하고 있다고 시사되고 있으며, 이 단백질 역시 RGD 배열을 가지고 있으며, 인테그린과 결합함으로써 세포의 부착을 촉진한다.

그림 8-5에 나타낸 것처럼 BSP는 3개의 폴리글루탐산영역(polyglutamate domain, 8개의 글루탐산 잔기가 연속하여 배열하여 76-83과 151-158에, 글리신 잔기를 사이에 두어 5개의 글루탐산 잔기가 198-204에 존재한다)과 3개의 티로신 풍부 영역(tyrosine-rich domain)을 가지며, 티로신 풍부 영역의 일부는 산화되어 있다. 뼈 시알로 단백질은 RGD 배열(*C*-말단 쪽에 존재)을 통하여 세포의 비트로넥틴(vitronectin) 수용체($\alpha_v\beta_3$)에 결합하지만, 그 이외에도 RGD 비의존성 세포 부착영역을 가지고 있다. BSP는 칼슘, 하이드록시아파타이트, 세포 및 콜라겐과 결합한다.

BSP는 이미 앞에서 기술한 것처럼, 시알산, 인산, 황산 및 카르복실기를 가지고 있어 음전하를 가지기 때문에 뼈의 아파타이트와 강한 친화성으로 결합하고 있다. 또, 제 I형 콜라겐의 α2 사슬과도 결합한다. 골모세포 뿐만 아니라 골세포나 파골세포도 BSP를 생성한다. 또한 뼈 이외에도 상아질, 시멘트질 및 성장판의 석회화 연골 속에 존재한다. BSP는 통상 이미 앞에서 기술한 석회화 조직에서 한정되어 발현되지만, 미소석회 클러스터(microcalcification cluster)를 형성하는 잠재능을 가지는 영양막(trophoblast, 영양세포라고도 부르며, 배포 외부에 위치한 배자의 외배엽층을 말하며, 태반형성에 기능하는 세포를 포함한다)이나 유방암, 폐암 등의 암세포에서도 발현이 보인다. *in vitro*에서 BSP가 아파타이트 결정 형성의 핵이 되는 것

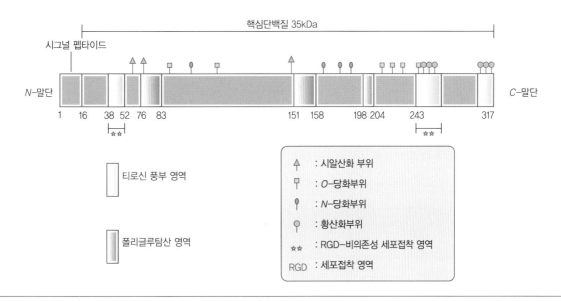

■ ▦ 그림 8-5. 사람 뼈 시알로 단백질 (bone sialoprotein)의 구조모식도

Keiss T, Vale R: Guidebook to the extracellular matrix: Anchor and Adhesion Protein 2nd ed. Sambrock & Tooze Publication. 1998.

으로 보아 석회화에 직접 관여하리라 생각되고 있다.

다. 뼈 산성 당단백질-75

뼈 산성 당단백질-75(bone acidic glycoprotein-75, BAG-75)는 뼈 단백질중 제일 많이 인산화된 단백질이다. BAG-75라는 단백질은 시알로 단백질로 오스테오폰틴이나 BSP와 비슷한 점이 많으며, 세포 부착 활성을 갖는다. BAG-75의 기능으로는 뼈 미네랄의 표면에 존재하여 파골세포에 의한 뼈 흡수를 억제할거라 생각되고 있다. 구조적으로 BAG-75는 오스테오폰틴이나 BSP와 연관이 있으나, 칼슘 결합능에 있어 BAG-75 > BSP > 오스테오폰틴 순이다. BAG-75는 새로 형성된 뼈의 석회화 영역에 많이 분포한다. 이 단백질의 경우 시알산이 7%, 인산이 8% 함유되어 있다.

라. 상아질 기질 단백질-1

상아질 기질 단백질-1(dentine matrix protein-1, Dmp-1)은 처음에는 상아질에만 존재하는 것으로 생각되었지만, 골모세포에 의해서도 합성된다는 사실이 밝혀졌다. 아직까지 뼈에서 어떤 기능을 하는지는 정확히 밝혀지지 않았다. Dmp-1 mRNA는 뇌상기(bud stage) 후기에서 상아질 형성기 전반에 걸쳐서 상아질 세포에서 특이적으로 발현 하는 것으로 생각하였으나 그 후, 미석회화 법랑모세포(ameloblast)에서 일과성으로 발현 하는 것이나, 나아가 골모세포(osteoblast)나 시멘트모세포(cementoblast)에서도 발현 하는 것이 밝혀져 상아질 뿐만 아니라, 광범위한 경조직에 공통된 산성 단백질인 것을 알 수 있다. 그래서 이 단백질을 dentin matrix acidic phosphoprotein-1이라고도 한다.

② 기질세포외 인당단백질

기질세포외 인당단백질(matrix extracellular phosphoglycoprotein, MEPE)은 뼈와 골수에서 발현되며, 뇌에서 높은 농도로 발현되며, 폐, 콩팥, 태반에서는 낮은 농도로 발현된다. 이 유전자는 골연화증(osteomalacia)을 유발하는 종양에서도 높은 농도로 발현된다. MEPE는 인 조절 호르몬(phosphate-regulating hormone)으로 생각된다.

(4) 다른 결합조직에도 존재하는 비콜라겐성 단백질

무기질과는 결합하지 않지만 석회화 조직 중의 다른 유기기질성분이나 세포와의 상호작용을 통해 조직 형성이나 개조에 일부 역할을 하고 있다고 생각할 수 있는 몇 가지 단백질에 대해 설명할 것이다.

① 기질 Gla 단백질

뼈 탈회 후 유기성분 중에 Gla(γ-carboxyglutamate)를 함유하는 또 다른 단백질인 기질 Gla 단백질[matrix Gla protein(MGP)]이 존재한다. MGP는 뼈에서 발견된 두 번째 비타민-K 의존성 단백질이다. MGP는 여러 결합조직에서 발견되지만 연골에서 고농도로 발현된다. MGP는 BGP와 달리 물에 잘 녹지 않으며, 쥐의 경우 아미노산 79개로 이루어지고, 5개의 Gla를 함유한다(그림 8-6). 소의 경우 뼈 1g에 약 0.4mg의 MGP가 함유되어 있다. 또한 MGP는 상아질에 고농도로 포함되어 있다. BGP와 면역학적 교차반응을 나타내지 않지만, BGP와 MGP 사이에는 Gla 근처의 아미노산 배열 상동성(homology)이 인지되는 점으로 보아 기원을 같이 하는 단백질로 생각한다. MGP는 10kDa 단백질로 혈관평활근세포와 연골세포(chondrocytes)에서 합성 분비되며, 뼈, 상아질 연골에 축적된다. MGP의 생리적 역할은 미네랄 축적의 억제물질로 작용하는 것이다. MGP-결핍 마우스 경우 대동맥(aorta)과 같은 골격 이외의 부위에 석회화를 일으킨다는 것이 밝혀졌다. 사람에서 MGP의 돌연변이는 연골에서 과도한 석회화가 일어나는 코이텔 증후군(Keutel syndrome, 연골의 비정상적인 석회화와, 폐동맥의 협착을 나타내는 유전성질환으로 상염색체 열성으로 확산성 연골 석회화, 안면 중앙부의 형성부전, 말초 폐동맥 협착, 청각소실, 짧은 손끝 및 경미한 정신 장애 등이 특징이다. 1972년 Keutel J 등에 의해 처음 보고되었으며, Munroe JP 등에 의해 MGP의 돌연변이가 원인임이 밝혀졌다)이 발생한다. MGP는 BGP와 달리 미성숙 단계에서 발현된다는 점에서 뼈 형성 초기 단계에 작용한다고 생각한다. MGP의 합성 역시 활성형 비타민 D에 의해 촉진된다. 오스테오칼신(BGP)이 뼈 특이적으로 발현되는데 비하여 MGP는 좀 광범위한 조직에서 발현된다. MGP 쪽이 진화의 과정에서 보다 오래된 것으로 오스테오칼신(BGP)보다 먼저 나타나고 있다. MGP는 오스테오칼신과 달리 뼈나 상아질 이외의 석회화하지 않는 연골, 동맥, 폐, 콩팥 및 심장에서도 합성된다. 또 MGP는 오스테오칼신과는 대조적으로 미성숙 단계에서 발현되고 있어 뼈 형성의 초기 단계에서 작용할 것으로 생각해 왔지만, 근년의 녹아웃 마우스를 이용한 연구를 통해 MGP는 동맥이나 연골에서 석회화 억제 인자로 작용하고 있을 가능성이 시사되고 있다.

② 오스테오넥틴

탈회에 대한 방법이 개발되고 분해효소 없이 뼈 기질 단백질을 추출할 수 있는 방법이 개발됨으로서 완전한 형태로 처음 분리된 단백질 중 하나가 오스테오넥틴(osteonectin)이다. 오스테오넥틴은 칼슘, 하이드록시아파타이트, 콜라겐과 결합할 수 있는 능력이 있고, 하이드록시아파타이트 침착을 응집시킬 수 있는 능력을 가지고 있어 그 이름이 붙여졌다. 오스테오넥틴은 뼈와 상아질에 존재하는 분자량 약 35,000~45,000인 비콜라겐성 단백질로 염색체 5q31-33에서 만들어지며, 하이드록시아파타이트(hydroxyapatite)나 제 I 형 콜라겐, 칼슘과 결합할 수 있고, 하이드록시아파타이트에 대한 결정 형성물질(nucleator)로 작용하며, *in vitro*에서 석회화를 촉진한다고 알려져 있다. 오스테오넥틴이 뼈에 많이 함유되어 있음에도 불구하고, 발육과정이나 성숙과정 또는 회복(repair) 과정에서 다양한 결합조직에서 발현된다. 특히 뼈에서 함량이 높아 비콜라겐성 단백질의 20~25%를 차지한다.

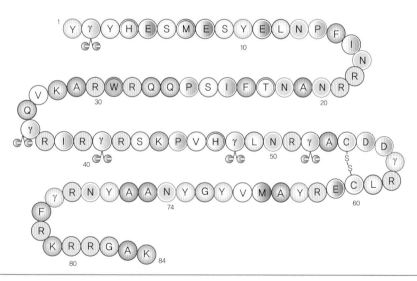

■ ▥ 그림 8-6. 사람 기질 Gla 단백질의 아미노산 배열

γ-글루탐산은 γ로 표시하였으며, 2, 37, 41, 48 및 52 위치에 존재한다. 54번째 시스테인과 60번째 시스테인이 이황화결합을 하고 있다. 감마 글루탐산 밑의 붉은색은 카르복실기에 의한 음전하를 나타낸 것이다.

성인조직에서 오스테오넥틴이 구성 발현(constitutive expression) 되는데, 이것은 비대 연골세포, 골모세포, 상아모세포와 같은 석회와 조직과 밀접하게 연관되어 있으며, 유방의 상피세포, 콩팥의 원위 세뇨관 상피세포, 타액선 상피세포(기저막에 붙어있는 세포, 이 경우 BM-40이라 하였다)와 같은 이온 수송 세포에서도 발현된다. 일시적으로 발현되는 경우로는 자궁이나 고환의 탈락세포(decidual cell)에서 성숙 과정에 일어난다. 시험관 실험에서 정상 조직에서는 고농도로 발현하지 않던 세포가 배양 시에 급속히 조절에서 벗어나 오스테오넥틴을 고농도로 발현하기 때문에 배양 쇼크 단백질(culture shock protein)이라고도 한다. 오스테오넥틴 녹아웃 마우스에서는 뼈 조직의 이상은 심하지 않으며, 시간이 지날수록 저대사회전형의 골량 감소를 나타낸다.

③ 오스테오폰틴과 뼈 시알로 단백질-2

오스테오폰틴(BSP-1)과 뼈 시알로 단백질-2(BSP-2)는 시알산을 함유하는 단백질로 시알로 단백질로 분류되기도 한다. 이 두 단백질에 대하여는 이미 앞에서 기술하였다.

④ 테트라넥틴

이 사량체 단백질은 무층골(woven bone)과 석회화가 진행되는 종양에서 발견되었다. 이 단백질은 아그리칸(aggrecan)과 무시알로 단백질 수용체(asialoprotein receptor)의 구상 도메인과 상동성을 갖는 배열을 갖는다. 테트라넥틴(tetranectin)이 결핍된 마우스는 척추 기형이 나타나지만, 뼈 형성 과정에서 어떠한 역할을 하는지는 아직 밝혀지지 않았다.

(5) 기타 RGD 함유 당단백질

세포외기질의 제일 중요한 역할 중 하나는 세포의 부착으로 이 역할을 담당하는 파이브로넥틴(fibronectin)이나 라미닌(laminin) 등의 당단백질이 있다. 이러한 단백질은 세포외기질성분이나 세포와 접촉하는 도메인(domain)을 가지고 있기 때문에 접착성 단백질로 총칭되고 있으며, 이미 앞에서 다룬 오스테오폰틴(BSP-1)이나 뼈 시알로 단백질(BSP-2)도 이 멤버에 속한다.

뼈 기질에 존재하는 중요한 당단백질(glycoprotein)의 일부는 Arg-Gly-Asp(RGD) 배열을 함유하고 있다. 이들은 세포 표면 수용체의 인테그린 클래스(class)와 결합하는 세포외기질 단백질들이다. 이러한 결합은 많은 세포 부착 활성의 근간이 된다. 뼈 기질에는 RGD를 함유하는 단백질이 다량 들어 있다(표 8-4). 즉, 콜라겐, 트롬보스폰딘, 파이브로넥틴, 비트로넥틴, 피브릴린, 오스테오아드헤린(osteoadherin), 오스테오폰틴(BSP-1), 뼈 시알로 단백질(BSP-2), 상아질 기질 단백질-1(Dmp-1), 기타 상아질 시알로 인단백질 유전자(dentin sialophosphoprotein gene)에서 유래한 단백질 등이 있다.

비트로넥틴은 뼈 형성 초기에 출현해 유골(osteoid)에서 발현된다. 이에 반해 파이브로넥틴은 골모세포에서 고도로 발현되며, 석회화한 뼈 기질 속에 한정되어 존재하고 있으나, 그 장소에서 합성되었는지 어떤지는 잘 모른다. 혈중에 대량(300μg/mL)으로 존재하므로 혈청단백질의 하나로 받아들여질 가능성도 있다.

(6) 뼈와 상아질의 프로테오글리칸

연골조직은 비교적 세포성분이 적고 기질이 풍부한 조직이다. 프로테오글리칸(proteoglycan)은 연골기질에 풍부하게 존재하여서 그 보습성 때문에 연골 성질에 깊이 관여한다고 생각한다. 프로테오글리칸은 핵심단백질에 여러 개의 글리코사미노글리칸이 공유결합 되어 있는 당단백질이다. 글리코사미노글리칸은 프로테오글리칸의 성질을 결정하는 중요한 역할을 수행한다. 글리코사미노글리칸의 화학구조는 우론산(uronic acid, 케라탄황산의 경우는 갈락토오스)과 헥소사민(hexosamine)으로 구성되는 2당 구조가 반복되며 나타나고, 아주 많은 황산기가 결합되어 있다. 이러한 글리코사미노글리칸은 우론

표 8-4. 뼈 기질 속의 RGD 함유 당단백질의 유전자와 단백질의 특징

RGD 함유 당단백질	유전자		단백질	기능
트롬보스폰딘 (thrombispondins)	TSP-1 : 15q15 TSP-2 : 6q27 TSP-3 : 1q21-24 TSP-4 : 5q13 COMP : 19p13.1	4.5~16kb 22엑손 4.5~6.1kb mRNA	5150kDa(150~180kDa 3개 소단위가 이황화 결합) 피브리노겐, 프로퍼딘(properdin), EGF, 콜라겐, 본빌레브란트 (von Willebrand), P falciparum 및 칼 모듈린(calmdulin)과 유사 C-말단 구강영역에 RGD	세포 부착(보름 세포 전개는 없음) 헤파린, 혈소판, 콜라겐 Ⅰ형, V형, 피브리노겐, 라미닌, 플라스미노겐, 플라스미노겐 활성 및 억제물질, 히스티닌 고함유 당단백질과 결합 TSP-2는 뼈 형성 부정적 조절자
파이브로넥틴 (fibronectin)	2p14-16 1q34-36	병아리 50kb, 50엑소 다양한 접합 형태 (splice form) 6RFLPs 7.5kb mRNA	~400kDa(2개의 200kDa 소단위 로 구성되지만 서로 다름) 유형 Ⅰ, Ⅱ, Ⅲ 반복 N-말단 2/3 부위 유형 Ⅲ 11번째 반복에 RGD	세포, 피브린, 헤파린, 젤라틴, 콜라겐과 결합
비트로넥틴 (vitronectin)	17q 4.5kb 8엑손 1.7kb mRNA		~70kDa N-말단 가까이 RGD 세포 부착 단백질 소마토메딘(somatomedin) B 유사 Cys 고함유 황산화, 인산화	콜라겐, 플라스미노겐 및 플라스미노겐 활성 및 억제물질, 헤파린과 결합
피브릴린 (fibrilin)	15q15-23, 5(두개의 다른 유전자) 110kb 65엑손 10kb mRNA		350kDa EGF-유사 도메인 시스테인 모티프 내 RGD	탄성섬유(elastic fiber) 형성 조절
오스테오폰틴 (osteopontin)	4q13-21 8.2kb 7엑손	다양한 대립인자 1RFLP 하나의 접합 변이체 1.6kb mRNA	~44-75kDa 폴리 Asp 스트레취(stretch) 이황화 결합 없음 당화, 인산화 N-말단 2/3부위에 RGD	세포부착, 석회화 조절 세포증식 조절, NO 합성효소 억제 바이러스 감염 저항성 조절 뼈 흡수 조절자
뼈 시알로 단백질 (bone sialoprotein)	4q13-21 15kb 7엑손 2.0mRNA		~44-75kDa 폴리 Glu 스트레취 이황화 결합 없음 50% 탄수화물, 황산 티로신 C-말단 RGD	세포부착 석회화 개시
BAG-75	아직 규명 안됨	mRNA가 클론되지 않음	~75kDa 포스포린, 오스테오폰틴 및 BSP와 서열 상동성 7% 시알산, 8% 인산	칼슘 결합, 세포부착 단백질로 작용(RGD 아직 미확인) 뼈 흡수 조절

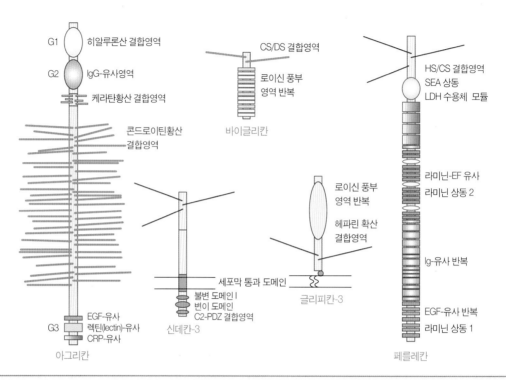

G1 히알루론산 결합영역
G2 IgG-유사영역
케라탄황산 결합영역
콘드로이틴황산 결합영역
EGF-유사
G3 렉틴(lectin)-유사
CRP-유사
아그리칸

CS/DS 결합영역
로이신 풍부 영역 반복
바이글리칸

세포막 통과 도메인
불변 도메인 I
변이 도메인
C2-PDZ 결합영역
신데칸-3

로이신 풍부 영역 반복
헤파린 확산 결합영역
글리피칸-3

HS/CS 결합영역
SEA 상동
LDH 수용체 모듈
라미닌-EF 유사
라미닌 상동 2
Ig-유사 반복
EGF-유사 반복
라미닌 상동 1
페를레칸

■ ■ 그림 8-7. 뼈, 연골 및 상아질에서 볼 수 있는 프로테오글리칸의 구조

Schwartz NB, Domowicz M : Chondrodysplasias due to proteoglycan defects. Glycobiology. 12(4):57R-68R. 2002.

산의 카르복실기와 수많은 황산기에 의해 음전하를 강하게 띠기 때문에 강한 친수성을 띤다. 다수의 글리코사미노글리칸이 핵심단백질과 결합한 형태의 프로테오글리칸을 형성할 때는 용액 속에서 물을 끌어들여 거대한 분자 용적을 차지하기 때문에 분자 속에 많은 물을 보관하여 유지할 수 있다. 특히 헤파란황산은 성장인자나 중요한 기능을 하는 단백질과 상호작용을 하는 것이 밝혀졌다. 핵심단백질은 다른 분자와 상호작용을 통해 프로테오글리칸이 세포외기질을 구성할 때 중요한 역할을 한다. 프로테오글리칸의 일반적인 성상과 기능에 관해서 벌써 6장에서 기술하였다. 뼈 연골 및 상아질에서 볼 수 있는 프로테오글리칸을 그림 8-7에 나타냈다. 여기에서는 뼈와 상아질에서 볼 수 있는 프로테오글리칸에 대해 기술하고자 한다.

① 소형 프로테오글리칸

뼈의 주요한 프로테오글리칸은 소형 프로테오글리칸에 속하는 바이글리칸(biglycan, PG-I, PG-s1)과 데코린(decorin, PG-II, PG-s2, PG-40)이다. 상아질의 프로테오글리칸도 소형이고 뼈처럼 바이글리칸과 데코린이다. 상아질에서는 분자량이 90,000 및 70,000의 핵심단백질을 가지는 소형 프로테오글리칸도 존재한다. 상아질 프로테오글리칸의 글리코사미노글리칸은 뼈와 같은 콘드로이틴 4-황산이 주체이다. 이에 반해 석회화되지 않은 상아전질은 콘드로이틴 6-황산을 갖고, 연골 프로테오글리칸의 아그리칸과는 다른 고분자 프로테오글리칸을 포함하고 있다. 그러나 석회화가 진행됨에 따라 상아질에 받아들여지는 것은 바이글리칸과 데코린이다. 면역 조직화학적연구에 의해 이러한 프로테오글리칸은 세관주위상아질(peritubular dentin)에 한정되어 존재하고 있으며, 세관간상아질(intertubular dentin)에는 거의 존재하지 않는다. 프로테오글리칸의 총량은 상아질보다 상아전질 쪽이 더 높다.

뼈나 상아질에 포함되는 소형 프로테오글리칸의 기능은 잘 모르지만, 한 예로 특히 데코린은 콜라겐 섬유의 표면에 결합하고 있는 것으로 보아 콜라겐 섬유 형성의 조절에 관여 하고 있다고 생각된다. 실제로 데코린 유전자의 녹아웃 마우스에서는 피부의 취약성이 관찰 된다. 또한, 바이글리칸 유전자의 녹아웃 마우스에서는 골격 형성의 지연과 골량의 감소가 관찰 된다. 두 가지 프로테오글리칸 유전자를 녹아웃 한 마우스에서는 피부와 뼈의 이상이 현저하게 나타나는 것으로 보아 2가지 프로테오글리칸은 조직 내에서 서로 상호 보완하는 기능을 갖는다고 생각할 수 있다.

② 대형 프로테오글리칸

대형 프로테오글리칸으로 뼈 조직에는 2가지 큰 콘드로이틴황산인 아그리칸(aggrecan)과 베르시칸(versican, PG-100)이 존재하여 이들은 N-말단과 C-말단에 구상 도메인을 가지고 있으며, 히알루로난(hyaluronan)과 결합하여 프로테오글리칸 응집체(proteoglycan aggregates)를 형성한다. 콘드로이틴황산을 함유하는 아그리칸(aggrecan)은 대표적인 프로테오글리칸으로 관절연골의 건조 중량으로 약 50% 정도 차지한다. 아그리칸의 핵심단백질은 N-말단에서 히알루론산과 특이적으로 결합하여 연골 조직 속에서 거대한 복합체를 형성한다. 아그리칸과 히알루론산과의 결합은 링크 단백질(link protein)에 의해 훨씬 견고해진다.

소지증(nanomelia) 병아리에서 연골에서 발현되는 아그리칸에 돌연변이가 존재하여 단백질 합성이 조기 종료된다. 그럼에도 불구하고 막성골화 경로를 통해 형성되는 뼈에 대해서도 약간 영향을 미치는 예상치 못한 결과가 나왔다. 왜냐하면 막성 골화에 의해 만들어지는 뼈는 연골 원기로부터 형성되는 것이 아니기 때문에 비정

상적인 연골 발달로 인해 영향을 받지 않을 거라 예상되었기 때문이다. 아그리칸 유전자의 돌연변이는 사람에서 척추골단이형성증(spondyloepiphyseal dysplasia)을 일으켜 결국 조발성 골관절염(premature osteoarthritis)이 발병한다. 마우스에서 영 대립인자(null allele)를 유발하는 7염기(7bp)가 삭제된 돌연변이 경우 연골기질 결핍(cartilage matrix deficiency, cmd)을 초래하여 cmd 마우스가 된다. cmd 동형접합체(homozygote)는 체간이 작은 저신장이며, 구개 형성부전 등의 다양한 이상을 초래하며, 태어나자마자 곧 죽는다(그림 8-8). 이질접합체(heterozygote) 마우스는 정상으로 태어나지만 나이가 들수록 체간이 작은 저신장이나 척추 변형이 나타난다고 보고되고 있어 아그리칸이 연골조직 구축에 있어 중요하다는 것을 보여주고 있다.

베르시칸(versican)은 연한 결합조직에 풍부하게 들어 있는 프로테오글리칸으로 발생중인 뼈에서 느슨한 간질 간엽에 존재한다. 이 프로테오글리칸은 궁극적으로 뼈가 될 공간을 차지하고 있다가 뼈 형성이 진행될수록 파괴되는 것으로 보고되었다. 베르시칸의 핵심단백질에는 EGF-유사 배열(EGF-like sequence)을 가지고 있어서, 이 배열의 유리(release)는 골모세포계 세포의 대사에 영향을 주는 것 같다. 뼈 형성이 진행될수록 베르시칸은 화학적 성질이 다른 또 다른 분류의 프로테오글리칸인 소형 프로테오글리칸인 데코린(decorin)과 바이글리칸(biglycan)으로 대체된다.

3) 외인성 비콜라겐성 단백질

뼈 기질에 하이드록시아파타이트가 존재하기 때문에 뼈 이외의 장소에서 합성되어 혈액 순환을 통하여 들어온 단백질이 하이드록시아파타이트에 흡착된다. 이러한 단백질의 대부분은 간이나 조혈모 조직에서 합성되며, 면역글로불린, 담체 단백질(carrier protein), 사이토카

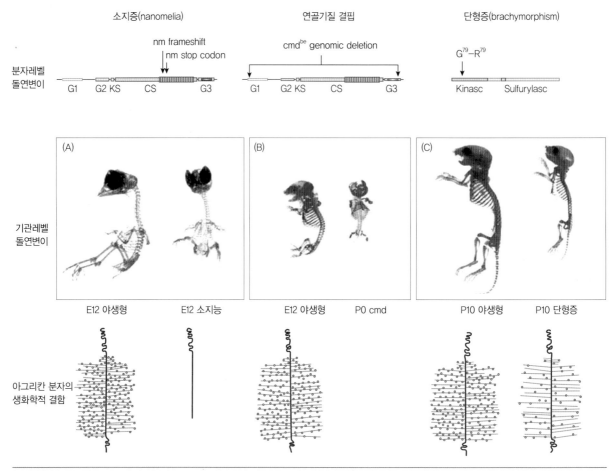

■ ▦ **그림 8-8. 아그리칸 관련 결함을 가진 동물에서 분자 레벨에서의 돌연변이, 생화학적 구조 결함 및 기관 레벨에서의 표현형 차이**
제일 위에는 아그리칸(A 및 B)과 황산 공급원인 PAPS(phosphoadenosine phosphosulafe) 생합성 효소에 있어서의 돌연변이 부위를 나타냈으며, 가운데에는 석회화 뼈의 경우는 알리자린 레드(Alizarin red)로, 연골의 경우는 알시안 블루(Alcian blue)로 이중 염색한 사진을 보여주고 있으며, 제일 밑에 각 해당분자의 분자레벨에서의 결함 상태를 모식도로 나타냈다. E는 배아상태, P는 출생 후를 나타낸다.

Schwarz NB, Domowicz M: Chondrodysplasias due to proteoglycan defects, Glycobiology 12(4):57R-68R, 2002.

인, 케모카인(chemokines) 및 성장인자들이다. 흥미로운 것은 이들 단백질 중 일부는 골모세포 계열 세포에 의해 내인성으로 합성되기도 한다는 점이다. 특정인자의 기원이 어디인지는 정확히 알 수가 없다.

(1) 외인성 혈청 단백질

혈중에서 어떤 역할을 수행하기 위해 간장이나 그 외의 장기에서 합성되거나 또는, 여러 장기에서 대사산물로서 생긴 많은 단백질이 혈중에 포함되어 있다. 이러한 단백질의 상당수는 석회화 과정에서 뼈 또는 상아질 중에 유입된다. 혈청 알부민이나 α2-HS-당단백질은 모두 간장에서 합성되는 뼈의 비콜라겐성 단백질로서 대표적인 혈장 성분이다.

① 혈청 알부민

분자량 69,000의 혈청 알부민은 등전점 4.7의 산성 단백질로 생리적 조건하에서 1분자의 음전하는 18이다. 따라서 알부민은 Ca^{2+}와의 결합능을 갖고 있다. 표식을 한 알부민을 이용한 연구를 통해 알부민은 신속하게 신생 뼈에 유입되지만, 이들 알부민의 대부분은 탈회 후에 4M 구아니딘 염산(guanidine-HCl)으로 세정함으로써 추출된다는 것을 알았다. 혈청 알부민은 α2-HS-당단백질과 함께 상아질 중에도 존재한다. 방사성 표지를 한 이 단백질을 동물의 혈액 중에 주입하면 수분 후에 방사활성이 신생 상아질에서 검출된다.

② α2-HS-당단백질

분자량 51,000의 α2-HS-당단백질(α2-HS-glyco-protein)은 알부민과는 달라, 뼈에 혈장보다 30~300배 고농도로 존재하며 탈회 후에 처음 추출된다. α2-HS-당단백질의 혈장 농도와 몇몇 뼈 석회화 장애와의 사이에 관련성이 밝혀지고 있다. 그러나 그 관련성에는 모순이 있다. 골형성부전증(osteogenesis imperfecta), 골형성이상증(osteodystrophy) 및 골다공증(osteoporosis)의 성인 환자에서는 혈장 레벨이 정상보다 높게 나타나지만, 파제트병(Paget disease) 환자에서는 정상적인 수치나 약간 낮은 수치를 나타낸다. 뼈 속의 α2-HS-당단백질 레벨은 골형성부전증에서 보다 파제트병에서 더 높다. 급성 세균 감염증의 혈청 레벨은 현저히 저하된다. 오랜 세월의 연구에도 불구하고 이들 혈청단백질의 석회화에 있어서의 역할에 대하여는 아직 밝혀지지 않았다.

(2) 성장인자

뼈나 상아질 중에는 석회화가 진행됨에 따라 성장인자가 유입되고 있다. 예를 들어 뼈 속에는 IGF-I, IGF-II 및 TGF-β라고 하는 펩타이드성 성장인자가 꽤 대량으로 함유되어 있다. 그러나 상아질 중의 이들 성장인자의 함량은 뼈에 비하면 낮다(표 8-5). 그 이유로는 상아질에서는 뼈처럼 개조 현상이 보이지 않는 다는 사실과 형성기에 있어서의 성장인자 등의 생성 속도가 늦어지는 것 등을 생각할 수 있다. 상아질에서의 성장인자나 사이토카인의 역할은 거의 없다고 생각할 수 있지만, 뼈에서의 이러한 인자의 주된 역할로서는 뼈 흡수 시에 방출되는 이들 인자가 파골세포에 작용해 개조 현상의 속도를 조절하는 것으로 생각할 수 있다. 뼈나 상아질에서 조직 장애에 수반해 이러한 인자가 방출되어 한정된 장소에의 조직수복을 자극하는 것은 있을 수 있다.

또, BMP도 뼈나 상아질 중에서 발견된다. 쥐 절치 중에, 또한 소 및 사람 상아모세포 cDNA 라이브러리 안에 BMP-2, BMP-3 및 BMP-4의 cDNA를 볼 수 있다. 지금까지 BMP 패밀리의 9개가 뼈 속 골모세포의 생성물로서 검출되었다. 이들 BMP는 수임되어 있지 않은 섬유모세포계의 간엽세포에 작용해 뼈 형성을 유도한다고 생각할 수 있다.

표 8-5. 사람 뼈 및 상아질의 성장인자 함량

성장인자	μg/g 석회화 조직		뼈에 대한 상아질의 %
	뼈	상아질	
IGF-I	0.085	0.027	31.8
IGF-II	1.26	0.24	19.0
TGF-β	0.46	0.0082	1.8

4) 지방질

뼈에는 총 유기성분의 0.1%(건조 중량%) 지방질을 포함한다. 상아질에는 0.33%로, 그 중 2/3(0.22%)에는 탈회하지 않아도 지용성 용매로 추출되는 것으로, 유리 지방산, 모노(mono), 디(di) 및 트리(tri) 글리세리드(glyceride), 카디오리핀(cardiolipin), 약 반 정도의 콜레스테롤, 콜레스테롤 에스테르가 포함된다. 이에 대해 나머지 1/3(0.11%)은 산으로 탈회 후 처음 추출되는 것으로 카디오리핀 이외의 산성 인지질(phospholipid), 나머지 반 정도의 콜레스테롤이 주된 성분이다. 탈회 후에 추출되는 지방질은 아마 무기질에 결합되어 있거나, 파묻혀져 존재하고 있다고 추정되며, 기질소포의 막 성분으로서 석회화에 관여 할 것이라 생각할 수 있다. 상아전질에는 총유기성분의 6%로 상아질(1.65%)보다 높은 지방질이 존재하고 있다.

법랑질의 지방질 함량은 건조 중량으로 0.5~0.6%로 높고 총 유기성분의 절반을 차지한다. 법랑질의 지방질 조성은 상아질처럼 탈회 전후로 추출되는 각 지방질 성분의 비도 비슷하다. 지방질, 단백질, 아파타이트 결정의 구조적 상호관계는 분명하지 않지만, 법랑질은 규칙적으로 배열을 취하는 아파타이트 결정이 단백질, 지질, 수분으로 이루어지는 기질로 촘촘히 둘러 싸여진 구조체로 생각할 수 있다. 흥미로운 것은 우식초기의 법랑질은 지방질에 대해 강한 염색성을 나타낸다. 그 원인은 우식의 진행에 수반하는 탈회에 의해서 지방질이 유리되었기 때문이라 생각되고 있지만, 그 분포 상태로 보아 세균에서 유래되었다고 생각한다.

5) 그 외의 유기성분

구연산(citric acid)은 석회화 조직에서 공통적으로 볼 수 있는 일반적인 성분으로 생체 중의 총 구연산의 약 70%가 석회화 조직에 함유되어 있다. 뼈는 총유기성분의 0.82~1.25%(건조 중량%), 상아질은 0.8~0.9%이다. 법랑질에서도 다른 석회화 조직과 비슷한 양상으로 구연산을 포함하지만, 그 함량은 평균 0.1 ± 0.02%로 낮다. 그 분포를 보면 체부보다 표층부와 법랑 상아경계에서 더 높다. 유산(lactic acid)도 법랑질 경우 0.01~0.03%로 상아질에서 0.15%로 법랑질에서 훨씬 낮다.

② 법랑질의 단백질

법랑질은 뼈나 상아질과 함께 경조직으로 분류되고 있지만, 조직발생학적으로는 전술한 것처럼 뼈나 상아질이 간엽계 유래인데 비해, 법랑질은 외배엽성이다. 또, 뼈나 상아질, 시멘트질의 주된 유기성분이 콜라겐인데 비해, 법랑질은 그 형성기의 미성숙 법랑질에서는 아멜로제닌(amelogenin), 에나멜린(enamelin) 및 쉬스린[sheathlin, 또는 아멜로블라스틴(ameloblastin)], 형성 후의 성숙 법랑질에서는 터프트 단백질(tuft protein)이라 하는 콜라겐이나 각질(keratin)과는 물리적 및 화학적으로 완전히 다른 고유의 단백질을 포함한다.

이러한 법랑질의 단백질은 법랑모세포에 의해서 합성되어 미성숙 법랑질에서는 건조 중량으로 약 20%를 차지하지만, 석회화가 진행됨에 따라 감소하여 완전히 성숙한 법랑질에서는 0.2~0.3%가 된다. 이 석회화에 수반하는 단백질의 양적 변화는 법랑질 기질의 아미노산 조성의 현저한 변화를 수반한다. 이러한 변화는 하나의 치아에서도, 성숙이 지연되는 치경부의 법랑질과 성숙이 진행되고 있는 절단부 법랑질을 비교해 보아도 확인된다. 사람의 경우 성숙한 법랑질은 대부분 무기성분이고, 유기성분은 극소량만이 함유되어 있다. 성숙한 법랑질의 유기성분 중 절반 이상이 단백질 성분으로 되어 있고, 대부분은 에나멜린이라는 단백질이 차지하고 있다. 이 외에 극소량의 구연산(citric acid), 젖산(lactate), 탄수화물 및 지방산이 함유되어 있다.

1) 미성숙 법랑질의 단백질

법랑질 형성세포인 법랑모세포(ameloblast)는 치아가 구강 내로 맹출되면서 소실되기 때문에 치아가 맹출된 후에는 법랑질은 재생되지 않는다. 그러므로 성숙한 법랑질과 미성숙 법랑질의 화학조성은 큰 차이를 나타낸다. 즉, 법랑질 형성 초기 단계에는 무기성분이 32%, 유기성분이 30%, 수분함량이 38%로 성숙한 법랑질과 비교하여 법랑질의 화학 조성은 매우 큰 차이를 보인다. 또한 법랑질 형성이 진행될수록 유기성분과 수분의 양은 감소하는 반면, 무기질 침착은 계속 일어나 법랑질의 성숙 정도에 따라 법랑질 화학 조성은 신속하게 변화한다.

상술한 것처럼 형성기의 미성숙 법랑질에서 대부분을 차지하는 아멜로제닌 외에도 에나멜린 및 쉬스린이라고 하는 법랑질 단백질로 총칭되는 법랑질 고유의 단백질 존재가 알려져 있다.

(1) 아멜로제닌

아멜로제닌(amelogenin)은 미성숙 법랑질로부터 4M 구아니딘-염산(Guanidine-HCl, pH 7.4)에 의해서 추출된다. 이렇게 추출된 아멜로제닌은 분자량 5,000에서 30,000으로 다양한 크기의 단백질 혼합체이지만, 소, 사람, 돼지, 마우스 및 쥐에서 cDNA 클로닝에 의해 아멜로제닌의 아미노산 배열이 밝혀져(그림 8-9), 아멜로제닌의 아미노산 조성은 이들 동물 종간에 80%의 상동성이 있으며, 특히, 그 상동성은 N-말단으로부터 50 아미노산 잔기 사이에 높다. 아멜로제닌은 프롤린, 글루타민, 히스티딘 및 로이신 등의 아미노산이 풍부하게 존재하며, 소 아멜로제닌은 N-말단으로부터 16번째의 세린이 인산화되었다. 아멜로제닌은 석회화가 진행됨에 따라 나

타나고, 여러 가지 세린단백질 분해효소에 의해서 저분자화된다. 또, 기질금속 단백질 분해효소인 에나멜라이신(enamelysin, MMP-20)이 C-말단영역의 절단에 관여 하고 있는 것이 밝혀졌다(그림 8-10).

사람의 경우 2종류의 아멜로제닌 유전자가 X, Y 성염색체 상에 존재해, X 염색체 유래의 아멜로제닌은 191(성숙 단백질은 175) 아미노산 잔기로 구성 되는데 비해, Y 염색체 유래의 아멜로제닌은 192(성숙 단백질은 176) 잔기로 구성 된다. 양자 간의 아미노산 수의 차이는 Y 염색체 유래의 아멜로제닌 단백질의 45번째의 메티오닌(그림 8-9의 M)이 X 염색체 유래의 아멜로제닌에서 결여되어 없어졌기 때문이다. 또한 X 염색체 유래의 것이 주로 많으며(약 90%), Y 염색체 유래의 것은 약 10%를 차지하고 있다. 사람에 볼 수 있는 반성유전의 법랑질형성부전증(amelogenesis imperfecta)은 X 염색체상에 있는 아멜로제닌 유전자의 이상에 의한 것이 밝혀지고 있다.

또, 아멜로제닌의 독특한 물리화학적 성질로부터, 아파타이트 결정 형성의 주형으로 작용하기보다는, 아파타

```
     시그널 펩타이드    1
     ◄──────────►

X  MGTWILFACLLGAAFAMPLPPHPGHPGYINFSYEVLTPKLKWYQS-IRPPY
Y  MGTWILFACVLGAAFAMPLPPHPGHPGYINFSYEVLTPKLKWYQSMIRPPY

                    ▼
X  PSYGYEPMGGWLHHQIIPVLSQQHPPTHTLQPHHHIPVVPAQQPV IPQQP
Y  SSYGYEPMGGWLHHQIIPVVSQQHPLTHTLQSHHHIPVVPAQQPRV IPQQA

                              ▼
X  MMPVPGQHSMTP IQHHQPNLPPPAQQPYQPQPVQPQPHQPMQPQPPVHPM
Y  LMPVPGQQSMTP TQHHQPNLPLPAQQPYQPQPVQPQPHQPMQPQPPVQPM

X  QPLPPQPPLPPMFPMQPLPPMLPDLTLEAWPSTDKTKREEVD(175*)
Y  QPLLPQPPLPPMFPLRPLPPILPDLHLEAWPATDKTKQEEVD(175*)
```

■■■ 그림 8-9. 사람의 아멜로제닌의 아미노산 배열

X는 X 염색체 유래의 아멜로제닌의 아미노산 배열을, Y는 Y 염색체 유래의 아미노산 배열을 나타낸다. 빨강 글자는 양자 간의 다른 배열을 나타낸다. X 염색체 유래의 것은 29번째의 메티오닌 잔기가 결여되어 없어졌다. ▼는 프로테아제로 절단되기 쉬운 부위를 나타낸다. *성숙 단백질의 아미노산 잔기수를 나타낸다.

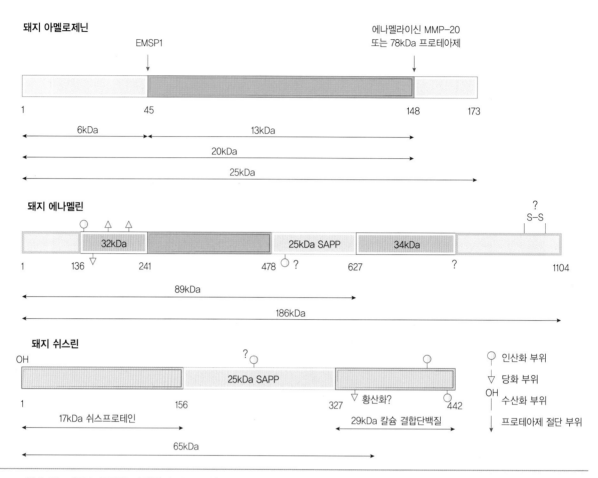

돼지 아멜로제닌

EMSP1

에나멜라이신 MMP-20
또는 78kDa 프로테아제

1   45   148   173

6kDa   13kDa

20kDa

25kDa

돼지 에나멜린

32kDa   25kDa SAPP   34kDa   S-S ?

1   136   241   478 ?   627   ?   1104

89kDa

186kDa

돼지 쉬스린

OH   ?   25kDa SAPP   인산화 부위

당화 부위

OH 수산화 부위

프로테아제 절단 부위

1   156   327 황산화?   442

17kDa 쉬스프로테인   29kDa 칼슘 결합단백질

65kDa

■▦ 그림 8-10. 미성숙 법랑질 단백질의 구조 모식도

SAPP : Stains all positive protein(Stains All의 색소에 염색되는 단백질), 그림 하단의 숫자는 아미노산 잔기수를 나타낸다.
EMSP1 : 법랑기질세린프로테아제 1(enamel matrix protease 1) 또는 칼리크레인 4(kallikrein 4)로 불린다.

이트 결정의 발육, 성장의 매체로서의 유동성이 있는 기질로서의 역할이 밝혀지고 있다.

(2) 에나멜린

에나멜린(enamelin)은 소량이지만 아멜로제닌과 함께 미성숙 법랑질중의 법랑모세포에 의해서 합성된다. 에나멜린은 아멜로제닌이 미성숙 법랑질로부터 4M 구아니딘-염산(pH 7.4)에 의해서 추출된 후에, 0.5M EDTA를 포함한 4M 구아니딘-염산(pH 7.4)에 의해서 추출된다. 아멜로제닌처럼 추출된 에나멜린도 분자량 7,000에

서 70,000으로 다양한 크기를 가진다. 에나멜린은 산성 단백질로 아파타이트 결정에 친화성을 가지며, 법랑질의 석회화에 깊이 관계되는 것으로 밝혀졌다. 에나멜린도 석회화에 수반해 저분자화해 나가는 것이 알려져 있지만, 아멜로제닌과 비교하여 저분자화되기 어려운 것 같다. 에나멜린은 법랑질 형성 초기 단계부터 일정량이 발현되어 법랑질 형성이 일어나는 동안 일정하게 유지된다. 법랑질 형성이 끝나면 에나멜린 양은 감소하나 법랑질 성숙 과정에서 매우 안정된 상태를 보여 성숙한 법랑질에서도 소량 존재한다(그림 8-11, 12). 그러므로 법랑질의 에나멜린

(A) 아밀로제닌의 영역 구조

(B) 법랑질의 석회화 진행에 동반되는 아밀로제닌의 분해

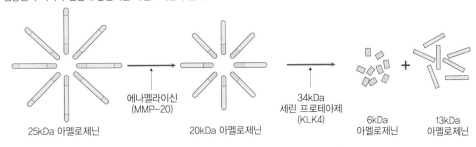

■▮▮ 그림 8-11. 법랑질의 석회화 진행시 동반되는 아멜로제닌의 분해

후키에 마코토: 기대되는 엠도게인 법랑질 단백질 연구하에서 작용기전과 문제점을 탐구한다. 치계전망 94:184-192, 1999.

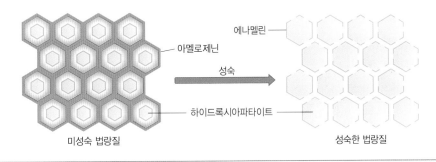

■▮▮ 그림 8-12. 법랑 단백질과 하이드록시아파타이트 결정체이 상호관계에 대한 모식도

아멜로제닌은 법랑질이 석회화됨에 따라 없어지지만 에나멜린은 법랑질이 완전히 성숙해도 남아 있다.

하야가와 타로오, 구강생화학. 2판, 이시야쿠출판. 1994.

함량은 법랑질 성숙 정도에 따라 양적 변화가 크다.

에나멜린은 글루탐산, 아스파르트산, 세린, 글리신 잔기가 풍부한 친수성 단백질로 돼지의 성장 중인 법랑질에서는 분자량이 25~155kDa인 에나멜린이 발현된다. 에나멜린은 미맹출 돼지 치아에서 처음 분리되어 그 특성이 밝혀지기 시작하였으며, 사람과 돼지의 에나멜린은 매우 유사하다고 알려졌다.

에나멜린은 법랑질 형성과정에 법랑질 전반에 걸쳐 주로 법랑질-상아질 경계에 분포하며, 법랑질 성숙단계의 초기에 사라진다. 분자량이 작은 25kDa, 32kDa, 45kDa 및 56kDa 에나멜린은 성장 중인 법랑질 내층에서 발견되며, 분자량이 비교적 큰 89kDa, 142kDa 및 155kDa 에나멜린은 성장 중인 법랑질의 가장 바깥쪽 얇은 층에서만 발견된다. 그럼에도 불구하고 분해되지 않은 에나멜린은 법랑모세포의 톰스 돌기 근처의 표층 법랑질에서 발견된다. 다양한 에나멜린 분해산물들은 성장 중인 법랑질 전반에 걸쳐 발견되지만, 주로 법랑소주와 법랑소주간 법랑질(interrod enamel) 부위에 집중되어 나타난다.

에나멜린은 하이드록시아파타이트에 대한 친화력이 크며, 하이드록시아파타이트 결정의 성장을 지연시킨다. 아멜로제닌과 에나멜린은 하이드록시아파타이트 결정의 형태를 조절하는 것으로 알려져 있다. 최근 in vitro 실험결과 돼지의 32kDa 에나멜린은 아멜로제닌과 협동 작용하여 법랑질 하이드록시아파타이트 결정의 결정형성 물질(nucleator)을 촉진시킨다는 것이 보고되었다.

(3) 쉬스린

쉬스린(sheathlin)은 아멜로블라스틴(ameloblastin) 혹은 아멜린-1(amelin-1)이라고도 불리고 있으며 아멜린-2는 쉬스린의 단쇄형이다. 아멜로블라스틴 유전자는 법랑모세포에서 많이 발현되고, 상아모세포와 전상아모세포에서 소량 발현되며, 헤르트비히 상피근초(Hertwig's epithelial root sheath)와 법랑모세포종(ameloblastoma)에서는 중등도로 발현된다. 쉬스린은 돼지에서 성장 중인 법랑질에서 아멜로제닌의 분해산물인 분자량 13~17kDa 크기의 비아멜로제닌 단백질(non-amelogenin protein)로 처음 발견되었다.

(4) 그 외의 단백질

사람, 마우스 및 소에서 터프텔린(tuftelin) 산성 단백질의 유전자가 발견되었다. 사람 터프텔린 유전자는 염색체 1q21에 위치하고 있으며, 콩팥, 간, 폐, 고환 등에서도 전사체가 발현되어 치아에서만 발현되는 단백질은 아니다. 터프텔린은 법랑모세포에서 합성되어 분비되는 산성 단백질이다. 이 단백질은 주로 법랑질-상아질 경계에서 발견되며, 법랑질 하이드록시아파타이트 결정 형성을 위한 결정핵의 역할을 할 것으로 추정된다. 또 한 가

지 이유로 법랑모세포에서 아멜로제닌보다 먼저 발현되는 점이 결정핵으로 작용할 가능성이 더 높다.

쥐 절치의 미성숙 법랑질 중에 65kDa의 산성 법랑질 기질 황산화 단백질(acidic enamel matrix sulfated protein)이 분비되어 한층 더 저분자화된다. 이 황산화 법랑질 단백질의 경우 황산기는 N-결합 올리고당 사슬에 결합하고, 에나멜린과 달리 단명으로, 미성숙 법랑질 중에서만 발견된다.

2) 성숙 법랑질의 단백질

성숙 법랑질의 유기성분 함량은 중량으로 약 1%로 극히 낮다. 법랑질은 전술한 것처럼 극히 얇은 조직인데다, 표층에는 피막(pellicle)이나 치태(plaque), 내부에는 상아질이 접하고 있는 해부학적 구조를 갖고 있어서 다른 성분이 혼재하지 않는 순수한 법랑질을 얻는 것이 곤란하다. 또, 극히 딱딱하기 때문에 잘라내는 것이 용이하지 않으며, 성숙 법랑질의 단백질 시료의 조제가 극히 곤란하기 때문에. 성숙 법랑질 중에 포함되는 단백질의 연구는 진행되지 않았다. 그럼에도 불구하고 터프트 단백질이 추출되어 동정되었다.

(1) 터프트 단백질

성숙 법랑질에서 적어도 한 가지 단백질 성분이 항상 구성성분으로 존재한다. 이 단백질이 터프트 단백질(tuft protein)로 사람 구치 성숙 법랑질 중에 잔존하는 기질 단백질의 단편(fragment)으로 비교적 대량으로 추출되었다. 이 이름은 조직학자들이 법랑질을 얇은 횡단면에서 기술한 "tufts"로 알려진 특징적인 구조와 관련이 있다. 그 아미노산 조성은 하이드록시프롤린을 포함하지 않기 때문에, 콜라겐의 혼입으로 생각할 수 없다.

상아질에 특유한 비콜라겐성 단백질 -상아질 시알로 인단백질-

상아질의 세포외기질에 존재하는 단백질에 대한 연구는 광범위하게 수행되었다. 상아질 인단백질[(dentin phosphoprotein, DPP) 또는 포스포포린(phospho-phoryn)]과 상아질 시알로 단백질(dentin sialoprotein, DSP)은 뼈나 그 밖의 다른 조직에서는 발견되지 않았으며, 오직 상아질에서만 발견되는 단백질이다. 이 두 단백질을 합쳐 상아질 시알로 인단백질(dentin sialophos-phoprotein, DSPP)이라 한다. 이 단백질들은 미성숙 상아모세포(odontoblast)나 전법랑모세포(preamelo-blast)에서 합성되어 분비된다. 뼈 기질 단백질 중에서 전적으로 골모세포에 의해서만 합성되어 분비되는 단백질은 없다. 이러한 관점에서 보면 상아질에서만 발현되는 특이 단백질이 존재한다는 것은 주목할 만한 가치가 있다. 포스포포린과 상아질 시알로 단백질은 사람 염색체 4번에 위치하는 일련의 유전자에 의해 합성된다. 처음 발견 당시에는 이 단백질 간에 서로 연관성이 없는 것으로 생각되었으나, 클로닝 실험을 통해 동일한 전구체로 SIBLINGs 단백질인 상아질 시알로 인단백질(dentin sialo phosphoprotein, DSPP)에서 유래된다는 사실이 밝혀졌다. 즉, DSSP가 분절되어 상아질 인단백질과 상아질 시알로 단백질로 되는 모델이 제시되었다.

1) 상아질 인단백질

상아질 인단백질[(dentin phosphoprotein, DPP), 포스포포린(phosphophoryn), 상아질 기질 단백질-2(dentin matrix protein-2, Dmp-2)]은 콜라겐에 이어 상아질에서 두 번째로 많은 단백질이다. 이 단백질은 독특해서 35% 아스파르트산, 45~50% 세린(serine)으로 구성되며, 세린의 70~80%가 인산화되어 인산화 세린(phos-phoserine)으로 존재한다(그림 8-13). 따라서 아스파르트산, 인산화 세린, 글루탐산과 같은 산성 아미노산이 전

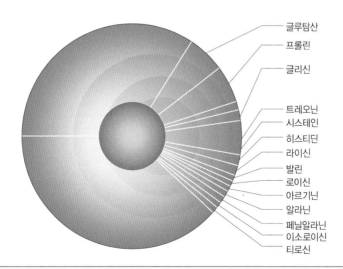

글루탐산
프롤린
글리신
트레오닌
시스테인
히스티딘
라이신
발린
로이신
아르기닌
알라닌
페닐알라닌
이소로이신
티로신

■■ 그림 8-13. 사람의 상아질 인단백질(포스포포린)의 아미노산 조성

사람의 경우 프롤린이 1,000잔기 중 49잔기 있지만, 소, 토끼, 햄스터에서는 7~9잔기로 작은 값이 보고되고 있다. 또, 반대로 라이신잔기는 소, 토끼에서는 각각 46 및 43잔기로 사람의 13잔기와 비교하면 꽤 많다.

아미노산의 80%를 차지하게 되므로, DPP는 산성 당단백질이다.

상아질 인단백질은 상아질에 특유한 비콜라겐성 단백질로 주성분(쥐에서는 60%)이다. DPP는 상아질을 탈회 전에 구아니딘-염산으로 추출해도 용출되어 나오지 않지만, EDTA로 탈회하면 용이하게 용출되는 것으로 보아 아파타이트와 밀접하게 관련해 존재하는 것으로 생각한다.

포스포린은 강산성 단백질이므로 대부분의 2가 양이온과 결합할 수 있지만, 석회화와 연관되어 칼슘과의 결합이 주목을 받는다. 칼슘과의 결합은 인산화 세린의 인산기와 아스파르트산이나 글루탐산과 같은 산성 아미노산의 카르복실기가 관여한다. 이러한 칼슘-인산 결합이나 칼슘-카르복실기 결합은 용해되지 않고 침전된다.

포스포린은 하이드록시아파타이트에 대해서도 친화성이 있다.

포스포린의 합성 분비는 상아모세포에 의해 일어난다. 자가방사선법(autoradiography)을 이용한 형태학적 연구에서 상아모세포에서 합성된 포스포린은 상아전질을 통하여 상아전질-상아질 경계의 상아질 쪽에 축적되는 것을 알 수 있다. 따라서 포스포린은 뼈 Gla 단백질(BGP)과 마찬가지로 석회화된 상아질에만 존재하고, 석회화되지 않은 상아전질에는 존재하지 않는다. 이것은 콜라겐이나 오스테오넥틴이 상아질과 상아전질 모두에 걸쳐 존재하고, 프로테오글리칸이 상아전질에만 존재하는 것과 대조적이다(그림 8-14).

지금까지 말해 온 것처럼, DPP는 Ca^{2+}와 결합해 침전을 형성하는 것이나, 석회화 전선인 상아전질-상아질

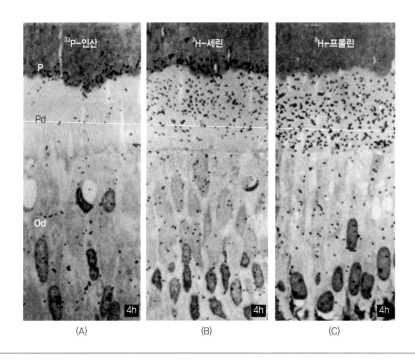

■■ 그림 8-14. ^{33}P-인산, ^3H-세린 및 ^3H-프롤린 투여 4시간 후의 쥐 절치의 자가방사선 사진(× 1,000)

인산(A)과 세린(B), 즉 상아질 인단백질은 상아전질-상아질경계(석회화 전선)의 상아질측에 집적하고 있는데 비하여, 프롤린(B), 즉 콜라겐은 상아전질에 집적으로 하고 있어 인산이나 세린과 같이 석회화 전선에는 완전히 방사 활성이 나타나지 않는다. D : 상아질, Pd : 상아전질, Od : 상아모세포층 Weinstock M, Leblond CP: Radiographic visualization of the deposition of a phosphoprotein at the mineralization front in the dentin of the rat incisor. J Cell Biol 56:838-845. 1973.

경계의 상아질 측에 집적하는 것으로 보아 그 기능으로 콜라겐과 이온 결합해 아파타이트의 결정 형성의 개시에 관여하는 것으로 생각되고 있다.

2) 상아질 시알로 단백질

상아질 시알로 단백질(dentin sialoprotein, DSP)은 시알산이 다량 들어 있는 당단백질(sialic acid-rich glycoprotein)로 상아질 추출물에서 처음 분리 되었다. 분자량이 35kDa로 아스파르트산, 글루탐산, 세린, 글리신이 다량 들어있고, 탄수화물이 30% 함유되어 있다. DSP는 미성숙 상아모세포, 성숙 상아모세포 및 상아질에는 존재하나 뼈나 연골, 연결합조직에는 없다. 이 단백질은 전법랑모세포에서는 검출되나 법랑모세포에서는 검출되지 않는다. 이처럼 상아모세포에서만 발현되는 것으로 보아 상아질 형성과정에서 DSP는 중요한 역할을 하리라 생각된다.

3) 기타 상아질 비콜라겐성 단백질

이밖에도 상아질에 존재하는 비콜라겐성 단백질로 약산성 당단백질(less-acidic glycoprotein), 음이온성 당단백질(anionic glycoprotein)이 존재한다. 약산성 당단백질은 분자량이 12,000~26,500인 당단백질로 소량의 시알산(sialic acid), 헥소사민(hexosamine), 퓨코스(fucose) 등의 당이 함유되어 있으며, 12종류의 균질한 분획으로 나타나나, 이중 4종류가 전체 80%에 해당한다. 음이온성 당단백질은 상아질 비콜라겐성 단백질의 14%로 산성 단백질이며, 1,000개의 아미노산 당 390개의 아스파르트산과 글루탐산을 함유하며, 세린 함량도 높다. 음이온성 당단백질 3종류 중 2종류는 아미노산 조성이 아주 유사하나 탄수화물 함량이 서로 다르다.

참고문헌

1. Cole AS, Eastoe JE : Biochemistry and Oral Biology. 2nd ed. Wright.1988.
2. Ferguson DB : Oral Bioscience. ChurchillLivingstone. 2006.
3. Levine M : Topics in Dental Biochemistry. Springer. 2011.
4. Rugg-Gunn AJ, Nunn JH : Nutrition, Diet, and Oral Health. Oxford. 1999.
5. Shaw JH, Sweeney EA, Cappuccino CC, Meller SM: Textbook of Oral Biology. Saunders. 1978.
6. Vasudevan DM, Sreekumari S, Vaidynathan K : Textbook of Biochemistry for Dental Students. 2nd ed. Jaypee. 2011.
7. 박광균 : 경조직 및 구강 생화학-분자세포생물학. (주) 라이프사이언스. 2013.
8. 스다 타츠오, 오자와 히데히로, 타카하시 히데아끼, 타나카 사카에, 나카무라 히로아끼, 모리 사또시 편저: 신판 뼈의 과학(Bone Biology). 이시야쿠출판. 2007.
10. 하야카오 타로오, 스다 타츠오, 키자키 하루토시, 하타 유이치로, 타카하시 노부히로, 우다가오 노부우기 : 구강생화학. 4판. 이사야쿠출판. 2005.

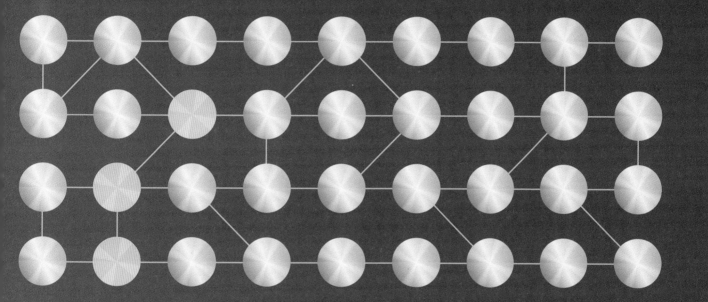

09

Chapter

바이오광화 기전

석회화(calcification)란 칼슘의 침착으로 경화되는 현상으로 혈액이나 조직액의 칼슘이 세포사이에 침착하는 것을 말한다. 생리적인 석회화로서 치아나 뼈의 형성이 있으며, 세포외기질 섬유의 주변부에 침착된 칼슘염에 의해서 경조직이 형성된다. 뼈, 치아의 상아질과 시멘트질은 조직학적으로 결합조직이며, 풍부한 기질과 다양한 굵기의 콜라겐 섬유가 종횡으로 달려서 고도로 발달한 섬유구조를 이룬다. 이 섬유에 연해서 인산칼슘염인 하이드록시아파타이트의 미세결정이 침착해 성장함으로써 석회화조직이 형성된다. 생체 내에서는 칼슘의 침착 이외에 다양한 미네랄이 관여하기 때문에 광화(mineralization)라고도 하며, 특히 생체 내에서 일어나기 때문에 바이오광화(biomineralization)라 한다.

일반적으로 체내에서 칼슘 화합물이 만들어지는 것을 석화화(calcification)라 한다. 칼슘 화합물만이 아니라 보통 결정이 생성되는 것을 결정화 또는 광화(mineralization)라고 한다. 그러므로 석회화보다는 광화라는 말이 더 정확하다 할 수 있겠으나 관습적으로 석회화라는 용어 역시 널리 사용된다. 척추동물의 석회화 골격은 근본적으로 하이드록시아파타이트를 형성하는 인산칼슘(calcium phosphate)으로 구성되어 있다. 이에 비해 무척추동물에서의 단단한 구조물은 많은 경우 탄산칼슘(calcium carbonate)으로 되어 있으며, 사람의 이석 경우에도 탄산칼슘으로 되어 있다. 사람에서 조직학적으로 서로 다른 석회화 조직은 독특한 일종의 석회화에 의해 결합하는데, 이것은 아마도 서로 공유되는 또는 약간 변형된 유전적 기전에 의해 석회화가 일어난다는 것을 의미한다. 이러한 공통점은 진화 기원에 있어서도 흥미로운 시각을 잘 보여주고 있다. 그럼에도 불구하고 이러한 공통점의 일부 시각은 최근 연구를 통해 나타난 유전적 발생 경로에서 거의 보편적인 다형질 발현(pleiotropy, 한 유전자가 다양성을 나타내는 성질로서, 표현형에 여러 가지 영향을 미친다)과 다르다는 것이다.

경조직에 무기물질이 침착하는 것은 세포와 유기분자의 직접적이고도 능동적 조절에 의해 일어난다는 것은 잘 밝혀져 있다. 이러한 사실을 이해하게 됨으로써 바이오미네랄(biomineral), 바이오광화(biomineralization), 바이오석회화(biocalcification) 및 바이오실리콘화(biosilicification) 및 바이오세라믹(bioceramic), 바이오결정(biocrystal)과 같은 새로운 용어들에서 보듯 접두사인 "bio"를 넓게 사용하게 되었으며, 자연계에서 발견되는 순수한 무기재료로서의 물질과 구조를 만들어 내는 데 있어 살아 있는 생명체가 관여되는 과정을 의미한다. 생물 모방(biomimetic 또는 biomimicking) 역시 자연계에서 일어나는 현상을 모방하여 특이 유기 주형을 기반으로 하여 in vitro에서 생물학적 또는 의학적 응용가치가 있는 구조물을 만들어 내는 것을 의미한다. 같은 접두사를 갖는 바이오미네랄 및 바이오결정(biocrystal) 즉, 바이오무기물질(bio-inorganics)과 해당되는 자연산인 미네랄 및 결정 즉, 그냥 무기물질 사이에는 큰 광물학적 차이가 있다. 특히 전자인 바이오 무기물질은 생리학적 온도와 기압 하에서 in vivo에서 일어나기 때문에 일반적으로 보다 높은 온도와 높은 기압 하에서 in vitro에서 만들어진 후자와는 차이가 있다. 사실 바이오미네랄은 세포 조절과 석회화 구조에서 나타나는 수많은 마크로-, 마이크로- 및 나노 구조에 책임지는 인자뿐만 아니라 바이오광화 과정의 기전에 대한 적절하게 기본적으로 관여하는 인자와 같은 두 가지 인자가 관여하여 만들어진다.

① 바이오광화 기전

바이오광화(biomineralization)는 주위 환경으로부터 생물체가 유기물질과 무기물질을 받아들여 잘 조절되는 생리활성을 통하여 기능을 갖는 구조물로 만드는 과정이다. 뼈와 조개껍질을 형성하는 과정은 생물체의 골격을 형성하는 데에 필수적이며, 무기물질로 탄산칼슘, 인산칼슘, 실리카 등을 이용하고, 유기물질로는 단백질, 지질, 탄수화물 등이 이용된다.

1) 혈청 칼슘과 인산의 이온적과 뼈 미네랄의 용해도적

*in vitro*에서 인산과 칼슘이 충분히 농축된 포화용액에서 인산칼슘 결정체가 침전하는 것은 쉽게 설명할 수가 있다. 그럼에도 불구하고 생물계에서 아파타이트(apatite)와 같은 인회석(인산칼슘) 결정체가 형성되는 것은 쉽게 설명할 수가 없다. 즉, "인산과 칼슘농도가 충분히 높을 경우 왜 우리 몸 전반에 걸쳐 석회화가 일어나지 않고 특정 부위에서만 석회화가 일어나는가?"에 대해 설명할 수가 없다. 체액에서의 칼슘과 인산이온의 유효농도는 단순하게 각 이온의 농도인 M로 표시할 수가 없다. 즉, ① 용액의 농도가 높을수록 이온 사이의 거리가 가까워지고, ② 반대 전하를 가진 이온들은 서로 끌어당기기가 쉬워진 결과로, ③ 이온의 물리화학적 활동도가 이온강도(ionic strength)에 의하여 결정이 된다. 각 이온은 온도에 따라 변하는 이온활동도계수(ionic activity coefficient)를 갖는다. 용액 내에서 결정이 형성되기 위해서는 핵형성(nucleation)과 결정성장(crystal growth)이라는 두 단계 과정이 일어나야만 한다. 어떤 용액에서도 용질(solute)과 용매(solvent) 입자는 끊임없이 움직인다. 특정 이온이나 분자의 움직임에 필요한 에너지는 그 이온이나 분자의 농도에 비례한다. 이 농도가 낮을 경우에는 이온활동도는 농도로 표시할 수가 있다. 그러나 보다 농축된 용액에서는 무작위적으로 일어나는 입자간의 충돌로 인해 이 에너지가 소실되기 때문에 그 농도에서 이온 수에서 예상되는 것보다 이온활동도는 감소하게 된다. 결정체에서 볼 수 있는 첫 번째 이

온 정렬을 형성하기 위한 이온사이의 충돌 가능성은 구성하는 이온의 이온활동도를 곱한 것에 의존된다. 즉, ① 결정체의 단위 공동부내에 관여하는 이온들이 많으면 많을수록 더 많은 에너지 필요하며, ② 이온 충돌 결과 불안정한 이온 응집체를 형성하기 때문에 응집체를 이루도록 서로 붙잡고 있는 힘이 이온 결정체의 정상적 이동이 일어나지 않을 정도의 힘을 초과해야 이온 응집체가 계속 유지될 수 있다. 이러한 이온 응집체의 형성이 결정체 형성의 첫 번째 단계로 이를 핵형성(nucleation)이라 한다. 핵형성에 필요한 에너지는 활성화 에너지 장벽이라 하는데, 이 에너지 장벽을 넘어야 핵형성이 유지되어 결정체가 성장할 수 있다. 이러한 활성화 에너지 장벽은 ① 결정체를 구성하는 이온 수에 의존되며, ② 용해도적에 대한 이온활동도적(이온활동도의 곱)의 비에 의존되고, ③ 이온 클러스터의 크기에 의존된다. 용해도적(solubility product)보다 이온활동도적(ionic activity product)이 클 경우 과포화(supersaturation) 되었다고 하며, 이 경우에 핵형성이 일어난다. 아파타이트 결정체의 경우 약 1nm 크기의 이온 클러스터가 형성되어 핵으로 작용할 수가 있다. 용액의 경우 농도가 증가할수록 이온활동도적이 용해도적보다 훨씬 적은 경우를 불포화(undersaturation)라 하며, 이온활동도적이 용해도적과 보다 훨씬 큰 경우 과포화라 한다. 이 경우 핵형성이 일어나게 되고 이온활동도적이 용해도적과 같아질 때까지 결정체의 성장이 일어나게 된다.

뼈나 치아의 유기 기질에 인산칼슘이 침착하는 것을 일반적으로 석회화[calcification, 또는 광화(mineralization), 엄밀한 의미에서 뼈나 치아에서 칼슘만이 침착되는 것이 아니기 때문에 다양한 종류의 미네랄이 침착되는 것을 반영하여 광화가 더 정확한 말이라 할 수 있다]라고 한다. 석회화 기전을 살펴보기 전에 우선 문제가 되는 것은, 칼슘과 인산이온에 대한 혈액(조직액) 내의 이온적[ionic products, 하나 이상의 H^+(proton)을 얻거나 잃을 수 있는(amphiprotic) 용매의 경향을 측정하는 것으로 $XH + XH = XH_2^+ + X^-$에서 $K_i =$

$aXH_2^+ \times aX^-$ 이다. 여기에서 aXH_2^+와 aX^-는 각각 XH_2^+와 X^-의 이온활동도이다. 즉, 각 이온의 농도를 곱한 것이다]과 **뼈 미네랄의 용해도적**[solubility products, K_{sp} ; 언급된 용매에서 이온화될 수 있는 용질 A_xB_y에 대한 일정 온도와 일정 기압 하에서 $A_xB_y \leftrightharpoons xA + yB$로 평형을 이루는 경우에 $K_{sp} = [aA]^x \times [aB]^y$로 $[aA]$와 $[aB]$는 각각 용액이 용질에 의해 포화상태에 있을 두 이온의 활동도이다. 불포화용액에서는 용해도적 $[aA]^x \times [aB]^y$이 K_{sp}보다 작은 수치를 나타내나, 여기에 더 많은 양의 이온을 가해서 K_{sp}를 넘게 되는 경우에 $[aA]^x \times [aB]^y$가 K_{sp}와 같아질 때까지 용액에서 침적이 일어난다]의 관계이다. 이 이온적과 용해도적 양자의 관계를 둘러싸고, 1958년까지의 30년간은 로비슨(Robison, R)의 알칼리성 인산분해효소를 기축으로 한 추가자극 기전(booster mechanism)이, 이어서 10년간은 노이만 부부(Neuman, WF 및 Neuman, MW)의 중가효과 기전[epitaxy theory, 혹은 핵형성설(nucleation theory)]이라 불리는 생각이 주류였다. 1960년대가 끝나게 되고 석회화 조직의 기질에 기질소포(matrix vesicle)라 불리는 소포가 발견되었다. 이 소포는 추가자극 기전과 중가효과 기전 둘 다에 관여 하는 효소나 물질을 함유 하고 있는 것으로 보아 오늘날은 이 기전 모두가 함께 일어나는 것으로 보는 경향이 있다.

혈청이나 수용액 중에 있어서의 칼슘이나 인산이온의 실효농도는 이들 이온의 몰 농도(molarlity, M) 만으로는 표현할 수가 없다. 왜냐하면 용액중의 이온농도가 높아짐에 따라 이온 사이의 거리가 작아지고, 이에 따라 반대 전하를 가진 이온 사이의 끌어당기는 힘이 효력을 나타내, 각각의 이온에 대한 물리화학적인 활동도를 저하시키기 때문이다. 즉, 각 이온도 자신과 반대의 전하를 가진 이온대기(ionic atmosphere)로 둘러싸여 있기 때문에, 이 이온대기의 존재가 오히려 이온활동도를 저하시키는 정전기장(electrostatic field)이 되기 때문이다. 따라서 용액의 이온강도가 정해지면 이온활동도도 결정된다. 이 값을 이온활동도계수(ionic activity coefficiency)라고 부르며, 이 값(표 9-1)은 매우 중요한 값으로, 이 수치 없이는 실험실에서 얻을 수 있는 데이터를 보편화 할 수가 없다. 즉, 이온의 실효농도(실제의 활동도)는 그 이온의 몰 농도에 활동도계수를 곱함으로써 얻을 수 있다. 구연산(citric acid)의 경우 그림 9-1과 같아서 카르복실기 3곳의 해리에 의해 구연산 이온이 발생한다. 이렇게 이온 형태가 3개 존재하는 경우 이온활동도계수 역시 3개가 존재한다. 같은 이유로 인산의 경우에도 3가지 이온활동도계수가 존재하고, 칼슘의 경우는 하나가 존재한다.

표 9-1. 생리적 이온강도(μ = 0.16)에 있어 각종 이온의 활동도계수

이온활동도 계수	이온	이온활동도 계수	이온
0.81	H^+	0.32	CO_3^{2-}
0.74	Na^+, HCO_3^-	0.30	Citrate^{2-} *
0.72	OH^-, F^-, Citrate$^-$ *, K^+, Cl^-, NO_3^-	0.36 *	Ca^{2+}
0.71	Rb^+, Cs^+, NH^{4+}	0.23 **	HPO_4^{2-}
0.62 *	$H_2PO_4^-$	0.08	Citrate$_3^-$ *
1.40	Mg^{2+}, Be^{2+}	0.06	PO_4^{3-}
0.33	Sr^{2+}, Ba^{2+}, Ra^{2+}		

*는 레빈스카스(Levinskas GJ)로부터 인용하였다. 그 밖의 것은 킬랜드(Keelland JJ)의 수치에 대입해서 얻은 수치이다.

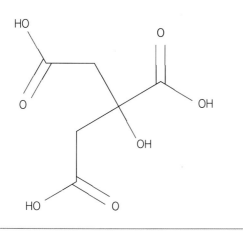

■ 그림 9-1. 구연산(citric acid) 이온의 구조
카르복실기를 붉은 색으로 표시하였다.

여기에서 표 9-1의 이온활동도계수를 이용하여 혈청의 칼슘과 인산의 이온활동도를 계산해 보기로 하자. 정

상인의 혈청 중 이온화 한 칼슘농도는 그림 9-2에 나타내듯이 전체 칼슘농도 2.5mM(10mg/dL)의 약 53%, 즉 1.33mM이다. 따라서 혈중의 Ca^{2+}의 활동도($A_{Ca}{}^{2+}$)는 1.33 × 10^{-3} × 0.36 = 0.48 × 10^{-3}이 된다.

한편, 혈중의 무기인산의 존재 상태는 칼슘만큼 복잡하지 않다. 단백질과의 결합도 무시할 수 있어 무기인산은 거의 100% 이온화되어 있다고 해도 과언이 아니다. 그렇지만 사람 혈청의 무기인산 기준치를 산출하는 것은 쉽지 않다. 인산의 혈중농도는 칼슘과는 달라서 연령이나 대사 상태에 따라 현저하게 변동하기 때문이다.

그러나 그 중에서도 가장 신뢰할 수 있는 값은 최저치(혹은 공복시의 성인의 혈중치)가 1mM(3.1mg/dL)이고 최고치(혹은 소아의 정상치)는 2mM(6.2mg/dL)이다. 또한 혈중(pH 7.4)에서는 $ortho$-인산(정인산)은 그 81%가 $HPO_4{}^{2-}$로, 19%가 $H_2PO_4{}^-$로 존재하며 0.008%

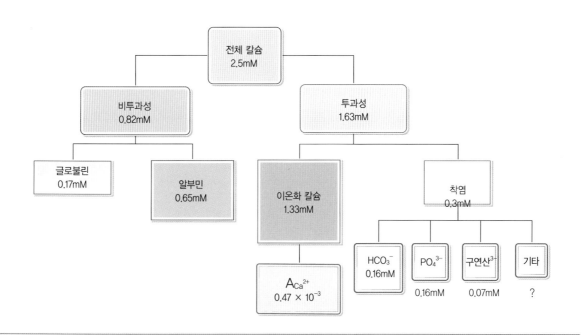

■ 그림 9-2. 한외여과의 데이터와 생성정수(productivity)로부터 산출된 정상인 혈중의 칼슘 존재 상태
Mg^{2+} 등과의 길항작용을 무시했기 때문에 결합형 칼슘 양에는 상당한 오차가 있을 수도 있다. 그러나 그 오차는 유리 칼슘이온 양을 결정할 때 2~3% 이상의 영향은 주지 않을 것이다.

표 9-2. 혈청 중 무기인산의 해리상태

	전체 무기인산		$H_2PO_4^-$		$H_2PO_4^{2-}$		PO_4^{3-}	
	Mg%	mM	농도 mM	활동도 × 10^{-3}	농도 mM	활동도 × 10^{-3}	농도 mM	활동도 × 10^{-3}
공복시 성인수치	2.1	1	0.19	0.12	0.81	0.19	8 × 10^{-5}	5 × 10^{-6}
소아에서 수치	6.2	2	0.37	0.23	1.63	0.37	1.6 × 10^{-4}	1 × 10^{-6}
%	100		18.6		81.4		8 × 10^{-3}	

가 PO_4^{3-}로서 해리 하고 있다(표 9-2). 따라서 HPO_4^{2-}의 활동도($A_{HPO_4^{2-}}$)는 공복 시의 성인에서 $1 × 0.81 × 10^{-3} × 0.23 = 1.9 × 10^{-4}$이고, 소아에서는 $2 × 0.81 × 10^{-3} × 0.23 = 3.7 × 10^{-4}$이 된다.

레빈스카스(Levinskas GJ)는 하이드록시아파타이트의 용해도를 나타내는데 가장 변동이 적은 값으로서 생각할 수 있는 방법으로 활동도적 중에서 가장 간단한 $A_{Ca^{2+}} × A_{HPO_4^{2-}}$를 선택하였다. 따라서 칼슘과 인산의 혈청 내 활동도적 결국 $A_{Ca^{2+}} × A_{HPO_4^{2-}}$로 나타냈다. 그러므로 공복시의 정상 성인에서 혈청의 활동도적(최저치)으로 $0.91 × 10^{-7}$, 정상 소아의 값(최대치)으로 $1.8 × 10^{-7}$을 얻을 수 있다.

2) 뼈의 석회화

경조직으로 알려진 뼈와 치아에 대한 석회화 기전은 지금까지 여러 가지 학설이 제창되었다. 기본적으로는 석회화에 관여하는 인자로 세포, 체액, 기질 및 환경이 관여하며, 골모세포나 상아모세포가 연조직의 경우에서와 같이 기질인 콜라겐, 프로테오글리칸 또는 비콜라겐성 단백질로부터 생성되는 유골(osteoid)이나 상아전질(pre-dentin)을 생성하여, 그곳에 주위 체액으로부터 인산칼슘을 침착시키는 것이다.

석회화 과정은 기본적으로 크게 2가지 기전에 의해 일어난다. 즉, 부스터 기전(booster mechanism)과 파종기전(seeding mechanism)이다. 부스터 기전은 알칼리성 인산분해효소(alkaline phosphatase, ALP)와 같은 효소의 농도나 활성 정도에 의해 석회화 산물이 아파타이트 결정을 만드는데 꼭 필요한 칼슘이온과 인산이온의 농도를 증가시켜 자발적인 침전이 일어나도록 하는 것이다. 즉, 우리가 결핵을 예방하고자 예방주사를 맞은 후 일정 기간 후에 다시 주사를 한 번 더 맞아(부스터 주사) 면역효과를 높이는 것처럼, 이미 존재하는 칼슘과 인산이온으로는 침전이 되지 않기 때문에 부스터를 통해 이들 이온의 농도를 증가시켜 침전을 유도하는 기전이다. 이에 비해 파종 기전은 아파타이트 결정이 침착할 수 있는 몰드(mould)나 주형(template)으로 작용하는 씨앗(seed)이나 핵형성 물질(nucleator)인 콜라겐과 같은 유기기질에 파종하여 이질핵형성(heterogenous nucle-ation)을 유도하는 것이다. 동종 핵이 형성되어 석회화가 일어나는 경우보다 낮은 이온농도에서 침전이 가능하기 때문이다.

이러한 기전을 근간으로 하여 크게 3가지 가설이 제시되었다. 즉, 부스터 가설(booster theory), 파종설(seeding theory) 및 기질소포설(matrix vesicle theory)이다. 부스터 기전을 근간으로 하는 부스터 가설은 크게 2가지가 있는데, 로비슨(Robison R)의 알칼리성 인산분해효소설과 까르띠에(Cartier P)의 가설이다. 까르띠에 가설은 석회화를 억제하는 물질인 피로인산과 석회화를 촉진하는 ATP가 있어 이 둘의 농도를 적절히 조절하여 석회화가 일어난다는 것이다. 파종설은 부스터설에 이어 바로 제시된 것으로 유기기질인 콜라겐이 텃밭이고 여기에 미네랄 결정이 파종되어 일어난다는 가설이다. 에피택시설(epitaxy theory)이 이 가설을 근간으로 하는 것이다. 기질소포설은 보다 후에 제시된 것으로 기질소포 내에서 아파타이트 결정이 형성 된 후 이것이 세포외기질로 나와 석화화가 진행된다는 가설이다.

(1) 알칼리성 인산분해효소설

옛날부터 "뼈나 치아가 석회화할 때 우선 한정된 장소에 존재하는 칼슘 혹은 인산의 농도가 높아지는 것이 첫번째 조건으로, 이 농도가 일정한 용해도적을 넘으면 무기염의 석출이 일어날 것이다"라고 생각하고 있었다. 이러한 생각을 일반적으로 부스터 설(booster theory 또는 추가자극설)이라 한다. 이 생각에 따라 석회화 기전을 설명한 것이 로비슨(Robison R)과 그 학파이다. 이들의 알칼리성 인산분해효소설(alkaline phosphatase theory)은 실제로 1920년대부터 1958년까지의 거의 40

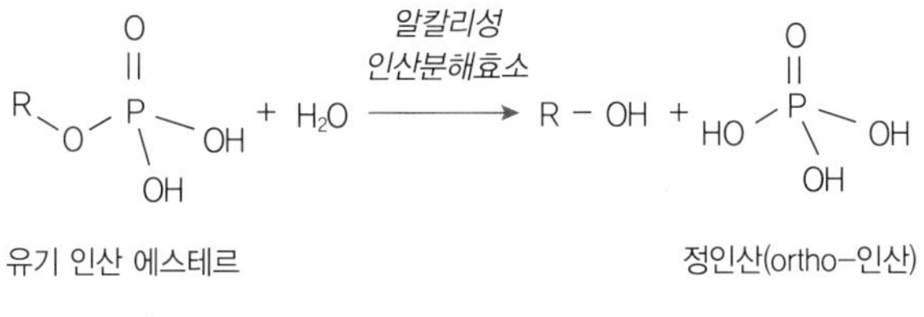

년 동안 석회화의 연구를 지배했기 때문이다. 로비슨의 최초 학설을 간단히 소개하면 다음과 같다.

즉, "어느 유기인산에스테르가 알칼리성 인산분해효소(alkaline phosphatase)에 의해 약알칼리성 조건하에서 가수분해 되면(그림 9-3), 인산이온의 농도가 국소적으로 높아져, 결과적으로 뼈 미네랄의 용해도적을 넘게 된다."라고 하는 것이다. 이 로비슨의 학설에는 다음과 같은 의미가 포함되어 있다.

① 알칼리성 인산분해효소(alkaline phosphatase)는 석회화가 일어나는 장소라면 어느 곳에도 존재하며, 또한 그 장소에서 꼭 필요하다.
② 알칼리성 인산분해효소의 기질이 되는 인산에스테르는 세포외액(extracellular fluid)에 존재한다.
③ 세포외액은 제2인산칼슘에 대해 아직 불포화 상태로 더 많은 제2인산칼슘이 더 용해될 수 있는 상태로 있다.
④ 석회화가 일어나는 한정된 장소에서 인산 농도가 증가하면, 그 장소에서 무기염의 침착이 일어나게 될 것이다.

로비슨은 우선 ①을 증명하는 실험을 하여 증명하였다. 즉, 석회화하고 있는 모든 부위에서 알칼리성 인산분해효소의 존재를 확인하였다. 그럼에도 불구하고 석회화가 일어나지 않는 장소, 예를 들어 소장이나 콩팥에서도 이 효소가 존재하였다. 이러한 사실은 약간 의외였지만, 아마 별 문제가 없는 것으로 로비슨은 생각하였다.

다음에 로비슨은 이 효소의 기질이 되어야 할 인산에스테르에 대한 탐구를 시작하였다. 우선 그는 곱사병(또는 구루병) 쥐에서 얻은 골단 연골을 얇은 절편을 제작하여 이것을 혈청 내와 같은 농도의 칼슘과 무기인산을 함유하고 있는 적당량의 글리세롤인산 에스테르(glycerolphosphate ester)를 포함한 용액에 첨가하면, 아직 석회화가 일어나지 않은 골단 연골에 무기물의 침전이 일어난다는 사실을 밝혔다. 그림 9-4는 이러한 실험의 한

유기 인산 에스테르

헥소스 일인산
헥소스 이인산
글리세롤 3-인산

정인산(ortho-인산)

■ ■ 그림 9-3. 알칼리성 인산분해효소에 의해 유기인산에스테르의 분해

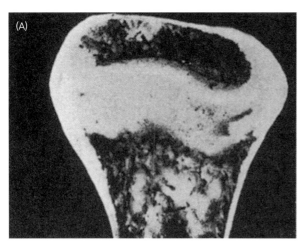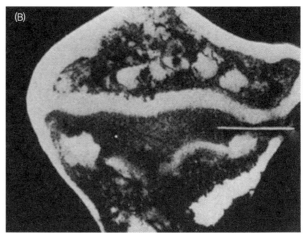

■▦ 그림 9-4. 구루병 쥐에서 경골 골단 연골의 *in vitro* 석회화 실험

10mg%의 칼슘과 3.5mg%의 무기인산을 포함한 용액(A)과 (A)에 4mg%의 글리세롤인산에스테르를 가한 용액(B)에 각각 구루병 쥐의 골단 연골의 절편을 37℃로 16시간 배양 후, 폰 코사(von Kossa) 염색한 표본이다. (B)에서 골단부의 X로 표시한 부위에 검게 보이는 무기물의 새로운 침착이 확인된다. Robison, R : The Significance of Phosphoric Esters in Metabolism. New York University Press, 1932.

예로, 비타민 D 결핍 구루병(rickets) 쥐의 혈청과 같은 농도의 칼슘 및 무기인산을 함유하는 용액에 구루병 쥐로부터 만든 골단 연골 절편을 담근 경우로, 골간단부[metaphysis, 골단부(epiphysis)에서 골간부(diaphysis)로 이행 하는 부위]의 부분에 아직 석회화가 일어나지 않은 광범위한 부위를 볼 수 있다(그림 9-4A). 이에 반하여 글리세롤인산 에스테르인 글리세롤 3-인산(glycerol 3-phosphate)을 가한 용액에 담근 골단 연골(그림 9-4B)에서는, × 표의 부분에 인산칼슘의 침착이 일어나고 있는 것을 확인할 수 있었다.

로비슨은 다음 단계의 실험으로 석회화가 일어나는 장소에서, 실제로 인산 공급원이 되고 있는 인산분해효소(phosphatase)의 기질(substrate)이 어떤 유기 인산 에스테르일까를 찾는 연구를 진행하였으나 끝내 알아낼 수가 없었다. 그 후에 로비슨과 그 학파에 의해서 "이차 기전(second mechanism)"이라는 기전이 제안되었지만, 그 내용을 보면 정확히 정의를 내리기가 어렵다. 즉, 어떤 경우에는 이것이 세포외액에 인산에스테르를 적당량

공급하는 어떤 종류의 일로 해석되거나, 결정이 침착하는데 필요한 유기기질을 준비하는 기능으로 "국소인자(local factor)"가 존재한다고 생각하였다. 한 예로, 앞에서 예시한 연골 절편의 *in vitro* 석회화는 10^{-3} M의 모노요오드초산(monoiodoacetate, aldolase를 억제하여 glyceraldehyde 3-phosphate 합성 저해)이나 10^{-4} M의 불소이온(F^-, pyruvate kinase, enolase 등을 억제)에 의해서 억제되지만, 알칼리성 인산분해효소는 같은 농도의 용액에서 거의 영향을 받지 않기 때문에 무엇인가 다른 효소가 관여할 것이라는 설이 시사되기도 했다. 이후 이러한 과정에 해당계(glycolysis)의 효소와 대사산물이 관계하고 있음을 보고하였다. 즉,

① 비대 연골 세포에 축적되고 있던 글리코겐(glycogen)은 석회화기 직전 또는 석회화와 동시에 세포질로부터 소실된다.

② 모노요오드 초산이나 불소이온과 같은 해당작용의 억제물질을 첨가하면 연골의 석회화는 일어나지 않는다.

③ 해당계의 대사산물 가운데 이들 억제물질에 의해 억제되는 반응보다 나중에 일어나는 대사경로의 대사산물(모두가 인산에스테르 화합물임)을 첨가하면 억제물질 존재 하에서도 연골의 석회화는 일어난다.

이러한 실험 결과로부터 굿만(Gutman AB)은 로비슨의 가설을 수정하였다. 즉, 인산분해효소는 로비슨의 주장처럼 무기인산을 공급하기 위한 가수분해효소로서 작용하는 대신에 해당경로로 형성되는 어떤 종류의 인산에스테르에서 유기기질(organic matrix)로 인산을 전달하는데 도움이 되고 있는 것이라고 생각하였다.

1960년대에 들어서 인산분해효소는 새로운 전기를 맞게 되었다. 즉, 인산에스테르의 가수분해가 석회화에 있어 필요한 것이라면, 그 반대로 가수분해 되지 않은 인산에스테르는 오히려 석회화를 억제할지도 모른다고 생각하게 되었다. 실제 1961년에 훌라이쉬(Fleisch H)와 노이만(Neuman)은 혈중에서 가수분해 되지 않은 피로인산에스테르(pyrophosphate ester)를 순수 분리하였다. 이 물질은 석회화를 일으키는 장소에서 하이드록시아파타이트 표면에 흡착되어 정확히 결정독(crystal poison, 결정체의 표면에 존재해서 결정격자의 지속적인 형성을 억제하는 화합물로 결정성장이 정지되고 모용액(mother liquor)은 과포화용액으로 된다. 피로인산은 많이 희석되어도 효과적인 결정독으로 작용하지만 피로인산은 포유동물에서 골화가 진행 중인 뼈나 혈액 및 오줌에서도 발견이 된다)으로 작용하여 결정의 성장을 저지한다. 즉, 석회화가 일어나는 장소에서 알칼리성 인산분해효소의 역할은 한정된 장소에서 무기인산의 농도를 높이기 위해 필요한 것이 아니고 오히려 결정 성장을 저해하는 물질을 제거하는 피로인산분해효소(pyrophosphatase) 작용이 더 중요할 것이라는 생각이다(그림 9-5). 또한 근래에는 피로인산분해효소가 석회화에 있어 중요하다는 가설을 지지하는 실험 결과들이 보고되었다.

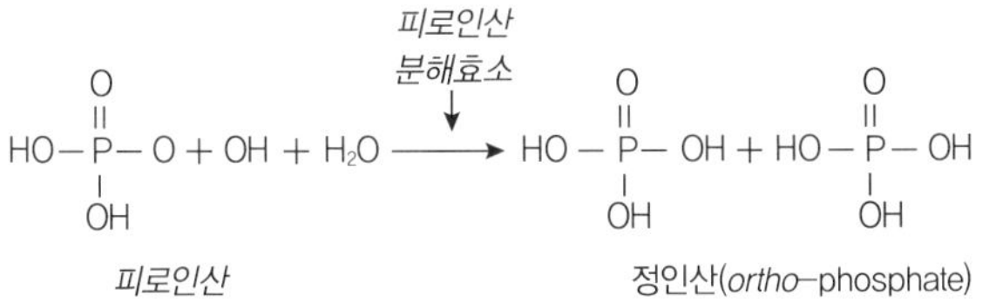

현재 시점에서 생각하면 로비슨의 주장 중에서 ③과 ④를 더 중요시 하여야 했다. 석회화 기전의 연구는 골염(bone salts)의 용해도적에 관한 문제, 그 중에서도 석회화가 일어나기 위해서는 한정된 장소에서 이온의 추가 자극이 과연 필요한지에 대한 어떤 근본적인 문제에 의문을 갖게 되어 1950년 이후의 연구를 통해 새로운 발전을 이루게 되었다.

(2) 체액에서의 골염(bone salt) 상태

석회화가 일어나기 위해서 체액의 칼슘 혹은 인산의 농도를 높일 필요가 있다고 하면, 체액은 뼈나 치아의 미네랄이 불포화 상태로 있어야 한다. 실제로 체액(혈청)은 뼈나 치아에 대해 미네랄이 불포화 상태인지 알고자 하여 1958년, 노이만 부부가 보고한 그림 9-6에 나타내는 실험은 체액(혈청)이 골염에 대해 불포화 상태가 아니고 과포화 상태인 것을 증명해, 로비슨의 추가자극설을 대신해 에피택시설(epitaxy theory, 또는 중가효과설)을 등장시키는 계기가 되었던 것이다.

이 실험은 다음과 같이 하였다. 혈액의 한외여과액(ultrafiltrate, 피로부터 단백질 등의 고분자 물질을 제외한 액)과 동일한 이온조성을 가지는 용액을 인공적으로 조제해, 이것에 유기질을 제외한 골분(뼈 분말)을 더해 잘 섞어 주었다. 24시간 후에 원심 분리하여 상층액에 들어 있는 칼슘과 인산의 농도를 측정하였다. 이 과정에서 침전물에 다음날 다시 새로운 용액을 가해 같은 방법으로 처리를 하면서 이 실험을 17일간 반복하였다. 그 결과를

■■■ 그림 9-5. 피로인산의 분해

그림 9-6에 나타냈다. 이 실험을 통해 알 수 있었던 것은 상기의 조작을 며칠 반복해도, 초기에는 혈청의 칼슘과 인산 농도가 항상 감소하였지만, 실험 후 일정 기간이 지나면 용액중의 칼슘과 인산 농도는 거의 일정하여 칼슘은 1.8mg%, 인산은 4.1mg%를 유지하였다.

이 실험조건에서 골염의 용해도를 $A_{Ca^{2+}} \times A_{HPO_4^{2-}}$로 나타내면 다음과 같다.

$$18/40 \times \times 0.36 \times 10^{-3} \times 41/31 \times 0.81 \times 0.23 \times 10^{-3} = 0.40 \times 10^{-7}$$

(40은 칼슘의 원자량, 31은 인의 원자량이다)

이 값은 공복 시의 성인 혈청의 이온활동도적 $A_{Ca^{2+}} \times A_{HPO_4^{2-}}$의 값($0.89 \times 10^{-7}$)의 약 반 정도이다. 한편, 제2인산칼슘($CaHPO_4 \cdot 2H_2O$)의 용해도적은 2.3×10^{-7}이기 때문에, "혈청은 제2인산칼슘에 대해 확실히 불포화 상태이지만, 골염에 대해서는 과포화 상태다"라고 결론지을 수 있다. 그럼에도 불구하고 골염의 자발적 침전을 일어나도록 하기에는 충분하지 않은 상태로 준안정성(metastable) 상태이다.

그러면 혈청의 칼슘과 인산이온의 이온활동도적이 골염(bone salt)의 용해도적보다 높은데, 왜 생체 내에서는 우리 몸 여러 곳에서 골염이 석출되지 않는 것일까? 이 의문을 푸는 열쇠는, "실제로는 제2인산칼슘이 골염이 아니고, 하이드록시아파타이트가 골염이기 때문이다."라고 하는 것이다. 칼슘과 인산이온을 포함한 수용액으로 이들 이온농도를 높여 가면, pH가 6.2 이상에서 최초로 석출되는 결정은 제2인산칼슘[$CaHPO_4 \cdot 2H_2O$]이며, 이것은 다음과 같이 자연스럽게 가수분해되어 하이드록시아파타이트로 전환한다.

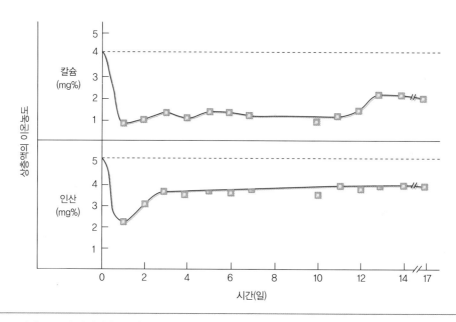

■■ 그림 9-6. 노이만 부부의 에피택시설 실험

잘게 분쇄한 뼛가루(골분)를 혈액의 한외여과액과 같은 이온조성을 가진 용액 중에 가해 24시간 배양 후, 원심분리하여 상층액에서 칼슘과 인산의 농도를 측정하였다. 이 과정에 형성된 침전물에 새로운 한외여과용액을 가해 같은 방법으로 실험을 17일간 반복하였다. 점선은 용액의 최초 농도를 나타낸다. Newman WF. Newman MW: The Chemica dynamics of bone mineral. University of chicago press, 1958.

$$10[CaHPO_4 \cdot 2H_2O]$$
$$\rightarrow Ca_{10}(PO_4)_6(OH)_2 + 4\ H_3PO_4 + 18\ H_2O$$

이것은 제2인산칼슘보다 하이드록시아파타이트 쪽이 열역학적으로 안정하다는 것을 의미한다. 이 반응에서 인산(H_3PO_4)이 생성되고 있는 것에 주목할 필요가 있다. 즉, 하이드록시아파타이트는 제2인산칼슘보다 알칼리성의 염류이다.

혈청에서 골염의 용해도적은 $0.40 \times 10^{-7}\ M^2$이고 제2인산칼슘의 용해도적은 $2.3 \times 10^{-7}\ M^2\ [32(mg\%)^2]$이며, 나아가 칼슘이온이나 인산이온에 대한 이온활동도적은 $1.05 \sim 1.5 \times 10^{-7} M^2 [13\sim25(mg\%)^2]$이다. 즉, 혈청에서 칼슘과 인산의 이온활동도적은 하이드록시아파

타이트나 바이오아파타이트(bioapatite)의 용해도적보다 훨씬 크다는 것을 알 수 있다. 그럼에도 불구하고 앞에서 이미 기술하였듯이 혈청에서 아파타이트와 같은 결정체가 형성되지 않는 것은 이해하기가 어렵다. 이를 이해하기 위하여 새로운 실험을 하였다(그림 9-7). 즉, 칼슘과 인산이온의 평균 이온적인 $18(mg\%)^2$ 농도로 존재하는 용액을 만들어 아무리 오래 동안 방치해 두어도 결정이 석출되지 않지만, 이 용액에 작은 골편을 넣어주면 용액 속의 이온농도가 감소하면서 아파타이트의 크기가 커져 결정체가 성장하였다. 이러한 과정은 용액 내의 이온활동도적이 아파타이트의 용해도적과 같아질 때까지 아파타이트의 크기가 증가되는 과정이다. 또 다른 실험으로 용액의 이온활동도적을 제2인산칼슘의 용해도적을 약간

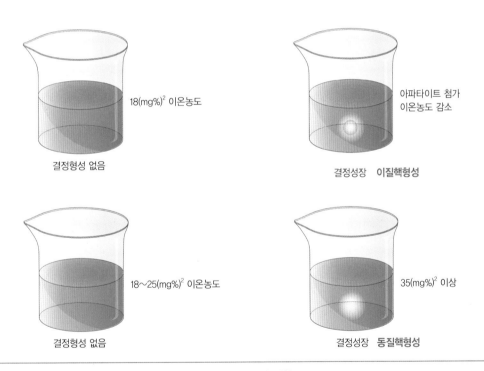

■ ▨ 그림 9-7. 인산과 칼슘의 이온활동도적과 결정 형성과의 관계 실험

인산과 칼슘의 평균 이온활동도적인 $18(mg\%)^2$에서는 아무리 오래 방치하여도 아무런 결정체가 석출되지 않는다. 이온활동도적이 $18\sim32(mg\%)^2$까지 이온농도를 상승하여도 아무런 결정체가 형성되지 않으나, 여기에 골분과 같은 아파타이트를 첨가하면 아파타이트가 결정성장을 하는데, 이온활동도적이 아파타이트의 용해도적과 같아질 때까지 결정이 성장한다. 이온활동도적이 용해도적을 초과하여 존재하는 경우에는 아무런 아파타이트와 같은 핵형성물질을 첨가하지 않아도 결정이 형성된다. 이러한 실험 결과로 이질핵형성 개념과 동질핵형성 개념이 확립되었다.

넘는 정도[32(mg%)^2]까지 증가하면서 이 용액에 작은 골편 등의 이물질을 넣어 주지 않을 경우에는 용해도적을 약간 넘을 때까지도 아무런 결정이 형성되지 않으나, 아파타이트 용해도적을 훨씬 넘으면 용해성이 좋은 제2인산칼슘염이 석출된다. 이렇게 만들어진 제2인산칼슘염은 불안정한 상태로 pH 6.2 이상에서 하이드록시아파타이트로 전환된다. 이 두 실험을 통하여 이온활동도적이 18(mg%)^{2}에서는 용액 내에 이미 아파타이트와 같은 이물질이 존재하여야만 아파타이트 크기가 증가되지만, 제2인산칼슘의 용해도적을 훨씬 넘으면[32(mg%)^2 이상] 용액 내에 아파타이트와 같은 이물질이 존재하지 않아도 새로운 아파타이트 결정체가 형성됨을 알 수 있었다. 이러한 실험 결과로 동질핵형성(homogenous nucleation)과 이질핵형성(heterogenous nucleation) 개념이 정립되었다. 동질핵형성의 경우 이미 어떤 핵(nucleator, 아파타이트와 같은 이물질)이 존재하지 않으면 아파타이트 형성이 쉽게 일어나지 않는다. 즉, 균일한 용액 내에서 하이드록시아파타이트 형성은 매우 어려워서, 이것을 극복하기 위하여 외부로부터 에너지가 주어져야만 한다. 이러한 실험 결과로 혈액이 하이드록시아파타이트에 대하여 과포화 상태로 존재하여도 이 정도 농도에서는 쉽게 아파타이트가 형성되지 않음을 설명할 수가 있었다. 그러나 석회화 조직에서 어떻게 해서 새로운 하이드록시아파타이트 결정체가 형성되는지 설명할 수가 없었다. 그러나 오래 전부터 어떤 고체 표면이 이미 존재하는 경우에 쉽게 새로운 결정체가 만들어 질 수 있다는 사실은 잘 알려져 있었다. 그러므로 석회화 조직에서도 이러한 고체 표면, 즉 핵형성물질(nucleator)이 이미 존재할 경우 석회화 조직에서 쉽게 결정체가 형성될 수 있을 것이라 기대되었기 때문에 이러한 역할을 할 수 있는 새로운 핵형성물질을 찾고자 노력하였다. 즉, 서로 다른 종류의 물질이 혼합되어 석회화가 진행될 것이라는 이질핵형성 개념인 에피택시설(epitaxy theory, 또는 중가효과설)이 도입되었다.

(3) 에피택시설(epitaxy theory 또는 중가효과설)

1935년 카글리오티(Caglioti V)는 유기기질과 무기기질과의 밀접한 상관관계에 대하여 가설을 제시하였는데, 대퇴골의 유기성분과 무기성분에 대한 회절패턴(diffrac-togram)을 분석하여 이 두 성분이 밀접하게 연관되어 "유사 복합 그물망(quasi-combined reticulum)"으로 존재한다고 보고하여 석회화에 유기기질이 중요하다는 것을 암시하였다. 1953년 디스테파노(DiStefano V) 등은 석회화란 특정 표면이나 주형이 결정 형성 유도를 위한 센터 또는 "씨앗(seed)"으로 작용하여 결정화를 촉매하는 과정이라 하였다. 1953년 노이만 부부는 석회화가 유기기질의 일정부분에 존재하는 입체공간적 특성의 결과로 일어난다고 규정하였다. 이러한 씨앗의 파종(seeding)이나 핵형성(nucleation)이 아파타이트 격자의 적절한 공간적 관계를 반영하는 칼슘이나 인산이온이 유기기질과 결합에 의해 개시된다고 하였다. 이러한 결과 "씨앗"이나 주형에 이온들이 더 응집함으로써 주형으로 작용하는 유기기질의 방향에 따라 결정이 성장한다. 1959년 글림쳐(Glimcher MJ)는 콜라겐의 특정 아미노산 잔기가 관여하는 것을 보고하였다. 콜라겐과 아파타이트의 구조가 비슷한 사실로부터 기질인 콜라겐을 핵으로 한 과포화(준안정역, metastable)의 혈청에서 아파타이트 결정이 침착한다고 한 가설이다. 즉, 콜라겐 섬유 방향의 단편의 주기는 2nm로 아파타이트 c축 0.688nm을 3배하면 약 2nm가 되어 일치한다는 것이다. 그러나 아파타이트가 콜라겐 섬유를 따라 석출하지만 단면에 석출하지 않기 때문에 단점이 있다.

그러면 대부분의 조직에서 용해도적은 혈청 칼슘과 인산이온의 이온활동도적보다 훨씬 높은데도 왜 생체 내 도처에서 하이드록시아파타이트가 용액 중에서 직접 석출되지 않는 것일까? 이 의문점을 풀 실마리는 그림 9-8을 보면 이해가 된다. 그림 9-8 왼쪽의 A로부터 B로의 반응은 에너지가 높은 상태에서 낮은 상태로의 반응이기 때문에 자연스럽게 일어날 수 있는 반응이다. 그럼에

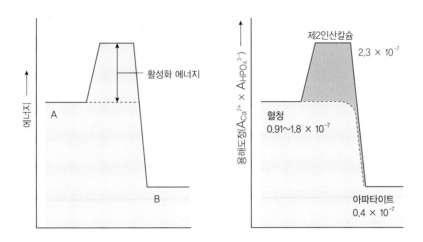

■▥ **그림 9-8. 하이드록시아파타이트 결정의 생성과 화학반응의 비교**

A가 B로 전환하기 위해서는 높은 활성화 에너지 장벽을 넘어야 하나 활성화 에너지를 외부에서 가해줌으로써 쉽게 B로 전환할 수가 있다. 석회화의 경우에도 혈청의 인산과 칼슘이온농도가 아파타이트가 되기 위해 충분히 과포화되어 있어 아파타이트 용해도적을 넘어 쉽게 결정이 형성될 수 있을 것으로 예상되지만 활성화 에너지 장벽으로 작용하는 제2인산칼슘을 넘어서야만 아파타이트 결정이 형성될 수 있다. 그렇기 때문에 우리 몸 도처에서 아파타이트 결정이 형성되지 않고 이러한 장벽을 넘어설 수 있는 곳에서만 석회화가 일어나 결정이 형성된다. 아라타니 신페이, 스다타츠도: 호르몬과 임상. 14:699. 1966.

도 불구하고 실제로 그러한 반응이 잘 일어날지는 모른다. 예를 들어 높은 산의 정상근처에 있는 분화구 호수의 물은 바다로 흘러 흩어질 가능성은 있지만, 실제로는 그 물을 산꼭대기까지 들어 올리든지, 산 중턱에 터널을 뚫지 않으면 호수의 물은 바다로 흐를 수가 없다. 이러한 사실은 화학반응의 경우에서도 마찬가지여서, 모든 물질은 각각 고유의 안정된 상태가 존재하기 때문에 어떤 형태든 안정된 상태를 능가하는 에너지로 즉, 그림 9-8 왼쪽에 활성화 에너지라고 표시된 에너지를 외부에서 가해주든가, 아니면 그 안정성을 감소시키는 방책을 취하지 않으면 자연스럽게 일어날 수 있는 반응임에도 불구하고 실제로는 그 반응은 좀처럼 일어나지 않을 수도 있다. 대부분의 화학반응에서 가열하는 방법은 전자에 속하며, 효소나 촉매를 이용하는 방법이 후자의 수단이다.

그런데 하이드록시아파타이트가 용액 중에서 석출되는 경우를 생각해 살펴보면, 어쩌면 단위포(unit cell, 또는 단위격자)를 구성하는 하이드록시아파타이트의 18개 이온이 충돌하여서 각각 올바른 입체 배치를 취하면서 결정이 석출될 것으로 추측되나, 그러한 일이 일어날 확률은 거의 없다. 즉, 이 반응의 활성화 에너지가 매우 큰 것을 의미하는 것으로, 이대로는 이 반응이 실제로 일어날 수 없는 것이다. 그러나 만약 이 반응(그림 9-8 오른쪽)을 촉매나 효소를 이용하는 경우와 같이 적당한 반응 상태에서 일으키면, 이 높은 활성화 에너지를 떨어뜨려 용액으로부터 직접 하이드록시아파타이트를 석출할 수 있을지도 모른다. 이러한 촉매반응은 통상, 에피택시[epitaxy, 에피택시라는 말은, 그리스어 "위에 배치해 on arrangement"라고 하는 의미의 말로부터 유래되었다. 실제로 광물의 결정 생성에는 중가효과가 관여 하는 수천의 실례가 알려져 있다. 로이어(Royer L)에 의하면, 에피택시가 일어나기 위한 가장 중요한 조건은, 서로 접하고 있는 2개의 결정면의 격자 간격(또는 2 이온 사이의 거리)이 거의 같거나, 또는 단순한 정수비인 관계라 하였다], 혹은 결정 형성의 종자 파종(crystal seeding), 또는 핵형성이라 부르고 있다. 로이어(Royer L)에 의하

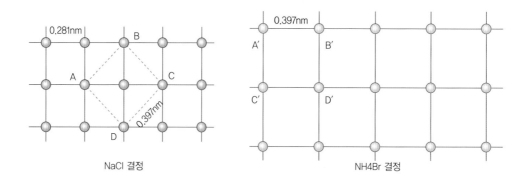

■ ▒ 그림 9-9. NaCl 상에서 에픽택시에 의한 NH₄Br 결정 형성
NH₄Br 결정의 한 변은 NaCl 결정의 대각선 길이에 해당되어 배열되는 것을 알 수 있다.
Royer L: Recherches experimentales sur i epitaxie ou orientation mutelle de cristaux déspeces differenties. Bull Soc Franc Min 51:7-154, 1928.

면 에피택시가 일어나기 위한 가장 중요한 조건은 서로 접하고 있는 두 결정면의 격자 간격 또는 두 이온 사이의 거리가 거의 같거나, 혹은 단순한 정수비의 관계에 있어야 한다고 하였다. 예를 들면, 요소(urea)가 존재할 때 소금(NaCl) 표면에 생기는 암모늄브로마이드(NH₄Br)의 결정은 그 한 변이 NaCl 결정면의 대각선에 평행한 방향으로 배열한다(그림 9-9). NH₄Br의 격자 결정에는 두 NH_4^+ 이온(또는 두 Br^- 이온)간 거리는 0.397nm이다. NaCl 격자에서는 두 Na와 Cl 이온간 거리는 0.281nm이다. 따라서 대각선 길이는 다음과 같이 된다.

$$\sqrt{(0.281)^2 + (0.281)^2} = 0.397\text{nm}$$

그러므로 NH₄Br 결정 속에 위치한 암모늄이온(또는 브롬 이온)이 그 밑에 위치한 소듐이온의 망상 구조에 적합한 상태로 존재한다고 설명하고 있다.

지금까지 설명으로 알 수 있는 것은 로비슨의 알칼리성 인산분해효소설 즉, 추가자극설에서는 처음에 석출되는 결정이 제2인산칼슘 이수화물($CaHPO_4 \cdot 2H_2O$)이라고 생각하였다. 이 제2인산칼슘은 곧 가수분해되어 보다 안정한 아파타이트가 된다. 그러나 에피택시 즉, 중가효과설에서는 처음으로 석출되는 결정이 제2인산칼슘

이 아니라 아파타이트거나 이와 유사한 결정이라고 생각한다.

뼈나 치아의 석회화가 에피택시에 의해 일어난다고 하더라도 과연 무엇이 아파타이트 결정 형성의 모체가 되는 것일까? 이에 대한 해답은 그동안 많이 제기되었던 유기물질일 것이다. 이들 유기기질 중 어느 하나에 결정을 만들 수 있도록 파종(seeding)할 수 있는 텃밭 역할을 할 수 있다면 부스터 기전에 비해 열역학적으로도 경제적이며, 부스터에서는 기대하기 어려운 규칙적인 결정 성장과 배열도 얻을 수 있다.

① 뼈 석회화 과정에서 세포외기질 단백질의 역할

사람과 척추동물에서 일반적으로 바이오광화(biomineralization)는 유기기질에 의해 매개되는 과정이다. 석회화 기질에서 유기분자의 근본적 역할은 세포외액(extracellular fluid)에서, 또는 성장 중인 하이드록시아파타이트의 표면에 칼슘이온이 결합하도록 하는데 있으며, 다른 세포외 분자나 같은 분자끼리 서로 결합한다. 음전하를 띄는 글리코사미노글리칸, 감마-카르복시글루탐산(γ-carboxyglutamate) 및 기타 산성 아미노산[글루탐산(Glu), 아스파라긴산(Asp) 및 인산화 세린(phosphoserine)]은 하이드록시아파타이트 결정화(crystallization)에 필요한 칼슘이온을 격리시키거나(sequest) 착화물[킬레이트(chelate)]로 만들어 석회화를 억제한다. 이들 산성 세포외기질 분자가 결정의 어느 표면에 흡착(adsorption)되면 그 표면에 더 이상의 이온이 추가되는 것을 차단하여 결정의 모양에 영향을 준다. 이와 반대로 이런 상호작용이 초기 결정핵(crystal nucleus)을 안정화 시키면 오히려 석회화를 더욱 촉진한다.

다른 세포외 분자와 결합하는 기질로는 콜라겐 외에도 다른 구조 분자나 성장인자 및 그 수용체 일 수도 있다. 섬유성 콜라겐 폴리펩타이드는 독특한 삼중나선구조를 이루어 콜라겐 원섬유를 형성한다. 이 과정에서 일부 프로테오글리칸과 세포외기질 단백질이 섬유형성(fibrillogenesis)을 용이하도록 도와주기 때문에 콜라겐 섬유상에서 석회화가 일어나는데 있어 영향을 준다. 한편, 다른 분자는 성장인자와 결합하여 뼈 형성(osteogenesis)이나 뼈 리모델링을 조절하기도 한다.

② 콜라겐에 의한 하이드록시아파타이트의 에피택시

뼈나 치아에 가장 많이 함유되는 유기질은 두말할 필요도 없이 I형 콜라겐이다. 콜라겐은 과연 에피택시에 의해서 하이드록시아파타이트 형성을 야기할 수 있을 것인가? 실제로 이것이 가능하다는 것을 나타내는 몇 가지 증거들이 있다. 노이만(Neuman) 등은 칼슘과 인산의 농도가 서로 다른 용액을 이용하여 in $vitro$ 석회화 실험을 실행하였다. 그 결과 자발적인 결정의 침착(spontaneous precipitation)은 용액의 이온활동도적이 제2인산칼슘의 용해도적 [$A_{Ca^{2+}} \times A_{HPO_4^{2-}} = 2.3 \times 10^{-7}$, Ca × Pi로 나타내 보이면 32$(mg\%)^2$]을 넘지 않으면 일어나지 않지만, 그 용액 속에 상아질 유래의 I형 콜라겐을 가하면 소아 혈청의 이온활동도적에 가까운 농도 [18$(mg\%)^2$, $A_{Ca^{2+}} \times A_{HPO_4^{2-}} = 1.6 \times 10^{-7}$]에서 결정이 형성 되었다(그림 9-10). 이 실험에 의해 콜라겐이 실제로 하이드록시아파타이트의 핵형성의 모체가 될 수 있다는 것이 밝혀졌다.

그렇다면 콜라겐 섬유에 하이드록시아파타이트가 핵형성을 하는 것은 콜라겐의 어떠한 구조와 관계가 있는 것일까? 이에 관하여 글림쳐(Glimcher MJ)는 손상 받지 않은 자연 상태(native) 조직으로부터 초산(acetic acid)으로 추출한 가용성 콜라겐 분자를 여러 조건하에서 콜라겐 섬유를 재생(renaturation)시켜, 여러 형태의 콜라겐을 분리한 후에, 이러한 각종 섬유를 혈청의 한외여과액과 같은 이온조성을 가지는 용액 속에 담근 결과 64nm의 정상적인 주기 구조를 취하는 콜라겐 섬유에서만 하이드록시아파타이트의 침착이 보일 뿐이며, FLS [fibrous long spacing, 약 300nm의 주기 구조를 가지는 것부터, 길이 300nm의 콜라겐 분자가 정상 섬유와 같이 1/4씩 어긋나 같은 방향으로 줄서는 것이 아니라, 단지 콜라겐 분자의 머리와 꼬리 부분을 갖추어 역방향으로 교대로 줄선 것] 섬유나

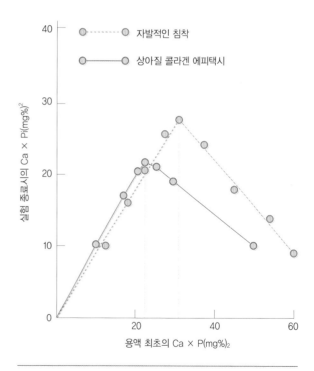

■ ▦ 그림 9-10. 상아질 콜라겐의 in $vitro$ 석회화 실험

세로축은 용액의 초기 농도, 가로축은 실험종료시의 용액의 농도이다. Slolomon cc, Newman WF: On the mechanisms of calcification: the remineralization of dentin. J Biol chem 235:2502-6. 1960

SLS(segment long spacing, 이것은 섬유가 아니고 길이 300nm의 콜라겐 분자가 1/4씩 어긋나지 않고, 머리를 서로 접하면서 한 방향으로 침목처럼 줄선 것), 혹은 연골에서 자주 볼 수 있는 22nm의 주기를 가지는 II형 콜라겐의 미세섬유에서는 석회화가 일어나지 않는다는 사실을 밝혔다. 64nm의 주기 구조를 가지는 콜라겐도, FLS 섬유나 SLS도 같은 트로포콜라겐 분자로 이루어져 있지만 단지 그 배열이 다른(그림 9-11) 점으로 보아 하이드록시아파타이트가 핵형성을 일으키게 하는 것은 콜라겐 분자 자체가 아니고, 64nm의 주기 구조를 가지는 특징적인 콜라겐 분자의 배열에 있는 것으로 생각하게 되었다.

1963년 합지(Hodge AJ)와 페트루스카(Petruska JA)는 64nm의 주기 구조를 가지는 섬유에서는 콜라겐 분자가 틈새 없이 꽉 찬 형태로 되어있지 않고, 머리와 꼬리의 사이에 40nm의 간극(hole zone)이 있는 것을 밝혔다(그림 6-4 참조). 핫지 등의 전자현미경 관찰에 의해 최초로 하이드록시아파타이트가 석출되는 장소는 이 간극과 일치한다고 하였다. 콜라겐 섬유 가운데서 간극을 가지는 것은 64nm의 주기 구조를 지닌 천연 섬유뿐이기 때문에 그림 9-11에 나타낸 글림쳐의 *in vitro* 콜라겐 석회화실험의 결과도 이 간극의 존재와 관련이 있는 것인지도 모른다. 실제로 생체 내의 석회화 부위에서 이

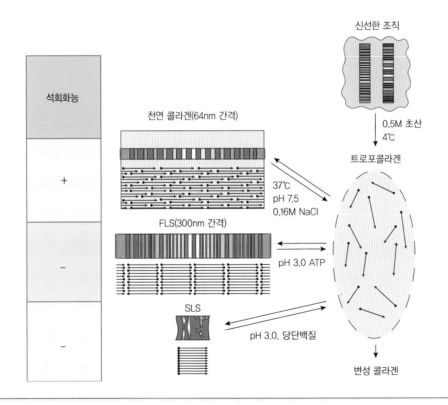

■■ 그림 9-11. 다양한 콜라겐 재생 섬유에 의한 *in vitro* 석회화 실험

조직에서 분리한 콜라겐을 4℃에서 0.5 M 초산을 처리하여 수용성 천연 트로포콜라겐(soluble native tropocollagen)을 만들 수 있으며, 여기에 열처리를 하면 변성 콜라겐(denatured collagen)을 얻을 수 있다. 수용성 천연 콜라겐을 37℃에서 0.16M NaCl, pH 7.5로 처리하면 천연의 콜라겐 섬유(native fibril, 64nm interval))을 얻을 수 있고, pH 3.0에서 ATP를 처리하면 FLS(fibrous long spacing fibril, 300nm period)가 형성되며, pH 3.0에서 당단백질을 처리하면 SLS(segment long spacing fibril)를 얻을 수 있다.

Glim cher MJ, Hodge AJ, Schmitt FO: Macromolecular aggregation states in relation to mineralization: The collagen-hydroxyapatite system as studied in vitro. Proc Natl Acad Sci 93(5):2043-7. 1957.

간극(hole zone)과 일치하는 하이드록시아파타이트 침착을 보여주는 전자현미경 사진을 얻었지만(그림 9-12), 일부 학자는 아직도 의문시하는 학자들도 있다.

콜라겐 섬유가 하이드록시아파타이트 결정을 파종(seeding) 시키는 에피택시의 모체로서 생각하고 있는 사람들에 있어서, 최대의 약점은 같은 64nm의 주기 구조를 가지는 I형 콜라겐으로 되어 있는 피부나 힘줄이, 생체에서는 석회화하지 않는 다는 점이다. 이 점에 대해서 글림쳐(Glimcher)는 비석회화 조직의 콜라겐 파종 부위에는 산성 다당체가 결합하고 있어서 하이드록시아파타이트의 핵형성을 억제하고 있는 것은 아닐까 생각하였다. 말할 필요도 없이 글리코사미노글리칸(glycosaminoglycan) 중에는 카르복실기나 황산기를 다량으로 포함한 글리코사미노글리칸이 존재하므로 이들 기능기에 칼슘이 결합함으로써 한정된 장소에서 칼슘을 저장시킬 수도 있고, 혹은 오히려 석회화의 핵형성에 관여 할 거라는 생각은 오래전부터 사람들이 생각하고 있었던 것이다. 그렇지만 콘드로이틴황산과 같은 글리코사미노글리칸이 석회화되지 않는 연골에 많이 포함되어 있는 것을 생각하면, 글리코사미노글리칸의 존재는 오히려 핵형성에 필요한 콜라겐의 파종 부위를 피복하거나, 혹은 Ca^{2+}와 결합함으로써 한정된 장소에서 칼슘농도가 감소하여 석회화를 억제하는 것으로 생각되어 앞에서 기술한 글림쳐의 설명이 콜라겐에 의한 하이드록시아파타이트의 파종에 대한 합리적인 기전을 가장 잘 설명하고 있는 것 같다.

콜라겐 섬유의 주기구조 뿐만 아니라 콜라겐 섬유의 가교(cross-linking)도 석회화에 관여할 것이라는 의견들이 나오고 있다. 뼈 기질의 콜라겐 섬유에서는 생리적인 가교와 노화에 동반되어 나타나는 가교가 있어 2종류의 가교가 존재한다. 하나는 콜라겐 섬유의 N-말단과 C-말단에 존재하는 피리디늄 가교(pyridinium cross-link)로, 이 가교의 대사산물로 소변으로 배설되는 디옥시피리디놀린(deoxypyridinoline)은 골대사의 표지자로 이용되고 있다. 이 가교가 뼈 기질의 콜라겐성 석회화와 관계되어 있다는 보고도 있지만, 분명한 증거는 얻지 못하고 있다. 또 다른 하나는 비효소적인 당화반응(glycosylation)으로 시간 의존적으로 형성되는 AGEs(advanced glycation end products)로 주로 펜토시딘(pentosidine)인 가교이다. 피질골의 골원(osteon 또는 골단위)은 뼈 흡수가 개시되면 서서히 미네랄이 침착해 나가는 수동적인 석회화 과정을 경유하고 있어 접사 방사선분석(contact radiogram)에 의해 각 골원의 석회화도 차이는 골원의 성숙도 또는 노화도를 반영하고 있다. 일반적으로 높은 석회화도의 뼈 기질에서 볼 수 있지만, 골질이 약한 뼈는 저석회화도의 뼈에서 많이 함유되어 있는 것이 밝혀지고 있다. 근년에 뼈의 강도 유지에 있어 골질의 중요성이 지적되고 있어 뼈의 콜라겐 섬유의 특이성과 석회화도의 관계에 대해서 앞으로 중요한 연구과제가 될 것이다.

■■ 그림 9-12. 콜라겐성 석회화

콜라겐 섬유의 주기 구조를 따라 판상(또는 리본상)의 하이드록시아파타이트(▶)의 침착을 볼 수 있다.

하야가와 타로오 등: 구강생화학. 제4판. 이사야쿠출판. 2005.

③ 비콜라겐성 단백질에 의한
    하이드록시아파타이트의 에피택시

이미 앞에서 기술하였듯이 콜라겐을 에피택시의 모체

라고 생각하고 있는 학자들에 있어서 최대의 약점은 뼈의 콜라겐과 피부나 힘줄과 같은 비석회화 조직의 콜라겐이 완전히 동일한 Ⅰ형 콜라겐이라는 점이다. 뼈의 Ⅰ형 콜라겐은 뼈 유기질의 90% 이상을 차지하지만, 최근에 와서 일부 학자들에 의해서 콜라겐 이외의 경조직 단백질의 석화화에 있어 역할에 대해 관심을 보이고 있다. 이들 중에서도 석회화 기전을 고려해보면 특히 관심을 끄는 것은 상아질의 포스포린(phosphophoryn)이나, 오스테오칼신[osteocalcin, 또는 뼈 Gla 단백질(bone Gla protein, BGP)]및 기질 Gla 단백질(matrix Gla protein, MGP) 등이다.

가. 상아질 인단백질

상아질 인단백질(dentine phosphoprotein, DPP, phosphophoryn)은 전체 아미노산의 80%가 세린(serine)과 아스파라긴산(aspartate)으로 된 특이한 조성을 가지므로 칼슘이나 인산이온을 끌어 들이는데 적당하다. 또한, 이 물질은 상아전질(predentin)과 석회화한 상아질과의 경계, 이른바 석회화 전선(calcification front)에 많이 존재하는 것으로 보아, 이 단백질이 상아질에서 하이드록시아파타이트의 핵형성에 관여할 것으로 생각한다. 이와 더불어 DPP는 무정형 인산칼슘에서 하이드록시아파타이트 결정으로의 변환을 촉진한다는 보고도 있다.

나. 연골과 뼈에 포함되는 Gla 단백질

뼈나 연골의 기질에는 γ-카르복시글루탐산(Gla)을 포함하는 단백질(osteocalcin과 MGP)이 존재한다. Gla는 하이드록시아파타이트와 높은 친화성을 가지는 것으로 보아, Gla 단백질은 뼈나 연골의 석회화에 관여할 것이라 생각해 왔지만, 그 생리적인 역할은 지금까지 확실하지가 않은 점이 많았다. 이러한 Gla 단백질 유전자를 인위적으로 결여시킨 녹아웃 마우스의 뼈 조직이나 연골 조직을 연구하여 분석한 결과 Gla 단백질의 생체 내에

서 역할이 밝혀지고 있다. 뼈, 상아질 및 시멘트질에서 2가지 Gla 함유 단백질이 발견된다.

다. 프로테오글리칸

프로테오글리칸은 핵심단백질과 하나 이상의 황산화 글리코사미노글리칸 사슬로 구성 된다. 글리코사미노글리칸의 음전하 황산기와 카르복실기가 양전하를 띄는 칼슘이온을 잘 끌어당긴다. 이들 프로테오글리칸은 하나 이상의 기능적 모듈이 있어서 다양한 콜라겐과 마찬가지로 다른 세포외기질 단백질과 유사한 엑손 뒤섞기(exon shuffling)에 의해 조직화된다.

라. 오스테오넥틴(SPARC), SPARCL1 및 SCPP 패밀리

SPARC[secreted protein, acidic cystein-rich, 또는 오스테오넥틴(osteonectin), BM-40]는 콜라겐성 석회화 조직에 풍부한 비콜라겐성 단백질이다.

앞에서 기술한 다른 단백질 패밀리와는 달리 SCPP(secretory calcium-binding phosphoprotein) 패밀리는 콜라겐성 석회화 조직의 형성에 관여하며 또한 비콜라겐성 법랑질 석회화에도 관여한다. 산성 SCPP 유전자는 뼈와 상아질 모두에서 발현이 되는데, *DSPP*(dentin sialophosphoprotein)의 발현은 상아질에서 더 높고, SPP1(secreted phosphoprotein 1)의 양은 뼈에서 훨씬 높다.

④ 지방질에 의한 하이드록시아파타이트의 증가효과(에피택시)

1960년 어빙(Irving JT)은 뼈나 치아의 석회화 전선에 수단 블랙 B(Sudan black B)로 염색되는 지방질을 검출하였다. 이 지방질은 통상 어떠한 물질에 피복(mask)되어 있어서 뜨거운 피리딘이나 알코올로 처리하면, 그 피복물질이 제거되어 염색이 가능해진다.

소 태아(fetus)의 뼈 조직의 지방질 함량은 정지연골 세포층은 1%, 비대연골세포층은 7.7%, 골간단부층(metaphysis)은 8.5%로 상승하지만, 충분히 석회화한 뼈(골간부, diaphysis)가 되면 0.7%로 저하한다. 이 지방질의 대부분은 뼈조직을 탈회한 후에 추출되므로, 하이드록시아파타이트와 견고하게 결합하고 있는 것 같다.

한외여과액과 같은 이온 조성을 가지는 용액 속에 여러 가지 지방질을 가하면, 주로 아파타이트가 침전된다. 이 때, 지방질은 1.9%까지 아파타이트에 포함되어 공침하지만, 그 대부분은 포스파티딜세린(phosphatidyl-serine, PS) 등의 산성 인지질이다. 이러한 사실로 보아 특정 종류의 지방질이 하이드록시아파타이트의 파종을 일으킬 모체로 작용할 가능성이 있는 것으로 생각된다.

(4) 콜라겐의 간극설(hole zone theory)

개개의 트로포콜라겐(tropocollagen)이 세포외기질에서 중합되어 콜라겐 섬유를 형성하는데, 이 때 트로포콜라겐 사이에 40nm의 빈 공간(gap)이 생기는데, 이를 간극(hole zone)이라 한다. 바로 이 간극에서 최초로 석회화가 일어나며, 인회석 결정의 참착이 시작된다는 학설이다. 이 이론은 이미 앞에서 기술하였듯이 글림쳐에 의해 제시되었다. 즉, 콜라겐 섬유를 이루는 α-사슬 내 세린 잔기의 수산기가 단백질 포스포키나제(protein phos-phokinase)에 의해 인산화됨으로써 콜라겐-세린-인산 형태의 복합체를 생성하고, 여기에 칼슘이온이 결합함으로써 결정 형성의 핵으로 작용하여 인산칼슘염의 침착이 일어난다는 이론이다. 그러므로 콜라겐섬유에 있는 간극이 핵형성 부위(nucleation site)로 작용한다는 학설이다. 이설은 바델(Waddel WJ)의 미세구획설(micro-compartment theory)로 발전되기도 하였다. 그러나 콜라겐이 결정 형성의 핵으로 작용한다는 간극설의 가장 큰 의문점은 피부, 힘줄, 인대 등에서 분리한 콜라겐 섬유는 핵형성 능력은 있으나, 이들 조직에서는 석회화가 일어나지 않는다는 사실이다. 피부, 힘줄 및 인대와 같은 조직에서 분리한 콜라겐 섬유가 석회화가 되지 않는 이유로는 각 조직에 따른 콜라겐 구조의 차이와, 그 주

위에 석회화 억제물질이 존재하기 때문이라 생각하였다. 피로인산이 석회화가 일어나는 장소에서 아파타이트 표면에 흡착되어 결정 형성을 방해하는 것으로 알려져 있다. 그러나 석회화가 일어나는 장소에서는 알칼리성 인산분해효소와 무기 피로인산 분해효소(inorganic pyro-phosphatase) 등이 석회화 억제물질인 피로인산을 분해하여 석회화 억제기능이 소실될 뿐만 아니라 그 국소부위에 무기인산 농도를 상승시키는 작용을 한다. 또한 1972년 데이비스(Davis NR)와 워커(Walker TE)는 콜라겐 섬유의 α-사슬 내의 아스파라긴산이나 글루탐산과 같은 산성 아미노산 잔기의 카르복실기가 칼슘이온과 결합함으로써 결정 형성의 핵으로 작용할 수 있다고 주장하였다.

(5) 기질소포설(matrix vesicle-induced calcification theory)

1967년 보누치(Bonnucci E)와 앤더슨(Anderson HC)은 각각 연골내골화가 진행 중인 연골에서 기질소포의 존재를 최초로 확인하였다. 또한 이 기질소포 내에는 아파타이트 결정이 들어 있는 것을 최초로 보고하였으며, 해면골, 상아전질, 및 비정상적인 병적 석회화 과정에서 기질소포가 석회화가 일어나는 최초의 장소라는 것을 밝혔다. 이러한 기질소포의 발견은 석회화 기전에 있어 커다란 진전을 이루는 전환점이 되었다. 이에 대하여는 앞으로 보다 더 자세히 설명할 것이다. 석회화 전선에 있는 직경 30nm~1μm의 기질소포 내에 ATP를 에너지원으로 칼슘이온과 인산이온을 둘러싸 아파타이트 결정을 생성하고, 이것이 어떤 시기에 파열되어서 콜라겐 등의 기질 상에 흩어진다고 하는 학설이다.

(6) 기타 석회화 기전에 대한 학설

1965년 유리스트(Urist MR)에 의하여 탈회 뼈에서 추출된 BMP(bone morphogenetic protein)가 뼈와 연골을 형성하는 인자로서 그 개념이 제창되었다. 1980년

대에 하바드 대학의 연구자들이 제창하고 있는 활성기 부가설은 한마디로 말하면 골모세포가 석회화 전 과정에 관여한다는 것이다. 이미 앞에서 기술한 과거의 가설은 어느 쪽도 골모세포의 역할이 기질을 형성한다는 것 외에는 분명하지 않았다. 극단적으로 말하면 석회화 과정에서 세포의 관여 없이 전적으로 화학 반응으로 석회화가 일어난다는 것이다. 이 학설은 기질 콜라겐의 인산화가 아파타이트 결정핵의 형성에 중요한 역할을 하고 있는데, 세포에 의해 이 인산화가 쉽게 일어나게 하는 것처럼, 석회화 시기가 되면 세포가 효소 등을 이용하여 씨앗을 뿌리는 것처럼 인산화를 촉진하는 활성화 시기에만 콜라겐 위에 씨앗을 뿌린다는 것이다. 즉, 골모세포가 석회화 전 과정을 조절한다고 하는 것이다.

2 기질소포

1) 기질소포의 발견과 형태학적 특징

기질소포(matrix vesicle)는 1967년 보누치와 앤더슨에 의해서 골단연골의 세포외기질 속에서 찾아낸 직경 30~300nm의 막성 소기관으로(그림 9-13A) 골단연골에서는 평균 70nm의 직경을 가지는 것이 제일 많다. 기질소포 내부가 전자밀도가 낮아 밝게 보이는 균일성이 있는 것부터 전자밀도가 높으면서 균일성이 없는 것까지 다양한 형태로 나타난다. 석회화 개시 부위에서는 특징적

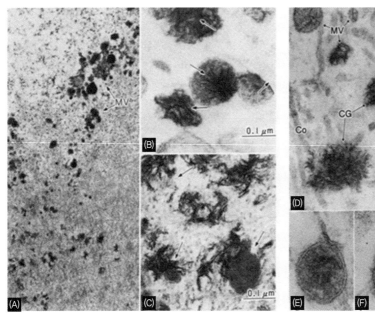

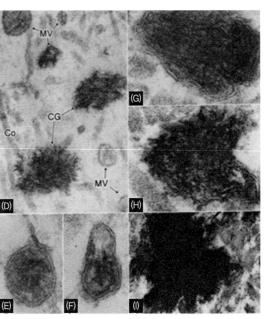

■ ▦ 그림 9-13. 골단판(epiphyseal plate)에서 기질소포성 석회화 과정을 나타내는 투과전자현미경사진(A~C)과 막성골화 개시부위에서 볼 수 있는 기질소포와 그 석회화 진행과정(D~I).

(A) 다양한 형태와 크기를 나타내는 기질소포(MV) (B) 기질소포 속에 출현하는 결정구조(화살표) (C) 기질소포 속의 결정은 소포 주위로 성장하여 작은 석회화구(calcospherite)를 형성하게 된다. 화살표는 기질소포 막의 단편을 보여준다. (D) 기질소포 석회화의 전 과정을 보여주는 저배율 투과전자현미경 사진. Co : 콜라겐 미세섬유. CG : 석회화구. (E~I) 기질소포성 석회화의 각 단계로 기질소포가 출아하여 기질소포성 석회화를 개시하고, 완전히 석회화 조직 내에 파묻히는 과정을 볼 수 있다.

오자와 히데히로: 석회화의 기구. 뼈의 과학. 이시야쿠출판. 1985.

으로 결정 모양의 구조물이 기질소포 내부나 막 주변을 따라 출현한다(그림 9-13B). 결정 모양의 구조물은 차츰 기질소포막의 내부를 가득 채우고 마침내 소포 밖으로 나오는 경향을 보인다(그림 9-13C). 또한 석회화가 진행되는 부위에서는 기질소포막은 파열한다. 결정 모양 구조물로 덮여 있는 소포막은 확실하지는 않지만 탈회하는 경우 막의 단편들을 볼 수 있다. 연골내 석회화는 이렇게 해서 기질소포 구조를 중심으로 개시되어 진행하여 연골성 골량을 만들게 되지만, 이러한 석회화 개시상은 막내 골화 개시부위(그림 9-13D~I)나 상아질의 석회화 개시 부위에서도 확인된다. 오자와 히데히로(Ozawa H) 등은 간엽계의 경조직 석회화 개시 기전에서 기질소포가 중요한 역할을 한다고 하였으며, 비교해부학적으로도 그 보편성을 명확히 밝혔다. 한편, 상피성 석회화 조직인 법랑질의 석회화 개시 부위에서는 이러한 기질소포가 관찰되지 않는다. 법랑질의 석회화는 이미 석회화한 상아질이 존재하여야만 시작되므로 법랑질의 석회화 역시 기질소포성

에 연속되어 일어나는 현상으로 생각할 수도 있다.

동맥 경화에서 볼 수 있는 혈관벽의 석회화나, 일반적으로 석회화가 일어나지 않는 부위에서 석회화가 일어나는 이소성 석회화(ectopic calcification) 부위에서도 기질소포는 발견이 되며, 또한, 치석형성에 관여하는 특정 종류의 세균(*Bacterionema matruchotii*)에서는 균체 내부에서 석회화가 일어나는데, 이들 현상도 기질소포성 석회화와 동일한 기전으로 일어나는 것으로 생각한다. 이처럼 생체에서 확인되는 모든 석회화는 직, 간접적으로 기질소포성 석회화와 관계가 있다.

2) 기질소포의 효소

기질세포에서는 다양한 효소가 생화학적으로 검출 되고 있다(표 9-3). 알칼리성 인산분해효소는 기질소포의 외막에서 GPI 고정 단백질[GPI-anchor protein ; 세포

표 **9-3.** 기질소포에서 발견되는 주요 성분. Goulb EE: Role of matrix vesicles in biomineralization. Biochim Biophys Acta 1970:1592-1598, 2009.

단백질[a]	지방질[b]	
효소		MV/PM[c]
알칼리성 인산분해효소(alkaline phosphatase, TNAP)	중성지방	0.63
Phospho-1	유리지방산	0.72
Na⁺ / K⁺ ATPase	포스파티딜콜린	1.80
NPP/PC-1	포스파티딜에타놀아민	1.90
MMP-2	포스파티딜이노시톨	1.20
MMP-3	포스파티딜세린	4.80
MMP-13		
운반 단백질		
Annexins 5, 2, 6, 11, 4, 1, 7 Plt 1, 2		
기타 단백질		
인테그린 β1, β5, αv, α11, α1, α3		

[a] 단백질 성분은 프로테오믹스 분석을 근거로 하였다.
[b] 지방 성분은 Wuthier RE(1975, 1976)에 근거하였다.
[c] MV/PV는 기질소포와 세포막에서의 지방질 비율이다.

■▥ 그림 9-14. 레바미솔의 구조

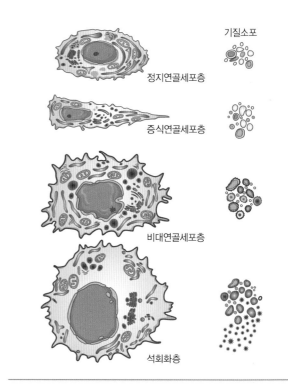

■▥ 그림 9-15. 골단판 각층의 연골세포와 기질소포(MV)의 알칼리성 인산분해효소의 활성(적색)

막에는 포스파티딜이노시톨(phosphatidylinositol)로 계속 연결시킬 수 있어 여기에 글루쿠론산(glucuronate) 1분자, 만노스(mannose) 3분자, 에타놀아민(ethanolamine) 1분자가 순차적으로 결합한 후 다시 여기에 단백질 분자(알칼리성 인산분해효소)가 결합하고 있다]로서 한정된 장소에만 존재하는 막단백질이다. 알칼리성 인산분해효소의 저해제인 레바미솔(levamizole 또는 levamisole, 그림 9-14) 존재하에서 구루병 쥐의 성장 연골을 기관 배양(organ culture)하면 석회화가 억제되는 것으로 보아 알칼리성 인산분해효소는 석회화의 촉진 기전에 관여하는 것으로 생각된다. 그러나 상세한 기능에 관하여서는 기질소포 내에 인산을 추가자극하거나, 피로인산 등의 저해물질을 제거하는 이른바 피로포스파타제(pyrophosphatase) 작용을 하거나, 제Ⅱ형 혹은 Ⅹ형 콜라겐과 기질소포와의 결합을 통해 콜라겐성 석회화를 유도하는 등 여러 가지 가설이 제시되어, 확실하지 않은 점도 많다(그림 9-15). 포스포리파제 A_2는 인지질(phospholpid)의 2번째 탄소에 붙어 있는 지방산을 유리하는 활성을 가지고 있어서 결정의 석출과 성장에 필요한 기질소포의 형성 혹은 출아에 관여하며, 탄산탈수효소 Ⅱ(carbonic anhydrase Ⅱ)는 소포의 pH를 조절해 결정 석출을 위한 조건을 만드는 것으로 생각된다.

3) 기질소포로의 칼슘 유입 기전

기질소포에는 칼슘 결합단백질인 아넥신(annexin) 패밀리 가운데 annexin Ⅱ, Ⅴ, Ⅵ가 기질소포에 존재한다. 이러한 단백질은 인지질과 결합해, Ca^{2+} 터널로써의 기능도 가지는 것으로 보아, 기질소포로의 Ca^{2+} 유입에 중요한 역할을 하는 것으로 생각한다. 특히 아넥신 Ⅴ는 골단 연골의 석회화층에서 면역조직화학적으로 국재가 인정되며, 닭의 태아 골단 연골에서 단독 분리된 배양 연골 세포에 비타민 C(ascorbic acid)와 인산을 투여하면 석회화가 유도되는데, 이러한 석회화 유도 조건에서 배양한 연골세포의 기질소포에는 비석회화 조건하의 연골세포의 기질소포와 비교해보면 아넥신 Ⅴ가 풍부하게 존재하고 있는 것이 실험적으로 확인되고 있다. 또한 기질소포 막에는 소듐이온의 농도 구배(gradient)를 이용하여 인산이온을 공동으로 수송하는 무기인산 수송체(Na-dependent Pi-transporter, Pit 1)가 존재한다고 보고되었다.

지금까지의 기질소포에 관한 지견과 맞추어보면 다음

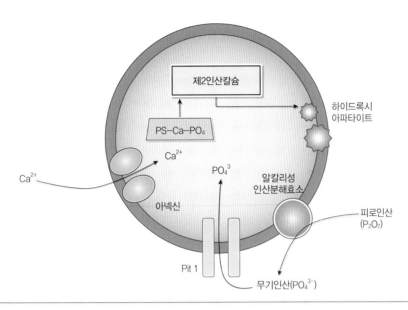

■ ⫶ 그림 9-16. 기질소포 내로의 칼슘이온과 인산이온을 받아들이는 것을 촉진하는 아넥신과 Pit 1의 역할

석회화 저해물질인 피로인산은 알칼리성 인산분해효소에 의해 무기인산으로 분해가 되고, 이 무기인산은 수송체인 Pit 1에 의해 기질소포 내로 수송된다. 한편 칼슘이온은 아넥신으로 구성되는 칼슘 터널에 의해 기질소포 내로 들어간다. 기질소포 내막의 포스파티딜세린 (PS)은 칼슘, 인산을 트랩(trap)하여 인산칼슘-인지질 복합체(PS-Ca-PO₄)를 형성한다. 이 복합체는 포스파리파제 A₂의 작용으로 제2인산 칼슘이나 하이드록시아파타이트로 전환한다.

과 같은 하이드록시아파타이트 형성기전을 생각할 수 있다. 즉 세포외의 석회화 억제물질인 피로인산은 기질소포의 세포막에 존재하는 알칼리성 인산분해효소에 의해 무기인산으로 분해되고, Pit 1에 의해 기질소포 내로 들어간다. 한편 아넥신에 의해 기질소포 내로 유입된 칼슘이온은 세포막의 포스파티딜세린 등으로 간직된다. 이렇게 하여 기질소포 내에는 칼슘과 인산의 농도가 높아져 제2인산칼슘을 형성하고, 하이드록시아파타이트로도 전환되는 것으로 추측할 수 있다(그림 9-16).

4) 기질소포와 지방질

기질소포와 지방질과의 관계는 기질소포의 발견 당시부터 기질소포가 오스뮴 사산화물(osmium tetroxide)에 잘 염색되는 지방질의 존재가 확인되었다. 분리된 기질소포의 분석 결과에서 기질소포막이 인지질, 특히 포스파티딜세린(phosphatidylserine, PS)을 고농도로 포함하는 것이 밝혀져, 이러한 인지질과 석회화와의 관계가 시사되었다. 석회화 개시 부위에 지방질이 존재하는 것은 이미 앞에서 기술한 어빙(Irving JT)에 의해서 조직화학적으로 밝혀진 사실이지만, 부티어(Wuthier RE)도 골단 연골의 각층에서 생화학적으로 분석하여 지질, 특히 포스파티딜세린과 포스파티딜이노시톨(phosphatidylinositol, PI) 등의 산성 인지질이 석회화 개시부위 즉, 비대연골세포층에서 석회화층까지 증가하여 연골성 골량이 완성되면 감소된다는 사실을 밝혔다. 분리한 기질소포에서 고농도의 포스파티딜세린이 함유된 이유로 한층 더 지질의 국재부위를 한정함으로써 종래의 산성 인지질이 석회화에 있어 중요한 역할을 할 것이라는 *in vitro*에서의 논의를 한걸음 더 나아가게 하는 계기가 되었다. 산성 인지질이 칼슘이온과 강한 친화성을 가지기 때문에 *in vitro*에서 석회화를 이끌 수 있는 것은 잘 알려진 사실이며, 특히 포스파티딜세린은 칼슘이온과의 친화성이 아주 높아 칼슘이온과 결합함으로써 인산칼슘-인지질 복합체를 형성한다고 하였다. 이러한 복합체는 부정형 인산칼슘(amorphous calcium phosphate, ACP)이 하이드록시아파타이트로의 전환되는 것을 억제한다고 생각한다. 따라서 하이드록시아파타이트로 전환하기 위해서는 포스파티딜세린을 가수분해하여 제거할 필요가 있으며, 실제로 골단연골의 석회화 개시부위에는 포스파티딜세린을 분해하는 효소인 포스포리파제 A₂(phoaspholipase A₂)의 활성이 높다.

5) 기질소포와 프로테오글리칸

프로테오글리칸은 결합되어 있는 글리코사미노글리칸의 황산기는 칼슘과 결합성이 높은데, 이러한 글리코사미노글리칸이 석회화 개시부위에 많이 존재하다가 석회화가 진행됨에 따라 감소하는 것이 조직화학적 및 생화학적으로도 확인이 되었다. 이러한 이유로 프로테오글리칸은 세포외기질 속에서 칼슘이온을 트랩(trap)하여 석회화를 억제할 수도 있으며, 석회화가 진행될 때는 분해되어 칼슘을 유리하기 때문에 석회화를 촉진할 수도 있다. 또한 세포화학적으로는 프로테오글리칸이 기질소포 막으로부터 방사상으로 배열하여 존재하고 있다가 결정화의 진행과 더불어 소실되는 것으로 밝혀졌다. 근년에 호시 카즈토(Hoshi K) 등은 데코린이 유골(osteoid)로부터 석회화 뼈 기질로 전환되는 과정에서 분해된다는 것을 면역조직화학적으로 밝혔다. 한편 미세천자법을 이용하여 골단연골의 각 층을 검색한 결과 비대연골세포 증식층은 프로테오글리칸이 풍부하지만, 비대연골세포층으로부터 석회화층에 걸쳐 감소되는 것으로 보아 석회화 억제작용을 가진 프로테오글리칸이 석회화 부위에서 효소에 의해 분해될 가능성이 지적되고 있다.

6) 기질소포의 형성

골모세포(osteoblast), 상아모세포(odontoblast) 및 연골세포(chondrocyte)의 주 역할은 유기기질을 형성하는 것으로 생체 내에서 석회화 부위의 결정에도 직접적인 작용을 하고 있다. 기질소포는 이들 세포에 의해 형성되어 세포외기질의 특정 부위에 국재하게 되지만, 이 과정은 콜라겐 섬유나 프로테오글리칸 등의 고분자 물질의 형성 및 분비와 거의 동시에 일어나며, 기질소포는 고분자 물질로 이루어진 그물망에 갇혀 담겨지듯이 되어, 이 국재부위가 결정되게 된다. 분비된 기질소포의 위치는 체액의 유동, 세포분열 및 비대화 등에 의해 영향을 받으며, 기질에서의 고분자 물질과의 중합 등에 의해 결정된다. 그렇기 때문에 특정 시기에 기질소포가 형성되고, 특정 부위에 국재하게 됨으로써 즉, 바꿔 말하면 석회화 개시시기와 그 부위의 결정을 의미하여, 이것이 기질소포의 제일 중요한 역할의 하나라고 생각된다(그림 9-17).

기질소포가 세포막에서 발아형식으로 분비될 것이라는 것은 투과전자현미경 소견, 동결절편 검사소견, 세포화학적 소견(알칼리성 인산분해효소 활성의 국재 유사성이나 칼슘 국재의 공통성 등), 면역세포화학적 소견 등을 포함한 형태학적 소견뿐만 아니라 분리한 세포막과 소포막의 성상에 대한 생화학적 유사성 등을 포함하여 폭 넓게 지지를 받고 있다. 그러나 기질소포의 형상에 관하여서는 아직도 의견의 일치를 보지 못하고 있는 실정으로 이른바 세포외유출(exocytosis)이나 세포사에서 기인한 막의 파열과 소포화를 특징으로 하는 전분비(holocrine secretion)의 소견을 보이는 예가 많이 있다. 특히 후자의 소견은 골단연골이나 섬유연골(fibrous cartilage)에서 많이 볼 수 있으며, 또한 병적 석회화 부위에 있어 기질소포의 유래도 세포사에 요구되고 있다(그림 9-18).

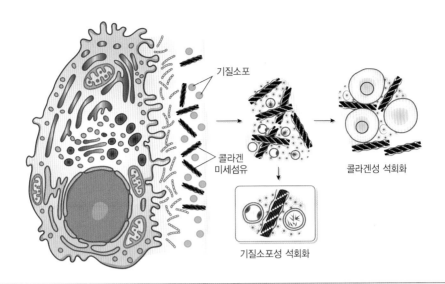

■■ **그림 9-17. 골모세포에 의한 기질소포의 형성과 기질소포성 석회화에 이어서 일어나는 콜라겐성 석회화를 나타내는 모식도**

MV : 기질소포, Co : 콜라겐 미세섬유, PG : 프로테오글리칸 오자와 히데히로: 결합조직. 15:1-12. 1985.

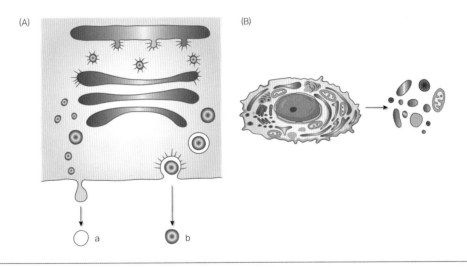

■■ **그림 9-18. 기질소포 형성에 관한 여러 가지 학설**

(A) 분비방식을 나타내는 그림. a : 발아성 분비, b : 세포외유출. (B) 세포변성이나 괴사에 의한 전분비설

7) 초기 석회화 기구와 기질소포의 역할

이상과 같이 기질소포는 주로 발아(budding)에 의해 경조직 형성 세포에 의해서 만들어져 세포외기질의 일정 한 부위에 국재하게 된다. 이 과정은 콜라겐이나 프로테 오글리칸 등의 고분자 물질의 형성 및 분비와 거의 동시 에 일어난다고 생각되고 있다. 기질소포는 이러한 섬유 나 프로테오글리칸의 그물망 사이에 갇혀 그 국재부위

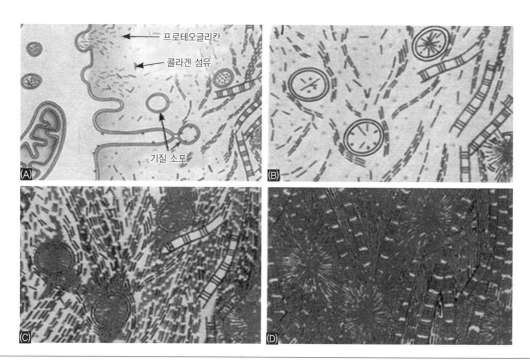

■■ 그림 9-19. 골모세포에 의한 기질소포의 형성(A), 기질소포로의 결정 침착(B), 결정 성장(C)과 콜라겐 섬유의 석회화(D)로의 이행

가 결정 된다. 이처럼 특정 시기에 기질소포가 형성되어 특정 부위에 국재 하게 되는 것은, 바꾸어 말하면 단적으로 석회화 개시시기와 그 부위의 결정을 의미하는 것으로, 이것이 기질소포가 가지는 가장 중요한 역할의 하나로 생각할 수 있다(그림 9-19). 이와 같이 기질소포성 석회화는 로비슨(Robison R)의 추가자극 기전과 노이만(Neuman) 부부의 중과효과 기전을 모두 포함한 것이어서, 기질소포성 석회화에 연속해서 일어나는 콜라겐성 석회화로 중개되고 있다는 점이 중요하다.

8) 미네랄 핵형성에 있어 기질소포의 역할

기질소포가 초기 석회화에 있어 적어도 두 가지 중요한 역할을 한다. ① 기질소포에 존재하는 효소가 세포외액의 Pi/PPi 비율을 조절한다. ② 기질소포 단백질과 산성인지질과 같은 지방은 아파타이트 침착을 위한 핵형성

부위로 작용한다. 세포외의 뉴클레오시드 삼인산(nucleoside triphospphate)을 뉴클레오티드 피로인산 분해효소 포스포디에스테라제(nucleotide pyrophosphatase phosphodiesterase, NPP1/PC-1)가 가수분해한 PPi나 또는 ANK(ankylosis protein)에 의해 세포 내로 운반된 세포 내 피로인산(PPi)은 모두 기질 석회화를 억제하지만, 기질소포 내의 미네랄 형성은 억제하지 못한다. 이 석회화 억제는 PPi를 가수분해하는 TNAP(tissue non-specific alkaline phosphatase)의 작용에 의해 해제된다. 그러므로 억제물질이 제거되고 미네랄 형성에 필요한 무기인산까지 부가적으로 더 공급된다.

그러므로 석회화란 2가지 단계가 계속해서 진행되는 것으로 이야기 할 수 있다. 즉 기질소포 내에서 아파타이트가 초기에 형성되고, 이어서 기질로 보급하는 단계가 이어진다. 이런 형식에서 칼슘이온은 아넥신 채널(annexin channel)을 통해 기질소포 내로 들어가고, 인산은 Ⅲ형 Na⁺-의존성 인산 수송체(Na⁺-dependent

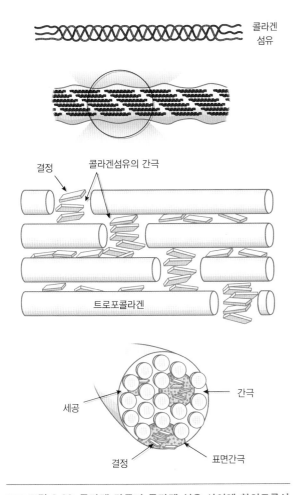

콜라겐 섬유

결정

콜라겐섬유의 간극

트로포콜라겐

세공

간극

결정

표면간극

■■ **그림 9-20. 콜라겐 간극과 콜라겐 섬유 사이에 하이드록시 아파타이트 삽입**

간극설(hole zone theory)에 의한 석회화 과정의 초기단계에서 트로포콜라겐이 중합되어 콜라겐 섬유를 형성할 때 사분파상배열시 생성되는 간극에 하이드록시아파타이트가 침착되는 것을 보여주고 있으며, 간극을 다 채운 후에 섬유사이로 아파타이트가 삽입된다. Ten Cate AR: Oral histology Development, Structures and Functions. 5th ed. Mosby. p.75. 1998.

phosphate transporter, Pit1)를 통해 기질소포 내로 들어가, 들어온 칼슘과 인산이온을 이용하여 기질소포 내에서 아파타이트가 형성된다. 산성인지질과 기타 기질소포 성분은 이들 기질소포 내 나노결정에 대해 핵이 되는 것으로 생각한다. 이후 기질소포 내 미네랄을 기질 거대분자인 콜라겐에 파종한다.

여기에서 기질소포는 기질 이온농도의 조절에 있어 단독으로 관여하는 것으로 나타냈다. 억제물질인 피로인산은 TNAP에 의해 가수분해 되어 무기인산을 형성한다. 기질 내의 칼슘이온과 인산이온은 앞에서 기술한 거대분자 핵형성 부위에서 미네랄 형성을 개시한다. 2번째는 기질소포의 TNAP(tissue non-specific alkaline phosphatase)가 PPi를 Pi로 가수분해 한다. 칼슘이온과 인산이온은 기질소포 내로 들어가고 기질소포 내부에서 결정을 형성한다. 기질소포 내에서 형성된 결정은 콜라겐으로 이동하여 콜라겐 섬유의 잘 배열된 간극으로 삽입되며, 세포외 칼슘이온과 인산이온 존재 하에 성숙된다. 3번째는 2번째에서 언급한 모든 일이 진행되며, 여기에 콜라겐과 기질소포의 물리적 상호작용에 의해 섬유 내로 미네랄 축적을 용이하게 한다. 이 형식에서 콜라겐 섬유에 대한 기질소포의 특이 결합은 섬유 구조 내로 결정이 삽입되도록 한다. 또한 기질소포에 존재하는 기질금속성 단백질 분해효소인 MMP는 결정 유입을 촉진하기 위해 다음에 설명하는 콜라겐 섬유의 국소 부위 리모델링을 유도한다. 이후 성숙과정을 거쳐 석회화가 더 진행된다. 콜라겐 내로의 아파타이트 침착은 간극 부위를 채운 후에 콜라겐 섬유 사이로 삽입되는 것을 그림 9-20에 나타냈다.

③ 석회화에 있어 알칼리성 인산분해 효소의 새로운 생리적 역할

생리적인 바이오광화(biomineralization)는 골모세포와 연골세포에서 유래하는 기질소포 내에서 개시되는 아주 잘 조절되는 과정이다. 이러한 기질소포는 칼슘과 무기인산을 함유하고 있다. 뼈 미네랄인 하이드록시아파타이트의 첫 결정은 성장판 연골(growth plate cartilage), 발육 중인 뼈 및 상아질 내에서 만들어 진다. 이러한 하이드록시아파타이트의 미네랄 침착의 개시기는 기질소포막으로 둘러싸인 잘 보호된 미세환경에서 일어난다. 이후 미네랄을 보급(mineral propagation)하는 2번째 시기는 각각의 기질소포를 세포외기질로 밀어내는 시기이다. 무기 피로인산은 인산이 칼슘과 함께 하이드록시아파타이트를 형성하기 위해 결정화되는 것을 길항(antagonize)하여 하이드록시아파타이트의 침착을 억제한다. 무기 인산과 피로인산의 농도 조절에는 다양한 분자가 중요하게 작용한다. 즉, 조직 비특이 알칼리성 인산분해효소(tissue non-specific alkaline phosphatase, TNAP)와 뉴클레오티드 피로인산 분해효소 포스포디에스테라제 1[nucleotide pyrophosphate phosphodiesterase, NPP1, 전에는 PC-1, npps, ttw, 혹은 Enpp1(endonucleotide pyrophosphatase/phosphodiesterase 1)라고도 하였다]이 중요한 역할을 한다.

알칼리성 인산분해효소는 인산에스테르를 가수분해하는 효소인 것으로 보아, 석회화 부위로의 인산이온의 공급에 관여한다고 생각되고 있었다. 그렇지만, 최근 이 분야 연구의 진전으로 알칼리성 인산분해효소는 하이드록시아파타이트의 결정 성장을 저해하는 피로인산을 분해하는 것이 주역할로 밝혀졌다. TNAP 유전자(Akp2) 녹아웃 마우스는 뼈의 석회화 장애를 일으켜, 그 기질인 피로인산이 축적된다. 이 동물 모델은 유아 저포스파테이스증(infantile hypophosphatasia, 유전적 기초에 근거를 둔 선천적 대사장애로서 세포 중의 알칼리성 인산분해효소 결핍에 의한 혈청 중의 인산분해효소 감소가 특징이며, 그 결과로서 뼈의 재생 및 무기질화 작용의 장애가 일어난다. 이 질환은 생후 6개월 이내에 일어나는 경우에 가장 중증으로 뼈의 탈회가 현저하며, 보통 두개협착, 안구돌출, 뇌 장애를 동반한다. 보통 1년 이내에 사망한다. 소아에서는 이 뼈 질환이 난장이와 비슷하며, 치아가 조기에 탈락한다. 성인에서는 골연화증을 나타내거나 증상이 없기도 하다)의 모델로 구루병(rickets), 골연화증(osteomalacia), 자발적인 뼈 골절이 특징이며, 무기 피로인산이 증가한다. 피로인산은 하이드록시아파타이트

의 결정 성장을 저해하는 물질로 알려져 있다(그림 9-21). 이러한 TNAP는 기질소포의 외막에 높게 발현된다. Akp2$^{-/-}$ 녹아웃 마우스나 사람 저포스파테이스증에서 바이오광화의 개시기는 정상으로 기질소포가 내부에 인산칼슘을 축적하여 하이드록시아파타이트 결정을 만들 수 있다. 그러나 보급기(propagation phase)에 TNAP가 없어서 세포외기질로 기질소포를 방출하지 못하여 소포주위(perivesicular) 미네랄 침착이 현저히 감소한다. 그러므로 뼈에서 TNAP의 가수분해 활성이 석회화 억제물질인 피로인산 농도를 제한하는 일과 동시에 하이드록시아파타이트 보급을 위한 무기 인산의 풀(pool)로 작용한다.

한편, 기질소포에 대해서는 뉴클레오시드 삼인산 가수분해효소[nucleoside triphosphate pyrophosphohydrolase(NTPPase), NPP1과 같은 분자이다]라고 하는 효소에 의해 뉴클레오시드 삼인산(nucleoside triphosphate)을 기질로 하여 피로인산을 형성한다. 즉, 피로인산을 생성하는 분자인 NPP1을 유전적으로 배제하면 연조직과 골격의 특정 부위에서 저석회화(hypocalcification phenotype)를 나타낸다. NPP1 유전자인 Enpp1이 부족한 마우스에서는 피로인산 농도가 감소되어 강직 추간판(ankylosing intervertebral)과 말초 관절의 과골화증(hyperostosis) 및 관절 연골의 석회화와 같은 기형이 나타난다. Enpp$^{-/-}$ 마우스 경우 동맥의 석회화가 일어나고 NPP1 결핍은 유아 동맥 석회화(arterial calcification)나 관절주위 석회화(periarticular calcification)를 나타낸다. 그러므로 NPP1은 적어도 일부는 피로인산을 형성하여 미네랄 침착에 대한 생리학적 억제물질로 작용한다.

TNAP나 또는 NPP1 결핍 경우 두개골과 척추에서 비정상적인 피로인산 농도와 석회화 결핍이 나타나며, TNAP와 NPP1 즉, Akp2$^{-/-}$와 Enpp$^{-/-}$ 이중 녹아웃 마우스에서는 이런 증상이 원래상태로 되돌아가는 것을 보고하였다. 이러한 사실은 TNAP와 NPP1이 석회화 장

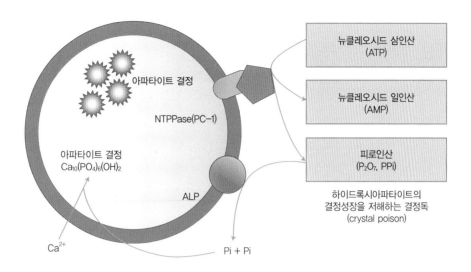

뉴클레오시드 삼인산
(ATP)

뉴클레오시드 일인산
(AMP)

피로인산
(P₂O₇, PPi)

하이드록시아파타이트의
결정성장을 저해하는 결정독
(crystal poison)

아파타이트 결정

NTPPase(PC-1)

아파타이트 결정
Ca₁₀(PO₄)₆(OH)₂

ALP

Ca²⁺

Pi + Pi

■▒ **그림 9-21. 기질소포에서 NTPPase와 알칼리성 인산분해효소(ALP)의 역할**

석회화 저해물질인 피로인산은 ALP나 기질소포막 상에 존재하는 NTPPase에 의해 가수분해 되어 생성된다. 이 피로인산을 알칼리성 인산분해효소가 분해함으로써 석회화는 진행된다. NTPPase는 형질세포막 당단백질 1[plasma cell membrane glycoprotein 1(PC-1)]으로 알려져 있는 효소이다.

애에 대한 치료에 있어 중요하게 될 것이라 기대하고 있다. 흥미롭게도 소위 발끝걸음을 하는 마우스(tiptoe walking mouse)는 NPP1의 일부가 잘려나가는 돌연변이(truncation mutation)로 나타나는데, *Enpp*⁻/⁻ 마우스와 거의 유사하며, 연조직의 석회화 뿐만 아니라 해면골의 소실이 나타난다고 보고되었다.

알칼리성 인산분해효소 유전자와 nucleoside tri-phosphate pyrophosphohydrolase(NTPPase) 유전자 각각의 녹아웃 마우스를 교배시키는 것으로 이들 2개 유전자를 파괴한 마우스를 제작해, 기질소포에서 피로인산 합성을 하지 못하도록 하였다. 여기서 NTPPase가 작용하지 못하여 피로인산이 축적되지 않고, 결과적으로 알칼리성 인산분해효소가 작용할 일이 없기 때문에 알칼리성 인산분해효소 녹아웃 마우스에서 피로인산이 축적되지 않게 된다. 그러므로 알칼리성 인산분해효소 녹아웃 마우스에서 나타났던 석회화 장애는 정상화가 된다. 즉, 알칼리성 인산분해효소는 뼈 조직에 대해서 석회화 저해물질 피로인산을 분해하는 작용으로 기

능을 하여 뼈 형성에 관여 하고 있을 가능성이 많다. 그밖에 석회화에 있어 알칼리성 인산분해효소의 역할로서 콜라겐 미세섬유와 기질소포가 결합하거나 기질소포에 있어서 칼슘 결합단백질로서의 기능 등이 제안되고 있다. 알칼리성 인산분해효소는 기질소포 뿐만 아니라 기질소포 주위의 석회화구(calcospherite, 그림 9-15 참조)에도 국한되어 존재하므로, 석회화가 진행하는 부위에 한정되어 존재하지만 광범위하게 존재한다. 이 넓은 부위에 한정되어 존재하는 알칼리성 인산분해효소가 피로인산을 제거하여, 한정된 장소에서 인산 농도를 높임으로써 석회화구 형성이 촉진된다고 생각한다.

앤더슨(Anderson HC) 등은 저포스포테이스증(hypo-phosphatasia)에서 기질소포 내에 하이드록시아파타이트가 존재한다는 것을 보고하였다. TNAP가 기질소포 막의 외막에 존재하게 됨으로써 기질소포 내에서 TNAP에 의한 PPi의 분해는 일어나지 않는다. 그러므로 PPi를 절단하거나 소포 내 Pi 농도를 높일 수 있는 또 다른 효소가 존재함으로써 세포기질에 의해 일어나는 석회화에 있

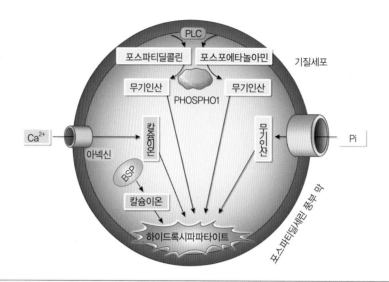

■■ 그림 9-22. 기질소포에서 칼슘이온과 인산이온 축적

BSP : 뼈 시알로 단백질, PLC : 포스포리파제 C Stewart Aj 등: Bone 39(5):1000-7. 2006.

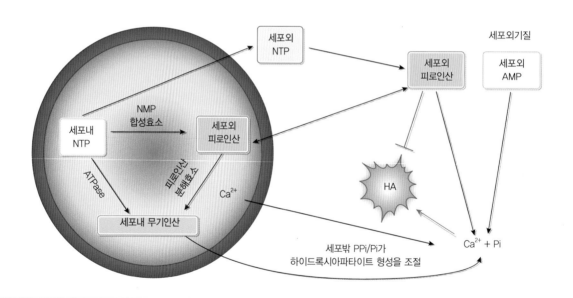

■■ 그림 9-23. 세포와 기질소포에 의한 세포외기질에서의 칼슘이온과 인산이온농도의 조절

세포내 뉴클레오티드 삼인산(intracellular nucleotide triphosphate, iNTP)은 ATPase에 의해 세포내 무기인산 풀(pool)을 유지하거나 NMP synthase에 의해 NMP와 피로인산을 생성하여 세포내 피로인산 풀을 유지한다. 세포 내 피로인산은 세포내 피로인산 분해효소에 의해 세포내 무기인산을 형성하여 무기인산 풀에 공급한다. 세포내 피로인산은 ANK(ankylosis protein)에 의해 세포밖 기질로 수송될 수도 있고, 세포외 피로인산이 세포내로 ANK에 의해 수송되어 들어올 수도 있다. 세포내 뉴클레오티드(iNTP) 삼인산은 세포밖 뉴클레오티드 삼인산(eNTP) 풀을 형성하기 위해 분비된다. 세포밖 eNTP는 기질소포 효소인 NPP1(nucleotide pyrophosphatase phosphesterae 또는 nucleotide pyrophosphohydrolase, NPP1)에 의해 세포밖 피로인산이 된다. 이 세포밖 피로인산은 기질소포 효소인 TNAP(tissue nonspecific alkaline phosphatase)에 의해 무기인산으로 분해된다. 또한 AMP가 5′-AMPase에 의해 무기인산이 된다. 세포밖 피로인산과 세포밖 무기인산의 비율에 의해 하이드록시아파타이트 결정 형성이 조절된다.

Goulb EE: Biomineralization and matrix vesicles in biology and pathology. Semin Immunopath 33(5):409-17, 2001.

어 첫 단계인 개시기 동안에 씨앗 결정 침착(seed crystal deposition)을 유발하는 Pi/PPi 비율에 도달할 수 있다. 파콰슨(Farquharson C) 실험실에서 기질소포에 존재하는 수용성 인산분해효소인 PHOSPHO1 (Phosphoethanolamine/phosphocholine phosphatase)에 대해 보고하였다(그림 9-22). 이 효소는 포스파티딜에타

놀아민과 포스파티딜콜린에 특이성을 갖는다. 아마도 PHOSPHO1이 기질소포 내에서 Pi/PPi 비율을 높이는 데 있어 중요한 역할을 하여 기질소포 내에 하이드록시아파타이트 결정 침착의 첫 개시단계를 조절한다(그림 9-23). 이 가설은 아직도 밝혀야 할 부분이 많이 있다.

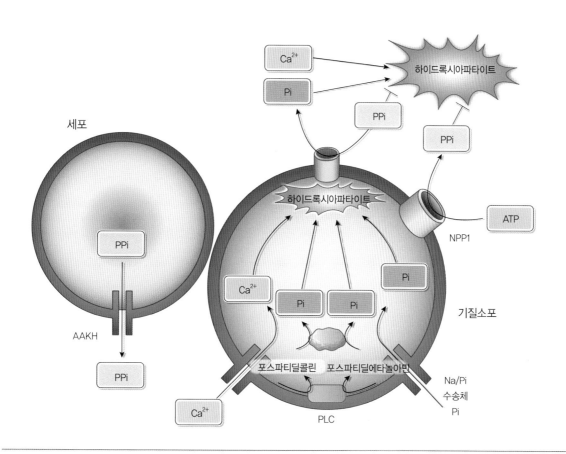

■■■ 그림 9-24. 석회화 과정에서 기질소포를 통한 하이드록시아파타이트의 성숙과정

석회화는 비대연골세포와 골모세포로부터 출아되는 기질소포에서 하이드록시아파타이트 형성에 의해 시작된다. 하이드록시아파타이트는 아넥신(annexin) 칼슘채널을 통해 들어온 칼슘이온과 Ⅲ형 Na/Pi 공동 수송체(type Ⅲ Na/Pi cotransporter)를 통해 세포외에서 들어온 무기인산(Pi)이나 세포막에서 포스포리파제(Phoapholipase C, PLC)에 의해 유래된 포스파티딜콜린(phosphtidylcholine)과 포스파티딜에타놀아민(phosphtidylethanolamine)에 PHOSPHO1이 작용하여 생성된 무기인산에 의해 생성된다. 기질소포에서 형성된 하이드록시아파타이트 결정은 기질소포 막을 뚫고 세포외로 나가 콜라겐 섬유 간극에 위치하게 되며, 기질소포 막 상의 TNAP(tissue non-specific alkaline phosphatase)에 의해 세포외에 존재하는 피로인산을 분해하여 피로인산의 석회화 억제작용이 사라지기 때문에 세포외 칼슘과 무기인산이 하이드록시아파타이트에 침착되어 성숙되게 된다. 피로인산(PPi)은 석회화를 억제하는 물질로 작용하는데, 기질소포에 의해 분해된다. 세포 내의 피로인산은 ANKH(ANK human homolog)에 의해 세포 밖으로 운반된다. 또한 피로인산은 뉴클레오티드 삼인산(ATP 등)을 분해하여 생성된다. 그러므로 석회화의 성숙과정은 TNAP, NPP1 및 ANKH의 활성도 사이의 균형에 의존된다.

Orimo H: The mechanism of mineralization and the role of alkaline phosphatase in health and disease. J Nippon Med Sci 77(1):4-12. 2010.

참고문헌

1. Cole AS, Eastoe JE : Biochemistry and Oral Biology. 2nd ed. Wright.1988.

2. Ferguson DB : Oral Bioscience. ChurchillLivingstone. 2006.

3. Levine M : Topics in Dental Biochemistry. Springer. 2011.

4. Olszta MJ, Cheng X, Jee SS, Kumar R, Kim YY, Kaufman MJ, Douglas EP, Gower LB : Bone structure and formation : A new perspective. Materials Science and Engneering R. 58(3~5) : 77–116. 2007.

5. Rugg–Gunn AJ, Nunn JH : Nutrition, Diet, and Oral Health. Oxford. 1999.

6. Shaw JH, Sweeney EA, Cappuccino CC, Meller SM: Textbook of Oral Biology. Saunders. 1978.

7. Vasudevan DM, Sreekumari S, Vaidynathan K : Textbook of Biochemistry for Dental Students. 2nd ed. Jaypee. 2011.

8. 박광균 : 경조직 및 구강 생화학–분자세포생물학. (주) 라이프사이언스. 2013.

9. 이준희, 신순기 공역(아오끼 히데끼 저) : 경이의 생체물질 아파타이트. 세종출판사. 2002.

10. 스다 타츠오, 오자와 히데히로, 타카하시 히데아끼, 타나카 사카에, 나카무라 히로아끼, 모리 사또시 편저: 신판 뼈의 과학 (Bone Biology). 이시야쿠출판. 2007.

11. 하야카오 타로오, 스다 타츠오, 키자키 하루토시, 하타 유이치로, 타카하시 노부히로, 우다가오 노부우기 : 구강생화학. 4판. 이사야쿠 출판. 2005.

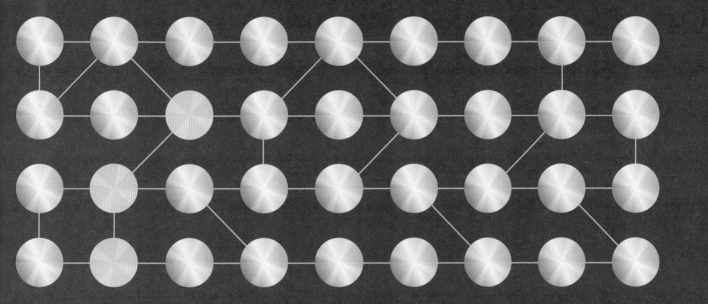

Dental Biochemistry **for the Dental Hygienist**

10

Chapter

혈중 칼슘과 인산의 항상성과 조절

체내 칼슘 보유량은 성인의 경우 체중의 약 1~2% 정도이다. 칼슘의 99% 이상은 치아와 뼈에 들어있고 나머지가 혈액, 세포외액, 근육을 비롯하여 여러 조직에 존재하며, 혈관의 수축과 이완, 근육의 수축, 신경 흥분 전달, 효소, 호르몬 대사과정 등에 관여한다. 이은 인체에서 칼슘 다음으로 많은 무기질이다. 성인 남자의 체내에는 약 700g 정도가 함유되어 있으며, 이중 85%는 뼈와 치아에 칼슘과 결합되어 존재한다. 나머지 15%는 세포내와 세포외액에 존재한다. 무기 인의 50% 정도는 혈액 내에서 인산이온으로 존재하며, 50% 정도는 단백질이나 다른 화합물과 결합된 형태로 존재한다.

뼈는 형성과 분해가 지속적으로 일어나는 동적 조직이며, 칼슘은 하이드록시아파타이트[hydroxyapatite 또는 수산화인회석, $Ca_{10}(PO_4)_6OH_2$]를 형성하여 콜라겐 기질에 침착함으로써 뼈를 견고하게 만드는 역할을 담당한다. 성장기에는 뼈 형성이 분해를 능가하며, 건강한 성인은 뼈 생성량과 용해량이 평형상태를 이루지만 폐경 이후 및 노년기에는 뼈 분해가 뼈 생성보다 많아지게 되어 골량은 상당히 감소한다. 인은 신생아 체중의 0.5%를 차지하고, 성인 체중의 0.65~1.1%를 차지한다. 콜격 내 칼슘과 인은 대략 2:1의 비율로 존재하며, 혈액 중의 인의 농도는 40mg/100mL이다. 세포 내액에 존재하는 칼슘의 농도는 대략 조직 kg당 0.2g이며, 혈중에는 8.8~10.4mg/100mL도 들어있다.

칼슘은 포유동물에서 크게 두 가지 생체 기능을 갖는다. 하나는 석회화조직 내에 아주 풍부한 무기 양이온으로 존재하여 칼슘이 우리 몸의 구조 역할을 하는 것이다. 골격은 이온에 대한 중요 저장고이며, 뼈는 많은 호르몬들의 중요 표적기관이 되어 칼슘 항상성(homeostasis)을 잘 조절하는 중요한 곳이다. 이들 효과의 많은 부분은 특히 칼슘결합단백질(calcium binding protein)인 칼모듈린(calmodulin)에 의하여 매개된다. 두 번째로 세포 내 칼슘은 여러 다양한 호르몬의 분비를 조절하는데 있어 중요한 역할을 하기도 하며, 타액선으로

부터 아밀라아제(amylase)의 분비를 조절하기도 한다. 사람을 포함한 고등동물의 칼슘대사는 매우 복잡한 기전으로 조절된다. 칼슘은 인산과 더불어 골염(bone salts)의 주성분으로서 골격의 물리적 강도를 유지함과 동시에 세포외액에서 칼슘이온으로써 혈액응고, 신경계의 자극전달, 근육의 흥분수축, 내분비세포의 흥분-수축 등 중요한 생리기능에 관여한다. 칼슘은 세포내에서 세포 기능의 조절인자로서 cAMP와 더불어 세포내 정보전달에 중요한 역할을 맡고 있다. 칼슘은 뼈 ⇄ 세포외액 ⇄ 세포내액 간의 칼슘이동, 그 중에서도 특히 세포외액의 칼슘 항상성을 세밀하게 유지하여야 한다. 칼슘의 항상성 유지를 위해 척추동물에는 칼슘 조절호르몬이란 것이 있다.

1 칼슘대사

1) 세포내 및 세포외 칼슘 항상성

사람을 포함하여 고등동물에서 칼슘대사는 아주 복잡한 기전으로 조절된다. 칼슘이 세포 내에서 다양한 기능을 원활하게 수행하기 위해서 뼈, 세포외액, 세포내액 사이의 칼슘 이동, 특히 세포 외액의 칼슘 항상성을 엄격하게 유지하여야 한다. 그러므로 척추동물에는 칼슘 조절호르몬이라 총칭하는 호르몬이 존재한다.

(1) 세포내 칼슘 항상성

2가 양이온인 칼슘은 모든 살아있는 생명체에서 중요한 생리적 역할을 한다. 일반적으로 칼슘은 세포에서 세포내 전령으로 작용한다. 다양한 효소와 이온채널이 칼슘에 민감하게 작용하며, 생체 내 다양한 생리현상이 이들 단백질에 의해 조절된다. 이 결과로 근육이 수축하

표 10-1. 체액의 칼슘농도

전체 혈청 칼슘	8.5~10.5mg%	2.1~2.6mol/L
이온화된 혈중 칼슘	4~5.2mg%	1.1~1.3mol/L
단백질 결합 칼슘	4.0~4.6mg%	0.9~1.1mol/L
복합체 형성 칼슘	0.7mg%	0.18mol/L
세포내 유리 칼슘	720ng%	180nmol/L

거나 단백질, 카테콜아민(catecholamine) 및 기타 소포 내용물의 분비, 세포막의 흥분성, 영양물질의 세포내 대사, 세포증식 및 세포사멸 등 다양한 생리현상에 관여한다. 대부분의 세포는 세포질에 대략 100nM 정도의 이온화 칼슘농도를 유지하는데, 일시적으로 500~1,000nM까지 상승하여 칼슘 신호를 생성한다. 이렇게 칼슘농도를 올리기 위하여 세포는 세포소기관에 저장되어 있던 칼슘을 일시적으로 유리하거나, 세포외 공간에서 일시적으로 칼슘을 유입한다. 한 예로 소포체(endoplasmic reticulum, ER)로부터 칼슘이온을 유리하기 위해서는 세포 표면의 수용체를 통한 신호전달이 있어야 한다. 즉, G 단백질과 연결된 수용체(G protein-coupled receptor)가 리간드(ligand)와 만나면 포스포리파제 Cγ를 활성화 하며, 활성화된 포스포리파제 Cγ는 세포내 이차전령인 이노시톨 1,4,5-삼인산(inositol 1,4,5-triphosphate)을 생성하여 이 이노시톨 1,4,5-삼인산이 ER 내로 확산되어 들어가 이노시톨 1,4,5-삼인산 수용체를 활성화함으로써 이온채널이 열리고, 이 채널을 통해 대량의 칼슘이온을 세포질로 유리한다. 또 다른 방법으로는 세포막에 존재하는 이온 채널을 통해 직접 칼슘이온을 유입하는 방법이다. 이 경우 세포의 탈분극(depolarization)에 의해 전기에 의해 작동되는 칼슘 채널(voltage-operated calcium channel)이 개방되어 세포외의 칼슘이 세포내로 유입된다. 이와는 달리 N-메틸-D-아스파르트산(N-methyl-D-aspartate) 수용체에 의해 칼슘 채널을 개방할 수도 있고 2차 전령에 의해 칼슘 채널

이 열리기도 한다. 전형적으로 이들 칼슘 신호는 세포내 소기관에 저장하기 위한 칼슘 재흡수 정도와 세포외 구획으로부터 세포내 칼슘 저장이 만족될 때까지 일어나는 칼슘 신호의 차이를 상쇄시키는 것이며, 일시적으로 일어나는 기전이다. 결과적으로 세포내 소기관이나 세포질에는 일정 농도의 칼슘이온이 항상성이 존재한다. 세포외 공간에는 세포질보다 칼슘이온농도가 훨씬 높아서 거의 10,000배에 달한다(표 10-1).

(2) 세포외 칼슘 항상성
① 전체 칼슘과 이온화 칼슘

신경과 근육의 자동성(automation), 근육수축, 신경전달물질의 유리 등 다양한 생리현상은 세포외 칼슘농도의 안정성에 의존된다. 나아가 인테그린(integrin)이나 카드헤린(cadherin)과 같은 부착단백질, 혈액응고에 관여하는 단백질 분해효소 등은 칼슘 의존성이 있다. 또한 뼈의 석회화의 경우에도 칼슘과 인산이 정상 수준으로 유지되는 것이 중요하다.

세포외 칼슘을 정상 수준으로 유지하는 것은 다양한 생체내 과정에서 아주 중요하기 때문에 칼슘 수준은 부갑상선호르몬(parathyroid hormone, PTH), 비타민 D 및 칼시토닌(calcitonin)을 포함한 일련의 호르몬에 의해 엄격하게 조절된다(표 10-2). 혈액에서 이온화 칼슘농도는 1.25 ± 0.07mM(4.4~5.2mg%)이다. 혈액 중의 전체 칼슘 중 절반 정도가 이온화 칼슘으로 존재한다(그림 9-2 참조). 나머지 중 40%는 알부민이나 기타 단백질과 결합

표 10-2. 칼슘조절호르몬의 표적기관

호르몬	표적기관		
	십이지장	뼈	콩팥
비타민 D	◎	◎	◎
부갑상선호르몬		◎	◎
칼시토닌		◎	◎

되어 있으며, 10% 정도가 인산이나 구연산과 같은 음이온과 복합체를 형성한다. 단백질과 결합하거나 복합체를 이룬 칼슘은 대사적으로 반응성이 없어 호르몬에 의해 조절되지 않는다. 인산이나 구연산 농도의 변화는 전체 및 이온화 칼슘농도에 영향을 준다. 한 예로 항응고제로 구연산을 처리한 혈액을 대량 수혈하는 경우 전체 칼슘 농도가 급격하게 증가하여 근 강직성 경련(tetany)을 유발할 수 있다. 세포외 용액에서 칼슘이온농도와 인산이온농도를 곱한 값은 인산칼슘염의 용해도적과 비슷해서, 이 이온농도가 급격하게 증가하면 연조직에 인산칼슘 침전을 유발할 수 있다. 이러한 이유로 아주 심한 고칼슘혈증(hypercalcemia)이나 고인산혈증(hyperphosphatemia)의 경우 임상 증상이 유발될 수 있다.

② 칼슘 흐름과 균형

3가지 접촉 부위에 의해 경계되는 세포외구획(extracellular compartment)은 전신적인 칼슘 항상성에 중요하다. 즉, 위장관계, 콩팥 및 뼈로 구획이 나뉜다. 칼슘 균형에 있어 순증량이 없는 상태에서 젊은 사람에서 이들 구획을 가로지르는 칼슘의 흐름에 대하여 고려해 보자.

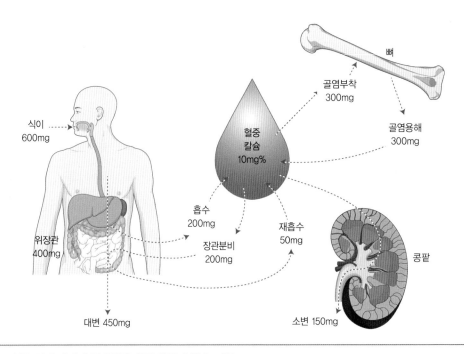

■■ 그림 10-1. 일본 성인 남자의 평균적인 하루 동안의 칼슘 이동

우리가 섭취하는 음식물로부터 평균 400~1,600mg의 칼슘(10~40nmol)이 함유되어 있다. 2008년도 국민건강영양조사에 따르면 전국 평균 칼슘섭취량은 남자 528mg, 여자 424mg, 평균 476mg으로 1일 섭취 권장량의 65% 정도이다. 우리나라와 식생활 패턴이 비슷한 일본 성인 남자의 음식물로부터의 평균적인 칼슘 섭취는 600mg 정도이다. 식이로 들어온 칼슘 중 평균 100~250mg이 순수하게 흡수된다. 일본의 경우 400mg이 그대로 배설되고, 200mg이 장을 통해 흡수되고, 이중 다시 100mg이 장관 분비에 의하여 장으로 분비되나, 다시 50mg이 제흡수되어 평균 150mg이 순수하게 흡수된다(그림 10-1).

성인에서 1kg이나 되는 뼈의 칼슘은 출생 당시에는 신생아 몸 전체에 불과 25g에 지나지 않는다. 뼈의 성장 기간을 30년으로 하면,

$$(1,000 - 25) \times 1000mg \times 1/30년 \times 1년/365일$$
$$≒ 89mg/일$$

이 되며, 하루 평균 거의 90mg의 칼슘을 30년 동안 매일같이 뼈에 축적하는 셈이다. 성장 발육기에는 칼슘의 대사균형이 양의 균형(positive balance)으로, 성장 발육이 가장 왕성한 시기인 13~16세에는 1일 칼슘 축적량이 무려 350mg 정도나 된다. 이후 30~50세 사이에는 뼈의 칼슘 양은 일정하지만, 50세를 지나면 뼈의 다공화가 진행되어 80세 이상의 고령자에서 몸의 칼슘 축적량은 성인의 60% 이하로 된다. 이러한 시기에는 콩팥에서 칼슘의 배설량이 소장에서 흡수량을 상회하여 칼슘의 대사균형은 음의 균형(negative balance)이 된다. 이러한 경향은 특히 여성에서 심하게 일어나, 폐경기 후에 일어나는 골다공증(postmenopausal osteoporosis)은 현재에도 치료가 쉽지 않은 질병이다(그림 10-2).

2) 장에서 칼슘 흡수

음식물 섭취로 공급되는 물질 속에는 칼슘은 인산칼슘 형태로 존재하기 때문에 섭취된 칼슘염의 대부분은 인산칼슘이다. 영양학적 관점에서 칼슘이온의 장내 흡수는 대부분의 칼슘염이 불용성이기 때문에 많은 문제점이 있다. 또한 체내에서 칼슘의 불용성이 동맥경화성 혈관에서 석회화를 유발하거나, 콩팥의 신우나 세관에서 병적 석회화인 요석을 만들거나, 쓸개에서 담석을 형성하기도 한다. 용해도가 증가하는 순서로 인산칼슘의 3가지 형태는 $Ca_3(PO_4)_2$, $CaHPO_4$ 및 $Ca(H_2PO_4)_2$가 있다. 위의 pH에서 인산칼슘은 쉽게 용해되며, 십이지장의 pH에서는 칼슘염은 주로 $CaHPO_4$와 $Ca(H_2PO_4)_2$ 형태로 존재한다.

칼슘의 흡수는 주로 소장의 원심 쪽에서 일어나며, 근심 쪽으로 갈수록 흡수정도가 감소한다. 성인의 경우 섭

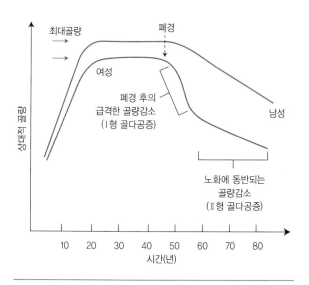

■■ 그림 10-2. 성장과 나이가 들어감에 따라 동반되는 골밀도의 변화

사람의 골밀도는 30세 무렵에 정점(peak, 최대 골밀도)에 이르며, 이후 나이가 들어감에 따라 감소한다. 특히 여성의 경우 폐경 후 10년간의 골밀도 감소가 심하고, 최대골밀도에 있어서도 남자보다 낮기 때문에 골다공증에 이환되기가 쉽다.

취한 칼슘의 반 이하가 흡수된다. 임신 중이거나 수유 중에는 흡수 정도가 더 높으며, 나이가 들어감에 따라 흡수 정도는 감소한다. 흡수된 칼슘의 장내 운반은 비타민 D 조절을 받는 능동적 운반과 수동적 운반에 의하여 일어난다. 즉, 장에서 칼슘 흡수는 2가지 기전으로 일어난다. 하나는 능동적인 수송체로 전기화학적 농도경사를 거슬러 칼슘을 운반하는 경우로 에너지가 필요하며, 칼슘을 펌프질한다. 또 다른 하나는 단순 확산에 의하여 운반되는 경우이다. 이 2가지 운반 방법은 모두 생리학적으로 중요하며, 비타민 D의 활성형인 1,25-디하이드록시콜레칼시페롤(1,25-dihydroxycholecalciferol)

에 의해 조절된다. 활성형 비타민 D에 의한 칼슘 조절은 상피세포를 가로질러 칼슘을 운반하는 특정 단백질을 합성하고 조절하는 것과 관련이 있다.

3) 칼슘 조절 호르몬

(1) 부갑상선호르몬과 그 역할

부갑상선(parathyroid)에서 분비되는 생리활성 물질은 1925년 콜립(Collip JB)에 의해 최초로 소의 부갑상선 조직에서 부갑상선 추출물(parathyroid extract,

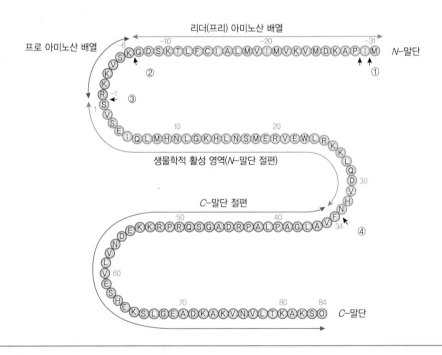

■▥ **그림 10-3. 사람 부갑상선호르몬의 일차구조**

115개의 아미노산으로 구성되는 preproPTH의 일차 구조를 나타낸 것이다. preproPTH는 PTH를 구성하는 아미노산 84개(1~84)의 N-말단 측에 31개 아미노산(-31~-1)을 더 가진다. 화살표는 전구체와 호르몬의 대사적 수식과정(metabolic processing)의 단계에서 절단 되는 펩타이드 결합을 나타낸다. ① N-말단의 메티오닌이 분리되고, ② 합성된 직후 펩타이드사슬에서 시그널 배열[leader (pre, signal) sequence]이 절단 되며, ③ proPTH가 골지장치로 옮겨질 때에 prosequence가 떨어진다. ④ PTH(1~84)는 간에서 생물활성을 가지는 N-말단 절편[fragment, PTH(1~34)과 활성이 없는 C-말단 절편[PTH(35~84)]으로 나눈다. 완벽한 생물활성을 나타내기 위해서는 1~34 아미노산이 필요하나, 활성을 나타내는데 있어 중요한 부위는 1~6이 중요하며, 7~34는 억제영역(inhibitory domain 또는 binding subdomain), 25~34는 주 결합영역(prical binding domain)으로 작용한다.

PTE)이다. 1970년대가 되어 PTE를 정제하고 불순물을 제거함으로써 포츠(Potts JT Jr.) 그룹이 사람의 부갑상선호르몬(parathyroid hormone, PTH)의 1차 구조를 밝혔다(그림 10-3). 정제된 사람의 PTH는 PTE의 10배 활성을 갖는다.

① 부갑상선호르몬 분비생리

부갑상선호르몬의 주 기능은 거의 8.5~10.5mg%의 아주 좁은 범위에서 혈중 칼슘농도를 잘 조절하는 것이다. 사람에서 각 개인별 칼슘이온농도의 변화 범위는 2% 이하이다. 이렇게 좁은 범위에서 칼슘농도를 유지하기 위해서는 PTH 분비가 전형적인 부정적 되먹임 고리(classical feedback loop) 내에서 혈중 칼슘농도에 의해 직접 조절되어야 한다. PTH에 대한 혈중 칼슘의 관계는 가파른 S자 모양으로, 커브의 가파른 부분이 혈중

칼슘의 정상 범위에 해당된다(그림 10-4). 이러한 관계는 혈중 칼슘농도를 아주 엄격하게 조절하기 위해 필요하다. 정상 칼슘농도 범위를 조금만 벗어나도 칼슘농도가 조금만 증가하여도 PTH의 변화는 커진다. 부갑상선호르몬은 일단 분비되면 혈중을 복합체를 이루지 않고 유리상태로 떠돌며, PTH의 반감기는 대략 4분 정도이다. 부갑상선 주세포 내 분비과립에서 시작하여, 순환을 계속하며 주로 간에서 PTH는 2개의 큰 단편으로 절단되는데, 33- 또는 36-아미노산 N-말단 펩타이드와 이보다 큰 C-말단 펩타이드로 절단된다(그림 10-5). 모든 생물학적 활성은 N-말단 단편에 있으며, 특히 콩팥에서 신속하게 가수분해 된다. 그럼에도 불구하고 C-말단 단편은 N-말단 펩타이드나 완전한 PTH보다 반감기가 길다. 순환계에서 발견되는 PTH-유래 펩타이드의 70~80%가 C-말단 단편으로 생각된다.

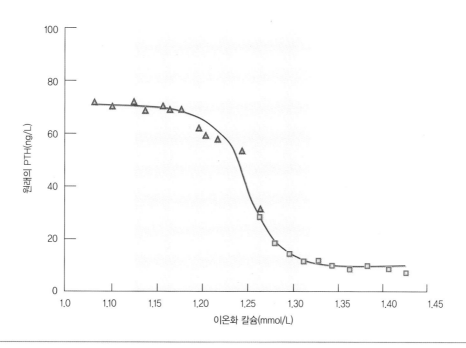

■▨ **그림 10-4. 혈중 칼슘과 부갑상선호르몬의 관계**

Conlin PR 등: Hysteresis in the relationship between serum ionized calcium and intact parathyroid hormone during recovery form induced hyper- and hypocalcemia in normal humans. J. Clin Endocrinol Metab 69(3):593-9. 1989

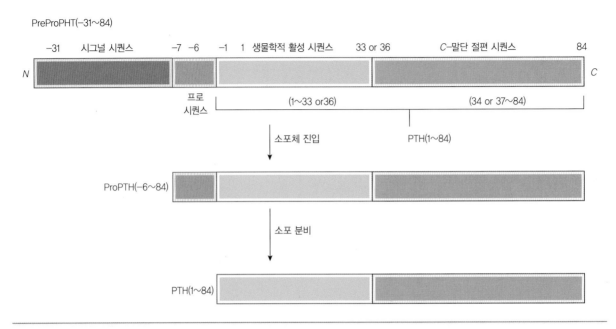

PreProPHT(−31〜84)

| −31 | 시그널 시퀀스 | −7 −6 | −1 1 | 생물학적 활성 시퀀스 | 33 or 36 | *C*-말단 절편 시퀀스 | 84 |

프로 시퀀스 (1〜33 or36) (34 or 37〜84)

소포체 진입 → PTH(1〜84)

ProPTH(−6〜84)

소포 분비 →

PTH(1〜84)

■ ■ ▦ **그림 10-5. PTH 합성**

PTH 합성은 조면소포체에서 프리프로-PTH(115 아미노산, -31~84)으로 합성된다. 조면소포체 내강에서 신호 펩타이드(-31~7)이 절단되어 프로-PTH(-6~84)가 된다. 소포(vesicle)를 통해 운반되는 동안 골지 내의 효소에 의해 프로 펩타이드(-1~6)가 절단되고, 실제 PTH(1~84)가 분비과립에 저장된다. 분비과립에서 시작해서 효소는 2개의 단편으로 절단된다. *N*-말단 단편은 33 아미노산 일 수도 있고 36 아미노산 일 수도 있으며, 이 두 펩타이드는 모두 생물학적 활성을 나타낸다.

부갑상선세포의 칼슘농도 감지는 G 단백질과 연결된 수용체, 즉 GPCR(G protein-coupled receptor)로에 의해 일어난다. 칼슘 감지 수용체는 갑상선의 C 세포에서도 발현되어 갈시토닌 분비에 대한 칼슘의 긍정적 되먹임(positive feedback) 효과를 조절한다. 칼슘은 칼슘 감지 수용체의 세포외 도메인에 결합한다. 칼슘 감지 수용체에 칼슘이 결합하는 데는 여러 가지 이유로 단순하지 않고 복잡하다. ① 세포외 칼슘농도와의 상호관계를 나타내는 커브의 경사도가 가파르다는 것은 긍정적인 상호관계를 보여주는 것이지만 다수의 칼슘이 하나의 수용체에 결합하는지에 대해서는 의문이 있다. 헤모글로빈의 경우 첫 번째 산소가 결합하기는 어려우나 일단 칼슘이 결합하면 두 번째 산소는 보다 빠르게 결합하며, 3번째와 4번째 산소는 더 빠르게 결합하는데, 이 경우와 같이 하

나의 칼슘이 결합하면 다음 칼슘의 결합에 대한 친화도가 증가할 것이라 생각한다. ② 세포외 도메인에는 많은 돌연변이가 일어나는 부위를 가지고 있다고 보고되었는데 이들 중 일부는 칼슘에 대한 친화도를 높이는 것도 있고 오히려 친화도를 떨어뜨리는 경우도 있어 결과적으로 고칼슘혈증이나 저칼슘혈증을 유발할 수 있다. 이러한 사실은 세포외 도메인이 칼슘 결합에 광범위하게 영향을 미친다는 것을 시사해 준다. ③ 세포외 도메인에 존재하는 시스테인 잔기를 통해 수용체가 이량체화되면 이량체의 각 멤버 사이에 기능적으로 상호작용이 존재한다.

칼슘 감지 수용체에서 칼슘에 대한 민감성을 저하시키는 돌연변이의 경우 일반적으로 생애 전기간에 걸쳐 경미한 고칼슘혈증이 유발된다. 가족성 양성 저칼슘뇨증 고칼슘혈증(familial benign hypocaliuric hypercal-

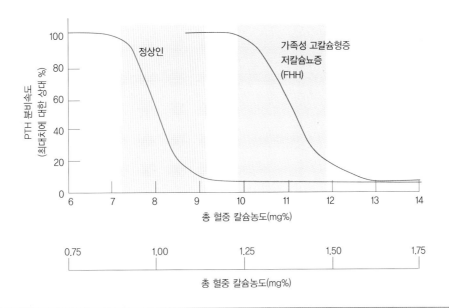

■ ▒ 그림 10-6. 혈중 이온화 칼슘 조절에 있어 정상인과 가족성 양성저칼슘뇨증 고칼슘혈증(FHH) 환자에서의 혈중 칼슘농도 변화에
따른 부갑상선의 반응

색깔로 처리한 부분에서 혈중 유리 칼슘농도(이온화 칼슘농도)가 조금만 변하여도 PTH 분비속도는 아주 많이 변하게 된다. FHH 환자의
경우 곡선이 오른쪽으로 이동되어 있는 것을 볼 수 있다. 결과적으로 PTH 분비 이전에 이온화 칼슘농도는 아주 높아져 있어 환자의 경
우 PTH 분비가 정상이더라도 혈중 칼슘농도는 증가되어 있는 것을 볼 수 있다.

Boron WF, Boulpaep EL: Medical physiology. 2nd ed. Saunders Elservier. 2005.

cemia, FHH)이라는 증후군의 경우 이러한 돌연변이를
통해 콩팥에서 칼슘에 대한 감지 능력이 떨어져 칼슘 재
흡수가 증가한다(그림 10-6). 칼슘 감지 수용체의 유전자
의 대립인자 2개 모두가 소실된 경우 칼슘을 감지하는
능력이 제거되어 결국 아주 심한 신생아 고칼슘혈증 증
후군이 나타나 부갑상선 전체를 적출하여야만 한다. 반
대로 칼슘에 대한 감지 능력을 증가시키는 돌연변이의
경우 평생 동안 경미한 저칼슘혈증과 고칼슘뇨증이 야기
된다.

② 부갑상선호르몬의 합성과 분비기전

부갑상선에는 3종류의 세포가 있는데 이중 주세포가
일차적으로 PTH를 분비하는 것으로 생각한다. 사람
PTH 유전자는 11번 염색체의 단완(p arm)에 존재하며,

3개의 엑손으로 구성된다. DNA로부터 단백질이 합성되
면서 소포체(endoplasmic reticulum)로 들어올 때 프
리프로-PTH 폴리펩타이드는 아미노산 -7(글리신)과
-6(라이신) 사이를 절단하여 90개의 아미노산으로 구
성되는 프로-PTH를 생성한다. 이 절단에는 프로호르
몬전환효소(prohormone convertase)인 PC2나 PC1,
PC7이나 퓨린(furin)이다. 소포체에서 골지체로 이동하
여 생합성이 완료된 후 치밀 분비과립으로 포장되어 분
비될 때까지 저장된다. 과립에 저장된 PTH는 최대속도
로 분비되어도 1시간 반 정도 분비될 수 있는 양이다. 칼
슘농도가 낮을 때 PTH의 형성과 분비는 항상 현저하게
증가됨에도 불구하고, 프로-PTH의 생합성과 분해는 주
위 칼슘농도에 영향을 받지 않는다. 실제로 합성된 PTH
의 80~90%는 세포 내에 존재하는 완전한 PTH로 생각

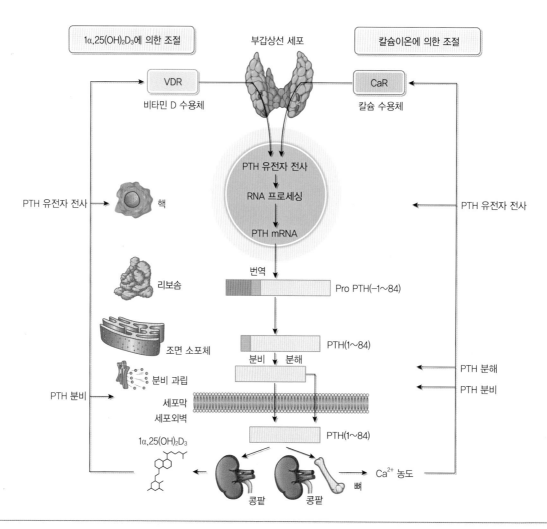

■■■ 그림 10-7. 부갑상선에 있어 PTH의 합성 및 분비조절 기전

PTH의 합성과 분비는 세포외액의 칼슘이온과 활성형 비타민 D 농도가 증가함으로써 억제 조절된다. 이 중 칼슘에 의한 조절은 칼슘 수용체인 칼슘이온 감지 수용체(calcium sensing receptor, CaR)를 통해 발현되는데, 합성 및 분비, 분해(전사 단계) 및 부갑상선세포의 증식 등 각 단계에서, 또한 활성형 비타민 D에 의한 조절은 비타민 D 수용체(VDR)을 통해 발현되는데, 분비, 합성(전사 단계) 및 부갑상선세포의 증식 등 각 단계에서 각각 작용한다.

할 수가 없다. 왜냐하면 합성된 프로−PTH의 대부분이 아주 빠르게 분해되기 때문이다. 이러한 분해속도는 칼슘농도가 낮을 때는 증가한다. 칼슘은 프로−PTH의 생성보다는 프로−PTH의 분해속도에 영향을 준다는 사실을 알 수 있다. 즉, 프로−PTH는 세포외액의 칼슘농도에 영향을 받지 않고, 꾸준히 일정량의 PTH−mRNA를 합성한다는 것을 의미한다(그림 10-7).

가. 칼슘이온에 의한 조절

생리적 조건에서 부갑상선은 PTH를 합성 분비하는 유일한 기관으로 혈액 중의 칼슘이온농도의 변화를 부갑상선세포의 칼슘 감지 수용체가 PTH의 합성과 분비를 조절한다. 칼슘 감지 수용체는 부갑상선세포 외에도 갑상선의 칼시토닌 분비세포(C 세포)와 콩팥 세뇨관세포에서도 발견된다. 세포막에 존재하는 칼슘 감지 수용체

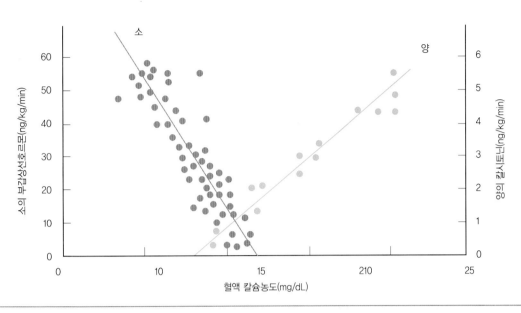

그림 10-8. 부갑상선호르몬과 칼시토닌 분비에 미치는 혈중 칼슘농도의 영향

Care AD 등: A Study of thyrocalcitonin secretion by direct measurement of in vivo secretion rates in pigs. Endocrinology 83:161169. 1968.

에 의해 인지된 혈중 칼슘의 변화는 세포내로 전달될 수 있어 혈중 칼슘농도의 상승에 의해 PTH의 합성과 분비가 억제되어 저하된다(그림 10-8).

저칼슘혈증은 PTH mRNA 레벨을 눈에 띄게 상향조절하지만, 고칼슘혈증은 칼슘 레벨을 최소한으로 감소시킨다. 만성적으로 고칼슘혈증이 지속되는 경우 심지어 부갑상선의 크기를 줄이기도 한다. 고칼슘혈증에 대하여는 수 시간 이상에서 몇 일간에 걸쳐 적응하는데 비하여, 저칼슘혈증에 대하여는 처음 발병하자마자 곧바로 반응하도록 잘 장치되어 있다. 저칼슘혈증의 경우 PTH mRNA 안정성에 대해 전사 후 효과(posttranslational effect)에 의해 우선적으로 PTH mRNA 레벨을 증가시킨다.

나. 활성형 비타민 D에 의한 조절

부갑상선호르몬과 활성형 비타민 D는 혈중 칼슘농도를 정상으로 유지하기 위해 복잡한 방법으로 상호작용한다. 활성형 비타민 D인 1α,25-디하이드록시콜레칼시

페롤(1α,25-dihydroxycholecalciferol)에 노출되는 경우 PTH mRNA 레벨과 분비를 하향조절한다. 부갑상선호르몬의 유전자인 *PTH* 유전자 프로모터(promotor) 부위에 잘 보존되어 있는 네거티브 조절요소에 비타민 D 수용체(vitamin D receptor, VDR)가 결합함으로써 전사억제가 일어난다. 저칼슘혈증은 PTH 분비와 1α,25-디하이드록시콜레칼시페롤의 생성 모두를 촉진하여, 이 두 호르몬의 농도는 서로 협력하여 변화를 유발하는데, 혈중 칼슘농도를 유지하기 위해 서로 상승적으로 작용한다. 활성형 비타민 D는 혈중 칼슘농도를 증가시킴으로써 간접적으로 PTH 분비를 억제하는데, 이것은 부갑상선세포에 존재하는 비타민 D 수용체에 활성형 비타민 D가 결합하여 복합체를 이룸으로써 전사억제인자로 작용하기 때문이다.

다. 인산에 의한 조절

오랫동안 혈중 인산 레벨은 PTH 분비에 직접 영향을 주지 않는 것으로 알려져 왔다. 대신에 칼슘농도를 조절

하는 활성형 비타민 D를 통해 조절하는 것으로 생각하였다. 그럼에도 불구하고 저인산혈증과 고인산혈증이 직접 PTH 분비에 영향을 주는 것이 밝혀졌다. 저인산혈증은 전사 후 영향에 의하여 PTH mRNA 레벨에 영향을 준다. 이러한 사실은 혈중 칼슘농도나 혈중 활성형 비타민 D 농도가 비정상적이 아님에도 불구하고 저인산혈증이 있는 경우 PTH 분비에 직접 영향을 주기 때문이다. 저인산 사료를 오랫동안 먹인 쥐의 경우 PTH 전사체(PTH transcripts)의 안정성은 감소된다. 그러므로 저칼슘혈증과 마찬가지로 저인산혈증의 경우에도 PTH mRNA의 안정성을 조절함으로써 PTH mRNA의 레벨을 조절한다. 고인산혈증의 경우 칼슘이나 활성형 비타민 D와는 별도로 PTH mRNA 레벨을 증가시킨다.

③ 부갑상선호르몬의 작용

칼슘농도를 좁은 범위에서 유지하기 위해서는 PTH는 세포외공간인 3 인접 면인 뼈, 콩팥 및 작은창자를 가로질러 칼슘 이동을 조절한다. PTH의 주 표적기관은 뼈와 콩팥이지만, 콩팥에 있어 비타민 D 활성화를 통한 작은창자에서의 간접 작용도 있다. 이들 작용은 결과적으로 모두 혈중 칼슘농도를 증가시킨다(그림 10-9). 저칼슘혈증의 경우 PTH는 파골세포를 자극하여 뼈로부터 정장된 칼슘을 동원한다. PTH는 콩팥에서 칼슘을 보존하기 위해 활성형 비타민 D를 합성하고, 소변으로 인산

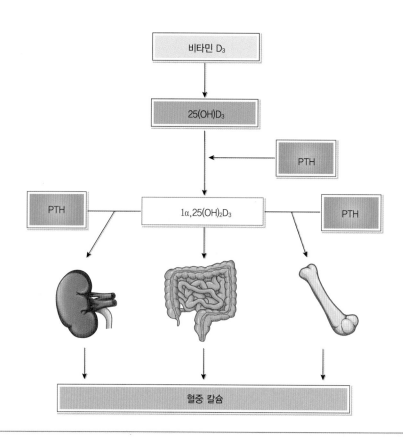

■▦ 그림 10-9. 칼슘 조절호르몬으로서 PTH의 작용

PTH는 뼈와 콩팥에 직접 작용하며, 비타민 D의 활성화를 통해 작은창자에 간접적으로 작용하여 혈중 칼슘농도를 증가시킨다. 뼈와 콩팥에서 PTH의 작용은 활성형 비타민 D가 존재할 경우 충분히 발휘된다.

을 소모한다. 이 결과 혈중 칼슘농도를 유지할 수 있게 된다. 또한 PTH는 콩팥에서의 칼슘 배설을 억제함으로써 칼슘을 보존한다. 콩팥에서 PTH의 작용은 근위세뇨관에서 비타민 D를 활성화하며, 인산의 재흡수를 억제하고, 칼슘의 재흡수를 촉진한다. 이러한 작용은 모두 PTH에 의해 작용을 하는 아데닐산 사이클라제의 활성화에 의해 생성되는 cAMP를 통해 일어난다. 비타민 D_3의 경우 먼저 간에서 25 위치에 수산화반응이 일어난 다음 콩팥의 근위세뇨교관에서 1α 위치에 수산화반응이 일어남으로써 활성형인 1α,25-디하이드록시콜레칼시페롤이 된다. 부갑상선호르몬은 콩팥 근위세뇨관세포의 미토콘드리아에 존재하는 1α-수산화효소(1α-hydroxylase)의 합성을 촉진한다. 이 효소에 의해 형성된 1α,25-디하이드록시콜레칼시페롤은 작은창자에 작용하여 칼슘이온의 흡수를 항진시키기 때문에 PTH는 작은창자에도 간접적으로 작용한다.

PTH의 뼈에 대한 작용은 모두 골모세포에서 발현된다. 즉, PTH는 골모세포 세포막상에 있는 PTH 수용체에 작용해 cAMP-의존성 단백질 키나제 A(cAMP-dependent protein kinase A)의 신호전달체계를 통해 RANKL의 발현을 유도하고 오스테오프로테게린(osteo-protegerin, OPG)의 생성을 억제한다. 이 결과 파골세포의 형성 및 활성화가 촉진된다. 즉, PTH는 파골세포에 간접적으로 작용하여 파골세포의 분화와 활성화가 촉진된다. 이 결과 뼈에서 칼슘의 유리를 촉진하여 혈중 칼슘농도를 증가시킨다.

④ 부갑상선호르몬 관련단백질
(PTH-related protein, PTHrP)

오래 전부터 악성 종양이 있는 경우 고칼슘혈증(hum-oral hypercalcemia of malignancy, HHM)이 자주 동반되는데, 그 병태가 일차 부갑상선 기능항진증(pri-mary parathyroidism)과 아주 비슷한 증세를 나타낸다. 이 경우 종양을 적출하면 고칼슘혈증이 사라지는 것

으로 보아 종양세포가 PTH 유사물질을 생성하리라 생각하였다. 1987년 마틴(Martin TJ)에 의해 원인물질이 단독 분리되어 부갑상선호르몬 관련단백질(PTHrP)이라 하였다. PTHrP는 다양한 정상세포에서도 분비되는 것이 밝혀졌으며 연골세포의 분화, 임신이나 수유 경우 칼슘대사의 주위분비(paracrine)나 자가분비(autocrine) 인자로 작용하는 것이 밝혀졌다.

⑤ PTH/PTHrP 수용체의 분포와 신호전달계

PTH 수용체 구조는 오랫동안 밝혀지지 않았지만, 1991년 포츠(Potts JT Jr.) 그룹이 수용체 cDNA의 클로닝을 통해 밝혀졌다. 이 수용체는 GTP 결합단백질과 공역하는 다양한 세포막 수용체와 마찬가지로 세포막을 7번 통과하는 영역을 갖는 수용체로 밝혀졌다. 흥미롭게도 PTHrP의 경우에도 이 PTH 수용체를 통해 작용한다. 그렇기 때문에 이 수용체를 PTH/PTHrP 수용체라 부른다. PTHrP는 PTH보다 계통발생학적으로 더 먼저 생성된 호르몬 인자로 PTH는 이보다 늦게 출현하였다. PTH는 뼈나 콩팥에 이미 존재하던 PTHrP 수용체에 결합함으로써 그 호르몬 작용을 나타내게 되었다.

PTH/PTHrP 수용체는 주로 뼈와 콩팥에 분포한다. 뼈 조직의 경우 골모세포와 연골세포에서 발현된다. PTH나 PTHrP는 골모세포에 작용하여 골모세포의 RANKL 발현을 유도함으로써 파골세포 형성을 활성화하여 뼈 흡수를 촉진한다. PTH가 표적세포의 세포막에 존재하는 PTH/PTHrP 수용체에 결합한 다음 2가지 경로를 통해 세포내로 신호를 전달한다. 즉, 한 가지 경로는 GTP 결합단백질인 G_s를 통해 아데닐산 사이클라제가 활성화되어 cAMP의 생성을 항진하는 cAMP-의존성 키나제 A의 활성화 신호경로이고, 다른 하나는 GTP 결합단백질인 G_q를 통한 포스포리파제 C(phospholipase C, PLC)가 활성화되어 이노시톨 3인산(inositol, 1,4,5-triphos-phate, IP_3) 및 다이아실글리세롤(diacylglycerol, DAG)의 생성을 항진함으로써 단백질 키나제 C(protein

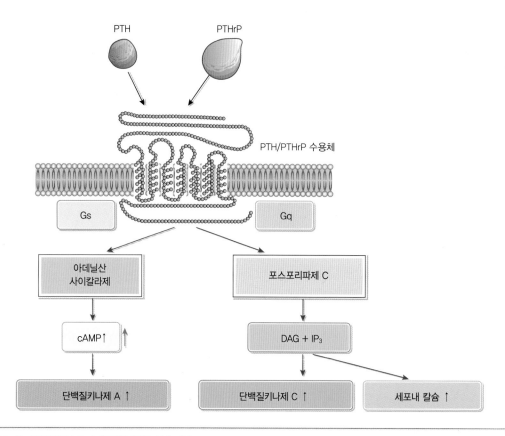

■■ 그림 10-10. PTH/PTHrP 수용체를 통한 신호전달

PTH/PTHrP 수용체의 하류에는 2가지 신호전달 경로가 존재한다. 한 가지는 GTP 결합단백질인 G_s를 통한 단백질 키나제 A(PKA)의 활성화 신호경로이고, 다른 하나는 GTP 결합단백질인 G_q를 통한 단백질 키나제 C(PKC)의 활성화 신호경로이다.

kinase C, PKC)의 활성화 신호경로이다(그림 10-10).

(2) 칼시토닌과 그 작용

칼시토닌(calcitonin, CT)이 발견될 때까지 혈중 칼슘의 항상성은 주로 PTH 분비에 의해 조절되는 것으로 생각하였다. 1958년 샌더슨(Sanderson PH)은 고칼슘혈증에 걸려 위험한 상태의 동물을 지키기 위해 PTH 조절기전만으로 충분할지에 대한 의문을 제시하였다. 샌더슨은 정상 개에 칼슘을 주사할 경우 칼슘 레벨이 13mg%까지 상승했지만 6시간 후에는 정상 레벨로 회복되는 것을 보았다. 그런데 갑상선과 부갑상선을 수술로 적출한 개에 같은 실험을 할 경우 혈중 칼슘 레벨은 보다 높은

16mg%까지 상승하였으며, 24시간이 지나도 정상 레벨이 회복되지 않았다(그림 10-11).

당뇨병의 경우 혈중 글루코오스 농도 조절을 위해 인슐린과 글루카곤이 존재하듯이 샌더슨의 실험은 혈중 칼슘농도를 조절하기 위해 PTH 말고도 또 다른 호르몬이 칼슘농도를 조절하는데 호르몬의 존재에 대하여 예언한 점에서 그 의의가 크다. 같은 시기에 콥(Copp DH)은 혈중 칼슘농도를 저하시키는 호르몬을 칼시토닌이라 명명하였다.

① 칼시토닌의 생화학

다양한 동물로부터 10종의 칼시토닌이 단독 분리 동

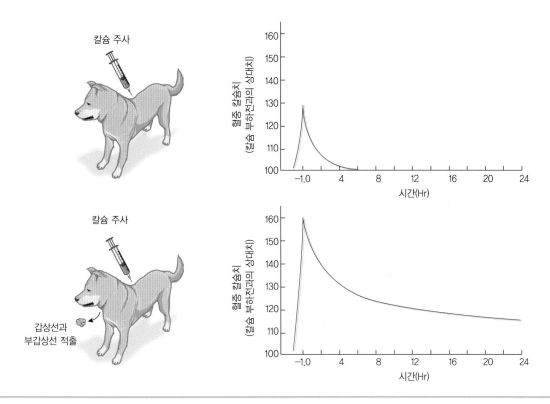

■■ 그림 10-11. 혈중 칼슘농도를 저하시키는 호르몬의 존재를 예언한 샌더슨의 실험

Sanderson PH, Marshall F 2nd, Wilson RE: Calcium and phosphorus homeostasis in the parathyrodectomized by means of ethylenediamine tetraacetate and calcium to lerance tests. J Clin Invest 39:662-70. 1960.

정되어 그 구조가 결정되었다. 이들 칼시토닌의 공통된 특징은 ① 모두 32개의 아미노산 잔기로 구성되는 폴리펩타이드이다. ② 1번째와 7번째의 아미노산이 모두 시스테인이며, 이들 시스테인 잔기끼리 이황화결합을 형성한다. ③ 1~7번째의 아미노산 잔기는 2번째의 아미노산을 제외하면 거의 모두가 동일하다. ④ *C*-말단 아미노산은 모두 프롤린아미드(proline amide)이다.

칼시토닌은 생물학적 활성을 나타내기 위하여 32개 아미노산 전부가 필요하다. 일반적으로 펩타이드 호르몬은 그 활성 발현에 있어 반드시 활성 중심(active center)을 가지지만, 칼시토닌의 경우 활성 중심이 없고, 그 활성이 발현되려면 32개 아미노산이 전부 필요하다. 또한 1번째와 7번째의 이황화결합이 절단되면 활성이 없어진다.

② 칼시토닌의 분비조절

칼시토닌 분비를 조절하는 일차적인 조절 루프(regulatory loop)는 부갑상선호르몬의 분비조절과 반대이다. 칼슘 레벨이 증가하면 칼시토닌 분비량은 증가하고, 반대로 혈중 칼슘 레벨이 감소되면 칼시토닌 분비량도 감소한다. 혈중 칼슘농도의 증가는 칼슘 감지 수용체(Ca-sensitive receptor, CaR)를 활성화 한다. 이 수용체는 G 단백질 연결 수용체(G protein-coupled receptor, GPCR)로 갑상선 C세포에서 강하게 발현된다. CaR의 활성화에 의해 칼시토닌 분비가 촉진된다. 이러한 사실은 두 가지 서로 다른 세포 유형 즉, 부갑상선호르몬 생성세포(부갑상선 주세포)와 칼시토닌 생성세포(갑상선 C세포에서 발현되는 똑같은 CaR이 서로 상반되는 분비 효과를 보여 흥미로운 생리학적 적응이다. 이러한 조절

루프에 의해 혈중 칼슘농도를 좁은 범위에서 조절할 수 있게 된다(그림 10-12).

③ 칼시토닌의 작용

칼시토닌의 작용은 파골세포에 작용하여 뼈 흡수를 억제함으로써 혈중 칼슘농도를 감소시키는 것이다.

가. 뼈에 대한 작용

뼈에서 칼시토닌 수용체를 가진 세포는 파골세포 뿐이다. 골모세포에는 칼시토닌 수용체가 없다. 파골세포는 칼시토닌에 작용하여 우선 파골세포의 파상연의 움직임이 정지되고, 파골세포의 용적이 감소한다. 결과적으로 파골세포는 뼈 표면에서 사라지고 파골세포에 의한 흡수와의 형성은 억제되어 뼈 흡수는 억제된다.

나. 콩팥에 대한 작용

칼시토닌은 콩팥 원위세뇨관에 직접 작용하여 인산, 칼슘, 마그네슘, 소듐, 염소 등이 소변으로 배설되는 것을 증가시킨다. 또한 칼시토닌은 PTH와 마찬가지로 콩팥에서 비타민 D의 활성화를 촉진한다. 그러나 아직 칼시토닌에 의한 비타민 D 활성화에 대한 생리학적 역할은 확실하지 않으나, 태어나 소아와 같은 성장기의 칼슘 대사조절에 중요한 역할을 하리라 생각한다.

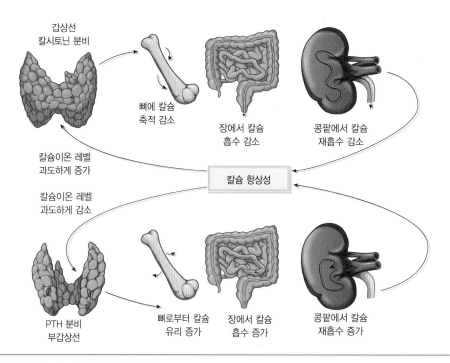

■■▨ **그림 10-12. 혈중 칼슘농도 조절을 위한 조절 루프**

칼슘 항상성이 유지되다가 어떤 이유로 혈중 칼슘농도가 증가하게 되면 갑상선에서 CaR을 통해 칼슘농도가 증가된 것을 감지하고 칼시토닌을 분비하게 된다. 이렇게 분비된 칼시토닌은 뼈에 칼슘 축적을 증가시키고, 작은창자에서는 칼슘 흡수를 억제하며, 콩팥에서 칼슘 제흡수를 억제하여 혈중 칼슘농도를 저하시키는 작용을 한다. 어떤 이유로 정상 혈중 칼슘농도가 유지되지 못하고 계속해서 칼슘농도가 떨어지게 되면 부갑상선의 CaR에 의해 혈중 칼슘농도가 감소된 것을 감지하여 PTH 분비를 촉진한다. 이렇게 분비된 PTH는 뼈에서 칼슘 동원을 촉진하고, 작은창자에서 칼슘 흡수를 촉진하며, 콩팥에서 칼슘의 재흡수를 촉진함으로써 혈중 칼슘농도를 증가시킴으로써 혈중 칼슘농도를 정상으로 유지하게 된다. 이때도 어떤 이유로 계속해서 칼슘농도가 증가하는 경w정상화는 사이클을 계속 돌게 되는 조절 루프가 형성되게 됨으로써 칼슘 항상성이 유지된다.

다. 소화관에 대한 작용

칼시토닌은 위산 분비를 억제하여 작은창자의 연동운동을 억제한다. 그러므로 칼시토닌을 과잉 투여할 경우 식용부진이 유발되기도 한다.

④ 칼시토닌 수용체

칼시토닌 수용체는 주로 뼈와 콩팥에 존재한다. 칼시토닌 수용체는 PTH/PTHrP와 마찬가지로 세포막을 7번 통과하는 영역을 가지고 있다. 칼시토닌 수용체와 PTH/PTHrP 수용체의 아미노산 서열은 30% 이상의 상동성을 갖는 것으로 보아 이 두 수용체는 하나의 수용체 패밀리를 구성하는 것으로 생각한다.

⑤ 칼시토닌 유전자 관련 펩타이드

1983년 로젠펠드(Rosenfeld MG) 등은 칼시토닌과 아주 유사한 구조를 갖는 새로운 호르몬을 발견해 칼시토닌 유전자관련 펩타이드(calcitonin gene-related peptide, CGRP)라 명명하였다. 이것은 CGRP가 칼시토닌 유전자의 선택적 스플라이싱(selective splicing)에 의해 생성되기 때문이다. 칼시토닌 유전자는 CT/CGRP 유전자라고도 불린다. CT/CGRP 유전자로부터 전사된 RNA는 갑상선의 C세포와 중추 신경세포에서는 서로 다른 절단과 스플라이싱 과정을 거친다.

(3) 비타민 D와 그 작용

비타민 D(Vitamin D)는 지용성으로 분류되는 비타민의 일종이다. 비타민 D는 비타민 D_2와 비타민 D_3로 나뉜다. 비타민 D_2는 식물에, D_3는 동물에 많이 포함되어 있으며, 비타민 D_3가 사람에 중요한 역할을 하고 있다(그림 10-13).

■ ▥ 그림 10-13. 비타민 D_3와 D_2의 화학과 방사선 또는 자외선 조사 경로

① 비타민 D의 화학

비타민 D는 비타민 A, E, K와 함께 지용성 비타민의 하나이지만, 비타민 D의 대사연구의 진전에 의해서 그 활성형 대사산물이 동정되었으며, 이 대사산물은 호르몬이라 생각할 수 있게 되었다. 그럼에도 불구하고 모체 화합물인 비타민 D가 필수영양소로 처음 인식되었고, 지금까지도 지용성 비타민으로 분류되고 있다. 비타민 D를 호르몬으로 보는 이유로 ① 콜레스테롤로부터 합성이 되며, ② 사이토크롬 P-450 효소가 생합성을 촉진하며, ③ 핵 내의 비타민 D 수용체에 결합하여 전사과정을 조절한다는 점에서 스테로이드 호르몬과 유사하기 때문이다.

비타민 D라는 말은 프로비타민 D를 자외선 조사함으로써 얻을 수 있는 모든 항구루병인자(antirachitic factor)를 포함한다. 사람에서 비타민 D 요구량의 80%는 자외선에 노출된 피부를 통해 합성된다. 나머지는 어류, 식물 및 곡물과 같은 음식 섭취를 통하여 얻어야만 한다. 자외선 B(UVB)는 진피를 뚫고 들어가 프로비타민인 7-데하이드로콜레스테롤(7-dehydrocholecalciferol)을 광분해하여 프리비타민 D로 전환시키고, 이 프리비타민이 보다 열역학적으로 안정한 분자인 비타민 D로 전환된다.

비타민 D는 이후 각질세포에 존재하다가 피부의 모세혈관으로 들어가 비타민 D 결합단백질(DBP)과 결합하게 된다. 일단 DBP와 결합하면 혈액을 타고 순환하여 간으로 수송된다. 간에서 비타민 D 25-수산화효소(25-hydroxylase, CYP27)에 의해 25번 탄소에 수산화기가 첨가되어 25-하이드록시콜레칼시페롤이 된다.

현재까지 곁사슬 구조의 차이에 따라 비타민 $D_2 \sim D_7$의 6종류의 비타민 D가 존재가 확인되었다. 이 중 강력한 생리활성을 나타내는 것은 비타민 D_2와 D_3이다. 나머지는 활성이 약하고 동,식물계에 널리 분포하지도 않는다.

② 비타민 D의 대사경로

음식을 통해 섭취된 비타민 D_2와 D_3 혹은 자외선 조사에 의해 프로-D_3에서 만들어지는 피부 상피세포에서의 D_3는 모두 체내에서 맨 처음 간에 모인다. 간세포에서 마이크로좀과 미토콘드리아에 존재하는 25-수산화효소(CYP27A1)에 의해 곁사슬의 25 위치가 수산화되어 25-하이드록시 비타민 D_3가 된다. 간에서의 25-하이드록시 비타민 D_3의 양은 비타민 D 섭취량에 의존된다. 간에서 혈액으로 분비되는 25-하이드록시 비타민 D_3는 α_2-글로불린 분획의 단백질과 결합해 혈액으로 운반된다. 이 단백질을 비타민 D 결합단백질이라 부른다. DBP와 결합해 혈중을 순환하는 25-하이드록시 비타민 D_3는 주로 콩팥의 근위세뇨관 세포로 들어간다. 이것은 콩팥의 근위세뇨관에 DBP 수용체인 메갈린(megalin)이 있기 때문이다. 콩팥에서 DBP는 용해소체(lysosome)에 의해 분해되고 유리된 25-하이드록시 비타민 D_3는 1α-수산화효소(CYP27B1)에 의해 $1\alpha,25$-디하이드록시 비타민 D_3로 대사된다. 이 $1\alpha,25$-디하이드록시 비타민 D_3가 최종 활성형의 비타민 D이다. 또한 콩팥에서 24R-수산화효소(CYP24A1)에 의해 24R,25-디하이드록시 비타민 D_3로 대사되거나, 또한 이 효소는 23S,25-디하이드록시 비타민 D_3나 25,26-디하이드록시 비타민 D_3로 대사하기도 하나 이들 형태는 불활성형이다.

③ 비타민 D의 대사조절 기전

콩팥에서 1α 위치와 24 위치의 수산화반응은 혈중 칼슘농도에 의해 엄격히 조절되고 있다. 즉, 혈중 칼슘농도가 9mg% 이하의 경우는 $1\alpha,25$-디하이드록시 비타민 D_3만 합성이 되고, 반대로 혈중 칼슘치가 9mg% 이상이 되면 $1\alpha,25$-디하이드록시 비타민 D_3의 합성은 정지되고 대신 24R,25-디하이드록시 비타민 D_3의 합성이 시작된다(그림 10-14). 이러한 현상은 생체가 칼슘을 필요로 하는 저칼슘혈증(hypocalcemia)의 경우에 한해 콩팥에서 비타민 D의 활성화가 일어난다는 것을 의미하며, 체액 칼슘의 항상성을 유지하는 것으로 보아 중요한 조절 시스템이다.

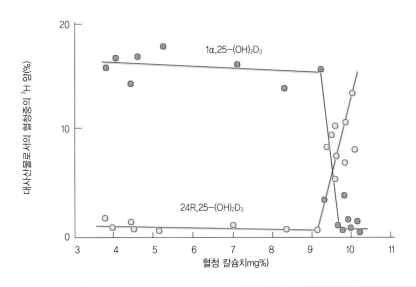

■■■ 그림 10-14. 혈중 칼슘농도에 의해 조절되는 콩팥에서의 25-하이드록시 비타민 D₃의 1α- 및 24-수산화반응

Deluca HF: Uitamin D.(13). Springer-Verlag p.26. 1979)

④ 비타민 D의 작용

1α,25-디하이드록시 비타민 D₃는 콩팥의 근위세뇨관에서 합성되어 그 합성량은 여러 인자에 의해 엄격하게 조절되고 있는 것으로 보아 오늘날 비타민이라 하기보다 호르몬으로 생각되는 물질이다.

가. 뼈에 대한 작용

비타민 D 수용체(VDR)는 뼈 조직에서는 골아계 세포에서 발현되고 있다. 또한 비타민 D는 골모세포에서 오스테오칼신, 기질 Gla 단백질(MGP), 오스테오폰틴, 제 I 형 콜라겐 등의 생성을 촉진한다. 비타민 D 결핍 돌물에서 뼈 형성 장애가 있어 구루병이나 골연화증이 나타나기도 한다. 이러한 현상은 비타민 D를 보충하게 될 경우 신속하게 회복된다. 최근에 주목받고 있는 파골세포 분화인자(OPG/RANKL)의 유도를 통해 파골세포를 유도하는 1α,25-디하이드록시 비타민 D₃의 뼈 흡수 작용 촉진도 비타민 D의 세포분화 유도 작용의 일환으로 설명된다.

나. 콩팥에 대한 작용

1α,25-디하이드록시 비타민 D₃는 콩팥의 원위세뇨관에 작용하여 칼슘과 인산의 재흡수를 촉진시킨다.

다. 소화관에 대한 작용

식이 칼슘은 세포주위 이송과 세포통과 이송 경로를 통해 작은창자에서 흡수된다. 세포주위 이송은 십이지장, 공장, 회장 등 모든 작은창자에서 일어나며, 작은창자 상피층의 폐쇄연접 투과성에 의해 수동적으로 간질 공간으로 유입되는 경로이다. 세포통과 이송은 십이지장에서 일어나는 능동적인 칼슘 유입 과정으로 비타민 D의 주 표적 경로이다. 비타민 D에 의해 합성되는 것으로 알려진 최초의 단백질은 칼슘 결합단백질인 칼빈딘 D(calbindin D)이다. 이 단백질은 작은창자에서 칼슘 흡수의 시작에 필요한 것이 아니고 오히려 칼슘 흡수가 항진됨에 따라 세포 칼슘농도의 상승을 막는 일종의 완충 단백질로 작용하여 세포내 칼슘을 점막 쪽에서 장막 쪽으로 수송하는 단백질이다.

2 인산대사

1) 인산의 분포와 항상성

대부분의 인산이온은 뼈에 존재하여서 인 원소로 대략 600g 정도이다. 인은 소량이 연조직에 존재하며, 주로 인지질, 인단백질, 핵산 및 뉴클레오티드와 같은 유기인산으로 존재한다. 500mg 정도만이 세포외액에 무기인산으로 존재한다. 정상 성인의 경우 식사를 통해 하루 1,400mg의 인을 섭취하며, 이 중 장에서 1,100mg이 흡수되고 200mg이 장관분비에 의해 다시 장으로 분비되어 순중 흡수는 900mg/일이다. 결과적으로 식사를 통해 들어온 인 중 500mg은 변으로 배설된다. 뼈는 상대적으로 소량의 인산이온을 회전하는데 하루 210mg 정도이다. 즉, 하루 210mg이 뼈에 축적되고 뼈의 용해를 통해 210mg이 흡수되기 때문에 뼈의 전체 인산 농도는 큰 변화가 없는 정적 산태이다. 콩팥에서는 하루 7,000mg이 여과되며, 이 중 다시 6,100mg이 재흡수 되므로 인의 하루 배설량은 900mg으로 위장관을 통해 흡수하는 양과 같아 인산의 항상성이 유지되게 된다. 혈중 전체 인산이온농도는 인 원소로 0.8~1.5mM(2.5~4.5mg/dL)로 80% 변동이 있다. 순환 중인 인산이온의 85~90%가 콩팥에서 여과되며, 50%가 이온화 산태이고, 40%는 소듐, 칼슘 및 마그네슘과 복합체를 이루며, 오직 10~15% 정도가 단백질과 결합하여 존재한다.

2) 인의 흡수

음식물 속에 함유된 무기인산의 양은 그 변동 폭이 크다. 사람에서 평균 인산이온 섭취는 대략 30~50mmol 이다. 인산은 작은창자에서 흡수되며 인산이온의 흡수능은 십이지장에서 제일 높고, 회장에서 제일 낮다. 인산이온의 흡수는 불포화성 세포주위 경로와 이차적으로 인산이온을 흡수하는 포화성 에너지 요구 소듐 의존성 경로가 점막 표면에서 일어난다.

3) 뼈에서의 인산 수송

인산은 하이드록시아파타이트의 실질적인 구성성분일 뿐만 아니라 뼈 기질 형송 속도와 뼈 흡수에 영향을 주며, 세포내 에너지 생성에 있어 꼭 필요하기 때문에 뼈 형성 기능에 있어 아주 중요하다. 혈중 인산 농도는 성인에서보다 성장 중인 청소년기에 노 높은데, 이것은 성장과 골격 발육으로 인해 인산 요구량이 증가되었기 때문이다. 뼈 발육에 있어 인산의 중요성은 저인산혈증 환자에서 나타나는 뼈의 기형으로 짐작할 수 있다. 그럼에도 불구하고 뼈세포에서 인산 수송과정이 뼈세포 생리에 있어 주요한 구성요소로, 뼈 형성과 리모델링의 조절에 중요한 역할을 한다.

파골세포는 뼈 흡수에 관여하는 극성을 나타내는 세포로, 능동적 흡수과정 동안에 순환하고 있는 고농도의 인산에 노출되어 있다. 파골세포는 소듐/인산 공동 수송체(Na/Pi cotransporter)를 포함한 특이 인산 수송체계를 가지고 있다.

뼈를 형성하는 세포는 소듐 의존성 인산 수송체를 가지고 있다. 골모세포에서 소듐 의존성 인산 수송체와 콩팥 상피세포에서의 인산 수송체 사이에는 차이점이 있다. 첫 번 째로 인산에 대한 친화도는 콩팥 상피세포 경우 50~100μM이지만 골모세포의 경우는 300~500 μM로 훨씬 높다. 또한 골모세포의 경우 세포의 pH가 산성 상태에서 촉진되지만 콩팥 상피세포의 경우 염기성 상태에서 촉진된다. 부갑상선호르몬에 대한 작용도 달라서 골모세포의 경우 촉진되지만, 콩팥 상피세포에서는 억제된다.

뼈 형성세포에서 인산 수송은 대사과정에 필요한 인산을 충분히 공급할 뿐만 아니라 기질소포를 통해 뼈 기질의 석회화에 있어 중요한 역할을 한다. 1차 석회화는 연골세포, 골모세포 및 상아세포에 의해 조절되며, 골단연골, 배아 골, 태생 후의 골화 및 상아전질의 발육에서 일어난다. 뼈 기질의 석회화 기전으로 두 가지 가설이 제안 되었는데, 콜라겐 핵형성설설과 기질소포 생성설이 뼈 조직에서 석회화 개시에 관여한다. 전자는 하이드록시아파타이트 결정 핵형성에 있어 콜라겐 섬유가 중요한 역할을 하며, 콜라겐 섬유 전체 길이를 따라 축적된다는 것이다. 후자는 기질소포가 뼈 형성세포에서 생성된 다음 세포외기질의 석회화에 대한 핵형성 부위로 작용한다는 것이다.

4) 콩팥에서의 인산 수송

콩팥의 상피세포를 가로지르는 소듐/인산 공동수송체는 혈중 인산 농도 결정에 중요하다. 성인에서 혈중 인산이온농도는 1.2mmol/L이며, 사구체 여과속도는 분당 120mL로, 하루 여과되는 인산 양은 210mmol이다. 콩팥에서 부하된 양의 20%가 여과된다면 인산이온은 하루 168mmol이 재흡수 된다. 인산의 전체 재흡수 흐름은 식이로 25mmol/일 섭취하고, 70%가 장에서 흡수된다고 하면 장에서 흡수되는 인산의 10배가 넘는다. 더군다나 식사를 통해 섭취되는 인산의 양과 생명체에서 인산 이용도는 변동 폭이 크다. 그러므로 혈중 인산 수중의 조절과 인산 항상성에 있어 세뇨관을 통한 인산 재흡수가 중요한 역할을 한다.

포유류의 콩팥에서 인산 수송은 단순 확산이 없는 포화과정으로 내강에서 혈관으로 세관 상피세포를 가로질러 인산 수송을 최대치로 하는 것이 특징이다. 체중 70kg 사람의 사구체 여과율은 125mL/min로서 하루에 약 180 L의 혈장 체액이 사구체에서 여과된다. 뼈와 ATP의 주성분이며, 체내 산-염기 조절에 관여하는 인산은 혈중 농도가 0.8mEq/L 이상일 때 사구체에서 여과되어 재흡수 된다. 근위세뇨관에서 재흡수는 소듐/인산 공동 수송체에 의해 일어나며, 사구체 여과율과 세뇨관 재흡수율이 비슷하기 때문에 혈중 인산 농도 조절에 있어 콩팥이 중요한 역할을 한다. 부갑상선호르몬은 콩팥에서 세뇨관 재흡수를 억제하여 오줌으로 인산의 배설을 증가시킨다.

참고문헌

1. Cole AS, Eastoe JE : Biochemistry and Oral Biology. 2nd ed. Wright.1988.

2. Ferguson DB : Oral Bioscience. ChurchillLivingstone. 2006.

3. Levine M : Topics in Dental Biochemistry. Springer. 2011.

4. Rugg-Gunn AJ, Nunn JH : Nutrition, Diet, and Oral Health. Oxford. 1999.

5. Shaw JH, Sweeney EA, Cappuccino CC, Meller SM: Textbook of Oral Biology. Saunders. 1978.

6. Vasudevan DM, Sreekumari S, Vaidynathan K : Textbook of Biochemistry for Dental Students. 2nd ed. Jaypee. 2011.

7. 박광균 : 경조직 및 구강 생화학-분자세포생물학. (주) 라이프사이언스. 2013.

8. 하야카오 타로오, 스다 타츠오, 키자키 하루토시, 하타 유이치로, 타카하시 노부히로, 우다가오 노부우기 : 구강생화학. 4판. 이사야쿠출판. 2005.

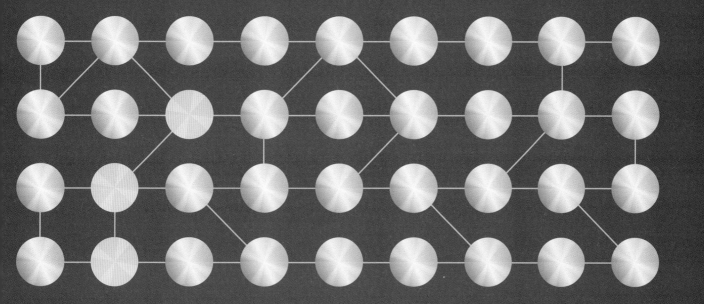

11

Chapter

침의 생화학

구강은 치아와 점막을 덮고 있는 액체 막인 침에 의해 항상 젖어 있다. 침은 침샘에서 형성되는 복합 액체이며, 구강을 건강하게 유지하는 중요한 역할을 한다. 침 분비가 잘 안 되는 사람은 식사하기도 어렵고, 말하기, 삼키기도 어려울 뿐만 아니라 점막감염이나 다발성 우식이 잘 발생한다. 침은 구강 내로 들어온 음식물에 처음으로 작용하는 소화액이며, 침이 섞여 잘 씹어진 음식의 경우에는 음식이 위까지 미끄러져 내려가는데 3초 밖에 걸리지 않는데 비해 침이 잘 섞이지 않은 딱딱하고 마른 음식은 15초나 걸린다. 또 다른 측면에서 침의 가장 중요한 기능은 구강 내로 들어가는 다양한 물질을 희석시키는 것이다. 구강 내에는 항상 0.3mL 정도의 침이 존재한다. 이 소량의 침에 구강 내로 들어온 소량의 당분이 녹으면 당분의 농도가 상대적으로 증가하게 되고, 이것이 자극이 되어 수 초 내에 침 분비량이 증가하게 된다. 침의 증가 정도는 최대 침 양인 1.1mL가 될 때까지 일어나며, 이후 침은 삼킴 반응이 일어난다. 이런 작용에 의해 구강 내에 존재하던 당분이 제거되고, 미처 제거되지 못한 당분은 증가된 침에 의해 희석된다. 이런 과정이 지속적으로 반복되면서 구강 내 청결을 유지하게 되는데, 이는 주로 침내 액체에 의하여 이루어지는 효과로 보아야 한다.

1 침의 조성

침의 조성이라 하지만 침은 단일 분비샘에서만 분비되는 것이 아니라 3개의 큰 침샘과 다수의 작은 침샘에서도 분비되어, 각각 분비하는 침의 조성은 모두가 다르다. 또한 침의 조성은 각종 자극에 의해 분비량과 분비속도가 달라서 1개의 침샘에서 분비된 침에 대한 조성을 살펴보아도 무엇을 먹었는지에 따라서도 다르고, 하루 중에도 시간에 따라 그 조성은 크게 변한다. 침의 1일 분비량은 많은 책에서 1,000~1,500mL라고 되어 있지만, 이 수치에 대한 정확한 실험근거는 없다. 2명의 식도류성 환자에서 측정된 값 등을 참고로 해 산출된 500~600mL라는 수치가 보다 현실적인 추정치로 생각되고 있다.

안정시 분비량은 0.1~0.9mL/min이다. 또한 침의 일반 성상은 수분이 99.5%를 차지하며, 나머지 0.5%가 이른바 고형성분으로 이중 약 2/3가 무기질이다. 침의 비중은 1.000~1.010이며, 분비량이 증가하면 비중도 증가한다. 삼투압은 혈액의 1/2~3/4이며, 침의 점도는 3개의 큰 침샘에서 분비되는 침의 비율에 비례하고 있다. 구연산(citric acid)으로 자극하여 분비되는 각 침샘의 점도를 비교해 보면 귀밑샘(이하선) 1.5, 턱밑샘(악하선) 3.4, 혀밑샘(설하선)은 13.5이다. 침의 pH는 침 내의 $[HCO_3{}^-]/[H_2CO_3]$에 의하여 변동이 있으며, 그 범위는 pH 5.5~8.0 사이이다. 따라서 분비량이 많을 경우 침은 약알칼리성이며, 분비가 적을 때는 약산성이다.

침의 유기성분 중 주된 것은 효소와 당단백질이다. 입 속에 고인 침은 여러 종류의 침샘에서 나온 분비액이 혼합된 것으로, 이를 전침(또는 혼합침)이라 한다. 전침 내 단백질의 약 절반은 당단백질이며, 나머지는 아밀라아제, 라이소자임, 칼리크레인, 단백질 분해효소, 과산화효소 등의 효소 들이다. 귀밑샘 침에는 효소가 약간 많으며, 턱밑샘과 혀밑샘 침에는 점액성 당단백질이 많다. 침 단백질의 약 1%는 알부민이나 글로불린과 같은 혈액 단백질이다. 침에 존재하는 소화효소 중에 아밀라아제가 가장 높은 농도로 존재하며, 당화 아밀라아제와 비당화 아밀라아제의 두 가지 형태로 존재한다. 아밀라아제에 대해 침 내에서의 기능에 대해 의견이 많지만, 음식물을 삼킨 후 위로 이동하게 되면 위액의 낮은 pH 때문에 효소가 불활성화되어 효소가 활성화되어 있는 시간이 매우 짧을 것이라 생각하지만, 아밀라아제는 위액 안에서도 음식물 사이사이에 활성 상태로 존재하는 것이 밝혀졌다. 이외에도 소화 작용을 갖는 다른 효소로 리파아제가 존재해서 제일 처음 지방분해 역할을 담당

표 11-1. 사람 혼합침의 조성(mg/mL)

		안정시		자극시	
		평균 ± SD		평균 ± SD	
유기질	단백질		140~640	280	180~420
	아미노산			4	
	아밀라아제(amylaase)	38 ± 8(SE)			
	라이소자임(lysozyme)			11 ± 13	0.4~63
	IgA	19			
	IgG	1.4			
	IgM	0.2			
	포도당(glucose)	1.0 ± 0.9			
	구연산(citrate)				
	젖산(lactate)			1.0	0.4~3.1
	암모니아			0.08	0~2.1
	요소(urea)	19 ± 15	14~75		0.5~0.9
	요산(uric acid)	1.5	1.5~2.9	7	1~12
	크레아틴(creatine)	0.01	0.004~0.08	13	0.6~29
	콜레스테롤	0.02	0.07~0.13	3	1.7~21
무기질	소듐	14 ± 1.1(SE)		61 ± 27	
	포타슘	84 ± 4.7(SE)		77 ± 15	
	로단(rhodane, SCN⁻)				
	흡연자	7.6	4.8~11.2		
	비흡연자	2.0	1.0~2.9		
	칼슘	6.3 ± 0.24(SE)		5.9 ± 0.16	
	인	19 ± 1.9(SE)			
	염소	62 ± 5.0(SE)		103 ± 31	
	불소	0.03 ± 0.01	0.010~0.057	0.01 ± 0.005	0.005~0.02

하며, 위의 pH 환경에서도 활성형으로 작용한다. 췌장에서 이 소화효소의 농도가 낮아질 경우 낭포성 섬유증(cystic fibrosis)과 같은 질환이 발생하는 것으로 보아 매우 중요한 효소임을 짐작할 수 있다. 침의 무기물질은 주로 침을 구성하는 전해질로 크게 양전하로 소듐과 포타슘, 음전하로 염소와 탄산 인온이 많이 존재한다. 또한 소량의 $CaHPO_4$, 불소, 티오시안산, $MgSO_4$ 및 Ⅰ⁻가

존재한다. 침에 존재하는 물과 무기물질은 대부분 혈액에서 유래한 것이 많지만, 혈액 내의 이온 구성과 정확히 일치하지 않는다. 이미 앞에서 설명하였듯이 사람 침 조성에 대해 충분히 만족할 수 있는 수치를 나타내는 것은 어렵지만 보다 신빙성이 있는 메이슨 등의 데이터가 표 11-1이다.

② 침의 유기성분

1) 단백질

사람의 침 속에는 50여종이 넘치는 단백질이나 펩타이드가 존재한다. 침 단백질 함량은 200~500mg%이지만 상당한 격차를 나타낸다. 이들 중에는 다른 분비선에서 분비되는 유사한 성분 즉, α-아밀라아제나 라이소자임과 같은 단백질도 있고, 침에서만 볼 수 있는 고프롤린 단백질(proline-rich protein)이나 고프롤린 펩타이드(proline-rich peptide), 스타테린(statherin) 등이 있다. 이러한 단백질을 암호화하는 유전자는 유전자다형성(genetic polymorphism)이 있으며, 분비과정에서 펩타이드로 분해되어 여러 종류의 단백질과 펩타이드가 검출된다.

(1) 당단백질

① 뮤신

침에는 주로 턱밑샘에서 분비되어 과거에는 뮤신(mucin) 또는 뮤코이드(mucoid)라고 불렀던 복합 물질의 성분 중 하나인 당단백질이 존재한다. 침 단백질의 핵심단백질에는 세린이나 트레오닌 잔기의 수산기에 당이 결합하고 있다. 이러한 당단백질의 당은 곁사슬에 푸코오스(fucose)나 황산기가 많으며, 말단에는 시알산(sialic acid)이 많아 당단백질은 강한 음전하를 띤다. 침에는 분자량이 1,000kDa 이상의 고분자량을 갖는 MG1과 120kDa 미만의 저분자량 뮤신인 MG2의 두 가지가 있다. 뮤신의 약 30%는 MG1이 차지하고, 70%는 MG2이다. 당단백질은 당사슬로 인해 단백질 분해효소에 강한 저항성을 갖는다. 또한 침의 독특한 점조성과 윤활성은 이 당사슬에서 유래한다. 즉, 뮤신의 당단백질에 함유된 수산화이온은 수분을 끌어당겨 점성을 나타냄으로써 침의 점도 유지에 관여하며, 침의 윤활작용을 나타내도록 하여 구강점막을 보호하고, 저작, 발성 및 연하작용을 돕는다. 또한 뮤신은 IgA와 결합하여 세균에 대한 sIgA의 결합 능력을 향상시킴으로써 항균효과를 나타낸다. 이밖에도 뮤신은 세균의 독소와도 작용하여 독소작용을 억제하는 것으로 알려져 있다. MG2는 세균이나 바이러스의 침입에 대한 중요 장애물로 작용하며, MG1은 치아 표면에서 산에 대한 방어기능이나, 식이 중의 탄닌과 폴리페놀 등의 중화작용을 한다.

② α-아밀라아제

α-아밀라아제는 침에 38~42mg% 함유되어 있는 소화효소로써 식품과 함께 섭취된 당질을 가수분해시키는 탄수화물 가수분해효소이다. α-아밀라아제는 단일 폴리펩타이드 사슬로 구성되어있으며, 분자량이 56~59kDa이고, 등전점이 5.7~6.88로 상당히 이질화되어 있다. 귀밑샘과 턱밑샘 침에 주로 포함되어 있으며, 녹말을 가수분해하며, 치아로부터 탄수화물 잔사를 제거하는데 있어 중요한 역할을 한다. 췌장 아밀라아제의 경우 역시 당단백질이지만 침샘의 아밀라아제와는 다른 유전자에 의해 형성된다. 이들 아밀라아제는 비슷한 아마노산 조성을 가지지만 펩타이드 맵을 통한 연구에서 1차 구조는 상당한 차이를 나타내며, 방사선면역연구에서도 이 두 효소는 서로 교차반응을 하지 않는다.

α-아밀라아제는 적어도 하나의 칼슘이온이 결합되어 있으며, 효소 활성에 중요한 역할을 한다. 칼슘이 제거되면 효소활성이 가역적으로 소실되며, 안정성도 잃어 단백질 분해효소에 의해 쉽게 분해된다. 이 효소에 염소이온이 결합하면 효소 활성이 현저히 증가하며, 동시에 칼슘 결합 친화도는 무려 240배나 증가하여 효소와 용매 사이에 프로톤(proton) 교환을 억제한다. 신생아의 경우 아밀라아제는 농도가 낮으며, 1~2살에 급격히 증가하여 5~6살에 성인 수준에 도달한다. 아밀라아제가 소화효소임에도 불구하고 눈물, 혈액, 오줌 및 젖뿐만 아

니라 생식기 분비물에서도 발견되는데, 그 이유는 아직 모르고 있다.

③ 기타 당단백질

침에는 혈액형 물질이 존재한다. H 유전자좌(locus)와 분비형 유전자좌의 대립유전자로써 H와 Se를 가진 사람(전 인구의 80%)의 침에는 당단백질에 결합한 당사슬 중 하나로써 혈액형 물질이 존재한다. 이들 혈액형 물질의 활성은 적혈구의 약 100배나 높아서 아주 소량의 침에서도 탐색할 수 있기 때문에 혈액형을 충분히 판정할 수 있어 법의학 분야에서 이용된다.

이밖에도 턱밑샘과 장액선 세포에서 분비되는 귀밑샘외 당단백질(extra-parotid glycoprotein, EP-GP)이 보고되었는데, 아파타이트와 결합하거나 구강세포와의 결합이 보고되고 있지만 그 상세한 기능을 아직 밝혀지지 않았다. 또한 비타민 B_{12}와 결합하는 산성 당단백질로 합토코린(haptocorrin)이 혈액보다 3배나 높은 농도로 존재한다.

(2) 석회화와 관련된 단백질

침을 가수분해하여 아미노산 분석을 해 보면 프롤린 함량이 아주 높은 것을 알 수 있다. 고프롤린 단백질(proline-rich protein, PRP)은 인산화된 세린 잔기를 가지며, 프롤린을 함유하고 있는 단백질은 침 단백질의 반 이상을 차지하고 있는 특징적인 단백질이다. 알칼리성의 고프롤린 단백질은 주로 귀밑샘에서 발현되고, 턱밑샘에서는 알칼리성과 산성의 고프롤린 단백질이 분비된다.

① 고프롤린 단백질

침에는 고프롤린 단백질이 90~180μg/mL 정도 발현되며, 전체 침 단백질의 20~30%를 차지하며, 12번 염색체에서 다양한 종류가 만들어 진다. 특히 귀밑샘에서 침 단백질의 70%가 발현된다. 모든 고프롤린 단백질은 프롤린, 글리신 및 글루타민이 다량으로 존재하는 반복

배열을 함유하고 있다.

산성 고프롤린 단백질은 침에 특이적인 단백질로 유전자 다형성으로 인해 침 중에는 여러 크기의 펩타이드가 존재한다. 이러한 산성 고프롤린 단백질은 인산기를 함유하고 있으며, 이 인산기가 칼슘과 결합한다. 침에서 칼슘과 인산이온은 인산칼슘염에 대하여 과포화 상태이기 때문에 구강 내에서 치아가 석회화의 핵으로 작용하여 치아표면에서 인산칼슘염의 지속적인 침착이 일어날 것으로 예상되나, 실제로는 구강 내에서 이러한 불필요한 인산칼슘염의 침착은 일어나지 않는다. 이것은 침에 인산칼슘염의 자발적인 침착이나 치아 표면에서의 인산칼슘염의 침착을 방해하는 침 단백질이 존재하기 때문으로, 고플로린 단백질과 스타테린과 같은 단백질 때문이다. 즉, 고프롤린 단백질은 하이드록시아파타이트에 대한 친화력이 커서 구강 내에서 인산칼슘염의 결정 성장을 억제시키는 억제물질로 작용하여, 치아 표면에 불필요한 인산칼슘염의 침착을 방지한다. 치태 세균에 의해 형성된 산 공격에 의해 결정의 일부가 용해되어 형성된 미세한 치아우식 병소인 초기 치아우식 병소는 계속적인 산 공격에 의해 임상적으로 관찰 가능한 치아우식 병소로 커지게 된다. 불소가 존재하는 경우에는 초기 치아우식 병소는 재석회화되어 원래의 치아 표면을 유지할 수 있게 된다. 원래는 침에 존재하는 고프롤린 단백질과 스타테린이 존재하여 치아우식 병소가 재석회화될 수 없으나, 이런 큰 단백질이 침투해 들어갈 수 없는 초기 치아우식 병소의 경우 불소이온이 존재할 때 재석회화가 가능하지만, 초기 치아우식 병소가 더욱 커져 단백질이 침투할 수 있는 경우에는 재석회화가 일어나지 않는다. 또한 성숙한 치태 내에서 인산칼슘염이 침착되어 치석을 형성할 수 있다. 침 속의 고프롤린 단백질과 스타테린과 같은 수용성 단백질은 쉽게 치태 내로 침투되어 치석 형성을 억제할 수 있으리라 기대되지만 이들 단백질이 치태 세균이 분비한 효소에 의해 분해되기 때문에 치석이 형성될 수 있다.

염기성 고프롤린 단백질과 염기성 고플로린 펩타이드는 산성 고프롤린 단백질을 암호화하는 유전자와는 다른 유전자에 의해 형성된다. 이 단백질은 침에 윤활성을 부여하며 몇 종류의 구강세균과 결합하며, 식이 중의 탄닌 유도체와 결합하여 독성을 중화하기도 한다

② 스타테린

침 고유의 펩타이드 중 하나로 스타테린(statherin)이라 불리는 티로신 잔기가 풍부한 산성 인펩타이드(acidic phosphopeptide)이다. 아미노산 잔기의 25%는 티로신을 함유한 방향족 아미노산 잔기이고 25%는 글루타민과 산성 아미노산 잔기로 구성되어 있으며, 16%는 프롤린 잔기로 구성되어 있다. 고프롤린 산성 인단백질과 마찬가지로 무기 이온 즉, 아파타이트에 대한 강한 흡착능을 가짐으로써 구강 내에서 인산칼슘염의 자발적인 침착을 억제한다. 생리적 농도에서 스타테린은 석회화가 이미 진행된 파종계에서 결정성장을 억제할 뿐만 아니라 인산칼슘염의 과포화 상태에서도 자발적 침착을 억제한다. 이러한 스타테린의 성질은 고프롤린 단백질에서는 볼 수 없는 작용이다. 이러한 스타테린의 성질로 인해 분비과립이나 침샘 도관에서 침 분비 전에 과포화된 침이 침전되지 않도록 안정화 시키는 역할을 한다고 생각한다. 이러한 스타테린의 특이한 성질 때문에 인산과 칼슘이온이 과포화된 구강 내 환경에서 비정상적인 석회화를 방지하여 치아를 보호하고 안정화 시키는 기능을 수행한다.

(3) 항균효과를 나타내는 침 단백질

① 락토페린

락토페린(lactoferrin)은 철 결합성 단백질로 침샘의 선포세포와 호중구에서 합성되며, 침 속 락토페린의 농도는 1mg% 미만이다. 락토페린의 붉은색은 철분이 결합되어 나타나며, 락토페린 한 분자당 2개의 산화형 철분(Fe^{3+})과 2분자의 중탄산 이온이 동시에 결합하는데,

이는 사람 혈액에서 발견되는 트랜스페린(transferrin)과 유사하다. 젖에서 발견되는 락토페린은 연쇄상구균(Streptococcus)과 같은 세균의 필수 영양소인 철 이온과 결합함으로써 세균이 이용할 수 있는 철 이온을 고갈시켜 항균 작용을 나타낸다. 그러나 유산 간균(Lactobacillus)의 경우에는 철분이 아니라 코발트와 망간을 필수 영양소로 필요로 한다. 초기 락토페린에 대한 연구는 대부분 모유에서 이루어 졌지만, 그 후 침에서도 발견이 되었다. 락토페린은 철이 결합되지 않은 아포단백질(apoprotein) 형태로 구강 내로 분비된 후에 산화형 철 이온과 결합하는데, 결과적으로 구강 내 철 이온을 고갈시켜 세균 성장을 억제한다. 그럼에도 불구하고 락토페린이 철 이온과 충분히 결합하여 포화상태에 이르면 이러한 항균 효과는 사라진다. 이처럼 락토페린과 같이 숙주가 세균의 필수 영양소를 고갈시켜 항균 작용을 나타내는 기능을 영양면역(nutritional immunity)이라 한다.

② 침 과산화효소

침 과산화효소(salivary peroxidase)는 락토퍼옥시다제(lactoperoxidase)라고도 부르며 젖에서 맨 처음 발견되었다. 침 과산화효소는 헴과 같은 종류의 프로토헴을 함유하고 있으며, 약 80kDa의 분자량을 갖는 당단백질이다. 침에는 백혈구 유래의 과산화효소도 존재하지만, 침 과산화효소는 주로 귀밑샘 선포세포에서 유래한다. 이 효소는 우유와 유산 간균에 대한 성장과 대사활성에 대한 침의 억제효과를 연구하던 중에 발견되었다. 이 후 연구를 통해 억제과정에는 열에 안정한 투과성 인자와 열에 취약한 거대분자가 관여함을 알게 되었다. 열에 안정한 투과성 인자는 티오시안산 이온(로단, SCN^-)이고, 거대분자는 과산화효소라는 것이 밝혀졌다. 락토퍼옥시다제는 귀밑샘과 턱밑샘의 선포세포, 침, 하더샘(Haderian gland), 눈물샘, 획득피막, 치태 등에도 존재한다. 락토퍼옥시다제는 로단과 과산화수소의 반응을

촉매해 불안정한 항균인자인 시아노아산(cyanosulphu-rous acid, HO_2SCN)이나 시아노산(cyanosulphuric acid, HO_3SCN) 등을 생성한다. 또한 과산화효소는 법랑질 표면에 강하게 결합하며, 결합 후에도 활성을 유지하므로 치아표면에서 부착 세균에 대한 방어 기전의 하나로 생각하고 있다.

③ 라이소자임

양(+) 전하를 띠는 비교적 저분자의 효소로 선방세포나 도관세포 유래이며, 세균 세포벽의 펩티도글리칸(pep-tidoglycan)을 절단하는 효소로 통칭 무라미다제(mur-amidase)라고도 부른다. 세균의 펩티도글리칸은 점막세포나 치아표면의 아파타이트, 치주질환 환자의 치주낭의 거의 전 표면에 부착한다. 펩티도글리칸은 보체계(com-plement system)의 활성화를 통해 염증 유발 활성을 나타낸다. 그러므로 펩티도글리칸이 완전하게 가수분해되면 염증 유발 활성은 사라진다. 라이소자임(lysozyme)은 강한 양전하로 아파타이트에 결합하고, 결합 후에도 효소 활성이 유지되기 때문에 항균 인자로 세균이 아파타이트에 부착하는 것을 억제한다.

④ 침 면역글로불린

침에는 3종류의 면역글로불린인 IgA, IgG 및 IgM이 존재한다. 이들 중 분비형 IgA(sIgA)이 가장 많이 존재하며, 귀밑샘 자극 침이나 혼합침 중의 농도는 6mg%가 되어, 분비 침 중의 전 단백질 농도의 약 3%에 해당한다. 이에 대해 IgG와 IgM은 분비형 IgA의 약 1/10이다. IgA에 분비 사슬이 결합된 sIgA는 효소 작용을 잘 받지 않아 쉽게 파괴되지 않고 오랫동안 작용할 수 있다. 기도, 식도, 장관, 구강의 점막 표면에는 다량의 sIgA가 존재하여서 점막을 경유해 생체에 침입해 오는 세균이나 이물과 결합함으로써 항원 특이적으로 그 침입을 억제한다. 이 때문에 IgA는 최초의 방어벽으로 의의가 크고, 이러한 국소면역을 점막면역이라 한다. IgG와는 달리

IgA와 IgM은 점막 상피세포에 결합할 수 있어 점막의 감염 방어기구로 중요한 역할을 한다.

⑤ 항바이러스 인자

침에는 다양한 바이러스의 침입에 대한 방어인자가 존재한다. 바이러스에 선택적인 IgG나 침 속의 뮤신, 트롬보스폰딘 1, 고프롤린 단백질에 의한 HIV-1과 같은 바이러스와의 응집도 항바이러스 작용의 한 예이다. 침 속에 존재하는 시스타틴(cystatin) 역시 항바이러스 작용을 가지고 있다.

(4) 기타 침 단백질
① 히스타틴

히스타틴(histatin)은 고히스티틴 단백질(histidine-rich protein)로 분자량이 약 3~4kDa인 염기성 단백질로 침에서만 검출되는 단백질 중 하나이다. 주로 귀밑샘에서 분비되며 턱밑샘에서도 분비된다. 현재까지 다양한 종류의 히스타틴이 확인되었으며, 이들 중 일부는 하이드록시아파타이트에 대한 부착 능력이 커서 획득피막 생성에 관여한다고 생각한다. 히스타틴 1은 고프롤린 단백질과 마찬가지로 인산칼슘염의 결정 성장을 억제하나, 스타테린 고유 기능인 인산칼슘염의 자발적 침착을 억제하지는 못한다. 히스타틴 5는 진균인 칸디다 알비칸스(Candida albicans)의 막에 결합하여 아주 강한 항진균 작용을 나타낸다.

② 시스타틴

시스타틴(cystatin)은 턱밑샘과 혀밑샘에 많이 존재하는 산성 단백질로, 침에서 50~280μg/mL로 존재한다. 시스타틴은 시스테인 단백질 분해효소(cystein prote-ase)의 억제물질로 작용한다. 시스타틴 S, SN 및 SA는 침과 눈물에서 발견되며, 시스타틴 C는 주로 뇌척수액과 모유에서 발견된다. 시스타틴의 경우에도 인산화가 되며, 인산화된 시스타틴의 경우 하이드록시아파타이트에 대

한 결합능을 가지나, 인산기가 제거되는 경우 결합능도 소실된다. 시스타틴 역시 석회화에 영향을 주는 단백질 이지만 인산칼슘염의 결정 성장을 억제하는 활성은 스타테린의 1/10 밖에 되지 않기 때문에 아주 약한 편이다.

③ 탄산탈수소효소 Ⅵ

사람 침에서 히스티딘이 풍부한 아연 결합단백질로 미뢰의 발육 및 미각의 발현과 연관이 있는 거스틴(gustin)이 탄산탈수소효소 Ⅵ(carbonic anhydrase Ⅵ)이다. 이 효소는 $CO_2 + H_2O \rightarrow H + + CO_3^-$ 의 반응을 촉매하는 효소로 탄산염 데하이드라타제(carbonate dehydratase) 또는 탄산 데하이드라타제(carbonic dehydratase)라고도 한다. 사람 침에서는 탄산탈수소효소 Ⅵ 외에도 Ⅱ가 발견된다. 탄산탈수소효소 Ⅱ는 침에서 중탄산 이온의 공급에 관여하며, 탄산탈수소효소 Ⅵ는 법랑질 획득피막에 축적되어도 효소 활성이 유지된다. 장액성 선 세포로부터 분비되며, 효소 작용에 의해 구강에서 중탄산 완충계를 구성하여 획득피막 상에서 산을 완충함으로써 치아우식증을 억제한다. 이밖에도 칼슘 석출의 억제, 구강 세균의 응집 억제 등에 관여한다.

④ 기타 효소

침에는 다양한 효소가 존재하는데 침샘 유래의 칼리크레인(kalikrein), 리보뉴클레아제(ribonuclease), 글루코오스 6-인산 탈수소효소(glucose 6-phosphate dehydrogenase) 아르기나제(arginase), 콜린에스테라제(choline esterase), 아데노산 삼인산 분해효소(adenosine triphosphatase) 등이 있으며, 구강세포나 백혈구에서 유래한 카탈라아제(catalase), 알칼리성 인산분해효소(alkaline phosphatase), 산성 및 알칼리성 피로인산 분해효소(pyrophosphatase) 등이 있고 양 쪽 모두에서 발현되는 산성 인산분해효소(acidic phosphatase), 젖산탈수소효소(lactate dehydrogenase) 등이 있다.

(5) 기타 혈액 유래 성분

이밖에도 분비되는 침 속에는 위에 열거한 단백질 외에도 상당한 양의 알부민을 포함한다. 알부민은 세균 단백질 분해효소에 의해 쉽게 분해되지 않기 때문에 혈액 유래의 알부민과 함께 치태 속에 존재한다. 침 속의 알부민의 기능으로 구강점막이나 치아 표면에 있어 기체상과 액체상의 계면에 존재하여 침 단백질의 구조를 안정화 하는데 관여한다. 이 외에도 혈액 유래의 아연 α_2-당단백질(zinc α_2-glycoprotein)도 발견되지만 침 속에서의 기능은 아직 밝혀지지 않았다.

2) 저분자 유기물질

침에는 아미노산, 당질, 사이클릭 뉴클레오티드, 지방질, 요소 등 저분자 유기물질이 포함되어 있다. 이들 대부분은 혈액 유래라고 생각한다. 이 때문에 침 속의 이들 물질에 대한 농도는 전신 상태를 반영하는 것으로 생각할 수 있다. 실제로 당뇨병의 경우 침 글루코오스 농도, 신부전 환자의 경우 요소, 통풍 환자의 경우 요산 농도, 간 장애의 경우 빌리루빈 정도 등, 침을 이용한 비침습적 임상검사의 의의가 주목받고 있지만, 이미 앞에서 지적하였듯이 침 분비량이 변동 폭이 커 임상적 해석에 주의할 필요가 있다. 이밖에도 혼합침에는 트롬보플라스틴, 혈액응고인자, 콜린, 히스타민, 비타민 B, C, K 등이 소량 존재하며 최근에는 강심제인 디기탈리스(digitalis), 항암제, 항균제, 향정신성 약물 등 여러 가지 약제의 모니터를 위해 침 속의 농도를 측정하는 비침습적 임상검사가 주목받고 있다.

3) 호르몬

사람 침에는 스테로이드 호르몬인 에스트로겐, 테스토스테론과 이들 전구물질인 17α-하이드록시프로게스테론과 프로게스테론이 분비되어 혈액 속에 존재하는 유리형과의 사이에 밀접한 상관관계를 가진다. 또한 17α-하이드록시 코르티코스테로이드(코르티솔과 코르티손)가 귀밑샘과 턱밑샘에서 분비되어 혈액의 유리형 코르티코스테로이드 수준과 높은 상관성을 나타낸다. 한 예로 ACTH의 투여량에 비례하여 17α-하이드록시 코르티코스테로이드가 증가하기 때문에 귀밑샘 침의 스테로이드를 측정함으로써 환자로부터 채혈에 의한 스트레스 없이 부신피질 기능을 평가할 수 있다. 후천성면역결핍증후군(AIDS)이나 부신피질기능항진증(hyperadrenocorticism)에서는 침의 코르티솔이 높은 레벨로 존재하여, 칸디다의 구강점막 감염에 대한 감수성이 높아지고 있다. 또한 침의 에스트로겐은 임신이나 성 주기에 따라 변동하여 치은염이나 치주염의 발증과도 관계가 있다.

4) 사이토카인

침 중에 다양한 사이토카인이 발견되었으며, 이들은 혈액에서 유래된 것이 아니라 침샘에서 합성되어 분비되었다는 것도 밝혀졌다. 다양한 사이토카인이 점막상피, 섬유모세포, 염증세포 등에 직접 혹은 간접 작용해 세포의 증식이나 염증, 면역반응의 수식 등을 통해 구강 창상치유 과정에 관여하고 있다.

③ 침의 무기성분

1) 칼슘과 인산

안정 시 턱밑샘 침의 총 칼슘농도는 4~16mM(16~64mg%)로 똑같은 안정 시 귀밑샘 침의 총 칼슘농도

0.4~5mM(1.6~20mg%)에 비해 높다. 분비속도에 따라 이온으로서 존재하는 유리 칼슘은 2.3에서 3.5mM로 증가한다. 또한 인단백질과 결합하여 인산염의 형태로 존재하는 결합형 칼슘농도도 4.4에서 7.2mM로 증가한다. 그럼에도 불구하고 유리 칼슘이 총 칼슘농도에서 차지하는 비율은 분비속도에 관계없이 거의 일정(0.54)하다. 턱밑샘 침과 혀밑샘 침의 칼슘농도는 귀밑샘 침보다 약 2배 높은데, 이는 자극 시 귀밑샘 침의 침 분비 속도가 가장 많이 증가하기 때문에, 결국 혼합침에서의 칼슘농도는 약간 증가하는 양상을 보인다. 또한 침 속 칼슘농도는 일간 변동(circadian rhythm)에 따른 영향을 받아 최저 및 최고 농도가 약 2배 차이가 난다.

한편, 침 속에 함유된 인산은 이온화된 유리 인산과 주로 인단백질에 포함되는 결합형 인산 형태로 존재한다. 유리 인산은 HPO_4^{2-}(제2인산이온)와 $H_2PO_4^-$(제일인산이온)로서 존재한다. 안정 시 턱밑샘 침에서 유리 인산은 평균 5.63mM(17.5mg%)로, 총 인산(평균 7.92mM = 24.6mg%)의 약 71%를 차지한다. 또한 안정 시 귀밑샘 침의 유리 인산은 약 11mM(34mg%)이다. 이 유리 인산은 분비자극에 의해 상당히 감소되며, 수분 후에는 일정한 값이 되고, 그 후에는 변화하지 않는다. 이 경우 HPO_4^{2-}는 pH나 분비속도의 영향을 별로 받지 않고, $H_2PO_4^-$가 주로 변동하는 것으로 알려져 있다. 이상 설명한 것처럼 침의 유리 칼슘과 인산 농도는 혈액보다는 높고, 제2인산칼슘에 대해서는 과포화 상태이다. 이러한 사실은 법랑질 아파타이트로부터 칼슘이나 인과 같은 무기성분이 침으로 용출되는 것을 막아, 치아를 보호하는 데 아주 중요하다.

칼슘의 일부는 이산화탄소(탄산가스)와 복합체를 형성해 용해되어 있으며, 이산화탄소를 제거하면 이들 칼슘은 침전해 석출되기 시작한다. 이러한 사실은 탄산가스가 침의 칼슘농도 유지에 중요한 역할을 맡고 있음을 시사해준다.

침의 칼슘과 인산농도가 제2인산칼슘($CaHPO_4 \cdot 2H_2O$)

에 대해 과포화 상태인 것은 위에 기술하였지만, 이것은 중성 pH 조건하에서의 이야기이며, 침의 pH가 일정 레벨까지 저하하면, 침은 이미 제2인산칼슘에 대하여 과포화 상태를 유지할 수 없게 된다. 이 pH를 임계 pH (critical pH)라고 불러, 이 pH 이하에서는 치아의 무기질이 용해된다. 이 임계 pH는 침에 포함되는 칼슘과 인산의 농도에 따라서 다르지만, 통상 5.5 부근이다. 이 pH와 칼슘 및 인산의 포화도 관계는 치아우식 발생의 기전을 생각하는데도 중요하다.

한편, 치아 경조직 표면에는 획득피막과 치태가 형성될 수 있으며, 이들은 칼슘과 결합능이 높아, 인산칼슘염의 침착이 일어난다. 실제로 치태 내 칼슘농도(6.5mM)는 침(1.5mM) 보다 매우 높은 편이다. 치태 내 pH가 감소하면 결합형 칼슘의 유리가 촉진되며, 치태 내 pH가 다시 증가하면 침과 치태 내 유리형 칼슘이 다시 평형을 이루게 된다.

이와 같이 침 내 칼슘과 인산의 90% 이상이 이온 형태로 존재하고 있지만, 자발적인 인산칼슘염의 침착이 일어날 정도로 충분하지는 않다. 구강 내 정상 pH에서 침 속 칼슘과 인산 농도는 인산칼슘염에 대하여 과포화 상태로 존재하므로, 석회화가 일어나는 데 필요한 핵이 존재할 경우 인산칼슘염의 결정 성장을 촉진시킬 수 있다. 침 단백질인 고프롤린단백질(PRP)과 스타테린(statherin)은 인산칼슘염의 자발적 침착이나 결정성장을 억제하여 칼슘과 인산의 과포화 상태를 유지하는 역할을 한다. 이처럼 칼슘과 인산이 과포화 상태를 유지함으로써 초기 치아우식 병소에서의 재석회화나 침선 도관에서 일어날 수 있는 불필요한 석회화를 방지한다.

칼슘과 인산의 침 내 농도를 하이드록시아파타이트의 용해도와 관련하여 살펴보면, 안정 상태의 pH인 pH 6.6에서는 하이드록시아파타이트의 용해는 거의 일어나지 않는다. 그러나 pH가 증가하거나 칼슘 및 인산 농도가 증가하는 경우 인산칼슘염이 침착되어 치석이 형성될 수 있다. 또한 침 분비 속도가 증가함에 따라 혼합침이나 칼슘농도는 약간 증가하지만, 인산농도는 반대로 다소 감소하는데, 이것은 인산이 주로 침 도관에서 분비되므로 침 분비속도가 빨라짐에 따라 도관을 통과하는 시간이 짧기 때문에 일어나는 현상이다. 한편 턱밑샘 침에서 칼슘농도가 높은 것은 하악 전치 설측에서 치석 생성이 잘 되는 것과 연관성이 매우 높다. 그러나 이러한 연관성은 상악 전치 협측에 치석 생성이 잘 일어나는 것을 설명하기가 쉽지 않다. 그러므로 침 내 칼슘 및 인산 농도와 치석 생성과의 연관성을 적절하게 설명하는 것은 쉬운 일이 아니며, 침 내 피로인산(pyrophosphate) 농도가 높은 사람은 치석 생성이 적으며, 이는 피로인산이 석회화 억제물질이라는 사실과도 잘 부합된다.

2) 소듐, 포타슘 및 마그네슘

소듐, 포타슘 및 마그네슘은 침 속에서의 작용보다는 침의 형성과 분비에 매우 중요한 이온들이다. 혈액중에는 Na^+ 농도가 포타슘 농도를 웃돌고 있지만, 안정 시 귀밑샘 침에서는 반대가 되며, 세포 내액에서 두 이온의 비율과 유사하다고 할 수 있다. 그러나 이온은 분비자극에 의해 두 이온은 강하게 영향을 받아 Na^+는 급격하게 상승하는데 비해, K^+는 현저하게 저하하기 때문에 오히려 소듐이 포타슘을 상회하게 된다(그림 11-1). 두 이온 분비의 일간 변동은 6시간의 차이를 나타낸다. 이 변동은 알도스테론(aldosterone) 주기에 의존하는 것으로 설명하고 있다. 소듐은 주로 혈액에서 유래하나, 포타슘은 타액선 선포세포에서 유래한다. 마그네슘은 대부분 단백질과 결합한 형태로 존재하며, 일부만이 이온 형태로 존재한다.

3) 할로겐 원소

침 속의 할로겐 원소로서 불소, 염소, 브롬(Br), 요오

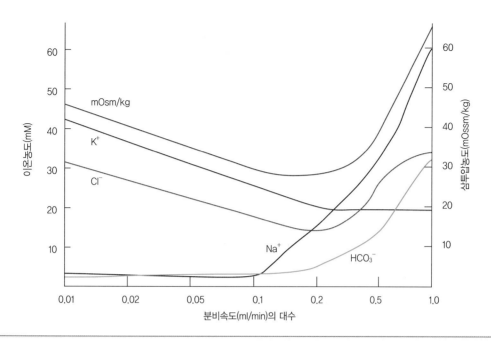

■▨ 그림 11-1. 사람 이하선타액의 소듐, 포타슘, 염소, 중탄산 및 삼투압 농도에 미치는 분비속도의 영향

삼투압은 거의 이들 4종의 이온농도의 거의 일치된 변동을 나타내는 것으로 보아 삼투압 농도가 거의 이 4종의 이온에 의해서 결정되고 있음을 알 수 있다. Menaker L : The Biological Basis of Dental Caries. Harper & Row, 1980.

드(I)가 검출되지만, 염소 농도가 가장 높다. 염소의 분비는 소듐과 거의 같은 일간변동을 나타내며, 이른 아침에 최고치를 나타내며, 오후 6시경에 최저치가 된다. 염소 농도는 침 분비 속도가 증가함에 따라 급속하게 증가하는 양상을 보이는데, 이러한 염소 농도의 변화는 소듐과, 중탄산염 농도 변화와 상호 연관성을 갖는다.

침의 불소 함량은 불소의 우식억제 효과와 연관되어 관심을 모으고 있다. 그러나 이전에 화학적 방법으로 측정된 불소 농도는 0.1~0.2ppm이었지만, 그 후 불소 전극을 이용한 이온형의 측정에서는 0.01~0.05ppm으로 낮은 수치를 나타내, 침 내 불소는 대부분 결합형인 것을 알 수 있다. 이처럼 낮은 농도의 불소가 치아에 직접 영향을 미치는지는 확실하지 않지만, 침 내 불소가 치태 내에 매우 고농도(5~50ppm)로 존재하는 것으로 보아 불소의 공급원일 가능성은 충분하다.

브롬 및 요오드 역시 침에 함유되어 있으며, 이 중 요오드는 타액선에 축적되어 있으며, 침으로 분비된다.

4) 로단

침 과산화효소(peroxidase)의 항균 작용에 관해서는 벌써 기술한 것처럼 로단(티오시안산 이온, SCN⁻)이 분비된다. 티오시안산 이온은 타액선 도관에서 침으로 분비되는 이온으로 침 분비 속도가 증가하면 감소한다. 침 내 티오시안산 이온농도는 약 13mg%로 침 분비 속도가 증가하면 감소하는 경향을 보인다. 고령자나 흡연자에서는 SCN⁻ 농도가 높고, 흡연자의 평균치는 비흡연자의 비교하여 3배나 높다. 그러므로 흡연 여부를 알기 위해 혈중이나 침에서 니코틴 대사산물인 코티닌(cotinine) 농도를 측정하거나 로단 농도를 측정한다.

5) 중탄산염

중탄산염은 침이 완충능을 나타내는 데 가장 중요한 성분으로 침샘과 기타 조직의 대사과정에서 생성된 이산화탄소가 탄산탈수소효소(carbonic anhydrase II)의 촉매작용에 의해 중탄산염으로 전환되어 생성된다. 안정 시 침에서 중탄산염 농도는 낮으나, 침 분비 속도가 증가함에 따라 자극 침에서는 현저히 증가한다. 이것은 침 분비 속도가 증가하면 침샘의 대사활성이 높아지고, 결과적으로 이산화탄소 생성량이 증가하기 때문에 중탄산염 농도는 증가하게 된다. 중탄산염은 자극 침의 pH를 8.0까지 상승시키며, pH 6.1 ± 1.0에서 완충능을 나타내므로 법랑질 표면이 용해되기 시작하는 임계 pH(critical pH) 5.5~5.6에서도 강한 완충능을 나타낸다. 그러므로 중탄산 완충계는 우식 유발성을 갖는 산성 세균에 의해 생성된 유기산으로부터 치아를 보호하는 효율적인 보호 수단이다. 침 분비 속도가 빠른 사람에서 치아우식증 이환율이 낮은 것도 이와 관련이 있다.

6) 수소이온

침 속 수소이온농도는 궁극적으로 구강 내 pH를 의미하므로, 수소이온은 구강 내에서 일어나는 대부분의 화학 반응에 영향을 준다. 특히 치아 경조직과 이를 둘러싼 침 간의 인산칼슘 평형에 매우 중요하다. 또한 침 내의 효소와 같은 거대분자의 용해도와 활성에도 매우 중요하다. 침 내 수소이온의 기원으로는 타액선 구강 세균에 의한 생성, 음료수 등이 있다. 수소이온농도는 구강 내 부위에 따라 차이가 나타날 수 있는데, 예를 들면 음식물 섭취 후 음식물 잔사가 저류하고 있는 부위는 지속적인 세균 대사에 의해 낮은 pH를 나타내는 반면, 타액선 도관의 개구부와 같이 침 공급이 원활한 부위는 정상 pH를 유지한다. 그러므로 같은 구강 내라 할지라

도 pH 차이가 나타날 수 있다. 구강 내 pH를 결정하는 가장 중요한 인자는 중탄산염으로 안정 시 침에서의 농도는 혈액에 비해 약 1/10 수준이며, 이는 침 분비 과정에서 재흡수가 일어남을 의미한다. 한편 자극을 받아 침 분비 속도가 증가하면 중탄산염 농도는 혈액 수준 혹은 그 이상까지 증가한다. 이 외에도 침 내에 pH를 증가시킬 수 있는 물질로 테트라펩타이드(tetrapeptide)인 시알린(sialin, Gly-Gly-Lys-Gly)이 귀밑샘 침에서 발견되었다. 시알린은 구강 세균의 염기 생성을 증가시키며, 해당작용(glycolysis)을 촉진시킴으로써, pH를 상승시킨다. 또한 구강 세균에 의한 이산화탄소와 암모니아로부터 요소가 합성되어 구강 내 pH를 증가시킬 수 있다.

7) 기타 이온

양 이온으로 납, 철, 구리, 아연, 망간, 카드뮴 등이 침 속 미량 원소로 함유되어 있으며, 이들 농도는 혈액 내의 농도를 반영하고 있어, 임상검사에 따른 진단 보조로 활용할 수 있다.

4 이산화탄소와 침의 pH

침의 pH는 침의 탄산 농도에 의해 정해지기 때문에 침의 pH = pK(6.35) + log [HCO$_3^-$]/[H$_2$CO$_3$]로 나타낼 수 있다. 안정시 귀밑샘 침은 pH 5.85 ± 0.46을 나타내며, HCO$_3^-$ 농도는 낮고, P$_{CO_2}$ 값(즉 [H$_2$CO$_3$])도 45mmHg 정도이다. 분비자극에 의해 [HCO$_3^-$]는 1.0mM에서 28mM로 증가해서 pH도 7.4로 상승한다. 다만 P$_{CO_2}$ 값은 분비자극에 의해 거의 변하지 않는다. 안정시 사람

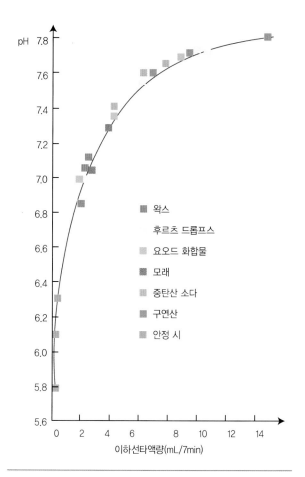

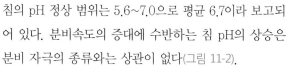

그림 11-2. 각종 자극에 의한 이하선 침 분비 속도가 침 pH에 미치는 영향

Jenkins GN : The Physiology and Biochemistry of the Mouth. 4th ed. Oxford, England. Blackwell. 1978.

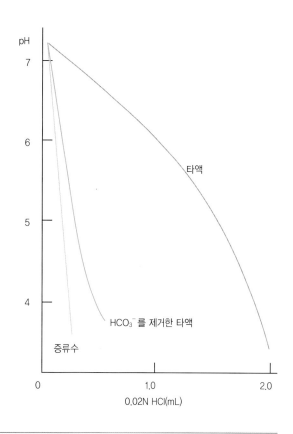

그림 11-3. 왁스 자극으로 얻을 수 있는 타액의 완충작용

중탄산 이온을 제거한 타액의 완충능이 대조군인 증류수와 크게 다르지 않은 것으로 보아 타액에서 완충 작용의 주체가 탄산-중탄산계인 것을 알 수 있다.

Jenkins GN : The Physiology and Biochemistry of the Mouth. 4th ed. Oxford, England. Blackwell. 1978.

침의 pH 정상 범위는 5.6~7.0으로 평균 6.7이라 보고되어 있다. 분비속도의 증대에 수반하는 침 pH의 상승은 분비 자극의 종류와는 상관이 없다(그림 11-2).

침 채취 후 CO_2를 잃으면(H_2CO_3의 감소) pH는 상승한다. 침의 분비는 수면 중 거의 정지하므로(HCO_3^-의 감소) 침 pH는 감소한다. 또한, 식사 중에는 분비속도가 증가(HCO_3^-의 증가)하기 때문에 pH는 상승하지만, 식후에, 침의 분비는 역시 저하해서 pH도 거의 예외 없이 1~2시간 경과되는 동안에 다시 공복 시 수준으로 회복된다. 이러한 사실은 구강 위생학적으로 극히 중요하여

서 취침 전이나 매 식후의 구강위생이 치아우식으로부터 치아를 지키기 위해서 얼마나 중요한가를 보여주는 단적인 예이다. 침에 용해되어 있는 CO_2가 침의 칼슘 용해성과 H^+ 농도의 변화에 중요한 역할을 하는지는 이미 기술하였다. 이 CO_2는 안정 시 침에서는 10~20 용량% 인데 비하여, 강한 자극을 준 침에서는 약 10배까지 증가한다. CO_2의 약 1/4은 단백질의 아미노산과 반응해서 카르바민산(carbamic acid, $R-NH_2 + CO_2 \rightleftharpoons R-NH-COO- + H^+$)을 생성하지만, 나머지 대부분은 CO_3^{2-}(탄산 이온)와 탄산으로서 존재해서 침의 주된

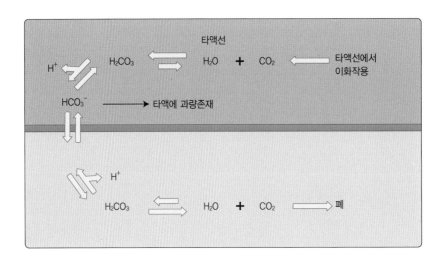

■■ ▦ 그림 11-4, 타액에서의 HCO_3^-의 생성

완충계(탄산-중탄산 완충계 : $H_2CO_3 \rightleftarrows H^+ + HCO_3^-$)를 형성하고 있다(그림 11-3, 4).

침에는 뮤신(mucin)이라는 단백질에 의한 단백질 완충계, 위에서 기술한 중탄산계 완충액과 인산 완충계 등 3가지 중요한 완충계가 존재한다. 여기에서 단백질 완충계는 pH 5 이하에서 작용하므로 우식형성 측면에서 보면 임계 pH 이하이므로 중요하지가 않다. 여기에서는 임계 pH 이상에서 작용하는 인산완충계와 중탄산완충계를 중심으로 설명하고자 한다. 먼저 인산계 완충액을 살펴보면 pKa_2가 6.8로 중탄산계보다 침의 pH에 근접하여 이론적으로는 중탄산계 완충액보다 더 좋은 완충액으로 보인다(사용하는 pH에 근접한 pKa 값을 갖는 것이 이론적으로는 보다 좋은 완충액이다). 그러나 인산계 완충액은 인산의 평상시 침 농도가 5mM로 $[H_2PO_4^-]$가 $[HPO_4^{2-}]$보다 높다. 저작 자극에 의해 분비되는 침에 의해 인산이 희석되어 2mM로 농도가 떨어지면 $[HPO_4^{2-}]$가 많이 들어 있다. 자극이 없는 침의 $[HPO_4^{2-}]$는 거의 일정하며, 자극을 받더라도 인산의 총 농도는 오히려 감소되었기 때문에 자극시의 $[HPO_4^{2-}]$의 농도 역시 이보다 별로 크지 않다. 결과적으로 pH = pKa + log

$[HPO_4^{2-}]/[H_2PO_4^-]$이므로 침의 pH = 6.8 + log $[HPO_4^{2-}]/[H_2PO_4^-]$에서 자극을 받더라도 $[HPO_4^{2-}]$가 증가되지 않아 pH가 증가되지 않기 때문에 식사 자극으로 생성되는 산을 중화시킬 수 없다. 그러므로 인산의 pKa 값이 침의 생리적 pH에 근접하였더라도 유지되는 인산의 양이 적으므로 충분한 완충역할을 기대하기가 어렵다. 또한 하이드록시아파타이트의 용해도는 이온적(ionic product)에 의해 지배를 받는데 이 경우 $[Ca^{2+}] \times [HPO_4^{2-}]$로 임계 pH(치아 표면 주위의 액체가 하이드록시아파타이트에 비해 저포화되는 pH로 이 경우 법랑질로부터 칼슘과 인산이 제거됨)가 결정되므로 $[HPO_4^{2-}]$가 너무 높아도 오히려 치아로부터 탈회가 일어날 수 있다. 그러므로 인산완충계에서 pH가 증가되기 위해서는 $[HPO_4^{2-}]$가 증가되어야 하지만, 이럴 경우 탈회가 진행될 수 있어 좋지 못하므로 인산완충계는 침샘의 경우 중요한 완충계가 아님이 천만다행이다.

이에 비하여 휴식상태에서 새로 분비되는 침의 탄산(carbonic acid) 농도는 1.3mM로 혈액 농도와 거의 비슷하다. 평상시에는 선포세포의 대사가 활발하지 않기 때문에 형성되는 이산화탄소의 양도 적고, 생성된 중탄산염[bicarbonate(HCO₃⁻)]은 침샘 도관에서 재흡수 되며, 탄산의 pKa₁는 6.1이다. 결과적으로 평상시 pH = 6.1 + log [HCO₃⁻]/[H₂CO₃]로 완충능이 약하다. 그러나 저작 자극이 있는 경우 침의 분비가 증가되면 탄산의 농도는 현저히 증가하여 침 분비 속도가 분당 1mL인 경우 30mM까지 증가하게 되고, 침 분비 속도가 더 빨라지면 60mM 농도까지 증가하기도 한다. 침의 평균 pH는 6.7로 탄산의 pKa 값(6.1)과는 거리가 멀지만 저작 자극 시 높은 농도로 탄산 농도가 유지되기 때문에 완충 능력이 인산완충계보다 효과적이다. 즉, 침 분비량이 증가하면 침 속의 총 탄산농도가 증가되고, 도관에서의 중탄산염의 재흡수는 감소되기 때문에 [HCO₃⁻]/[H₂CO₃]의 비가 증가되어 pH는 증가한다. 그러므로 중탄산염의 농도가 60mM이되면 pH는 7.6으로 상승한다. 이것은 음식물 섭취에 의해 침 분비가 증가하게 되고, 또한 음식물 섭취로 인한 탄수화물 대사가 증가되어 치태 세균에 의한 산 생성이 증가된다는 것을 의미한다. 즉, 중탄산염의 증가로 인해 pH가 증가되어 세균에 의해 형성된 산과 반응하여 중화함으로써 중탄산염에 의한 pH 상승이 억제되기 때문에 완충 역할을 충실하게 수행할 수 있다.

세 가지 완충계에 의한 완충영역을 살펴보면 pH 6 이상에서는 주로 탄산-중탄산계 완충액이 작용하며, 부수적으로 인산염완충계가 작용하고 있으며, pH 4.5 이하에서는 단백질 완충계(주로 뮤신완충계나 암모니아 완충계)에 의해 일어난다. 그러므로 pH 4.5~6.0 사이에서는 빈약한 완충 능력을 가지고 있으며, 설탕 섭취 후에 곧바로 pH가 5 근처로 떨어지는 스테판 곡선(Stephan's curve)의 의미를 이해할 수 있다.

참고문헌

1. Ferguson DB : Oral Bioscience. Authors Online Ltd. 2006.
2. Cole AS, Eastoe JE Biochemistry and Oral Biology. Butterworth & Co 1988
3. 박광균 : 경조직 및 구강 생화학-분자세포생물학. (주) 라이프사이언스. 2013.
4. 하야카오 타로오, 스다 타츠오, 키자키 하루토시, 하타 유이치로, 타카하시 노부히로, 우다가오 노부우기 : 구강생화학. 4판. 이사야쿠출판. 2005.

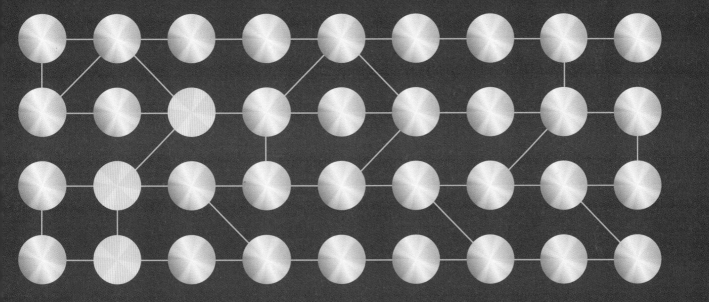

12

Chapter

치아표면 부착물

법랑질 표면에는 치아의 일생을 통하여 각종 유기 피막이 존재한다. 치태(dental plaque)의 말뜻은 "얇은 가죽, 또는 박층"을 의미해 치아 맹출 후에, 법랑질 표면에 타액 유래의 당단백질이 선택적으로 흡착하여 형성된다. 그렇기 때문에 획득 치태라고도 한다. 구강 표면은 항상 숙주(host) 유래의 타액이나 치은열구 삼출액 등으로 씻기기 때문에 이들 성분의 일부에서 유래하는 치태 등의 유기질 피막으로 덮인다. 이후에 세균이 부착하는데 여러 종류의 다양한 세균과 이들 세균이 생성하는 균체외 다당(extracellular polysaccharide), 타액, 치은열구 삼출액, 박리상피나 음식물 잔사 등이 복잡하게 얽혀 치태가 된다. 치태는 삼차원적 구조를 가지는 바이오필름(biofilm)의 일종으로 여러 세균이 이 환경 안에서 경쟁하며 공존하도록 조율하며 사는 미세 생태계(micro-ecology system)이다.

임상적으로 산 생성의 모체로 치아우식증 발생에 관여하며, 바이오필름에 포함된 염증유발 물질을 통해 치주질환의 발증에 관여하기도 하고, 구취의 발생원이 되는 등, 많은 구강 질환의 원인이 되고 있다. 나아가 여러 종류의 세균이 고밀도로 포함된 치태는 악안면 영역은 물론 호흡기, 이비인후과 영역 등의 구강인접 장기의 감염원이 되기도 한다. 특히 연하반사(삼킴반사)나 기침반사가 쇠약해진 고령자 등의 경우에는 본래 식도로 삼켜야 할 타액이나 치태가 잘못해서 기관지로 들어가 구강 세균이 원인이 되는 위험한 폐렴을 일으킬 수 있는데 이를 오연성 폐렴(aspiration pneumonia)이라 하며, 음식물이 기관지로 넘어가 생기는 폐렴으로, 고령자의 경우 구강 위생(치태조절 등)의 중요성이 강조되는 이유이기도 하다. 여기에서는 치태의 형성에서 구강 질환과의 관계까지를 생화학적 입장에서 다룰 것이다.

획득 법랑질 피막(acquired enamel pellicle)은 치아의 표면을 덮고 있는 유기 필름(organic film)으로 처음 발견되었을 때는 이 필름이 배아에서 기원(embryonic origin)하는 것으로 생각하였지만, 금세기 중반에

서야 치아 맹출 후에 후천적으로 발생한다는 것이 확실해졌다. 초기에는 샘플로 얻을 수 있는 피막 양이 너무 적어서 피막 단백질의 아미노산을 분석하기가 쉽지 않았지만 이후 분석을 통하여 피막이 단백질성 물질이라는 것이 밝혀졌고, 치아 법랑질 표면에 선택적으로 침 단백질이 침착되어 형성된다는 것을 알게 되었다. 나중에 면역화학적 방법을 이용하여 피막의 구성성분이 대부분 단백질이고 소수의 비단백질 성분이 들어있다는 것도 밝혀졌다. 그럼에도 불구하고 오늘날까지 *in vivo*에서 직접 피막 단백질에 대한 직접적인 생화학적 분석을 하는 것은 용이하지 않은데, 한 사람에서 얻을 수 있는 양이 μg 정도로 적기 때문이다. 그러므로 획득 법랑질 피막의 조성과 구조에 대하여는 아직도 명확히 알지 못하고 있다.

① 획득피막과 치태의 형성

뢰(Löe H)는 치태(plaque 또는 치구)는 "충분히 구강 세정이 되어있지 않은 치아(및 보철물)의 표면에 형성되는 부드러운 비석회화성 세포 침착물"이라 정의하였다. 치태는 통상 획득피막 등의 피막을 덮고 있어 세균과 세균의 생성물, 침, 치은열구삼출액, 박리상피, 음식물 잔사 등에서 유래 하는 성분으로 구성되는 점막성 구조물이다.

1) 획득피막

획득피막(acquired pellicle)은 법랑질에 직접 부착되어 있는 무세포성 유기질 피막으로, 주로 침 유래의 당단백질로 이루어진다. 법랑질 표면의 획득피막은 수분의 1에서 수 μm 두께를 가진다. 1963년에 치아 표면을 피복

하고 있는 여러 유기 구조물을 치아 맹출 후에 획득되는 피막과 구분하여 정리하였다(표 12-1). 이후 배아에서 기원하는 외피(embryologic integuments)는 치아 맹출 후에 소실되고, 무세포성, 무균성 막을 획득 법랑질 피막이라 하게 되었다.

근년의 연구에서 치태는 복잡하면서도 정밀한 삼차원 구조체를 가지고 있으며, 그러한 미세한 환경은 여러 종류의 다양한 세균이 서로 경쟁하기도 하고, 공존하는

표 12-1. 법랑질 외피를 지칭하는 명칭

Dawes C, Jenkins GN, Tonge CH : The nomenclature of the integuments of the enamel surface of the teeth. Br Dent J 115:65-68. 1963. p.67

피막	종전 명칭	오늘날 명칭
태아기에 형성된 구조물		
무세포층	1. 나스미쓰막 내무 무구조층(inner structureless layer of Nasmyth's menbrane) 2. 일차 법랑 소피(primary enamel cuticle) 3. 법랑 캡슐(enamel capsule) 4. 법랑 소피(enamel cuticle) 5. 나스미쓰막(Nasmyth's membrane)	1차 법랑 소피 (primary enamel cuticle)
세포층	1. 나스미쓰막 외출(outer layer of Nasmyth;s membrane) 2. 치아 소피(cuticular dentis) 3. 융합 법랑질 상피(reducd enamel epithelium) 4. 퇴축 법랑질 상피(reduced enamel epithelium) 5. 내부지대 상피(inner zone epithelium) 6. 상피부착세포(epithelium attachment cells) 7. 퇴축 치아 상피(reduced dental epithelium)	퇴축 치아 상피 (reduced enamel epithelium)
치아 맹출 후에 형성된 구조물		
맹출 후 부착된 소포	1. 뮤신 플라그(mucin plaque) 2. 획득 소피(acquired cuticle) 3. 플라그 및 필름(plaque and film) 4. 갈색 피막(brown pellicle) 5. 치아 소피(dental cuticle) 6. 획득 법랑질 소피(acquired enamel cuticle) 7. 법랑질 소피(enamel cuticle) 8. 치아 플라그(dental plaque)	획득피막 또는 획득 펠리클 (pelicle or acquired cuticle)
음식물 잔사	1. 백색 물질(materia alba) 2. 흡착 물질(sorbes) 3. 음식물 잔사(food debris)	음식물 잔사 (food debris)
치밀 세포층	1. 플라그(plaque) 2. 백색 물질(materia alba) 3. 점액-세균 필름(muco-bacteria film)	치태 (dental plaque)
석회화물질	1. 치석(calculus) 2. 치석(tatar)	치석 (calculus)

일종의 생태계를 구축하고 있는 것으로 밝혀졌다. 그렇기 때문에 치태를 바이오필름(biofilm)이나 미세생태계(microbial ecosystem, micro-ecosystem, micro-cosm)로 파악하는 것이 중요하게 되었다.

(1) 획득피막 형성

건전한 치아를 생체 내 또는 시험관 내에서 치석제거술을 시행하여 법랑질 표면의 결정체들이 노출될 때까지 모든 유기성분을 제거하여 유기 기질이 없는 하이드록시아파타이트 결정을 만든 후 이것을 타액에 노출시키면, 수분 이내에 얇은 무세포성의 단백질 층이 형성된다. 법랑질은 아무리 구강세정을 하고 연마해도 즉시 타액으로 씻어져 타액 유래의 유기질이 선택적으로 결합하여 두께 1μm에도 이르지 않는 얇은 막 구조물인 획득피막

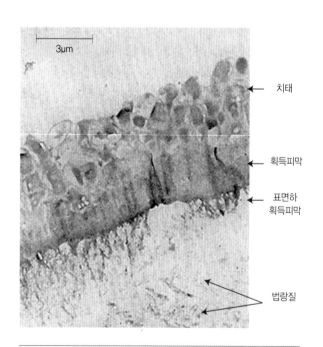

■ ▦ 그림 12-1. 견치 순측면에 부착한 치태와 치태의 전자현미경사진(탈회횡단면)

PL : 치태, SP : 표면연상 치태, SSP : 표면연하 치태 O : 법랑질의 유기질 Jenkins GN : The Physiology and Biochemistry of the Mouth. 4th ed. Oxford, England. Blackwell. 1978.

(acquired pellicle)으로 덮인다.

일반적으로 획득피막이라 하면 법랑질 표면을 직접 덮고 있는 일정한 형태가 없는 무구조성 물질 층을 뜻하는데, 이 획득피막을 표면 획득피막이라 하여, 여기에 접해 자주 관찰 되는 표층하 및 표면상 획득피막으로 구별하기도 한다. 표층하 획득피막은 법랑질 내부에 나뭇가지 모양의 수지상으로 성장하고 있는 망상 구조체를 말한다(그림 12-1). 표면상 획득피막은 스스로 세정되지 않는 지역이나 혹은 칫솔질을 할 수 없는 치아 표면에서 볼 수 있으며, 표면 획득피막 위에 한층 더 타액 성분이 결합한 것이다. 표면상 획득피막은 자주 갈색 색조를 나타내므로 착색 획득피막이라고도 불린다. 표층하 획득피막은 처음 발견 당시에는 손상된 법랑질 면에만 형성되는 것으로 간주되어 오다가 그 후, 건전한 법랑질에서도 조직학적으로는 동일한 구조물이 관찰되었다.

(2) 획득피막의 조성

획득피막을 단시간(5분) 0.6N 염산용액으로 처리하면 가용성인 것과 불용성인 것의 두 가지가 각각 반반씩 존재한다. 이 둘을 합하여 천연 획득피막이라 한다. 획득피막의 조직화학적 염색은 획득피막이 단백질이라는 것을 시사해 주고 있다. 이러한 결과는 치아를 단백질 분해효소와 함께 배양하는 경우 획득피막이 사라지는 것으로 확인되었다. 실제로 오래된 획득피막 샘플의 화학 조성은 46% 아미노산, 2.7% 헥소사민(hexosamine), 14% 총 탄수화물로 보고되었다. 획득피막에서 지질에 대한 연구는 제한되어 있다. 주로 획득피막에 존재하는 인지질로는 포스파티딜콜린, 포스파티딜에타놀아민 및 스핑고미엘린이 존재한다. 당지질(glycolipid)과 중성지방(neutral lipid) 역시 잘 발견된다.

① 획득피막에서의 단백질

가. 하이드록시아파타이트에 의한 침 단백질의 흡착
*in vivo*에서 획득피막을 얻어서 획득피막의 단백질을

분리하고 규명하는 것은 그 양이 너무 적어서 쉽지 않다. 그러므로 많은 연구자들이 침 단백질의 흡착연구를 위해 in vitro에서 법랑질 대신에 하이드록시아파타이트를 사용한다. 크로마토그래피를 이용하여 하이드록시아파타이트로부터 단백질 분리를 많이 시행하였어도, 아직도 법랑질 표면에 특이하게 결합하는 상호작용의 실체를 규명하는 데는 부족하다. 하이드록시아파타이트에 강하게 결합하는 합성 단백질을 이용한 실험에서 음전하를 띠는 포스포세린(phosphoserine)이 가장 중요하며, 다음으로 글루탐산(glutamic acid)과 아스파르트산(aspartic acid)이다. 그럼에도 불구하고 이러한 성질이 자연적인 단백질의 결합에 대하여는 쉽게 적용이 되지 못하는 실정으로, 양전하성 단백질인 라이소자임(lysozyme)이 하이드록시아파타이트에 잘 결합하는 것을 설명할 수가

표 12-2. 획득피막에서 발견되는 단백질. in vitro 획득피막이란 발치된 치아나 신선하게 얻은 in vivo 획득피막에 해당되며, In situ 획득피막 이란 사람 구강 내에서 형성되었거나 사람 구강 내에서 장착한 소의 법랑질 납작 조각(slab)에 형성된 것을 말하며, In vitro 획득피막은 빻은 법랑질이나 하이드록시아파타이트 분말을 in vitro에서 사람 타액과 배양한 것을 말한다. 의치 획득피막은 상악 의치의 입천장 쪽에 형성된 획득피막을 뜻한다. 고프롤린단백질(PRP)은 PRP-1에 대한 항체로 직접 발치된 치아에서 면역화학염색에 의하여 aPRP(acidic PRP)를 검출하였다. 글루코실전이효소(glucosyltransferase, GTF)는 덱스트란(dextran)내로 삽입된 ^{14}C-표지된 수크로오스(sucrose)의 ^{14}C-글루코오스 삽입을 검출함으로써 확인하였다. In vitro 세 번째는 단백질을 전기영동하고, 각 단백질에 대한 항체를 이용하여 웨스턴 블롯팅(Western blotting)을 함으로써 검출하였다. 타액 탄산탈수소효소 VI(carbonic anhydrase-VI, CA-VI)와 알부민(albumin)은 발치 치아에서 면역화학법으로 검출하였으며 특히 탄산탈수소효소 활성을 검출함으로써 CA-VI를 확인하였다. 소의 법랑질 납작 조각상에 형성된 in situ 획득피막은 산 처리를 하여 샘플을 회수 한 다음 현미경 슬라이드 상에 옮기고, 양이나 토끼 일차 항원과 형광 표지된 이차 항체로 면역화학 염색을 하여 검출하였다. in situ 두 번째 방법도 마찬가지 방법으로 검출한 것이다. 소 법랑질 납작 조각에서 수집된 획득피막으로 라이소자임 활성은 아가로오스(agarose) 젤 상에서 세균 현탁액(suspension)을 이용하여 확인하였다. in situ에서 aPRP는 single radial immunodiffusion 방법으로 검출하였다. in vitro 두 번째 방법은 면역확산법(immunodiffusion)에 의해 검출하였다. nf : not found Lendermann U, Grogen J, Oppenheim FG : Saliva and dental pellicle – A review. Adv Dent Res 14:22-28, 2000.

	알부민	slgA/IgA	IgM	IgG	aPRP	시스타틴 SA-1	MG1	MG2	락토페린	라이소자임	아밀라아제	CA-VI	GTF	C3/C3c
					○									
													○	
in vitro		○				○	○	nf			○			
											○	○		
	○	○	○	○					○	○				○
		○		○						○	○			
in situ										○	○			
					○									
in vitro	○	○		○						○	○		○	
					○				○					
의치		○			nf	fn	○	nf		○	○			

없다. 혼합침(whole saliva) 상층액을 법랑질 분말과 배양하는 경우 분말에 흡착된 단백질과 상층액에 남아있는 단백질을 겔 전기영동(gel electrophoresis)하면, 그 전기영동상 패턴이 판이하게 다르다. 이러한 사실은 침 단백질 중 일부는 법랑질에 대하여 높은 친화성을 가지나, 다른 것은 낮은 친화성을 갖는다는 것을 의미한다.

나. 획득피막에 존재하는 단백질

획득피막은 무세포, 무균이며, 타액에서 유래하는 유기성분을 포함한다. 표 12-2는 여러 실험을 통해 획득피막에서 확인된 단백질을 나열한 것이다. 획득피막에서 발견되는 주 침 단백질은 분비형 IgA, 산성 고프롤린단백질(aPRP), 시스타틴 SA-I, 고분자량의 뮤신인 MG1, 락토페린(lactoferrin), 라이소자임 및 아밀라아제이다. 또한 타액 탄산탈수소효소 Ⅵ(salivary carbonic anhydrase Ⅵ), 알부민, IgM, IgG 및 보체(complement) C3/C3c 등도 발견된다. 여기에 연쇄상구균 당전이효소(streptococcal glycosyltransferase)가 발견 되는데, 이러한 사실은 획득피막 단백질로는 침 단백질뿐만 아니라 세균에서 유래한 단백질도 존재한다는 것을 알 수 있다. 가장 많이 확인되는 단백질로는 sIgA, 라이소자임 및 아밀라아제이다. 타액에 많이 존재하지만 획득피막에서 발견되지 않는 단백질로는 저분자량의 뮤신인 MG2이다. 획득피막에서 MG2가 발견되지 않는 이유는 하이드록시아파타이트에 대한 약한 결합으로 설명이 가능하다.

② 획득피막의 아미노산 조성

획득피막 전체의 아미노산 조성을 보면, 산성 아미노산(글루탐산과 아스파르트산)이 약 22%로 많아, 알칼리성 아미노산(라이신, 히스티딘, 아르기닌)의 2배 이상이다. 산성 아미노산과 알카리성 아미노산의 비율은 치태에서의 비율과 분명한 차이가 있다. 또한 미량이기는 하나 세균 세포막에만 존재하는 디아미노피메린산(diaminopimelic acid)이나 뮤라민산(muramic acid)이 획득피막에 존재하는 것으로 보아 획득피막 형성에 치태가 관여하는 것으로 보인다.

상악과 하악 등 다양한 치아 부위에서 획득피막 샘플을 채취하여 분석한 결과 근본적인 큰 차이는 나타나지 않는다. 영구치와 유치를 비교한 결과 유치에서 영구치에 비해 세린과 글리신 함량이 높고, 티로신 함량이 낮았지만, 전체 아미노산 조성에는 큰 차이가 없이 아주 비슷하다. 동일한 사람에서 장기간에 걸친 추적 조사에서 2시간 획득피막과 24개월 후의 획득피막은 거의 일정하다. 또한 음식물 섭취를 제한한 상태에서 2시간 및 24시간에 형성된 획득피막 역시 비슷하다. 그러나 정상적인 식이를 허용한 후의 24시간 획득피막 조성에는 많은 차이가 나타난다. 이러한 사실은 식이 성분이 in vivo 획득피막 형성에 관여한다는 것을 의미한다. 그럼에도 불구하고 이러한 차이점이 정말로 의의가 있는 중요한 차이인지에 대하여는 아직 결정하기가 쉽지 않다. 놀랍게도 치아 세정 후 24시간에 획득한 획득피막 샘플과 식후 2시간에 만들어진 획득피막의 조성은 아주 비슷하다. 이것은 이미 앞에서 기술하였듯이 전자현미경 연구에서 획득피막을 피복하고 있는 치태가 법랑질의 획득피막과 유사하다는 결과일 것이다. 법랑질 획득피막의 아미노산 조성이 상악 의치의 입천장 쪽에서 발견되는 아미노산 조성과 아주 비슷하다. 이러한 결과는 대부분의 구강 표면이 타액으로 젖어 있어 법랑질 획득피막과 유사한 아미노산 조성을 갖는다는 것을 암시해 준다.

그럼에도 불구하고 침 분비물과 획득피막의 조성차이를 비교하면 흥미로운 결과가 나타난다. 새로 막 형성된 획득피막과, 혼합침, 악하선 타액 및 이하선타액의 조성을 비교하여 보면, 모든 타액의 경우 획득피막에 비하여 프롤린이 아주 높고, 로이신과 알라닌 및 세린은 적게 함유하고 있음을 알 수 있다(그림 12-2). 또한 획득피막의 경우 타액과 비교하여 소수성 아미노산을 많이 함유하고 있으며, 중성 아미노산은 적게 함유하고 있다.

획득피막을 통해 얻는 지식의 혼동을 피하기 위하여 획득피막을 자연획득피막과 실험획득피막으로 나눠서 설명하고자 한다. 자연획득피막은 치아 맹출 후에 발치한 사람 영구치에서 얻은 획득피막이며, 자연획득피막이 형성될 때 수반되는 다양한 인자를 제외하고 간소화하기 위하여 고안된 모델 시스템에서 생성된 획득피막을 실험획득피막이라 한다.

가. 자연획득피막

자연획득피막은 0.6~2.0N 염산으로 2~5분 정도 짧은 시간 처리하여 산에 용해되는 가용성 획득피막과 용해되지 않는 불용성 획득피막으로 구분한다. 이 둘은 거의 반반씩 존재하며 이 둘을 합쳐서 자연획득피막이라 한다. 가용성 획득피막과 불용성 획득피막은 그 아미노산 조성이 다른데, 가용성 획득피막의 경우 세린(serine), 글리신(glycine) 함량이 높은 반면에, 불용성 획득피막은 로이신(leucine), 프롤린(proline), 아르기닌(arginine), 티로신(tyrosine), 이소로이신(isoleucine) 등의 함량이 높다. 이러한 사실로 보아 획득피막이 한 가지 이상의 물질로 구성됨을 알 수 있다. 자연획득피막의 경우 아미노산 조성은 글리신, 세린, 글루탐산(glutamic acid)이 전체 아미노산의 42%를 차지하고 있으며, 그 다음으로 아스파르트산(aspartic acid), 알라닌(alanine), 로이신(leucine)이 각각 6%씩 존재하며, 함황 아미노산(시스테인, 시스틴, 메티오닌)이나 방향족 아미노산(페닐알라닌, 티로신, 트립토판)의 함량은 낮다. 탄수화물 성분으로는 글루코오스, 갈락토오스(galactose), 글루코사민(glucosamine), 갈락토사민(galactosamine), 만노스(mannose), 푸코스(fucose) 등이 있으며, 미량이기는 하나 아미노산 경우처럼 세균 세포막에만 존재하는 람노스(rhamnose)도 관찰된다. 그러나 자연획득피막에는 침당단백질에 많이 존재하는 시알산(sialic acid)이 없다.

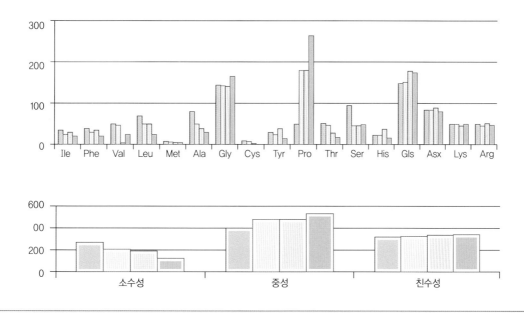

■ ▦ 그림 12-2. 2-시간 획득피막, 사람 전타액, 사람 악하선/설하선 타액 및 이하선타액의 아미노산 조성

아미노산은 왼쪽에서 오른쪽으로 소수성이 감소하는 쪽으로 나열하였다. 밑에 그림은 획득피막, 사람 전타액, 사람 악하선/설하선 타액 및 이하선타액의 소수성, 중성 및 친수성 아미노산 조성을 나타낸 것이다.

Al-Hashimi I, Levine MJ : Characterization of in vivo salivary derived enamel pellicle. Arch Oral Biol 34:289-295. 1989. p.24

그 이유는 구강 세균에서 분비되는 효소에 의해 시알산이 신속하게 분해되었기 때문이다.

나. 실험획득피막

실험획득피막은 주로 형성 초기의 획득피막에 대한 화학조성, 성상, 기원, 형성기전 등을 설명하기 위해 2가지 모델 시스템을 사용한다. 즉, 구개상을 사용하는 *in vivo* 실험방법과 한외여과(ultrafilter)를 사용하여 세균을 제거한 타액을 법랑질에 접촉시키는 *in vitro* 실험방법이 있다. 이들 두 모델 시스템에서 형성된 획득피막의 아미노산 조성은 서로 유사하다. 즉, 글루탐산, 프롤린, 글리신이 많이 존재하며, 이들이 50% 정도 차지한다. 자연획득피막의 경우 산성 아미노산이 알카리성 아미노산보다 2배 정도였으나, 실험획득피막의 경우는 4배 정도이다. 실험획득피막의 경우 두 모델 시스템 모두에서 디아미노피멜린산이나 뮤라민산이 발견되지 않는데, 이것은 세균이 초기 획득피막 형성에 있어 꼭 필요한 것이 아니라는 것을 의미한다.

혼합침을 이용하여 만든 실험획득피막의 경우 대단히 용해성이 높으며, 획득피막의 아미노산 조성은 원래 타액의 아미노산 조성과 차이가 많다. 또한 악하선과 이하선타액의 조성은 아주 다름에도 불구하고 이 두 타액선의 실험획득피막의 조성은 아주 유사하다. 이러한 사실로 보아 초기 획득피막 형성에 있어 특정 타액 성분이 선택적으로 관여함을 알 수 있다. 실험획득피막의 경우 두가지 모델 시스템에서 모두 포도당 함량이 높은데, 적어도 획득피막 성분으로 포도당을 풍부하게 함유하는 당단백질이 관여함도 알 수 있다. 실험획득피막 형성 2시간 후에 포도당/갈락토오스 비율은 6 이상이며, 이 경우에도 시알산이나 푸코스는 발견되지 않으며, 실험획득피막의 조성은 구강 내의 위치에 상관없이 거의 유사하다.

③ 획득피막의 탄수화물 조성

발치된 치아로부터 유리되는 오래된 획득피막의 경우 PAS(periodic acid Schiff)로 염색이 된다. 그러므로 획득피막은 뮤신으로 구성되어 있다고 짐작하였으며, 결과적으로 탄수화물 조성을 분석하고자 노력하였다. 오래된 획득피막에서 글루코오스, 만노스, 갈락토오스 및 글루코사민이 종이 크로마토그래피에서 검출된다. 치은연상 치석(supragingival calculus)의 샘플에서 리보오스(ribose)가 자주 검출되는데, 이것은 세균에서 기원되었을 것이라 짐작한다. 오래된 획득피막의 탄수화물 조성은 20% 글루코오스, 27% 갈락토오스, 9% 만노스, 18% 퓨코스(fucose), 18% 글루코사민 및 14% 갈락토사민이다. 금방 형성된 획득피막의 경우 글루코오스의 함량이 아주 높다. 즉, 67% 글루코오스, 18% 글루코사민, 9% 갈락토오스 및 6% 만노스로 구성된다. 획득피막에서 글루코오스의 함량이 높다는 것이 초기에는 이해가 잘 되지를 않았는데, 획득피막의 기원이라 생각할 수 있는 당단백질에 글루코오스 함량이 많지 않았기 때문이다. 오래되었거나 신선한 획득피막에서 쉽게 용해되는 물질은 샘플 수집 동안에 쉽게 씻겨 나가기 때문에, 발견된 당질의 대부분은 거대분자나 당화 단백질에서 기인되는 것 같다. 이것은 혼합침의 상층액과 획득피막이 잘 결합하는 하이드록시아파타이트에서 당질 함량을 조사한 결과, 하이드록시아파타이트에 결합하는 단백질의 경우에는 갈락토오스 함량이 높고 약간의 글루코오스와 만노스가 있으며, 퓨코스 경우는 높아서, 이 단백질이 침 당단백질이라는 것을 암시하여주는데 비하여, 반대로 법랑질 획득피막 물질에서 많이 존재하는 당질은 글루코오스이고 갈락토오스는 아주 소량이고, 퓨코스는 거의 발견되지 않는다. 이러한 결과는 획득피막에 존재하는 글루코오스의 대부분은 침 단백질에서 기원되지 않았다는 것을 의미한다.

(3) 획득피막의 형성기전

획득피막의 생성은 침 단백질이 치아표면에 선택적으로 흡착된다는 가설과 침 당단백질이 불용성으로 되어 치아표면에 침착한다는 가설이 있다. 선택적 흡착은 법랑 표면의 전하 때문인데 전하상태는 형성되는 수화층에 의존된다(그림 12-3). 법랑질을 구성하는 하이드록시아파타이트의 표면은 전체적으로 음전하를 띠고 있어서, 표면을 덮고 있는 수화층에서 Ca^{2+}을 사이에 두고 생리적 조건하에서 마이너스 전하를 띠고 있는 단백질, 특히 카르복실기를 가지는 산성 아미노산이나 인산기를 많이 포함한 단백질이 결합한다. 일단 법랑질 표면에 침 단백질이 흡착된 다음에 수소결합이나 소수성 결합 등 다양한 형식으로 타액 성분이 흡착된다.

한편, 타액 성분은 다음과 같은 기전에 의해 가용성(solubility)을 잃어 치아표면에 침착한다고 생각한다. 타액은 분비 후 CO_2를 소실하여 pH가 상승하지만, 인산을 많이 포함한 단백질은 보다 음전하를 띠기 때문에 타액 중의 칼슘과 결합해 복합체를 형성하여 치아표면에 침착한다. 또한 당단백질에 포함되는 시알산이 세균 유래의 뉴라미니다제(neuraminidase 또는 sialidase)에 의해 분해되면 당단백질은 가용성을 잃어 치아표면에 침착한다고 생각할 수 있다. 그러나 무균 동물에서도 치태가 형성되는 것으로 보아 세균은 치태의 형성에 꼭 필요한 것은 아닌 것 같다.

(4) 획득피막의 기능

치태는 타액에 접촉된 직후부터 형성이 시작되어 60~90분에 일정 값에 이른다고 한다. 치태는 법랑질의 보호, 불소이온 등의 보관 유지라고 하는 기능과 함께, 세균의 부착을 촉진한다. 획득피막에는 해로운 점(detrimental aspects)과 잠재적인 이점이 있다고 생각된다. 해로운 점으로는 획득피막이 형성된 후 그 표면에 구강 세균의 부착이 시작되는 것으로 보아 획득피막이 치태형성의 첫 단계임을 알 수 있다. 획득피막의 기능은 *in vivo*에서 법랑질을 보호하는 것이 첫 번째이다. 획득피막은 치아 사이의 마찰과 치아와 구강점막 사이의 마찰을 감소시키는 것으로 믿어진다. 획득피막의 이러한 성질 때문에 저작 시 및 이갈이 등에 의한 치아 마모를 최소화한다.

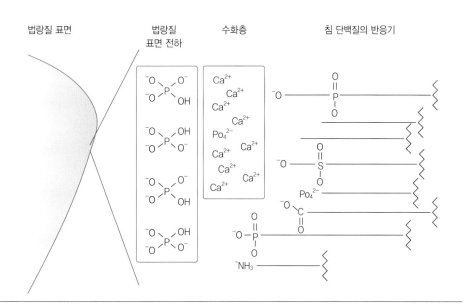

■■ 그림 12-3. 획득피막의 형성 기전의 한 예
법랑질 표면 및 수화층에 침 단백질의 선택적 흡착이 일어난다. Thystrup A, Fejerskov O : Textbook of Cariology, 1986. p47.

① 해로운 점

하이드록시아파타이트는 대부분의 세균과 결합하는 능력을 가지고 있다. *Streptococcus mutans*, *S. sanguinis*, *S. salivarius* 및 *Actinomycetes*는 타액이나 배양되지 않은 잘 세정된 법랑질에서도 발견된다. 그러므로 타액피막(salivary pellicle)은 이들 구강 세균이 부착하는데 필요하지 않다. 그럼에도 불구하고 하이드록시아파타이트는 타액이 피복된 하이드록시아파타이트와는 아주 다른 양상으로 세균이 부착한다. 타액피복은 하이드록시아파타이트에 결합하는 *S. mutans*, *S. salivarius* 및 *A. naeslundii*의 숫자를 감소시키고, 반면에 *S. mitis*와 *A. viscous*는 증가시킨다. 이러한 결과는 획득피막이 적어도 치아 표면에 세균이 초기 부착, 즉 치태형성의 첫 단계에 약간은 관여한다는 것을 의미한다. 치태형성에 있어 또 다른 중요한 역할은 연쇄상구균 글리코실전이효소(streptococcal glycosyltransferase)이다. 실험적인 타액피막에서 직접 합성되는 글루칸(glucan)은 *S. mutans*의 부착을 촉진하는데, 실제로 치태 기질에는 대량의 세포외 다당체(extracellular polysaccharide)가 함유되어 있다. 이러한 다당체는 치태 세균에 수크로오스를 제공하면서 신속하게 형성된다. 이들 세포외 다당체가 획득피막에서 발견되는 대량의 글루코오스에 해당된다.

② 이로운 점

먼저 잠재적인 이점을 살펴보면 교합면에 형성된 획득피막은 상호접촉면에서 윤활작용을 하여 치아의 마모를 방지할 수 있다. 이는 구강건조증 환자에서 타액이 적은 경우 획득피막 역시 적게 생기며 치아의 마모가 심한 것을 임상에서 관찰 할 수 있다. 혼합침의 단백질 함량을 비교하여 보면 치아 마모가 심한 그룹의 경우 0.9mg/mL(0.5~1.6mg/mL)인데 비하여 정상인의 그룹의 단백질 함량은 이 보다 훨씬 높아서 1.6mg/mL(1.1~2.2mg/mL)이다. 한 예로 산성인 콜라를 마시는 경우 타액 획득피막이 존재하는 경우 법랑질의 미란(erosion)이 현저히 감소한다. 이와 비슷한 결과는 탄산소다인 세븐업, 오렌지 주스에서도 보고되었다. 이러한 획득피막의 보호효과 때문에 산성 음료의 소비가 증가하여도 왜 미란이 증가하지 않는지 이해가 된다. 또한 획득피막이 존재함으로써 법랑질에 대한 산의 침습에 대한 방어벽 역할을 하여 산에 의한 탈회를 저하시켜 치아를 보호한다. 나아가 탈회 부위에서는 획득피막이 칼슘과 인산의 이온 확산을 저지하여 탈회부위에서 국소적으로 칼슘과 인산의 농도가 높아져 재석회화 과정을 촉진할 가능성도 배제할 수 없다. 그럼에도 불구하고 획득피막에서 무기성분의 석출은 치석형성의 계기가 되는 "핵형성(nucleation)"의 시작을 의미하기도 한다.

획득피막은 2시간 내에 최고 두께에 도달하며, 신선한 획득피막이 성숙된 획득피막으로 전환된다. 구강 내에서 18시간이 경과하거나 *in vitro*에서 적어도 4일 정도 되어야 획득피막이 탈회에 대해 효과적인 방어 역할을 한다. 이러한 전환 과정에 특정 효소가 계속해서 공급이 되지만 *in vitro*에서 활성을 잃어버리는데 요하는 시간에 해당된다. 이 효소로는 글루타민 전이효소(transglutaminase)가 거론되고 있으며, 협측 상피세포에 의해 구강 내로 분비된다. 이 효소는 타액 점막 피막을 형성하는데 있어 중요한 효소이다. 이 글루타민 전이효소는 많은 침 단백질 사이에 공유결합을 형성할 수 있다. 이렇게 함으로써 글루타민 전이효소는 가교결합(crosslinking)을 하여 보다 미란에 저항성을 갖는 유기필름(erosion-resistant organic film)을 형성한다.

이상의 설명과 같이 획득피막의 기능은 법랑질이 놓인 환경에 따라 좌우된다. 또한 법랑질과 치은의 접촉부위에서 연속적으로 단백질 층이 존재하여 치아표면에 치은상피가 부착하는 데에도 관여할 가능성이 있다.

새로 형성된 획득피막은 타액, 인접 연조직 및 법랑질 표면의 결손 등으로 인해 유래한 세균이 신속하게 침입되어 성장함으로써 여러 곳에 세균집락다란 세균집단을

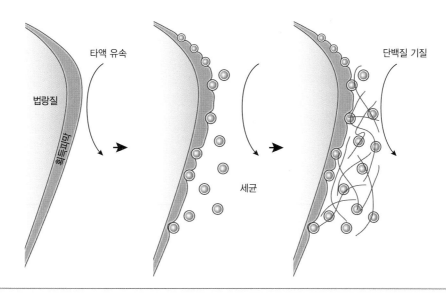

법랑질

타액 유속

획득피막

단백질 기질

세균

■ ▨ ▨ 그림 12-4. 초기 치태형성 기간 중에 획득피막으로 피복된 법랑질 표면에 구강 세균이 침입하여 집락을 성공적으로 형성하는 단계

만들기도 한다. 처음에는 세균은 획득피막의 표면에 존재하나, 곧 접시모양의 함몰 부위에 놓이게 된다(그림 12-4). 이러한 사실은 세균 대사가 활발하다는 것을 의미한다. 세균집락을 이루는 동안에 단백질 기질이 세균 주위에 축적되고, 동시에 세균-단백질 복합체를 형성하여 치태를 형성한다. 특히 이러한 복합체 형성은 치은연 주위에서 보다 활발히 일어나기 때문에 에리스로신(erythrosin)이나 베이식 푹신(basic fuchsin)과 같은 적절한 치태 염색용액(disclosing solution)을 사용하여 검출할 수 있다. 성숙한 치태 내에 인산칼슘 결정이 형성될 수 있는데, 이럴 경우 약 2주 정도 소요되며, 치태가 석회화되면 치석이라 부른다.

(5) 획득피막 이외의 구강 표면의 유기질 피막

법랑질 이외의 구강 표면, 즉 치은낭(gingival pocket) 벽, 치은면, 구강점막, 혀 표면 등에도 숙주 유래의 유기질에 의한 피막이 생긴다. 그 성상은 치태만큼 상세하게 알려지지 않았지만, 치은낭 벽에는 치은열구삼출액 및 박리상피 유래의 유기성분이, 치은면에는 타액 유래의 유기성분, 구강점막이나 혀 표면에는 타액 및 박리상피 유래의 유기성분에서 형성된 피막으로 덮여 있다고 생각할 수 있다. 구강 표면을 덮는 유기질 피막은 구강 표면을 보호하는 기능을 가지지만, 동시에 세균의 부착을 촉진하는 기능도 가진다. 유기질 피막의 특성은 구강 부위에 따라 다를 것이라 예상되기 때문에 그에 따라 적절한 세균이 부착하게 되고, 결과적으로 각각의 구강 표면에 특유의 세균총이 구축되는 요인으로 생각한다.

② 바이오필름 - 미세생태계로서의 치태

구강 표면을 덮고 있는 획득피막 등의 유기질 피막은 구강 세균의 부착을 촉진하여 결과적으로 치태를 형성한다. 세균이 부착하는 데는 두 가지 방식이 있는데 하나는 반 델 발스 힘(van der Waals force)이나 정전기적

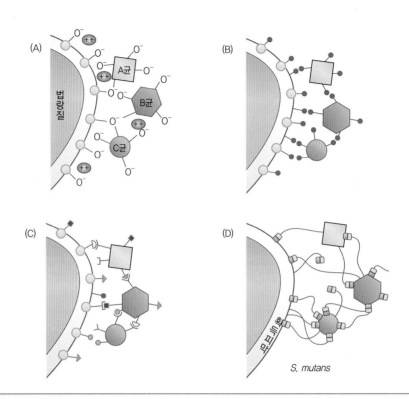

■■▨ 그림 12-5. 세균이 치태에 부착하거나 공응집하는 기전

(A) 정전기적 상호작용. : 2가 양이온(Ca^{2+} 등), $-O^-$: $-COO^-$, $-SO_3^-$, $-PO_3^-$ 등의 음이온 기 (B) 소수성 상호작용. 소수성기(소수성 단백질 중의 소수성 아미노산 잔기나 지방질 중의 지방산 잔기). (C) 아드헤신 수용체 상호작용. 바이오필름(세균 표면의 당 결합단백질, 섬모단백질 등), 수용체(치태에 포함되는 타액 성분이나 세균 표면의 단백질 등). (D) 매트릭스(다당) 합성에 의한 부착 작용. 글루코실전이효소, 점착성 불용성 단백질[뮤탄스 연쇄상(mutans streptococci) 구균이 가지는 글루코실전이효소가 생성하는 불용성 단백질이 한 가지 예이다].

스가 쇼이치(Suga Shoichi, 須賀昭一) 편: 도설 우식학. 이시야쿠출판(医歯薬出版), 도쿄, 1990, 112p.

표 12-3. 세균 표층의 아드헤신과 이에 대응 하는 수용체

Marsh P, Martin MV : Oral Biology. Wright. Oxford. 67, 1999.

세균종	아드헤신	수용체
streptococcus속	Antigen I/II	타액 agglutinin
	Riboteichoic acid	혈액형 당단백질 당 사슬
mutans streptococcus	글루칸 결합단백질	글루칸(glucan)
Streptococcus parasanguinis	35kDa riboprotein	피브린(fibrin)
Actinomyces naeslundii	Type I 섬모	산성 고프롤린 인단백질
Porphyromonas gingivalis	150kDa 단백질	피브리노젠(fibrinogen)
Prevotella loeschii	70kDa lectin	갈락토오스(galactose)
Fusobacterium nucleatum	42kkDa 단백질	*P. gingivalis*

상호작용, 소수성 상호작용 등의 비특이적인 부착(그림 12-5A, B)이고, 두 번째로는 세균 표층에 존재하는 아드헤신(adhesin)이라 불리는 렉틴(lectin)과 유사한 당결합단백질이 유기질 피막에 포함되어 있는 타액 성분이나 세균 유래 성분(수용체, receptor)과 결합하는 특이적 부착이다(그림 12-5C). 나아가 세균 표층의 당 사슬은 다른 세균 표층의 아드헤신에 대한 수용체가 될 수 있기 때문에 세균끼리 공응집(coaggregation)도 할 수 있다. 세균 표층의 아드헤신과 이에 대응하는 수용체를 표 12-3에 표시하였다. 세균은 부착한 환경에서 증식을 시작해 미세집락(micro-colony)을 형성한다(그림 12-6A, B). 또한 공응집한 응집체(aggregates) 등이 서로 부착하여 보다 복잡한 두께가 두툼한 구조체를 이루게 된다(그림 12-6C). 이 때 세균 및 균체 사이에 기질이라 불리는 다당을 주체로 한 고분자 집합체를 생성해 균체 사이를 매몰한다(그림 12-6B, C, D).

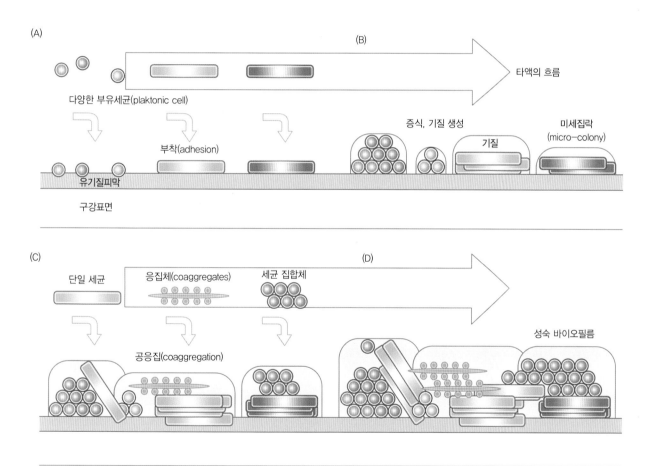

■ ▥ 그림 12-6. 바이오필름과 치태형성과정

환경 중에 부유하는 세균은 유기질 막 상에 접착해 초기 정착한다. 이들 세균은 증식하여 다당체 기질(matrix)을 생성해 미세집락을 형성한다. 나아가 다양한 세균이나 세균 응집체가 공응집함으로써 후기 정착하여 입체적인 구조를 가지는 바이오필름이 된다. 치은연상 치태의 경우 구강 표면인 법랑질에 유기질 막에 덮여 치태가 된다. 왼쪽에서 오른쪽으로 흐름은 타액이 된다.

Rickard AH, Gilbert P, High NJ, Kolenbrander PE, Handley PS : Bacterial coaggregation: an integral process in the development of multi-species biofilms. Trends Microbiol, 11:94-100, 2003.

표 12-4. 치태 중의 주된 다당류와 그 성질

다당류	구성하는 탄수화물	결합 방법	특징
균체외 다당류(extracellular polysaccharides)			
동질 다당(homopolysacharide)			
불용성 글루칸	글루코오스	α-1,6-결합에 결합 곁가지 구조를 가짐	세균에 의한 분해에 매우 저항성, 균체간, 균체와 치태와 같은 균의 구조물간 부착에 관여 물에 불용성
수용성 글루칸	글루코오스	α-1,6-결합이 주 결합임	
프럭탄(fructan)	프룩토오스	β-2,6-결합 β-2,1-결합	수용성 세균의 에너지 저장
이질 다당(heteropolysaccharide)			
이질 글리칸	글루코오스, 갈락토오스 헥소사민(hexosamine) 등		
균체내 다당(intracellular polysaccharide)			
균체내다당	글루코오스	α-1,4-결합 α-1,6-결합	전분이나 글리코겐의 중간

이러한 입체적 구조체를 바이오필름(biofilm)이라고 불러, 치태도 그 일종이라 파악할 수 있다. 바이오필름은 물체의 표면에 미생물이 존재하는 양식을 보고 1995년에 코스터톤(Costerton JW) 등에 의해서 개념화되었다. 물체 표면의 조건 조절층이라 부르는 유기질 피막 위에 다수의 미생물이 스스로 생성한 균체외다당을 주성분으로 하는 기질과 함께 접착해 삼차원 구조를 가지는 필름을 형성한 것으로 많은 종류의 미생물로 구성되는 생태계를 이룬다. 오늘날 배수관 벽을 피복하고 있는 점액(slime)으로 인한 판막성 심내막염(valvular endocarditis) 등의 사람 감염증, 요도 카테터(catherter)나 콘택트렌즈 표면 등의 의료기구 표면까지 아주 광범위한 미생물성 질환의 원인으로 바이오필름의 개념이 받아들여지고 있다. 치의학 분야에서도 치태나 설태 뿐만 아니라

의치의 치태나 치과재료 표면, 치과치료 유닛(unit)의 배수관의 관리 등을 생각하는데 중요하다. 구강 세균이 생성하는 다당, 즉 균체외다당체를 표 12-4에 표시하였다. 뮤탄스 연쇄상구균(mutans streptococcus)은 글루코실전이효소(glucosyltransferase)에 의해 합성되는 불용성 글루칸이 한 가지 예로 강한 세균 부착능을 가진다(그림 12-5D). 뮤탄스 연쇄상구균은 충치균이라고도 하며, *Streptococcus mutans*와 *Streptococcus sorbinus* 두 균종 등을 포함한 7균종의 총칭으로 사람에서는 앞의 두 균종이 발견되고, 7균종 중 다른 5균종은 원숭이, 햄스터와 쥐 등 동물에서 분리되는 균종이다. 치아 표면이 유일한 서식지로 구강 외에 거의 상주하지 않는다. 그리고 그 감염은 2세 전후의 유아시기에 엄마의 침을 통해 일어나는 것으로 생각 한다. 일단 치아 표면

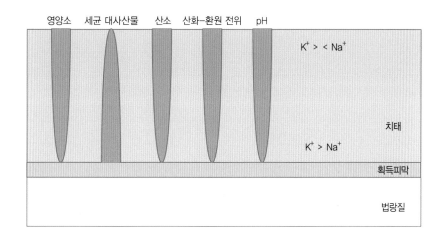

영양소 세균 대사산물 산소 산화-환원 전위 pH

$K^+ > < Na^+$

치태

$K^+ > Na^+$

획득피막

법랑질

■ 그림 12-7. 법랑질상의 치태의 농도 구배

여러 가지 환경 인자는 표면에서 제일 깊은 심층에 걸쳐 구배를 형성한다. 예를 들어, 산소 농도는 제일 바깥층에서 심층으로 갈수록 종축으로 저하됨에 따라 산화 환원 전위도 저하되어 간다. Marsh P, Martin MV : Oral Microbiology. 4th Ed. Wright, Oxford, 63, 1999.

에 뮤탄스 연쇄상구균이 정착하면 설탕을 사용하여 치아 표면에 강한 치태를 만들고, 평생에 걸쳐 서식하고 우식증의 원인이 되기도 한다.

법랑질상의 치태라는 바이오필름은 두께가 수백 μm인 미세한 삼차원 구조를 가지고 있지만, 표층과 심층에서의 환경 인자가 다르다(그림 12-7). 또한 바이오필름의 내부는 구강의 환경 변화에 대한 영향을 받기 어렵고, 항균제 등의 약제 농도도 점점 쇠약해져, 제일 안쪽 까지는 용이하게 도달할 수가 없다. 바이오필름이라고 하는 구조를 가지는 치태에는 실제로 30속(genus)에서 500종 이상의 아주 다양한 종류의 세균이 고밀도로 생식하고 있어 이 세균 무리를 세균총(microflora)이라 부른다.

1) 바이오필름의 생화학적 이해

(1) 바이오필름

세균 등의 세균 집단이 점착성이 강한 매트릭스(기질)에 싸여 얇은 막 형태로 고체 표면에 강하게 부착된 것을 바이오필름이라 한다. 바이오필름은 자연계 거의 모든 장소에서 볼 수 있다. 강, 호수, 토양, 수도관, 심지어 사람의 내부 장기인 치아나 콘택트렌즈 표면 등에서도 발견된다. 그러므로 치태는 치아 표면에 부착된 바이오필름의 일종으로 생각할 수 있다. 침 내의 부유 세균은 타액 항균인자의 공격을 받기 쉬운데다가 타액과 함께 삼켜지게 된다. 그렇지만 바이오필름으로서 고체에 단단하게 부착되면 타액의 세정 작용으로 씻겨지는 것이 불가능해진다. 또한 침 내의 항균인자, 항균제나 소독약 등의 약제는 바이오필름 표면의 세균만을 공격하고 내부 세균까지는 침투하지 못한다(그림 12-8). 세균은 이러한 특수한 환경을 만듦으로써 구강 내에 정착 및 증식할 수 있게 된다. 성숙한 두꺼운 치태는 타액에 대해 장애물이 되기 때문에 타액이 침투하기 어렵지만, 치태의 일부에 물의 통로가 형성됨으로써 치태 내부로의 수분이나 영양 공급 및 외부로의 노폐물 배출이 가능해진다.

그렇다면 우리는 왜 바이오필름에 이렇게 관심을 기울여야 하는가? 바이오필름의 독특한 형태 때문에 바이오필름 내의 세균은 항생제에 대한 강한 내성을 나타내 치료가 어려울 뿐만 아니라 매년 수많은 환자들이 병원에서 감염되어 입원기간이 연장되고, 수술을 하거나, 심

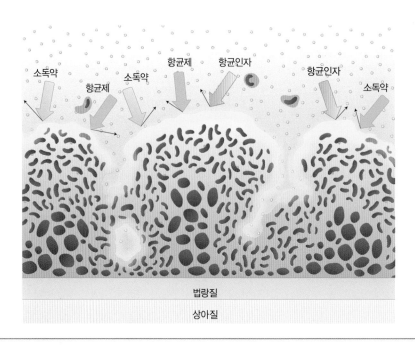

법랑질

상아질

■■ 그림 12-8. 바이오필름과 치태

바이오필름의 바깥쪽에 존재하는 세균의 경우 소독약, 항생제 및 타액의 항균인자에 의해 직접 영향을 받지만, 내부에 존재하는 세균의 경우 매트릭스에 의해 보호를 받는다.

지어 죽음에 이르기까지도 하기 때문이다. 바이오필름은 일반적인 급성 중이염, 심장내막염, 낭포성 섬유종을 유발하기도 하고 수냉 및 공랭식의 냉온방기의 분배관에서 떨어져 나온 레지오넬라는 바이오필름으로 야기되는 급성 기도염증인 레지오넬라증을 야기하기도 한다.

치태는 일종의 전형적인 바이오필름으로, 구강 내 상주균인 미생물이 치아표면에 부착하거나 독특한 방법으로 다른 세균과 부착한 것으로, 그 중에서도 특히 세균 상호간에 영양학적으로 이득이 있거나, 생리적으로 상호관계가 유지되는 경우에 지속적으로 서로 상호의존하게 된다. 즉, 한 세균의 최종 대사산물이 다른 세균의 영양소가 되는 경우 등으로 이 두 세균은 서로 한 바이오필름 내에서 같이 공생할 수가 있다. 이러한 세균 연합체의 중요한 세균 중 하나가 혐기성 그람음성세균인 푸소박테리움 뉴클레아툼(*Fusonacterium necleatum*)으로 다양한 치태 세균과 응집체를 이룰 수 있다(그림 12-9).

자원자를 대상으로 치태가 성숙하는 과정에서 9일 동안 치태 세균 내 변화를 연구한 결과, 호기성 연쇄상구균은 46%에서 36%로 감소됨에도 불구하고, 치태 내에 가장 많이 존재하는 우세집단이며, 혐기성 방선균은 0.18%에서 23%로, 푸소박테리움 뉴클레아툼은 0.02%에서 0.9%로 급격하게 증가함을 알 수 있다(그림 12-10).

푸소박테리움 뉴클레아툼은 대사의 다양성과 치태 내의 환원력을 낮출 수 있는 능력이 있어 치태형성에 있어 중추적인 역할을 한다. 자연계 바이오필름에 존재하는 세균은 살기 좋은 환경보다 좋지 못한 환경에 더 자주 노출되기 때문에 독특한 방식으로 적응하여 살아남을 수 있어 많은 관심을 끌게 되었다. 세균은 환경변화를 감지하는 복잡한 기전을 가지고 있는데, 이를 적정밀도 인식(quorum sensing)이라 하며, 좋지 못한 환경에서 살아남을 수 있도록 도움을 주는 유전자를 발현시켜 일련의 단백질을 합성함으로써 외부 환경에 적응할 수 있다.

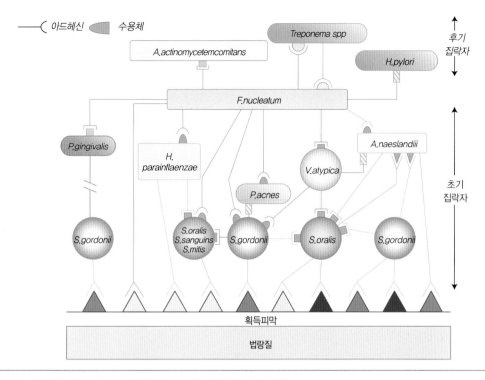

■ ▨ **그림 12-9. 치태형성에 있어 푸소박테리움 뉴클레아툼의 중심적 역할**

푸소박테리움 뉴클레아툼은 다른 세균과 결합할 수 있는 다양한 항원이나 수용체를 가지고 있어서, 그 세균 수는 많지 않으나, 다양한 세균이 바이오필름을 형성하는 데 있어 중심적 역할을 한다.

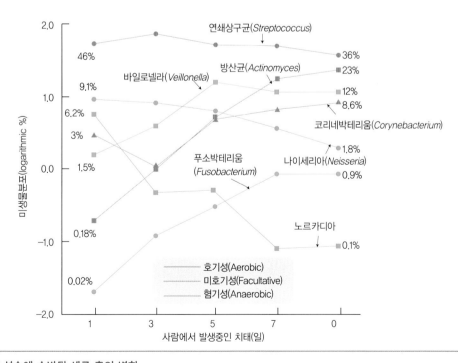

■ ▨ **그림 12-10. 치태 성숙에 수반된 세균 총의 변화**

그래프 내의 숫자%는 1일 및 9일 째 치태 내에 존재하는 세균의 백분율을 나타낸다.

(2) 적정밀도 인식

바이오필름 형성에 중요한 적정밀도 인식이란 무엇인가? 일반적으로 환경에 대처하기 위한 세포-세포간 신호로, 세균은 환경의 변화에 반응하여 특정한 분자를 합성하여 세포외로 배출하고 섭취하는 방법을 사용하는 소통방법이다. 이러한 신호를 "적정밀도 인식(quorum sensing)"이라 하며, 이때 신호를 매개하는 분자를 오토인듀서(autoinducer)라 한다. 쿼럼이란 정족수 또는 적정 밀도를 뜻하는 단어로, 세균의 개체수가 얼마 되지 않을 때는 이런 신호전달이 일어나지 않으나, 개체수가 증가하여 오토인듀서의 농도가 일정수준 이상이 되면 자신들의 개체밀도를 감지하게 된다. 또한 세균은 적정밀도 인식을 통하여 개체 수뿐만 아니라, 스트레스를 비롯한 주변 환경의 변화를 감지하여 세균이 이에 적응할 수 있도록 도와준다. 영양소 부족, 동일 영양소를 사용하는 미생물과의 경쟁, 주변 독성 화합물의 증가 등의 환경변화를 감지하는 것이다.

그렇다면 바이오필름은 어떻게 형성될 수 있는가? 물이 존재하는 경우 부유 중인 세균이 고체성의 표면(예를 들면 치아의 법랑질)에 부착한다. 표면에 부착된 세균이 계속 성장하여 집락을 이루면서 적정밀도를 넘게 되면 다른 세균들과 상호 협동하며 집락이 더욱 커지는데, 가장 바깥쪽의 세균은 내부의 세균을 보호하는 물리적인 방어벽 역할을 한다. 결과적으로 살균제나 항생제 및 항균인자와 같은 약물이 방어벽(제일 바깥쪽의 세균)을 통과하지 못해 바이오필름 내의 세균은 이들 대부분 약제의 표적에서 벗어날 수 있게 된다. 즉, 적정밀도 인식에 의한 세균간의 화학적 신호에 의해 세포외기질을 형성하여, 여기에 미세집락을 형성하고, 미세집락과 집락 사이로 만들어진 수로 간의 네트워크를 형성한다. 미세집락 내의 세균들은 그 존재 위치에 따라 서로 다른 환경을 경험하며, 이들 미세집락이 성숙하여 많은 균주들이 커다란 집락을 이루게 된다. 이런 상태에서 바이오필름 내 환경은 동일하지 않아 중심부는 영양소 농도가 낮고, 외곽층은 영양소가 보다 풍부하여 다양한 환경 영역이 형성된다.

(3) 바이오필름으로서의 치태

치태는 겔 형태의 기질 내에 치밀한 세균집락의 복합 덩어리로 형성된 일종의 바이오필름으로 치주질환의 원인이 된다. 이들이 두꺼워지고 증식하는 것을 차단하지 않는 경우에 24시간 내에 석회화되어 치석을 형성한다. 일단 석회화가 되면 쉽게 제거되지 않으므로 전문가에 의해 제거되어야 한다. 그러므로 24시간 내에 칫솔질에 의해 이를 예방하는 것이 중요하다.

치태는 숙주에서 유래된 바이오필름으로 구강 내 상주균이 숙주와 균형을 잘 맞추는 경우에 건강한 치주상태를 유지하지만, 균형이 교란되는 경우에는 숙주와 구강 내 상주균 사이의 균형이 무너져 치주조직의 파괴가 일어난다. 치태는 치아표면이나 구강 내 다른 경조직 표면에 부착된 연질의 축적물이라 정의할 수 있다.

치태가 형성되기 위해서는 초기에 획득피막이 형성되어야 하는데, 이는 타액이나 치은 열구액에서 유래한 당단백질이 치아표면을 피복하는 것이다. 획득피막은 주변 환경의 거대분자가 선택적으로 흡착되어 형성된다. 하이드록시아파타이트 표면은 음전하를 띠기 때문에 타액선이나 치은열구에서 유래한 양전하를 띠는 물질과 잘 결합한다. 획득피막은 보호 장벽으로 작용하기도 하고, 윤활작용을 나타내기도 하지만, 세균이 잘 결합할 수 있는 환경을 조성해 주기도 한다.

타액은 획득피막과 어떤 연관성을 갖을까? 획득피막이란 치아의 무기질 표면상의 0.1~10µm 두께로 있는 거대분자 물질을 말한다. 하이드록시아파타이트의 선택적인 흡착에 의해 침 단백질, 혈장 단백질 및 세균 유래 산물과 반응하여 형성되며, 확산의 장애물로 작용하여, 세균의 대사과정에 형성된 산의 확산을 억제하여 산에 의해 용해되는 칼슘과 인산이온의 소실을 억제한다. 일반적으로 단백질 농도가 높은 경우에 경조직 표면에 더 많은 단백질이 흡착된다. 타액이나 치은열구에서 유래한 단백질은 선택적으로 치아 표면에 흡착될 수 있다. 이러한 흡착 양상은 표면 장력과 표면 에너지에 의해 좌우된다. 초기에는 타액 유래 이온(칼슘과 인산이온 등)이 전기화학적 상태에 따라 치아 표면에 먼저 흡착되고, 이어서 단백질이 흡착된다. 타액에서 본래 전하를 띠던 단백질이 칼슘이나 인산이온과 결합해 있다가 상대적으로 움직이지 않는 고정층 이온과 교환을 하며 부착된다. 표면에 직접 접촉해 있는 교환 가능한 이온이나 같은 전하를 띠는 이온을 고정층에 있다고 말하며, 전하가 고정되는 경우 분자축전지를 형성하였다고 한다. 이 고정층에는 물이 많이 들어 있어 수화층이라고도 한다.

또한 침 내에 있는 전하를 띠는 단백질들은 소수성 부위와 친수성 부위를 모두 가지고 있어 양친매적 성질을 가지고 있기 때문에 분자 내 전하 분포로 인해 응집체, 또는 미셀 유사구조로 존재한다. 그러므로 법랑질 표면에 형성되는 획득피막은 이러한 미셀 유사 응집체가 관여한 것이라 생각할 수 있다. 그렇다면 타액, 미셀 유사 응집체 및 구강 내 바이오필름 간의 관계는 무엇일까? 이를 확인하기 위하여 아미노산 분석, 전기영동, 면역학적 분석 및 임상 관찰을 하였다. 침 미셀은 뮤신(MG2), 분비형 면역글로불린 A(sIgA), 락토페린, 아밀라아제, 고프롤린 함유 당단백질(PRP) 및 라이소자임을 함유하는 복합체이다. 일반적으로 타액에 존재하는 단백질은

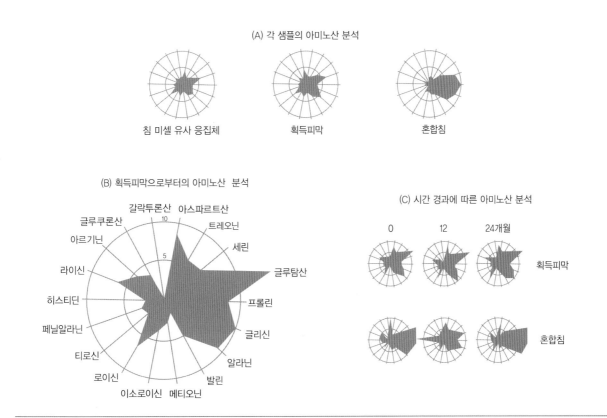

■ ▥ 그림 12-11. 침 미셀 유사 응집체

획득피막 및 전 타액의 아미노산 분석 결과. (A) 미셀과 획득피막은 거의 유사한 양상을 나타내나, 전 타액은 완전히 다른 양상을 나타낸다. (B) 획득피막의 경우 나이나 개인차가 거의 없이 일정한 패턴을 갖는다. (C) 획득피막의 경우 같은 사람에서 0, 12 및 24개월 후에 시료를 분석해도 같은 양상을 나타내나, 전 타액의 경우 시료 채취시기에 따라 아미노산 패턴이 완전히 다름을 알 수 있다.

대략 2mg/mL로 40여 종류의 단백질이 존재하며, 이하선타액의 경우 60~70%가 고프롤린 함유 단백질로 양친매적인 성질을 갖는다. 타액 유속은 위치에 따라 각 타액선의 영향을 받기 때문에 차이가 있다. 침 단백질은 뮤신 1(MG1)과 같이 분비량이 많은 것부터 분비형 면역글로불린 A(sIgA), 뮤신 2(MG2), 락토페린, 퍼옥시다아제, 아밀라아제, 탄산 탈수소효소, 고프롤린 함유 당단백질, 라이소자임, 스타테린, 히스타틴 등 분자량이 작은 것까지 다양하게 존재한다. 침 단백질은 양치매적인 성질을 가지고 있어서 소수성인 꼬리 부분과 친수성인 머리 부분으로 이루어진다. 이들은 마치 비누에서 미셀을 형성하듯 소수성 꼬리 부분은 안쪽으로, 친수성인 머리 부분은 바깥쪽으로 배열하여 미셀을 형성한다. 이것이 타액에서 볼 수 있는 미셀 유사 응집체이다. 직접 타액을 모으거나 타액 응집체를 분리하거나, 법랑질에서 획득한 획득피막을 아미노산 분석한 결과 타액 응집체와 획득피막은 별 차이가 없으며, 개인에 따라서도 연령이나 개인차가 거의 없다. 그러나 혼합침의 경우 아미노산 분석 결과는 연령과 개인차가 많이 난다(그림 12-11).

사람의 혼합침, 법랑질 획득피막 및 침 미셀 응집체의

단백질 조성을 전기영동으로 분석해본 결과 혼합침과 법랑질 획득피막 사이에는 별 유사성이 나타나지 않았으나, 미셀 유사구조와 획득피막 사이에는 유사성이 높다(그림 12-12).

또한 임상적으로 구강 내 획득피막 형성은 구강 내 세균 수와 일치하여 타액에 의한 세균 흡광도 변화와 일치한다. 임상적으로 두꺼운 획득피막에서 전기영동상이나 웨스턴 블롯 분석을 통해 뮤신(sMGs)이 존재함을 확인할 수 있다. 치아 마모도 관련성에 있어 시간 경과에 따라 흡광도 변화를 볼 경우 정상적인 치아 마모를 가진 환자에서 약 200분 정도 방치할 경우 상당량의 미셀 유사 응집체 또는 타액 응집체가 형성되는 데 비하여, 치아 마모가 심한 환자의 경우 이들 형성 양이 현저하게 적은 것을 볼 수 있다. 침 내의 단백질 양을 검사할 경우 정상인은 평균 1.6(1.1~2.2)mg/mL인데 비해 치아 마모가 심할 경우 단백질 양이 0.9(0.5~1.6)mg/mL로 현저히 저하되어 있다.

이상의 여러 실험결과나 임상관찰로 보아 획득피막은 미셀 유사구조에서 유래되었음을 알 수 있다. 이를 방치할 경우 여기에 구강 내 세균이 선택적으로 흡착되어 치

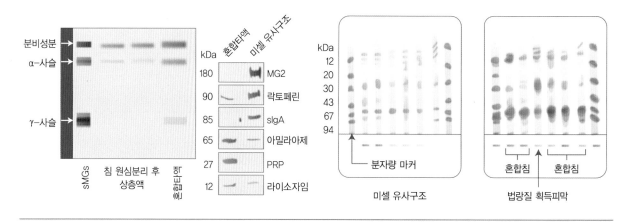

■■■ 그림 12-12. 미셀 유사 구조와 법랑질 획득피막 및 전 침(혼합침)의 단백질의 전기영동상'

미셀 유사구조와 법랑질 획득피막의 단백질 패턴은 아주 유사하나, 전 타액과는 아주 판이하게 다름을 알 수 있다.

태가 만들어 진다고 생각할 수 있다. 즉, 미셀 유사 구조가 치아 표면에 형성되고 바이오필름을 만들 수 있는 기질로 작용한다 생각할 수 있다.

참고문헌

1. Cole AS, Eastoe JE Biochemistry and Oral Biology. Butterworth & Co. 1988.

2. Ferguson DB : Oral Bioscience. Authors Online Ltd. 2006.

3. 박광균 : 경조직 및 구강 생화학-분자세포생물학. (주) 라이프사이언스. 2013.

4. 하야카오 타로오, 스다 타츠오, 키자키 하루토시, 하타 유이치로, 타카하시 노부히로, 우다가오 노부우기 : 구강생화학. 4판. 이사야쿠출판. 2005.

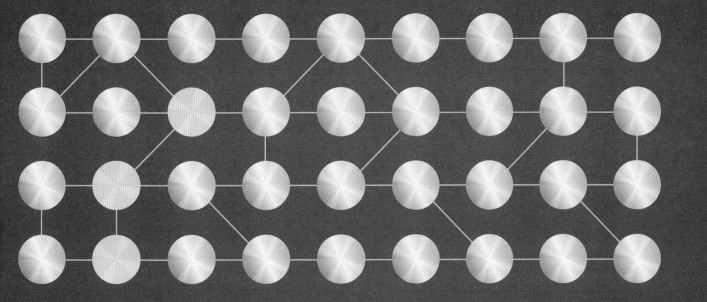

치아우식증은 흔히 일반인들이 알고 있는 '충치'의 정식 학술 용어로 치아에서 가장 흔히 볼 수 있는 대표적인 질환이다. 치아우식증은 어린 시절의 가장 흔한 예방이 가능한 질환이며, 모든 사람은 생애 전반에 걸쳐 질환에 감수성이 있다. 치아우식증은 구강 통증과 치아 상실의 제일 큰 원인이다. 이 질환은 초기 단계에서 진행을 억제(arrest)할 수도 있으며, 되돌릴 수 있는 가능성도 있지만, 자기 제어가 되지 않으며, 적절한 치료가 없는 경우 치아가 파괴될 때까지 진행된다. 치아우식증이란 식이 탄수화물을 세균이 발효하여 생성되는 부산물인 유기산에 의해 치아 경조직이 국소적으로 파괴되는 것으로 정의할 수 있다. 우식성 탈회(carious demineralization)의 징후는 치아 경조직에서 볼 수 있지만 병의 경과는 치아 표면을 피복하고 있는 세균성 바이오필름(치태)내에서 시작된다. 더군다나 법랑질 상에 나타나는 아주 이른 시기의 변화는 전통적인 임상 방법이나 방사선 사진으로는 검출할 수가 없다. 치아우식증은 복잡한 바이오필름 내에서 미생물의 전이(shift)로 시작되는 다인자성 질환

이며, 타액 유속과 조성, 불소 노출 여부, 식이 당질의 소비 및 치아 세정과 같은 예방적 행동에 의해 영향을 받는다. 밀러[Willoughby D. Miller(1853~1907)]는 미국의 치과의사이며 세균학자이기도 했다. 화학, 물리학 및 응용수학과 같은 광범위한 기초지식을 가지고 치과의사의 길로 나아가, 임상을 하면서 계속적으로 기초치의학 연구를 계속했다. 1890년 연구의 집대성을 이루어, "Micro-organism of the Human Mouth(사람 구강의 미생물)"을 출판함으로써 치아우식증의 산탈회설을 밝혀 우식학의 확고한 기초를 이루었다.

2010년도 국민 구강건강실태조사 결과에 따르면 각 국가의 구강 건강수준을 평가하는 국제적 척도인 "만 12세 아동의 치아우식증 경험 치아 수"가 2.08로 과거 10년 동안에 많이 감소되어 개선된 것 같으나, 국제적으로 비교해 보면 치과 선진국이라 할 수 있는 나라들에 비해 2~3배나 되어 우리나라의 구강 건강실태는 아직도 미흡한 실정이다(표 13-1). 1970년도에 비해 1995년에 치아우식증 발생은 무려 5배 이상 증가하고 있는데, 이는 아마

표 13-1. 만 12세 아동의 영구치 치아우식증 발생에 대한 국가간 비교
대한치과의사협회 치과의료정책연구소, 2010.

국가	조사 년도	영구치의 치아우식증 경험(%)	1인 평균 보유 치아우식증 경험 영구치아 수(개)
한국	2010	60.5	2.08
	2006	61.0	2.16
	2003	75.9	3.25
	2000	77.1	3.30
호주	2000	35.1	0.8
덴마크	2005	36.1	0.8
네덜란드	2002	32.0	0.8
노르웨이	2000	52.0	1.2
영국	2002	53.7	1.5

도 식생활 개선으로 당질의 섭취가 증가된 결과로 해석된다. 그러므로 개개인 각자가 식생활 과정에서 치아우식증 유발성이 높은 설탕 대신에 치아우식증 유발 가능성이 낮은 대체감미료(인공 감미료)를 대신 사용하여 치아우식증을 예방할 수도 있을 것이다.

치아우식증이 치주질환과 함께 치과질환 중 양대 질환으로 치의학 교육의 대부분 분야에서 각각의 입장에서 다방면으로 배우게 되지만 여기에서는 생화학적인 입장에서 치아우식증의 발생 기전을 중심으로 다룰 것이며, 설탕을 대신하는 저우식성 감미료 및 비우식성 감미료를 소개할 것이다.

① 치아우식증 발생의 구조

치아우식증(dental caries)의 초기 발생부위로 생각되는 법랑질은 95%가 하이드록시아파타이트(hydroxyapatite)이며 거의 무기질로 구성된다. 세포, 혈관, 신경이 없어서 이른바 생물학적인 기능이 전혀 없는 조직이다. 이러한 특징을 가지는 법랑질이 그 표면에 부착하고 있는 구강 내 상주 세균이 생성하는 산에 의해 용해되어 가는 과정이 치아우식증이다. 오늘날 세균이 우식 발생이 일어나는데 있어 꼭 필요한 인자중 하나로 분명하게 밝혀졌지만, 세균이 병원균으로서 일으키는 많은 감염증의 경우와는 다음의 2가지 측면에서 아주 다르다.

① 일반적으로 감염증의 경우 병원균이 건강한 사람의 몸에 존재하지 않고, 외부에서 침입한 세균에 의해 일어나는 이른바 외인성 감염증인데 비해, 치아우식증의 경우에는 건강한 사람의 구강 내에 상주하는 세균이 주된 원인이 되는 내인성 감염증이다.

② 치아우식증 발생에 의한 증상으로 초기에 법랑질은 치아우식증에 대한 염증 등 이른바 생체 방어 반응은 없고, 일방적으로 세균이 생성하는 산에 의해 하이드록시아파타이트가 용해되는 것이다.

치아우식증은 산을 생성하는 세균과 세균이 대사할 수 있는 기질 및 치아와 침을 포함한 많은 숙주 인자와의 상호작용 결과로 발생한다. 치아우식증은 치아 미네랄과 구강 미생물 바이오필름 사이의 생리학적 균형에 있어 생태학적 불균형의 결과이다. 구강 세균은 세포에 의해 분비된 다당류(polysaccharide), 단백질 및 DNA와 같은 유기기질 내에 캡슐에 싸인 미세 집락(microcolony) 안쪽의 치아 표면에 산다. 그럼으로써 건조, 숙주의 방어 및 포식자로부터 보호를 받고, 항생제에 대한 내성을 증강하게 된다. 그렇기 때문에 실제로 치아우식증의 발생 기전은 결코 단순한 것이 아니고, 여러 가지 인자가 복잡하게 얽혀 비로소 발생하는 극히 복잡한 다인자성질환이다.

치아우식증 또는 우식증이라는 용어는 우식증 경과와 우식증 경과의 결과로 형성된 우식 병소(caries lesion, 우식와동이 형성되었거나 형성되지 않은 경우 모두를 포함한다) 둘 다를 동정하기 위해 사용된다. 임상에서 치과의사나 건강 관련 종사자 및 환자는 종종 치아의 우식와동과 같은 이미 형성된 우식 병소를 치아우식증으로 생각한다. 우식와동(cavity) 또는 치아우식 표면은 질환 경과의 결과로 상당히 진행된 질환의 징후이다. 치아우식증은 병의 정도가 더 심각해지는 질환상태의 연속으로 무증상 표면하 변화와 같은 분자수준에서 실제적인 표면이나 분명한 우식와동을 나타내는 상아질 침범을 가지는 병소까지 광범위한 치아 파괴까지 포함한다(그림 13-1).

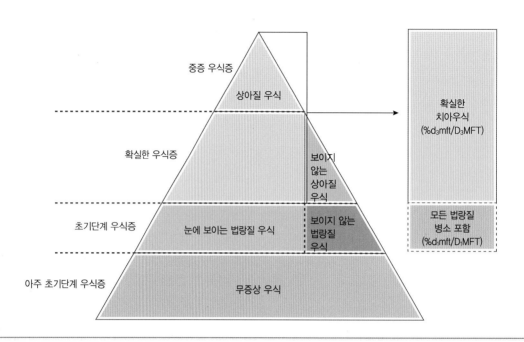

■ ▓ ▓ 그림 13-1. 치아우식증에 대한 빙산 비유(iceberg metaphor) 모식도

치아우식증의 정도를 임상적으로 구분하는 감별진단 문턱(differential diagnostic threshold)에서 점수화한(scored) 치아우식증 단계를 확인하기 위한 모식도로, 치아우식 경험을 양적으로 나타내기 위해 우식치(decayed), 소실치(missing) 및 충전치(filled teeth)를 확인하여 유치는 dmf, 영구치는 DMF 인덱스(index)로 사용하였다. 아래 첨자는 사용된 진단 컷오프(diagnostic cut-off)로 d_1/D_1은 법랑질이나 상아질 치아우식증에 해당되며, d_3/D_3은 오직 상아질 치아우식증에만 해당된다.

Pitts N: ICDAS- an international system for caries detection and assessment being developed to facilitate caries epidemiology, research and appropriate clinical management. Community Dent Health 21:193-198. 2004..

1) 법랑질의 탈회

(1) 산탈회설과 산에 의한 법랑질의 탈회

치아우식증 발생 기전에 대해서는 역사적으로 다양한 학설이 제창되어 왔지만, 산탈회설[화학세균설 또는 화학기생설(chemicoparasitical theory)]이 법랑질의 용해를 설명하는 학설로서 아주 광범위하게 받아들여지고 있다. 산탈회설은 "치태 세균의 당대사에 의해서 생성된 산이 치아우식증을 발증시킨다"라고 하는 것으로, 밀러(Miller WD)가 1890년에 제창한 학설이다.

법랑질의 95%를 차지하는 하이드록시아파타이트(hydroxyapatite, HA)의 용해성은 다음과 같다. 하이드록시아파타이트가 용액에서 평형상태에 있는 경우, 이

것을 단순화하여 식 (1)과 같이 나타내면,

$$HA + H^+ \leftrightarrows Ca^{2+} + HPO_4^{2-} \quad \cdots\cdots\cdots\cdots\cdots \quad (1)$$

질량작용의 법칙에 의해서 그 평형정수 K_{eq}는,

$$K_{eq} = \frac{[Ca^{2+}] \, [HPO_4^{2-}]}{[HA] \, [H^+]} \quad \cdots\cdots\cdots\cdots\cdots \quad (2)$$

로 나타내진다. 식 (1)에서 분명한 것은 하이드록시아파타이트의 용해를 지배하는 인자는 수소이온농도 ($[H^+]$)와 용액에 공존하는 칼슘이온농도($[Ca^{2+}]$) 및 제2인산이온농도($[HPO_4^{2-}]$)이다. 온도 등의 조건이 변하지 않는 한

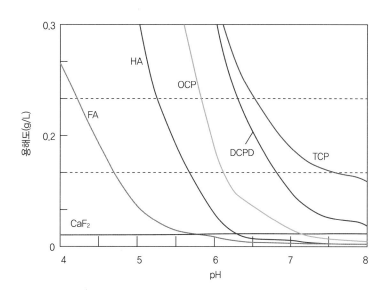

■▦ ▦ 그림 13-2. 하이드록시아파타이트, 불화아파타이트의 pH에 의한 용해도(g/l) 변화

하이드록시아파타이트[$Ca_{10}(PO_4)_6(OH)_2$, hydroxyapatite, HA], 플루오르아파타이트[$Ca_{10}(PO_4)_6F_2$, fluoroapatite, FA], 옥타칼슘인산 [$Ca_8H_2(PO_4)_6\cdot5H_2O$, octacalciumphosphate, OCP], 제2인산칼슘($CaHPO_4\cdot2H_2O$, dicalciumphosphate dihydrate, DCPD), 트리칼슘인산 (tricalcium phosphate, TCP), 불화칼슘(CaF_2).

Hagen AR : The stoichiometric solubility of calcium orthophosphates. Scand J Dent Res, 83(6):333-338, 1972.

K_{eq}는 일정하기 때문에, 용액의 pH가 저하, 즉 [H^+]가 증가하면, 하이드록시아파타이트가 H^+와 반응하여 용해되어 [Ca^{2+}]와 [HPO_4^{2-}]가 증가하는 것으로 평형이 유지된다. 이것이 탈회(demineralization)라고 하는 현상이다. 예를 들어, pH가 7에서 5로 저하했을 경우, pH = − log [H^+]로 나타내지므로, [H^+]는 1×10^{-7} M에서 1×10^{-5} M로 100배 증가하게 된다. 따라서 pH 5에서는 식 (2)의 분모는 pH 7의 경우에 비해 실제로 100배 커진다. K_{eq}는 상수 값으로 일정하기 때문에 식 (1)은 우측 방향으로 이동해 [Ca^{2+}]와 [HPO_4^{2-}]가 증가한다. 이것이 치태 중에서 산 생성에 의해서 치아우식증의 발생 기전을 설명하는 산탈회설의 기초이다. pH와 하이드록시아파타이트의 탈회 정도의 관계는 그림 13-2와 같이 된다. 급속히 탈회가 시작되는 pH는 대략 5.5 정도이며, 이 pH를 임계 pH(critical pH)라 부른다.

하이드록시아파타이트의 탈회는 용액에 존재하는 [Ca^{2+}]나 인산이온농도의 영향은 받는다. 예를 들어, 이러한 이온이 고농도로 존재하는 환경에서는, 식 (2)에서 하이드록시아파타이트는 탈회되기가 쉽지 않다는 것이 예상 된다. 한편, 이러한 이온을 포함하지 않는 용액(예를 들어 증류수) 중에서는 비록 중성 pH에서도 하이드록시아파타이트는 용해하게 된다. 정상적인 침은 하이드록시아파타이트에 대해 과포화 상태로 Ca^{2+}와 인산이온이 포함되어 있다는 사실은 그 의의가 크다.

산탈회설은 치아우식증의 발생에 있어 3가지 인자인 구강 미생물, 탄수화물 기질 및 산에 대해 강조하였다. 그럼에도 불구하고 그 당시에도 ① 치아의 특정 부위에서 호발하는 이유 ② 치아 평활면에서의 치아우식증 개시 ③ 특정 인구 집단에서의 치아우식증 발생이 없는 이유 ④ 진행이 억제된 치아우식증에 대하여 설명할 수가 없었다. 그럼에도 불구하고 오늘날까지도 이 학설은 치아우식증에 대한 지식과 원인의 중심적인 지주가 되고 있다.

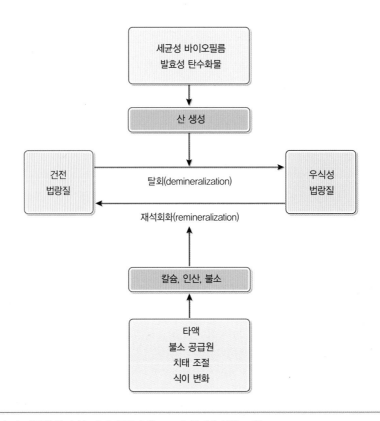

■■ 그림 13-3. 탈회(파괴)와 재석회화(수복)의 규칙적 흐름으로서 치아우식증 모식도

Kidd EAM, Joystone-Bechal S : Essential of dental caries. The disease and its management. 2nd. ed. New York. Oxford University Press. 1997..

치아우식증이 진행될지, 아니면 멈출지 또는 되돌아 갈지는 탈회와 재석회화 사이의 균형에 의존된다. 탈회 와 재석회화 과정은 대부분의 사람에서 하루 중에도 자 주 일어난다. 시간이 지남에 따라 이 과정은 치아 내에 와동을 형성하거나, 병소의 수복과 반전, 또는 현재의 상 황을 유지하게 된다. 재석회화는 바이오필름의 pH가 완 충작용을 나타내는 침에 의해 원래 상태로 회복될 경우 흔하게 일어난다. 재석회화가 일어나는 지역은 불소 농 도가 높으며, 침으로부터 칼슘과 인산 획득이 용이하기 때문에 원래 법랑질 보다 세공(microporous)이 적은 법 랑질 구조를 갖는다(그림 13-3).

치아우식병소는 구강 바이오필름이 성숙해서 장기간 치아 표면에 남아 있는 곳에서 만들어진다. 일단 우식 와동이 형성되면 그 부위는 치태 세균이 점차 낮아진 pH 에 적응하는 생태학적 적소(ecological niche)를 제공해 준다. 우식와동 병소의 형성은 환자가 그 부위를 잘 세 정하지 않는 한 바이오필름을 보호하며 우식 과정은 계 속 진행된다(그림 13-3).

법랑질의 우식증은 전형적으로 처음에는 백반 병소 로 나타나며, 이는 치태 밑에서 표면하 탈회한 작은 영 역이다. 치근 표면 우식증 역시 법랑질 우식증과 비슷하 나 법랑질 우식증과는 달리 표면이 연하며, 세균이 병소 발생 초기에 조직 내로 침투한다. 치은연의 퇴축은 부실 한 구강 위생의 결과로 나이가 들수록 치주 부착이 소 실되어 치근 표면과 치관의 연결 부위가 노출된다. 이러 한 지역은 치태가 계속 유지되어 우식 병소 발생이 용이 해 진다.

(2) 단백질 분해설과 단백질 분해-킬레이트설

치아우식증 발생 기전에 관해 제창되어 온 산탈회설 이외의 학설로서 단백질 분해설(proteolytic theory)이 있다. 단백질 분해설은 치아우식증이 단백질 분해성 세균에 의해 법랑질 유기 매트릭스, 특히 단백질이 분해됨으로써 발생한다는 학설이다. 1944년, 고틀리브(Gottlieb B)는 비교적 유기질이 많은 치면소피(dental or enamel cuticle)가 결여된 법랑엽 또는 석회화 정도가 낮은 법랑 소주초(prismatic sheath)가 우식의 초발부위이며, 유기질의 분해가 먼저 생긴 다음에 무기질이 파괴 된다고 주장했다. 다만, 지금까지의 연구에서는 부정적인 결과가 많아, 무균 동물에 단백질 분해성 세균을 이식하여도 치아우식증이 발생하지 않거나 이들 세균이 산 생성균에 의한 치아우식증 발생에 어떠한 단백질 분해 활성도 증강되지 않는다는 결과들은 이러한 가설을 부정하는 근거가 되고 있다. 그러나 법랑질과는 달리 시멘트질이나 상아질과 같이 유기질을 많이 포함한 부위를 초발부위로 하는 치근면우식이나 상아질 우식 등에서는 다시 고려해야 할 것이다. 이 학설의 핵심에는 법랑질의 무기질성분이 아니라 유기질 또는 단백질 성분이 세균 침입에 대한 개시 경로가 된다는 것이다. 그렇기 때문에 필연적으로 단백질 분해 과정이 존재하며, 세균이 유기질 경로를 침범하며, 산을 형성함으로써 세균이 앞으로 진행하는 것이다. 그러므로 법랑질 층판(enamel lamellae)이나 법랑소주초(enamel rod sheath)와 같은 유기물질 조성이 높은 법랑질의 특정 구조가 법랑질을 통한 세균의 침입 경로로 작용하게 된다. 이 가설의 약점은 ① 법랑질에 대한 초기 공격이 단백질 분해라는 주장을 지지해 줄만한 충분한 증거를 제시하지 못하였으며 ② 단백질 분해 세균이 존재하지 않아도 치아우식증이 발생한다는 것을 설명하지 못하는 것이다. 또한 ① 식습관의 관여 ② 식이조절로 예방이 가능한 점 ③ 실험 동물에서 고탄수화물 식이에 의해 치아우식증이 유발된다는 점 ④ 해당작용(glycolysis)의 저해물질로 실험적

이 치아우식증 발생이 예방된다는 점 등을 설명할 수가 없다. 더군다나 이 가설에서 무기질의 용해에 관한 기전으로 단백질 분해에서 최종산물로 형성되는 산에 의해서라고 주장하였다. 법랑질 단백질 분해에서 얻을 수 있는 산은 법랑질 무기질의 극히 일부만이 용해될 수 있는 아주 미미한 양이다. 또한 법랑질 우식증으로 초기에 우선 유기질이 소실되었다거나, 단백질 분해세균이 초기의 법랑질 우식 부위에서 항상 검출된다는 증거도 없다. 그럼에도 불구하고 이 가설은 훨씬 더 진행된 치아우식증에 대하여 설명하는데 도움이 된다. 핀쿠스(Pincus P)는 법랑질의 프로테오글리칸(proteoglycan) 속에 존재하는 유산 에스테르를 세균성 인산분해효소(bacterial phosphatase)가 가수분해 한다는 중요한 가설을 제시하기도 하였다.

셔츠(Schatz A) 등은 모순점이 많은 단백질 분해설에 킬레이트 작용(chealation)이라는 개념을 더해 단백질 분해-킬레이트설(proteolysis-chealation theory)이라고 하는 보다 현실적인 학설로 발전시켰다. 즉, 치아우식증의 원인으로서 세균에 의한 단백질을 주체로 하는 유기 기질의 분해와 킬레이트제에 의한 중성 pH에서의 하이드록시아파타이트의 용해를 기본으로 하고 있다. 일반적으로 킬레이트 작용을 하는 물질은 불용성 칼슘염을 가용화시키는 효과가 잘 증명되어 있지만, 아직 *in vivo* 실험을 통해 법랑질 표면에서 이와 같은 변화가 일어난다는 결과는 제시되지 않았다. 식 (1)에 대하여 Ca^{2+}와 HPO_4^{2-}가 킬레이트 작용이 있는 물질과 복합체를 형성함으로써 이온으로서의 작용을 빼앗아 버리면, 중성이나 알칼리성 pH 영역에서도 용액의 Ca^{2+}나 HPO_4^{2-}의 농도가 저하한다. 이 경우도 식 (1)의 평형은 오른쪽으로 기울어, 하이드록시아파타이트가 H^+와 반응하여 용해되어 Ca^{2+}와 HPO_4^{2-}의 감소를 보충한다. 각종 킬레이트제는 법랑질에서 용해되어 나오는 Ca^{2+}를 계속해서 킬레이트화 함으로써 법랑질을 용해할 수 있지만(표 13-2), 구강의 법랑질 표면에서 이와 같은 변화가 일어난다는 사

표 13-2. 각종 킬레이트제(chealating agent)에 의한 법랑질 분말에서 칼슘의 용출량. 25mL의 암모니아-염화암모늄 완충액(pH 8), 또는 인산완충용액(pH 7.2)에 100mg의 법랑질 분말(33.2%의 칼슘 함유)을 가하고 37℃에서 수시로 교반(stirring)하며 배양하였다. 젖산은 7일간에 0.51mg의 칼슘을 킬레이트제 작용에 의해 용출하는 것을 알 수 있다. 여기에서 다른 킬레이트제에 의한 것보다는 비록 적지만 물 보다는 훨씬 높은 것을 알 수 있다. 오시카네 아츠시 : 치학생화학, 이시야쿠출판, 도쿄, 1966, p.251

킬레이트제	pH		용출 칼슘 양	
	실험 전	7일 후	Mg/35mL	용출 %
D,L-세린(D,L-serine)	7.6	8.0	1.18	3.
트리글리신(triglycine)	7.5	7.8	2.42	7.3
능금산(malic acid)	7.4	7.1	2.70	8.1
젖산(lactic acid)	7.2	6.6	0.51	1.5
글루콘산(gluconic acid)	7.6	7.2	1.30	4.0
구연산(citric acid)	7.8	7.1	4.10	12.3
EDTA	8.0	8.1	31.4	94.6
대주군(물)	8.0	8.7	0.008	0.01

실은 제시되지 않았다.

산이 법랑질을 탈회하는 주요인인 것은 틀림없는 사실이지만, 킬레이트가 치아우식증의 발증과 진행에 있어 부가적인 인자가 될 가능성은 의논의 여지가 남아있다. 치태 세균에 의해서 다량으로 생성되는 젖산은 중성 부근에서 킬레이트 작용을 나타내 Ca^{2+}와 킬레이트 복합체를 형성할 수 있다(그림 13-4). 이러한 킬레이트 물질은 식간에 치태 pH가 산성에서 중성으로 돌아왔을 때 약

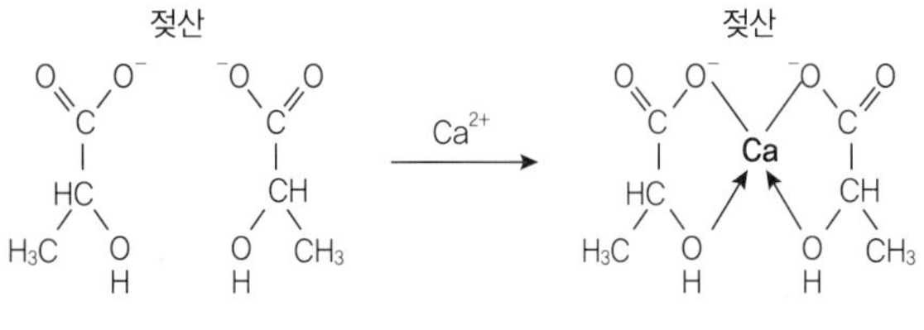

하면서 비교적 장시간에 걸쳐 지속적으로 작용하고 있을 가능성이 있다.

(3) 킬레이트제와 킬레이트 작용

킬레이트(chelate, 그리스어 'chela'가 어원으로, 개의 집게발을 의미한다) 화합물이란 분자 내의 2개 이상의 기능기가 1개의 금속 이온과 배위결합에 의해 형성되는 특수한 복합체를 의미한다. 배위결합은 공유결합의 일종으로서 전자를 공유하여 결합한다는 데에 있어서는 공유결합과 같지만 공유결합과는 달리 결합 전자쌍을 어느 한 쪽에서 일방적으로 제공하여 일어나는 결합이다. 즉, 중심원자인 양이온이 배위자(ligand)와 결합하는 것이라고 할 수 있다. 배위자란 금속 이온과 결합을 형성하는데 쓸 수 있는, 고립 전자쌍이 있는 중성 분자나 이온을 말한다. 킬레이트 분자는 금속 이온을 그 일부로서 환상화합물을 형성한다. EDTA(ethylenediamine-

■■ 그림 13-4. 젖산의 킬레이트 작용

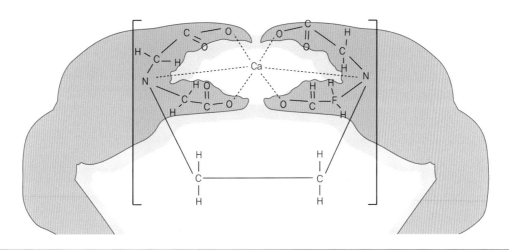

■▦ 그림 13-5. 에틸렌디아민사초산(EDTA)과 칼슘이온의 킬레이트 화합물

tetraacetic acid, 에틸렌디아민사초산)은 강력한 킬레이트제이다. 소듐 또는 포타슘염을 사용하면 중성 용액 중에서 킬레이트 화합물이 형성된다. Ca^{2+}와 EDTA의 킬레이트 화합물은 가용성으로, 상당히 안정적이다. 이 복합체의 정확한 구조는 아직 확실하지 않지만, EDTA 분자가 대개 Ca^{2+}를 바구니처럼 둘러싸고, 그 양쪽의 질소 원자와 카르복실기의 산소원자 1개가 중앙의 Ca^{2+}와 배위결합을 한다(그림 13-5).

또한 킬레이트 작용은 약하지만, 일반적으로 유기 킬레이트제라고 부르는 아미노산, 펩타이드, 해당계나 구연산회로의 중간 대사산물, 글루코오스의 산화물 등은 카르복실기나 수산기를 통하여 칼슘과 배위결합을 한다(표 13-2). 킬레이트 결합의 의의는 용액 중의 유리이온농도를 저하시키는 데에 있다. 유리이온농도의 저하는 이 유리이온농도에 의존하고 있는 여러 생체 내 과정에 바로 영향을 준다. 예를 들면, 중성 용액 상태에서 극히 불용성인 인산칼슘을 쉽게 용해시킬 수가 있다. 그러므로 EDTA는 뼈나 치아와 같은 경조직의 탈회에 이용되기도 한다. EDTA는 산을 이용하는 경우에 볼 수 있는 유기질의 손상을 거의 일으키지 않기 때문에 경조직의 유기질 연구를 하기 위해 자주 이용되고 있다.

(4) 그 밖의 치아우식증 발생에 관한 가설

이미 앞에서 치아우식증의 발생 순서를 설명하는 3가지 주요한 학설인 ① 밀러(Miller WD)의 산탈회설, ② 고틀리브(Gottlieb B)의 단백질 분해설, ③ 샤츠(Schatz A)의 단백질 분해–킬레이트설에 대해 설명하였다. 이밖에도 치아우식증의 원인을 이미 BC 5,000년에 치아에 흐르는 혈액 속의 벌레에 의해 치아우식증이 발생한다는 설화가 고대 수메르인(Sumerian)의 벌레 설화이다. 이 가설은 인도, 중국 핀란드, 스코틀랜드의 옛날 문헌과 호머(Homer)의 기록에 남아 있다. 18세기에 뼈의 괴저(bone gangrene)처럼 치아 자체에서 기인되는 생기설이 주장되기도 하였다. 미지의 화학물질이 치아우식증을 유발한다는 화학설(chemical theory)은 음식이 썩은 법랑질 표면에서 화학적으로 질병을 일으킬 수 있을 정도의 용해력을 획득하여 치아우식증이 발생한다고 기술하였다(Parmly LS). 또한 치태에서 섬유상 기생충(filamentous parasite)에 대하여 기술하였으며(Vesterrel–gherand Erdl), 이 미생물을 "denticolae"라 하고(Ficinus R), 이것이 치아우식증의 원인이라 한 기생충 또는 부패 가설(parasitic or septic theory)이 보고되었다. 치수 중에 형성된 생화학적 혼란이 원인이라는 내인성 가설(endogenous theory, Saenz de la Cal-zadal; Cseryei JA), 성장기에 고탄수화물 식이섭취로 치아에 과잉으로 축적된 글리코겐이나 당단백질에서 원인을 찾는 글리코겐 가설(glycogen theory, Egyedi H), 수크로오스 자체가 이온화되지 않는 칼슘 당산염(calcium saccharates)을 형성함으로써 법랑질의 용해를 일으키며, 무기인산이 필요한 수크로오스 킬레이트 가설(sucrose chealation theory, Eggers-Lura H), 치아우식증을 자가면역질환으로 보는 자가면역설(autoimmune theory, Jackson D 및 Burch PRJ,), 외부 압박이 섬유성 단백질에 영향을 주어 일어난다는 물리화학설(physicochemical theory, Neuman HH 및 DiSolva NA), 치아와 경조직이 혈액과 침 사이에w 존재하는 막과 같은 작용을 하고 있다는 견해에 근거를 두는 장기친화설(organotrophic theory, Leimgruber C) 등이 보고되었다.

(5) 초기 법랑질 우식

초기 법랑질 우식에서는 법랑질 표층에서는 거의 변화를 볼 수 없으나 그 하층에 위치한 표층하 법랑질에서 탈회가 시작되는 표층하 탈회가 확인되며(그림 13-6), 미세방사선동위원소법으로 농도변화를 추적한 실험에서도 확인되고 있다(그림 13-7). 초기 법랑질 우식은 임상적으로 백반(white spot)으로 나타나는 경우가 많다.

조직학적으로 조사해 보면 모든 유치의 약 70% 정도에서 법랑질 표층으로부터 대략 30μm 두께는 비교적 구조물이 없고, 법랑소주(enamel prism)의 윤곽은 볼 수 없으며, 하이드록시아파타이트 결정은 모두 서로 평행하게 나열되고 있어서 레치우스 선조[Retzius's striatim 또는 성장선(incremental line)]에 수직방향으로 존재한다. 이러한 구조적인 특징 이외에도 법랑질 표층에서 우식저항성을 나타내는 고농도의 단백질이 검출되며, 법랑질 표면에서 15~20μm의 깊이에는 불소가 아주 높은 농도로 존재하는 특징을 가지고 있다. 이러한 구조 및 조

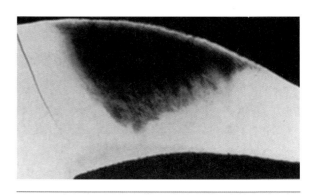

■ ▒ 그림 13-6. 법랑질의 인접면에 생긴 우식의 미세방사성동위원소 사진(microradiography).
전형적인 표층하 탈회병으로 표층하에서는 꽤 깊은 곳까지 탈회가 진행되었으나 표층은 재석회화에서 유래했다고 생각할 수 있는 높은 석회화도를 나타내고 있다.
하야카와 타로오, 스다 타츠오, 키자키 하루토시, 하타 유이찌로오, 타카하시 노부히로, 우다가와 노부유끼 : 구강생화학, 제4판. 이시야쿠출판, 도쿄, 2005.

성상의 특징으로 인해 표층의 하이드록시아파타이트 결정은 산에 대한 저항성을 갖는다. 그렇기 때문에 치태 세균에 의해 형성된 산은 우식저항성이 큰 결정을 피해서 법랑질 내부로 침투하여 표층하 법랑질을 먼저 용해시킨다. 그러나 산에 대한 저항성이 증가된 법랑질 표층을 0.3μm 두께만큼 삭제하여 표층하에 있던 법랑질이 제일 바깥으로 나오도록 하여도, 이 법랑질은 탈회가 되지 않고, 그 아래쪽부터 탈회가 시작된다는 실험 결과가 보고되고 있어, 초기 우식 병소가 표층하 법랑질에서 발생한다는 이유로 표층의 저항성이 증가되었기 때문이라는 가설은 쉽게 받아들여지지 않고 오히려 반대하는 의견들도 많다.

법랑질 표층은 물질이 선택적으로 확산되는 반투막이나 분자체(molecular sieve)와 같은 성질을 가지고 있다고 생각할 수 있으며, 실제로 주사전자현미경에서 법랑질 표면에 직경 0.3~0.5μm의 작은 구멍이 그물 모양으로 분포하고 있는 것을 확인할 수 있다. 법랑질 표면에서 생긴 산의 일부는 비이온(non-ion) 상태로 법랑질 내로 확산(이온화된 산보다 신속히 확산 하는 것으로 알려져

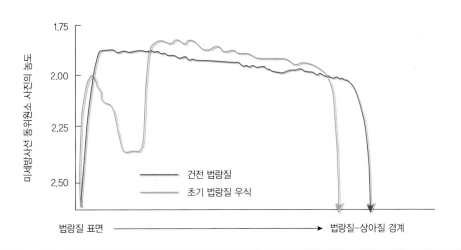

■■ 그림 13-7. 건전 및 초기 법랑질 우식의 미세방사성동위원소 사진에서의 농도 변화
하야카와 타로오, 스다 타츠오, 키자키 하루토시, 하타 유이찌로오, 타카하시 노부히로, 우다가와 노부유끼 : 구강생화학, 제4판. 이시야쿠출판, 도쿄, 2005.

있다)되어 들어온 다음, 내부에서 희석되고 나서야 처음 이온화되어 아파타이트를 용해한다는 사실이 확인되고 있다. 이렇게 내부에서 아파타이트의 용해로 생긴 Ca^{2+} 와 인산이온은 농도 구배(concentration gradient)에 따라 외측 방향으로 확산된다. 그 결과 법랑질 표층 근 처에서는 이동해 온 이온의 농도가 높아지고, 또 침으로 부터 이온이 공급됨으로써 국소 부위에서 농도가 높아 져 후술 하는 재석회화에 의해 새로운 하이드록시아파 타이트가 형성된다고 생각한다.

때문에 산에 의해 탈회될 가능성도 그만큼 높다. 탈회가 법랑질−상아질 경계에 이르면, 탈회는 측방으로 급속히 퍼져서 관통성의 우식증을 형성하기 쉽다. 나아가 탈회 에 수반해 유기질을 상실하기 때문에 우식와(dental cav- ity)가 생긴다. 유기질의 대부분은 콜라겐 섬유이며 불용 성이지만, 일단 산에 노출되면 가용성이 되어 각종 단백 질 분해효소에 의해 분해되기 쉬워진다. 상아질 우식은 초기의 법랑질 우식과 달리, 그 진행에는 산에 의한 탈 회 외에도 단백질 분해가 관여한다고 생각할 수 있다.

2) 상아질 우식

상아질의 구성성분은 법랑질과 달라 약 70%의 무기 질과 약 20%의 유기질로 구성된다. 무기질은 뼈 조직과 유사하여 약 2/3가 결정성 아파타이트, 약 1/3이 무정형 인산칼슘(amorphous calcium phosphate, ACP)으로 구성되며, 결정성 하이드록시아파타이트의 크기는 법랑 질보다 작다. 이 때문에 하이드록시아파타이트의 단위중 량 당의 표면적이 커서 산과 접촉하는 부위도 넓어졌기

3) 다인자 질환으로서의 치아우식증

구강세정에 신경 쓰는 정도나 당질 섭취 정도도 비슷 함에도 불구하고, 치아우식증에 이환되기도 하고 그렇 지 않는 경우를 자주 접할 수 있다. 이러한 이유는 우식 의 발생과 진행에는 여러 가지 인자가 복잡하게 얽혀서 관계되기 때문이다. 키예스(Keyes PH)는 세균, 당질, 숙 주가 주된 인자로, 이러한 인자가 서로 복합적으로 작용 할 경우에 초기 우식이 발생한다고 하는 "3개 고리"를

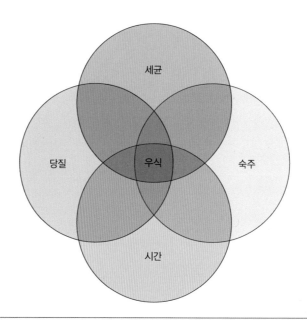

■▦ 그림 13-8. 우식발생에 관여 하는 4개 인자

키예스(Keyes PH)에 의해 제창된 유명한 "3개 고리" 즉, 세균, 당질, 숙주의 각 인자에 뉴브른(Newbrun E)은 제4 인자로서 시간을 더하는 것을 제창하였다.

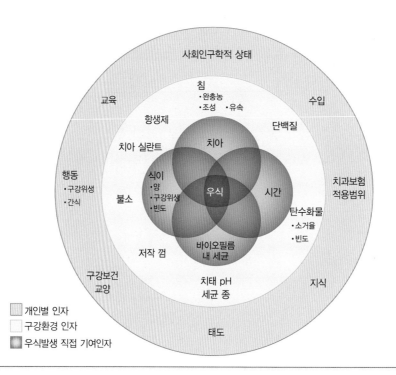

■▦ 그림 13-9. 치아우식증 발생과 연관된 인자

Fejerskov O, Manji F : Reactor paper. risk assessment in dental caries. In Risk assessment in dentistry. Bader JD ed. Chape Hill. University of North Carolina Dental Ecology. 1990. pp.215-217

제창하였다. 이후에 뉴브른(Newbrun E)이 치아우식증이 만성 질환이라는 것을 고려해 시간이라고 하는 제4인자를 더했다(그림 13-8). 이들 4개의 인자는 그 후, 상세하게 검토되고 여러 해가 지났지만, 이들 인자들이 치아우식발생과 어떤 비율로 관계되는지는 사람에 따라 다르고, 같은 사람이라도 개개 치아에 따라서도 다르고, 또한 치아의 부위에 따라서도 다르다고 생각되고 있다. 여기에서는 이들 4개 인자에 대해 설명할 것이다.

그럼에도 불구하고 충치균(mutans streptococci, *Streptococcus mutans* + *Streptococcus sobrinus*)이나 유산 간균(lactobacilli)의 존재와 같은 확실한 위험인자 외에도 빈곤층, 전에 치아우식증에 이환된 전력, 불소 노출 정도 및 타액 유속 등도 고려하여야만 환자에게 많은 도움을 줄 수가 있다. 유아가 충치균을 획득하는 주 보유 숙주(reservoir)는 일차 돌봄이로 보통 어머니이다. 여러 증거들은 아직 치아가 나지 않은 유아의 구강에서 충치균이 집락을 형성하며, 사람 보유 숙주로부터 수평 및 수직 감염에 의해 발생한다는 것을 보여주고 있다. 그림 13-9에 뉴브른의 4개 고리설과 연관되어 치아우식증 과정에 관여하는 인자들을 요약하였다.

(1) 세균

① 치아우식증 관련 세균

치은연상 치태를 구성하는 바이오필름은 다양한 생리학적 특성을 나타내는 세균의 생태시스템을 조성한다. 특히 이들 세균은 당질을 대사하여 형성되는 유기산에 의해 주위 환경의 pH를 낮춤으로써 치아 표면의 탈회가 일어난다. 또한 바이오필름의 또 다른 생리학적 특징으로 염기 형성을 하여 탈회 과정을 완충하기도 한다. 그러므로 크라인버그(Kreinberg I)는 산-염기 생성 세균의 비율과 수가 치아우식증 활성의 핵심이라 하였다. 많은 연구자들이 충치균이 치아우식증의 주 병원균이라는 것을 확인하였다. 충치균이란 이전에 *Streptococcus mutans*라고 부르던 세균이 혈청학적으로 다른 a~h의

8종으로 세분되어 현재는 이들을 총칭 해 충치균이라 부른다. 사람의 구강에서 분리되는 뮤탄스 연쇄상구균은 c, d 및 e형이 주체를 이루고 있으며, f와 g형은 보기 드물고, a, b 및 h형은 사람에서는 거의 분리되지 않는다. 여기에서 사람에서 분리되는 혈형 c, e, f균을 *Streptococcus mutans*, d, g균을 *Streptococcus sobrinus*라고 부르도록 개칭 되었다. *Streptococcus mutans*는 모든 사람에서 발견이 되지만, *Strepcoccus sobrinus*는 지역에 따라 발현이 달라서 8~35%에서만 발현되며, 1980년대 중반 이후에서야 인식이 되었기 때문에 그 이전의 논문에서 *Streptococcus mutans*는 엄밀한 의미에서 *S. mutans*와 *S. sobrinus*가 혼합된 것이다. 그러므로 충치균은 이 세균을 합쳐 부르는 용어이다. 이것은 충치균이 ① 우식와동이 형성된 우식증 병소에서 자주 분리되며, ② 고수크로오스 식이를 먹인 동물에서 우식증이 잘 형성되며, ③ 충치균의 높은 산 생성(acidogenic)과 산 저항성(aciduric)을 가지며, ④ 이 세균이 표면 항원 I/II(surface antigen I/II)와 불용성 글루칸을 형성하여 치아 표면이나 다른 세균의 표면에 부착하는 것을 촉진하기 때문이다. 탄저(Tanzer M) 등은 문헌 조사를 통해 법랑질과 치근 표면상의 치아우식증의 개시에 충치균이 중심적 역할을 한다고 확언하였다.

그럼에도 불구하고 잘 디자인된 여러 치아우식증 연구에서 우식증과 연관된 바이오필름에서 충치균의 레벨이 높을 필요는 없다. 대신에 비충치구균(non-mutans streptococci, 충치균이 아닌 연쇄상구균에 의해 충치를 유발하는 세균)이나 방선균(*Actinomyces*)과 같은 비충치균으로 산생성 및 산내성이 있는 세균이 치아우식증의 개시와 더 밀접하게 관련되어 있다. 또한 백반 병소를 피복하고 있는 치아 바이오필름에서 비충치 연쇄상구균이나 방선균보다 충치균이 아닌 산생성 세균이 검출된다. 이러한 비충치균으로 산생성을 하는 세균은 유산 간균(lactobacilli)이나 비피더스균(*Bifidobacterium*)이 포함되어 있다.

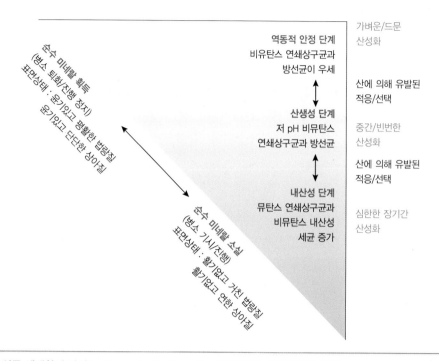

■■▥ 그림 13-10. 치아우식증 생태학적 가설(caries ecological hypothesis)에 따른 치아우식증 과정

Takahashi N, Nyvad B : Caries ecology revisited: microbial dynamics and the caries process. Caries Res.42(6):409-18. 2008; Takahashi N, Nyvad B : The role of bacteria in the caries process: ecological perspectives. J Dent Res. 90(3):294-303. 2011.

이러한 여러 환경을 고려해 볼 때 치태 세균의 표현형/유전형 성질의 역동적인 변화와 치아우식 발생과정에서 탈화와 재석회화의 균형과의 관계를 설명했던 생태 플라크 가설(ecological plaque hypothesis을 확대할 필요가 있다(그림 13-10). 이 가설에서 주로 비충치구균과 방선균(Actinomyces)과 같은 비충치균 세균의 역동적 미생물 생태계인 치태는 역동적인 안정성 즉, 자연적인 pH 회로(natural pH cycle)를 유지하는데 있어 중심적 역할을 한다. 이 단계를 역동적 안정성 단계(dynamic stability stage)라 한다. 낮은 pH 비뮤탄스 세균이 낮은 pH에서도 잘 적응할 수 있고(acid-induced adaptation), 결과적으로 이 세균들이 선택(acid-induced selection)되기 때문에 순수 미네랄 획득 상태에서 순수 미네랄 소실상태로 바꾸어 탈화와 재석회화 균형 전환이 용이해지기 때문에 치태의 항상성을 불안정화하는데 있어 중요한

역할을 한다. 이 단계를 산생성 단계(acidogenic stage)라 한다. 일단 산성 환경이 만들어지면 충치균 및 기타 산생성 세균이 증가하여 순수 미네랄 소실 상태로 되기 때문에 치아우식증 발생이 촉진된다. 이 단계를 내산성 단계(aciduric stage)라 한다.

미생물 생태계 관점에서 치아 질환은 이중생활력(amphibiosis, 두 가지 서로 다른 환경에서 살 수 있는 생활 방식으로 양서류 경우 물과 육지에서 모두 살 수 있는 것 등이다)의 모델 시스템으로 고려될 수 있다. 이 용어는 거의 50년 전에 미생물 생태학자인 로즈버리(Theodore Rosebury)가 제일 먼저 사용하였다. 이중생활력은 서로 함께 사는 유사성이 없는 2가지 유기체 사이에서 주위환경 조건이 바뀌는 것에 따라 반응하여 일어나는 역동적인 적응(dynamic adaptation)이다. 정상 조건하에서 구강 내의 미생물은 숙주와 공생관계(symbiotic relationship)

로 살면서 서로가 이점을 주는 상리공생(mutualism)으로 특징된다. 그러나 상호보답 양식(reciprocal manner)이 주위 환경 조건이 바뀌게 되면 특이 공생관계의 성질도 변화되어 상리공생에서 기생(parasitism)으로 바뀌게 됨으로써 한쪽에는 이로우나 다른 쪽에는 해롭게 된다. 이러한 역동적 적응은 내인성 질환의 발생과정에서 기본 원칙이며, 생태학적 우식증 가설(ecological caries hypothesis)과도 잘 일치된다.

구강 세균이 치아우식증 발생의 필수 인자 중 하나인 것은 무균 동물에서 우식증이 발생 하지 않는다는 실험 결과가 결정적인 증거가 된다. 근년에 치태 구성 세균총을 분석한 결과 초기의 법랑질 우식(임상적으로는 백반)에서 상아질 우식증에 이르는 치아우식증에는 다양한 종류의 구강 세균이 생식하고 있는 것이 밝혀졌다. 이들 세균의 대부분은 건전한 구강에서도 분리되는 구강 상주균이다. 이들 세균의 대부분은 ① 치태형성능, 즉 치아 표면 부착능 및 공응집능, ② 당질로부터 산생성능

(acidogenecity), ③ 산성 환경에 적응 해 증식 할 수 있는 내산성능(acidurance, acid-tolerance)이라고 하는 "우식병원성(cariogenecity)"을 가지는 "치아우식 관련 세균(dental caries-relating bacteria)"인 것이 많은 연구에서 밝혀지고 있다.

충치균(mutans *Streptococci*)은 그 중에서도 가장 우식병원성이 높은 세균으로서 알려져 있다. 실제로 법랑질 우식, 상아질 우식, 포유병 우식(nursing bottle caries, 당질을 포함한 음료 등을 젖병에 넣어 유아에게 줌으로써 생기는 우식증으로 장시간에 걸쳐 당질이 공급되기 때문에 우식증이 빈발하기 쉽고, 또한 우식질환도 심하게 일어나기 쉽다)과 우식증의 상태에 있어 병세가 더욱 악화되어 있을수록 충치균의 비율이 증가되는 것으로 보아 이 세균과 우식증과의 관계가 더욱 명확해지고 있다(그림 13-11). 그러나 충치균 이외의 세균으로 저 pH 비충치 연쇄상구균(low pH nonmutans *Streptococci*), 방선균(*Actinomyces*) 및 유산 간균(*Lactobacillus*)도 치태에서 고빈도로 발

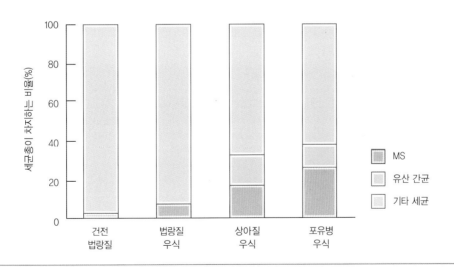

■ ▦ 그림 13-11. 건전 법랑질, 법랑질 우식, 상아질 우식 및 포유병 우식 병소로부터 분리된 세균 구성비

MS; mutans streptococci.
Sansone C, Van Houte J, Joshipura K, Kent R, Margolis HC : The association of mutans streptococci and non-mutans streptococci capable of acidogenesis at a low pH with dental caries on enamel and root surfaces. J Dent Res. 72(2):508-16. 1993; Boue D, Armau E, Tiraby G : A bacteriological study of rampant caries in children. J Dent Res. 66(1):23-8. 1987; Milnes AR and Bowden GH : The microflora associated with developing lesions of nursing caries. Caries Res. 19:289-297. 1985.

견되고 있다. 특히 저 pH 비충치 연쇄상구균으로 대표되는 산생성능이나 내산성능이 높은 뮤탄스 이외의 세균은 백반 등의 초기 우식병소에서 많이 검출되는 것으로 보아 이러한 세균과 우식과의 관계도 충분히 고려할 필요가 있다.

② 세균의 우식병원성

앞에서 설명한 바와 같이 우식 관련 세균이 가지는 우식병원성은 ① 치태형성능, ② 산생성능, ③ 내산성능으로 구성된다. 산생성능과 내산성능에 대해 먼저 설명하고, 치태형성능에 대해서는 나중에 당질 부분에서 다룰 것이다.

치태 세균은 당질을 세포내로 끌어들여 해당계에서 분해해 젖산(lactic acid), 개미산(formic acid), 초산(acetic acid) 등의 유기산을 생성하는 산생성능을 가져, 최종적으로 치태 pH를 4~4.5 정도로 떨어뜨린다. 산생성능은 세균에 따라서 달라, 충치균은 다른 구강 세균에 비해 높은 산생성능을 가진다(표 13-3).

치태 세균의 산생성에 의해서 생긴 산성 pH는 하이드록시아파타이트의 임계 pH를 밑돌아 법랑질의 탈회를

유발하지만, 동시에 많은 치태 세균에 있어서도 바람직하지 않은 작용을 가진다. 즉, 저 pH 환경은 세균내부의 산성화를 가져와, 대사 효소의 억제나 변성 등의 산성장애(acidic damage)를 일으켜 결국 산성사(acidic death)를 가져온다. 그러므로 세균은 H^+-ATPase(proton pump)에 의해 균체 내에서 균체 밖으로 산을 배출하거나, 균체에서 알칼리성 물질을 생성하거나, 균체 세포막의 산에 대한 비투과성을 증가 시키는 등의 방법을 통해 균체의 산성화를 방지하고 있다. 또한 균체 단백질이나 DNA를 변성으로부터 보호하거나 변성한 단백질이나 DNA를 재생하거나 하는 스트레스 단백질을 유도하는 일도 잘 알려져 있다(그림 13-12). 이와 같이 저 pH 환경에서 생존해 계속해서 살아가는 능력을 내산성능이라고 한다. 산생성능 만이 아니라 내산성능이 높은 세균이 우식병원성이 높은 세균이다.

가. 세균의 적응

세균은 고유의 산생성능을 가진다. 충치균(mutans streptococci)은 그 기타 구강 연쇄상구균보다 산생성능, 내산성능이 강하여 우식병원성이 높다. 그러나 산생

표 13-3. 대표적 치아우식증 관련 세균의 산생성능

Holt JG : Biology's manual of systematic bacteriology. Baltimore. Williams & Wilkins. 1984; Johnson JL, Moore LV, Kaneko B, Moore WE : *Actinomyces georgiae* sp. nov., *Actinomyces gerencseriae* sp. nov., designation of two genospecies of *Actinomyces naeslundii*, and inclusion of *A. naeslundii* serotypes Ⅱ and Ⅲ and *Actinomyces viscosus* serotype Ⅱ in A. naeslundii genospecies 2. Int J Syst Bacteriol. 40(3):273-86. 1990; Haukioja A, Söderling E, Tenovuo J : Acid production from sugars and sugar alcohols by probiotic lactobacilli and bifidobacteria *in vitro*. Caries Res. 42(6):449-53. 2008.

세균	최종 pH	배양 방법	참고문헌
비뮤탄스 연쇄상구균	4.2~5.2	회전배양	Holt
방선균	4.3~5.7	회전배양	Johson
뮤탄스 연쇄상구균	4.0~4.4	회전배양	Holt
유간 산균	3.6~4.0	포도당 용액 배양	Holt
비피더스균	3.9~4.0	회전배양	Aukioja

회전배양(batch culture) : 액체배양중 회전진탕방식의 배양방법으로 일정량의 배지에 폐쇄적으로 배양하는 것으로, 이 경우 일정기간에 배양세포의 증식, 생식이 한계에 달해서 이전에 배양세포의 일부를 새로운 배지에 이식해서 계대배양을 계속하기 위한 방법이다.

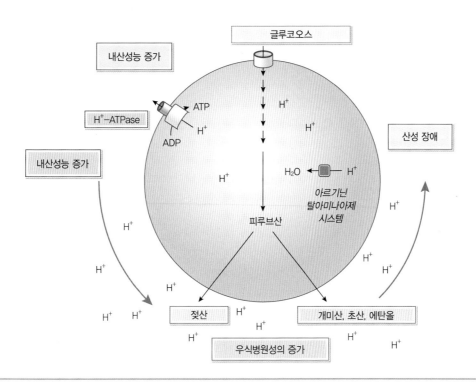

■■ 그림 13-12. 산생성균의 내산성능을 가져오는 기전과 세균 적응에 의한 우식병원성의 증가

세균은 스스로 만들어낸 저 pH 환경에 의한 산성 장애로부터 자신을 지키기 위해서, ① H^+-ATPase(proton pump)를 이용해 균체로부터 산을 배출하거나, ② 아르기닌탈이미나제(arginine deiminase)로 시작하는 대사계(arginine deiminase system, AD system)를 기동해 균체내로 암모니아 등의 알칼리성 물질을 생성함으로써 산을 중화하거나, ③ 세포막의 산에 대한 비투과성을 증가시킴으로써 균체 pH의 산성화를 막을 수 있다. 나아가 ④ 스트레스 단백질을 합성해 균체 단백질이나 DNA를 산에 의한 변성을 억제하거나 변성한 단백질이나 DNA를 재생할 수 있다. 내산성능이 증가한 균은 보다 pH가 낮은 환경에서도 계속해서 산을 만들 수 있게 되어 우식병원성이 한층 더 높아지는 악순환에 빠진다. LDH : lactate dehydrogenase, PFL : pyruvate-formate lyase.

타카하시 노부히로 : 치은생태계의 생화학적 어프로치. 토호쿠대학 치의학잡지, 21:18-32, 2002.

성능과 내산성능은 세균이 생식하는 환경에 따라 변화하는데, 예를 들어 pH 5.5라고 하는 약간 산성 조건에 수 십분 간 방치해두면 이러한 능력은 증강하여(그림 13-12), 충치균 이외의 세균도 높은 산생성능을 나타내게 된다. 즉 치태 pH가 빈번히 저하하는 환경은, 거기에 생식 하는 세균의 우식병원성을 증강시키는 원동력이 된다. 이와 같이 세균이 환경의 변화에 따라 적응하는 능력을 바꾸는 것을 산에 의해 유발된 세균 적응(acid-induced adaptation)이라 부른다.

나. 세균총의 전이

세균이 적응하여 치태 pH가 보다 떨어지기 쉬워지면, 결과적으로 그 환경에 적절한 세균, 즉 내산성능이 높은 세균이 선택적으로 증식해 치태 세균총의 우세 집락이 된다. 이와 같이 세균총이 환경의 변화에 적응하여 균총의 구성을 바꾸는 것을 세균총의 전이(succession 여기에서는 microbial shift, 같은 장소에서 시간의 흐름에 따라 진행되는 식물군집 또는 세균총의 변화를 말한다)라 한다. 우식 병소부는 이미 산에 의한 탈회가 진행하고 있어, 건전한 치아 표면에 비해 그 환경 pH는 저하되어 있다. 그림 13-11

표 13-4. 구강세균의 혼합 배양. 배양액의 pH를 7.0으로 조절해 배양했을 경우와 pH를 조절하지 않고 산성으로 저하시킨 채로 했을 경우(최종적으로 pH 3.8까지 저하).

Bradshaw DJ, Marsh PD : Effect of sugar alcohols on the composition and metabolism of a mixed culture of oral bacteria grown in a chemostat. Caries Res. 28(4):251-6. 1994; Bradshaw DJ, McKee AS, Marsh PD : Effects of carbohydrate pulses and pH on population shifts within oral microbial communities in vitro. J Dent Res. 68(9):1298-302. 1989.

세균 명칭	전체에서 차지하는 비율	
	배양액의 pH를 7.0으로 조절한 경우	배양액의 pH를 산성으로 조절한 경우
Streptococcus mutans	1.0	18.9
Streptococcus oralis	25.0	1.3
Streptococcus gordonii	16.9	0.2
Actinomyces viscosus	13.1	2.3
Lactobacillus casei	0.2	36.1
Neisseria subflava	0.09	검출되지 않음
Prevotella nigrescens	31.0	0.0006
Fusobacterium nucleatum	15.2	0.0002

에 나타낸 것처럼, 우식증 상태의 중증화에 동반해 내산성능이 강한 충치균이나 유산 간균이 증가하고 있는데, 이것은 세균총의 전이가 생겼기 때문이라 추측된다. 이러한 세균총의 전이는 구강 세균의 혼합 배양실험(표 13-4) 결과에서 추측된다. 수종의 구강 세균을 배양액의 pH를 7.0으로 조절해 배양했을 경우, *Streptococcus mutans*와 유산 간균의 한 종류인 *Lactobacillus casei*가 차지하는 비율은 각각 1.0%와 0.2%에 불과하지만 pH를 조절하지 않고 산성 상태로 저하시킨 상태의 경우에는 각각 18.9%와 36.1%로 증가하는 사실로 보아 주위 환경 pH가 세균총의 전이를 유발시킨다는 사실이 확인된다. 이러한 과정을 산에 의해 유발된 선택(acid-induced selection)이라 한다. 앞에서 설명한 것처럼 세균의 적응과 세균총의 선택이 치태의 우식병원성을 높이는 악순환을 형성하게 된다.

③ 구강 내에서 우식발생과 생존에 관계되는 미생물 대사

치은연상 치태에서 대부분의 세균은 다양한 당질을 대사하여 공통적으로 해당경로를 통해 산을 생성한다. 설탕이 다량으로 공급되는 경우 충치균, 과 비충치 연쇄상 규균과 같은 구강 연쇄상구균(oral streptococci) 및 방선균(*Actinomyces*)은 여분의 설탕을 세포내 다당(intracellular polysaccharide, ICP)으로 저장하였다가 식간(between meals)이나 설탕이 제한될 때 에너지 공급원으로 ICP를 사용하여 산을 생성한다. 비충치 연쇄상구균, 방선균(*Actinomyces*), 충치균, 유산 간균 및 비피더스균을 글루코오스와 함께 배양했을 경우의 최종 pH에 대하여 표 13-4에 나타냈다. 일반적으로 최종 pH의 수치에 대해 충치균, 유산 간균 및 비피더스균은 비충치 연쇄상구균이나 방선균에 비하여 산생성능이 더 좋고, 더 내산성이다. 그럼에도 불구하고 비충치 연쇄상구균과 방선균 역시 법랑질의 탈회를 유도할 수 있는 스테 판 커브인 pH 5.5 보다 낮다.

또한 비충치 연쇄상구균과 방선균은 다양한 세포외 글리코시다제(extracellular glycosidase)를 가지고 있어서, 침 속의 뮤신과 같은 당단백질로부터 당질과 아미노당(amino-sugar)을 유리할 수 있다. *Streptococcus oralis*, *Streptococcus mitis*와 같은 많은 세균 종에서 시알산 분해효소(sialidase)가 확인된다. 그렇기 때문에 침 당단백질이 이용 가능한 구강 내에서 비충치 연쇄상구균과 방선균이 생존할 수 있는 이유이다. 그럼에도 불구하고 대부분의 충치균과 유산 간균은 이러한 대사적 특징을 나타내지 않는데, 단지 *Lactobacillus rhamnosus*에서만 퓨코시다제 활성을 나타낸다. 더군다나 대부분의 비충치 연쇄상구균은 침 속의 아르기닌과 아르기닌 함유 펩타이드(arginine-containing peptide)를 이용할 수 있는 아르기닌 탈이미나제(arginine deiminase) 시스템을 가지고 있어서 아르기닌 분자를 암모니아와 이산화탄소로 분해하고 ATP를 생성한다. 전체적으로 이 대사경로는 알카리를 생성하여 세포 내와 주위 환경의 pH를 중화시킨다. 아르기닌 탈이미나제 시스템은 에너지 공급원으로 아르기닌을 이용할 수 있을 뿐만 아니라, 구강 내 산성 상태에서도 살아남을 수 있도록 비충치 연쇄상구균에 도움이 된다.

방선균은 독특한 해당계를 가지고 있어서, 헥소키나제(hexokinase)와 포스포프룩토키나제(phosphofructokinase)가 작용하는 단계에서 인산 그룹 공여체로 ATP 대신에 고에너지화합물인 폴리인산(polyphosphate)과 피로인산(pyrophosphate) 화합물을 각각의 효소가 이용한다. 즉, 방선균은 에너지 저장고로서 폴리인산을 합성하고, 핵산과 글리코겐과 같은 폴리머의 대사로 인해 형성되는 고에너지인 인산 결합을 함유하는 부산물인 피로인산으로부터 에너지를 재활용하기 위해 여분의 ATP를 이용할 수 있다. 또한 방선균은 종종 요소분해성 활성을 가지며, 성장을 위해 탄소 공급원으로 젖산을 이용

할 수 있다. 방선균은 이러한 다양한 생리학적 특징으로 인해 생존에 이로운 장점을 가지고 있으며, 치은연상 치태에서 우세 집락이 될 수 있다.

(2) 당질
① 당질 소비량과 치아우식증의 발생

설탕이나 단 음식이 치아우식증과 관련이 있다는 매우 초기의 문헌은 1746년에 처음 나타나며, 바로 뒤이어 버드모아(Berdmore T)는 "설탕, 티 커피(tea coffee) 및 사탕과자나 설탕 절임(sweetmeat)이 과량으로 사용되는 지역에서는 나이 어린 사람에서도 치아의 유해성이 현저하다"고 서술하였다. 밀러(Miller WD, 1890)가 처음으로 정제 탄수화물과 치아우식증의 관계에 대해 실험적으로 보여주었으며, 산생성설(acidogenic theory)로서 발표하였으나, 실제로는 그의 연구는 대부분 감자에서 이루어졌다. 그 이후 일부 연구자들이 식이에서 수크로오스의 역할에 대한 중요성에 대해 지적하였다. 예를 들면 산업국가에서 연간 설탕 소비량을 일인당 15kg 이하로 권장하였다. 이러한 결과는 세계보건기구(WHO)와 영국의 COMA 보고서로 알려진 식품 정책에 대한 의학적 관점 위원회(Committee on Medical Aspects of Food policy)에 근거한 것이다. 영국 COMA 보고서에서 당질에 대해 정의를 내렸으며, 대사에 근거해서 내인성 또는 외인성 의존성 당질로 기술하였다.

과거 수세기에 걸친 연구나 조사에 의해서 발효성 당질을 포함하고 있는 음식을 섭취하면 치아우식증이 발생한다고 하는 당질과 치아우식증 사이의 인과관계가 분명하게 밝혀졌다. 예를 들어, 당질이 적고 지방성분이 많은 식사를 하고 있는 이뉴잇[Inuit(에스키모)]이나, 발효성 당을 거의 포함하지 않는 식사를 하고 있는 트리스탄 다쿠냐섬(Tristan da Cunha Island, 남태평양의 거의 중앙에 있는 인구 300여명의 영국의 섬)의 원주민에서는 역사적으로 우식 발생이 매우 적다. 그러나 이러한 종족도 서서히 서양식 식습관의 도입과 함께 발효성 당질

을 섭취하게 되어 우식 이환율이 증가하고 있다. 특히 에스키모에서 고기와 지방섭취가 월등히 많은 생활양식에서 전분이나 설탕이 많은 생활양식으로 변화하면서 치아우식증 발생 빈도가 현저히 증가하였다. 이보다 좀 나중에 호프우드 하우스 연구(Hopewood House Study)로 널리 알려진 연구에서 이 고아원에 살면서 유제품-채식주의자(lacto-vegetarian) 식이와 연관될 가능성이 추측되는 어린이에서 치아우식증이 없는 기간의 비율이 이 고아원을 떠나 자유롭게 수크로오스를 많이 섭취했던 시기와 비교하여 월등히 높다(그림 13-13). 리스탄다쿠냐섬의 연구는 이 섬이 화살폭발을 하여 1961~1963년 사이에 영국으로 피난한 후 치아우식증 발생이 증가

한 것과 관련이 있는데, 설탕을 전혀 소비하지 않던 사람들이 영국 피난 후에 설탕 소비가 급격히 증가되었기 때문이다.

수크로오스는 치아우식증에 대한 "교활한 범죄자(Arch Criminal)"로 기술되었으며, 이탄당인 수크로오스가 세포외다당의 생성에 있어 가장 중요한 당질일 것이라 지적한 특이 성질이 이와 연관되어 있다. 수크로오스는 세균의 세포외 전환효소(invertase)에 의해 직접 분해되어 글루코오스와 프룩토오스로되고, 치태 미생물을 위한 기질 저장과 치태의 구조 기질을 형성하는 이중 기능을 가지는 세포외다당을 형성한다. 기질의 기능적 구조로 인해 치태 세균이 법랑질 표면에 부착할 수 있다. 이러한 성질 때문에 일화(anecdotal)와 연구보고서를 근거로 수크로오스가 치아우식증의 주원인이라 기술하였다.

또한 과당(fructose) 대사에 필수적인 효소가 선천적으로 결핍되어 있는 유전성 과당 불내증(hereditary fructose intolerance)이라고 하는 질환의 경우 생애 전반에 걸쳐 과당이나 수크로오스를 함유한 식품을 섭취할 수가 없다. 유전성 과당 불내증은 포스포프룩토알도라아제(fructose bisphosphate aldolase)가 결핍되어 있기 때문에 과당이나 과당을 구성당의 하나로 포함한 수크로오스(sucrose)를 섭취하여도 포도당(glucose)으로 전환 하지 못하여 저혈당이 되며, 오심, 구토 등을 일으키며 심한 경우 지능 저하 혹은 죽음에 이르기도 한다. 유전성 과당 불내증 환자의 경우 치아우식증 발생율이 현저히 낮으나(표 13-5), 치태 양을 나타내는 치태 지수는 정상군과 별 차이가 없으며, 나중에 기술하는 트르크(Turku)에서 관찰 결과와 매우 흡사한 결과가 나왔다. 특히 주목할 필요가 있는 것은 환자군의 평균 나이가 정상인에 비해 약 3살 정도 높은데도 치아우식증 경험이 없는 사람의 비율이 무려 59%나 되나, 정상군의 경우 모든 사람이 치아우식증 경험이 있다는 사실이다.

대표적 발효성 당질인 수크로오스와 우식의 관계는

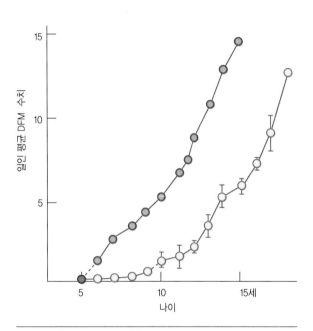

■ ■ 그림 13-13. 호주 호프우드 하우스와 일반 학교에 다니는 어린이에서 치아우식 경험치의 비교

설탕 사용이 제한되지 않던 일반 학교에 다니는 11세 어린이에서 치아우식 경험치아 수가 5.0 이상이나, 설탕 섭취가 극히 제한된 호프우드 하우스의 어린이 경우는 1.0 미만이었다. 그러나 호프우드 하우스의 경우에도 하우스를 떠난 11세 이후에는 치아우식 경험 치아 수가 급격히 늘고 있으며 그 비율도 일반학교와 차이가 없었다. Harris R : Biology of the children of Hopewood House, Bowral, Australia 4. Obsevations on dental-caries experience extending over five years(1957-61). J Dent Res. 42:1387-99. 1963.

표 13-5. 유전성 과당불내증 환자군과 대조(정상)군의 DMF 치아수 등의 비교

Newbrun E, Hoover C, Mettraux G, Graf H.: Comparison of dietary habits and dental health of subjects with hereditary fructose intolerance and control subjects. J Am Dent Assoc 101 : 619~626, 1980.

	질환군(n = 17)	대조군(n = 14)
DMF 치아수	2.1	14.3
DMF 치면수	3.3	36.1
치태지수	1.2	1.2
구강위생지수(oral hygine index, OHI)*	1.7	1.8
1일 평균 설탕 섭취 빈도	0.83	4.32
1일 평균 설탕 섭취량(gm)	2.5	48.2
치아우식이 전혀 없는 사람의 비율(%)	59	0
평균연령	29.1	26.5

* 치태와 치석의 부착정도를 각각 0~6까지 범위에서 수량화하고 이들의 합으로 나타낸 것

제2차 세계대전 중 많은 나라들이 설탕의 수입을 중단함에 따라 치아우식증의 발생이 격감한 것이나, 국민 1인당 연간 설탕 소비량이 증가함에 따라 치아우식증의 발생이 증가한 사실로부터 설탕과 치아우식증 양자간의 인과관계가 강하게 시사되어 왔다. 실제로 세계 각 국의 설탕 소비량과 각 국가의 11~12세 아동의 우식이환수(DMF 치수, decayed teeth, missing teeth and filling teeth)와의 사이에는 높은 상관성이 보인다(그림 13-14). 근래에는 1인당 설탕 소비량이 일본보다 2배 이상 높은 구미 제국에서 우식증의 발생이 일본의 1/2~1/3밖에 되지 않고 있어 이 관계는 무너지고 있다. 그럼에도 불구하고 수크로오스와 치아우식증의 상관관계를 부정하기 보다는 수크로오스 섭취량이 제한되었을 뿐만 아니라, 예를 들어 불소의 응용 등에 의해서 치아우식증을 예방한 결과로 이러한 결과가 나왔다고 해석한다. 통계상에서 설탕소비량과 치아우식증 이환율과의 높은 상관성은 치아우식 유발 인자 중에서도 설탕이 특히 중요한 인자라는 사실로 해석된다.

다케우치(Takeuchi M)와 토버우드(Toverud G)가 대동아전쟁과 일, 이차세계대전 때 설탕소비량의 추이와

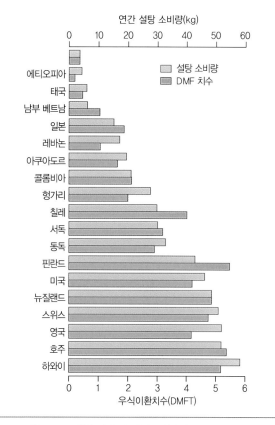

■ ▨ 그림 13-14. 세계 각국의 설탕소비량과 11~12세 아동의 우식이환수(DMF 치아수)와의 관계(1959년의 통계에 의함)

Marthaler TM : Sugar and oral health : Epidemiology in humans. *In* Health and Sugar Substitutes. S. Karger, 1978, p.27

우식이환율과의 관계를 보고하였으며, 다케우치는 우식 발병 이론에 의하면 우식증은 하나의 치아 단위로 발생하는 것이 아닐 뿐만 아니라 치아는 맹출 후에 우식증이 발생하기 때문에 치아 개개마다 맹출 시기를 치아의 탄생으로 간주하여 맹출 후 몇 넌이 지나 치아우식증이 발생하였는가를 볼 수밖에 없다고 하였다. 이런 가설 하에 7세 아동의 하악 제1대구치의 연도별 우식이환율을 보면 1인당 연간 설탕소비량과 시간적으로 상당히 일치하는 것으로 보아 설탕소비량과 치아우식증 이환율 사이에는 밀접한 관련이 있음을 알 수 있다(그림 13-15). 전쟁 중의 설탕소비량 추이와 치아우식증 이환율과의 상관관계에 의해 치아 맹출 후의 우식 발생 인자로서 설탕의 영향이 역학적으로 증명되었지만, 단순히 설탕 소비량이란 양적인 문제뿐만 아니라 전쟁 중에 다른 음식물 특히, 당분이나 간식, 나아가 다른 식품군의 섭취 결핍도 충분히 고려되어 해석할 필요가 있다.

② 당질의 종류와 치아우식증의 발증

우식병원성이 높은 충치균과 당질의 대표 격인 수크로오스를 예로 들어 우식의 발생 기전을 단순화해 설명한 것을 뮤탄스 스토리(mutans story)라 한다. 이것은 "수크로오스를 벅으넌 구상 중의 충치균이 수크로오스를 재료로 불용성 글루칸(glucan)이라고 하는 점착성 물질을 균체의 주위에 만든다. 이 점착성 물질에 의해 충치균은 치아의 표면에 부착해 치태를 형성한다. 치아에 부착한 충치균은 수크로오스를 분해해 산을 생성해 치아를 탈회하고, 치아우식증을 만든다"라는 것이다. 이 뮤탄스 스토리에 의하면 설탕이 치아우식증의 원인이 되는 이유로 2가지를 들 수 있는데 ① 설탕이 *S. mutans*를 치아 표면에 부착시키는 점착성 불용성 글루칸 형성의 재료가 된다는 점과, ② 치아의 하이드록시아파타이트를 용해시키는 산 형성의 재료가 된다는 점이다.

수크로오스에 의한 불용성 글루칸의 형성이 치아우식 발생에 필요하다는 것은 충치균을 구강에 이식한 햄스터 등의 동물실험으로 보고되었는데, 수크로오스 섭

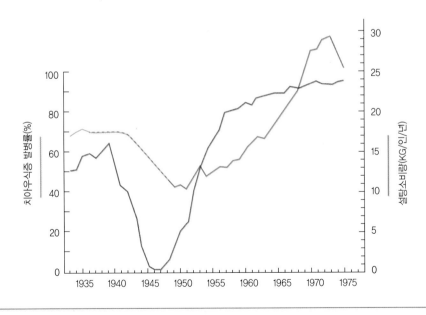

■■ 그림 13-15. 일본 초등학교 학생의 우식 이환율과 국민 1 인당 연간 설탕 소비량과의 관계

Takeuchi M : Epidemiological Study on Dental Caries in Japanese Children, Before, During, and After World War Ⅱ, Int Dent J 11:443-457. 1961.

표 13-6. *Streptococcus mutans*를 정착시켜, 포도당 또는 설탕을 포함한 사료를 준 햄스터에서의 우식 발생 상황

Krasse B : The effect of caries-reducing streptococci in hamsters fed diets with sucrose or glucose. Arch Oral Biol 10:225~226, 1965.

	글루코오스군	수크로오스군
실험동물 수	11	14
우식 스코어*	0~3	15~92
구강으로부터 균의 회수	− ~ + +	+ ~ + + +

* 동물실험으로 생기는 우식의 정도를 나타내는 지수. 동물 종에 따라서 다르다.

취군에서는 글루코오스 섭취군에 비해 우식증 발생이 높다는 결과(표 13-6)를 얻고 있다. 그러나 원숭이를 이용한 실험에서는 수크로오스를 투여한 군과 그 구성성분인 글루코오스(포도당)와 프룩토오스(과당)의 혼합물을 투여한 군과의 사이에 우식발생의 차이(그림 13-16)가 없다. 즉, 수크로오스는 점액성 글루칸을 형성하며 나아가 생체 내 대사 과정을 통해 유기산을 형성하지만, 그 구성성분인 글루코오스와 프룩토오스 혼합물을 투여한 군에서는 점성물질인 글루칸은 형성되지 않고 오직 유기산

만 형성됨에도 불구하고 양자의 실험에서 치아우식증 발생에 큰 차이가 없다는 사실은 적어도 유인원인 원숭이에서는 치아우식증 발생에 있어 점성물질의 형성은 별 의미가 없음을 시사해준다. 게다가 1972년부터 핀란드의 트르크(Turku) 시에서 행한 일련의 실험으로 사람에서의 대규모 우식증 실험(Turku caries study)에서는 125명의 피험자를 3개 그룹으로 나누어 수크로오스, 프룩토오스 또는 자일리톨만을 2년 이상 섭취시켰을 때 치아우식증의 발생을 관찰한 결과 자일리톨군에서는 우식

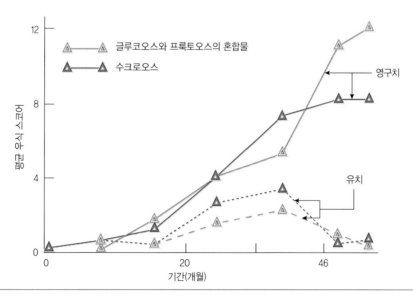

■ ■ **그림 13-16.** 원숭이에 수크로오스 또는 글루코오스와 프룩토오스 혼합물을 투여하는 경우의 우식지수 변화

평균 우식지수 Coleman G, Bowen WH, Cole MF : The effects of sucrose, fructose, and a mixture of glucose and fructose on the incidence of dental caries in monkey(*M. fascicularis*). Brit Dent J 142:217~221, 1977.

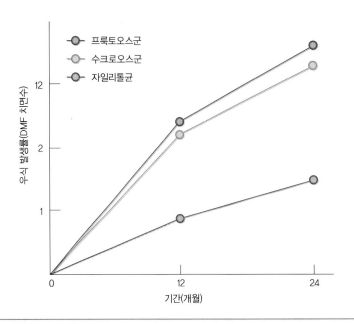

■■■ 그림 13-17. 사람에서 수크로오스, 프룩토오스 또는 자일리톨을 투여하는 경우 우식발생율(DMF 치면수)의 변화

Guggenheim B : Health and Sugar Substitutes. S. Karger, 1978. p244

발생이 저하되고 있는데 비해, 수크로오스군(자당)과 프룩토오스(과당)군의 사이에는 거의 차이가 없다(그림 13-17). 이 결과는 사람에 있어서의 우식의 발증은 뮤탄스 스토리만으로 설명할 수 있을 정도로 그리 단순하지 않음을 나타낸다. 수크로오스의 경우는 불용성 글루칸과 산 생성이 되지만, 포도당과 과당에서는 산만 형성되고, 자일리톨의 경우는 불용성 글루칸도 산도 생성되지 않는다. 그러나 치태 양에 관해서 구강 내 세정을 중단하면 빠른 시일 내에 설탕 섭취군이 포도당 또는 과당 섭취군보다 치태형성 양이 현저히 많다. 이 결과는 많은 논문이나 책에 인용되어 설탕 섭취군에서 불용성 뮤탄(mutan)이 형성되는 것과 같은 인상을 주는데, 이후 실험을 통해 실제로 형성된 균체 다당체는 대부분 수용성인 프럭탄(fructan)이었다.

많은 연구결과에서 보고하였듯이 불용성 글루칸이 치태형성 인자의 하나인 것은 틀림없지만, 치태형성에는 복수의 인자가 관여하고 있어, 불용성 글루칸이 전부는 아

니다. 게다가 사람의 치태 세균총에서 차지하는 충치균의 비율은 그리 높지 않아서(그림 13-11), 치태 중의 불용성 글루칸 합성 양은 적을 것이라 예상된다. 또한 유전성 과당불내증 환자에서는 수크로오스의 섭취는 제한되고 있지만, 치태 양은 수크로오스의 섭취를 제한하지 않는 대조군과 거의 다르지 않다. 한편, 사람의 치태는 수크로오스를 위시해 프룩토오스, 글루코오스, 말토오스(maltose 또는 맥아당) 등 여러 가지 당질로부터 산을 생성해, 치태 pH를 동일한 정도 저하시키지만, 자일리톨(xylitol) 등 비발효성 감미료(표 13-7)에서는 거의 산을 생성하지 않는다. 이와 같은 사실로부터 사람의 치아우식증에 대해서는, 불용성 글루칸의 합성보다 산의 생성쪽이 보다 중요하다는 것을 의미한다. 다만, 수크로오스를 빈번하게 섭취하기 때문에 충치균의 정착을 촉진하는 것이나, 원래 충치균의 비율이 많은 치태에서는 수크로오스가 불용성 글루칸의 합성에 이용되어 치태형성을 촉진할 가능성에는 유의해야 한다.

표 13-7. 감미료의 분류. 보라색으로 둘러싼 것은 사람 치태에 의해서 거의 산의 원료가 되지 않는 것으로 보아 우식유발성이 없다고 생각할 수 있다. 팔라티노스와 공역당은 치태에 의해 산의 원료가 되기 어렵지만, 사람에 따라서는 치태에 의해 산의 원료가 된다. 그 외의 당질계 감미료는 치태에 의해서 산의 원료가 되기 때문에 우식유발성이 있다고 생각할 수 있다.

안도 타카히사 : 설탕의 지식. 구강보건협회. 1983. p282.

대분류	소분류	감미료명칭	감미도
당질계 감미료	단당	글루코오스(glucose, 포도당)	0.74
		프룩토오스(fructose, 과당)	1.73
		이성화당(high fructose com syrup)*	1.30
		전화당(invert sugar)**	1.30
	올리고당	수크로오스(sucrose, 자당, 설탕)	1.00
		말토오스(maltose, 맥아당)	0.32
		락토오스(lactose, 유당)	0.16
		팔라티노오스(palatinose)	0.5
		공역당(cupling sugar)	
	당 알코올	솔비톨(sorbitol)	0.54
		만니톨(mannitol)	0.57
		말티톨(maltitol)	
		자일리톨(zylitol)	1.08
		에리스리톨(erythritol)	
		환원 맥아당 물엿***	
		환원팔라티노오스	
	화학 수식계	수크랄로오스(sucralose)	600
비당질계 감미료	배당체계	스테비오사이드(stevioside, 스테비아)****	300
		글리시리진(glycyrrhizin)*****	50
	아미노산계	아스파탐(aspartame)	100~200
	화학합성계	사카린(saccharin)	200~700
		덜신(dulcin)	70~350
		사이클라메이트-Na(cyclamate-Na)	300~700
		아세설페임 K(acesulfame K)	200

* 녹말을 원료로 한 글루코오스, 용액에 효소를 작용시켜 글루코오스의 일부를 프룩토오스로 변하게 한 혼합물이다.

** 수크로오스를 녹인 용액에 산을 가하고 가열하거나 분해효소인 전환효소(invertase)를 작용하여 만들며, 포도당과 과당으로 분해된 당이다.

*** 물엿에 수소를 첨가한 것으로열에 강하고 갈색으로 변색되지 않는 특징이 있다.

**** 남미 파라과이의 국화과 식물인 스테비아(Stevia rebaudiana)의 잎과 뿌리에 함유되어 있다.

***** 감초(Glycyrrhizia glabra)에 함유되어 있는 감미성분으로 항염증 작용과 항알레르기 작용을 가지고 있다.

(3) 숙주(host)

① 침

침은, 자정작용이나 산 중화작용에 의해 치태 pH 저하에 저항해, 우식증의 발증이나 진행을 억제한다. 침이 치아우식증을 억제하는 중요한 인자인 것은 타액선을 외과적으로 적출해낸 햄스터 실험으로 증명되고 있다. 다만, 이렇게 타액선을 적출한 동물에서 우식증을 발생시키려면 우식 유발성 당질을 투여하여야만 하는 것으로 보아 치아우식증 발생이 다인자성이라는 것을 시사해 주고 있다.

사람의 경우 구강건조증(xerostomia) 환자에서 광범위하게 중증인 우식증이 발생하기 쉬운 일이나, 콜린억제제(atropine 등), 항히스타민제(phenothiazine 등), 궤양치료제, 신경안정제(chloropromazine 등), 혈압강하제, 진정최면제 등의 장기 복용이나 구강 방사선 치료에 수반하는 타액선 장애에 기인하는 침 분비 저하에 수반해 우식이 증가하는 것이 알려져 있다. 수면 중에는 모든 사람이 생리적 구강건조증 상태가 된다. 수면 중의 침 분비량은 극도로 저하해, 분비량의 저하에 수반해 그 pH도 저하된다. 따라서 취침 전에 입을 가시거나 취침 전의 칫솔질에 의해서 구강에 정류하고 있는 당이나 치태를 제거하는 것이 우식예방에 매우 중요하다. 또한 침에 포함되는 Ca^{2+}나 인산이온은 산 중화작용과 함께 탈회부위의 재석회화를 촉진한다. 그러나 침 중의 항균인자나 분비형 IgA(sIgA)의 항우식작용에 대해서는 아직도 확실하지가 않다.

② 치아의 질적 상태

치아의 형태나 치열의 상태, 특히 구치의 소와열구 부위가 치아우식증에 대한 감수성이 높은 것으로 알려져 있어 우식감수성과 열구의 깊이와 간격과는 양(+)의 상관관계가 있는 것으로 나타나고 있다. 치아우식증에 대한 감수성은 같은 구강 내라도 치아에 따라서고 다르고, 같은 치아라도 치면에 따라 다르다.

현재, 치질의 우식저항성을 증가시키는 작용이 밝혀진 것으로는 불소로, 발육 중 및 맹출 후의 치아에 작용해 법랑질의 내산성을 높이는 것으로 알려져 있다(그림 13-2). 불소가 존재하면 하이드록시아파타이트의 수산기(OH 기)가 불소와 교환돼 불화아파나이트(fluoroapatite)를 형성한다. 불화물의 치면도포, 구강세정, 음료수에 첨가 등의 응용으로 치아의 질적 상태에 영향을 주어 내산성을 높임으로써 치아우식증의 감소를 기대할 수 있다.

불소와는 반대로 탄산과 마그네슘은 법랑질의 우식저항성을 감소시킨다. 특히 하이드록시아파타이트의 수산기가 탄산기로 치환된 탄산아파타이트(carbonate apatite)가 증가하면 산에 대한 용해도가 높아진다.

(4) 시간

① 탈회의 빈도와 재석회화

통상의 식사에 포함되는 당질에 의해서도 치태 pH는 임계 pH 이하로 저하하는 것으로 보아 1일 3회 식사 중에 법랑질의 표층은 탈회되게 된다(그림 13-18A). 그러나 이 탈회는 심하지 않아서 임상적으로는 건전한 범위에 머물러 저하한 pH는 침에 의한 당질이나 산의 세정작용(자정작용), 산 중화작용 등에 의해 되돌려져, 탈회된 치아 표면은 다시 석회화되어 수복된다. 이 석회화에 의한 수복은 나중에 기술하듯이 재석회화라고 불려 탈회보다 재석회화가 차지하는 시간적 비율이 길면 치아 표면의 탈회는 진행하지 않고 치아우식증은 일어나지 않는다. 한편, 빈번한 간식, 특히 야식의 섭취 등에 의해 pH 저하의 빈도가 많은 경우 탈회가 재석회화를 상회하면 치아 표면의 탈회는 진행돼 이윽고 임상적으로 분명한 법랑질 우식으로 이행한다고 생각할 수 있다(그림 13-18B).

당질의 섭취방법과 치아우식증의 관계를 분명히 밝힌 것은 구스타프손(Gustafsson BE) 등에 의해서 스웨덴의 룬트(Lund) 시 교외에 있는 바이프호름(Vipeholm) 정신병원에서 행해진 치아우식증 연구(Vipeholm caries study)가 대표적이다(그림 13-19, 20). 이 연구는

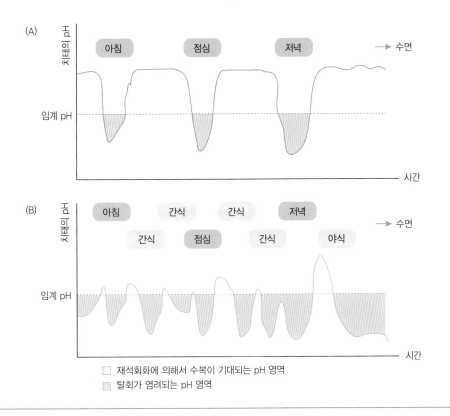

■▓ 그림 13-18. 1일 생활 속에서의 치태 pH 변화

(A) 3회의 식사만 섭취했을 경우 (B) 3회의 식사 외에 간식을 섭취했을 경우

야마다 타다시(Yamada Tadashi, 山田 正) : 식품과 개발, 29:11-13, 1994.

■▓ 그림 13-19. 스웨덴의 룬트시 교외에 있는 Vipeholm 정신병원

여기서 436명의 입원환자에 대해 유명한 치아우식증 실험을 했다.

입원환자 436명에 대해 5년간에 걸쳐 실시한 대규모 연구로써 그림 13-20에서 보듯이 하루 설탕 300g, 빵에 첨가된 설탕 50g을 식사와 동시에 투여한 결과 설탕은 우식증 발생에 영향을 주지 않는 것이 밝혀졌다. 한편, 이보다 소량의 당이 함유된 토피[toffee, 미국에서는 taffy라고도 불려 설탕과 당밀을 달여서 버터, 견과류를 더해 만든 캐러멜 비슷한 캔디], 캐러멜, 초콜릿과 같은 식품을 식간에 2회 주게 되면 우식증 발생이 신속하게 증가한다. 그럼에도 불구하고 이들도 식사 시에 같이 주게 되면 우식증 발생이 현저히 감소된다. 이러한 경향은 토피나 캐러멜과 같이 구강 내에 정체되기 쉬운 식품일수록 현저하였다. 또한 식간에 투여하는 빈도를

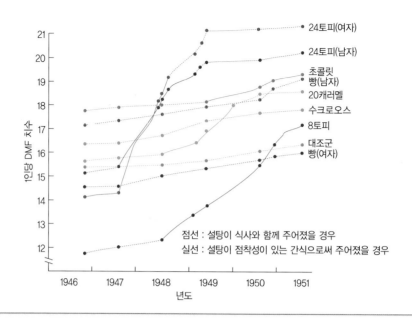

■■■ 그림 13-20. 바이프호름 정신병원에서 436명의 입원 환자를 대상으로 5년간에 걸쳐서 행해진 치아우식증 연구의 결과

DMF 치수 : 우식치(decayed teeth), 상실치(missing teeth) 및 충치(filled teeth)의 총화

Gustaffson BE, Ouensel CE, Lanke LS, Lundovist C, Grahnen H, Bonow BE, Krasse B : The Vipeholm dental caries study ; the effect of different levels of carbohydrate intake on caries activity in 436 individuals observed for five years. Acta Odontol Scand 11:232~264, 1954.

3회로 늘리면 2회 투여할 때보다 유의할만한 우식증 발생이 증가하였다.

섭취빈도에 관해서는 미국의 바이스(Weiss RL)와 트리타트(Trithart AH)가 5~6세 반의 아동 783명에 대한 연구를 실시해, 식간에 단맛이 있는 식품을 주는 회수와 치아우식증 발생(def 치수, decayed, extracted, filled teeth)과의 사이에 상관관계가 있는 것을 보고하였다(그림 13-21). 이상에서 보듯이 당질이 우식증의 발생에 밀접하게 관계 하는 것은 당질의 양 뿐만이 아니고, 간식으로서 섭취 하는 빈도가 높았을 때 즉, 탈회가 재석회화를 상회하는 것이 중요하다는 것을 알 수 있다. 또한 구강 내 점착성으로 구강에 정체하기 쉬운 식품은 당질을 지속적으로 치태에 공급하게 되어 장시간에 걸쳐 치태 pH를 저하시킨다. 이러한 사실로부터 식품의 물리화학적 성상, 특히 구강 내에 보지성(체류성)이 중요한 인자가 된다.

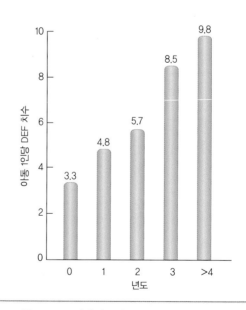

■■■ 그림 13-21. 5세에서 6세 반 아동의 우식발생에 대한 간식 섭취빈도의 영향

def 치수 : 우식치(decayed teeth), 발거치(extracted teeth) 및 충치(filled teeth)의 총화

Weiss RL, Trithart AH : Between-meal eating habits and dental caries experience in preschool children. Am J Public Health Nations Health. 50:1097-104. 1960.

② 임상적 우식병소의 경과

우식병소는 상기와 같이 탈회와 재석회화를 반복하면서, 월 단위 혹은 년 단위의 상당한 기간에 걸쳐 천천히 진행된다. 아동에서의 조사에서 초기 우식병변이 임상적으로 우식와동(cavity)으로 진행하는 속도는 평균 18 ± 6개월이라 알려져 있다. 아동의 영구치에 대해 연차별 우식이환율을 조사한 결과에서는 치아 종류에 구별 없이 맹출 후 2~4년에 피크에 달하고, 그 이후는 하강하는 것이 관찰되고 있다. 이러한 하강은 주로 탄산의 소실과 불소를 끌어들여 법랑질 표면이 성숙되었으며, 열구에서의 치태 석회화 등에 의한다고 생각되고 있다. 치아우식증의 발생이 최대로 되기까지 2년간이 필요하다고 하는 사실로 보아 현 단계에서는 우식예방의 효과 판정에는 2년 이상 추적 조사를 계속 관찰할 필요가 있다고 한다.

(5) 생활습관병으로서 치아우식증

지금까지 말한 것처럼, 치아우식증은 4개 인자로 대별되는 다인자성 질환인 것이 밝혀졌지만, 이 인자는 각각 사람의 생활 습관에 의해 큰 영향을 받는다. 치아우식증의 발증은 치아표면에서 pH가 낮아져 산성 환경이 빈번히 나타나 탈회가 재석회화를 상회하였을 때 나타난다. 발효성 당질을 포함한 간식을 빈번히 섭취하여 산성 환경이 빈번하게 발생하고, 빈번한 산성 환경은 탈회를 촉진하는 것만이 아니고, 치태 세균총의 적응이나 쉬프트를 유발하여 치태의 우식병원성을 증강시킨다. 식품 성분이나 성상 등을 포함하여 "무엇을 먹을까(what to eat)"라고 하는 관점만이 아니고, 빈도나 간식에 걸치는 시간 등을 포함한 "어떻게 먹을까(how to eat)"라고 하는 관점이 치아우식증을 생각하는데 중요하고, 이것은 치아우식증이 "식생활"과 밀접한 관계에 있는 생활습관병의 일종인 것을 의미한다.

4) 법랑질의 재석회화

백반(white spot)이라고 불리는 법랑질상의 초기우식이 생겨도, 자연스럽게 치유될 가능성이 있는 것이 임상적 입장에서 관찰 되고 있다. 이것은 탈회 법랑질의 재석회화에 의한 자연수복에 의한다. 1912년 헤드(Head J)

표 13-8. 사람 상악 제1대구치 협측의 우식 진단 및 7년 후의 결과(총 치아수 : 184)

Backer-Dirks O : Posteruptive changes in dental enamel. J Dent Res 45:509, 1966; 이이즈카 요시카츠 외 편 : 치계 전망 별책 / 우식을 생각한다. 이시야쿠출판, 도쿄. 1982.

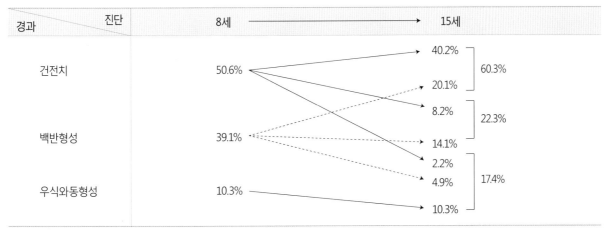

는 in vitro 실험에 의해서 침이 탈회 법랑질 표면을 적지만 재석회화 하는 것인데, 특히 칼슘과 인산용액을 사용하면 경도가 90% 회복하는 것을 보고하였다. 1960년대에 들어와 in vivo 혹은 in vitro로 이 자연수복(재석회화)에 관한 지견이 계속 밝혀졌다. 임상관찰(표 13-8)에서는 8세에 백반으로 진단된 초기 우식증의 대부분이 15세에 자연수복 되고 있는 것을 알 수 있다. 게다가 이 재석회화에 대한 불소의 영향은 현저하여 0.05mM의 불소의 존재가 재석회화 속도를 4배나 증가시켜, 거의 원래의 경도까지 되돌리게 하는 것이 밝혀졌다(그림 13-22). 게다가 이 재석회화는 불소에 의해서 촉진되는 것이 밝혀지고 있다. 폰 데 페르(von der Fehr FR) 등은 12명의 남자 치과 대학생의 협력을 얻어 사람에서 실험 우식증의 연구를 통해 in vivo에서도 불화물(0.2% NaF)로 입을 세정함으로써 자연수복을 촉진하는 것을 보고하였다.

법랑질 표면은 이미 기술한 것처럼 1일의 식생활 속에서 탈회-재석회화의 사이클을 반복하고 있어 탈회 시에는 법랑질 중의 무기질이 용출되고, 재석회화 시에는 무기질이 재침착한다. 재침착하는 무기질은 탈회에 수반해 용출된 것이나 침에 포함되는 칼슘이나 인산에서 유래한다. 탈회-재석회화를 반복하고 있는 환경 내에 불소가 존재하면 재석회화가 촉진되어 더욱 더 불화아파타이트로 대표되는 불화물염이 선택적으로 침착하게 된다. 불화아파타이트는 산에 대한 저항성이 높은 것으로 보아 법랑질 표면은 보다 산에 대한 저항성이 증가한다. 쿨로라이드스(Koulourides T) 등은 경도의 탈회는 법랑질 표면에서 보다 높은 불소유입을 가능하게 하고 또한 지속적으로 일어나는 재석회화에 의해서 우식침습(산에 의한 탈회)에 대해 보다 큰 저항성을 획득하게 된다는 사실 증명하였다(그림 13-22). 탈회와 재석회화의 밸런스가 유지되면, 일단 발생된 초기 우식증도 그 이상 진

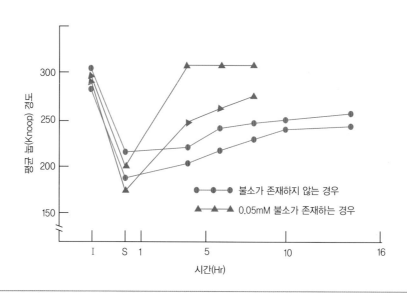

■■ 그림 13-22. 법랑질 표면의 재석회화와 불소의 영향

I은 탈회전, S는 1.0mM 초산(acetic acid)에서 4시간 탈회한 후의 경도를 나타낸다. 재석회화에는 인산칼슘(칼슘, 1.5mM; Ca/P : 1.67) 용액(pH 7.3)을 사용하였으며, 여기에 0.05mM F를 함유하거나, F를 함유하지 않는다. 반응은 37℃에서 2시간 경과할 때마다 용액을 교환하여 각각 동일한 조건에서 2회 실시한 결과를 그대로 그림으로 표시하였다.

Koulourides T, Cueto H, Pigman W : Rehardening of softened enamel surfaces of human teeth by solutions of calcium phosphate. Nature 189:226-227, 1961.

행하지 않고, 이른바 병소 경화(lesion consolidation)라고 불리는 상태가 되어, 재석회화가 탈회를 웃돌면 법랑질의 수복이 기대된다.

　이러한 생각이 오늘날 광범위하게 임상에 응용 되고 있다. 임상적으로 C_0로 진단되는 초기 우식증에 대해서는, 즉시 인공수복 처치를 시술하지 않고, 식습관을 개선하여, 구강 위생 상태를 양호하게 유지하거나 불화물 처치를 실시하여 재석회화가 탈회를 웃돌도록 유지함으로써 자연수복을 시도하는 관찰기간이 필요하다. 만약 관찰기간에 자연수복이 되지 않고 병소가 진행되는 징후를 볼 수 있거나 환자의 협력을 얻을 수 없는 경우에는 충전처치를 시술한다. 임상적 우식 진단 구별 방법으로 C_0는 관찰을 요하는 치아로 백반 등 초기 우식증이 나타나지만 치질 결손이 없고 자연수복의 가능성이 있는 치아이며, C_1은 법랑질 우식으로 법랑질에 국한한 치질의 결손이 나타나며, C_2는 상아질 우식으로 상아질까지 진행한 우식이고, C_3는 치수까지 진행한 우식, C_4는 치관부가 없어져 치근부만 남은 우식상태이다.

2 치아우식증의 예방

1) 불소

　불소의 숙주에 대한 치아우식증 예방작용의 하나는 하이드록시아파타이트의 수산기를 불소와 교환하여 불화아파타이트(fluoroapatite, 플루오르아파타이트)로 바꿈으로써, 아파타이트 결정 격자중의 격자공간(vacancy 또는 void)을 매워줌으로써 결정을 안정화시켜, 결과적으로 산에 대한 용해성을 저하, 즉, 우식저항성을 증대 시키는 것이다. 이미 앞에서 기술한 것처럼 다른 한 가지는 재석회화를 촉진시켜, 초기 우식증의 자연치유에 기여하는 것이다.

　또한 불소는 치태 세균의 당대사(산 생성)를 저해하는 것으로 우식예방효과를 가진다(그림 13-23). 불소이온(F^-)은 불화수소(HF)로서 세균의 균체에 들어온다. HF는 균

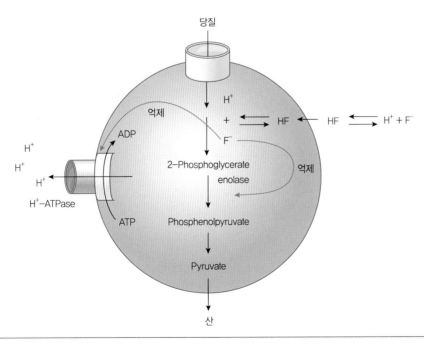

당질

H^+
억제
$+$　←　HF　←　HF　⇌　$H^+ + F^-$
F^-
ADP
H^+
H^+
H^+　　　　2-Phosphoglycerate
　　　　　　　　　　　　　　　　억제
H$^+$-ATPase　　enolase
ATP　　Phosphenolpyruvate
Pyruvate
산

■■▪ 그림 13-23. 불소의 치태 세균 당질 대사에 대한 억제 작용

체에서 다시 F⁻가 되어, 해당계 효소인 엔올라아제(eno-lase)를 저해하여 당대사 전체를 억제한다. 또한 균체에서 HF가 F⁻로 될 때에 H⁺가 생성되기 때문에 균체 내부의 pH가 저하한다. 나아가 F⁻는, 균체 내에서 H⁺를 배출하는 H⁺-ATPase도 저해하여 균체 내부의 pH 저하를 조장한다. 이러한 저해 작용은 치태 세균의 산생성 능과 내산성능이라고 하는 우식병원성을 감소시켜 약하게 한다. 나아가 F⁻는 당질을 균체내로 끌어들이는 효소계나 균체내 다당 대사효소도 저해하리라 생각한다.

이미 앞에서 기술하였듯이 치태에는 5~50ppm, 치석에는 200~300ppm의 불소가 존재하고 있지만, 이들 불소의 대부분은 불화칼슘(CaF₂)의 형태로 칼슘과 결합하여 존재한다. 치태 속의 불소는 이온형이 불과 2% 미만이지만, 치태 pH가 저하하면, 30% 이상이 F⁻로 유리되어 상술한 재석회화의 촉진이나 당대사의 저해에 관여하리라 생각한다. 또한 법랑질의 최외층에는 1,000ppm 정도의 불소가 존재하므로, 이것도 F⁻의 공급원이 된다고 생각할 수 있다.

2) 설탕과 대체감미료

대체 감미료가 나오게 된 것은 비교적 근래의 일이다. 대체감미료는 처음에 건강상의 이유로 설탕 섭취를 제한 받는 사람들과, 에너지 섭취를 제한할 필요가 있는 사람들을 위해 개발되었다. 이러한 대체 감미료의 개발로 인해 부수적으로 나타나는 장점이 치아우식증을 방지해 준다는 점이다. 그럼에도 불구하고 아직까지 설탕을 대체할 수 있는 획기적인 감미료 개발이 이루어 지지 못한 실정이다. 특히 설탕이 치아우식증의 한 원인으로 받아들여지고 있어 치과 분야에서 대체감미료에 대한 관심이 더욱 증가하고 있다. 더욱이 설탕을 전량 수입해서 사용하는 우리나라의 경우 설탕을 대체할 수 있는 기능성 대체감미료의 개발은 의학적 가치뿐만 아니라 경제적 가치도 크리라 기대된다. 오늘날 칼로리 섭취의 과다로 인한 비만증과 같은 만성 질환의 증가나, 앉아서 일하는 사람들의 칼로리 섭취를 감소시키기 위해 부가적인 칼로리 증가는 없이 맛있는 음식을 만들기 위한 노력이 필요하게

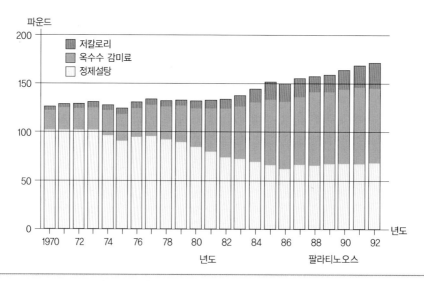

■■■ 그림 13-24. 1인당 연간 감미료 소비

꿀과 시럽 소비는 작아서 여기에서 제외하였다. 저칼로리 감미료 경우 설탕과 같은 당도로 환산하여 나타냈으며, HFCS(high fructose corn syrup)는 건조 중량으로 나타냈다.

Putnam JJ, Allshouse JE : Food Consumption, Prices and Expenditures, 1970-1992. SB-867, US. Dept. Agr. Econ. Res. Serv. Washington, DC, Sept. 1993.

되었다. 이러한 노력의 결과로 저칼로리 또는 무칼로리 대체감미료들이 개발되었다.

대체감미료의 사용은 치의학적으로도 많은 이점이 있다. 치의학점 관점에서 이상적인 대체감미료는 ① 구강 내 미생물에 의해 발효되지 않아야 하며, ② 저칼로리여야 한다는 점을 제외하고 설탕의 모든 특징을 갖는 대체감미료라 할 수 있다. 설탕 소비를 줄이고자 하는 요구는 전 세계적으로 광범위하게 퍼져 대체감미료의 사용은 급속히 증가하고 있다(그림 13-24).

대체감미료는 주로 감미 목적으로 사용되기도 하지만, 감칠맛 때문에도 이용되기도 한다. 일부 대체감미료는 특수한 목적으로 사용할 수 있지만, 다른 목적으로는 사용할 수 없는 경우도 많아서 다양한 대체감미료가 개발되고 있다. 개발된 대체감미료는 고유의 성질을 가지고 있어서, 다양한 대체감미료를 이용함으로써 음식과 음료에 다양한 맛과 질감을 부여할 수가 있다. 또한 대체감미료들은 병용해서 사용할 경우 감미도의 상승효과(synergic effect)를 나타내기도 하기 때문에 2종류 이상을 혼합하여 사용하기도 한다.

(1) 당질로서 설탕이 갖는 특징

현재 설탕은 우리의 식생활에 없어서는 안 될 식품중 하나이다. 세계적으로 보면 연간 약 1억톤 이상의 설탕이 일반 가정이나 식품 가공업으로 소비되고 있다. 설탕의 1 인당 소비량은 연간 19.3kg(1일 평균 53g, 2002년)으로, 미국(30.9kg)이나 EU(38.5kg)보다는 적다. 상상을 크게 웃도는 소비량이라고 생각되지만, 그것은 우리가 설탕 그 자체보다 가공 식품으로서 보이지 않는 형태로 소비하는 비율이 훨씬 크기 때문인데, 우리나라에서도 설탕의 70%는 이상이 가공용이다. 일반적으로 감미료는 식품에 단맛을 주거나 물리적(결정화, 점성), 화학적(항산화, 캐러멜화) 특성, 및 미생물학적(발효, 보존) 특성을 부여할 수 있는 기능을 가지고 있다.

설탕의 주성분은 수크로오스(sucrose, 자당)이다(그림 13-25). 설탕[상백당(일반적인 백설탕)]은 다양한 수크로오스 제품의 총칭으로 그 성분의 97~99%는 수크로

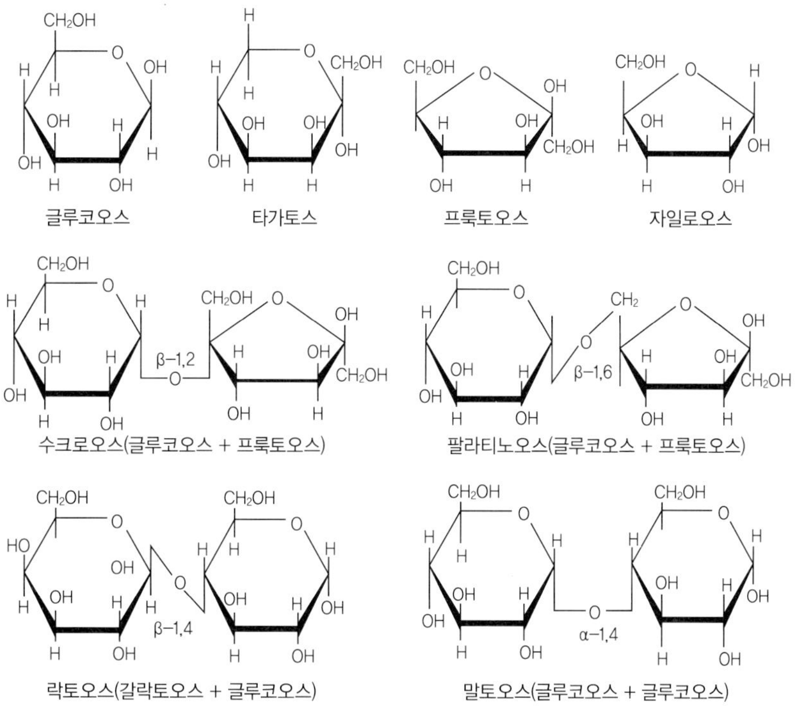

그림 13-25. 당질계 감미료의 구조

오스이다. 설탕이 가공 식품에 이용되는 이유는 ① 수용성이 강해서 수크로오스가 물에 녹기 쉽고, ② 수크로오스가 첨가되면 조형성이나 불을 다루기가 좋아지기 때문이다. 또한 ③ 고농도의 수크로오스가 존재하면 미생물이 증식 할 수 없는 방부제로서의 작용을 가진다. 예를 들어, 잼(jam)은 액체 상태에서 약 75%의 수크로오스를 포함하고 있어 곰팡이의 발생을 억제하고 있다. 그러므로 수크로오스를 다른 감미료로 대체하려면 식품 제조업자는 미생물학적으로 고도의 청결함을 요구하게 된다. 게다가 ④ 수크로오스 그 자체에는 향기가 없으나 제과 제빵 시 감미로운 향이 있는데, 이 달콤한 향기는 소톨론(sotolon, 또는 fenugreek lactone)이라고 불리는 3-하이드록시 4,5-디메틸 2(5H)-후라논[(3-hydroxy-4,5-dimethyl-2(5H)-furanone]을 기반으로 하는 기초 물질임이 밝혀졌다. 소톨론은 호로파(fenugreek, 콩과의 일년생 식물로 남유럽, 인도, 북아프리카에서 자라며, 이 종자는 방향성이 있어 카레 제조 시에 사용된다)와 단풍시럽(maple syrup)의 전형적인 향으로 강력한 아로마 화합물(그림 13-26)이다. 이러한 감미로운 향 역시 수크로오스의 중요한 성질이 되고 있다.

설탕을 흡수하면 장내에서 설탕 분해효소인 수크라제(sucrase)라는 효소에 의해 글루코오스오 프룩토오스로 분해된다. 이들은 세포 내 대사 경로를 통해 중요한 에너지원으로 사용된다. 설탕은 g당 4kcal의 에너지를 함유하고 있으며, 미국에서 일인당 하루 14~60g 섭취하여,

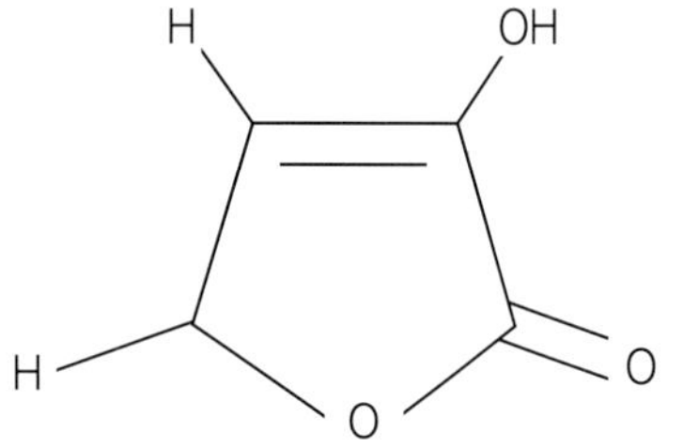

■■■ 그림 13-26. 제과 제빵 과정에서 나타나는 감미로운 향기의 기본 물질인 소톨론(sotolon)의 구조

전체 에너지원의 약 7~11% 정도로 보고되었다. 그러나 설탕으로 대표되는 전통적 당질 감미료는 치아우식증 유발, 비만유발 , 당뇨병에 미치는 영향 등의 부정적 측면이 부각되면서 설탕을 대체할 수 있는 기능성 감미료의 개발이 주장되었다.

(2) 당분과 대체감미료

현재까지 개발된 감미료는 제조 방식에 따라 ① 천연 감미료와 ② 합성 감미료(또는 인공 감미료)로 구분되며, 천염 감미료는 다시 원료의 특성에 따라 ① 당질계 감미료와 ② 비당질계 감미료로 분류한다. 당질계 감미료는 ① 수크로오스, 글루코오스(포도당), 말토오스(맥아당), 자일로오스(xylose) 등의 당류와 ② 솔비톨(sorbitol), 자일리톨(xylitol), 에리스리톨(erythritol) 등의 당알코올(sugar alcohol), ③ 프룩토올리고당(fructooligo-saccharide), 갈락토올리고당(galactooligosaccharide)와 같은 올리고당류 등이 포함된다. 비당질계 감미료는 ① 배당체 형태의 감초 성분인 글리시리진(glycyrrhi-zine), 국화과 식물의 성분인 스테비오사이드(stebioside)와 ② 단백질 형태의 타우마틴(thaumatin)과 모넬린(monellin) 등이 있다. 합성 감미료로는 감미도가 천연 감미료에 비해 월등히 높은 사카린(saccharin), 아스파탐(aspartame), 아세설페임 포타슘(acesulfame-K), 수클랄로오스(sucralose) 등이 있다. 일반적으로 합성 감미료가 천연 감미료에 비해 상당히 우수한 감미도를 나타낸다.

또한 감미료는 분류 방식에 따라 다양하게 구분할 수 있다. 일반적으로 앞에서 기술한 방식으로 분류되고 있지만, 에너지 공급 유무에 따라 ① 영양 감미료(nutritive sweetener)와 ② 비영양 감미료(non-nutritive sweet-ener)로 분류되기도 한다. 영양 감미료는 당질계 감미료와 저 에너지원인 당알코올류가 속하며, 비영양 감미료로는 주로 합성 감미료 등이 포함된다. 또한 감미도에 따라서도 분류할 수 있는데, ① 저감미도 감미료에는 당류

와 올리고당류, 공역당(coupling sugar), 팔라티노오스(palatinose) 및 당알코올류가 속하며, ② 고감미도 감미료에는 합성 감미료인 사카린, 수크랄로오스, 아세설페임 포타슘, 사이클라메이트(cyclamate)와 배당체 감미료인 스테비오사이드, 글리시리진, 단백질계 감미료와 아스파탐과 같은 펩타이드 계열 감미료 등이 속한다.

오늘날 많이 사용되는 대체감미료 중 저칼로리 감미료는 치아우식증 유발성이 낮다. 당질계 감미료는 당분에 대한 노출 횟수를 가능한 줄이기 위해 간식으로 사용하지 않는 것이 좋다. 칼로리 섭취를 크게 줄일 필요가 없는 경우 당알코올 대체감미료의 사용이 권장된다. 대체감미료 중 일부는 발효되지 않기 때문에 치아우식증을 유발하지 않는다. 많은 사람들이 이들 저칼로리 대체감미료나 합성 감미료에 대해 안전성을 걱정하기도 한다. 시장에 나온 제품들은 연구를 통해 안정성이 입증되었으며, 소비 절제를 한다면 대부분의 사람에서 안전하다. 설탕, 프룩토오스, 자일리톨 및 에리스리톨 등 일부 감미료는 Generally Recognized As Safe(GRAS) 성분으로 허용되며, 사카린, 수크랄로오스 등은 식품 첨가제로서만 허용되고 있다. GRAS는 미국 식약청(FDA)에서 전문가에 의해 안정하다고 생각되는 식품에 첨가하는 화합물이나 물질에 표시한다. 또는 미국 연방 식품, 약품 및 화장품법(Federal Food, Drug and Cosmetic Act, FFDCA)에 의한 식품 내성 요구서(food tolerance requirement)를 면책해준 것들이다. 1958년 미국 식약청에서 700 식품 첨가물에 대해 면책을 허락하였으며 이후 1961년에 GRAS로 언급되었다.

혈당 조절이 필요한 당뇨병 환자의 경우, 대체감미료의 사용은 어떤 한 종류의 감미료만을 사용하는 것보다 다양한 종류의 대체감미료를 사용하는 것이 좋다. 대체감미료를 사용한 식품 섭취의 경우 특히, 어린이의 경우 체중을 고려하여 권장량 이하로 섭취하도록 하여야 한다. 즉, 사카린은 하루 500mg, 아스파탐은 체중 kg당 500g/일, 아세설페임 포타슘은 체중 kg당 15mg/

일이다. 그럼에도 불구하고 어린이들의 경우 성장과 발육에 ksg은 에너지를 필요로 하기 때문에 대체감미료 사용만을 너무 강조하는 것은 바람직하지 않다.

또한 임신 중에 아스파탐은 다른 아미노산과 마찬가지로 대사되기 때문에 제한된 양에서 보다 잘 선호되는 대체감미료이다. 아스파탐은 구성성분으로 페닐알라닌(phenylalanine)을 함유하기 때문에 페닐케톤뇨증(phenylketonuria) 환자에서는 사용하지 말아야 한다. 사카린은 태반을 통과할 수 있기 때문에 태아에 영향을 줄 수도 있다.

(3) 비우식성 감미료

수크로오스를 대체하는 감미료의 대부분은 당뇨병, 심혈관질환, 비만 등의 치유와 예방을 위해서 식이요법용 감미료(dietic sweetener)로 연구 개발 되었다. 따라서 거의 대부분이 저칼로리로 체내에서 쉽게 대사되지 않으며, 또 치태 세균에 의해 산 생성의 재료가 되지 않는 다는 점 때문에 치아우식증에 잘 이환되지 않는 비우식성감미료(non-cariogenic sweetener)로 이용할 수 있다. 이러한 비우식성감미료는 그대로 식품으로 섭취되는 경우는 많지 않고, 대부분 식품 속에 감미료로 첨가된다. 그러나 비우식성감미료가 들어가 있다고 그 식품 자체가 비우식성이 되는 것은 아닌 것에는 주의할 필요가 있다. 비우식성감미료가 들어가 있어도 그 식품에 발효성 당질과 같은 우식유발성 성분이 포함되어 있는 경우 그 식품은 비우식성식품이 아닌 경우가 많다.

지금까지 식품의 우식유발성(cariogenecity)은 치태 pH의 측정, 치태 현탁액을 이용하는 산생성능, 구강에서 탈회/재석회화 측정(Intraoral Cariogenecity test, ICT법), 동물실험에 의한 검사 및 세균학적 검사 등 많은 방법으로 평가되어 왔지만, 현 단계에서 모두 완전한 방법은 아니다. 한 가지 시도로 우식 발증의 필요조건인 식품의 산생성능을 in vivo로 검정 해, 산생성능이 낮은 식품을 우식유발성이 낮은 식품이라고 인정하여 우식예방에 유용하게 쓰고 있다. 현재, 일본에는 식품의 산생 성능을 검정하여 우식유발성이 낮은 식품으로 인정하는 기관이 2곳 있다. 1989년에 창립된 투스프렌드리인터내셔날(ToothFriendly International)의 일본 지부인 일본투스프렌드리스위트협회(Japanese Association for ToothFriendly Sweets)는 치의학 연구자, 치과의사 등이 주도하는 비영리 단체이며, 식품섭취 후 30분 이내에 치태 pH를 5.7보다 아래로 저하시키지 않는 식품에 대해, 우식의 원인이 되는 산을 생성하지 않는 식품으로 인정해 "치아 신뢰마크"의 표시를 허가하고 있다. 한편, 일본의 후생노동성은 건강의 유지 증진이나 특정의 보건의 용도를 위해 이용할 수 있는 식품을 "특정 보건용 식품"으로 인정하고 있어, 치과영역에서는 2001년부터 "충치를 유발하기 어려운"으로서 "특정보건용식품 마크"의 표시를 허가하고 있다(그림 13-27). 그러나 우리나라에서는 아직 공신력 있는 기관에서 치아 신뢰마크 등을 검증하여 사용하고 있지는 않다. 치아우식예방제품인증제도란 여러 가지 다양한 제품 중에서 치아우식증의 발생을

예방하는 음식이나 치아우식증의 발생을 예방하는 제품을 인증하여 공표함으로서, 국민 각자가 자발적으로 설탕배합 음식의 섭취를 기피하는 동시에, 치아우식예방음식을 섭취하고, 불소와 자일리톨을 배합한 세치제나 양치액 같은 제품을 사용함으로써 치아우식증의 발생을 예방하는 제도를 말한다. 우리나라의 국민구강보건연구소는 이러한 치아우식예방제품인증제도를 개발하여, 국민 각자가 자발적으로 치아우식예방음식과 치아우식예방제품을 선정하여 소비하도록 준비 중이다. 대한치과의사협회의 공식 추천 상품으로 특정 회사의 자일리톨 껌을 인증을 하고 있지만 보건복지가족부가 학회나 협회의 인증 광고를 금지한 이유는 광고가 소비자에게 오인 및 혼동을 줄 수 있다는 이유다. 그러므로 앞으로 공신력 있는 공공기관에서 명확한 기준에 의해 치아우식 예방제품을 인증할 필요가 있다. 이미 앞에서 나타낸 표 13-9는 주된 우식성 및 비우식성 감미료를 분류한 것이다. 여기에서는 이들 감미료의 제일 주된 저우식성 및 비우식성감미료 대해 기술하였다.

(A) 우리나라   (B) 일본

■■■ **그림 13-27. 우리나라 식품 인증 마크와 일본의 치아 신뢰마크와 특정 보건용식품 마크**
왼쪽에 있는 인증 마크는 농림수산식품부나 기타 기관에서 인증하는 것들이며(A), 오른쪽은 일본의 치아 신뢰마크와 일본 후생노동성에서의 특정 보건용식품 마크(B)이다.

표 13-9. 솔비톨, 자일리톨, 수크로오스 및 프룩토오스의 성질 비교

Burt BA : The use of sorbitol- and xylitol-sweetened chewing gum in carious control. JADA 137:190-196. 2006.

감미료 명칭	수크로오스와 비교한 상대적감미료	칼로리(kcal/g)	완화작용 유발 최초 양(g/일)	미국 규제상태
솔비톨	60	2.6	50	GRAS
자일리톨	100	2.4	20~90	음식 첨가물
수크로오스	100	4.0	> 100	GRAS
프룩토오스	117	4.0	50~70	GRAS

GRAS : Generally regarded as safe

① 당질계 천연 감미료

당질계 감미료는 탄수화물로 설탕(sugar 또는 sucrose), 글루코오스(포도당), 말토오스(maltose, 맥아당), 자일로오스(xylose) 등의 당류와 솔비톨(sorbitol), 만니톨(mannitol) 등의 당 알코올류, 프룩토올리고당, 대두올리고당 등의 올리고당류로 나눌 수 있다.

가. 당류

화합물을 구성하는 탄소 수에 따라 삼탄당(triose), 사탄당(tetrose), 오탄당(pentose), 육탄당(hexose)으로 나눌 수 있다. 많은 경우 당질 감미료는 자일로오스와 같은 오탄당과 글루코오스, 프룩토오스와 같은 육탄당으로 구성되는 경우가 많다. 글루코오스나 자일로오스는 단당류(monosaccharide)이며, 수크로오스, 락토오스 등은 이당류(disaccharide)이다(그림 13-25).

글루코오스(포도당)는 포도에서 처음 발견되어 포도당(grape sugar)으로 불리며, 우선성을 갖는 당분이란 의미에서 덱스트로스(dextrose)라고도 한다. 포유동물의 혈액 속에 0.1% 함유되어 있다.

프룩토오스(과당)은 사탕수수에서 처음 분리되었으며, 고 프룩토오스 콘시럽(high fructose corn syrup, HFCS)이나 결정 형태의 분말로 음료나 식품에 주로 사용된다. 결정 과당의 경우 천연 당질 감미료 중 가장 달며, 순간적으로 단맛을 느끼게 한다. 모든 탄수화물 중에서 과당은 가장 빨리 장을 비워 공복감을 유발하므로 물, 염류, 에너지가 빠르게 재수화(rehydration)하도록 한다. 그러므로 과당은 스포츠와 에너지 음료에 이상적인 감미료이다. 유전성 과당불내증 환자의 경우 과당이나 설탕 함유제품을 소비할 수가 없다.

자일로오스(xylose)는 목당(wood sugar)이라고도 하는 천연 감미료이다. 설탕에 비해 감미도가 60~70%이며, 미각이 설탕과는 약간 다르다. 비발효성이어서 장에서 잘 흡수되지 않고 대사가 잘 되지 않기 때문에 다이어트 감미료로 비만이나 당뇨 환자에 사용된다.

팔라티노오스(palatinose)는 사탕수수(*Saccharum officinarum*), 벌꿀 등에 함유되어 천연당으로 발견되었으며, 비우식성 감미료이며, 라일로스(lylose)로도 알려져 있다. 수크로오스의 이성체로 정식 명칭은 이소말툴로오스(isomaltulose, 6-O-α-D-glucopyranosyl-D-furanose)라 부르며, 설탕에 *Prminobacter rubrum*을 첨가하여 균체의 α-글루코오스 전이효소(α-glucosyltransferase) 작용으로 95% 이상의 회수율로 β-1,2-결합을 α-1,6 결합으로 전환시켜 얻는다. 감미도는 설탕의 1/3이지만, 미각은 매우 우수하다. 치아우식증의 주 원인균인 *S. mutans*는 팔라티노오스를 이용하지 못하여, 글루칸을 형서하지 못한다. 오히려 팔라티노오스와 설

탕이 동시에 존재할 경우 설탕을 기질로하여 형성되는 불용성 글루칸의 형성을 억제하는 비우식성 감미료이다. 다량 서취하여도 설사를 유발하지 않기 때문에 유아 및 유아용 식품에 안심하고 사용할 수 있다.

락토오스(유당)은 포유동물의 수유기에 유선에서 만들어져서 분비되는 유즙 속에 존재하며, 모유에서 6.7%, 우유는 4.5% 정도 함유되어 있다. 락토오스는 소장에서 유산분해효소(lactase)에 의해 글루코오스와 갈락토오스로 분해되어 흡수된다. 음식물 속에 적당량의 락토오스가 함유된 경우 유용 유산균의 성장을 도와 유해 세균의 번식을 억제한다. 유산균의 왕성한 번식으로 유산균이 산을 만들어내 장내 pH가 산성이 되면, 칼슘 흡수를 촉진하고, 영유아의 장내에서 악성 발효나 설사를 방지한다. 그러나 락토오스를 분해하는 효소가 선천적으로 결핍되거나 존재하지 않는 경우 락토오스를 함유한 유제품을 섭취할 경우 복통과 설사를 동반하는 락토오스 과민증(lactose intolerance)이 일어날 수도 있다.

말토오스(maltose, 맥아당)는 엿기름이라고도 하며, 식물의 잎이나 발아 종자에 널리 존재하며, 특히 맥아 중에 다량 함유되어 맥아당이라고도 한다. 또한 물엿의 주성분이기도 하다. 감미도는 설탕의 30~40% 정도로 온화한 맛은 당분 중에서 가장 뛰어 나다.

타가토스(tagatose)는 유당에서 유래하였으며 2001년 6월 식량농업기구(Food Agricultural Organization, FAO)와 세계보건기구(World Health Organization, WHO)가 합동으로 개최한 식품첨가물 전무가 위원회(Joint Expert Committee on Food Additive, JECFA)에서 사용이 허용되었다. 그러나 미국은 아직 사용이 허용되지 않았다. 타가토스는 설탕과 비슷한 감미도를 가지며, 칼로리는 반 이하로, 설탕이 g당 4kcal인데 비하여 타가토스는 g당 1.5kcal이다. 전 세계적으로 "Naturlose"라는 상품명으로 시판되고 있다. 치약이나 구강 세정제, 립스틱에 사용되고 있다.

나. 당 알코올 천연 감미료

당 알코올(sugar alcohol)이란 포도당, 자일로오스(xylose)와 같은 단당류나 말토오스(maltose, 맥아당)와 같은 이당류 등에 수소를 첨가한 환원당이다. 이러한 당 알코올의 공통된 결점은, 한꺼번에 대량 섭취하면 일과성의 완하작용(설사)이 있으며 물을 끌어들이는 흡습성을 가지기 때문에 당의 결정화나 분말화가 쉽지 않다는 것이다. 당 알코올은 모두 저작 껌, 엿, 쿠키, 잼, 음료 등에 첨가되고 있다. 당 알코올류는 당질 감미료에 비해 저칼로리이며, 혈당 증가나 치아우식증 등을 유발하지 않기 때문에 설탕 대체감미료로 우수성이 많이 입증되고 있다. 당 알코올류는 물에 녹을 때 흡열 작용이 있어 청량감을 나타내기 때문에 껌, 제과, 제빵, 음료수 등의 식품에 널리 사용되고 있으며, 보습성과 단백질 변성 방지 효과를 나타내기 때문에 수산물 가공, 의약용, 공업용 등으로 사용 범위가 크게 증가하고 있다. 당 알코올류는 당질 감미료에 비해 저칼로리이며, 혈당 증가나 치아우식증 등을 유발하지 않기 때문에 설탕 대체 감미료로서 우수성이 많이 입증되고 있다.

말티톨은 맥아당에 수소를 첨가해 만들어지는 이당의 당 알코올(그림 13-28)로, 맥아당 한 쪽의 포도당 분자가 환원되어 있다. 공업적으로는 맥아당 물엿에 수소를 첨가해 제조되는 환원 맥아당 물엿의 주성분이며, 수크로오스의 85~95% 감미도를 가진다. 말티톨은 낮은 융해열을 가지기 때문에 다른 당 알코올에서 나타나는 청량감이 없다. 또한 용해성이 높아 당 알코올 중 가장 높은 점성을 가지기 때문에 전통 과자류 제품에 널리 사용된다. 말티톨은 S. mutans에 의해 발효되지 않기 때문에 소화관 내 소화 흡수가 어렵다. 그렇기 때문에 섭취 후 대장에 도달하여 대장균에 의해 대부분 분해되기 때문에 생체 내 에너지원으로 이용률이 낮다. 칼슘과 함께 병용할 경우 칼슘 흡수를 도와 뼈가 강해진다.

솔비톨(D-sorbitol)은 사과, 배, 복숭아 등 과실류나 해조류에 존재하는 6탄당의 당 알코올(그림 13-29)로 수

■▧ 그림 13-28. 당 알코올류의 구조

■▧ 그림 13-29. 치아우식증 예방 목적으로 개발된 올리고당의 구조

크로오스의 60~70%의 감미도를 가지며 보습능이 높고 상큼한 감미가 특징이다. 체내에서 대사되어 에너지가 될 수 있으나, 혈당치를 상승시키지는 않아 당뇨병 등 특정 환자의 감미료로 사용된다. 공업적으로는 포도당에 수소를 첨가해 만든다. 체내에서 대사되어 에너지화가 되나, 혈당치를 상승시키지 않으며, 인슐린과 무관하게 대사되므로 당뇨병 등 특정 환자의 감미료로 사용된다.

*S. mutans*에 의해 분해되는 속도가 느리며, 일정 시간 내에 만들어지는 산이 적은 편이지만, 솔비톨 배지에서 계대 배양하여 효소 유도를 실시한 세균은 솔비톨을 잘 분해하여 산을 생성한다.

자일리톨(xylitol)은 오얏류와 딸기류 등의 과일이나 야채에 소량 함유되어 있다. 산업적으로는 옥수수 속대나 자작나무로부터 추출한 자일란(xylan)의 가수분해로 얻을 수 있던 자일로오스(xylose)를 원료로 해, 이것에 수소를 첨가해 만드는 오탄당의 당 알코올이다(그림 13-28). 자일리톨은 당 알코올 중 가장 달고, 설탕과 같은 감미를 준다. 자일리톨은 설탕과 유사한 단맛을 주지만 설탕보다 빠르게 단맛이 없어진다. 또한 자일리톨은 뛰어난 다이어트 및 비우식성감미료로서 세계적으로 광범위하게 사용되고 있다. 다른 당 알코올과 혼합하여 사용하는 경우 자일리톨은 단맛 상승효과를 나타낸다. 껌에 자일리톨 : 솔비톨 = 60 : 40으로 하면 설탕과 유사한 제품을 만들 수 있다. 또한 자일리톨은 다른 당 알코올과 같이 환원기가 없기 때문에 갈변 현상이 없다.

자일리톨은 입안을 시원하게 해 주는 청량효과를 가지고 있어 침 분비를 촉진 하는 등의 치아우식증 예방에 적합하다. 나아가 침 속의 인산칼슘과 자일리톨이 만나면 탈회된 부분의 재석회화를 촉진하기도 한다. 미국 미시간 대학에서 2주간 저작 껌을 이용한 실험에서 솔비톨 껌은 치태 양을 증가시키는 반면, 자일리톨과 솔비톨을 함유하는 껌과 자일리톨만을 함유하는 껌은 치태 양이 뚜렷이 감소하였다(Söderling E 등, 1989).

자일리톨 무익 회로(xylitol futile cycle)를 통해 *S. mutans*에 대하여는 정균작용(bacteriostatic activity)이나 재석회화 촉진 작용이 자일리톨의 뛰어난 점으로서 강조되고 있지만, 그 후 연구로 *S. mutans* 정균작용에 대해서는 임상연구에서 아직 검증이 불충분하고 또 재석회화 작용에 대해서는 반드시 자일리톨에서만 나타나는 특유의 성질은 아니고, 또 임상연구에서 검증이 충분하지 않다는 점이 지적되고 있다. 자일리톨은 충치균에 의해 그룹전이, 즉, 포스포에놀피루브산 의존성 인산전이효소(phosphoenolpyruvate phosphotransferase system, PTS)에 의해 인산화되어 자일리톨 5-인산으로 되어 세균내로 들어가지만 이용되지 못하고 자연적으로 또는 인산분해효소에 의해 탈인산화되어 세포외로 배출된다. 이 과정을 무익회로라 하며, 이 과정은 ATP를 소비시키기 때문에 세균의 성장을 저해하여 지연시킨다고 생각되고 있다.

그렇지만 말티톨, 솔비톨, 자일리톨 등의 당 알코올은 모두 치태 세균에 의해 거의 산 생성의 원료가 되지 않는 뛰어난 당질계 감미료이며, 현 단계에서는 그 성질이 우식예방효과로서 가장 기대되고 있다. 솔비톨, 자일리톨, 수크로오스 및 프룩토오스의 성질 비교에 대하여는 표 13-9에 표시하였다.

에리스리톨(erythritol)은 버섯류, 과실류, 와인, 청주, 장유, 일본 된장 등의 발효식품, 포유류의 체액 등 자연계에 널리 분포한다. 에리스리톨의 감미도는 설탕의 70~80%이며, 구강 내 체류할 경우 강한 청량감을 나타낸다. 다른 당 알코올과는 달리 완하작용을 나타내지 않는다. 미국에서 1997년 식약청에서 GRAS로 음식물 속의 고물 등에 사용하도록 허가 되었다.

락티톨(lactitol)은 락토오스를 환원시켜 얻어지는 이당 알코올로 환원 락토오스라고도 한다. 락티톨의 감미도는 설탕의 30~40%로 감미질은 설탕에 가깝다. 락티톨은 균체외다당을 형성하지 않으며, 락토오스, 프룩토오스 및 수크로오스에 비해 치아우식 유발 정도가 낮다.

이소말트(isomalt)는 팔라티노오스를 환원시켜 얻는 이당 알코올로 설탕에 글리코실 전이효소(glycosyltransferase)를 가하여 팔라티노오스 결정을 얻고, 이것을 물에 녹여 환원시키면 GPS(glucopyranosyl-1,6-sorbitol)과 GPM(glucopyranosyl-1,6-mannitol)의 혼합물인 이소말트가 얻어진다. 감미도는 설탕의 45%이며, 감미질은 설탕과 유사하다. 소장의 이소말타제(isomatase)는 GPS와 GPM에 대해 가수분해 활성을 나타내지만, 그 활성이 미약하여 경구로 섭취한 이소말트는 대부분 대장에 도달하여 세균총에 의해 유기산 발효를 통하여 흡수된다. 이와 같은 소화 특성 때문에 다량 섭취할 경우 복부 팽만감 및 연변 또는 설사를 유발할 수 있다. 설탕에 비해 칼로리가 반 정도이며, 치아우식 유발성은 없다. 다른 당알코올과 마찬가지로 완하작용을 나타낸다.

다. 올리고 당류

앞에서 설명한 감미료와는 달리 말토올리고실수크로오스(maltooligosylsucrose)와 프룩토올리고당(fructooligosaccharide)은 처음부터 치아우식증을 예방할 목적으로 일본에서 개발되어 물리적 성상 및 식품공업상의 물성도 수크로오스와 유사한 저우식성 감미료이다. 천연 벌꿀, 바퀴벌레의 분비물에 함유되어 있다. 전분과 수크로오스의 혼합물에 *Bacillus megaterium*에 속하는 토양세균의 사이클로덱스트린글루카노 전이효소(cyclodextrin glucanotransferase, CGTase)를 작용시키면, 수크로오스 분자중의 포도당에 포도당이 1개 이상 α-1,4 결합으로 결합해, 말토올리고수크로오스라고 불리는 삼당류(G_2F)나 사당류(G_3F) 등의 혼합물이 생긴다(그림 13-29).

감미도는 수크로오스에 비해 G_2F가 50%, G_3F가 40%이다. 오사카 시립공업소의 오카다(Okada S) 등에 의해 개발되어 공역당(coupling sugar)이라는 상품명으로 시판되었다. 시판되는 공역당에는 수크로오스가 10% 정도 혼합되어 있어서 그 감미도는 설탕의 55~60% 정도이다. 그 맛은 양호하며 구수하다. 공역당은 아밀라아제에 의해 가수분해되므로 체내에서 에너지로 이용된다. 그럼에도 불구하고 *S. mutans*가 공역당을 기질로 이용할 때 불용성 글루칸은 설탕의 20% 이하만 생성된다. 또한

*S. mutans*에 의한 젖산 생성량은 균주에 따라 다르지만 설탕을 100%로 하였을 때 G_2F는 0~26%, G_3F는 0~4.3%로 낮아진다. 근년에는 저우식성 감미료로서는 거의 이용 되지 않고 있다.

공역당은 아밀라아제로 가수분해되므로 에너지로써 이용된다. *S. mutans*는 공역당을 기질로 할 때 설탕을 기질로 할 때와 같은 불용성 뮤탄이 설탕에 비해 20% 이하로 형성된다. 또한 *S. mutans*에 의한 젖산(lactic acid) 생성량은 설탕을 100%로 하였을 때, G2F는 0~26%, G3F는 0~4.3%까지 다양하다.

프룩토올리고당(fructooligosaccharide)은 아스파라가스나 양파, 바나나, 보리, 마늘, 꿀, 토마토, 호밀 등의 자연 식품에도 0.15~0.75% 함유되어 있으나 일본의 메이지(Meiji) 제약 식품연구소에서 *Aureobasidium pullulans*나 *Aspergillas niger*에서 얻은 β-과당전이효소(β-fructosyltransferase)를 사용해서 설탕으로부터 합성하는 방법이 개발되었다. 글루코오스 1분자에 과당 1분자를 결합한 것이 수크로오스인데, 프룩토올리고당은 글루코오스 1분자에 과당이 2분자 이상 결합한 것이다(그림 13-30). 이 방법으로 합성된 프룩토올리고당은 니스토스(nystose)라 부르는 GF_3(그림 13-31)가 가장 많아 전체의 28%를 차지하고, 케스토스(GF_2)가 12%를 차지하는 혼합물이다. 즉, 이들의 혼합물을 프룩토올리

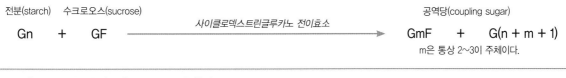

전분(starch)　　수크로오스(sucrose)　　　　　　　　　　　　　　　　　　공역당(coupling sugar)

$$Gn \quad + \quad GF \xrightarrow{\text{사이클로덱스트린글루카노 전이효소}} GmF \quad + \quad G(n + m + 1)$$

m은 통상 2~30이 주체이다.

■▨ 그림 13-30. 말토올리고실수크로오스의 합성

수크로오스(sucrose)　　　　　　　　　　　　　　　　　　　프룩토올리고당

$$nGF \xrightarrow{\beta-\text{과당 전이효소}} GF_n \quad + \quad G_{n-1}$$

n은 통상 2~4 정도이다.

■▨ 그림 13-31. 프룩토올리고당의 합성

고당이라 하고 상업적으로는 네오슈가(Neosugar)로 알려져 있다. 감미도는 설탕을 100%로 하였을 때 GF_2(kestose)가 31%, GF_3(Nystose)가 22%, GF_4(fructofranosylnystose)가 16% 정도이며, 맛은 약간 단백하나 설탕에 가깝다(그림 13-32).

프룩토올리고당은 체내 효소에 의해 가수분해되지 않는 난소화성 당질로 소장에서 소화 흡수가 되기 어려우나, 대장에 있는 비피더스균(Bofidobacterium)에 선택적으로 이용되고, 웰치균(Clostridium perfringens)을 억제하는 등의 역할을 하여 장내 세균 개선 효과와 변비 예방 효과가 있다. 치아우식증 발생에도 거의 관여하지 않는 기능성 당질이다. 에너지원으로는 2.3kcal/g을 생성한다.

현재 *in vitro* 실험에서 프룩토올리고당의 주체가 되는 GF_3는 비우식성감미료에 가까운 저우식성 감미료에 속하며, 말토올리고실수크로오스(공역당)와 마찬가지로 설탕을 원료로 하는 점에서 값이 비쌀 수밖에 없다.

② 비당질계 천연 감미료

비당질계 천연 감미료에는 당을 함유하는 배당체 감미료와 아미노산으로 구성되는 단백질계 감미료가 있다.

가. 배당체 감미료

글리코시드(glycoside) 또는 배당체란 당분과 당분 이외의 성분이 결합된 것으로 당과 당이 축합한 것을 홀로시드(holoside)라 하며, 당분 이외의 성분을 아글리콘

*n*2
I-케스토스

*n*3
니스토스

*n*4
프룩토프라노실 니스토스

■ ▓ 그림 13-32. 프룩토올리고당의 구조

프룩토올리고당은 34% 1-케토오스(1-ketose), 53% 니스토스(nystose) 및 10% 프룩토프라노실니스토스(1F-β-fructofuranosylnystose)의 혼합물이다. Ohta A, Motohashi Y, Ohtsuki M, Hirayama M, Adachi T, Sakuma K : Dietary Fructooligosaccharides Change the Concentration of Calbindin-D9k Differently in the Mucosa of the Small and Large Intestine of Rats. J Nutr. 128:934-939. 1998.

(aglycon)이라 하며, 당과 아글리콘이 결합한 것을 헤테로시드(heteroside)라고 한다. 종은 의미의 글리코시드는 이 헤테로시드만을 가리킨다. 이러한 배당체는 식물계에 널리 존재하여, 모든 식물은 글리코시드를 함유하고 있다. 산이나 글리코시다제(glycosidase)에 의하여 가수분해되어 당과 아글리콘이 된다. 국화과 식물에서 기원하는 스테비오사이드(stevioside), 감초 성분인 글리시리진(glycyrrhizin) 등이 있다(그림 13-33).

스테비오사이드는 남아메리카 파라과이 원산의 쌍떡잎 식물 초롱꽃목 국화과에 속한 다년생 식물인 *Stevia rebaudina* Bertoni의 잎이나 줄기에 존재하는 포도당과 결합된 스테비올(steviol) 골격을 가진 배당체이다. 스테비아 속에 함유된 스테비오사이드(stevioside)라는 성분으로 인하여 천연 감미료 소재로 많이 알려져 있는데, 당도가 사탕수수에서 추출한 설탕의 300배에 달하면서도 칼로리는 1/90 수준에 불과하여 저칼로리 감미료로 사용된다. 일반적으로 설탕은 산성 용액에서 감미도가 저하되나, 스테비오사이드는 이러한 경향을 나타내지 않는다. 또한 내열성이 강하여 식품 가공의 경우 변성되지 않는 장점을 가지고 있다. 스테비오사이드는 생체 내에 흡수되지 않고 모두 배설되기 때문에 다이어트 식품용으로도 적합하다. 구강 내 상주균의 영양원이 되지 않으며, 세균 증식 억제효과도 있어 비우식 감미료에 속한다. 우리나라에서도 천연 감미료로 취급되며, 현재 주로 야채 절임, 진미식품 및 어묵 등의 수산가공 식품이나 소주 등에 감미료로 사용된다.

그럼에도 불구하고 파라과이 인디언인 마토글로소(Matogloso) 족은 스테비아를 경구 피임제로 사용한다고 알려졌으나, 직접 경구 피임약으로 사용한 것이 아니라 피임을 목적으로 한 다른 약초의 쓴맛을 완화하는 감

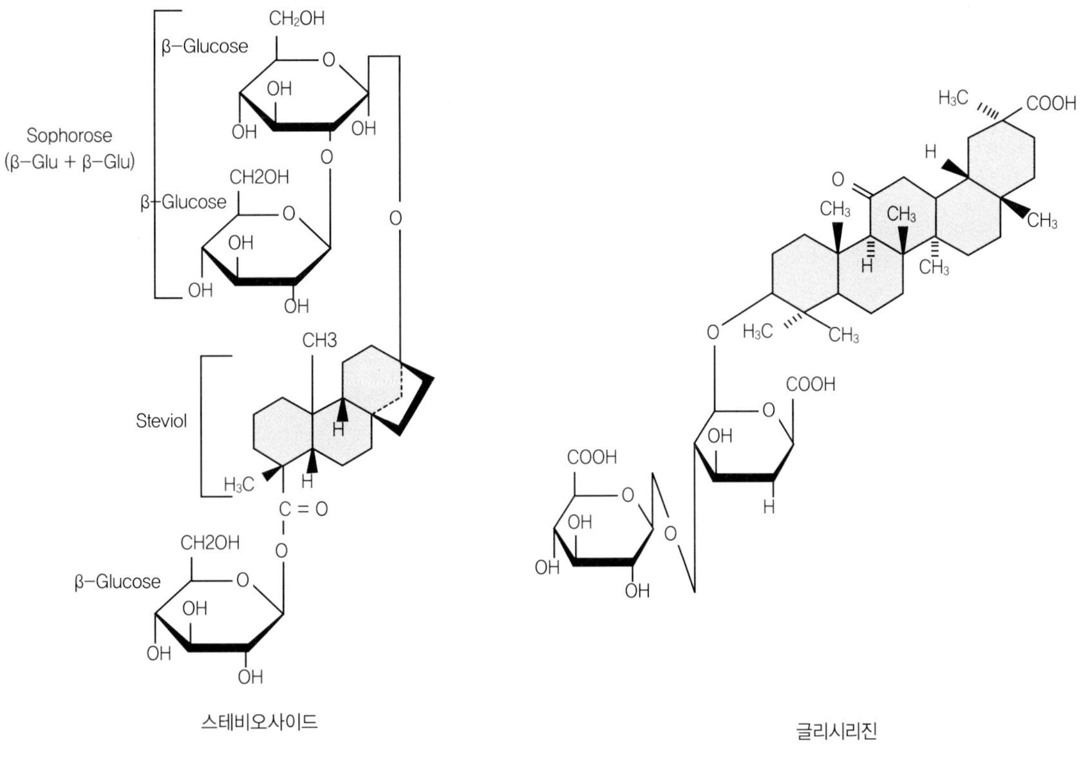

스테비오사이드

글리시리진

■ ⅲ 그림 13-33. 배당체 감미료의 구조

미료로 사용된 것이 밝혀졌다. 그러나 마우스를 대상으로 한 실험에서 스테비아의 수용성 추출물 중에 현저한 불임 작용이 있다고 보고되었다. 이에 대해 일본 내 2개 연구기관에서 조추출액 및 순수 분리된 스테비오사이드에 대한 실험 결과는 모두 부정적 결과를 보고하였다. 미국이나 유럽 등의 구미에서는 스테비아를 감미료로 이용하려 했으나, 스테비올 골격에 항안드로겐 활성(anti-androgen activity)활성이 있다는 보고가 나오는 등, 여러 가지 사정으로 실용화되지 못하고 있다.

감초(licorice)에는 6~14%의 트리테르페노이드 사포닌(triterpenoid saponin)인 글리시리진(glycyrrhizin)이 함유되어 있어 설탕보다 30~50배나 단맛을 내는 배당체이다. 유럽과 중앙아시아에서 자라는 감초(*Glycyrrhiza glabra*) 뿌리에서 추출하며, 단맛 이외에도 특유의 감초향이 있다. 이러한 이유로 설탕 향을 대체하기에는 단점이 있다. 단맛을 더 강하게 하는 효과(sweetener potentiator)로도 작용한다. 글리시리진의 감미질은 설탕과 달라서 감미를 느끼는 시간이 설탕보다 더디고, 오랫동안 단맛을 느낄 수 있다. 미국에서는 GRAS(generally regarded as safe)로 향료(flavoring agent)로는 허용되고 있으나, 감미료로는 허용되지 않고 있다. 글리시리진의 경우 약리학적 부작용이 있어 하루 200mg 이하로 사용할 것으로 제한하고 있다. 글리시리진 0.5~1% 용액은 *S. mutans*에 의한 치태형성을 억제한다.

나. 단백질계 천연 감미료

아프리카 지역의 식물에서 기원하는 타우마틴(thaumatin), 모넬린(monellin) 및 미라큘린(miraculin)과 중국의 *Capparis masaikai* Levl(Cappridaceae)에서 유래한 마빈린(mabinlin) 등이 알려져 있으며, 감미도가 아주 강하지만 열에 의해 변성되어 단맛이 소실되는 결점이 있다.

타우마틴은 서아프리카 식물인 카템페(Katemfe, *Thaumatococcus danielli* Benth)의 열매에 함유된 단백질계 감미료이다. 분자량 22,000으로 설탕의 2,000~3,000배 이상의 감미도가 있다. 약과 구강보호 제품에서 다양하게 사용되고 있는데, 그 이유로는 활성 성분의 불쾌한 맛을 마스킹(masking) 해주며, 페퍼민트, 계피 등의 일차 향의 인식을 보강해주며, 치아우식 증을 막아주기 때문이다.

모넬린은 원산지가 아프리카인 "운 좋게 발견된 딸기(serendipity berry), *Diosoreophyllum cumminsii*" 또는 나이지리아의 붉은 딸기 모양의 열매에 함유된 단백질계 감미료이다. 필수 아미노산이 많이 들어 있으며, 분자량 15,000인 수용성 단백질로, 그 감미도는 설탕의 1,000~2,000배나 된다. 비우식성으로 가열하면 단맛이 없어지는 결점으로 인해 공업화하는 데는 어려움이 있다. 단맛이 서서히 느껴지며 오랫동안 유지되는 특징을 가지고 있다.

미라큘린은 서아프리카 지역에서 기적의 과일이라는 *Synsepalum dulcificum*이나 *Richardella dulcifica*에서 분리된 당단백질로 레몬, 라임, 자몽, 루밥, 딸기 등과 같이 신맛을 내는 단백질에 첨가할 경우 단맛으로 바꾸는 미각 수식작용이 있으며, 신맛을 단맛으로 바꾸는 당단백질(sour-sweet glycoprotein)이라 한다. 미라큘린 자체는 단맛이 없지만, 미라큘린을 함유하면 신맛이 나는 식품이라도 1시간 이상 달게 느껴진다. 그러므로 서아프리카에서는 산성 식품의 맛을 개선하는 목적으로 사용되었다. 분자량 42,000으로 설탕 감미도의 2,000배 정도이다

③ 인공 감미료

자연계에 존재하지 않는 것으로 인공적으로 합성하여 만든 감미료이거나 자연계에 존재하는 것을 공업적으로 변환시켜 만든 감미료이다. 일반적으로 설탕에 비해 감미도가 아주 높다. 당질 계열과 비당질계열로 펩타이드 계열과 합성 감미료 등이 있다.

가. 당질 계열 인공 감미료

설탕을 할로겐화하여 만든 수크랄로오스(sucralose)와 자연계에 존재하지 않는 D-계열 당분의 거울상인 L-당분 등이 있다(그림 13-34).

당질계 감미료인 수크랄로오스(sucralose)는 1976년 영국의 퀸 엘리자베스대학(Queen Elizabeth College)의 파드니스(Phadnis S)와 테이트 & 라일(Tate & Lyle)사의 호우(Hough L)와 칸(Kahn R)이 공동개발 하였으며 수크로오스를 할로겐인 염소로 화학 수식한 비우식성감미료이다. 1분자의 수크로오스에 3원자의 염소가 결합한 화합물이며 물에 잘 녹는다. 수크로오스의 약 600배의 감미도와 수크로오스와 아주 유사한 맛을 가지고 있으며, 고온과 pH에 안정하기 때문에 빵 등의 구운(baked) 식품에 사용할 수 있다. 1991년 캐나다에서 처음 사용이 인가된 이후, 미국에서는 1998년에, 일본에서는 1999년, EU는 2004년에 사용이 인가되었다. 화학구조가 수크로오스와 유사하기 때문에 뮤탄스 연쇄상구균(또는 충치균, mutans streptococci)의 불용성 글루칸 형성을 저해한다. 거의 흡수되지 않고 소변으로 배설된다. 일부는 흡수되어 극히 일부는 간장에서 글로쿠론산(glucuronic acid)과 결합하여 소변으로 배설된다. 1991년 JECFA에서 수크랄로오스의 섭취량을 최대 3.5mg/kg에서 15mg/kg으로 상향조정하여 수크랄로오스의 안정성을 확인하였다. 상품으로는 "Splenda", "SucraPlus", "Candys", "Cukren" 등의 이름으로 시판되고 있다.

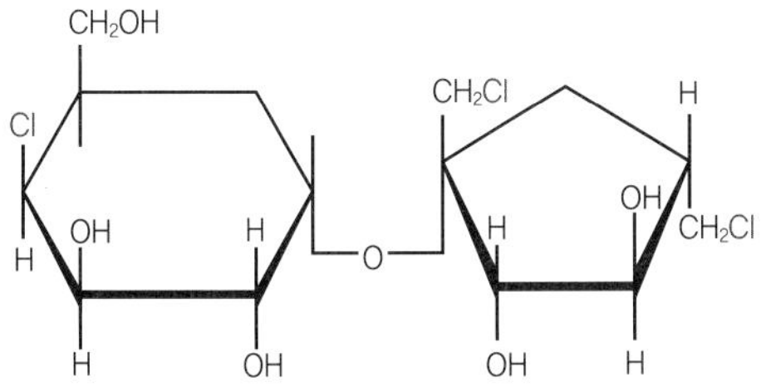

■■ 그림 13-34. 당질 계열 인공 감미료 구조

이처럼 저우식성 및 비우식성감미료를 식품에 첨가하는 경우에 간식용의 과자류, 트로키(troche), 시럽계 약제 등 1일 3회의 식사 이외 시간에 섭취 되는 것에 한정해야 하고, 3끼의 식사까지 수크로오스마저 수크랄로오스로 바꾼다 해도 우식예방의 관점에서는 효과를 기대할 수 없는데다가, 영양학적 관점으로 보아도 바람직하지 않다. 수크랄로오스는 감미료로서는 극히 뛰어나지만, 또 한편으로는 어떠한 저우식성 및 비우식성감미료라도 대량으로 섭취하면, 당 알코올에 볼 수 있는 완화작용이 나타나 불편한 것이 문제가 된다. 따라서 저우식성 및 비우식성감미료를 수크랄로오스와 능숙하게 구분하여 사용하는 것이 우식예방의 현실적인 방법이다.

L-당분은 정상적으로 자연에 존재하는 D-당분의 거울상이다. 생체 내에서 L-당분은 D-당분을 대사하는 효소에 의하여 대사되지 못한다. L-프룩토오스 경우 감미도가 설탕의 1.8배이다. L-프룩토오스에 대한 청원이 계류 중이며, L-타가토스 경우 2001년 4월 1일 GRAS로 청원이 허락됐다.

나. 펩타이드계열 인공 감미료

아미노산 2개가 아미노기와 카르복실기가 결합한 것을 펩타이드라 하며, 아스파탐이 대표적으로 이후 알리탐, 네오탐 등이 개발되었으며, 아주 강한 감미도를 갖는다(그림 13-35).

아스파탐(aspartame, L-aspartyl-D-phenylalanyl methyl ester)은 1965년 미국 설(searle)사의 쉴레터(Schlatter JM)가 항궤양제 개발도중 우연히 발견하였으며, 구조에서 보듯이 L-페닐알라닌과 L-아스파르트산으로 구성된 펩타이드계열 감미료의 하나로, 비우식성 감미료이다. 페닐알라닌이나 아스파르트산 자체는 단맛이 없으나 아스파탐에서 메틸 에스테르를 제거하면 단맛이 없어진다. 또한 아스파탐의 이성질체인 L-aspartyl-D-phenylalanyl methy ester는 아스파탐과 달리 아주 쓴 맛을 갖는다. 미국의 설사와 일본의

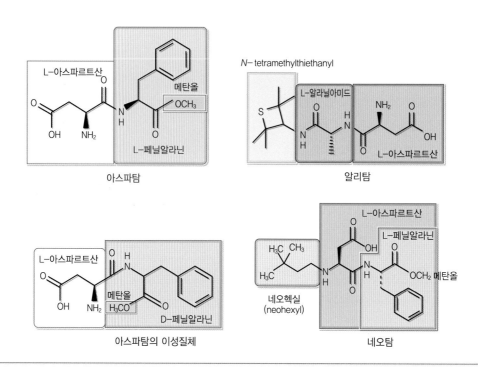

그림 13-35. 펩타이드계열 인공 감미료 구조

아지노모도(Aginomoto)사에서 개발 되어 일본에서는 1983년 식품첨가물로 지정되었으며, 1984년부터 식탁용 대체감미료로 사용되고 있다. 백색 결정성 분말로, 수크로오스의 100~200배의 감미도를 가진다. 결정은 수용액에서 불안정하며 서서히 디케토피페라진(diketopiperazine)과 메탄올(methanol)로 분해된다. 가열에 의해서 분해가 촉진된다. 또, 페닐알라닌을 포함하고 있으므로, 페닐케톤뇨증의 환자는 사용을 금해야 한다. 아스파탐은 건조 상태에서 안정성이 좋아 장기 보존하더라도 변질될 염려가 없음에도 불구하고 신경전달물질로 작용하거나 메탄올에 대한 독성 등으로 그 안정성에 대해 소비자단체에서 꾸준히 문제를 제기하고 있다. 미국 식약청에서는 체중 kg당 50mg까지 허용하였으며, 이 양은 성인 경우 12온스(355mL) 다이어트소프트드링크 16캔에 해당되는 양이고 소아의 경우 8캔에 해당한다. 상품명으로는 "NutraSweet", "EQUAL", "Same" 등으로 시판되고 있다.

알리탐(Alitam)은 화이자(Pfizer) 제약회사에서 개발하였으며, 수크로오스보다 2,000배 감미도를 가지며, 상품명으로는 "Aclame"로 시판되며 L-아스파르트산과 D-알라닌으로 구성되는 디펩타이드로 아미노기가 N-tetramethylthietanylamine으로 치환된 펩타이드 계열 감미료이다. 알리탐은 1.4kcal/g의 칼로리를 낸다. 그러나 감미도가 좋아 작은 양을 사용하기 때문에 실제로 체내에서 칼로리 생성은 무시할 수 있다. 1986년 미국에서 광범위한 식음료에 사용할 수 있도록 청원하였지만 지금까지 사용이 허락되지 않고 있다. 현재 오스트레일리아, 뉴질랜드, 멕시코, 중국 등에서 식음료에 사용되고 있다. 식량농업기구/세계보건기구 합동 식품첨가물 전문가 위원회(Joint FAO/WHO Expert Committee on Food Additives, JECFA)에서 알리탐의 사용한도를 체중 kg당 0~1mg으로 정하였다.

네오탐(Neotam)은 몬산토 화학(Monsanto Chemical Corp.) 회사에서 개발한 새로운 펩타이드계열 감미료로 수크로오스보다 무려 8,000배나 감미도가 있다. 1998년 2월에 화학구조식을 미국 연방정부에 등록하였는데, 그 구조는 아스파탐 구조의 아스파르트산 아미노기에 네오헥실(neohexyl) 기가 붙어 있는 구조이다. 그러므로 네오탐을 몬산토 아스파탐이라고도 부른다. 2002년 7월에 미국 식약청에서 일반적 감미료로 사용하도록 승인하였다. 아스파탐과 마찬가지로 신경의학적 및 면역독성학적 후유증이 있을 수 있다. 생체 내에서 무칼로리이며, 쉽게 대사되어 배설된다. 광범위한 연구를 통해 감미료로 첨가할 경우 안전한 것으로 보고되었다. 체내에서 쉽게 대사되기 때문에 페닐케톤뇨증 환자에서도 사용할 수 있다. 현재 비알코올성 음료, 제빵 제품, 저작껌, 젤라틴, 푸딩, 과일 주스, 토핑 등 다양한 식품에 사용된다.

다. 기타 인공 합성 감미료

이밖에도 특정 화학 그룹으로 분류되지 않는 인공 합성 감미료로 사카린(saccharin), 아세설페임 포타슘(acesulfame K), 사이클라메이트(cylcamate) 등이 설탕에 비해 높은 감미도를 가진다(그림 13-36).

사카린(saccharin)은 1879년 죤스 홉킨스(Johns Hopkins) 대학교의 렘슨(Remsen I) 연구실의 대학원생인 독일 유학생 팔버그(Fahlberg C)에 의해 우연히 발견되었다. 사카린은 라틴어의 설탕을 의미하는 "saccharum"에서 이름이 유래되었다. 1900년 이후 상품화되어 현재까지 사용되고 있으며, 1957년부터 미국에서 식품첨가제로 인정을 받았다. 사카린은 설탕보다 200~700배 감미도를 가지며, 사람 몸에서 대사가 되지 않아 에너지원으로 사용되지 않는 비영양 감미료이다. 미국 식약청에서는 하루 50mg 이하 섭취할 것을 권장하고 있으며, JECFA 에서는 2.5mg/kg 체중/일 정도의 양만을 허용하고 있다. 그러나 사카린을 사용하는데 있어 이러한 규정에도 불구하고 가격이 저렴하고, 감미도가 우수하여 사용량이 증가하고 있으며(Joint FAO/WHO Expert Committiee on Food Additives, 1993), 100여 개국 이상에서 사카린의 사용을 허용하고 있다. 사카린은

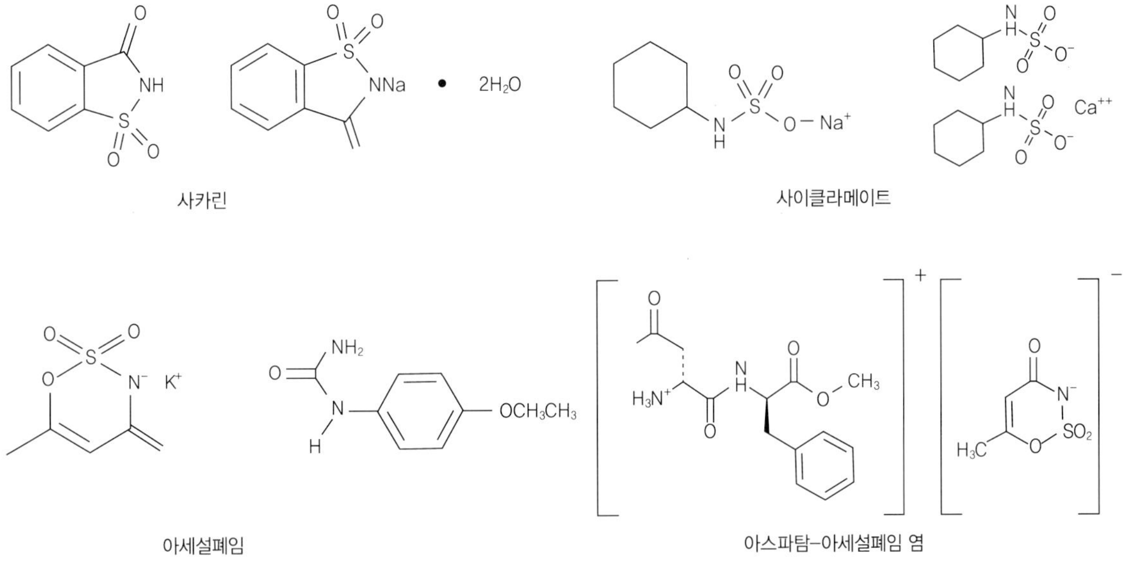

그림 13-36. 인공 합성 감미료 구조

GRAS 목록에 포함되어 식품으로써 사용이 허가되어 있으나, 1997년 미국 식약청에서는 쥐를 대상으로 한 실험에서 사카린이 방광암 발암물질인 것이 밝혀져 사용 금지 품목으로 지정되었다. 같은 해 미국 의회에서도 사카린의 사용을 현재까지 금지하고 있으며[실제로는 결정 유예(moratorium) 상태이다], 미국 식약청에서는 현재 일부 품목에서만 사용이 허용되고 있으며, 사용량을 규제하고 있다. 발암성을 나타내려면 사카린을 사용한 음료수를 하루 875병정도 마셔야 할 정도이니 안전하다고 볼 수 있다. 단지 사카린을 사용한 제품에는 경고 표시를 하여야 하며, 동물에서 발암 가능성에 대하여도 표시하여야 한다. 그러나 캐나다에서는 식품에 사용을 금지하였으며, 약국에서만 구입할 수 있으며, 운반 중에는 경고문을 부착하여야 한다.

보통 소듐 염으로 사용되며, 식품 제조, 가공의 거의 모든 상황에서 안정성이 높다. 약 25%의 사람은 사카린에 민감해서 쓴맛이나 금속성 맛(metallic aftertaste)을 느낀다. 체내에서 거의 대사되지 않으며, 75~90%는 그대로 소변으로 배설된다. 일본에서는 발암과정에서 사카린이 암 촉진제(promoter)로 작용한다고 보고되어 1973년 사카린은 특수 영양식품으로 허가된 것을 제외하고는 일반 식품에 첨가하는 것이 금지 되었으나, 그 후 1개월 남짓해서 식품위생조사회의 답변에 의해 사용 기준으로 체중 kg당 1mg 이하로 권장하여 다시 광범위한 식품에 사용이 허가되었다. 1975년에 다시 기준이 완화되어 체중 kg당 3mg까지 실질적으로 무제한 사용이 가능해졌다. 발암성 문제는 방대하고 다방면적인 연구가 이루어졌음에도 불구하고 아직 불확실한 상황이지만 암촉진제로서 작용한다는 데에는 수긍하고 있다. 현재 "SweetOne"이나 "Sweet'N Low" 등의 제품이 시판되고 있다.

아세설페임 K(acesulfame K)는 1967년 독일 훽스트(Hoechst)사의 연구원인 칼 클라우스(Karl Clauss)와 하랄드 젠슨(Harald Jensen)이 발견하였으며, 이미 앞에서 소개한 수크랄로오스와 함께 근년에 실용화가 진행되고 있는 비우식성감미료이다. 아세설페임 K는 혈당치 및 인슐린 분비에 영향을 주지 않아 당뇨병 환자들이 단맛을 즐기면서도 안전하게 사용할 수 있다. 아세설페임의 허용량은 체중 kg당 하루 15mg이다. 1983년 영국에서 사용허가가 난 이후, 미국에서는 1988년에, 일본에서는 2000년에 식품첨가물로서 인가되었다. 우리나라에서는 2000년 7월에 식약청 고시 제2000-32호로 식품첨가물 승인을 받았다. 백색, 무취의 결정으로 수크로오스의 200배 감미도를 갖으며, 열, pH 변화에 안정성이 있고 거의 대사되지 않고 소변으로 배설된다. 음료를 중심으로 저작 껌, 엿 등에 사용되고 있다. 다른 인공 감미료, 예를 들어 아스파탐 등과 조합하여 사용함으로써 수크로오스에 가까운 감미를 얻을 수 있다.

사이클라메이트(cyclamate)는 사카린과 같이 1937년 일리노이즈 대학교에서 해열제를 연구하던 중 미카엘 스베다(Michael Sveda)에 의해서 우연히 발견된 인공 감미료이다. 설탕의 약 30~60배 정도 감미도를 가지며, 상큼한 미질을 갖는다. 사이클라메이트는 체내에서 대사되지 않고 그대로 50%는 오줌으로 50%는 대변으로 배설된다. 미국에서는 사이클라메이트를 함유하는 음료수의 판매가 설탕 함유 음료수의 소비를 능가하기 시작한 시기에 제당 업계에서 인공 감미료가 인체에 미치는 영양에 대한 연구를 지원하기 시작하였다. 그 결과 사이클라메이트가 생쥐에서 방광암을 유발한다는 보고가 나오게 되자 1969년 음료수나 식품에 사이클라메이트의 사용이 금지되었다. 그 이후 광범위한 연구를 통해 사이클라메이트가 발암성이 없다고 밝혀졌으며, 미국 식약청은 식품에 사용금지 했던 것을 다시 고려하게 되었다. 동물실험을 근거로 해 사이클라메이트가 함유된 음료수는 하루 138~552병 이하 사용을 권장했다. "Sucaryl"은 사이클라메이트와 사카린을 9:1로 혼합한 것이다.

④ 소프트 드링크(soft drink)

알코올을 함유하지 않거나 저알코올 음료를 말하며,

이와 반대로 알코올을 함유한 음료는 하드드링크(hard drink)라 한다. 넓게는 탄산음료, 과즙음료, 젖산음료, 커피, 코코아 그 밖에 우유나 달걀, 크림 등을 사용한 음료를 소프트드링크라 한다.

소프트드링크는 지난 50년간 판매용기 사이즈가 6.5온스에서 24온스로 4배나 커진 것과 함께 사춘기 청소년(13~18세)의 드링크 소모량도 1950년대 초반의 1일평균 15온스에서, 현재 23온스(소녀) 내지 32온스(소년)로 증가하였다. 지난 2005년 5월 미국 정부서 발표한 2005년도 건강식 가이드라인에서 "당분이 들어있는 일반 소다음료수 대신 다이어트 소다 또는 100% 과일 주스를 마시도록 하라"고 권장한 바 있다. 영국연구팀의 7~11세 학교 아동을 대상으로 한 무작위 조사결과에 의하면, 학교 교육프로그램에서 소다음료수 사용 억제그룹이 억제하지 않는 그룹에 비해 체중과다 및 비만 예방에 있어 크게 효과적이었다는 결과가 나왔다.

보통 소프트드링크는 청소년들에게 일반적으로 고프룩토오스 콘시럽(high-fructose corn syrup, HFCS) 형태로 정제 당질(refined sugars)과 칼로리의 많은 부분을 제공한다. 탄산음료는 미국인의 식사에서 가장 큰 정제 당질의 공급원이다. 식이조사에 따르면 소다수(soda pop)는 미국인 평균 하루 1인당 20작은술(teaspoons) 정제당 중 7작은술을 공급하며, 10대 소년 경우 총 34작은술 중 44%를, 10대 소녀 경우 총 24작은술 중 40%를 소다수에서 공급한다. 일부 사람이 소다수를 전혀 마시지 않거나 거의 마시지 않기 때문에 실제로 소다수를 마시는 사람에서는 이 수치 이상이다. 미국 농무국(Department of Agriculture)은 하루 1,600cal 섭취 경우 정제 설탕의 경우 6작은술, 2,200cal 경우 12작은술, 2,800cal 경우 18작은술을 넘지 않도록 권장한다. 그러므로 칼로리로 보면 정제 설탕의 칼로리 공급의 6~10% 이하로 섭취하여야 한다. 12~19세 사이의 소년은 소프트드링크로부터 정제설탕이 15작은술 정도가 알맞으며, 소녀의 경우는 10작은술이 적당하다. 소프트드링크에 들어있는 당분은 칼로리 섭취로 인해 비만을 야기하기도 하고, 우유나 유제품을 마시지 않고 대신 소프트드링크를 마심으로서 칼슘 섭취가 저하되어 골다공증이 유발될 수다 있다. 정제 설탕은 치아우식증을 일으키는 중요한 인자 중 하나이다. 소프트드링크는 하루 중 많은 시간을 치아가 산성인 소프트드링크에 노출되게 하여 치아우식증이 증가한다. 1971~1974년에 소프트드링크 소비와 치아우식증 발생에 밀접한 관련이 있음이 보고되었다. 이 연구에서는 디저트로 섭취한 당분을 소프트드링크와 구별하여 실험하였다. 최근 아이오와의 어린이를 상대로 한 더 광범위한 연구에서 소프트드링크가 광범위한 치아우식증의 원인 제공자임을 밝혔다. 치아우식증 외에도 소프트드링크는 치아침식증(erosion)에 대하여도 관여한다. 이 경우에는 설탕이 없는 소프트드링크 경우에도 유발될 수 있다.

3 우식면역

치아우식증은 숙주, 숙주의 식이 및 치아 표면상의 세균총이 시간 변수에 의해 상호작용한 결과로 형성된다. 다양한 미생물 그룹이 치아우식 병소에서 발견이 되며, 그 중에서도 *Streptococcus mutans*, *Lactobacillus eosinophilus* 및 *Actinomyces viscous*가 치아우식증의 개시와 발생에 관계되는 제일 중요한 병원 균종(pathogenic species)이다. *S. mutans*는 치아우식증의 원인균으로 관련되어 있다. *S. mutans*는 동물과 사람에서 7종이 분리되었다. 즉, *Streptococcus cricetus*, *Streptococcus ferus*, *Streptococcus macacae*, *Streptococcus rattus*, *Streptococcus downey*, *Streptococcus mutans* 및 *Streptococcus sobrinus*이다. 이 중 *S. mutans*와 *S. sobrinus*만이 사람에서

분리가 되며, *S. mutans*가 가장 호발하는 균종이다.

치아우식증을 처리하는 전통적인 방법은 "뚫고 때우기(drill and fill)"과 같은 외과적 접근이다. 이러한 접근법은 보다 보존적인 양상으로 서서히 발전하였다. 치아우식증에 대한 다양한 예방적 방법들이 시도 되었으며, 그 중 하나가 인구 집단의 면역화 방법이다. 백신(vaccine)은 특정 질환에 대해 특이방어를 일으키도록 디자인 된 면역생물학적 물질이다. 백신은 방어 항체의 생성을 자극하고 기타 면역 기전을 자극한다. 백신은 살아있는 변형된 유기체, 불활성화 또는 죽인 유기체, 세포 분획 추출물, 변성 독소(toxoid) 및 이들을 복합한 것을 이용하여 만든다.

*Streptococcus mutans*의 포르말린을 처리한 전 균체 또는 정제한 표층 단백질 항원인 글루코실전이효소(glucosyltransferase)를 실험동물의 피하, 근육, 정맥, 복강 등에 백신으로 주사하는 능동면역에 의해 혈중에 이들 항체가 생성되는 것은 많은 연구로 밝혀지고 있다. 혈중의 항체는 침 및 치은열구삼출액을 통해 우식의 초발부위인 법랑질 표면에 도달한다고 생각할 수 있다. 침에는 항체로서 분비형 IgA(sIgA), IgG, IgM이 포함된다. 그러나 농도가 제일 높은 sIgA 경우에도 혈액의 1/10 이하이다(표 13-10). 한편, 치은열구삼출액에서 항체의 농도는 거의 혈액과 같으나, 항체가 분비된 후에 침으로 꽤 희석되어 버리기 때문에 유효성의 문제가 남는다. 쥐, 햄스터, 원숭이 등의 실험동물을 이용한 수많은 연구를 거듭한 결과 능동면역에 의한 우식예방의 가능성을 보여주는 결과가 보고되고 있다. 그러나 *S. mutans*의 균체로 능동면역한 집토끼 혈중에 사람 심장조직과 교차 반응하는 항체가 존재하는 것이 보고되고 있어, 치아우식증 그 자체가 직접 생명을 위협하는 질환이 아닌 만큼, 치아우식증 백신의 개발에는 최대한의 안전성이 요구된다.

면역항체를 경구적으로 주입하여 *S. mutans*의 안착을 억제한다는 수동면역의 시도도 행해지고 있다. 소나 닭을 *S. mutans*로 면역하면 우유나 계란에서 다량의 항 *S. mutans* 항체를 얻을 수 있어 이것을 사람 구강에 이용하려고 하는 것이다. 현재는 유전자전환 기술에 의해 식물(담배의 잎)에서 항체를 만드는 일도 가능해졌다. 사람에서 응용연구는 어느 정도 *S. mutans*의 치아 표면

표 13-10. 사람 혈청, 혼합침과 치은구삼출액의 항체량(mg/mL).

Holmberg K, Killander J : Quantitative determination of immunoglobuline (IgG, IgA and IgM) and identification of IgA-type in the gingival fluid. J Periodont Res 6:1-8, 1971.

	IgG	IgA*	LGm
혈청**	12.5	2.1	1.3
혼합침***	0.014	0.19	0.002
치은열구삼출액****			
경미한 치은염(n = 2)	12.9	2.6	1.8
	12.4	2.3	1.5
만성 치은염(n = 6, 평균 ± SD)	12.6 ± 2.6	1.8 ± 0.3	1.1 ± 0.2

* 혈청 및 치은구삼출액의 경우는 혈액형, 침의 경우는 분비형
** 야마무라 유이치 외 : 면역학입문, 의약의문사, 도쿄, 1978.
*** 11장 표 11-1 참조
**** 각피험자의 치은구삼출액 수치/혈청 수치를 이용하여 보정하였다.

정착 억제 효과를 얻을 수 있었다고 보고되었다. 그러나 치태 중에는 각 종의 다양한 세균이 상주하고 있어 앞에서 기술한 것처럼 *S. mutans* 이외에도 저 pH 연쇄상구균 등의 우식병원성이 높은 세균이 알려져 있다. 따라서 *S. mutans*가 구강에서 제거된다 하더라도 이를 대신하는 치아우식 발생 능력이 높은 제2, 제3의 구강상주균이 대두해 올 가능성을 고려해야 한다.

참고문헌

1. Ferguson DB : Oral Bioscience. Authors Online Ltd. 2006.

2. Cole AS, Eastoe JE Biochemistry and Oral Biology. Butterworth & Co 1988

3. 박광균 : 경조직 및 구강 생화학-분자세포생물학. (주) 라이프사이언스. 2013.

4. 하야카오 타로오, 스다 타츠오, 키자키 하루토시, 하타 유이치로, 타카하시 노부히로, 우다가오 노부우기 : 구강생화학. 4판. 이사야쿠출판. 2005.

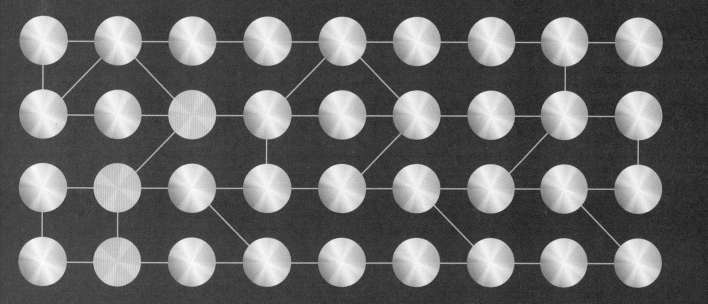

Dental Biochemistry **for the Dental Hygienist**

14
Chapter

치주질환의 발병기전

치주조직은 다른 결합조직과 마찬가지로 세포외기질(extracellular matrix)은 콜라겐, 비콜라겐성 단백질 및 프로테오글리칸(proteoglycan)으로 이루어져 있다. 그러나 다양한 기질의 조성 성분 비율과 분포의 경우 각 치주 구성성분에 따라 다르다. 이러한 구성성분의 차이가 치주조직의 독특한 구조와 기능을 결정한다.

치아를 상·하악골에 고정하여 똑바로 세움으로써 발성, 연하(삼킴), 저작에 의해 치아에 가해지는 힘, 이른바 교합압을 완충, 보정하는 조직을 치주조직(periodontium)이라 부른다. 이에 대하여 지지조직으로서의 치주인대, 시멘트질, 치조골과 이들 지지조직을 구강 내 감염 및 물리적, 화학적, 및 생물학적 자극으로부터 보호해주는 피복 조직인 치은이 있다.

치주조직은 정상적인 교합압에 대해 충분히 견딜 수 있는 구조로 되어 있지만, 여러 가지 원인으로 정상 범위를 훨씬 넘은 비정상적인 교합압이 가해지면 치주조직의 일부가 외상을 입어 임상적으로 외상성교합이라고 부르는 기능장애를 일으킨다. 이와는 반대로 정상적인 교합압이 가해지지 않게 되면 치주조직은 위축되어 정상적인 지지 기능을 상실한다. 또, 치주조직은 이러한 교합압에 대해 충격흡수제로서의 기능 외에, 특히 치근인대는 치아의 맹출과도 직접 관계하고 있는 것으로 생각하고 있다. 치아 맹출 기전은 매우 흥미로운 일이지만, 아직 그 기전은 명확히 밝혀지지 않고 있다. 치주조직에 대한 생화학적 지식은 상당히 축적된 것으로 보이기도 하나, 기능과의 관계는 아직 충분하다고 할 수 없는 상태로 향후 연구가 더 많이 진행되어야만 한다.

1 치주조직의 구조와 조성

1) 치주조직의 구조

치주조직의 화학조성을 알아보기 전에 치주조직의 구조를 이해하는 것이 중요하다. 그 자세한 것은 구강 조직학에서 배우므로 여기에서는 그 기본적인 개요에 대하여 설명하고자 한다.

(1) 구강점막과 치은
① 구조 및 기능

점막은 상피와 결합조직으로 구성되어 있으며(그림 14-1), 체외와 연결된 체강의 내면을 덮고 있는 습윤한 막으로서 하나의 기능적 단위로 작용하므로 기관(organ)으로 간주된다. 점막의 기능은 ① 표면을 덮는 막으로서 심부에 있는 조직과 기관을 외부환경으로부터 차단하여 보호하며, ② 점막 밖에서 일어나는 자극을 온도, 촉각 및 통각에 관여하는 수용체가 감지함으로써 감각 기능을 담당하며, ③ 땀샘, 기름샘(sebaceous gland), 타액선 등에서 분비물을 분비하여 습윤한 표면을 유지하는데 기여하며, ④ 체온조절 등 다양한 기능을 담당하고 있다.

일반적으로 점막은 표피층에 해당하는 상피와 그 하부에 지지조직으로써의 결합조직으로 구성되어 있으며, 구강점막의 경우에도 똑같은 구조를 이룬다(그림 14-1). 부위에 따라서는 구강점막 아래에 점막하 조직이 존재한다. 상피조직에는 신경이 분포하지만 혈관은 존재하지 않기 때문에 필요한 영양분을 기저막을 경계로 이웃하는 결합조직에서 공급받는다. 또한 상피조직을 구성하는 주된 세포인 상피세포는 다른 세포와 비교하여 상대적으로 교체율이 아주 빠르며, 다른 세포에서는 볼 수 없는 부착반점(desmosome), 토노필라멘트(tonofilament)

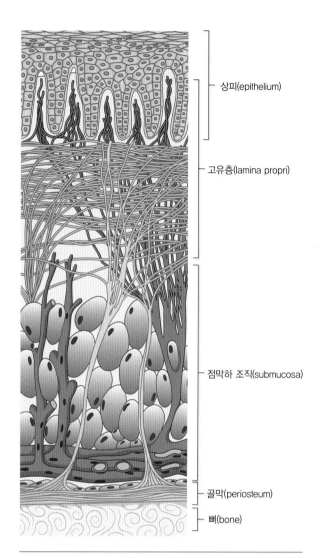

그림 14-1. 구강점막을 구성하고 있는 조직

민병무 : 구강생화학 Oral Biochemistry. 대한나래출판사. 2007.

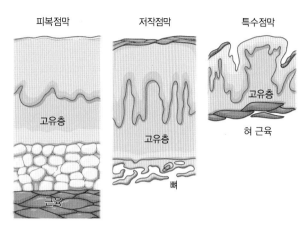

그림 14-2. 3종류 구강점막의 모식도

상피의 두께, 상피의 각화 정도, 결합조직의 두께, 결합조직 유두의 모양 및 점막하 조직의 존재 유무를 확인할 수 있다.

민병무 : 구강생화학 Oral Biochemistry. 대한나래출판사. 2007.

뺨, 입술, 연구개, 혀 밑 부위를 포함한다. 이 부위의 상피는 대개 비각화중층편평상피(nonkeratinized stratified squamous epithelium)로 구성되어 있다. 이 점막의 상피는 결합조직과의 인접한 면에서 약한 파상 모양을 하고 있다], 특수점막[specialized mucosa, 특수화된 유두구조, 즉 미뢰(taste bud)로 구성되어 있는 혀의 상부를 지칭한다. 이 점막의 중층편평상피는 두께나 각화 정도가 다양하며, 그 하부 결합조직도 풍부하고, 특수화된 설유두를 형성하고 있다. 특수점막의 하부에는 점막하 조직이 존재하지 않는다]으로 나눌 수 있다(그림 14-2). 구강점막은 표피층과 결합조직의 고유층(lamina propria)으로 구성되며, 그 주된 기능은 구강 표면의 피복과 보호, 즉 외계로부터의 세균의 침입이나 여러 가지 자극에 대한 물리적인 방어기구와 β-방어소[human β-defensin(HBD)]의 합성분비에 의해 화학적인 방어기전의 제일선을 담당하고 있다. 또, 입술이나 뺨의 근육운동을 부드럽게 하도록 가동성(movable)의 조직으로 되어 있다. 또한 혀표면과 같은 부위에서는 미각기(taste organ)로서의 역할도 한다.

구강점막의 가장 두드러진 특징은 점막을 치아가 천

및 각질유리과립(keratohyaline granule)을 갖고 있어 형태학적으로도 다른 세포와 쉽게 구분된다.

구강점막은 조직학적으로 저작점막[masticatory mucosa, 부착치은 내면과 경구개를 포함한다. 이 부위의 상피는 각화중층편평상피(keratinized stratified squamous epithelium)로 구성되어 있다. 이 점막의 상피는 결합조직과 치밀한 상호구조를 이루며 결합조직과 인접면에서 강한 파상모양을 하는 것이 특징이다], 피복점막[lining mucosa 또는 이장점막,

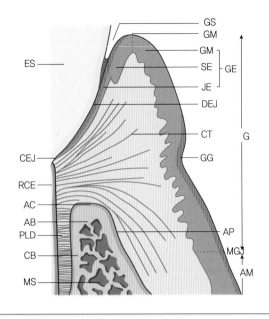

■■■ 그림 14-3. 치은 종단면의 모식도

AB, 치조골(alveolar bone); AC, 치조능(alveolar crest); AM, 치조저막(alveolar mucosa), CB, 치밀골(compact bone); CEJ, 시멘트질-법랑질 경계(cemento-enamel junction); CT, 결합조직(connective tissue); DEJ, 상아질-상피 경계[dentoepithelial junction (syn. epithelial attachment)]; ES, 법랑질(enamel space); G, 치은(gingiva); GE, 치은상피(gingival epithelium); GG, 치은구(gingival groove); GM, 치은연(gingival margin); GS, 치은열구(gingival sulcus); JE, 연결상피(junctional epithelium); MGJ, 점막치은경계(mucogingival junction); MS, 골수(marrow space); OE, 구강상피(oral epithelium); PDL, 치주인대(periodontal ligament); RC, 시멘트질[radicular (root) cementum]; SE, 치은열구상피(sulcular epithelium)

공(perforation)하는 것이다. 치아는 우리 몸에서 유일하게 상피를 직접 천공하고 있는 기관이다. 이에 비해 손톱이나 모발과 같은 상피 부속기관은 상피가 함입한 것으로 상피의 연속성은 항상 유지되고 있다. 맹출치를 직접 둘러싸고 있는 점막을 특히 치은이라 한다(그림 14-3). 치은은 다시 유리(변연, 자유) 치은(free gingiva, marginal gingiva)과 부착치은(attached gingiva)으로 나눌 수 있다. 유리치은 상피의 협측은 각화가 일어나는 점막이지만, 그 치은열구측(gingival sulcus)의 상피(치은

열구상피)에서는 각화가 일어나지 않는다. 부착치은은 치아와의 결합에 관여하여 그 형성은 치아의 맹출과 염증 등 생리적, 임상적으로도 중요한 부위로, 법랑질과는 상피성의 결합을, 시멘트질과는 결합조직성의 결합을 형성하고 있다. 지방조직은 구강점막에서는 점막하 조직에 존재하나, 치은에는 이 점막하 조직이 없다. 즉 치은상피 하방은 콜라겐이 풍부한 점막 고유층으로, 여기서부터 곧바로 치조골막으로 이행하고 있는 것은 점막 고유층 아래의 점막하 조직이 없기 때문이다(그림 14-4). 그러므로 치은이 증식하는 것은 염증으로 점막 고유층에 부종이 야기되든지 또는 점막 고유층의 콜라겐섬유가 증식하기 때문이지, 지방이 잔류된 것은 아니다. 지방조직과 근육조직이 없는 치은은 그 두께가 안정되어 있다.

치은열구 기저부 쪽으로 가면 상피의 양상이 달라진다는 것을 알 수 있다. 외부에서 보이는 치은 상피 즉, 구강측 상피는 각화되어 있다. 이렇게 각화되어 있기 때문에 칫솔질을 해도 아프지 않고 세균의 침입도 막아줄 수 있게 된다. 그렇지만 치은열구 기저 쪽으로 가면 갈수록 상피의 각화도는 떨어진다. 또한 부착상피에서는 각화가 일어나지 않는다. 치은 열구의 깊은 곳일수록 상피가 각화되어 있지 않기 때문에 세균둘이 활동하게에 적절한 조건이 된다.

상피부착(부착상피)은 세포 간격이 넓고, 부착반점(desmosome)의 수가 극히 적은 점에서 치은열구상피와는 현저하게 차이가 난다(그림 14-5). 이 넓은 세포 간격에는 다행히 호중구[polymorphonuclear leukocyte(다형핵백혈구)]나 대식세포가 관찰되며, 임상적으로 정상적이거나 또는 아주 경미한 염증이 있는 치은의 경우 호중구가 차지하는 용적은 64%까지 달한다. 또, 상피하 결합조직에는 임상적으로 정상적이어서, 항상 염증성 세포가 모여 있는 것이 관찰된다. 이 염증성 세포의 대부분은 호중구로 항상 유주(migration)해 부착상피 안으로 들어와, 그 간극(틈새)을 통해 치은구[gingival sulcus, 치은구는 치아와 정상치은 사이에 형성되는 좁은 도랑으로, 상피

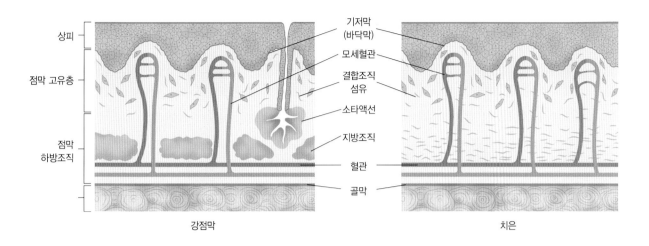

상피
점막 고유층
점막 하방조직

기저막 (바닥막)
모세혈관
결합조직 섬유
소타액선
지방조직
혈관
골막

강점막

치은

■ ▦ **그림 14-4. 구강점막과 치은의 모식도**
구강점막의 경우 상피 하방에 점막 고유층과 점막하 조직이 존재하나, 치은의 경우 지방조직과 선조직을 포함한 점막하 조직이 없는 것이 특징이다. 야마모토 히로마사(Yamamoto Hiromasa, 山本浩正) : Periodontal Biology Illustrated. Quintessence Publishing Co. 2002.

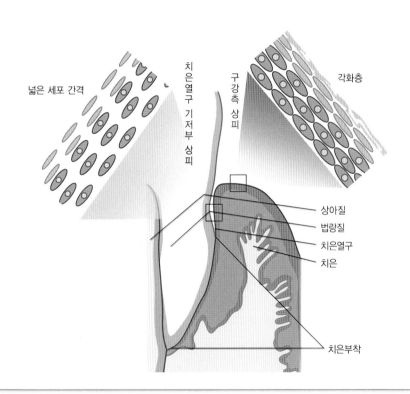

넓은 세포 간격
치은열구 기저부 상피
구강측 상피
각화층

상아질
법랑질
치은열구
치은
치은부착

■ ▦ **그림 14-5. 위치에 따른 상피세포의 차이**
구강측 상피는 표면이 각화되어 있기 때문에 세균이나 기계적 자극에 대해 저항력을 갖는데 비해 치은열구 기저부로 갈수록 각화도가 떨어지기 때문에 저항력도 떨어진다. 또한 치은열구 기저부로 갈수록 세포와 세포 사이의 간극이 커져서 세균 또는 세균이 만들어낸 생성물의 진입로가 된다.

부착이 자유 표면에서 치관 쪽으로 성장하고, 유리치은까지 이른다. 치은구의 깊이는 0.5~3.0mm로, 평균 1.8mm이다. 3.0mm보다 깊은 경우는 일반적으로 병적이라고 생각되고 있다. 이를 치주낭(periodontal pocket)이라 부른다]에 출현한다. 따라서 이 치은열구를 형성하는 상피는 임상적으로 중요한 조직이다. 치은열구의 내부는 언제나 젖어 있다. 또한 치주낭이 되면 너무 젖어서 치은 연하의 인상을 방해하는 듯하다. 그 이유는 바로 치은열구액(gingival crevicular fluid, GCF)이며, 치주질환을 진단하는 데에도 도움이 되고 있음을 알 수 있다.

상피는 상피세포가 조밀하게 밀집되어 있는데, 이들

세포간에는 틈새가 존재한다. 이 간격은 치은열구 기저 쪽으로 가면서 점차 넓어지는 것을 알 수 있다. 이 간극으로 세균이 빠져 나갈 수 있게 된다. 이 결과 치은열구 기저 쪽에는 각화층이라는 물리적인 방어벽도 없어지고, 세포간 간극도 넓어져 마치 세균 침입이 가능한 상태로 되어 있다. 그러나 이 간극은 세균 침입의 경로를 위한 것이 아니고 치은열구액의 출구일 뿐이다. 치은결합조직 중의 모세혈관에서 빠져나온 삼출액과 백혈구는 상피의 세포 간극을 통해 치은열구로 나와서 우리 몸을 지키고 있는 것이다. 치주질환은 원래 삼출액과 백혈구의 통로를 이용해 세균이나 세균 생성물이 침투하여 일어나는

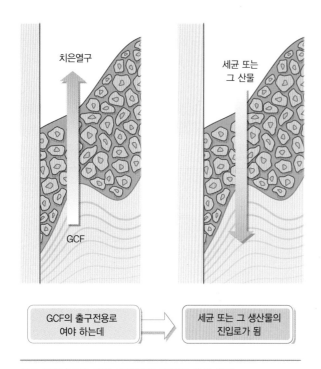

■▓ 그림 14-6. 치은 상피세포 사이의 간극 역할

세포사이 간극은 치은결합조직 중의 모세혈관에서 새어나온 삼출액과 물의 침입을 허락한다. 그러나 세균이 역류하여 침입하면 치주질환이 야기된다. 각화층이 결여되고 세포 간극이 넓어지면 세균이나 그 생성물의 침입이 용이해진다. 즉, GCF의 출구 전용로여야 하는데 세균 또는 그 생성물의 진입로가 된다.

야마모토 히로마사 저, 권영혁, 박준봉 옮김: 일러스트로 배우는 치주생물학. 군자출판사. 2007.

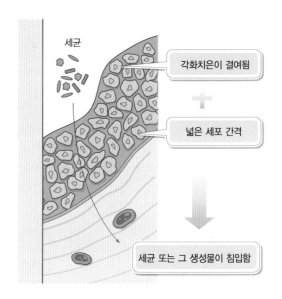

■▓ 그림 14-7. 각화층이 결여되고 세포 간격이 넓어진 치은에서의 세균 침입

세균이나 그 생성물의 침입. 각화치은이 결여되고 세포간격이 넓어짐으로써 세균이나 그 생성물의 침입이 용이해진다.

야마모토 히로마사 저, 권영혁, 박준봉 옮김: 일러스트로 배우는 치주생물학. 군자출판사. 2007.

것이라 볼 수 있다(그림 14-6). 상피는 단순한 방어벽이라 생각하기 쉽지만 치주낭 내에서 세포내 물질이 들락날락하는 매우 역동적인 조직임을 알 수 있다. 또한 단순한 출입구가 아니라 보다 적극적으로 다른 조직에 영향을 준다는 것도 밝혀졌다. 즉, 상피세포는 치주낭 내의 세균에 의해 자극을 받으면 인터류킨-8(interleukin-8, IL-8)이라는 사이토카인을 방출한다. 이 결과 백혈구를 불러들여 방어 작용을 하게 한다(그림 14-7). 백혈구에 의한 방어 작용이 불충분할 경우 상피세포는 IL-1, TNF-α 등의 사이토카인이나, 염증성 매개물질, MMP 등의 각종 효소를 분비하여 결합조직과 뼈를 파괴한다(그림 14-8).

② 구강점막 및 상피구조

상피는 외배엽성 표피조직이다. 진피는 우리 몸의 외부에서 피부의 표면을 피복하는 역할을 하는 전형적인 상피이다. 그러나 상피는 다른 조직의 표면을 덮어주기도 하지만, 꼭 동물의 외부에 국한되어 있는 것이 아니다. 즉 구강점막이나 소장 점막의 상피는 소화관의 벽을 피복하는 상피의 한 예로, 상피에 파묻힌 점액선의 분비에 의해 항상 축축하다. 구강점막의 상피는 각화세포(keratinocyte)의 분화정도에 따라 4개의 세포층으로 나눈다. 즉, 상피조직은 기저막과 인접한 면으로부터 기저층(stratum basale), 유극세포층(stratum spinosum), 과립층(stratum granulosom) 및 각화층(stratum corneum)으로 구분된다. 기저층의 각화세포는 단

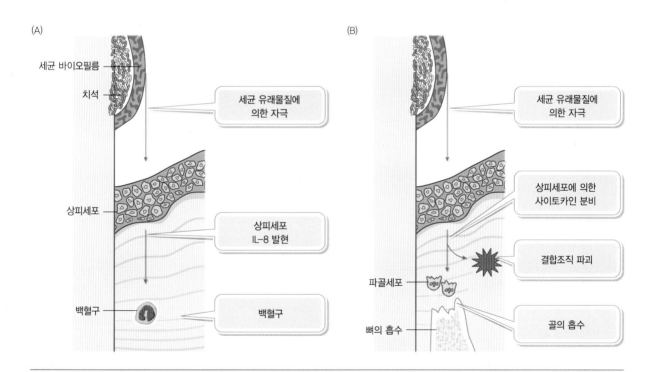

■■ 그림 14-8. 상피세포에 의한 백혈구 유주 자극(A) 및 치조골 파괴(B)

세균의 자극으로 상피세포는 IL-8이라는 사이토카인을 분비하여 백혈구가 모이도록 한다. 또한 사이토카인과 기타 물질의 분비에 의해 결합조직과 뼈가 파괴된다. 이렇게 함으로써 세균 바이오필름에서 피할 수 있기 때문이다. 결합조직과 뼈가 파괴된 후, 상피도 소실된다. 이 결과 치주낭은 깊어지고, 치주질환에 걸리기 쉬운 환경이 형성된다.

야마모토 히로마사 저, 권영혁, 박준봉 옮김: 일러스트로 배우는 치주생물학. 군자출판사. 2007.

층의 입방형 세포로 구성되어 있으며, 상피조직의 세포층 중 유일하게 세포분열이 가능한 세포로 상피조직에 계속적으로 세포를 공급하는 역할을 담당한다. 구강점막 상피는 95% 이상이 각화세포로 구성되어 있으며, 나머지는 멜라닌세포(melanocyte), 랑게르한스 세포(Langerhans cell) 및 머켈세포(Merkel cell) 등으로 이루어져 있다. 멜라닌세포는 기저층에 위치하며, 멜라닌(melanin) 색소를 생산하므로, 이 세포가 많은 부분은 검게 보인다. 랑게르한스 세포는 멜라닌세포보다 위층에 존재하며, 모양은 멜라닌세포와 유사하나 기능적으로는 세포표면에 면역수용체를 가지고 있어 체내 면역 방어체계를 담당하는 세포이다. 머켈세포도 대부분 기저층에 존재하며, 상피 내에 존재하는 신경말단과 관련이 있다.

치은도 상피와 결합조직으로 구성되어 있으며, 치은 상피는 세부분으로 나누어 질 수 있다. 구강 상피는 구강을 향하고 있는 부분이고, 구강열구상피는 치아 쪽을 향한 부부이지만, 치아와 직접 부착되어 있지 않은 부분이며, 접합상피(junctional epithelium)는 치은과 치아가 부착되는 부분에 존재하는 상피를 말한다. 구강상피와 그 아래 존재하는 결합조직의 경계면은 물결모양의 얽힌 구조로 되어 있다. 결합조직 중에서 상피 쪽으로 돌출된 부위를 결합조직 유두(connective tissue papillae)라 부르며, 이 사이를 파고 들어가 있는 상피 부분을 그물 능선(epithelial pegs, rete ridges 또는 rete pegs)이라 부른다. 결합조직 유두와 그물능선은 구강상피와 구강열구상피 부분에는 존재하지만, 정상적인 치은 접합상피와 그 아래 결합조직 사이에는 존재하지 않는다.

(2) 시멘트질

시멘트질(cementum)은 치근부를 덮고 있는 유골(osteoid) 조직이, 법랑질, 상아질과 함께 치아의 경조직을 형성하고 있다. 시멘트질은 아래와 같은 3가지 이유로 치주조직의 하나로 간주한다.

① 조직발생학적으로 치주인대나 치조골의 세포와 똑같은 방식으로 치소낭(dental follicle)의 중배엽성 간엽세포에서 분화한 시멘트모세포에 의해서 형성된다.

② 치주인대의 콜라겐 섬유의 한쪽 끝이 시멘트질 내에 매몰되어 있다.

③ 기능적으로는 치은, 치주인대 및 치조골과 공동으로 치근을 치조 내에 보관 유지, 고정한다.

시멘트모세포(cementoblast)는 치근 표면과 치주인대 섬유속(비고유섬유, extrinsic fiber)의 주위에 고유한 콜라겐 섬유와 섬유 사이 매트릭스 물질로 구성되는 시멘트질의 매트릭스를 분비, 침착한다. 이 매트릭스, 즉 유시멘트(cementoid)가 규칙적으로 이어져 겹겹으로 형성되어 석회화된다. 시멘트모세포가 치주인대 내로 후퇴하면 무세포 시멘트질(acellular cementum)이 형성된다. 이 무세포 시멘트질은 일반적으로 샤아피 섬유(Sharpey's fiber)가 다수 포함되어 있어 이 섬유를 보관 유지하는 역할을 가진다. 그러나 법랑질-시멘트질의 이행부의 시멘트질에는 콜라겐 섬유가 적게 들어 있다. 시멘트모세포가 이동하지 않을 때는 매트릭스 중에 시멘트세포(cementocyte)로서 매몰되어 유세포 시멘트질(cellular cementum)을 형성한다. 시멘트모세포나 시멘트세포에 대한 영양공급은 치주인대에서 확산에 의존하고 있다. 이 때문에 시멘트세포의 돌기의 대부분이 치주인대 쪽으로 길게 뻗어 있다. 시멘트질 형성이 없으면 치근의 샤아피 섬유와 연결이 되지 않는 것으로 보아 치주인대 중의 섬유모세포 비슷한 줄기세포로부터 분화한다고 생각되고 있는 시멘트모세포는 치주조직의 재생에 중요한 역할을 담당한다고 생각한다.

시멘트질은 세포 성분이 적은데다가 맥관이 없고, 생리적인 개조 현상이 보이지 않는 점이 뼈와 다르다. 사람 치아의 시멘트질은 시멘트질-법랑질 경계 부위에서는 두께가 얇아 20~50μm인 반면에, 치근단을 향하면서 두꺼워져 치근단 부위는 150~200μm이다. 시멘트질은 연속적이고 주기적으로 침착되며, 때로는 정체되기도 하지만 나이가 들어감에 따라 증가한다. 또, 흡수에 대해 뼈보다 강한 저항성을 나타내는 특징이 있어서 임상적으로 중요하고, 이 때문에 교정치료가 가능하다.

설치류나 유제 포유류 동물에서 석회화된 유시멘트질로 된 얇은 층이 치관부 법랑질을 덮고 있다. 이와 유사한 조직이 사람 치아의 치은열구에서도 발견되는데, 이는 아마도 법랑질 형성을 마친 후에 위축된 법랑질 상피(reduced enamel epithelium) 사이에 간엽계 세포가 침입하여 형성된 것으로 추측된다.

(3) 치주인대

대부분의 결합조직과 비교하여 치주인대(periodontal ligament, PDL)는 세포를 아주 많이 함유하고 있다. 양의 절치 PDL의 20%가 섬유모세포로 생각된다. 설치류의 경우 혈관을 제외한 PDL 결합조직은 무려 43~55% 사이이다. 마우스에서 이렇게 많은 %를 차지하는 것은 10,000~20,000세포/mm^{2}이 존재하기 때문이다. 그럼에도 불구하고 이러한 세포의 밀도는 나이와 기능에 따라 변화한다.

치주인대는 치근 완성이 끝난 후에 형성이 시작된다. 치소낭 유래의 섬유모세포가 치주인대 형성 부위에서 활발하게 세포 분열을 일으켜서 세포의 부피와 수가 증가한다. 이러한 세포는 급속히 섬유 형성능을 획득하여 치주인대의 콜라겐 섬유를 형성한다. 치주인대는 치근을 덮는 시멘트질과 치조벽 골질과의 사이에 존재하는 연조직으로 폭 0.15~0.33mm로 치근 중앙 1/3이 가장 얇다.

치주인대를 구성하는 주된 성분은 다른 결합조직과 같아서, 섬유모세포를 주로 하는 세포 성분과 세포외 매트릭스, 즉, 섬유 성분과 섬유 사이 매트릭스 물질로 구성되어 있다. 섬유 성분으로는 콜라겐 섬유와 소량의 옥시탈란 섬유(oxytalan fiber)가, 교합에 수반하는 압력 혹은 견인력에 대응해 일정한 규칙 하에 올바른 배열을 취함으로써 그 기능을 유지하고 있다. 주섬유속의 양쪽 끝은 모두 뼈와 시멘트질 속으로 매입되고 있다. 원래는 이러한 섬유속의 매입부만을 샤아피 섬유(Sharpey's fiber)라 부른다.

치주인대의 조직학적 특징의 하나는 현저하게 세포가 많은 것이지만, 그 세포 성분에는 이미 앞에서 기술한 치주인대 고유의 섬유모세포와 그 줄기세포인 미분화간엽세포, 말라세(Malassez)의 상피유잔(epithelial rest), 대식세포 등이 있다. 또, 기능적으로는 치조골의 대사에 관여 하는 골모세포(osteoblast)와 파골세포(osteoclast), 및 시멘트질의 형성에 관여 하는 시멘트모세포(cementoblast)는 모두 위치적으로 볼 때 모두 치주인대 내에 존재하고 있다. 이러한 세포에 의해 섬유 사이 매트릭스 물질이 생성된다. 또한, 치주인대의 또 다른 조직학적 특징은 풍부한 혈관계의 존재이며, 매트릭스를 통해 치주인대 자체의 활발한 대사뿐만 아니라, 시멘트질 및, 바깥층의 치조골에 영양 공급과 노폐물 제거도 담당하고 있다.

(4) 치조골

상·하악골의 치아를 똑바로 세우고 있는 부분을 치조골(alveolar bone)이라 하여, 외벽은 피질 층판이라 부르는 피질골과 해면골로 구성되어 치조를 지지하고 있다. 내면은 고유치조골이라고 하여 치주인대 섬유속의 부착부가 되고 있는 것으로 보아 속상골(bundle bone)이라고도 하고, 신경 및 맥관이 통과하는 작은 구멍이 다수 관통하고 있는 것으로 보아 사상판(cribriform plate)이라고도 하는데 치소낭 유래의 특수한 골질로 되어 있다.

치아는 발성, 연하(삼킴), 저작 시 등에 가해지는 힘에 의해 항상 작은 움직임 있어 치조벽의 뼈도 항상 다양한 외적 조건에 대응해야 한다. 즉, 조직학적으로 관찰해 보면 치조벽의 동일 절편 상에서 동일한 시야에서도 뼈 조직의 모든 대사 단계를 관찰 할 수 있다. 이렇게 변화무쌍한 점은 치조골이 기능적으로 적응성이 큰 것을 반영한다고 볼 수 있다. 즉, 성장, 발육, 나이 증가 상호간에 볼 수 있는 치아의 이동이나 교정력에 의한 치아의 이동은 치조골 내면 벽의 리모델링에 의해 진행된다.

하악에서 적출한 종상기(bell tage) 치배(tooth bud)를 전안방(camera bulbi anterior)과 같은 비결합성 조직에 이식하여 정상적인 치아 발생을 지속하게 되면, 치소낭에서 시멘트질, 치주인대와 함께 치조골이 발생하는 사실이 밝혀졌다. 이처럼 치소낭이라고 하는 특정한 조직에서 치아의 지지조직이 일괄적으로 형성되는 것은 임상적으로는 중요한 의미가 있다. 예를 들어 치아의 치조 내로 이식할 경우에 가능한 치근 표면에 부착한 모든 연조직을 보관 유지시킴으로써 치소낭 유래의 미성숙세포를 부활시켜 치아 지지조직의 재생을 도모 할 수 있다.

2) 치주조직의 화학조성

치주조직은 모두 결합조직에 속하므로 화학조성의 기본적 공통 성질에 대해서는 이미 앞에서 설명한 바 있으므로 여기에서는 가장 많이 연구되고 있으며, 또한 치주

질환의 초발부위이기도 한 치은의 화학조성을 중심으로 각 치주조직에 특징만을 대상으로 다루었다.

(1) 치은

치은은 여러 가지 비율로 상피조직과 결합조직으로 구성되어 있어 치은의 어느 부분을 시료로 채취하느냐에 따라 얻어지는 생화학 데이터는 크게 달라진다. 치은의 조직화학적 소견을 비교하는 것만으로도 부착치은은 변연치은이나 피복 점막과 그 화학조성이 다른 것을 쉽게 예측 할 수 있다. 또, 동물 종이 다르면 형태학적 소견뿐만 아니라 조성도 크게 달라진다.

치은의 수분함량은 높아서 사람 치은에서 74%라고 보고되었다. 또, 사람의 미맹출 제3대구치를 피복하고 있는 정상 치은조직에는 81~82%라 보고되었다. 치은의 구조를 유지하는 결합조직은 콜라겐과 비콜라겐 단백질인 프로테오글리칸이나 당단백질과 지방질로 구성되어, 상피는 비콜라겐성 단백질, 지방질, 핵산 및 기저막 성분이 주가 된다. 사람과 돼지 치은의 대표적 성분을 표 14-1에 나타냈다. 치은 성분으로 가장 많은 것은 콜라겐인 것을 알 수 있다.

표 14-1. 치은의 화학조성
Lazzarini EP : Handbook od Experimental Aspects of Oral Biochemistry. CRC Press. 1982. p.212.

조성		사람	돼지
		건조중량 %	
콜라겐		45.0	45.0
비콜라겐성	단백질	25.0	28.6
	구조 당단백질	20.0	-
	혈청 단백질	-	3.8
지방질		5.7	7
글리코스아미노글리칸		1.4	-
DNA		0.85	0.72
RNA		2.12	2.2

① 콜라겐

치은에는 다양한 종류의 콜라겐이 혼재하고 있으나, Ⅰ형 콜라겐이 가장 많이 존재한다. 치은에서 콜라겐 섬유는 2가지 양상으로 존재한다. 즉, 하나는 크고 조밀한 두꺼운 섬유를 이루고, 다른 하나는 느슨하며 짧고 얇은 섬유로 세밀한 그물조직을 이루는 것이다. 이들 섬유는 Ⅰ형과 Ⅲ형 콜라겐으로 이루어지며, 주로 Ⅰ형 콜라겐이 고유층에서 더 조밀한 섬유를 형성한다. Ⅲ형 콜라겐은 상피 접합부(epithelial junction)에서 기저막 가까이에 망상으로 보다 얇은 섬유를 형성한다. Ⅲ형 콜라겐은 샤아피 섬유의 구성성분이다. 치주조직에 존재하는 콜라겐종과 분포에 대하여 표 14-2에 나타냈다.

가. 콜라겐 함량

여러 가지 동물 종에서 치은 중의 총 콜라겐 양이 측정되었다. 여기에서도 수분함량은 74%로 조직 건조 중량으로 비교해 보면, 콜라겐 함량은 동물 종에 따라 20~50%로 큰 차이가 있음을 확인하였다 이것은 이미 앞에서 기술한 것처럼, 상피와 결합조직의 비율이 각각 다르고 아마 채취한 시료의 차이(부착치은이나 변연치

표 14-2. 치주조직에 존재하는 콜라겐 종과 분포

Bartold PM, Narayanan AS : Biochemistry of normal periodontal connective tissue. In Biology of the periodontal connective tissue. Chicago. Quintenssence. 1998. p. 191.

조직	콜라겐층	분포
건강한 치은	Ⅰ	고유층(lamina propria)
	Ⅲ	고유층
	Ⅳ	기저막(basement membrane)
	Ⅴ	콜라겐 섬유, 혈관
	Ⅵ	미세섬유
치주인대	Ⅰ	주 및 이차섬유principal and secondary fibers)
	Ⅲ	주 및 이차섬유
	Ⅴ	콜라겐 섬유
치조골	Ⅰ	뼈 기질, 샤아피 섬유
	Ⅲ	샤아피 섬유
시멘트질	Ⅰ	샤아피 섬유, 미세섬유성 시멘트질
	Ⅲ	샤아피 섬유
	Ⅴ	샤아피 섬유
염증성 치은	Ⅰ	건강한 치은과 동일
	Ⅲ	건강한 치은과 동일
	Ⅴ	건강한 치은과 동일
	[Ⅳ, Ⅴ, Ⅵ]	건강한 치은과 동일
	$[\alpha1(I)]_3$	고유층
무치융선(edntulous ridge)	Ⅰ	건강한 치은과 동일
	Ⅲ	건강한 치은과 동일
	Ⅴ	건강한 치은과 동일

은)를 반영하는 것으로 보인다. 사람에서는 치은의 총 단백질량의 약 60%를 콜라겐이 차지한다고 보고되었다.

나. 콜라겐 분자종

치은의 콜라겐은 지금까지 많이 연구된 분야이기 때문에 분자종의 다양성이 어느 정도 잘 알려져 있다. 정상 및 염증치은조직에 Ⅰ형, Ⅰ형 삼량체[[α1(I)]$_3$로 구성되어 Ⅰ형 콜라겐[α1(I)$_2$α2(I)]과 비교해 하이드록시프롤린(hydroxyproline), 하이드록시라이신(hydroxylysine)이 많아, 중성에서 용해도가 높다], Ⅲ형, Ⅳ형(α1), Ⅴ형(α1와 α2), Ⅵ형, Ⅶ형이 발견된다. 치은 콜라겐의 대부분은 Ⅰ형으로, 콜라겐 전체의 80% 이상을 차지하지만, 실제로는 그 정확한 비율을 결정하는 것이 어렵다. 피부의 Ⅰ형 콜라겐과 달리 구성 아미노산의 프롤린(proline)과 하이드록시프롤린(hydroxyproline)이 적고, 라이신(lysin)과 하이드록시라이신(hydroxylysine)이 많다. 이러한 차이는 무치악의 치조연 치은보다 유치악 치은에서 그 경향이 강하다. 치은의 Ⅲ형 콜라겐은 피부의 Ⅲ형과는 달라, 프롤린과 하이드록시프롤린이 적고, 라이신과 하이드록시라이신이 많아, 주로 점막 고유층의 기저막하에서 볼 수 있다. 이 경향은 치은의 Ⅰ형 콜라겐과 같다. Ⅲ형은 호중구 교원질분해효소(collagenase)에 의해 분해되기 쉽기 때문에, 세균이 쉽게 침입한다. 염증치은에서는 전체적으로 콜라겐 양은 감소한다. 또, 염증치은의 섬유모세포가 배양액 중에 방출하는 Ⅲ형 콜라겐 양은 정상 섬유모세포에 비하면 감소되어 있는 것이 인정된다. Ⅰ형과 Ⅲ형 콜라겐 비율에 대해서는 많은 보고가 있어 Ⅰ형이 80~83%, Ⅲ형이 17~20%를 차지한다. 염증이 있는 치은에서는 보통 Ⅲ형 교원질 함량이 감소하여 3.8%, 또는 10%라는 보고가 있다.

Ⅰ, Ⅲ형 이외에도 치은 중에는 Ⅳ형, Ⅴ형, Ⅵ형 및 Ⅶ형 콜라겐이 존재하는 사실이 생화학적 및 면역 조직학적 방법으로 밝혀지고 있다. Ⅴ형은 조직의 가동성에도 관계되어, 콜라겐 분해효소에 저항성이 있다. Ⅴ형은 무

치악 치조연(alveolar ridges, alveolar margin) 치은과 비교하여 유치악 치은에 더 많다. 또 염증치은에서는 그 함량이, 특히 α1 사슬은 4~5배로 증가하며 임플란트 주위의 치은에서도 증가하는 것이 알려져 있다.

사람 염증 치은의 섬유모세포는 배양액 내로 Ⅰ형 삼량체(α1 trimer)를 합성, 분비하는 것이 밝혀졌다. 이후 *in vitro*의 염증 치은조직에서도 삼량체가 발견되었다. 정상적인 법랑모세포(ameloblast)가 Ⅰ형 삼량체를 합성하는 일도 밝혀지고 있지만, 치은의 경우, Ⅰ형 콜라겐 삼량체의 존재가 치은조직의 치은염에 대한 저항력을 감소시켜 약하게 하는 것은 아닐까 생각한다. 염증 치은조직에는 Ⅲ형 콜라겐 3.8%, Ⅰ형 콜라겐 86.8%, Ⅴ형 콜라겐 8.0%, Ⅰ형 콜라겐 삼량체 1.5%이다.

다. 콜라겐 가교

염증이나 임플란트 등, 임상적으로도 향후 콜라겐의 대사 변동에 대한 해석은 중요하게 될 것이다. 치은에서의 콜라겐 가교는 여러 사람에 의해 연구되었다. 치은의 불용성 콜라겐에서는, 치주인대, 치수에서처럼 히스티디노하이드록시메로데스모신[histidinohydroxymerodesmosine(His-HMD)]이 환원성 가교의 대부분을 차지하고 비환원성 가교[sodiumborohydride(NaBH$_2$)로는 환원되지 않아서 비환원성 가교라 하며, hydroxylysino-aldol histidine과 lysyl pyridinium 가교이다]는 극히 적다. 또한, 어느 환원성 가교도 그 부위에 따라 달라 전치부 치은보다 구치부 치은에서 더 많다. 그림 14-9에서 보듯이 치은과 치수 사이에도 분명한 조직 차이가 인정된다. 그러나 뼈나 상아질 등의 경조직과는 분명하게 질적으로 달라, 오히려 피부의 콜라겐과 유사점이 많다. 뼈나 상아질의 콜라겐은 데하이드록시라이시노노어로이신(dehydroxylysinonorleucine, DHLNL)이 압도적으로 많아, 하이드록시라이시노노어로이신(hydroxylysinonorleucine, HLNL)과의 비, 즉, DHLNL/HLNL 비는 1 이상(상아질 : 6, 뼈 : 2.3)이 된다. 이와는 대조적

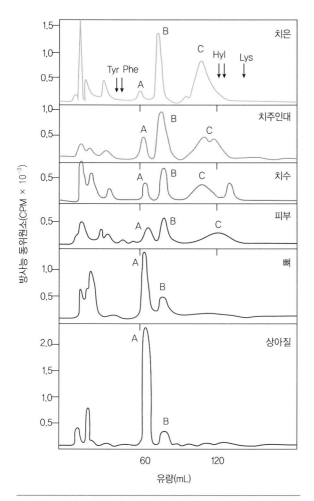

■ ■ 그림 14-9. 구강 조직에서 콜라겐 가교 결합 양식

A : DHLNL(hydroxylysinonorleucine), B : HLNL(hydroxylysinonor-leucine), C : His-HMD(histidinohydroxymerodesmosine), D : 규명되지 않은 미지의 가교결합

Kuboki Y, Takagi T, Sasaki S, Saito S, Mechanic GL : Comparative collagen biochemistry of bovine periodontium, gingiva, and dental pulp. J Dent Res. 60(2):159-63. 1981.

으로 연결합조직의 콜라겐에서는 His-HMD가 현저히 많으며, 그 상대적인 양은 피부(41.6%), 치수(45.9%), 치주인대(45.5%), 치은(57.4%)의 순서로 증가 하고 있다. 흥미롭게도 His-HMD의 증가에 따라 DHLNL/HLNL 비(피부 : 0.66, 치수 : 0.49, 치주인대 : 0.31, 치은 : 0.18)는 반대로 감소하고 있다. 뼈나 상아질 등의 경조직

과 연결합조직에서 가교가 가지는 생리적 기능의 차이나 콜라겐 대사회전의 속도가 다른 점은 콜라겐 가교와 관계되는 라이실옥시다제(lysyl oxidase)의 동위원소(iso-zyme)가 조직 특이적으로 발현하는 차이점 등이 관계되어 있다 생각할 수 있다. 사실, 라이실옥시다제는 현재 3가지 다른 유전자에 의한 동위원소 1~3형이 보고되고 있다. 사람 피부유래의 섬유모세포와 골모세포의 전구세포는 1 형과 3 형이 강하게 발현되며 분화 과정에서 변화를 보이지 않지만, 2형의 경우 분화와 수반되어 골모세포 전구세포에서 강하게 발현되지만 섬유모세포에서는 발현되지 않는다고 보고되었다. 또 근년에 분석법의 진보에 따라 새로운 콜라겐의 가교 구조가 밝혀지고 있다.

라. 콜라겐의 용해성

구강 조직의 콜라겐은 일반적으로 용해성이 낮아서 그 염가용성은 치주인대 2.8%, 치은 3.0% 로, 모두 피부의 6.3%에 비하면 아주 낮다고 할 수 있다. 이러한 불용성은 콜라겐의 대사회전에 수반하는 가교의 양과 질이 서로 다름에 따라 나타나는 현상으로 생각되고 있다. 이와 같은 사실은 동물에 라티리즘(lathyrism)을 야기하여도 피부 콜라겐에 비해 치은 콜라겐의 용해성은 그다지 영향을 받지 않는 것으로도 입증된다. 라티리즘이란 갯완두 중독이라고도 하여 갯완두속의 콩과식물의 종자를 섭취하여 생기는 중독 상태이다. 이것은 경련성대마비, 지각이상 등의 신경증상을 주증상으로 하는 일련의 중독증상으로, 이 질병은 콩과식물에 함유되는 라이실옥시다제 저해물질인 β-프로피오나이트릴(β-propionitrile)이 결합조직의 가교형성을 방해하여 야기된다.

② 비콜라겐성 단백질

치은의 비콜라겐성 단백질(non-collagenous protein, NCP)은 주로 불용성의 매트릭스 구조 당단백질과 가용성의 혈청 단백질로 구성된다. 비콜라겐성 단백

질 함량은 연구자에 따라 다른 측정치가 보고되고 있다. 표 14-1에는 이들 보고치의 일례를 나타냈다. 불용성 구조당단백질인 섬유성 단백질, 엘라스틴은 치은 전 단백질량의 약 6%를 차지한다. 그 외에 세포접착 등에 관계되는 파이브로넥틴(fibronectin), 라미닌(laminin), 오스테오넥틴(osteonectin), 테나신(tenascin)의 존재가 보고되어 있다. 파이브로넥틴은 결합조직 내에, 라미닌은 기저막에, 테나신은 치아와 밀접하게 관련되어 상피 밑에 존재한다. 오스테오넥틴의 치은결합조직 내에서의 의의는 분명하지 않다. 염증 조직에서 NCP의 상대적 비율은 콜라겐(37.7%)보다 47.7%로 보다 높다. 이러한 결과는 염증이 존재하는 경우 혈청 단백질이 증가하고 콜라겐이 감소하는 것을 반영해 준다.

③ 글리코사미노글리칸(glycosaminoglycan)

여러 동물종의 치은은 일반적으로 콘드로이틴 4-황산(chondroitin 4-sulfate), 더마탄황산(dermatan sulfate), 헤파린황산(heparan sulfate), 히알루론산(hyaluronic acid 또는 hyaluronan)을 포함하고 있다 (표 14-3). 사람에서 더마탄황산이 가장 많아서 글리코사미노글리칸의 약 60%를 차지하며, 다음으로 콘드로이틴 4-황산이 28%를 차지한다. 그 다음에 헤파린황산(치은 상피의 주된 글리코사미노글리칸이다)이 많고, 히알루론산이 가장 적다. 프로테오글리칸으로는 더마탄황산을 주로 하는 저분자량인 것과 콘드로이틴 4-황산이 풍부한 중간형 및 고분자량의 프로테오글리칸이 있다. 그 외에도 데코린(decorin)이나 베르시칸(versican)의 존재가 면역조직학적으로 밝혀지고 있다.

치은 상피세포 표면과 상피세포 사이에는 히알우로난(hyaluronan, hyaluronic acid), 데코린, 신데칸(syndecan) CD-44 등이 존재한다. 치은 기저막에는 헤파린황산 프로테오글리칸인 페를레칸(perlecan)이 주종을 이루며, 기타 헤파린황산을 함유하는 프로테오글리칸과 콘드로이틴을 함유하는 프로테오글리칸이 존재한다. 치은결합조직에는 데코린, 바이글리칸(biglycan), 베르시칸(versican) 등이 존재한다.

④ 지방질

사람, 돼지, 소에서 치은 중의 지방질이 단독 분리되어 분석되었다. 사람 치은의 지방질 함량은 습중량 기준

표 14-3. 치은에서의 글리코사미노글리칸 함량. 총 우론산 함량 %로 표시하였으며, 소의 경우 1년생에서 얻은 결과이다. 총 우론산은 건조중량으로 µg/mg 건조중량으로 표시하였다.

Hiramatsu M, Abe I, Minami N : Acid mucopolysaccharides in porcine gingiva. J Periodontal Res. 13(3):224-31. 1978; Embery G, Oliver WM, Stanbury JB : The metabolism of proteoglycans and glycosaminoglycans in inflamed human gingiva. J Periodontal Res. 14(6):512-9. 1979; Sakamoto N, Okamoto H, Okuda K : Qualitative and quantitative analyses of bovine gingival glycosaminoglaycans. Arch Oral Biol. 23(11):983-7. 1978.

성분	사람	소	돼지
히알루론산(hyaluronic acid)	43.0	24.2	15.7
콘드로인틴 4-황산(chondrotin 4-sulfate)	23.0	37.3	31.1
콘드로인틴 6-황산(chondrotin 6-sulfate)	0.0	0.0	8.0
더마탄황산(dematan sulfate)	33.0	36.0	29.9
헤파린황산(haparan sulfate)	0.0	2.6	15.3
총 우론산(total uronic acid)	0.48	0.21	0.23

으로 1.5% 건조중량 기준으로 5.8%이다. 사람과 돼지의 치은은 지방질 조성이 매우 비슷하다(표 14-4). 즉, 비극성의 지방질이 약 70%를 차지하며 나머지(30%)는 주로 인지질이다. 특징적으로 치은은 유리 지방산과 콜레스테롤 에스테르 함량이 많은 것이다. 돼지 치은의 결합조직에는 대량의 트리글리세리드(triglyceride)와 콜레스테롤이 존재한다. 트리글리세리드와 디글리세리드(diglyceride)는 전체 지방질의 20% 정도이다. 가장 많이 존재하는 인지질(phospholipid)은 포스파티딜콜린(phosphatidylcholine)과 포스파티딜 에타놀아민(phosphatidylethanolamine)으로 전체 인지질 중 70%이며, 총 지방질의 20%이다. 사람 치은은 돼지와 달리 포스파티딜콜린 함량이 높으며, 스핑고미엘린(sphingomyelin)은 적다. 돼지 치은상피와 결합조직을 분리하여 각각의 지방질 조성을 분석한 연구 결과에 의하면 상피조직에는 인지질이 풍부하게 존재하고, 결합조직에는 대량의 트리글리세리드와 콜레스테롤이 많이 존재하며, 아라키돈산

은 거의 모든 결합조직에 존재한다. 이러한 지방질의 국재에 관한 조직학적 연구의 경우에도 상피, 그 중에서도 특히 각화층에 인지질이 풍부하며, 유리 지방산과 콜레스테롤이 강하게 염색되는 것이 확인된다. 더욱 더 흥미로운 것은 치은에 프로스타글란딘 전구체의 하나인 아라키돈산(arachidonic acid)의 함량이 많은 것이다. 아라키돈산으로부터 PGE와 PGF를 합성한다. 농도는 낮지만 트롬복산(thromboxane)과 프로스타사이클린(prostacycline)도 확인된다.

⑤ 당질

치은에는 비교적 당 함량이 많고, 돼지 치은의 경우 건조 중량의 2.5%(소의 경우는 3.6%)를 포함하는 것이 보고되었다. 당질 조성으로는 중성당(neutral sugar)이 60%를 차지한다. 그 다음으로 헥소사민(hexosamine) 25%, 퓨코스(fucose)와 시알산(sialic acid)이 13%를 차지한다. 헥소사민의 반은 글리코사미노글리칸

표 14-4. 치은의 지질 함량. 총 지질은 건조중량 %로 표시하였으며, 나머지 결과는 총 지질에 대한 %로 나타냈다.

Rabinowitz JL, Rutberg M, Cohen DW, Marsh JB : Human gingival lipids. J Periodontal Res. 8(6):381-3. 1973; Pellat B, Dargent P, Di Costanzo G : Les Lipides de laGencive Humaine. J Biol Buccale. 3(3):247-51. 1975; Rabinowitz JL, Bailey TA, Marsh JB : Polar and neutral lipids of pig gingiva. Arch Oral Biol. 16(10):1195-205. 1971; Das SK, Adhikary PK, Bhattacharyya DK : Study on the composition of bovine gingival lipids. J Dent Res. 55(2):182-4. 1976.

성분	사람 1	사람 2	돼지	소
총지질	5.65	5.65	7.12	7.67
비극성 지질(nonpolar lipids)	70.00	67.00	69.80	70.70
유리지방산(free tatty acids)	17.00	19.20	21.00	17.00
트리글리세롤(triglycerois)	14.34	17.60	17.20	16.90
모노- 및 디아실글리세롤(mono- and diacylglycerol)	4.14	10.30	8.20	7.00
콜레스테롤 에스테르(cholesterol ester)	11.60	12.90	16.30	22.80
콜레스테롤(cholesterol)	10.60	7.00	8.20	7.00
총 인지질(total phospholipids)	30.00	33.00	30.20	29.30
포스파티딜콜린(phosphatidylcholine)	15.90	13.40	11.30	10.00
포스파티딜에탄올(phosphatidylethanolamine)	8.20	6.30	10.40	9.40
스핑고미엘린(sphingomyelin)	1.30	4.70	3.80	8.80
기타 인지질	4.60	8.60	5.10	미량

표 14-5. 치은의 당질 함량. 건조중량(µg/mg 건조중량)으로 나타냈다.

Migkalites C, Orlowski WA : Study of the noncollagenous components of the periodontium. J Dent Res. 56(8):1023-6. 1977.

당질의 종류	소	돼지
헥소사민(hexosamine)	5.14 ± 0.29	6.45 ± 0.58
중성 당질(neutral sugars)	14.00 ± 3.30	14.50 ± 1.90
시알산(sialic acid)	2.70 ± 0.16	2.30 ± 0.51
퓨코스(fucose)	1.55 ± 0.22	1.76 ± 0.16
총 당질	23.4	25.0

으로, 나머지는 아마도 당단백질로 존재하는 것으로 추측한다(표 14-5).

⑥ 케라틴

구강열구상피와 접합상피는 비각화중층편평상피로 구성되어 있으며, 구강과 치은 상피의 주된 세포는 각화세포이다. 각화세포에만 발현되는 단백질인 케라틴(keratin)은 등전점과 분자량이 다른 폴리펩타이드로 구성되며, 분자량에 따라 번호가 부여된다. 일반적으로 기저층의 세포에는 저분자량의 케라틴이 발현되며, 표층으로 향할수록 고분자량의 케라틴이 발현된다.

사람 정상 치은의 호흡율(respiratory rate)은 QO_2로 1.49이다. 이 수치는 236 치은 시료를 이용하여 6번의 실험 결과로부터 얻어진 값이다. 사람 정상 치은의 호흡률은 사람의 다른 조직과 비교할 때 비교적 낮은 값이다. 사람 정상 치은의 호흡률은 나이가 증가함에 따라 감소하나 성별과 종족에 따른 차이는 별로 없다. 치은의 호흡률은 피부보다 약간 낮으나 자궁이나 위 평활근에 비해서는 높다. 치은의 성숙 콜라겐 반감기는 5일이고, 치주인대는 1일, 치조골은 6일, 피부 진피는 15일로, 치은과 치주인대는 다른 결합조직에 비해 단백질 교체율이 빠르다는 것을 알 수 있다.

(2) 시멘트질

시멘트질의 무기질(중량비로 약 65%), 유기질(약 23%), 수분(약 12%) 함량은 뼈나 상아질 양과 비슷하다. 또, 건조 중량 %로 Ca이 26.2%, P가 12.2%이므로 Ca/P 비가 2.08로 모두 상아질과 일치한다. 그 외 무기질 함량으로 사람 영구치 시멘트질의 불소 농도는 상아질, 법랑질에 비해 높다(석회화 중량 농도로 수백에서 수천 ppm). 불소 농도는 그 이온의 섭취량이나 시멘트질의 치은 퇴축에 의한 침과의 접촉 등에 의해 강한 영향을 받지만, 일반적으로 시멘트질의 불소 농도는 내층에서보다 표층 혹은 표층하 쪽이 높고, 치근부에서 치경부 쪽이 더 높은 것으로 보고되었다. 게다가 법랑질의 불소 농도는 나이가 들어도 변화하지 않는데 비하여 시멘트질의 불소 농도는 나이가 들수록 증가한다.

시멘트질의 매트릭스 유기성분을 표 14-6에 나타냈다. 그 주된 성분은 콜라겐이지만, 이 시멘트질 콜라겐은 산이나 중성 용매에는 거의 녹지 않기 때문에 그 콜라겐 종은 펩타이드 매핑의 결과에서 추정되고 있다. 소 시멘트질은 대부분 I형 콜라겐 (90%)으로 되어있고, III형 콜라겐(5%)을 소량 포함한다. 면역 조직학적 연구에 의하면, 돼지나 사람에서도 III형 콜라겐에만 특이적으로 반응하는 항 III형 콜라겐 항체는 시멘트질 중에 매몰되어 있는 샤아피 섬유속이 염색되지만, 시멘트질 매트릭스 중에 있는 시멘트질 고유의 섬유는 염색되지 않는다. 시멘트질 콜라겐은 상아질에 비해 환원성 가교 함량이 적지만, 상아질과 같은 양상으로 디하이드록시라이시노노어로이신(dihydroxylysinonorleucine) 환원성 가교가 가장 많다. 그 외의 유기성분으로 비콜라겐성 단백질은 뼈나 상아질과 같은 성분으로 구성되지만, 상아질보다 많이 포함되어 있다. 또, 유세포 시멘트질에는 콘드이틴황산 등을 포함한 프로테오글리칸이 존재한다.

세포가 없는 일차 시멘트질에는 불규칙적인 미세한 섬유가 과립성 기질에 파묻혀 있다. 세포가 존재하는 이차 시멘트질에는 치근부 표면에 평행하면서 샤아피 섬유와는 직각을 이루는 치밀하지 못한 콜라겐 섬유가 존재한다. 상아질-법랑질 경계 부위에 있는 무세포성, 무섬유성 시멘트질은 콜라겐 섬유를 함유하지 않으나, 무세포성, 외인성 섬유 시멘트질은 많은 양의 샤아피 섬유를 함유한다. 세포성 시멘트질은 외인성 섬유인 샤아피 섬유와 내인성 섬유를 함유하고 있으나, 손상에서 회복된 시멘트질의 경우 샤아피 섬유는 없고 내인성 섬유만 존재한다. 시멘트질과 치조골에 존재하는 샤아피 섬유는 치아가 부착하는데 관여한다.

(3) 치주인대

이미 앞에서 기술한 것처럼 대부분의 결합조직과 비교하여 치주인대(periodontal ligament)는 고도로 세포성이다. 양의 절치 치주인대의 경우 20% 이상이 섬유모세포이다. 치주인대의 유기성분은 다른 치주조직과 같이 콜라겐과 비콜라겐성 단백질로 구성되어 있다(표 14-6).

① 콜라겐

결합조직의 세포외기질에서 적어도 18종 이상의 콜라겐이 분리되었다. 치주인대 콜라겐 함량(건조 중량)은 쥐에서 52%, 어린 소(1.5~3세)에서 43%, 소(9세 이상)에서 47% 라고 보고되었다. 콜라겐 분자종에 대해서는, I형이 가장 많이 존재하며, III, IV, V, VI, VII형 콜라겐이 동정된다. 소 치주인대의 경우 그 대부분은 I형으로 치주인대 콜라겐의 약 80%를 차지하며, 그 다음으로 III형 콜라겐 함량은 약 20%로 높다. 그 외의 콜라겐은 극히 적다. 단독으로 분리된 붉은털 원숭이(*Macaca mulatta*, Rhesus monkey)의 치주인대 섬유모세포가 방사성 아미노산을 I형과 III형 콜라겐에 삽입되는 것을 볼 수 있으며 그 비는 전 콜라겐의 20%가 III형이었다. 쥐 절치, 대구치 각각의 치주인대를 이용해 *in vitro*에서 합

표 14-6. 시멘트질과 치주인대의 유기성분

Mariotti A : The extracellular matrix of the periodontium : dynamic and interactive tissues. Perodontology 2000, 3:39-63, 1993.

유기성분	시멘트질	치주인대
콜라겐(collagen)	I형 III형	I형 III형 IV, V, VI형
비콜라겐성 단백질 (non-collagenous protein)	뼈시알로 단백질 II(bone slaloprotein II) 법랑 단백질 유사단백질 파이브로텍틴(fibronectin) 테나신(tenascin)	라미닌(laminin) 파이브로넥틴(fibronectin) 테나신(tenascin) 오스테오넥틴(osteonectin) 엘라스틴 섬유(elastin fiber)
글리코사미노글리칸 (glycosaminoglycan)	콘드로이틴황산(chondroitin sulfate) 더마탄황산(dermatan sulfate) 헤파린황산(haparan sulfate) 히알루론산(hyaluronic acid)	히알루론산 헤파란황산 더마탄황산 콘드로이틴 4-황산 콘드로이틴 6-황산

성하였을 때 Ⅲ형 콜라겐은 역시 20%로, 위 결과와 잘 일치하고 있다. 면역 조직학적 연구에 의해 치주인대의 주된 성분인 샤아피 섬유는 Ⅰ형 콜라겐이며, Ⅲ형 콜라겐은 이 굵은 섬유의 주변이나 혈관의 주위에 분포하고, 콜라겐의 대사회전, 치아의 이동, 콜라겐 미세섬유의 형성과 관계있는 것으로 밝혀졌다. 그 밖의 소량 존재하는 콜라겐의 기능은 분명하지 않다. 포유동물 치주인대의 콜라겐 섬유 직경은 상대적으로 얇아서 45~55nm로 단일모드(unimodal)이다. 이에 비해 다른 결합조직, 즉 힘줄의 경우 직경이 거의 250nm에 이른다. 치주인대에서 이렇게 섬유 직경이 얇은 이유는 교체율이 빨라 성숙된 콜라겐 섬유가 없기 때문이라 생각한다. 악어의 경우 치주인대 직경이 250nm에 달하나 교체율이 아주 느리다는 것도 밝혀졌다. 그럼에도 불구하고 설치류와 같이 계속 자라 교체율이 빠른 절치와 더 이상 계속 자라지 않아 교체율이 느린 구치 사이에서 섬유 직경의 뚜렷한 차이는 발견할 수가 없다. 동시에 성숙한 사람 치주인대에서 섬유 직경은 증가하지 않는다.

콜라겐 가교로는 이미 치은 콜라겐 가교에서 다루었듯이 히스티디노하이드록시메로데스모신(histidinohydroxymerodesmosine)과 하이드록시라이시노노어로이신(hydroxylysinonorleucine)이 주로 나타나며, 소량의 데하이드록시라이시노노어로이신(dehydroxylysinonorleucine)이 검출된다. 가교 형성에 관여하는 라이실 옥시다제(lysyloxidase)의 저해제인 라티로젠(lathrogen)을 투여하면 치아의 가동성이 증대 하는 것으로 보아 가교가 치조 내에 치아를 고정하는 중요한 역할을 하는 것을 알 수 있다. 다른 결합조직과 달리 치주인대에서는 전 콜라겐 양에 대해서 환원성 가교의 비율이 나이가 들어도 감소하지 않는다. 이러한 사실은 환원성 가교가 비환원성 가교로 이행하지 않을 때 콜라겐이 활발하게 대사되고 있다는 것을 반영하는 것으로 생각한다. 콜라겐 가교와 마찬가지로 중성염 및 산가용성 콜라겐 분획 비율도 나이가 들어도 거의 변화하지 않는 것으로 밝혀졌다.

② 프로테오글리칸

연골과 같은 프로테오글리칸이 풍부한 조직에 비하면, 치주인대 중의 프로테오글리칸 함량은 낮다. 사람 치주인대의 전 헥소사민(hexosamine) 함량은 건조 중량 100g당 0.7g이며, 글리코사미노글리칸 함량은 치수보다 낮지만, 히알루론산, 콘드로이틴황산, 헤파린황산, 더마탄황산의 존재와 이들에 대응하는 프로테오글리칸인 베르시칸, 데코린 더마탄황산프로테오글리칸(proteodermatan sulfate) 등이 면역조직화학적으로 동정된다. 또, 소 치주인대에서도, 히알루론산, 콘드로이틴 4- 및 6-황산, 저황산화 콘드로이틴황산, 헤파린황산, 더마탄황산이 동정되고 있지만, 두 조직 모두에서 그러한 글리코사미노글리칸 함량에 대해서는 보고가 없다. 치주인대에는 더마탄황산이 가장 많이 들어 있다. 이 연구에서 더마탄황산 프로테오글리칸과 더마탄황산과 콘드로이틴 4-황산이 함유된 혼합 하이브리드 프로테오글리칸 2종류가 보고되었다. 글리코사미노글리칸 사슬은 분자량이 18~20kDa로 프로테오글리칸 당 2~3 글리코사미노글리칸 사슬을 함유하고 있다. 특히 단백질은 세린과 트레오닌 함량이 낮으며, 로인신, 이소로이신, 라이신 및 히스티딘 함량은 높다. 핵심 단백질은 60~70kDa이며, 치주인대의 프로테오더마탄황산의 경우 전체 분자량은 130kDa로 피부에서보다 훨씬 크다.

프로테오글리칸은 분자에 수산기(−OH)가 많기 때문에 대량의 물 분자와 결합해 점성이 있는 겔(gel)을 형성하며, 조직에 탄성을 부여하는 사실에 대하여는 이미 앞에서 기술하였지만, 이 기능은 치주인대가 발성, 연하(삼킴), 저작 시에 가해지는 힘을 보상하기 때문에 아주 큰 의미를 가진다.

③ 당단백질

치주인대 단백질로 주된 것은 전 단백질의 약 43~52%(건조 중량)를 차지하는 콜라겐이지만, 상당한 양의 당단백질도 생리식염수로 추출된다. 이 당단백질의 대부분은 혈청유래이다. 이미 앞에서 기술한 것처럼, 치주인대는 혈관이 풍부하게 분포하기 때문에 혈관 밖 조직 간질액으로 비축된 양은 상당히 많다. 치주인대의 비콜라겐성 단백질은 전 단백질의 약 30%를 차지하지만, 이 비콜라겐성 단백질의 약 65%, 즉, 전 단백질의 약 20%가 혈청 유래의 당단백질이다. 나머지, 즉, 전 단백질의 약 10%는 프로테오글리칸(3.6%)과 결합조직 당단백질(6.4%)로 구성된다. 결합조직 당단백질은 여러 추출 조작에 저항성을 보이고 있으나, 주된 세포외 매트릭스 성분인 콜라겐, 엘라스틴은 프로테오글리칸과 강하게 결합하고 있는 것으로 생각한다. 이들로는 파이브로넥틴, 미세원섬유단백질(microfibril protein), 프로테오글리칸의 링크단백질(link protein) 등의 결합조직성 당단백질이 발견되고 있다. 이들은 치주인대의 섬유, 막성분과 세포와의 상호작용에 중요한 역할을 하고 있다. 그 외 성분으로 시멘트질과 치주인대에서 재생에 중요한 사이토카인이 발현되고 있다.

④ 옥시탈란 섬유

1958년 풀머(Fullmer HM)와 릴리(Lillie RD)에 의해서 발견된 섬유성분으로, 조직 절편을 산화한 후에 엘라스틴을 염색하면 광학현미경하에서 관찰할 수 있는 섬유 성분이다. 전자현미경상에서는 미성숙 탄성 섬유와 흡사한 섬유로 관찰된다. 이러한 섬유를 옥시탈란 섬유(oxytalan fiber)라 부르고 있다. 근년, 이 섬유의 실체가 350kDa의 피브릴린(fibrillin)이라 하는 당단백질을 주성분으로 하고, 그 외에도 많은 당단백질을 함유한 엘라스틴 결합 마이크로피브릴(microfibril)로 밝혀졌다.

치주인대 중에서 옥시탈란 섬유가 뻗는 방향은 콜라겐섬유와는 분명한 차이가 있어서, 치근부 시멘트질에서 치조골로 향하는 것이 아니라, 치축 방향으로 뻗는다. 그 기능은 아직 명확하지 않지만, 엘라스틴 섬유와 같은 작용을 할 것이라 시사되었다.

⑤ 치주인대의 기능

생리적 치아 이동이란 특저 위치에 도달하여(attain) 그 기능적 위치를 유지하는 것이다. 이러한 이동은 악골 내에서치아의 발생단계와 구강 내에서의 기능적 단계를 포함하는 기간에 축이동(axial movement)과 비축이동을 포함한다. 이러한 일들은 치아 성장, 맹출 및 밀림(drift)과 연관되어 있으며, 치아에 가해지는 생리적인 외력이 작용함으로써 생성되는 이동과 연관이 있다. 치주조직은 바로 이런 이동을 생성하기도 하고 저항하기도 한다. 치아의 발생단계는 미맹출단계(preeruptive phase), 맹출단계(eruptive phase) 및 구강내 단계(intraoral phase)로 나눌 수 있다.

치주인대의 주된 기능은 ① 치아의 맹출 운동에 관여, ② 맹출한 치아의 치수 내 고정 및 ③ 교합에 의해 발생되는 압력을 완충 하는 것이라 생각된다. 또, 치주인대는 ④ 그 신경분포에 의해서, 상하악의 올바른 위치를 결정하는 일종의 감각수용기로서 중요한 기능을 하고 있다.

2 치주조직의 파괴와 재생

1) 치은조직의 파괴

치주질환이란 치은, 치조골, 시멘트질 및 치주인대에 영향을 주는 모든 병리학적 과정을 포함한다. 눈에 띄는 치주질환은 치아와 인접 조직 표면에 집락을 형성한 세균에 의해 형성된 산물에 반응하여 염증을 일으키는 것이 특징이다. 이러한 치주조직의 염증질환은 임상적으로 크게 둘로 구분되어 치은염(gingivitis)과 치주염(periodontitis)으로 나눈다. 이것은 염증 상태가 치은에 국한되어 나타나는지 아니면 시멘트질, 치주인대 및 치조골까지 확산되었는지에 따른 구분이다.

치주질환으로 다양한 급성 및 만성 치은염과 적어도 3종류의 치주염 서브클래스(subclass)가 기술되고 있다. 만성 치은염과 급성 괴사성 궤양성 치은염(acute necrotizing ulcerative gingivitis, ANUG, Vincent's infection)이 가장 흔한 치은염의 형태이다. 일반적으로 만성 치은염은 통증이 없으며, 치은 적혈구혈증(gingival erythemia)을 일으켜, 영향 받은 부위가 부종과 출혈로 인해 치은 외형이 변화한다. ANUG는 만성 치은염과 달리 통증이 있으며, 치간 부위에 궤양과 괴사가 동반된다. 치주염은 만성 성인성 치주염(chronic adult periodontitis), 급진성 성인성 치주염(aggressive adult periodontitis) 및 유년성 치주염(juvenile periodontitis)으로 분류한다. 모든 치주염은 시멘트질에 대한 치주인대 부착 소실, 치조골 흡수 및 치은과 치아 표면 상이에 상피로 둘러싸인 치주낭의 형성이 일어난다. 임상적으로 화농과 출혈이 치주낭에서 볼 수 있다. 이 결과 치아 동요와 심한 경우 치아탈락까지 일어날 수 있다. 만성 성인성 치주염의 경우 이런 과정이 서서히 일어나며 모든 치아가 영향을 받는다. 급진성 성인성 치주염과 유년성 치주염은 각각 젊은 성인과 청소년기에 치주 지지를 소실한다. 전자의 경우 일부 치아만이 영향을 받지만 특정 치아에서만 일어나는 경우는 아직 보고되지 않았다. 그러나 유년성 치주염의 경우 주로 영구치 구치와 절치에 국한되어 잘 나타난다. 만성 치은염과 만성 성인성 치주염이 가장 흔한 치주질환이며, 치주 병리의 90% 이상이다.

치은염의 개시와 진행은 치은연(gingival margin) 근처의 세균 축적에 의존되는 것 같다. 또한 병의 진행과정이 치은염, 치주염 및 치조골 소실 여부를 떠나 구강 위생 정도와 치주질환의 심한 정도 사이에는 아주 밀접한 관련이 있다. 역학조사 경우 치태와 치주질환의 긍정적 상관관계 역시 강하다. 치주조직에 손상을 주는 세균 산물의 기원을 설명하기 위해 3가지 일반적인 가설이 제시되었다. 즉, ① 유해성 산물은 구강 내 상주균으로 존재하지 않는 외인성 세균에서 기인한다. ② 구강 내 토착 세균총(indigenous flora)의 비특이적 증가 결과로 인한 유독물질의 증가에서 기인한다. ③ 세균총에 있어 소수이던 특이 세균 종이 우세해지는 전이(shift) 결과에서 기인한다. 치주가 건강한 사람과 병적 상태인 사람의 세균총이 서로 다르다는 것은 분명하게 나타나지 않으나, 외인성 세균에 의해서라기보다 상주균총의 역할이 중요하다는 증거들이 있다. 21일간 구강위생을 하지 않아 치태를 축적시킨 경우 세균총의 양뿐만 아니라 질적이 차이가 나타난다. 이렇게 구강위생을 하지 않은 경우 임상적으로 치은염이 나타나며, 치은연에 치태가 축적된다. 다시 구강위생을 시작하면 치은염이 경감된다. 이때 초기와 말기에 치태를 도말하여 관찰하여 보면 초기에는 거의 대부분이 그람양성구균과 짧은 간균이나 2~3 주 후에는 50% 그람양성구균과 짧은 간균, 30% 그람음성구균과 짧은 간균으로 변화되며, 8% 퓨소박테리아(fusobacteria)와 4% 나선균(sprilla)과 스피로헤타(spirochetes)로 구성된다. 만성 성인성 치주염의 경우 그람음성혐기성균이 가장 흔하게 분리되며, 전에는 *B. melanogenicus* ssp. *asaccharolyticus*로 분류되던 *B. gingivalis*와 *B. assaccharolyticus*가 가장 많이 분리된다. 유년형 치주염의 경우에는 *Capnocytophaga* sp.와 *Actinobacillus actinomycetemcomitans*가 많이 동정된다. 만성 성인성 치주염 환자에서는 *Capnocytophaga*가 발견되지만, 신속하게 진행성 뼈 소실이 동반된 환자의 경우 *Actinobacillus*가 발견된다. 급진성 성인성 치주염 환자에서 *B. capillus*가 50% 이상 차지한다.

(1) 치주질환에서의 숙주 반응

치주조직이 건강한 사람에서 만성 치은염과 성인성 치주염으로 진행하는 동안 조직병리적으로는 서로 겹치는 4가지 단계가 일어난다. 초기단계는 연결 상피(junctional epithelium) 하방으로 호중구의 이동이 증가함과 동시에 동반되는 혈관염(vasculitis)으로 구성된다. 연결 상피에서의 변화와 혈관주위 콜라겐의 일부 소실이 관찰된다. 초기단계(early stage)는 치태 축적 4~7일에 시작된다. 이 단계에서 주로 림프구로 구성되는 염증 삼출액의 출현이 특징이며, 콜라겐 파괴의 지속 및 기저 연결 상피세포(basal junctional epithelial cells)의 증식이 일어난다. 계속해서 1주가 넘으면 형질세포(plasma cell) 수가 증가하고, 정착단계에서 염증 침윤이 현저해진다. 이 정착 병소는 임상적으로 만성 치은염에 해당하며, 더 이상의 심부 지지조직을 침범하지 않는다. 아직 규명되지 않은 조건에서 정착 병소는 진전단계(advanced stage)로 진행되기도 한다. 즉 치근 표면을 따라 치근단 쪽의 상피까지 확산되는 치주염으로 진행된다. 이후 치주낭이 형성되고 치조골과 치주인대도 파괴되어 결국에는 치아를 소실하게 된다. 주변 결합조직

이 파괴되고 콜라겐 분포의 변화가 동반된다. 즉, 콜라겐 분해효소의 증가, Ⅰ형 삼량체($[α1(I)]_3$)의 출현이 뒤따르며, 가교결합이 부실하여 수용성인 콜라겐이 증가한다. 세균 산물의 직접 및 간접 효과는 주로 면역계-매개 반응으로 나타난다.

(2) 단백질 분해효소에 의한 파괴

결합조직의 구조와 기능 유지에는 조직을 구성하는 섬유모세포의 증식과 아포토시스(apoptosis)에 의한 세포수의 제어와 세포의 기능 조절, 즉 세포와 매트릭스의 합성과 분해의 역동적인 평형에 의해서 유지된다. 이들은 세포에서 분비되는 성장인자나 사이토카인에 의한 신호, 세포와 매트릭스의 접착 인자를 통한 신호 등에 의해 제어된다(그림 14-10). 구강 내 세균은 직접 조직 손상을 유발하는 다양한 종류의 유독한 물질을 생성한다. 혼합배

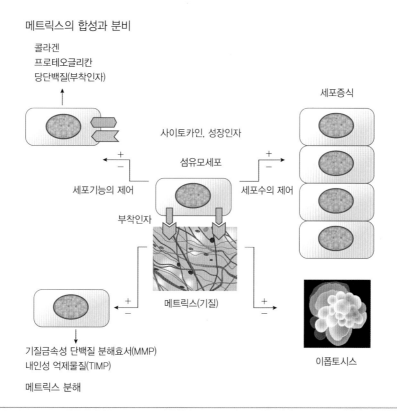

■ ▓ 그림 14-10. 치주 결합조직의 세포수와 기능의 동적 평형

Heti AF : Aspects of cell biology of normal periodontium. Periodontology, 2000, 3:64-75, 1993.

양이나 치주낭에서 비특이 물질로 암모니아, 황화수소(hydrogen sulfide), 인돌(indole) 및 다양한 유해 아민과 유기산을 생성한다. 세균이 침입하면 치은은 세균 자체의 조직 손상성 인자 외에도 호중구나 대식세포가 단백질 분해효소(protease)를 분비하며 다양한 세포에서 염증성 사이토카인이 분비되어 조직 손상에 수반되는 괴사에 의한 세포수의 감소와 비정상적 기능으로 치주조직의 평형이 깨지면 분해되는 쪽으로 기울어 조직은 파괴된다.

치태 유래의 리포다당[lipopolysaccharide(LPS) 또는 내독소(endotoxin)]으로 대표되는 세균성 항원 물질은 투과성이 높은 치은열구 상피 부착을 통해 치은조직 내로 침입한다. LPS는 직접, 혹은 항원-항체 결합물이 되어 보체계(complement system)를 활성화함으로써 Toll-like 수용체를 통해 사이토카인의 분비를 촉진한다. LPS는 직접 혹은 사이토카인을 통해 간접적으로 혈관의 부착 인자의 발현을 촉진함으로써 호중구(neutrophil)의 유주를 촉진한다. 호중구, 혈관내피에서 생

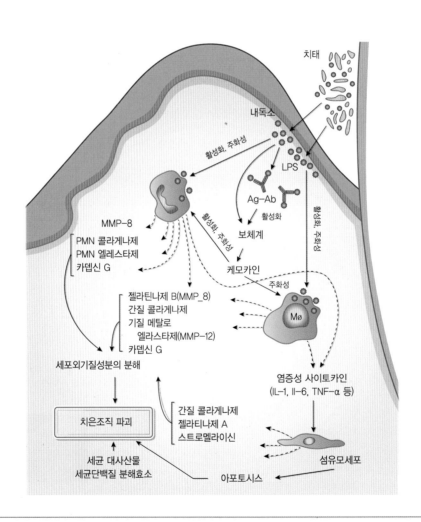

■■■ 그림 14-11. 치주조직의 파괴와 관계되는 기전

LPS : 리포다당, PMN : 호중구(다형핵백혈구), Ag-Ab : 항원 항체 복합체, MØ : 대식세포, IL : 인터류킨, MMP : 기질금속성 단백질 분해효소, TNF : 종양괴사인자

성하는 케모카인이나 LPS 자체의 호중구 주화 활성에 의해서 염증 부위로 호중구나 대식세포가 한층 더 많이 모이게 된다. 활성화된 호중구는 호중구 콜라겐 분해효소(MMP-8), 젤라틴분해효소 B(MMP-9), 호중구 엘라스타제(neutrophil elastase), 카텝신 G(cathepsin G), 용해소체 효소(lysosomal enzyme)를 세포 밖으로 방출한다. 이러한 효소는 서로 협조하여 콜라겐이나 프로테오글리칸 등 치은조직의 매트릭스 성분을 분해한다. 물론 치주병원균 유래의 진지파인(gingipain), 덴틸리신(dentilisin, chymotrypsin 유사 단백질 분해효소로 prolyl-phenylalanine-specific serine protease이다. *Treponema denticola*에 의해 생성된다)과 같은 트립신-유사(trypsin-like), 키모트립신 유사(chymo-trypsin-like) 단백질 분해효소는 LPS와 협조해 조직을 파괴한다. 또, 치주연하 치태에서 생성되는 치주질환 관련 세균의 대사산물인 프로피온산, 낙산(butyric acid) 등의 단쇄 지방산이나 황산화 화합물은 조직 손상성을 갖고 있다.

한편, 호중구나 대식세포는 인터류킨 1(IL-1)이나 종양괴사인자-α(TNF-α)로 대표되는 염증성 사이토카인을 방출해, 주위의 치은섬유모세포를 자극하고, 간질 교원질 분해효소(interstitial collagenase)를 중심으로 하는 기질금속성 단백질 분해효소(matric metalloprotease)의 생성을 촉진하지만, 이들 효소에 대한 억제물질인 TIMP의 생성은 거의 변하지 않거나 오히려 억제되기 때문에 이 양자간의 균형이 매트릭스 성분을 분해하는 쪽으로 기우는 결과가 된다(그림 14-11). 이 단계에서 병리 조직적 소견은 치은조직 내로 호중구의 뚜렷한 침윤과 콜라겐 섬유의 현저한 분해를 보이고 있어 앞에서 기술한 면역학적 및 생화학적 병태상과도 잘 일치된다. 이 중 특히 흥미로운 점은 염증 치은 내에서 Ⅰ형 콜라겐과 비교해 Ⅲ형 콜라겐의 특이적으로 신속하게 분해되는 것을 볼 수 있는 점인데, 이것은 호중구가 Ⅲ형 콜라겐 분해효소 작용을 가지는 호중구 엘라스타제가 Ⅰ형 콜라겐

을 주로 분해하는 호중구 콜라겐 분해효소(MMP-8)와 비교해 대량(단백질량으로 약 50배)으로 방출된다는 사실을 같이 고려해보면 쉽게 이해할 수 있다. 성인형 치주염 환자에서는 호중구 유래의 분해효소가 주 역할을 하는데 비하여 유년성 치주염 환자에서는 섬유모세포 유래의 분해 활성이 주 역할을 한다. 물론 호중구의 부착이나 유주의 장애는 유년성 치주질환에서 병의 진전에 중요한 인자의 하나로 작용한다.

(3) 사이토카인과 조직 손상

염증성의 자극을 받은 호중구나 대식세포, 림프구 등의 염증성 세포, 또 치주조직의 섬유모세포에서는 케모카인이나 IL-1, IL-6, TNF-α 등 여러 가지 사이토카인이 분비되어 더 많은 아라키돈산 대사산물이 생성된다. 케모카인은 더욱 더 많은 염증 세포의 집적을 재촉한다. 이들은 생체 방어반응임과 동시에 염증을 증오시키는 물질로, 이들이 상호간에 작용해 염증의 병태는 수식된다.

주로 대식세포에서 분비되는 IL-1, IL-6, TNF-α는 뼈 파괴에 중요한 역할을 담당함과 동시에, TNF-α는 치은섬유모세포에서 콜라겐 분해효소의 합성을 촉진해서 IL-6 분비, 접착인자 발현 등 염증을 한층 더 심하게 한다.

2) 치조골의 흡수

만성 변성 치주염(chronic marginal periodontitis)에서 볼 수 있는 치은염에서 진행성, 파괴성의 병태, 즉 치주염으로 이행은, 치태(plaque) 유래 세균성 항원에 의한 T 림프구의 모세포화(balstogenesis) 현상, 항원과 반응하는 T 림프구의 클론 증대와 더불어 대식세포 활성화 인자[macrophage activating factor(MAF), 활성화 T 세포에서 분비되는 사이토카인으로 대식세포

의 유주를 억제하거나 글루코코르티코이드(glucocor-ticoid)에 대항하는 작용을 가지는 사이토카인], 대식세포 유주저지 인자(macrophage migration inhibitory factor, MIF), IL-1β, TNF-β라고 하는 사이토카인이 분비되는 것으로 시작된다. 또, 활성화된 대식세포에서 분비되는 프로스타글란딘 E(주로 PGE₂)는 혈관 투과성 항진, 백혈구의 유주, 파골세포의 형성, 섬유모세포의 변성 등의 작용을 개입시켜 통해 염증을 확대하여 진전시킨다(그림 14-12).

활성화 파골세포는 치조골의 흡수를 진행하며 골모세포에 의한 매트릭스 합성의 저해와 더불어 종국적으로 치아의 탈락이라고 하는 결과로 끝난다. 이 치조골의 흡수에서 치아의 탈락으로 진행하는 과정은 거시적으로 보면 생체가 자기의 일부인 치아를 어떠한 사정으로 비자기라고 인식하여 배제하려는 일련의 면역반응으로 볼 수 있다.

IL-1β나 PGE₂에 의해 활성화된 파골세포는 세포내 신호전달과정을 거쳐 뼈 표면에 접착하여 파상연(ruffled

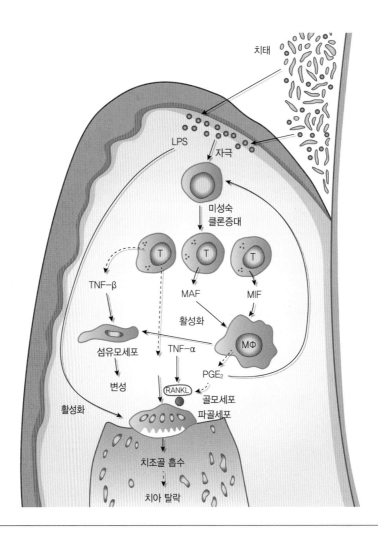

■▥▒ **그림 14-12. 치주조직의 흡수와 관계되는 기전**

LPS : 리포다당, T : T세포, MAF : 대식세포 활성화 인자, MIF : 대식세포 유주 저지 인자, PGE₂ : 프로스타글란딘 E₂, RANKL : 파골세포 분화 인자

border)과 뼈 흡수면과의 사이에 소와(pit), 즉, 뼈를 용해하기 위한 미세 폐쇄환경을 형성한다. 이 소와 내에는 탄산탈수효소(carbonic anhydrase)의 작용으로 생성되어 분비된 H^+에 의해 소와내 pH가 4~5 정도의 산성 환경이 유지되며, 골염(bone salts)의 용해가 진행된다. 이러한 골염의 용해, 즉, 탈회 결과 노출된 I형 콜라겐이 주성분인 뼈 매트릭스의 유기성분은 주로 용해소체(lysosome) 효소, 특히 그 중에서도 시스테인을 함유한 단백질 분해효소(cysteine protease)인 카텝신 L(cathepsin L)에 의해 분해된다.

또한 세균 유래 성분의 일부는 세포 내로 진입하여 세포 내 수용체를 통해 염증 반응을 증강하는 작용도 있다. 즉, 펩티도글리칸(peptidoglycan)의 구성성분인 뮤라밀 디펩타이드(muramyl dipeptide, MDP)는 대식세포 내로 진입해서 세포 내 수용체인 뉴클레오티드 결합 올리고머화 도메인 2(nucleotide-binding oligomerization domain 2, NOD 2)에 결합하여 LPS나 TNF-α가 유도한 사이토카인 생성을 상승적으로 항진한다. 유도된 사이토카인은 골모세포에 작용하여 RANKL 발현을 상승시키고, 국소의 파골세포 분화 및 활성화를 촉진한다.

3) 치주질환에서 결합조직

치주염이 존재하는 경우 치은결합조직은 치태가 축적된지 3~4일 내에 파괴되며, 치은열구와 상피접합부 내로 다형핵백혈구(polymorphonuclear neutrophils, PMN)가 이동된다. 만성 치주염의 경우 치은결합조직, 치주인대 및 치조골, 나아가 치근부 표면까지도 포함하는 광범위한 파괴가 진행된다. 이러한 병소에는 혈청 세포나 림프구가 존재하고 있으나 대식세포와 호중구(PMN)에 의해 결합조직의 파괴가 일어난다. 제일 먼저 혈관을 둘러싸고 있는 콜라겐이 파괴되며, 염증 부위의 70% 콜라겐이 소실된다. 이러한 병소는 몇 년에서 10년까지 그대로 남아 있을 수도 있으며, 가역적일 수도 있다. 병이 계속 진행되면 치조골도 침범을 받고 심한 경우 치근부도 영향을 받아 치아를 상실하게 된다. 치주염이 지속되면 치은 교원질의 양적 및 질적 변화를 초래한다. 치주염의 경우 V형 콜라겐은 증가하여 III형 콜라겐 보다 많아지기도 하며, 새로운 콜라겐 형인 I형 동종 삼량체(homotrimar, α1[I]$_3$)가 출현한다. I형 동종 삼량체는 α1[I] 세 가닥으로 구성되며, 특정 유전성 콜라겐 질환이나 태생기 조직 또는 종양조직에 축적된다. 또한 비콜라겐성 치은 구성성분에도 변화가 일어나 비콜라겐성 단백질이 소실된다. 치은 프로테오글리칸의 경우 교원질만큼 변화가 일어나지 않지만, 병소의 중심부에서 매트릭스 프로테오글리칸이 소실된다. 염증성 치은에서 더마탄황산은 감소하며, 콘드로이틴황산은 증가한다. 특히, 염증성 치은조직에서는 프로테오글리칸의 핵심단백질(core protein)과 히알루론산의 파괴가 특징적 소견으로 나타난다. 염증세포에 의해 생합성 되는 주 프로테오글리칸은 콘드로이틴황산을 포함하기 때문에 콜라겐성 구성성분이 소실되면 더마탄황산은 감소되고 콘드로이틴황산이 증가하게 된다.

(1) 약품에 의한 치은비대

약품에 의한 치은비대(gingival hyperplasia)와 치은섬유종증(gingival fibromatosis) 경우 결합조직 구성성분들이 과도하게 축적된다. 약물에 의한 치은의 과도한 성장은 3가지 종류의 약물에 대한 부작용으로 나타난다. 간질치료약인 디페닐히단토인(diphenylhydantoin 또는 phenytoin), 이식수술 후 면역억제 목적으로 사용하는 사이클로스포린 A(cyclosporin A) 및 칼슘 차단제(calcium blocker)로 협심증 환자에서 관상혈관확장제로 사용되는 니페디핀[nifedipine, 디히드로피리딘(dihydropyridine)], 딜티아젬(diltiazem), 베라파밀(verapamil) 등을 사용하는 환자에서 일부 부작용

(adverse effect)으로 다양한 정도의 만성 염증성 염증과 함께 치은결합조직 내에 세포외기질 특히 콜라겐성 성분의 축적으로 특징되는 치은 과형성이 동반된다. 이러한 부작용의 발병률은 큰 폭으로 보고되고 있다. 즉, 페니토인의 경우 10~50%, 사이클로스포린 A 경우 8~70%, 니페디핀 경우 0.5~83%로 보고되고 있다. 이것은 각 약물의 카테고리에서 발병률의 정확한 결정이 어렵기 때문이다. 또한 보고된 발병률에서의 차이가 치은과성장에 대한 지침이 다르기 때문일 것이다. 더군다나 치은 염증 정도가 다양해서 감염이 치은과성장의 악화인자(exacerbation factor)로 작용하기 때문에 약물에 의한 과성장이라 결정하기가 쉽지 않은 것도 한 원인이 된다. 미국에서는 이 약들을 복용하는 나이든 환자의 약 5% 정도에서 이런 부작용이 나타난다. 약물 복용만으로 이러한 치은 과형성을 유발하기에는 충분하지 않아서 어떤 유전적 요인이나, 나이, 염증 등의 추가 요인이 필요하다. 이러한 치은 과형성이 나타나는 경우에 치은 변연과 치간 유두(interdental papillae)가 과도하게 성장한다. 결과적으로 치아는 밀리고 치관이 치은조직으로 덮이기도 한다. 임상적으로 마치 콜리플라워(cauliflower) 모양을 띠며, 병소 초기에는 특히 염증 세포가 많으나 후기에는 세포외기질과 세포의 비율이 정상으로 회복된다. 페니토인으로 유발된 치은비대에서 비콜라겐성 단백질도 증가한다. I형 콜라겐은 소실되고 III형 콜라겐은 증가되어 I/III 비율이 변하며, 전체적인 교원질 양도 증가한다. 흥미롭게도 무치융선(edentulous ridge)의 콜라겐 구성은 콜라겐종 비율이나 수산화 아미노산(하이드록시프롤린과 하이드록시라이신) 함량이 치은보다는 피부에 가깝다.

치은 과성정(또는 치은비대증)과는 달리 치은섬유종증은 유전성(hereditary)과 특발성(idiopathic)이 있으며, 진행성인 치은섬유의 증가가 특징으로 상염색체우성(autosomal dominant) 유전질환이다. 어린이에서 잘 발생된다. 부착치은과 변연 치은의 안면 쪽과 설측에 불규칙적으로 치은 증식이 일어난다. 약품에 의한 치은비대와는 달라서 염증성분이 없다.

① 치은결합조직 내로의 I형 콜라겐 축적

간질치료약, 면역억제제 및 칼슘 채널 차단제의 주 표적조직과 약리효과가 서로 다름에도 불구하고 치은결합조직에는 비슷하게 작용해서 섬유성 치은과성장을 일으킨다(그림 14-13). 약물에 의해 유발된 치은과성장은 전에는 조직학적 검사에서 치은결합조직 내에 섬유모세포의 수가 증가된다는 발견 때문에 치은비대(gingival hyperplasia, 또는 gingival hypertrophy)라는 용어로 사용되었다. 그럼에도 불구하고 초기에 사용되었던 이런 용어들은 확장된 치은의 조직학적 조성을 정확하게 반영하지는 못하고 있다. 치은섬유모세포의 증식 증가가 아니라 치은결합조직 내에 과도한 세포외기질의 축적으로 특히 콜라겐성 성분의 축적이 사람 치은과성장에서 관찰된다. 이러한 불일치는 치은섬유모세포의 증식을 자극하고 섬유모세포의 콜라겐 대사에 대한 강력한 영향을 주는 것으로 알려진 IL-1β와 같은 염증성 사이토카인의 생성 때문에 사람에서 치은 염증의 정도가 다양한 데서 기인된다. 그렇기 때문에 치은과성장을 일으키는 상황은 아주 복잡하다. 니페디핀, 페니토인 및 사이클로스

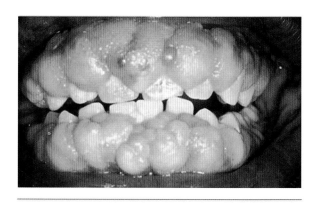

■■ 그림 14-13. 소듐 페니토인(phenytoin sodium)인 다일란틴(Dilantin)에 의해 유도된 치은비대

포린 A를 이용한 쥐에서의 실험은 염증세포는 거의 없고 치은결합조직 내에 세포외기질이 축적된다. 이들 실험의 경우 치은결합조직 내에 I형 콜라겐이 과도하게 축적된다. 그렇기 때문에 섬유증(fibrosis)으로 고려되며, 치은 비대보다는 치은과성장(gingival overgrowth)이나, 치은확장(gingival enlargement)이 더 정확한 말이다.

② 치은과성장에서 I형 콜라겐의 합성과 분해

콜라겐의 대사는 조직 부피를 유지하면서 콜라겐의 합성과 분해를 정확하게 균형을 맞추는 것이다. 일반적으로 섬유증은 콜라겐섬유 특히 I형 콜라겐섬유의 합성과 분해에 대한 항상성을 소실하여 콜라겐섬유가 과도하게 축적되는 것이다. 사람에서 약물로 유발된 치은과성장 환자로부터의 치은섬유모세포의 세포증식과 콜라겐 합성율은 이들 약물(니페디핀이나 페니토인)에 반응을 나타내지 않는 환자에서 보다 큰 경향이 있다. 더군다나 사이클로스포린 A는 사람 치은섬유모세포에서 I형 콜라겐 합성에 대한 자극효과가 있다고 보고되었다. 그럼에도 불구하고 in vitro에서 세포증식이나 콜라겐 합성에 대한 약물의 효과는 복잡하다. 세포증식은 니페디핀이나 페니토인에 의해 영향을 받지 않으며, 콜라겐 합성은 이들 약물에 영향을 받는다. 사람 치은섬유모세포에서 콜라겐 합성은 사이클로스포린 A에 의해 억제된다.

콜라겐은 콜라겐 분해효소를 분비하는 세포외경로에 의해 분해되거나 섬유모세포에 의해 세포내 경로를 통해 탐식되기도 한다. 콜라겐 분해효소에 의해 일어나는 경로는 조직 구조를 소실하나(예로 염증), 콜라겐 분해효소 비의존적인 세포내 경로는 콜라겐의 정상 교체에 있어 중요한 과정이다. 생리적 상태에서 치은조직 내의 콜라겐섬유는 항상성을 유지하기 위해 신속하게 교체된다. 사람에서 사이클로스포린 A로 유도된 치은과성장에 대한 형태학적 연구에서 섬유모세포에 의한 콜라겐의 탐식이 감소된다고 보고되었다. 또한 페니토인으로 유도된 치은과성장에서 분리된 섬유모세포는 건강한 치은

에서 분리한 섬유모세포보다 콜라겐 탐식이 떨어진다고 보고하였으며, 섬유모세포의콜라겐 탐식 역시 니페디핀과 페니토인의 직접적인 억제효과가 있다고 보고하였다. 사이클로스포린 A와 니페디핀은 I형 콜라겐과 콜라겐 분해효소의 mRNA 발현을 현저히 억제한다. 이러한 결과로 보아 약물에 의한 치은 과형성은 I형 콜라겐 섬유의 증가된 합성 때문이 아니라 섬유모세포의 콜라겐 탐식 감소를 통한 I형 콜라겐의 분해 감소 때문이라 생각할 수 있다.

(2) 치주조직 변화에 대한 생화학적 측면

병든 결합조직의 생화학적 조성은 염증이나 치유과정에 동반되는 다양한 분해나 생합성과 관련이 깊다. 염증성 치주질환의 경우 결합조직의 파괴가 동반된다. 염증 존재동안에 호중구와 대식세포가 매트릭스 성분을 분해하며, 이러한 파괴는 식균작용이나 염증세포에서 분비된 기질금속성 단백질 분해효소를 통해 일어난다. 특히 간질 콜라겐 분해효소인 MMP-1과 MMP-8, 젤라틴 분해효소(gelatinase)인 MMP-2와 MMP-9에 의해 콜라겐이 분해된다. 호중구는 급성 염증시 과립에서 많은 양의 MMP를 분비하여 짧은 시간 동안에 광범위한 콜라겐 분해가 가능하도록 한다. 콜라겐 종에 따라 MMP에 대한 감수성이 다르기 때문에 병든 치은조직에서 콜라겐종의 비율이 달라지는 것으로 생각한다. 즉, Ⅲ형 콜라겐은 MMP에 대한 감수성이 높아 더 많이 분해되고, Ⅴ형과 Ⅰ형 동종 삼량체는 MMP에 대한 감수성이 낮아 저항성이 있기 때문에 덜 분해되기 때문에 콜라겐 종의 비율이 달라진다.

치주염 환자의 치은열구와 침에서 콜라겐 분해효소와 젤라틴 분해효소 활성이 검출된다. 특히 치은열구 액내 주 효소는 MMP-8과 MMP-9이고 젤라틴 분해효소인 MMP-2나 스트로멜라이신-1(stromelysin-1, MMP-3)은 검출되지 않는다. 치은열구 액내의 MMP 활성은 테트라사이클린(tetracycline)에 의해 억제되는데, 이는 이

들 효소가 호중구와 백혈구에서 유래되었으며, 섬유모세포에서는 유래되지 않는다는 사실을 암시해준다. 즉, 섬유모세포에서 유래된 효소들은 테트라사이클린에 의해 억제되지 않기 때문이다. 성인이나 당뇨병 환자에서 발생되는 치주염의 경우 테트라사이클린에 의해 감수성이 있으나, 국소적인 유년성 치주염인 경우에는 비교적 테트라사이클린에 대한 저항성이 있어 치료 효과가 없다.

염증성 치은에서 콜라겐 분해효소는 섬유모세포나 상피세포에서 유래되기도 한다. 그러나 이들 효소는 병적 상태에서보다 개조에 관여한다. 그럼에도 불구하고 치주염의 전후관계로 보아 염증매개물질이나 치태 세균의 산물에 의해 자극을 받는 경우 섬유모세포나 상피세포도 콜라겐 분해효소를 분비하기도 한다.

(3) 결합조직 세포와 매개물질의 관계

섬유모세포는 정상 결합조직의 교체율을 조절하는 중요한 역할을 한다. 염증 치은조직에서 섬유모세포는 염증세포나 혈청 및 주변 환경에서 유래된 다양한 사이토카인이나 성장인자와 작용하여 치은 상주 세포의 성장이나 생합성 능력에 영향을 주어 염증 조직에 존재하는 분자들의 양이나 종류에 영향을 준다. 이러한 효과는 모든 세포에 영향을 주기도 하나 한 두 종류의 세포에만 연향을 주기도 한다. 후자의 경우 세포 중 일부만이 성장하며 산물의 양에 영향을 준다. 예로 약물에 의한 치은비대에서 기질 축적이 촉진되는 것이다.

(4) 치주질환과 전신질환

치주질환은 치주조직 국소에서의 병리생태이지만 전신질환인 골다공증이나 당뇨병과의 관련성이 최근 주목을 받고 있다. 폐경기 등에 의한 에스트로겐의 저하는 전신의 골밀도 감소뿐만 아니라 치조골의 골밀도에도 영향을 주는 인자이기 때문에 골다공증은 치주질환에 의한 치조골 흡수를 촉진하여 치주질환의 진행이나 치아 상실을 초래할 가능성이 있다. 그러나 골다공증은 호르몬 등의 전신성 인자와 환경 인자 등의 많은 인자가 관여하고 있어 현 시점에서는 치주질환의 위험인자로 단정하기에는 어렵고 잠재적인 위험인자로 생각되고 있다.

당뇨병의 경우 치주질환이 더 나빠지는 경향이 있다. 이것은 호중구 등의 면역 기능이 저하되었기 때문으로 세균 감염을 조장하여 치주질환이 진행된다고 생각되고 있다. 그러나 아직까지 정확한 기전은 밝혀지지 않았다. 또한 당뇨병 환자에서 국소의 염증 병소에서 생성되는 TNF-α가 혈당 조절을 나쁘게 한다는 보고도 있으며, 실제로 치주치료에 있어 당뇨병 환자의 혈당 조절이 된다는 증례는 당뇨병과 치주질환이 밀접하게 관련되어 있음을 시사해 준다.

치주질환과 심혈관질환 사이의 연관성에 대한 실질적인 역학적 증거들이 있다. 관찰된 연관성에 대한 생물학적 근거는 기술되지 않았지만, 문헌상으로 2가지 가설이 제시되었다. 첫 번째 가설은 균혈증(bacteremia)이 손상을 야기하는 내피세포에 대한 세균의 직접 작용 결과로 아테롬(또는 죽종, atheroma, 퇴행 변성을 일으킨 비후된 동맥 내막의 반점 덩어리로서 죽종성 경화증에서 일어난다) 형성이 뒤따른다. 이것은 클라미디아(Chlamydia)와 헬리코박터(Helicobacter) 감염이 심혈관 질환을 동반하였다는 것을 제시했던 심장학 문헌에서의 관찰을 연장한 것이다. 그럼에도 불구하고 염증을 치료하여 심혈관 질환을 방지하려는 여러 시도들은 부정적이었다. 또 다른 유력한 가설로는 치주질환과 심혈관질환과의 연관성은 염증과 관련된 공통 위험 인자의 결과라는 것이다. 최근 기념비적인 JUPITER Study로 증가된 전신성 염증[증가된 hsCRP(high sensitive C-reactive protein)]이 심혈관 리스크(risk)에 있어 중요한 결정자라는 믿을 만한 증거가 있다. 또 다른 독립적 관찰에서 hsCRP가 치주질환에서 증가되어 있으며, 이러한 증가는 치주질환 치료 경우 감소된다. 이러한 결과를 종합해 보면 증가된 염증성 표현형이 후천적이든 아니면 이미 유전적으로 결정되었든 치주질환과 심혈관질환 모두에서 주요한 위험인자이다. 이들 질환에서 염증성 표현형에 대한 용해 경로(resolution pathway)는 아직까지 밝혀지지 않았다.

(5) 회복과 재생

손상된 조직의 회복[repair, 상처가 반흔(scar)으로 남는 경우]은 모든 동물에서 중요한 생물학적 반응이다. 그러나 이러한 회복과정의 속성은 때로는 보상기능으로 간주된다. 이러한 관점에서 치주조직도 예외는 아니다. 치은염에 의해 영향을 받은 조직은 보통 완전한 형태와 기능이 재생(regeneration, 새로 만들어진 조직이 상처 받기 전 조직과 똑 같은 경우)되나, 모든 치주염의 경우에 해당되지는 않는다. 일단 파괴양상이 치주조직의 깊은 부위까지 침범된 경우에는 재생이 생각만큼 많이 일어나지 않는다. 치주치료의 주목적은 연조직 부착과 소실된 뼈의 회복을 돕는 것이다. 이러한 목적을 위해 세포외기질을 합성하고, 치은결합조직을 재생하며, 병적 상태의 치근부 표면까지 결합조직 섬유가 부착하도록 한다.

치주조직의 상처 실험을 통해 염증이 치유 반응의 중요한 과정인 것을 알 수 있다. 상처 치유반응은 상처 부위로 호중구가 이동되어 섬유소 응괴(fibrin clot)로 채워졌을 때, 염증 반응이 개시 된다. 처음에는 호중구, 그 뒤에 단핵구(또는 단구)와 대식세포가 손상된 조직과 외부로부터 들어온 이물질을 제거하는데, 이러한 "해체(demolition)" 상태는 식균작용과 이들 세포에 의해 분비되는 효소에 의해 수행된다. 이어서 혈관 내피세포(endotherial cell)가 활발하게 분열될 때 육아조직(granulation tissue)의 조직화는 모세혈관과 근섬유모세포(myofibroblast)를 형성하고, 결과적으로 섬유모세포가 기질 구성성분을 합성하기 시작한다. 육아조직은 궁극적으로 개조되고, 영구적인 회복조직으로 대체된다. 이러한 과정에는 다양한 종류의 세포와 분자들이 필요하며 이들에 의한 생화학적 측면에 대하여는 이미 앞에서 기술하였다.

4) 치주조직의 재생

일반적으로 손상을 받은 조직은 치유기전이 작용해 섬유모세포의 증식에 의해 반흔(scar)화 한다. 반흔화한 조직은 이미 치주인대나 흡수 된 골조직의 기능이 회복 되지 않는다. 파괴 된 조직을 재생하는 것은 치주질환의 치유, 치아의 이식이나 재식, 교정학적인 치유 등에 중요한 과제이다. 임상적으로는 인공적인 막을 치주조직의 결손부에 이식해서 증식능이 왕성한 섬유모세포의 침입을 막으면서 치주인대의 세포의 증식을 촉진하는 GTR(guided tissue regeneration) 법을 시행한다. 또, 법랑질 유래의 단백질을 이용해 이차적으로 치주인대 세포의 증식을 촉진하여 조직을 재생하는 일도 시도되고 있다.

치아의 발생과정에서 시멘트모세포나 치주인대 세포는 치소낭에서 발생한다. 사실, 치주인대는 다양한 세포로 분화할 수 있는 잠재능력을 가진 줄기세포(stem cell), 혹은 전구세포가 존재하는 것이 밝혀졌다. 이러한 세포는 배양 조건하에, 치주인대나 시멘트질에서 발견된다. 혈소판 유래 성장인자(PDGF), TGF-β, BMP(bone morphogenic protein), IGF-I, FGF 등의 사이토카인에 의해 시멘트모세포, 골모세포, 지방세포, 섬유모세포 등으로 분화하고, 시멘트질의 합성분비, 콜라겐의 합성분비, 알카리성 인산분해효소(alkaline phosphatase)의 발현, 석회화 결절의 형성 등 각각의 기능을 발휘하는 것으로 밝혀지고 있다. 즉, 이러한 줄기세포나 여기에서 유래한 미분화 전구세포군에 의해서 치주인대의 수복, 재생을 하고 있다. 이러한 세포군을 이용해 치주조직을 재생하려고 하는 것이 재생의학의 한 분야이다.

(1) 부착기관

부착기관(attachment apparatus)이란 시멘트질, 치주인대, 치조골의 3가지 조직의 총칭으로 치주조직에서 치은을 제외한 조직이다. 부착기관은 치아를 뼈에 고정하기 위한 조직 군이다. 시멘트질과 뼈(이 경우는 치조골)라는 2개의 경조직을 치주인대 중의 콜라겐섬유가 부착하여 있는 것이다. 발생학적으로 이 3조직은 치소낭(dental follicle)이라 하는 공통의 조상에서 분화한 것이다. 즉 치은은 같은 조상을 갖지 않는다. 시멘트질은 신체 중에서도 가장 연구가 이루어지지 않은 경조직이다. 그 이유 중 하나는 아직까지 시멘트질과 시멘트모세포의 표지자가 발견되지 않은 것이다. 그렇기 때문에 시멘트모세포의 배양실험이 불가능하다. 즉, 시멘트모세포의 표지자가 없으면, 시멘트모세포만을 단독 분리하여 취해 올 수도 없고, 미분화 세포가 시멘트모세포로 되었다고 하더라도 증명할 수 없기 때문이다. 아직까지 시멘트모세포의 세포주는 없다.

치주인대 세포를 분리하여 경조직을 형성하는 연구는 이제 쉬운 일이지만, 이것이 뼈인지, 아니면 시멘트질인지는 누구도 장담할 수가 없다. 시멘트질은 시멘트질 본체를 만드는 시멘트모세포와 샤아피 섬유를 만드는 섬유모세포의 공동 작업으로 형성된다. 시멘트질은 그 형성 부위에 따라 다르게 형성되기 때문에 세포의 유무와 섬유의 종류에 따라 시멘트질을 분류한다. 시멘트질에 파묻힌 세포(이 세포를 시멘트세포라 한다)의 유무에 따라 세포성 시멘트질과 무세포성시멘트질로 구분한다. 치경부 쪽의 시멘트질은 무세포성 시멘트질이고, 근단 쪽의 시멘트질은 세포성 시멘트질로 이루어진다. 조직유도 재생법(guided tissue regeneration, GTR) 후에 형성되는 시멘트질은 세포성 시멘트질이다. 또한 섬유 종류도 중요한데, 섬유모세포가 만드는 외인성 섬유와 시멘트모세포가 만드는 내인성 섬유로 구분된다. 외인성 섬유는 시멘트질에 매입되어 들어가면 샤아피 섬유라 하고, 내인성 섬유는 시멘트질 성분의 일부로 고유섬유라고 한다.

소실된 부착기관을 재생하는 재생요법(regeneration therapy)에는 여러 가지가 있다. 대표적인 것이 GTR 법이다. 신체의 일부가 노출되는 경우 외부환경으로부터 내부를 지키기 위해 상피가 그 사이에 벽을 만든다. 이

시간이 오래 걸리면 주위 세균과 이물질이 들어오기 때문에 상피의 재생속도는 주위조직보다 훨씬 빠르다. 그러나 치주질환에 의한 수직성 뼈 결손의 경우, 다른 조직 즉, 부착기관이 재생하기 이전에 이미 그 장소까지 상피가 방어벽을 쳐 버리기 때문에 부착기관이 재생할 장소가 없어지게 된다. 그러므로 상피에 의한 벽을 없애는 방법을 생각하게 되었다.

이러한 방법으로 상피를 외과적으로 절제하여 버리고, 뼈 결손으로부터 상피를 멀리하는 방법이 있으며, 페놀(phenol)과 같은 약제로 상피를 반복하여 소작하는 방법도 있다. 또 다른 방법으로 결손 부위를 유리 치은 이식으로 덮는 방법도 있다. 이식한 치은 상피는 혈액 공급이 불충분해서 괴사하지만, 결합조직이 살아남는 경우 결손 부위의 혈병 보존에도 유용하다. GTR의 경우 특수한 막으로 뼈 결손 부위에서 격리시키는 방법이다. 이 경우 치은 상피가 결손 부위로 들어가려고 해도 이미 GTR 막의 방어벽이 둘러쳐져 있기 때문에 안으로 들어갈 수가 없다. 또한 이 막이 부착기관 재생 장소를 확보해 주기 때문에 부착기관을 재생할 수 있는 세포에는 아주 좋은 환경을 제공하게 된다.

부착기관을 재생하기 위한 모든 성분은 치주인대 안에 들어 있다. 부착기관의 각 조직은 발생학적으로 한 조상에서 나오기 때문에 재생에는 부착기관 중의 치주인대 세포가 대표해서 활동하게 된다. 그렇기 때문에 GTR을 성공시키려면 치은은 배제하면서 재생 장소를 확보하고, 치주인대 유래의 세포가 많이 활동하게 만드는 일이다. 재생을 저해하는 치근면 상의 세포와 위해물질을 제거하여야만 한다. 그러므로 치근면의 활택이 필요하다. 종래 GTR 법에서 재생되는 시멘트질은 세포성 시멘트질이다. 오래된 시멘트질이나 상아질에서도 같은 세포성 시멘트질이 형성된다. 에 세포성 시멘트질은 조직 절편을 만들 때에 쉽게 벗겨지며, 그 부착 강도도 약하다고 생각한다. 그러므로 GTR 법에서 재생시키고자 하는 부

위는 본래 무세포성 외인성 섬유시멘트질이기 때문에 지금까지의 GTR 법에서는 진정한 의미의 재생이라 할 수가 없었다. 그래서 치주질환에 이환된 치근면에, 무세포성 외인성 섬유 시멘트질을 재생시키고자 하는 방법이 시도되었다. 엠도게인(emdogain®)의 주성분은 돼지의 치배에서 추출한 것으로, 아멜로제닌(amelogenin)을 주성분으로 하여 PGA(propylene glycol alginate)를 담체(carrier)로 하여 사용한다. 사람에서의 실험에서 세포성 외인성 섬유 시멘트질에 의한 부착기관의 재생이 확인되었다.

참고문헌

1. Cole AS, Eastoe JE Biochemistry and Oral Biology. Butterworth & Co. 1988.

2. Ferguson DB : Oral Bioscience. Authors Online Ltd. 2006.

3. Fredman G, van Dyke TE : Management of inflammation in periodontal disease. Proceedings of the 8th Asian Pacific Society of Periodontology Meeting 2009. 2010.

4. 박광균 : 경조직 및 구강 생화학-분자세포생물학. (주) 라이프 사이언스. 2013.

5. 하야카오 타로오, 스다 타츠오, 키자키 하루토시, 하타 유이치로, 타카하시 노부히로, 우다가오 노부우기 : 구강생화학. 4판. 이사야쿠출판. 2005.

6. 야마모토 히로마사 저, 권영혁, 박준봉 옮김: 일러스트로 배우는 치주생물학. 군자출판사. 2007

Dental Biochemistry for the Dental Hygienist

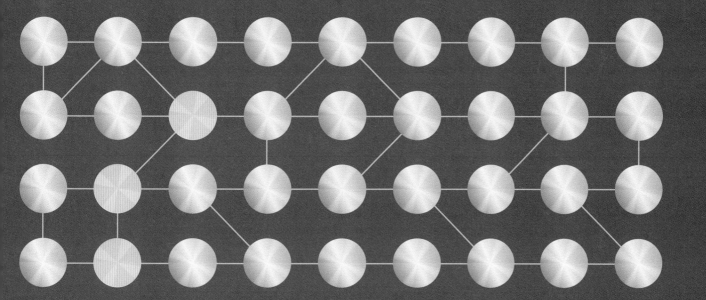

INDEX